히어로이트 지학사

개념 학습과 정리가 한번에 끝나는 기본서

개념쿨

통합과학

개념책

- 키워드와 흐름으로 풀어 가는 개념 학습법 도입
- 개념 이해를 위한 다양한 유형의 단계별 문제 수록

개념 학습과 정리가 한번에 끝나는 기본서

개념풀

통합과학

쉽게 풀어 이해가 잘 되는

개념책

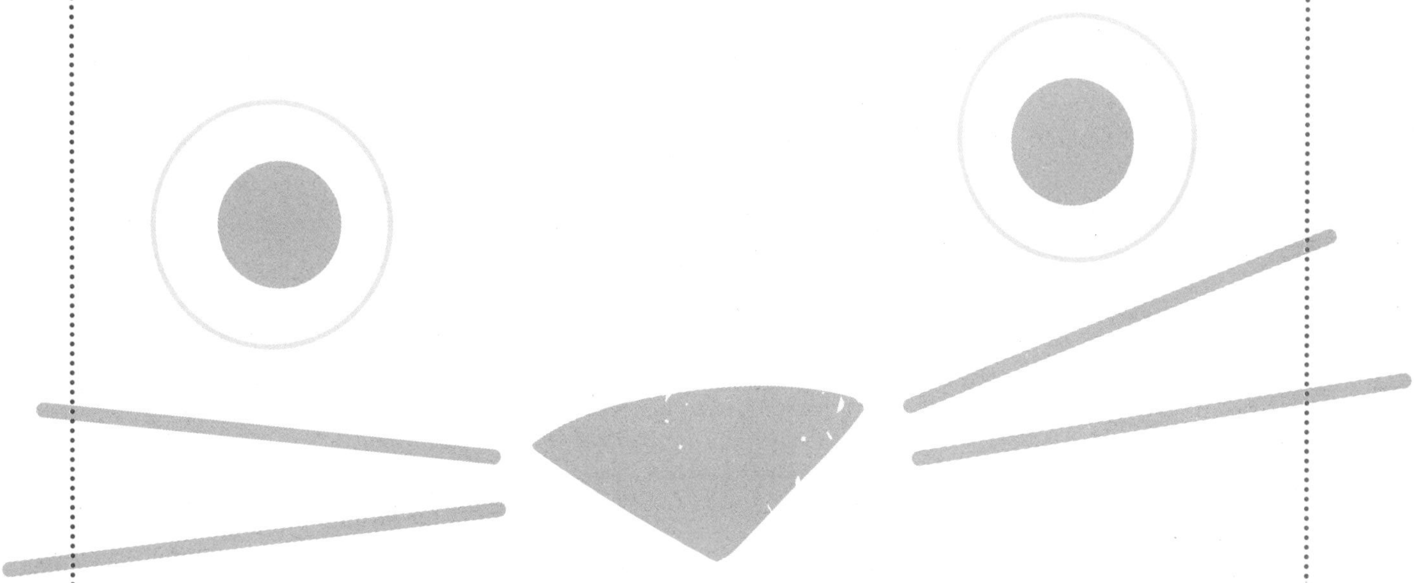

개념풀 통합과학

교재 특징

쉽게 풀어 이해가 잘 되는 **개념책**

이해하기 쉬운 개념 학습

▪ 대단원 도입 학습

'배울 내용 미리보기'로 대단원의 흐름을 한눈에 파악할 수 있습니다.

❶ 중단원별 핵심 개념어 한눈에 파악

❷ 짧은 스토리로 단원의 흐름 전개

▪ 본문 학습

최적의 개념 학습을 위한 코너와 주제별 호흡으로 구성하였습니다.

❶ '한줄 핵심'으로 중요 내용을 한눈에 파악

❷ '자료'와 '탐구'로 관련 내용을 쉽게 이해

❸ '용어 정리'를 통해 내용 이해에 도움이 되는 단어 정리

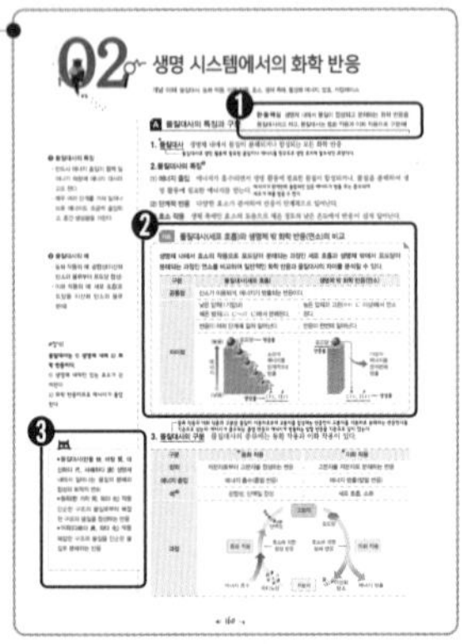

▪ 탐구 학습

개념 이해에 꼭 필요한 탐구를 빠짐 없이 수록하였습니다.

❶ '알쉬탐'으로 5종 교과서의 핵심 탐구를 철저하게 분석

❷ '확인 문제'로 얼마나 정확히 내용을 이해했는지 평가

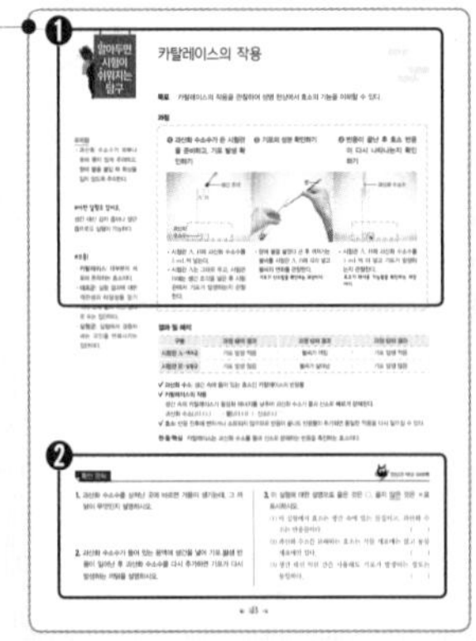

다양한 유형의 단계별 문제

▪ 개념+기본 문제

개념 확인에 적합한 유형을 엄선하여 구성하였습니다.

▪ 실력 올리기 문제

학교 시험 빈출 유형과 적합한 난이도로 구성하였습니다.

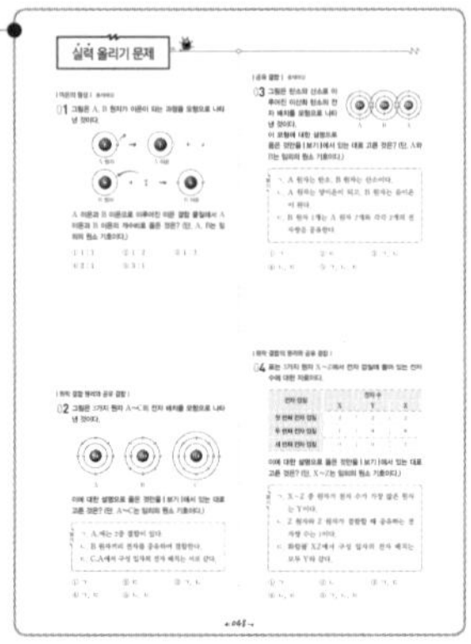

▪ 대단원 마무리

'한번에 정리하는 대단원 마무리'로 대단원 내용을 요약하였고, '한번에 끝내는 대단원 마무리'로 학교 시험에 대비할 수 있도록 구성하였습니다.

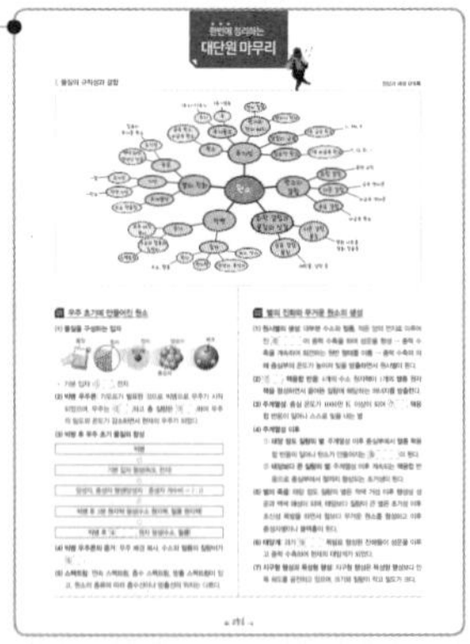

학습한 개념을 정리해서 보는 나만의 **정리노트**

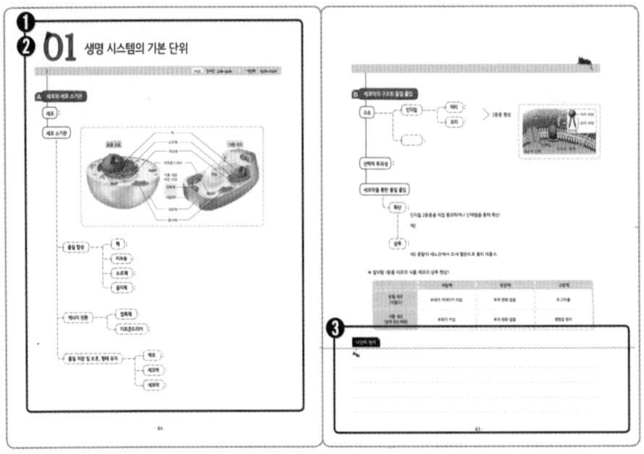

❶ 개념책의 흐름을 한눈에 살펴보고 스스로 정리해 볼 수 있도록 충분한 여백을 두고 구성하였습니다.

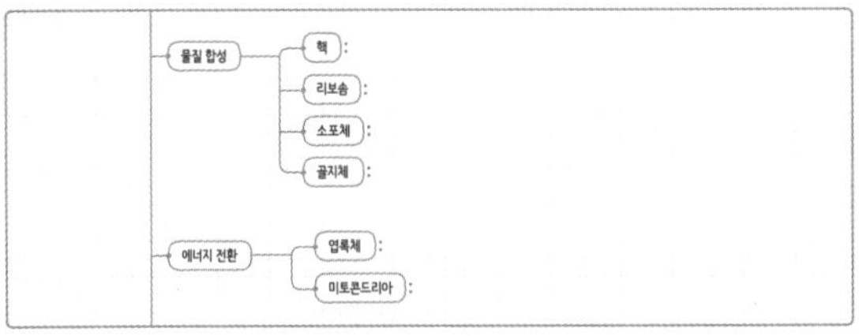

❷ 중단원별 2쪽 구성으로, 중단원 전체 중요한 내용을 개념책과 교과서를 보면서 단권화 할 수 있도록 최적의 노트 형태로 구성하였습니다.

❸ 시험에 꼭 나오는 개념과 그래프, 사진과 그림 자료에 스스로 필기를 하며 학습할 수 있도록 최적의 배치와 공간을 마련하였습니다.

나만의 정리

개념 학습을 더 쉽게 도와주는 **용어집**

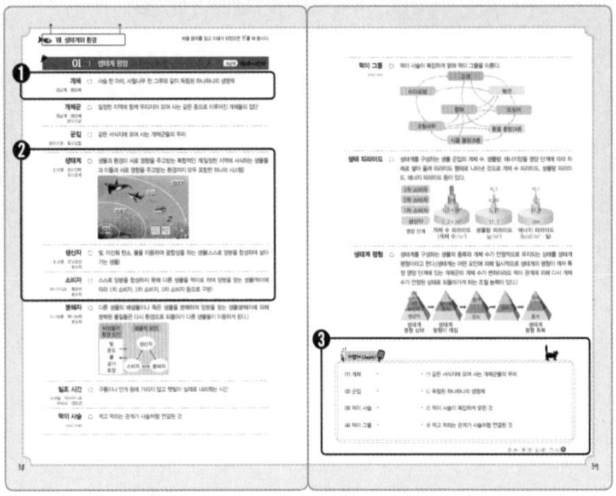

❶ 한자 풀이와 뜻풀이로 통합과학에 사용된 핵심 용어의 의미를 파악할 수 있습니다.

개체 □ 사슴 한 마리, 사철나무 한 그루와 같이 독립된 하나하나의 생명체
個낱개 體몸체

❷ 용어를 이해하는 데 도움이 되는 그림을 수록하여 용어를 더 쉽게 이해할 수 있도록 구성하였습니다.

생태계 □ 생물과 환경이 서로 영향을 주고받는 복합적인 계(일정한 지역에 서식하는 생물들과 이들과 서로 영향을 주고받는 환경까지 모두 포함한 하나의 시스템)
生날생 態모양태 系이을계

❸ 바로 위에서 학습한 통합과학 용어를 선 긋기로 가볍게 확인해 볼 수 있도록 하였습니다.

가볍게 Check!

(1) 개체 • • ㉠ 같은 서식지에 모여 사는 개체군들의 무리

(2) 군집 • • ㉡ 독립된 하나하나의 생명체

개념책과 1:1 맞춤 노트라 개념책을 보면서 정리해도 된다~옹!

그래도 어렵다면, 선배들의 노트정리를 참고해서 필기하면 좋다~옹!

개념풀 통합과학

교재 차례

학습이 끝나면 ☑표 하세요.

Ⅵ. 화학 변화

Ⅶ. 생물 다양성과 유지

Ⅷ. 생태계와 환경

Ⅸ. 발전과 신재생 에너지

교과서랑 비교하며 공부할 때 유용하다~옹!

개념풀과 우리학교 교과서 비교

우리학교 교과서가 개념풀의 어느 단원에 해당하는지 알려 주는 표시입니다.

	I. 물질의 규칙성과 결합	II. 자연의 구성 물질	III. 역학적 시스템	IV. 지구 시스템
개념풀	01. 우주 초기에 만들어진 원소 10~19쪽 02. 별의 진화와 무거운 원소의 생성 20~29쪽 03. 원소들의 주기성 30~39쪽 04. 원소들의 결합 40~49쪽 05. 화학 결합과 물질의 성질 50~55쪽	01. 지각과 생명체의 구성 물질 64~71쪽 02. 생명체의 주요 구성 물질 72~79쪽 03. 신소재 80~87쪽	01. 역학적 시스템과 중력 96~103쪽 02. 운동과 충돌, 그리고 안전 104~111쪽	01. 지구 시스템의 구성과 상호 작용 120~127쪽 02. 지구 시스템의 물질과 에너지 순환 128~135쪽 03. 지구 시스템과 지권의 변화 136~143쪽
금성	01. 물질의 기원 14~27쪽 02. 원소의 주기성 28~37쪽 03. 화학 결합과 화합물의 형성 38~53쪽	01. 지각과 생명체를 구성하는 물질의 규칙성 60~73쪽 02. 신소재의 개발과 활용 74~81쪽	01. 중력과 역학적 시스템 88~97쪽 02. 충돌과 안전장치 98~107쪽	01. 지구 시스템과 상호 작용 114~127쪽 02. 지권의 변화와 그 영향 128~139쪽
동아	01. 우주 초기의 원소 17~25쪽 02. 무거운 원소의 탄생 26~33쪽 03. 원소와 주기율 34~45쪽 04. 화학 결합의 형성 46~51쪽 05. 화학 결합에 따른 물질의 성질 52~55쪽	01. 지각과 생명체의 구성 물질 61~65쪽 02. 생명체 구성 물질의 다양성 66~72쪽 03. 우리 생활과 신소재 73~79쪽	01. 지구와 생명 시스템을 유지시키는 중력 91~97쪽 02. 운동과 충돌 그리고 안전 98~105쪽	01. 지구 시스템의 구성 111~117쪽 02. 지구 시스템의 상호 작용 118~124쪽 03. 지구 시스템과 지권의 변화 125~131쪽
미래엔	01. 우주 초기에 만들어진 원소 14~21쪽 02. 별의 진화와 원소의 생성 22~25쪽 03. 원소의 주기성 26~35쪽 4. 원소의 결합 36~41쪽 5. 화학 결합과 물질의 성질 42~48쪽	01. 지각과 생명체를 구성하는 물질 58~63쪽 02. 생명체의 주요 구성 물질 64~69쪽 03. 신소재 70~78쪽	01. 중력과 역학적 시스템 88~95쪽 02. 운동량과 충격량 96~104쪽	01. 지구 시스템의 구성과 상호 작용 114~121쪽 02. 에너지 흐름과 물질의 순환 122~127쪽 03. 지권의 변화와 판의 운동 128~136쪽
비상	01. 우주의 시작과 원소의 생성 13~19쪽 02. 지구와 생명체를 이루는 원소의 생성 20~27쪽 03. 원소들의 주기성 28~37쪽 04. 원소들의 화학 결합과 물질의 생성 38~43쪽 05. 우리 주변의 다양한 물질 44~50쪽	01. 지각과 생명체 구성 물질의 결합 규칙성 57~63쪽 02. 생명체 구성 물질의 형성 64~69쪽 03. 신소재의 개발과 활용 70~78쪽	01. 중력과 역학적 시스템 91~99쪽 02. 역학적 시스템과 안전 100~106쪽	01. 지구 시스템의 구성 요소 113~119쪽 02. 지구 시스템의 에너지와 물질 순환 120~125쪽 03. 지권의 변화 126~134쪽
천재	01. 물질의 생성 14~28쪽 02. 물질의 규칙성 30~39쪽 03. 물질의 결합 40~50쪽	01. 결합으로 이루어진 세상 62~72쪽 02. 물질의 재발견, 신소재 74~79쪽	01. 역학적 시스템 92~105쪽	01. 지구 시스템과 상호 작용 116~126쪽 02. 판 구조론과 지권의 변화 128~136쪽

I

물질의 규칙성과 결합

※ **나의 학습 일정표** : 스스로 계획하고 실천하면 실력이 올라갑니다.

단원명	내용 정리	알쉬탐 / 알쉬특	개념+기본 문제	실력 올리기 문제	대단원 마무리 + 문제
01 우주 초기에 만들어진 원소					
02 별의 진화와 무거운 원소의 생성					
03 원소들의 주기성					
04 원소들의 결합					
05 원소들의 결합과 물질의 성질					

* 내용을 공부하기 전에 용어집을 읽어 보면 공부가 쉬워져요!!

물질을 이루는 원소는 더 작은 입자로 나뉘는데 입자들은 우주가 시작된 뒤 만들어졌어. 입자가 만들어진 과정과 스펙트럼에 관해 알아보면서 우주가 어떻게 생겼는지 알 수 있어.

배울 내용 미리보기

용어집 2쪽

01 우주 초기에 만들어진 원소

A 물질을 구성하는 입자 #원자 #원자핵 #전자 #양성자 #중성자 #쿼크

B 빅뱅과 입자의 탄생 # 빅뱅 우주론 #기본 입자부터 원자까지

C 빅뱅 우주론의 증거와 스펙트럼 #수소와 헬륨의 질량비 #우주 배경 복사 #스펙트럼

용어집 3쪽

02 별의 진화와 무거운 원소의 생성

지구와 사람을 구성하는 물질은 우주를 구성하는 물질과 매우 다르지. 그렇다면 이 물질은 어디에서 왔을까? 별의 진화 과정에서 만들어지는 무거운 원소와 태양계에 무거운 원소가 들어있는 까닭을 알아보자.

A 별의 탄생 #별의 탄생 과정 #수소 핵융합 반응

B 별의 진화와 원소의 생성 #주계열성 #적색 거성 #초거성 #행성상 성운 #백색 왜성 #초신성 폭발

C 태양계의 형성 #태양계 형성 과정 #태양계의 특징

용어집 5쪽

03 원소들의 주기성

원소는 화학적 성질이 비슷한 원소들 사이에 규칙성이 있어. 이런 규칙성을 정리한 것이 주기율표지. 주기율표에서 주기와 족을 알아보고 원자의 전자 배치를 통해 같은 족 원소는 왜 화학적 성질이 비슷한지 알아보자.

A 원소와 원소의 분류 #원소 #금속 원소 #비금속 원소

B 주기율표 #주기율 #주기율표 #족 #주기

C 원자의 전자 배치 #전자 배치 #원자가 전자

D 알칼리 금속과 할로젠 원소 #알칼리 금속 #할로젠 원소

용어집 6쪽

04 원소들의 결합

원소들은 18족 원소와 같이 안정해지기 위해 전자를 잃거나 얻기도 하고 원소들끼리 전자를 공유하기도 하지. 그 과정에서 원소들끼리 이온 결합과 공유 결합을 형성해. 원소들 사이에 어떻게 결합을 형성하는 것일까?

A 화학 결합의 원리 #비활성 기체 #옥텟 규칙

B 이온 결합 #양이온 #음이온 #이온 결합

C 공유 결합 #공유 결합 #공유 전자쌍 #단일 결합 #2중 결합 #3중 결합

용어집 8쪽

05 원소들의 결합과 물질의 성질

A 이온 결합 물질 #이온 결합 물질 #이온 결합 물질의 성질 및 이용

B 공유 결합 물질 #공유 결합 물질 #공유 결합 물질의 성질 및 이용

원소들이 결합을 통해 이온 결합 물질과 공유 결합 물질을 형성하지. 이온 결합 물질은 녹는점과 끓는점이 높고 물에 잘 용해되며, 수용액 상태에서 전류가 잘 흐르지. 공유 결합 물질은 녹는점과 끓는점이 비교적 낮고 전기 전도성이 없어. 결합에 따라 왜 물질의 성질이 다른 것일까?

우주 초기에 만들어진 원소

개념 이해 기본 입자(쿼크, 전자), 양성자, 중성자, 빅뱅 우주론, 수소와 헬륨의 질량비, 우주 배경 복사, 연속 스펙트럼, 선 스펙트럼

A 물질을 구성하는 입자

한·줄·핵심 물질은 원자로, 원자는 원자핵과 전자로, 원자핵은 양성자와 중성자로, 양성자와 중성자는 쿼크로 이루어져 있지!

1. 물질의 구성 쿼크가 양성자와 중성자를 구성하고 양성자와 중성자가 모여 원자핵을 이룬다. 원자핵과 전자가 원자를 이루고, 원자가 모여 물질이 된다.

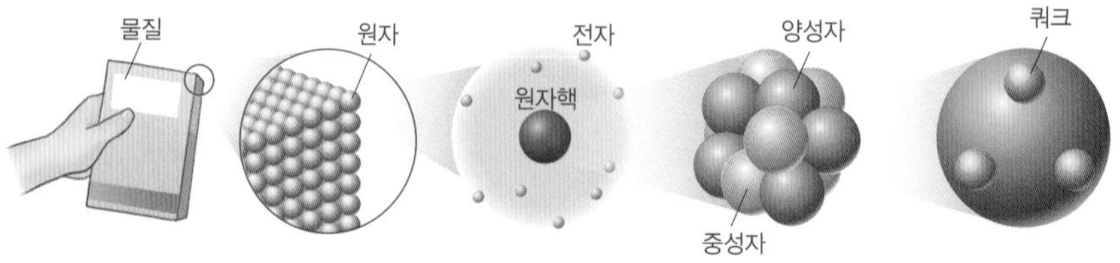

물질의 구성

2. 입자의 종류

(1) 기본 입자 더 이상 분해할 수 없는 물질의 기본 단위 입자로 쿼크[1]와 전자 등이 있다.

(2) 양성자와 중성자[2]

① 양성자: 위 쿼크 2개와 아래 쿼크 1개로 이루어져 있다.

② 중성자: 위 쿼크 1개와 아래 쿼크 2개로 이루어져 있다.

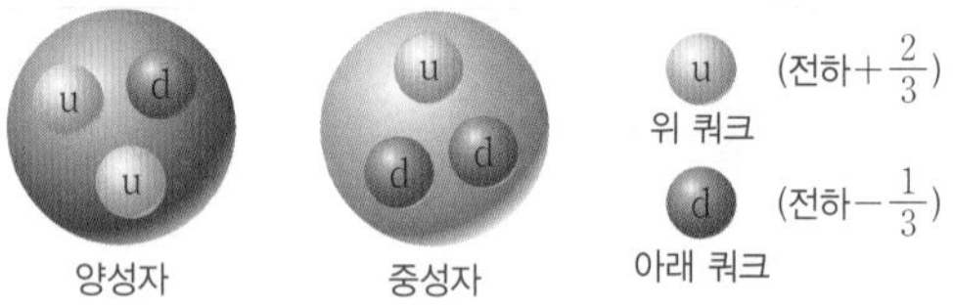

양성자와 중성자의 구성

(3) 원자핵 양성자와 중성자로 이루어져 있으며 양전하를 띤다.

(4) 원자 원자핵과 전자로 이루어져 있다. 원자핵은 양전하, 전자는 음전하를 띠고 있으며 원자는 전기적으로 중성이다. 원자는 화학 원소로서의 특성을 유지하는 범위에서는 가장 작은 입자이다.

B 빅뱅과 입자의 탄생

한·줄·핵심 우주가 약 138억 년 전 한 점에서 시작되면서 입자가 만들어지게 되었어.

1. 빅뱅 우주론 약 138억 년 전 한 점에서 빅뱅(대폭발)으로 시간, 공간, 에너지, 물질이 생겨났고, 점차 팽창하여 현재의 우주가 형성되었다는 이론

2. 빅뱅과 입자 빅뱅 직후 처음에는 초고온·초고밀도 상태였던 우주가 팽창[3]하면서 온도가 점점 낮아져 입자가 형성되었다.

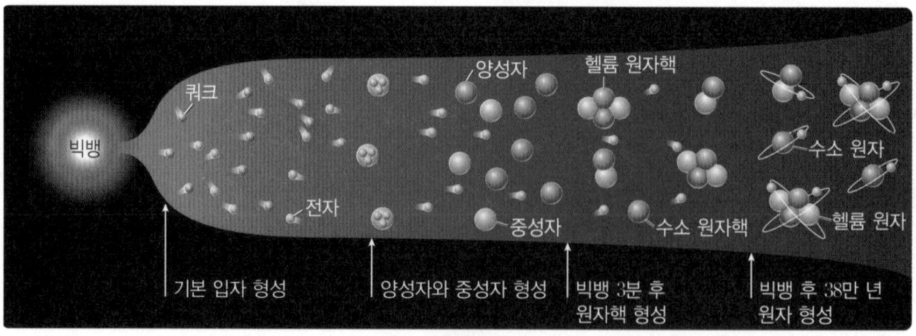

빅뱅과 입자의 탄생

---

❶ 쿼크의 종류
물질의 기본 입자인 쿼크에는 위(up), 아래(down), 맵시(cham), 야릇한(strange), 꼭대기(top), 바닥(bottom)의 6가지가 있다. 이 중에서 실제 우리 주변의 물질을 이루는 쿼크는 위 쿼크와 아래 쿼크이다.

❷ 양성자와 중성자의 전하량
위 쿼크는 $+\frac{2}{3}e$, 아래 쿼크 $-\frac{1}{3}e$이므로 양성자의 전하량은 $2\left(+\frac{2}{3}e\right)+\left(-\frac{1}{3}e\right)=+e$, 중성자의 전하량은 $\left(+\frac{2}{3}e\right)+2\left(-\frac{1}{3}e\right)=0$이 된다.

❸ 우주의 팽창

풍선 사이의 점이 멀어지는 것처럼 은하들의 거리가 멀어진다.

- 양성자(양 陽, 성질 性, 아들 子) 양의 전하를 갖고 있으며 중성자와 함께 원자핵을 구성하는 입자
- 중성자(가운데 中, 성질 性, 아들 子) 전하를 띠고 있지 않으며 양성자와 함께 원자핵을 구성하는 입자

3. 입자의 형성 과정 기본 입자(쿼크, 전자) → 양성자, 중성자 → 원자핵 → 원자 알쉬특

(1) 기본 입자의 탄생 빅뱅 직후 쿼크와 전자 등 기본 입자 형성

(2) 양성자와 중성자

① 빅뱅 직후 형성된 쿼크가 결합하여 양성자와 중성자 형성

② 양성자와 중성자[4]의 개수비

- 초기: 양성자와 중성자는 서로 바뀔 수 있었다. 양성자와 중성자의 개수비는 약 1 : 1
- 원자핵 형성 전: 우주의 온도가 내려가 중성자는 양성자로 변환되지만 양성자가 중성자로 변환되기 어려워졌다. 양성자와 중성자의 개수비는 약 7 : 1

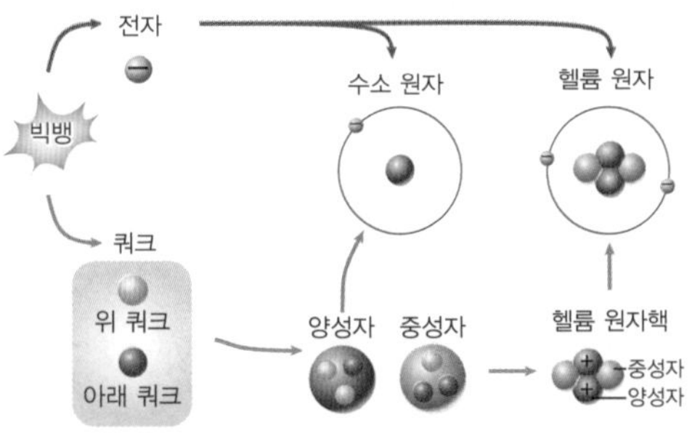

입자의 형성 과정

(3) 원자핵의 형성(빅뱅 후 약 3분)

① 양성자와 중성자가 결합하여 중수소 원자핵 형성

② 중수소 원자핵에 양성자와 중성자가 다시 결합하여 헬륨 원자핵 형성

(4) 원자의 형성(빅뱅 후 약 38만 년)

① 빅뱅 후 약 38만 년이 지나면서 우주의 온도가 약 3000 K로 낮아지자 양성자(수소 원자핵)에 전자 1개가 결합하여 수소 원자, 헬륨 원자핵에 전자 2개가 결합하여 헬륨 원자 형성

② 빛이 물질에 방해받지 않고 자유롭게 이동할 수 있는 투명한 우주가 된다. **우주 배경 복사**

③ 우주를 구성하는 원소의 대부분은 수소(H)와 헬륨(He)이다.

자료 빅뱅 우주론이 확립되기까지의 과정

아인슈타인(1917) vs 프리드만(1922)	**아인슈타인–정적 우주론** • 1917년 정적 우주론을 발표 • 우주는 중력 때문에 수축해야 하지만, 중력에 반대되는 힘(우주 상수)을 도입해 수축, 팽창이 없는 우주를 제시	**프리드만–팽창 우주론** • 우주 상수의 도입에 반대 • 1922년 우주가 팽창하며 밀도가 작아진다고 주장
허블(1929)	**허블–우주 팽창 발견** • 1929년 외부 은하를 관측한 결과 거리가 먼 외부 은하일수록 더 빠른 속도로 멀어지는 것을 발견하고 우주가 팽창하고 있기 때문이라고 설명 • 이 발견으로 아인슈타인은 1931년 우주 상수 삭제를 발표	
호일(1949) vs 가모프(1948)	**호일–정상 우주론** 우주가 팽창하면서 총 질량도 증가하여 우주 밀도와 온도가 일정 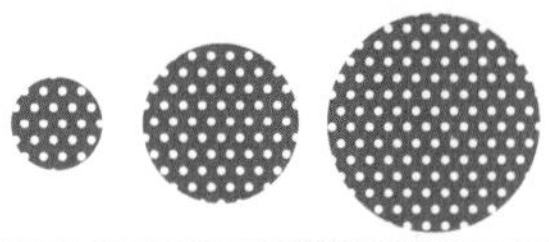	**가모프–빅뱅 우주론** 우주가 팽창하지만 총 질량은 일정하여 우주 밀도와 온도가 감소 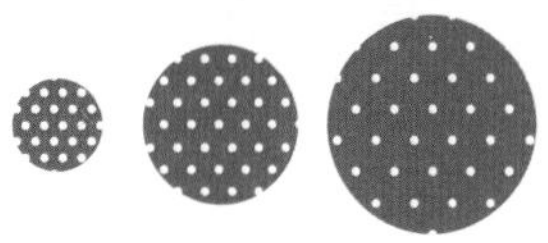
펜지어스 & 윌슨(1964)	**펜지어스와 윌슨–우주 배경 복사 발견** 빅뱅 우주론의 증거인 우주 배경 복사 발견	

❹ 양성자와 중성자의 변환

양성자는 에너지를 흡수해 중성자가 되고, 중성자는 에너지를 방출해 양성자가 된다. 우주의 온도가 높을 때는 양성자와 중성자가 서로 변환되었다.

점차 우주가 식으면서 중성자는 에너지를 방출하면서 양성자로 바뀔 수 있었지만 양성자는 에너지를 흡수하기 어려워졌다. 따라서 양성자의 수가 중성자보다 많아졌다.

#보충!

원자핵의 구조

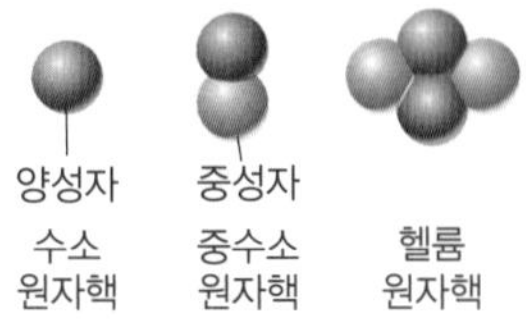

#보충!

우주 초기에 헬륨까지만 만들어진 까닭

수소와 헬륨보다 무거운 원소가 만들어지려면 핵융합 반응이 일어나야 한다. 그러나 우주의 온도가 핵융합이 일어나기에는 너무 낮아졌다. 나중에 별이 형성되어 핵융합 반응이 일어나 무거운 원소가 만들어질 수 있었다.

#암기!

기본 입자 → 양성자, 중성자 → 원자핵 → 원자(수소, 헬륨) → 별, 은하(헬륨보다 무거운 원소)

정답과 해설 002쪽

간단 점검

1. 원자는 원자핵과 (　　)(으)로 구성되어 있다.
2. 양성자는 어떤 기본 입자로 이루어져 있는가?
3. 우주 상수를 도입하여 정적 우주론을 발표한 사람은?
4. 원자핵의 전하는 (　　)(이)다.
5. 원자핵이 형성되기 전 양성자와 중성자의 개수비는?
6. 우주에 가장 많이 분포하는 원소 2가지는?

C 빅뱅 우주론의 증거와 스펙트럼

한·줄·핵심 원소마다 고유의 선 스펙트럼을 나타내기 때문에 별빛의 스펙트럼을 관찰하면 우주에 존재하는 구성 원소를 알 수 있어!

1. 빅뱅 우주론의 증거

(1) 수소 원자와 헬륨 원자의 질량비

① 빅뱅 후 수소 원자와 헬륨 원자의 질량비가 약 3 : 1

② 이론적으로 예측된 값과 관측된 값이 일치 — 스펙트럼을 이용해 우주의 원소 분포를 알아낸 것이다.

자료 수소와 헬륨의 질량비

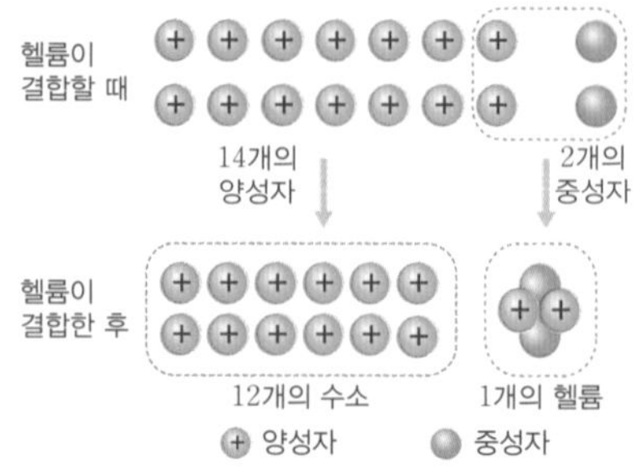

❶ 우주 초기 형성된 양성자와 중성자의 개수비는 7 : 1

❷ 빅뱅 후 약 3분 정도 지났을 때 양성자 2개와 중성자 2개는 헬륨 원자핵을 만들고 나머지 양성자는 수소 원자핵(양성자)이 된다.

❸ 양성자 질량과 중성자 질량은 거의 같다. 따라서 수소 원자핵(양성자)과 헬륨 원자핵의 질량비는 12 : 4 즉, 3 : 1 이 되었다.

(2) 우주 배경 복사❺ 우주의 온도가 3000 K가 되었을 때 우주로 퍼져 나간 빛

① 빅뱅 후 약 38만 년에 우주로 퍼져나간 빛이 현재는 파장이 길어진 상태로 우주의 모든 방향에서 관측되어야 한다.

② 약 3 K에 해당하는 우주 배경 복사가 실제로 관측된다. — 1964년 펜지어스와 윌슨이 관측하였다.

우주가 팽창하면서 파장이 길어져 3000 K에서 3 K로 변화

2. 스펙트럼과 우주의 구성 물질

(1) 스펙트럼 분광기•나 프리즘을 통과한 빛이 파장의 순서대로 펼쳐져서 나열된 색의 띠

(2) 스펙트럼의 종류와 특징

종류	연속 스펙트럼	선 스펙트럼❻	
		흡수 스펙트럼	방출 스펙트럼
모양			
특징	• 파장에 따라 색의 띠가 연속적으로 나타난다. (스펙트럼이 끊어지지 않고 연속적으로 나타난다.)	• 스펙트럼에 검은색의 흡수선이 나타난다. • 흡수선의 위치는 저온의 기체를 이루는 원소의 종류에 따라 다르다.	• 특정 파장에서 밝은 방출선이 나타난다. • 방출선의 위치는 고온의 기체를 이루는 원소의 종류에 따라 다르다.
예	백열등	별빛, 외부 은하	방전관등
원리	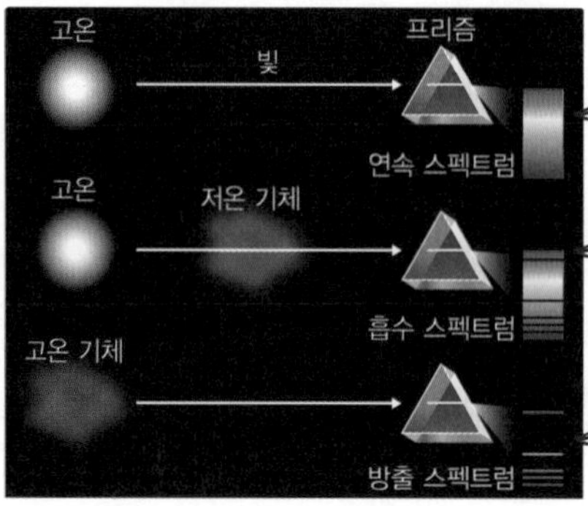	• 연속 스펙트럼: 고온의 백색광에서 생성 • 흡수 스펙트럼: 고온의 빛이 저온의 기체를 통과할 때 기체가 특정 파장의 빛을 흡수하여 생성 • 방출 스펙트럼: 고온의 기체에서 특정 파장의 빛이 방출되어 생성	

❺ 우주 배경 복사

빅뱅 후 약 38만 년이 지났을 때 우주의 온도는 약 3000 K이었고 빛이 자유롭게 이동할 수 있는 상태인 투명한 우주가 되었다. 이때 방출된 빛은 우주가 팽창하면서 온도가 낮아져 현재는 약 3 K에 해당하는 전파로 관측된다.

그림은 인공 위성을 이용해 우주 배경 복사를 관측하여 작성된 온도 분포 지도이다. 색의 차이는 매우 작은 온도 차이를 의미한다.

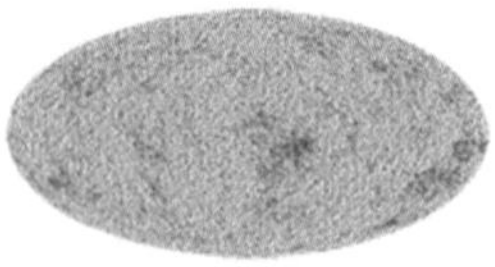

우주 배경 복사 지도

#보충!

절대 온도(K)

−273 ℃를 0 K로 하고, 섭씨온도와 같은 간격으로 눈금을 정한 온도로 단위는 0 K(캘빈)이다. 따라서 절대 온도는 다음과 같이 구할 수 있다.

절대 온도(K) = 섭씨온도 + 273

❻ 선 스펙트럼

- 선 스펙트럼의 선은 특정한 파장에서 불연속적으로 나타난다.
- 원소마다 각각 다른 위치에 방출선 또는 흡수선이 나타난다.
- 방출선 또는 흡수선을 비교하여 원소를 알아낼 수 있다.

•분광기(나누다 分, 빛 光, 기계 器) 빛을 파장에 따라 스펙트럼 분석하여 그 세기 분포를 측정하는 장치

(3) 별빛의 스펙트럼[7]

① 흡수 스펙트럼으로 나타난다.

② 별빛의 스펙트럼에 나타난 흡수선의 위치와 원소의 스펙트럼에 나타난 방출선의 위치를 비교한다. 관측한 별을 구성하는 원소를 알아낼 수 있다.

자료 원소의 흡수 스펙트럼과 방출 스펙트럼 비교

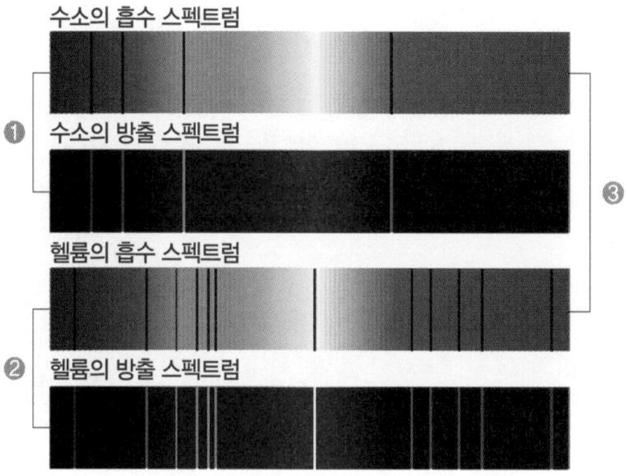

❶ 수소의 흡수 스펙트럼의 흡수선과 방출 스펙트럼의 방출선 위치는 같다.

❷ 헬륨의 흡수 스펙트럼의 흡수선과 방출 스펙트럼의 방출선 위치는 같다.
⇒ 같은 종류의 원소는 흡수 스펙트럼의 흡수선 위치와 방출 스펙트럼의 방출선 위치가 같다.

❸ 수소와 헬륨의 흡수선(또는 방출선)은 위치가 서로 다르다.
원소마다 고유한 흡수선(또는 방출선)을 갖고 있다.

(4) 우주의 구성 물질

① 우주를 관측한 스펙트럼을 분석한 결과 우주 전역에 수소와 헬륨이 분포하며 수소와 헬륨의 질량비는 약 3 : 1임을 알게 되었다.
└ 수소 약 74 %, 헬륨 약 24 %이다.

② 빅뱅 우주론의 이론적인 예측값과 일치하여 빅뱅의 증거가 되었다.

탐구 분광기로 스펙트럼 관찰하기

선 스펙트럼을 이용해 우주의 주요 구성 원소를 알아낼 수 있다.

과정

분광기로 백열등과 기체 방전관●에서 방출되는 빛을 관찰하여 나타난 스펙트럼을 그리고 특징을 비교해 본다.

결과

정리

❶ 백열등에서는 연속 스펙트럼이 관측되고 기체 방전관에서는 방출 스펙트럼이 관측된다.

❷ 각각의 원소는 고유한 방출선을 나타내고 있다.

❸ 우주를 관측한 스펙트럼을 원소의 스펙트럼과 비교하면 우주에 어떤 원소가 있는지 알아낼 수 있다.
이 원리를 이용해 우주 전역에 수소와 헬륨이 분포한다는 사실을 알아내었다.

❼ 별빛의 스펙트럼

고온의 광원인 별에서 방출되는 빛이 지구까지 도달하는 동안 별의 대기 또는 우주 공간의 성간 가스(기체)를 통과한다. 기체가 별빛 중 특정 파장의 빛을 흡수하여 흡수 스펙트럼이 나타난다.

#보충!

선 스펙트럼과 에너지 준위

- 원자핵 주위의 전자가 갖는 위치에 따른 에너지를 에너지 준위라고 한다. 이 전자는 특정한 에너지 준위에서만 존재할 수 있다.
- 전자가 높은 에너지 준위로 이동할 때 에너지를 흡수하고, 낮은 에너지 준위로 이동할 때 에너지를 방출한다. 이때 흡수하거나 방출하는 에너지는 선 스펙트럼으로 관측된다. 또한, 원자마다 에너지 준위와 간격이 달라서 선 스텍트럼의 방출선이나 흡수선의 위치도 다르게 나타난다.

#보충!

태양의 스펙트럼

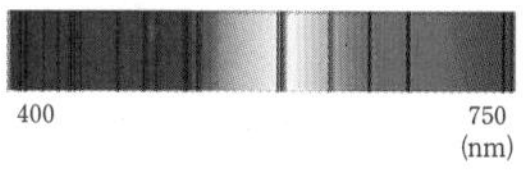

태양의 스펙트럼에는 수 백개의 흡수선이 나타난다. 이것은 태양 대기가 수소, 헬륨, 나트륨 등의 여러 원소로 이루어져 있음을 의미한다.

●기체 방전관(놓다 放, 전기 電, 대롱 管) 유리관에 기체를 넣고 전류를 흘려 빛을 내는 관

정답과 해설 002쪽

간단 점검

7. 빅뱅 우주론의 증거 두 가지는?
8. 빛이 연속적으로 나타나는 스펙트럼은?
9. 별빛은 어떤 스펙트럼으로 나타나는가?
10. 우주를 이루는 수소와 헬륨의 질량비는?

알아두면 시험이 쉬워지는 특강

한눈에 보는 빅뱅 초기 물질 형성 과정

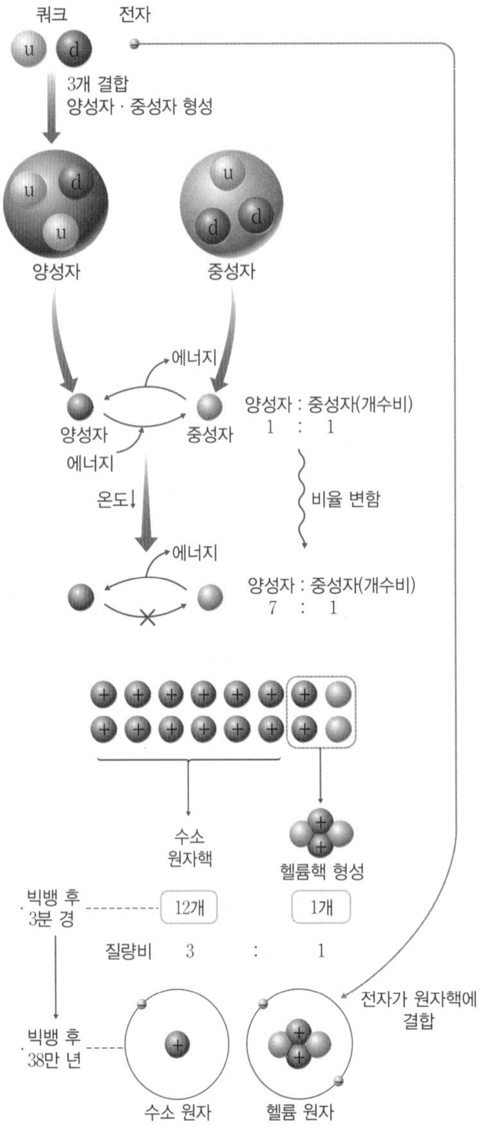

1. 기본 입자 형성

쿼크, 전자 등

2. 양성자와 중성자 형성

쿼크가 3개씩 결합하여 형성

양성자: 위 쿼크 2개 + 아래 쿼크 1개

중성자: 위 쿼크 1개 + 아래 쿼크 2개

3. 양성자: 중성자(개수비)=1 : 1

초기 양성자와 중성자의 수는 거의 같았고, 서로 변환 가능

4. 양성자: 중성자(개수비)=7 : 1

만약 양성자가 14개라면 중성자는 2개의 비율로 존재

우주 팽창에 따른 온도 하강으로 양성자가 에너지를 흡수하여 중성자가 되지 못하였다. 중성자는 양성자로 계속 변환하여 양성자 수 증가

5. 원자핵 형성(빅뱅 후 3분)

- 우주 팽창에 따른 온도 하강으로 양성자와 중성자가 결합할 수 있게 되었다.
- 양성자 2개와 중성자 2개가 결합하여 헬륨 원자핵 형성, 양성자는 수소 원자핵
- 수소 원자핵 12개일 때 헬륨 원자핵 1개의 비율로 존재 ⇒ 수소 원자핵 : 헬륨 원자핵(질량비)=12 : 4=3 : 1

수소 원자핵의 질량을 1이라고 할 때 헬륨 원자핵의 질량은 4이다. 수소 원자핵 12개의 질량은 12, 헬륨 원자핵의 질량은 4

6. 원자 형성(빅뱅 후 38만 년)

우주의 온도가 더 낮아지면서 전자가 원자핵에 결합하여 수소와 헬륨 원자가 형성

한·줄·핵심 빅뱅 이후 우주의 온도가 점차 낮아지면서 쿼크, 전자 → 양성자, 중성자 → 원자핵 → (수소, 헬륨) 원자의 순으로 물질이 형성되었다.

확인 문제

정답과 해설 002쪽

1. 빅뱅 초기 물질의 생성에 대한 설명으로 옳은 것은 ○, 옳지 않은 것은 ×로 표시하시오.

(1) 빅뱅 우주론에 의하면 헬륨이 차지하는 질량은 우주 전체 질량의 약 22 %~25 %이다. ( )

(2) 양성자가 중성자로 변환되려면 에너지를 흡수해야 한다. ( )

(3) 양성자는 위 쿼크 1개와 아래 쿼크 2개로 이루어져 있다. ( )

(4) 헬륨 원자핵은 양성자 2개, 중성자 2개가 결합하여 만들어졌다. ( )

(5) 전자는 빅뱅 후 약 38만 년이 지난 뒤 만들어졌다. ( )

개념 + 기본 문제

개념 문제

A 물질을 구성하는 입자

01 다음 설명 중 옳은 것은 ○, 옳지 않은 것은 ×로 표시하시오.

(1) 중성자는 위 쿼크 1개와 아래 쿼크 2개로 이루어져 있다. ( )

(2) 쿼크는 기본 입자에 해당한다. ( )

B 빅뱅과 입자의 탄생

02 다음 설명 중 옳은 것은 ○, 옳지 않은 것은 ×로 표시하시오.

(1) 빅뱅 직후 쿼크와 전자가 만들어졌다. ( )

(2) 양성자는 빅뱅 후 38만 년경에 전자와 결합하여 수소 원자가 된다. ( )

(3) 양성자와 중성자의 개수비가 3:1이었기 때문에 수소와 헬륨의 질량비가 7:1이 되었다. ( )

(4) 수소 원자핵은 양성자 1개와 중성자 1개가 결합하여 만들어졌다. ( )

C 빅뱅 우주론의 증거와 스펙트럼

03 스펙트럼의 종류와 이에 대한 내용으로 옳은 것을 연결하시오.

(1) 연속 스펙트럼 • 　　• ㉠ 흡수선이 나타난다.

(2) 흡수 스펙트럼 • 　　• ㉡ 모든 파장의 빛이 연속적이다.

(3) 방출 스펙트럼 • 　　• ㉢ 방전관등을 볼 때 나타난다.

04 그림의 (가)에 해당하는 원소명이 무엇인지 쓰시오.

수소의 흡수 스펙트럼

(가)의 방출 스펙트럼

A 물질을 구성하는 입자

05 다음 중 | 보기 | 의 물질을 크기가 작은 것부터 큰 순서대로 옳게 나열한 것은?

보기		
	ㄱ. 양성자	ㄴ. 쿼크
	ㄷ. 원자핵	ㄹ. 원자

① ㄱ→ㄴ→ㄷ→ㄹ　② ㄱ→ㄷ→ㄹ→ㄴ　③ ㄴ→ㄱ→ㄷ→ㄹ　④ ㄴ→ㄷ→ㄱ→ㄹ　⑤ ㄷ→ㄴ→ㄱ→ㄹ

06 입자에 대한 설명으로 옳은 것만을 | 보기 | 에서 있는 대로 고른 것은?

보기

ㄱ. 쿼크는 더 이상 쪼갤 수 없는 물질의 기본 단위 입자 중 하나이다.

ㄴ. 원자핵은 전기적으로 중성이다.

ㄷ. 원자는 원자핵과 전자로 구성된다.

① ㄱ　② ㄴ　③ ㄱ, ㄷ　④ ㄴ, ㄷ　⑤ ㄱ, ㄴ, ㄷ

B 빅뱅과 입자의 탄생

07 다음에서 설명하는 우주관을 가지고 있었던 과학자로 옳은 것은?

> 우주는 중력에 의해 수축하여야 하지만, 우주 상수를 도입하여 중력에 반대되는 힘이 있어서 우주는 수축이나 팽창이 없는 정적인 우주라는 생각을 하였다. 훗날 우주가 팽창한다는 사실을 알고 난 후 우주 상수를 없애게 되었다.

① 허블　② 호일　③ 가모프　④ 프리드만　⑤ 아인슈타인

08 다음에서 설명하는 우주론을 주장한 과학자로 옳은 것은?

> 우주가 팽창하면서 총 질량은 일정하여 우주 밀도가 감소하고 있다.

① 허블 ② 호일 ③ 가모프
④ 프리드만 ⑤ 아인슈타인

알쉬톡

09 다음 중 빅뱅 후 생성된 입자의 순서를 옳게 나열한 것은?

① 쿼크 → 전자 → 헬륨 → 수소 원자핵
② 쿼크 → 양성자 → 헬륨 원자핵 →헬륨
③ 전자 → 쿼크 → 수소 → 수소 원자핵
④ 전자 → 수소 원자핵 → 쿼크→ 헬륨
⑤ 수소 원자핵 → 중성자 → 전자 → 헬륨

10 그림은 양성자와 중성자가 빅뱅 3분 후 결합하여 A를 형성하는 모습을 모식적으로 나타낸 것이다.

이에 대한 설명으로 옳은 것만을 | 보기 | 에서 있는 대로 고른 것은?

> 보기
> ㄱ. A는 헬륨 원자핵이다.
> ㄴ. 양성자와 중성자의 개수비는 12 : 1이다.
> ㄷ. 나중에 수소와 헬륨의 질량비가 3 : 1이 된다.

① ㄱ ② ㄴ ③ ㄱ, ㄷ
④ ㄴ, ㄷ ⑤ ㄱ, ㄴ, ㄷ

11 다음 중 입자에 대한 설명으로 옳은 것만을 | 보기 | 에서 있는 대로 고른 것은?

> 보기
> ㄱ. 수소 원자핵은 중성자 1개로 구성되어 있다.
> ㄴ. 중성자와 양성자 모두 쿼크로 구성되어 있다.
> ㄷ. 빅뱅 후 약 38만 년에 헬륨 원자가 형성되었다.

① ㄱ ② ㄴ ③ ㄱ, ㄷ
④ ㄴ, ㄷ ⑤ ㄱ, ㄴ, ㄷ

C 빅뱅 우주론의 증거와 스펙트럼

12 그림은 우주 팽창에 의한 우주 배경 복사의 파장 변화를 나타낸 것이다.

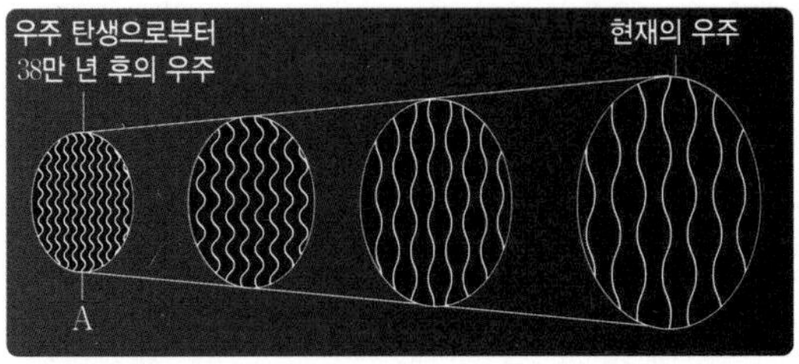

이에 대한 설명으로 옳은 것만을 | 보기 | 에서 있는 대로 고른 것은?

> 보기
> ㄱ. 우주 배경 복사는 우주의 전 영역에서 관측된다.
> ㄴ. 우주 배경 복사의 파장은 A 시기 이후에도 일정하다.
> ㄷ. 현재는 약 3 K의 복사 곡선에 해당하는 파장으로 관측된다.

① ㄱ ② ㄴ ③ ㄱ, ㄷ
④ ㄴ, ㄷ ⑤ ㄱ, ㄴ, ㄷ

13 그림은 우주 배경 복사 지도를 나타낸 것이다.

이에 대한 설명으로 옳은 것만을 | 보기 | 에서 있는 대로 고른 것은?

보기
ㄱ. 빅뱅 우주론의 증거이다.
ㄴ. 빅뱅 후 약 38만 년에 방출된 빛이다.
ㄷ. 약 3 K에 해당하는 전파(마이크로파)로 관측된다.

① ㄱ ② ㄴ ③ ㄱ, ㄷ
④ ㄴ, ㄷ ⑤ ㄱ, ㄴ, ㄷ

14 다음 중 분광기로 관찰했을 때 방출 스펙트럼이 나타나는 것은?

① 별빛 ② 태양광 ③ 백열등
④ 방전관등 ⑤ 외부 은하

15 다음 중 스펙트럼에 대한 설명으로 옳지 않은 것은?

① 흡수 스펙트럼은 선 스펙트럼의 일종이다.
② 온도가 높은 기체는 방출 스펙트럼을 보인다.
③ 같은 원소의 흡수선과 방출선은 동일한 위치에 나타난다.
④ 백열등의 빛을 프리즘에 통과시키면 무지개색의 연속 스펙트럼이 나타난다.
⑤ 별의 스펙트럼의 방출선을 보면 별의 대기를 구성하는 원소가 무엇인지 알 수 있다.

16 그림 (가)와 (나)는 어느 물체의 스펙트럼이다.

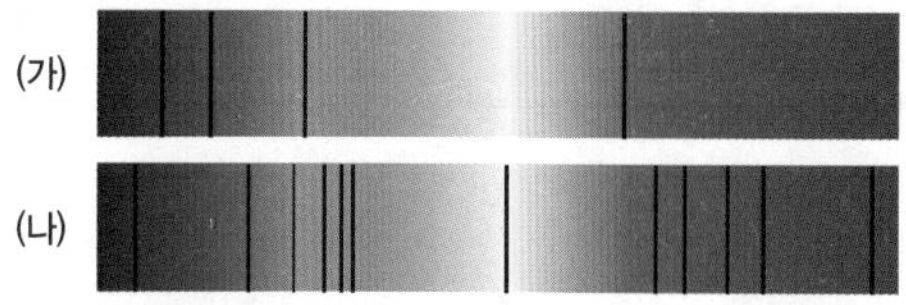

이에 대한 설명으로 옳은 것만을 | 보기 | 에서 있는 대로 고른 것은?

보기
ㄱ. (가)에는 흡수선이 있다.
ㄴ. (나)는 백열등에서 볼 수 있다.
ㄷ. (가)와 (나)의 원소 종류는 같다.

① ㄱ ② ㄴ ③ ㄱ, ㄷ
④ ㄴ, ㄷ ⑤ ㄱ, ㄴ, ㄷ

17 그림 (가)는 수소의 흡수 스펙트럼이고, 그림 (나)는 미지의 스펙트럼을 나타낸 것이다.

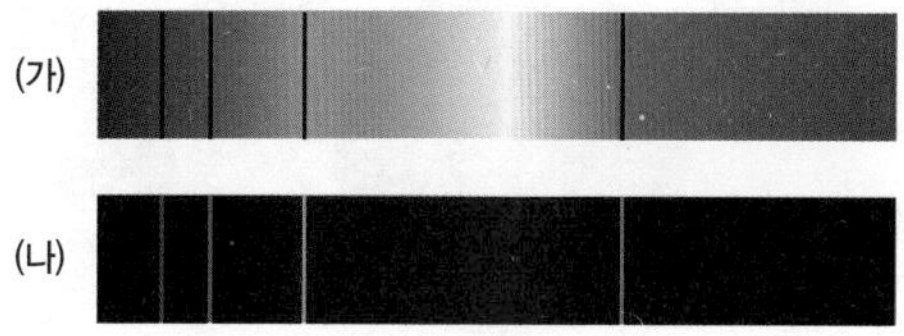

이에 대한 설명으로 옳은 것만을 | 보기 | 에서 있는 대로 고른 것은?

보기
ㄱ. (나)에는 흡수선이 있다.
ㄴ. (나)의 원소는 수소이다.
ㄷ. (나)는 고온의 기체에서 관측된 스펙트럼이다.

① ㄱ ② ㄴ ③ ㄱ, ㄷ
④ ㄴ, ㄷ ⑤ ㄱ, ㄴ, ㄷ

실력 올리기 문제

| 물질을 구성하는 입자 |

01 그림은 물질의 입자를 나타낸 것이다.

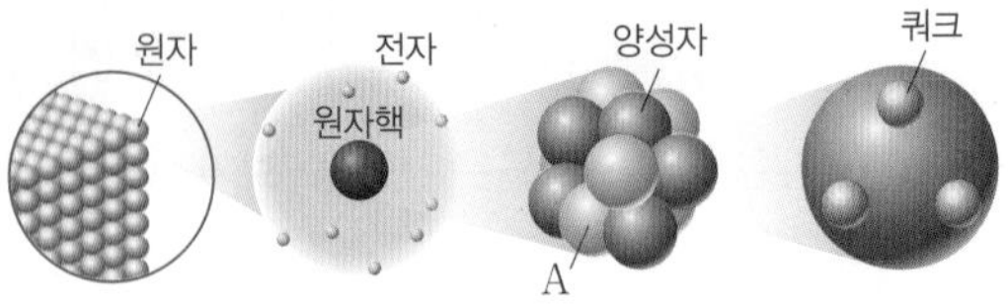

이에 대한 설명으로 옳은 것만을 | 보기 | 에서 있는 대로 고른 것은?

보기
ㄱ. 원자는 원자핵과 전자로 구성된다.
ㄴ. 전자는 양성자와 중성자로 만들어진다.
ㄷ. A는 3개의 쿼크로 이루어진 중성자이다.

① ㄱ ② ㄴ ③ ㄱ, ㄷ
④ ㄴ, ㄷ ⑤ ㄱ, ㄴ, ㄷ

| 빅뱅 우주론과 정상 우주론 |

02 그림은 빅뱅 우주론과 정상 우주론을 순서에 관계없이 나타낸 것이다.

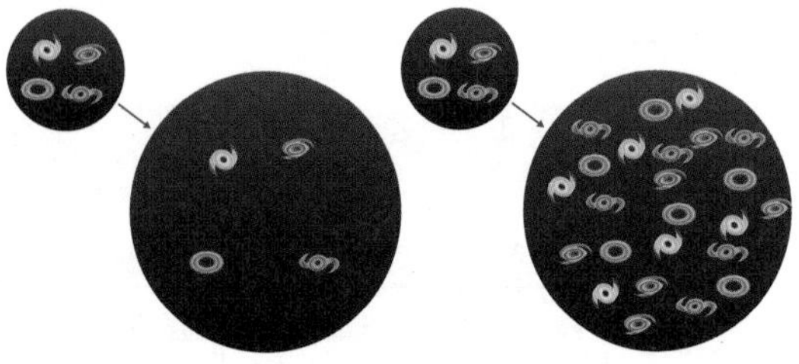

이에 대한 설명으로 옳은 것만을 | 보기 | 에서 있는 대로 고른 것은?

보기
ㄱ. (가)는 빅뱅 우주론이다.
ㄴ. (나)는 우주의 밀도가 일정하다.
ㄷ. (가)와 (나) 모두 우주가 팽창하고 있다.

① ㄱ ② ㄴ ③ ㄱ, ㄷ
④ ㄴ, ㄷ ⑤ ㄱ, ㄴ, ㄷ

| 빅뱅 후 입자 형성 | 출제예감

03 다음은 빅뱅 후 발생한 사건들을 시간에 관계없이 나타낸 것이다. 시간 순서대로 옳게 배열한 것은?

(가) 쿼크와 전자가 형성되었다.
(나) 헬륨 원자핵이 형성되었다.
(다) 양성자와 중성자가 7 : 1의 비율이 되었다.
(라) 빛이 물질 사이에서 분리되어 자유로워졌다.

① (가)→(나)→(다)→(라)
② (가)→(다)→(나)→(라)
③ (나)→(가)→(다)→(라)
④ (나)→(라)→(가)→(다)
⑤ (다)→(나)→(라)→(가)

| 빅뱅 후 입자 형성 |

04 그림은 빅뱅 후 우주 초기의 모습을 시간 순서와 상관없이 나타낸 것이다.

이에 대한 설명으로 옳은 것만을 | 보기 | 에서 있는 대로 고른 것은?

보기
ㄱ. (가)보다 (나)가 먼저 발생했다.
ㄴ. (가) 시기 이후에 빛이 자유롭게 이동했다.
ㄷ. (나) 시기에 수소와 헬륨 원자가 만들어졌다.

① ㄱ ② ㄴ ③ ㄷ
④ ㄱ, ㄴ ⑤ ㄴ, ㄷ

| 수소와 헬륨의 질량비 | 출제예감

05 그림 (가)는 빅뱅 후 형성된 양성자와 중성자의 개수를 나타낸 것이고, (나)는 그 후 형성된 어느 입자를 모식적으로 나타낸 것이다.

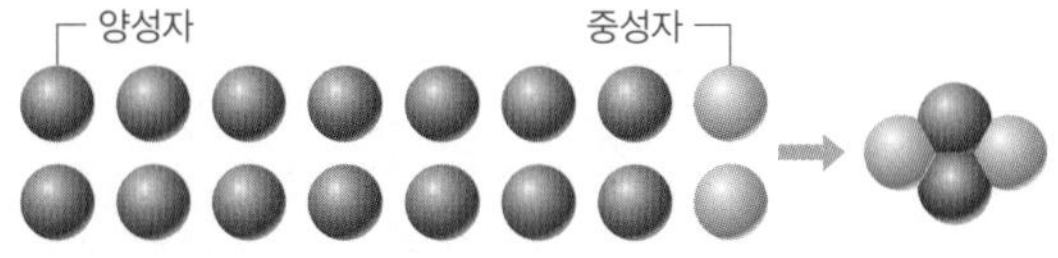

(가) (나)

이에 대한 설명으로 옳은 것만을 | 보기 | 에서 있는 대로 고른 것은?

보기
ㄱ. (가)의 양성자는 모두 수소의 원자핵이 된다.
ㄴ. (가) 시기에 양성자와 중성자 개수비는 3 : 1 이다.
ㄷ. (나)는 빅뱅 후 3분 정도에 형성된 헬륨 원자핵이다.

① ㄱ ② ㄷ ③ ㄱ, ㄴ
④ ㄴ, ㄷ ⑤ ㄱ, ㄴ, ㄷ

| 스펙트럼 |

06 그림 (가)는 수소의 스펙트럼, (나)는 헬륨의 스펙트럼을 나타낸 것이다.

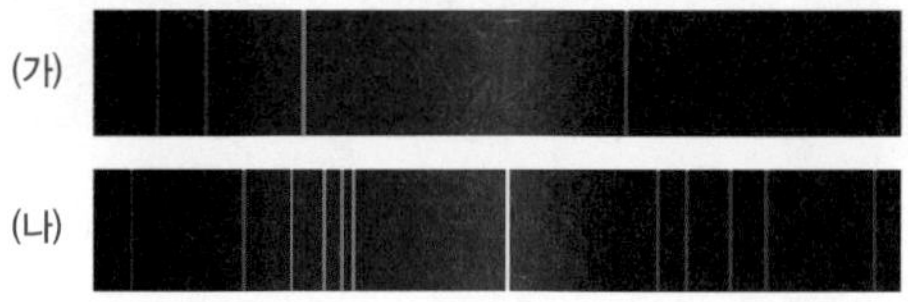

이에 대한 설명으로 옳은 것만을 | 보기 | 에서 있는 대로 고른 것은?

보기
ㄱ. 모두 방출 스펙트럼이다.
ㄴ. 선의 위치가 온도에 따라 달라진다.
ㄷ. (가)와 (나) 모두 온도가 높은 기체 상태에서 빛이 발생했다.

① ㄱ ② ㄴ ③ ㄱ, ㄷ
④ ㄴ, ㄷ ⑤ ㄱ, ㄴ, ㄷ

| 팽창하는 우주 |

07 러시아 과학자 가모프와 영국의 과학자 호일은 모두 우주가 팽창한다고 생각했지만 팽창하는 우주를 설명하는 내용이 달랐다. 두 이론의 차이에 대해서 서술하시오.

| 수소와 헬륨의 질량비 |

08 수소와 헬륨의 질량비가 3 : 1이 됨을 빅뱅의 초기에 형성된 양성자와 중성자의 개수를 이용하여 서술하시오. (단, 헬륨의 원자핵을 구성하고 있는 입자에 대해서 함께 서술하시오.)

| 스펙트럼 |

09 그림은 수소의 선 스펙트럼이다.

(가), (나) 스펙트럼의 공통점과 차이점을 1가지씩 서술하시오.

02 별의 진화와 무거운 원소의 생성

개념 이해 성간 물질, 수소 핵융합 반응, 주계열성, 적색 거성, 초거성, 행성상 성운, 백색 왜성, 초신성, 태양계

A 별의 탄생

한·줄·핵심 성간 물질이 모여 만들어진 주계열성에서 수소 핵융합 반응이 일어나 헬륨이 만들어져.

1. 우주와 지구, 사람을 구성하는 원소

(1) 우주를 구성하는 원소 대부분 빅뱅으로 만들어진 수소와 헬륨 전체 원소의 약 98 %를 차지

(2) 지구와 사람을 구성하는 원소 우주 구성 물질과 매우 다르다. 별의 진화 과정에서 만들어진 원소 때문

자료 우주, 지구, 사람을 이루는 원소 비교

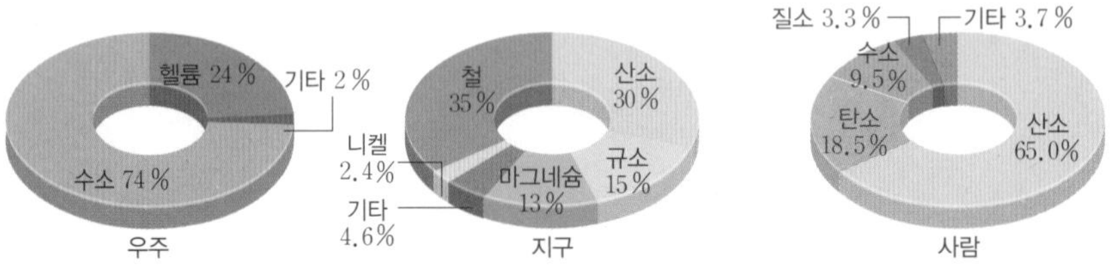

분류	우주	지구	사람
주요 구성 원소	수소, 헬륨	철, 산소, 규소, 마그네슘 등	산소, 탄소, 수소 등

우주를 구성하는 원소는 대부분 수소와 헬륨이지만 지구와 사람에는 이보다 무거운 원소가 많이 들어 있다.

2. 별의 탄생 스스로 빛을 내는 천체를 별이라고 한다. 특히 수소 핵융합으로 빛을 내는 단계의 별을 주계열성이라고 한다.

(1) 성간 물질 별 사이에 기체와 먼지로 구성된 물질

- 성간 물질의 밀도가 높은 곳을 중심으로 중력 수축하여 성운❶을 이룬다. 중력이 상대적으로 크기 때문

(2) 별의 탄생 과정

성운 수축
성간 물질의 수축으로 만들어진 성운이 계속 수축하면서 회전하다 원반 모양을 이룬다.

원시별 형성
수축하는 성운의 중력 수축 에너지❷ 때문에 중심부의 온도가 상승하고 원시별●이 만들어진다.

주계열성 탄생
원시별이 계속 수축하여 중심부 온도가 약 1000만 K 이상 되면 중심부에서 수소 핵융합 반응이 시작되어 주계열성이 탄생한다.

별이 만들어지는 과정

(3) 수소 핵융합 반응 별의 가장 중요한 에너지원이다. 1000만 K 이상의 초고온 상태에서 일어나므로 빅뱅 후 38만 년에는 핵융합으로 다른 원자를 생성할 수 없었다.

① 수소 원자핵 4개가 융합하여 1개의 헬륨 원자핵이 되는 반응

② 수소 원자핵 4개의 질량보다 핵융합 후 만들어진 헬륨 원자핵 1개의 질량이 작다. 이때 감소한 질량에 해당하는 에너지가 발생한다.

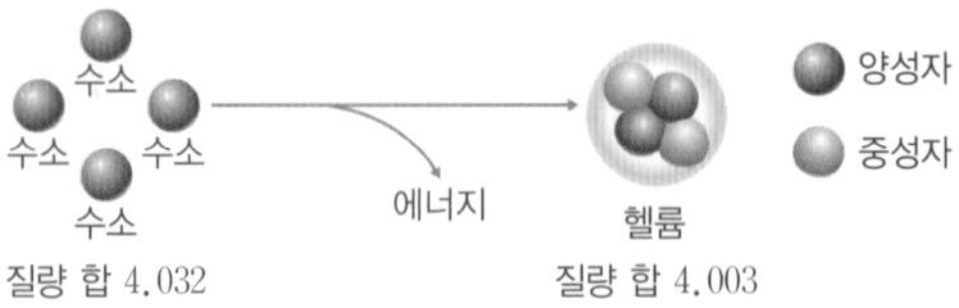

수소 핵융합 반응

---

❶ 성운
성간 물질이 밀집되어 뿌옇게 보이는 영역
- 발광 성운: 스스로 빛을 내는 성운
- 반사 성운: 주위의 빛을 반사하여 밝게 보이는 성운
- 암흑 성운: 뒤에서 오는 빛을 성간 물질이 차단하여 어둡게 보이는 성운

❷ 중력 수축 에너지
별의 구성 물질이 중력에 의해 수축될 때 퍼텐셜 에너지의 감소로 생기는 에너지이다. 별의 탄생이나 진화의 과정에서 내부의 온도를 높이는 역할을 한다. 원시별이 중력 수축 에너지에 의해 내부의 온도가 1000만 K에 도달하면 별의 중심부에서 수소 핵융합 반응이 일어나는 주계열성이 된다.

#보충!
중학교 과정에서 배운 위치 에너지를 고등학교 과정에서는 퍼텐셜 에너지라고 한다.

#암기!
성운
⇩ 수축
원시별
⇩ 1000만 K 이상
주계열성

● 원시별(근원 原, 먼저 始, 별 星)
주계열성 전 단계의 별

B 별의 진화와 원소의 생성 알쉬특

한·줄·핵심 적색 거성 단계에서는 탄소까지 형성되고, 초거성에서는 최대 철까지 형성되지.

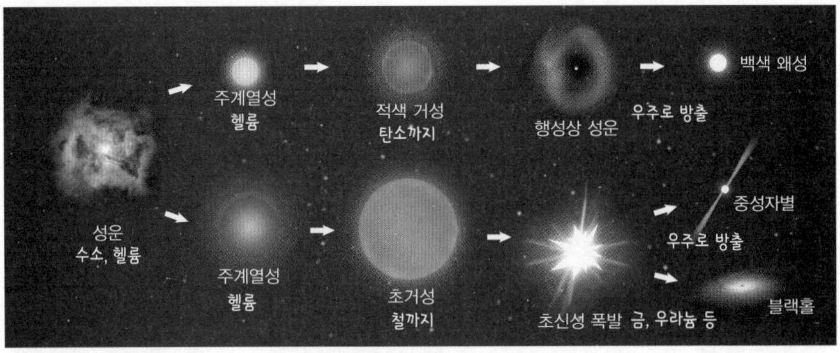

별의 진화 과정

1. 주계열성 중심부에서 수소 핵융합 반응이 일어나는 별 헬륨 생성

주계열성의 내부 구조

(1) 팽창하려는 내부의 압력(내부 에너지)과 수축하려는 중력이 평형을 이루어 크기의 변화가 없다.

(2) 별은 일생의 대부분을 주계열성 단계로 보낸다.

(3) 태양이 주계열성의 대표적인 예이다.

2. 거성에서 원소 생성

(1) 적색 거성 탄소까지 생성

① 태양 정도의 질량을 갖는 별의 주계열성 다음 단계이다.

② 주계열성 중심부에서 수소가 모두 헬륨으로 바뀌면 수소 핵융합 반응이 끝나면서 적색 거성이 된다.

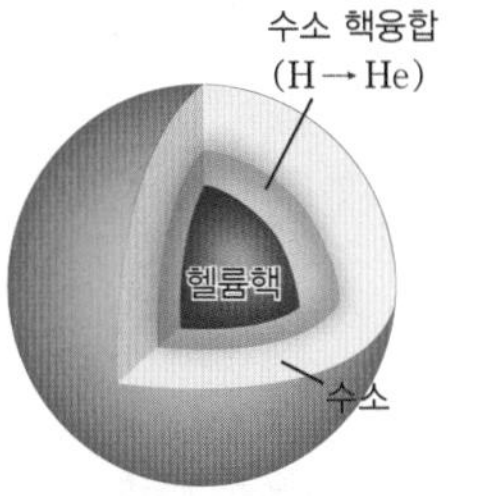

수소 핵융합이 끝나 내부 에너지 감소

중심의 헬륨핵이 중력에 의해 수축 → 열 발생으로 온도 상승 → 핵의 바깥층에서 수소 핵융합 반응 시작 → 바깥층 팽창

표면 온도는 낮고 크기가 큰 붉은색 별이 된다.

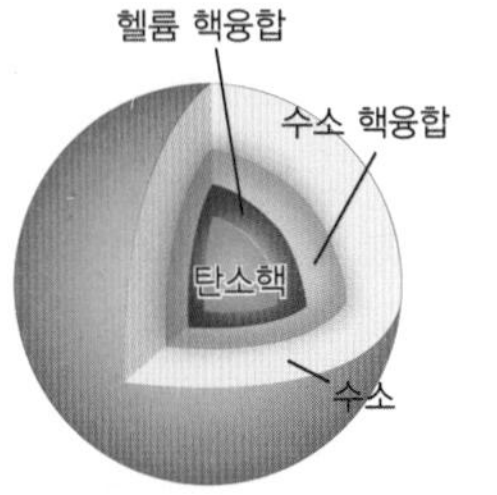

중력에 의한 수축으로 중심부 온도 상승 → 헬륨 핵융합 반응 일어남 → 탄소 생성 → 탄소핵

이 반응이 끝나면 바깥층은 팽창하여 행성상 성운이 되고, 중심핵은 수축하여 백색 왜성이 된다.

적색 거성에서 내부 구조의 변화

#보충!

별의 색

별의 색은 별의 표면 온도에 따라 달라진다. 현재 태양의 온도는 약 6000 K이며, 황색으로 보인다.

적색(3000 K)
주황색(4000 K)
황색(5500 K)
황백색(7000 K)
백색(9000 K)
청백색(15000 K)
청색(20000 K 이상)

#암기!

적색 거성 단계

수 → 헬 → 탄.산

H He C, O

● 적색 거성(**붉다 赤, 색 色, 크다 巨, 별 星**) 붉은색의 큰 별이라는 의미이며 주계열성 다음 단계의 별로 표면 온도가 낮아져 붉게 보이고 팽창에 의해 커진 항성

정답과 해설 004쪽

간단 점검

1. 별들 사이에 수소와 헬륨 그리고 약간의 고체 입자로 존재하는 물질은?
2. 주계열성이 되기 위해 원시별의 온도는 몇 K 이상 되어야 하는가?
3. 주계열성 중심부에서 일어나는 핵융합 반응의 종류는?
4. 태양 질량의 별은 주계열성 이후에 어떤 종류의 별이 되는가?
5. 주계열성의 크기가 일정한 까닭은?

#암기!

초거성 단계

수 → 헬 → 탄, 산 → 네 → 마
H He C,O Ne Mg
→ 규, 황 → 철
Si,S Fe

(2) 초거성 핵융합과 중력 수축을 반복하며 철까지 원소를 만든다.

① 태양보다 질량이 큰 별의 주계열성 다음 단계이다.

② 적색 거성처럼 탄소까지 만드는 핵융합 반응이 일어난다.

③ 탄소가 만들어진 후 헬륨 핵융합 반응이 멈추고 중력 수축을 한다. 이 에너지로 온도가 증가하여 탄소 핵융합 반응이 일어난다.

④ 핵융합 반응과 중력 수축이 반복해 일어나면서 산소, 네온, 마그네슘 등의 원소가 만들어진다.

⑤ 중심부에 철이 만들어지면 핵융합 반응이 일어나지 않는다.

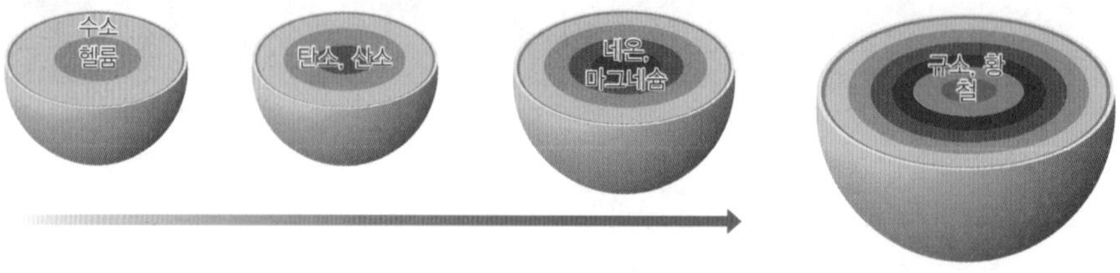

태양보다 질량이 큰 별의 내부 구조 변화

❸ **행성상 성운**

발광 성운의 일종이다. 과거 윌리엄 허셜이 망원경을 이용하여 행성을 관측하였을 때 마치 행성처럼 보인다고 하여 행성상 성운이라 이름을 지었다.

보통 적색 거성의 수명이 끝나 별의 외피층이 강한 항성풍에 의해 바깥쪽으로 방출되면서 형성된다.

3. 별의 죽음과 원소

(1) 행성상 성운❸과 백색 왜성

① 적색 거성에서 중심부가 탄소로 바뀐 뒤 핵융합 반응이 일어나지 않으면 중심부는 수축, 바깥층은 팽창

② 바깥층을 이루는 물질은 우주로 방출되며 행성상 성운이 되고, 중심부는 수축하여 백색 왜성이 된다.

핵융합 반응이 일어나지 않아 에너지가 발생하지 않으므로 서서히 식는다.

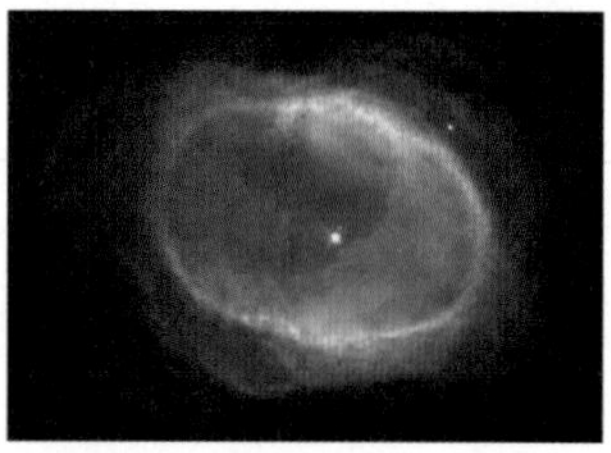

행성상 성운

(2) 초신성 폭발

① 초신성 폭발: 초거성에서 중심부가 철로 바뀐 뒤 핵융합 반응이 끝나면 중심부는 중력 수축한다. 이때 수축하는 에너지를 중심부의 철이 견디지 못하고 붕괴하여 폭발하는데 이것을 초신성 폭발이라고 한다.

② 폭발시 큰 에너지가 방출되며 이때 철보다 무거운 금, 우라늄 등의 원소가 형성되고 별을 이루는 물질과 함께 우주 공간으로 방출된다.

③ 중심부는 수축하여 중성자별이나 블랙홀이 된다.

#보충!

초신성 폭발

초신성 폭발은 우리나라에서는 '객성'이란 이름으로 조선왕조실록에 기록되어 있다. 초신성 폭발로 발생하는 큰 에너지에 의해서 철보다 무거운 원소가 만들어질 수 있다.

구분 / 단계	질량이 태양 정도인 별	질량이 태양보다 무거운 별
주계열성	수소 핵융합 반응으로 헬륨 생성	
거성	· 적색 거성: 헬륨 핵융합 반응으로 탄소까지 생성	· 초거성: 연쇄적인 핵융합 반응으로 철까지 생성
별의 죽음 → 핵융합 반응 정지	· 바깥층은 팽창해 물질이 우주 공간으로 방출 → 행성상 성운 · 중심부는 수축, 냉각 → 백색 왜성	· 급격히 에너지를 방출하며 폭발 → 초신성 폭발 · 철보다 무거운 원소 형성 · 물질은 우주 공간으로 방출 · 중심부에는 고밀도의 중성자별, 블랙홀 형성

(3) 우주로 방출된 물질

① 행성상 성운이나 초신성 폭발로 우주로 흩어진 물질은 성간 물질이 되며 다시 별이 만들어지는 재료가 된다.

② 오랜 시간 동안 이와 같은 과정이 반복되면서 별에는 빅뱅으로 만들어진 수소와 헬륨보다 무거운 여러 원소가 포함되었다.

③ 태양계도 다른 별에서 방출된 물질을 재료로 만들어져서 수소와 헬륨보다 무거운 여러 원소가 지구와 사람에 들어 있게 되었다.

- **초거성**(뛰어넘다 超, 크다 巨, 별 星) 일반 거성보다 훨씬 크고 밝은 별
- **백색 왜성**(흰 白, 빛깔 色, 작다 矮, 별 星) 흰색의 작고 밀도가 큰 별로 핵융합 반응이 일어나지 않음
- **초신성**(뛰어넘다 超, 새로울 新, 별 星) 초거성의 폭발로 광도가 매우 높아져 새로운 별이 나타났다 사라지는 것처럼 보여 초신성이라 함

C 태양계의 형성

한·줄·핵·심 초신성 폭발로 만들어진 성운이 수축하고 회전하여 현재의 태양계를 형성하였어.

1. 태양계의 형성 과정

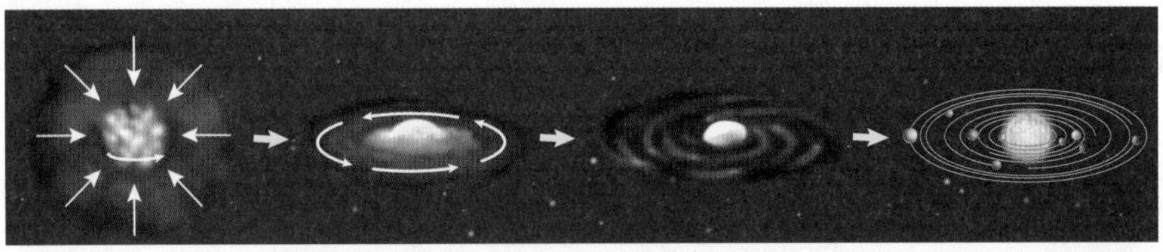

① 태양계 성운의 형성	② 원시 태양과 원반 형성	③ 미행성체 형성	④ 태양과 행성의 탄생
• 초신성 폭발로 형성된 성운으로부터 태양계 성운이 되었다. • 중력에 의해 수축을 하면서 서서히 회전을 한다. 수축이 진행될수록 회전 속도는 빨라진다.	• 성운이 점점 수축❹하면서 회전 속도가 빨라지고 원반 모양으로 형태가 변한다. • 중심부에는 물질의 수축으로 온도가 상승하여 원시 태양이 만들어진다. • 바깥쪽 원반 부분에 가스와 먼지가 분포한다.	• 원시 태양은 중심부의 온도가 점점 높아진다. • 원반 부분에서 가스와 먼지(티끌)가 충돌하면서 덩어리가 되고 이것이 뭉쳐지면서 많은 수의 미행성체를 형성한다.	• 원시 태양이 수소 핵융합 반응이 일어나기 위한 온도에 도달하면 수소 핵융합 반응이 일어나 주계열성인 태양이 된다. • 미행성체가 원시 행성으로 성장하였다가 현재의 행성으로 진화한다.

2. 태양계와 태양계 행성의 특징

(1) 태양계의 특징

① 태양은 태양계의 중심에 위치하며, 태양계 질량의 약 99.8 %를 차지한다.

② 태양의 자전 방향과 행성들의 공전 방향이 같다. 한 방향으로 회전하는 납작한 원반 형태의 태양계 성운이 수축되어 형성되었기 때문

③ 태양계 행성들의 공전 궤도면이 거의 일치한다.

④ 모든 태양계 행성은 원에 가까운 타원 궤도를 그리며 멀리 있는 행성일수록 공전 속도가 느리다. (공전 주기가 길다.)

⑤ 대부분의 행성의 자전 방향이 같다. (금성, 천왕성 제외) 금성과 천왕성은 행성 형성 후 다른 천체와의 충돌에 의해 자전 방향이 반대가 되었다.

(2) 태양계 행성의 특징

① 고체 암석 물질로 이루어진 지구형 행성❺이 안쪽 궤도를 공전하고 있으며, 수소와 헬륨 등의 기체로 이루어진 목성형 행성❻이 바깥쪽 궤도를 공전

② 지구형 행성의 크기가 목성형 행성보다 작다.

• 수소와 헬륨과 같은 기체 성분에 비해 암석을 이룰 수 있는 고체 물질은 매우 적은 양이 존재하였다.→ 행성의 크기가 커질 수 없었다.

특징 \ 구분	지구형 행성	목성형 행성
태양과의 거리와 온도	거리가 가깝다. → 온도가 높은 편	거리가 멀다. → 온도가 매우 낮다.
주요 성분	주로 금속, 암석 성분으로 구성	주로 수소, 헬륨 등의 기체로 구성
크기/질량	작다.	매우 크다.
밀도	크다.	작다.

❹ 성운의 수축과 회전

회전의 중심 먼 곳에서 원운동으로 회전하고 있는 물체가 중심으로 이동(회전 반경이 줄어듦)하면 회전 속도가 빨라진다. 예 성운의 수축 과정에서 회전 속도 증가, 피겨 스케이팅 선수가 팔을 벌려 회전을 시작하고 나서 팔을 오므리면 회전 속도가 증가

#보충!

잘못된 용어 '혹성'

혹성은 '행성'의 잘못된 표기로 일본어에서 유래한 말이다. '행성'이 정확한 용어이다.

❺ 지구형 행성

지구와 비슷한 물리량을 갖는 행성으로 크기가 작고 암석으로 구성되어 밀도가 크며, 위성은 0개~2개 갖고 있다.

예 수성, 금성, 지구, 화성

❻ 목성형 행성

목성과 비슷한 물리량을 갖고 있다. 수소와 헬륨 등으로 구성되어 있으며 밀도가 작고 크기가 크다. 자전 속도가 빠른 편이고 고리가 있고 위성이 많다.

예 목성, 토성, 천왕성, 해왕성

• 미행성(작다 微, 다닐 行, 별 星)

태양계가 만들어질 때 원시 태양 주위를 공전했던 직경 10 km 크기의 작은 천체

정답과 해설 004쪽

간단 점검

6. 초거성의 중심부에서 만들어질 수 있는 가장 무거운 원소는?

7. 초거성 이후 철보다 무거운 원소는 어떤 과정에 의해 형성되는가?

8. 지구에 존재하는 철은 별의 어느 단계에서 형성된 것인가?

9. 태양계의 행성은 (   )와/과 (   )(으)로 구분하며 질량, 밀도, 크기 등의 차이를 보인다.

알아두면 시험이 쉬워지는 특강

별의 진화와 우주에서 물질의 순환

1 별의 진화 한눈에 보기

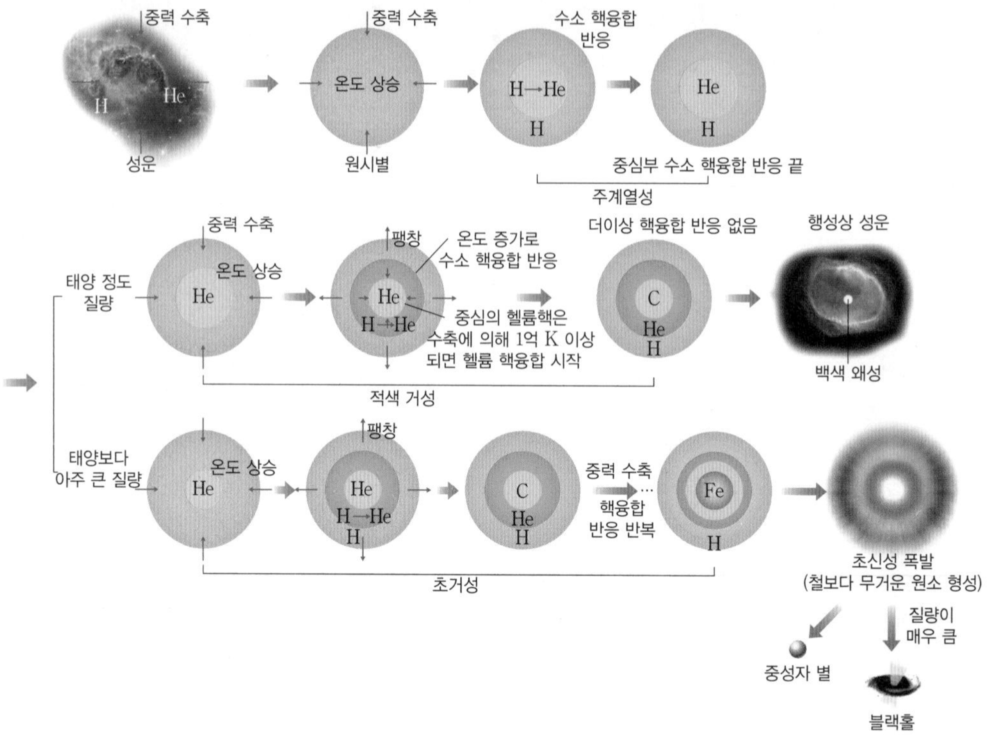

2 우주에서 일어나는 물질의 순환

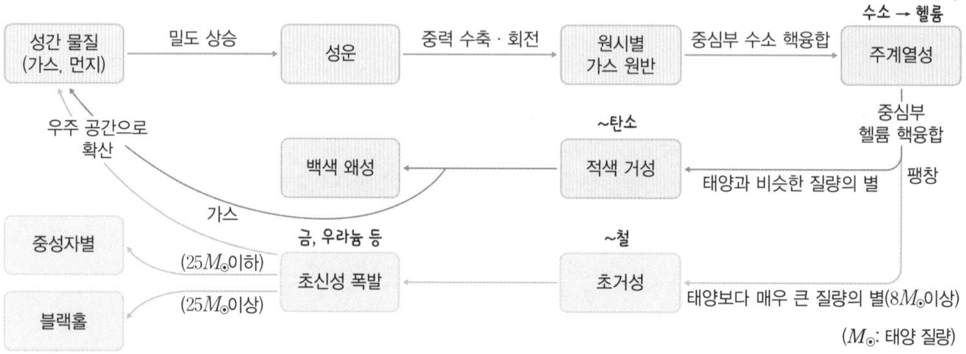

한·줄·핵·심 별의 탄생과 진화, 죽음의 과정을 통해 만들어진 원소가 태양계를 구성하는 재료가 되었다.

확인 문제

정답과 해설 004쪽

1. 별의 진화 과정에 대한 설명으로 옳은 것은 ○, 옳지 않은 것은 ×로 표시하시오.

(1) 별의 내부에서 핵융합 반응에 의해 철까지 형성된다. ( )

(2) 태양 정도 질량의 별에서는 수소가 모두 핵융합 반응에 참여한다. ( )

(3) 태양 정도 질량의 별은 초거성이 된다. ( )

(4) 적색 거성은 행성상 성운과 백색 왜성으로 일생을 마친다. ( )

개념 + 기본 문제

정답과 해설 004쪽

개념 문제

A 별의 탄생

01 다음 설명 중 옳은 것은 ○, 옳지 않은 것은 ×로 표시하시오.

(1) 성간 물질에는 티끌(먼지)이 가장 많다. ( )

(2) 성운이 중력 수축하여 원시별이 형성된다. ( )

(3) 주계열성 중심부에서 수소 핵융합 반응이 일어난다. ( )

(4) 주계열성의 별의 크기는 주기적으로 변한다. ( )

B 별의 진화와 원소의 생성

02 그림은 질량이 매우 큰 초거성의 마지막 단계에 해당하는 내부 구조의 모습을 나타낸 것이다. 그림의 A와 B에 존재하는 원소를 쓰시오.

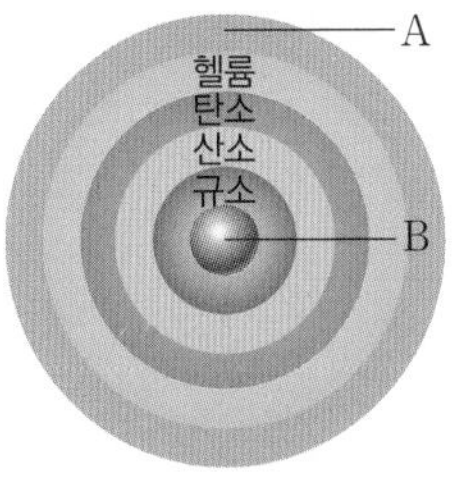

C 태양계의 형성

03 다음 설명 중 옳은 것은 ○, 옳지 않은 것은 ×로 표시하시오.

(1) 태양계 성운의 물질에는 초신성 폭발의 잔해가 포함되어 있었다. ( )

(2) 태양계 행성은 모두 같은 방향으로 자전한다. ( )

(3) 태양계 행성의 공전 궤도면은 거의 일치한다. ( )

04 ( ) 안에 알맞은 말을 쓰시오.

> 태양계 행성은 암석의 물리적 특징에 따라 2가지로 구분한다. (㉠) 행성은 암석으로 구성되어 밀도가 큰 편이며, 크기와 질량이 작다. (㉡) 행성은 주로 수소와 헬륨으로 구성되었으며 밀도가 작고 크기와 질량이 크다.

A 별의 탄생

05 우주와 지구, 사람을 구성하는 원소에 대한 설명으로 옳은 것만을 |보기|에서 있는 대로 고른 것은?

> 보기
> ㄱ. 우주의 약 74 %를 차지하는 원소는 대부분 빅뱅으로 만들어졌다.
> ㄴ. 지구를 구성하는 원소와 사람을 구성하는 원소의 종류는 거의 같다.
> ㄷ. 지구에는 우주를 구성하는 원소보다 무거운 원소가 많이 포함되어 있다.

① ㄱ ② ㄷ ③ ㄱ, ㄴ
④ ㄱ, ㄷ ⑤ ㄱ, ㄴ, ㄷ

단답형

06 다음에서 설명하는 것은 무엇인지 쓰시오.

> 별 사이에 분포하는 물질로 주로 기체나 먼지로 이루어져 있다. 중력에 의해 이 물질의 밀도가 높은 곳을 중심으로 수축하여 성운을 형성한다.

07 그림은 수소 핵융합 반응의 과정을 나타낸 것이다.

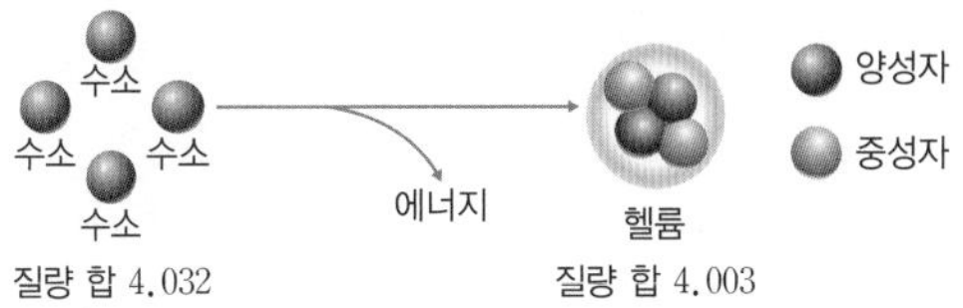

이에 대한 설명으로 옳은 것을 |보기|에서 있는 대로 고른 것은?

> 보기
> ㄱ. 적색 거성 단계에서 볼 수 있다.
> ㄴ. 이 반응은 에너지가 방출되는 과정이다.
> ㄷ. 4개의 수소 원자핵보다 1개의 헬륨 원자핵의 질량이 크다.

① ㄱ ② ㄱ, ㄴ ③ ㄱ, ㄷ
④ ㄴ, ㄷ ⑤ ㄱ, ㄴ, ㄷ

08 다음 중 수소 핵융합 반응으로 만들어지는 원소는?

① 철　② 규소　③ 수소
④ 탄소　⑤ 헬륨

B 별의 진화와 원소의 생성

09 다음 중 주계열성에 대한 설명으로 옳은 것만을 | 보기 | 에서 있는 대로 고른 것은?

보기
ㄱ. 크기가 주기적으로 변한다.
ㄴ. 별의 일생 중 기간이 가장 길다.
ㄷ. 내부 압력과 중력이 평형을 이룬다.

① ㄱ　② ㄷ　③ ㄱ, ㄴ
④ ㄴ, ㄷ　⑤ ㄱ, ㄴ, ㄷ

10 그림은 별의 진화 단계 중 특정 시기 별의 내부 구조와 중심핵에서 핵융합 반응을 나타낸 것이다.
이에 대한 설명으로 옳은 것만을 | 보기 | 에서 있는 대로 고른 것은?

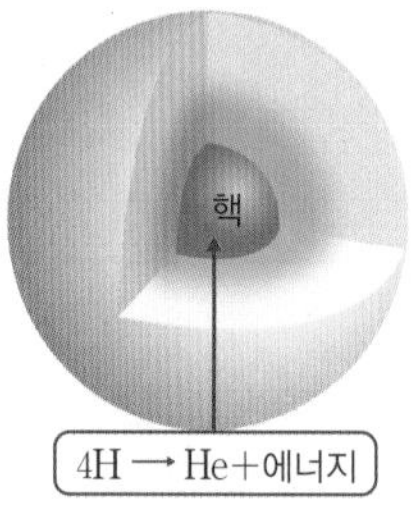

보기
ㄱ. 별이 수축하고 있다.
ㄴ. 원시별 단계에 해당한다.
ㄷ. 수소 원자핵 4개의 질량은 헬륨 원자핵 1개보다 크다.

① ㄱ　② ㄷ　③ ㄱ, ㄴ
④ ㄴ, ㄷ　⑤ ㄱ, ㄴ, ㄷ

11 다음 중 별의 진화 과정에 대한 설명으로 옳지 <u>않은</u> 것은?

① 백색 왜성은 핵융합 반응을 하고 있다.
② 행성상 성운은 적색 거성 이후에 형성된다.
③ 지구에 있는 금은 초신성 폭발로 형성되었다.
④ 철보다 무거운 원소는 초신성 폭발로 형성되었다.
⑤ 매우 무거운 별은 초신성 폭발 후 밀도가 매우 높은 블랙홀이 된다.

단답형 알쉬특

12 우주에서 태양보다 많이 무거운 별의 진화 과정과 물질의 순환을 나타낸 것이다. (　　) 안에 들어갈 말을 쓰시오.

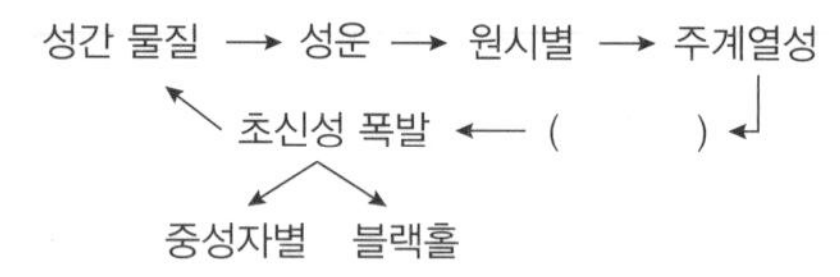

13 그림은 어느 별의 특정 진화 단계에 해당하는 내부 원소의 분포를 나타낸 것이다.

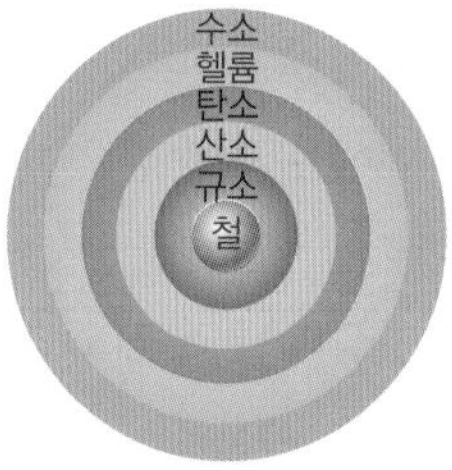

이에 대한 설명으로 옳은 것만을 | 보기 | 에서 있는 대로 고른 것은?

보기
ㄱ. 질량이 태양보다 큰 별이다.
ㄴ. 철 핵융합 반응이 일어난다.
ㄷ. 현재의 단계는 초거성 단계이다.

① ㄱ　② ㄴ　③ ㄱ, ㄷ
④ ㄴ, ㄷ　⑤ ㄱ, ㄴ, ㄷ

14 그림은 행성상 성운과 중심의 백색 왜성을 나타낸 것이다.

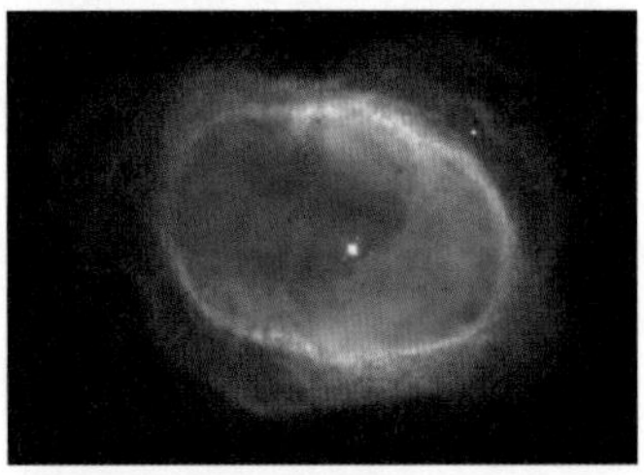

이에 대한 설명으로 옳은 것만을 | 보기 | 에서 있는 대로 고른 것은?

보기
ㄱ. 초거성이 폭발하여 형성된다.
ㄴ. 백색 왜성은 핵융합 반응을 하고 있다.
ㄷ. 태양과 비슷한 질량인 별의 진화 과정에서 볼 수 있다.

① ㄱ ② ㄷ ③ ㄱ, ㄴ
④ ㄴ, ㄷ ⑤ ㄱ, ㄴ, ㄷ

15 다음은 별의 진화 과정 중 볼 수 있는 모습에 대한 설명이다.

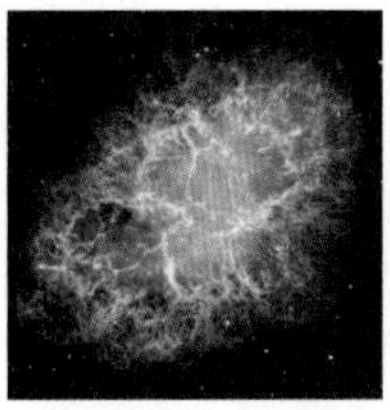

• 철보다 무거운 원소가 포함되어 있다.
• 태양보다 아주 무거운 별의 진화 과정에서 볼 수 있다.

이에 대한 설명으로 옳은 것만을 | 보기 | 에서 있는 대로 고른 것은?

보기
ㄱ. 초신성 폭발의 잔해이다.
ㄴ. 백색 왜성이 중심에서 형성되었다.
ㄷ. 방출된 물질은 새로운 별의 재료가 될 수 있다.

① ㄱ ② ㄷ ③ ㄱ, ㄴ
④ ㄱ, ㄷ ⑤ ㄱ, ㄴ, ㄷ

단답형

16 적색 거성과 초신성은 모두 주계열성 단계 이후에 나타나는 별의 진화 단계에 해당한다. (   ) 안에 알맞은 말을 쓰시오.

별의 진화 과정에서 질량이 (㉠) 정도에 해당하는 주계열성은 적색 거성으로 진화하고, 더 무거운 별은 초거성 단계로 진화한다. 무거운 별은 중력 수축에 의해 내부의 온도가 크게 상승하기 때문에 (㉡) 단계의 별은 핵융합 반응을 통해 철까지 형성할 수 있다.

C 태양계의 형성

17 태양계 행성의 특징에 대한 내용으로 옳은 것만을 | 보기 | 에서 있는 대로 고른 것은?

보기
ㄱ. 공전 궤도면이 거의 일치한다.
ㄴ. 모두 같은 방향으로 공전하고 있다.
ㄷ. 암석으로 구성된 행성은 기체로 구성된 행성보다 태양과 거리가 가깝다.

① ㄱ ② ㄷ ③ ㄱ, ㄴ
④ ㄴ, ㄷ ⑤ ㄱ, ㄴ, ㄷ

18 그림은 행성을 물리적 특징에 따라 두 그룹으로 나눈 것이다.

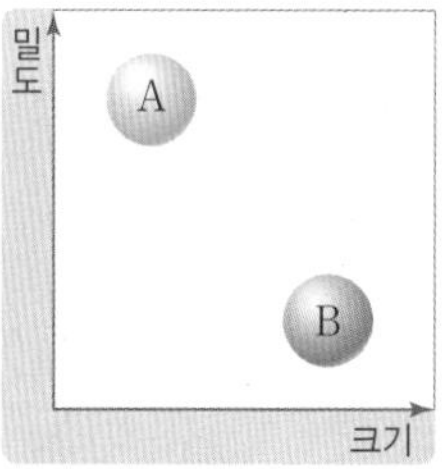

이에 대한 설명으로 옳은 것만을 | 보기 | 에서 있는 대로 고른 것은?

보기
ㄱ. A는 지구형 행성이다.
ㄴ. B는 지구보다 공전 궤도 반지름이 크다.
ㄷ. A보다 B의 주요 구성 원소가 무겁다.

① ㄱ ② ㄷ ③ ㄱ, ㄴ
④ ㄴ, ㄷ ⑤ ㄱ, ㄴ, ㄷ

실력 올리기 문제

| 별의 탄생 |

01 다음은 세 학생이 성간 물질이 주계열성으로 변하는 그림을 보면서 이야기하는 모습이다.

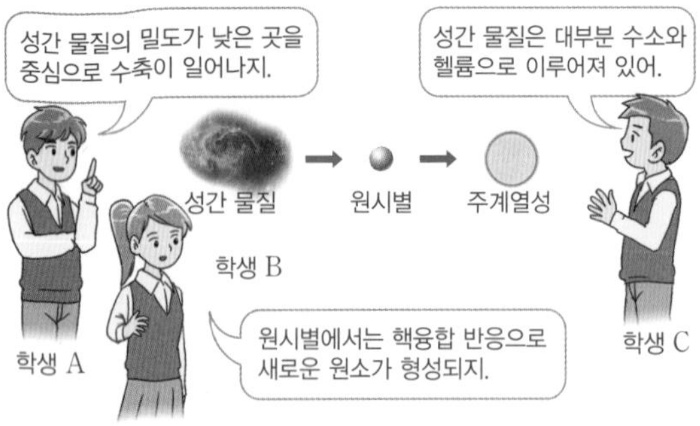

옳은 이야기를 한 학생만을 있는 대로 고른 것은?

① B ② C ③ A, B
④ A, C ⑤ A, B, C

| 별의 진화 |

02 그림은 별의 진화 과정을 나타낸 것이다.

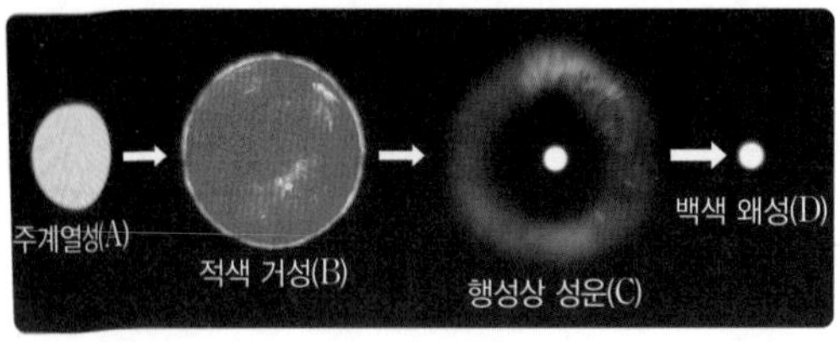

이에 대한 설명으로 옳은 것만을 | 보기 | 에서 있는 대로 고른 것은?

보기
ㄱ. A보다 B의 표면 온도가 낮다.
ㄴ. C에서 우라늄이 만들어진다.
ㄷ. D에서 핵융합 반응이 일어나고 있다.

① ㄱ ② ㄴ ③ ㄱ, ㄷ
④ ㄴ, ㄷ ⑤ ㄱ, ㄴ, ㄷ

| 적색 거성 | 출제예감

03 그림은 질량이 태양 정도인 별의 진화 과정 중 어느 단계를 나타낸 것이다.

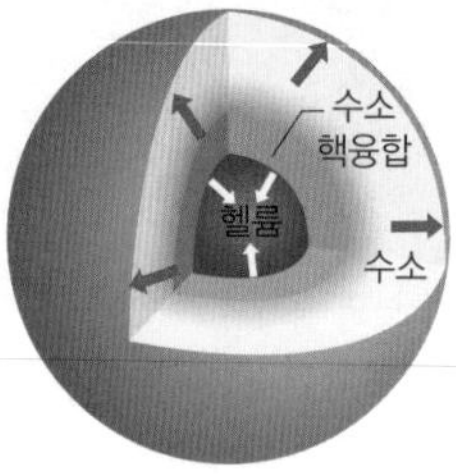

이에 대한 설명으로 옳은 것만을 | 보기 | 에서 있는 대로 고른 것은?

보기
ㄱ. 중심핵은 중력 수축하여 온도가 상승한다.
ㄴ. 수소 핵융합 반응으로 별의 바깥층이 팽창한다.
ㄷ. 중심핵의 온도가 상승하면 헬륨 핵융합 반응이 일어난다.

① ㄱ ② ㄴ ③ ㄱ, ㄷ
④ ㄴ, ㄷ ⑤ ㄱ, ㄴ, ㄷ

| 초거성 |

04 그림은 별의 진화 과정 중 특정 시기의 내부 모습이다.

이에 대한 설명으로 옳은 것만을 | 보기 | 에서 있는 대로 고른 것은?

보기
ㄱ. 행성상 성운이 될 것이다.
ㄴ. 중심핵의 철은 가장 안정한 원소이다.
ㄷ. 이 별은 폭발을 통해 철보다 무거운 원소를 만든다.

① ㄱ ② ㄷ ③ ㄱ, ㄴ
④ ㄴ, ㄷ ⑤ ㄱ, ㄴ, ㄷ

| 별의 진화 과정 | 출제예감

05 그림은 별의 진화 과정을 나타낸 것이다.

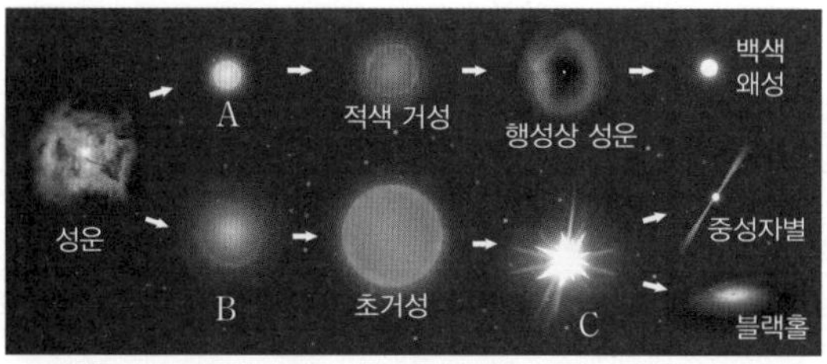

이에 대한 설명으로 옳은 것만을 | 보기 | 에서 있는 대로 고른 것은?

보기
ㄱ. A보다 B의 질량이 크다.
ㄴ. B 내부에서 헬륨 핵융합 반응이 일어난다.
ㄷ. C에서 폭발로 퍼져나간 잔해가 중성자별이나 블랙홀이 된다.

① ㄱ ② ㄷ ③ ㄱ, ㄴ
④ ㄴ, ㄷ ⑤ ㄱ, ㄴ, ㄷ

| 태양계의 형성 과정 |

06 그림은 태양계의 형성 과정을 나타낸 것이다.

이에 대한 설명으로 옳은 것만을 | 보기 | 에서 있는 대로 고른 것은?

보기
ㄱ. 성운이 회전하여 납작한 원반 모양이 되었다.
ㄴ. 멀리 있는 행성일수록 공전 주기가 길다.
ㄷ. 금성과 지구의 자전 방향은 같다.

① ㄱ ② ㄷ ③ ㄱ, ㄴ
④ ㄴ, ㄷ ⑤ ㄱ, ㄴ, ㄷ

| 원소의 생성 |

07 그림은 우리 주변에서 볼 수 있는 금반지이다.

금반지의 중앙에는 다이아몬드로 장식되어 있다. 금과 다이아몬드의 성분인 탄소는 어떻게 생성되었을지 서술하시오.

| 별의 에너지원 |

08 별의 진화 과정에서 중요한 역할을 하는 에너지원 2가지를 적고, 어떤 과정에 의해 생성되는지 서술하시오.

| 태양계 행성의 특징 |

09 지구형 행성과 목성형 행성의 특징을 비교하여 서술하시오. (단, 행성의 공전 궤도 반지름, 크기, 질량, 밀도의 개념을 넣어 서술하시오.)

03 원소들의 주기성

개념 이해 원소, 금속 원소, 비금속 원소, 주기율, 주기율표, 족, 주기, 전자 배치, 원자가 전자, 알칼리 금속, 할로젠 원소

A 원소와 원소의 분류

한·줄·핵심 원소는 1가지 성분으로 이루어져 있어 더 이상 다른 성분으로 분해되지 않아!

1. 원소[1]

(1) **원소** 물질을 이루는 가장 기본적인 성분으로, 더 이상 다른 성분으로 분해되지 않는다.

(2) 모든 물질은 원소로 이루어져 있으며, 1가지 또는 몇 가지 원소로 이루어져 있다.

(3) 우리 몸의 주요 성분 원소는 산소, 탄소, 수소, 질소 등이며, 현재까지 알려진 원소[2]는 118개이다.

우리 몸의 주요 구성 물질은 단백질, 핵산 등이며, 단백질과 핵산의 구성 원소가 산소, 탄소, 수소, 질소 등이다.

2. 원소의 분류 원소는 성질에 따라 크게 금속과 비금속으로 분류할 수 있다.

구분	금속 원소	비금속 원소
특징	전자를 잃고 양이온이 되기 쉬운 원소 양성자수가 전자 수보다 많아 양전하를 띠는 입자	전자를 얻어 음이온이 되기 쉬운 원소 전자 수가 양성자수보다 많아 음전하를 띠는 입자
상태 비교	실온[3]에서 대부분 고체 상태로 존재한다. (단, 수은(Hg)은 액체 상태)	실온에서 대부분 고체 또는 기체 상태로 존재하며, 광택이 없다. (단, 브로민(Br)은 액체 상태)
열과 전기 전도성	열과 전기 전도성이 있다.	대부분 열과 전기 전도성이 없다.
성질	광택이 있고, 외부에서 힘을 가하면 넓게 펴지거나 가늘게 뽑히는 성질이 있다. 전성 연성	광택이 없고, 다른 원소와 결합하여 여러 가지 물질을 만든다.
이용 예	건물을 짓는 철(Fe), 난방 배관에 쓰이는 구리(Cu), 포일을 만드는 데 쓰이는 알루미늄(Al) ㄴ구리는 열 전도성이 좋아 난방 배관으로 사용된다.   알루미늄은 외부 힘을 가할 때 넓게 펴지는 성질을 이용하여 포일과 접시를 만들 수 있다.	수돗물 소독에 쓰이는 염소(Cl), 식품 포장재에 이용되는 질소(N), 풍선을 채우는 헬륨(He)   헬륨의 밀도는 공기보다 작으므로 풍선에 헬륨을 채우면 풍선이 뜬다.

B 주기율표

한·줄·핵심 원소는 화학적 성질이 비슷한 원소들 사이에 어떤 규칙성이 있어! 이러한 규칙성을 정리하여 나타낸 것이 주기율표야!

1. 주기율표의 역사

(1) **되베라이너(1817년)** 화학적 성질이 매우 비슷한 3쌍의 원소가 존재하며, 이 원소들의 원자량 사이에 일정한 관계가 있다는 것을 보여 주었다.

(2) **멘델레예프(1869년)** 일정한 간격을 두고 되풀이되어 나타나는 규칙적인 성질을 주기성이라고 한다.

① 주기율: 당시까지 밝혀진 63종의 원소를 원자량[4]이 증가하는 순서로 배열하면 비슷한 성질의 원소들이 주기적으로 나타나는 현상인 주기율을 발견하였다.

② 주기율표: 비슷한 성질의 원소들의 규칙성을 정리하여 주기율표로 나타내었다.

③ 새로운 원소 예측: 당시까지 발견되지 않은 원소의 자리는 빈칸으로 두고, 주기율표상의 위치로부터 새로운 원소의 존재 가능성과 성질을 예측하였다.

구분	예측 원소	실제 원소
원소 이름	에카알루미늄	갈륨
원자량	68	69.7
밀도(g/cm^3)	5.9	5.9
녹는점(℃)	낮음	29.8
산화물의 화학식	Ea_2O_3	Ga_2O_3

멘델레예프가 예측한 원소와 실제 원소의 성질

❶ 원소
원소들이 발견되던 초기, 원소는 더 이상 다른 물질로 분해되지 않는 기본 성분을 뜻하였다. 그러나 원자의 구조가 명확히 밝혀진 이후 원소는 양성자수가 같은 입자로 이루어진 물질을 뜻하게 되었다.

❷ 세상을 구성하는 원소

우주	수소, 헬륨 등
지구	• 대기: 질소, 산소 등 • 지각: 산소, 규소 등 • 바다: 산소, 수소 등
우리 몸	산소, 탄소, 수소, 질소, 칼슘, 인 등

❸ 실온
일 년 동안의 기온을 평균한 온도를 뜻하며, 20℃±5℃의 범위로 하는 경우가 많다.

❹ 원자량
- 원자의 상대적 질량
- 양성자수와 중성자수가 모두 6인 탄소(C) 원자의 원자량을 12로 정하여 원자의 질량을 상대적으로 구한 값

- 원소(근본 元, 바탕 素) 물질의 기본 성분
- 금속(쇠 金, 엮을 屬) 특유의 광택이 있고 전성과 연성이 좋으며 열과 전기 전도성이 좋은 고체 물질
- 광택(빛 光, 윤 澤) 빛의 반사로 물질의 표면이 반짝이는 현상

(3) **모즐리**(1913년)

① 원소의 주기적 성질이 양성자수❺(원자 번호)와 관련이 있다는 것을 발견하였다.

② 원소들을 원자 번호 순으로 배열하여 현재 사용하고 있는 주기율표와 흡사한 주기율표를 완성하였다.

#보충!

❺ 양성자수의 결정
전자를 원소에 충돌시켰을 때 방출되는 X선의 파장이 양성자수에 따라 달라짐을 알고, 이를 이용하여 양성자수를 알아냈다.

#암기!

1~20번 원소는 원자 번호 순으로, 주기율표 모양에 맞추어 꼭 외워 둔다.

1	2	13	14	15	16	17	18
H							He
Li	Be	B	C	N	O	F	Ne
Na	Mg	Al	Si	P	S	Cl	Ar
K	Ca						

2. 주기율과 현대의 주기율표

(1) **주기율** 원소를 원자 번호 순으로 나열하였을 때 화학적 성질이 비슷한 원소가 규칙적으로 나타나는 성질

(2) **현대의 주기율표** 주기율에 따라 원소들을 원자 번호 순으로 나열하여 화학적 성질이 비슷한 원소들이 같은 세로줄에 오도록 나타낸 표

같은 세로줄에 배열된 원소는 원자가 전자 수가 같으므로 화학적 성질이 비슷하다. 원자가 전자 수는 p.32에서 자세히 다룬다.

① 족: 주기율표의 세로줄로, 1족~18족까지 존재한다.

② 주기: 주기율표의 가로줄로, 1주기~7주기까지 존재한다.

③ 주기율표에서 금속은 대체로 왼쪽에, 비금속은 대체로 오른쪽에 배치되어 있으며, 왼쪽과 오른쪽 끝에 배치된 원소일수록 반응성❻이 대체로 크다(18족 원소 제외).

같은 주기에서 왼쪽 끝인 1족 원소와 오른쪽 끝인 17족 원소는 반응성이 크다.

❻ 반응성

- 반응성: 한 원소가 다른 원소와 화학 반응을 일으키는 정도
- 반응성이 큰 원소: 다른 원소나 물질과 쉽게 반응한다.
- 반응성이 작은 원소: 다른 원소나 물질과 쉽게 반응하지 않는다.

수소의 경우 1족 원소이지만 비금속 원소이며, 알칼리 금속과 화학적 성질이 다르다.

18족 원소는 비활성 기체로 반응성이 거의 없으며 안정한 기체이다.

1 H 수소 — 원자 번호 / 원소 기호 / 원소 이름

금속 원소 / 준금속 원소 / 비금속 원소

[실온에서의 상태]
- 검은색 원소 기호: 고체
- 파란색 원소 기호: 기체
- 빨간색 원소 기호: 액체

주기＼족	1	2	3	4	5	6	7	8	9	10	11	12	13	14	15	16	17	18
1	1 H 수소																	2 He 헬륨
2	3 Li 리튬	4 Be 베릴륨											5 B 붕소	6 C 탄소	7 N 질소	8 O 산소	9 F 플루오린	10 Ne 네온
3	11 Na 나트륨	12 Mg 마그네슘											13 Al 알루미늄	14 Si 규소	15 P 인	16 S 황	17 Cl 염소	18 Ar 아르곤
4	19 K 칼륨	20 Ca 칼슘	21 Sc 스칸듐	22 Ti 타이타늄	23 V 바나듐	24 Cr 크로뮴	25 Mn 망가니즈	26 Fe 철	27 Co 코발트	28 Ni 니켈	29 Cu 구리	30 Zn 아연	31 Ga 갈륨	32 Ge 저마늄	33 As 비소	34 Se 셀레늄	35 Br 브로민	36 Kr 크립톤
5	37 Rb 루비듐	38 Sr 스트론튬	39 Y 이트륨	40 Zr 지르코늄	41 Nb 나이오븀	42 Mo 몰리브데넘	43 Tc 테크네튬	44 Ru 루테늄	45 Rh 로듐	46 Pd 팔라듐	47 Ag 은	48 Cd 카드뮴	49 In 인듐	50 Sn 주석	51 Sb 안티모니	52 Te 텔루륨	53 I 아이오딘	54 Xe 제논
6	55 Cs 세슘	56 Ba 바륨	57~71 란타넘족	72 Hf 하프늄	73 Ta 탄탈럼	74 W 텅스텐	75 Re 레늄	76 Os 오스뮴	77 Ir 이리듐	78 Pt 백금	79 Au 금	80 Hg 수은	81 Tl 탈륨	82 Pb 납	83 Bi 비스무트	84 Po 폴로늄	85 At 아스타틴	86 Rn 라돈
7	87 Fr 프랑슘	88 Ra 라듐	89~103 악티늄족	104 Rf 러더포듐	105 Db 더브늄	106 Sg 시보귬	107 Bh 보륨	108 Hs 하슘	109 Mt 마이트너륨	110 Ds 다름슈타튬	111 Rg 뢴트게늄	112 Cn 코페르니슘	113 Nh 니호늄	114 Fl 플레로븀	115 Mc 모스코븀	116 Lv 리버모륨	117 Ts 테네신	118 Og 오가네손

57 La 란타넘	58 Ce 세륨	59 Pr 프라세오디뮴	60 Nd 네오디뮴	61 Pm 프로메튬	62 Sm 사마륨	63 Eu 유로퓸	64 Gd 가돌리늄	65 Tb 터븀	66 Dy 디스프로슘	67 Ho 홀뮴	68 Er 어븀	69 Tm 툴륨	70 Yb 이터븀	71 Lu 루테튬
89 Ac 악티늄	90 Th 토륨	91 Pa 프로트악티늄	92 U 우라늄	93 Np 넵투늄	94 Pu 플루토늄	95 Am 아메리슘	96 Cm 퀴륨	97 Bk 버클륨	98 Cf 캘리포늄	99 Es 아인슈타이늄	100 Fm 페르뮴	101 Md 멘델레븀	102 No 노벨륨	103 Lr 로렌슘

6주기의 $_{57}La$~$_{71}Lu$과 7주기의 $_{89}AC$~$_{103}Lr$은 가로행이 너무 길어지는 것을 방지하기 위해 아래쪽에 따로 나타내어 각각 란타넘족, 악티늄족이라고 한다.

현대의 주기율표

정답과 해설 007쪽

간단 점검

1. 물질의 기본 성분으로 더 이상 분해되지 않는 것은?
2. 금속 원소와 비금속 원소 중 전자를 얻어 음이온이 되기 쉬운 것은?
3. 원소를 원자 번호 순으로 나열하였을 때 화학적 성질이 비슷한 원소가 규칙적으로 나타나는 성질은?
4. 원소를 원자 번호 순으로 나열하여 화학적 성질이 비슷한 원소들이 세로줄에 오도록 한 표는?

[5~6] 다음 ( ) 안에 알맞은 말을 쓰시오.

5. 현대의 주기율표는 ( ) 순으로 원소가 배열되어 있다.
6. 주기율표의 가로줄을 ( ), 세로줄을 ( )(이)라고 한다.

C 원자의 전자 배치

한·줄·핵심 원자는 원자핵과 전자로 구성되어 있으며, 원자핵은 양성자와 중성자로 이루어져 있어!

1. 원자[7]의 구조

(1) 원자는 원자핵과 전자로, 원자핵은 양성자와 중성자로 이루어져 있다.

(2) 한 원자를 구성하는 양성자수와 전자 수는 같으므로 전기적으로 중성이다.

(3) 원자마다 양성자수가 다르므로 양성자수로 원자 번호를 정한다.

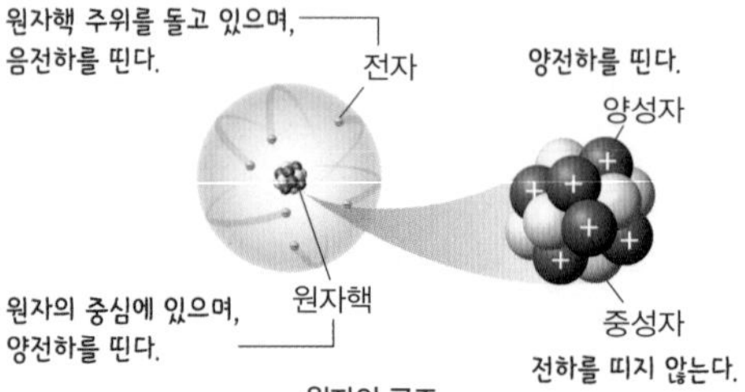

원자의 구조

> 원자 번호=양성자수=전자 수

2. 원자의 전자 배치 알쉬특

(1) **전자 껍질** 전자가 운동하는 특정한 에너지를 갖는 궤도[8]

(2) **전자 배치** 원자 안의 전자는 원자핵에 가까운 전자 껍질부터 차례로 배치되는데, 각 전자 껍질에 배치되는 전자 수는 정해져 있다. → 첫 번째 전자 껍질에 최대 2개, 두 번째와 세 번째 전자 껍질에 최대 8개

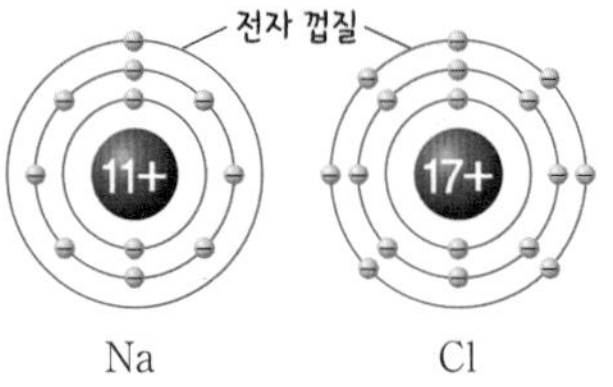

나트륨(Na)과 염소(Cl)의 전자 배치 모형

구분	나트륨	염소
첫 번째 전자 껍질의 전자 수	2	2
두 번째 전자 껍질의 전자 수	8	8
세 번째 전자 껍질의 전자 수	①	⑦

원자가 전자 수

(3) **원자가 전자[9]**

화학 반응이 일어날 때 원자가 전자가 반응에 관여하기 때문에 원자가 전자 수는 원소의 성질을 결정하는 중요한 역할을 한다.

① 원자가 전자: 가장 바깥 전자 껍질에 들어 있는 전자 중 화학 결합에 참여하는 전자로, 같은 족 원소는 원자가 전자 수가 같으므로 화학적 성질이 비슷하다.

② 1, 2족 원소, 13족~17족 원소: 원자가 전자 수는 족 번호의 끝자리 수와 같다.

자료 원자의 전자 배치와 주기율표

그림은 2, 3주기 원소의 전자 배치를 모형으로 나타낸 것이다. 제시된 자료로부터 각 원소의 원자가 전자 수를 구하고, 원소의 전자 배치에서 주기와 족에 따른 규칙성을 찾아낼 수 있다.

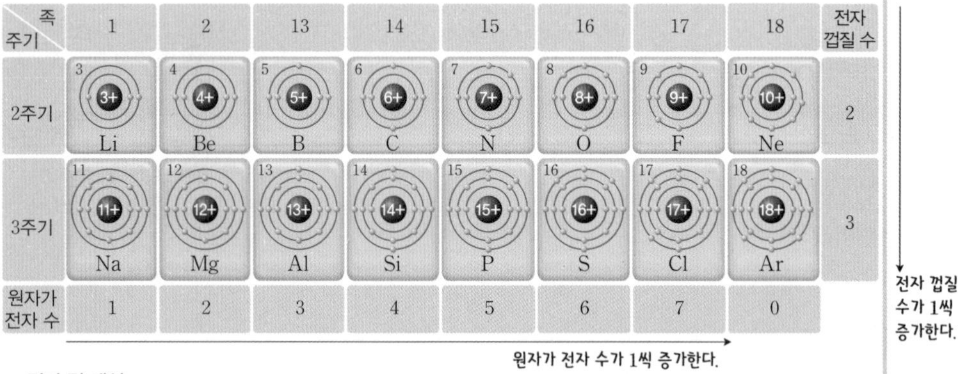

정리 및 해석

❶ **같은 주기**: 전자 껍질 수가 같고, 오른쪽으로 갈수록 가장 바깥 전자 껍질에 채워진 전자가 1개씩 증가한다.

❷ **같은 족**: 가장 바깥 전자 껍질에 채워진 전자 수가 같으며, 아래로 갈수록 전자 껍질 수가 1개씩 증가한다.

(3) **원소들의 주기성이 나타나는 까닭** 원자 번호가 증가함에 따라 원소의 화학적 성질을 결정하는 원자가 전자 수가 주기적으로 변하기 때문이다.

---

❼ 원소와 원자

원소는 물질을 이루고 있는 기본 성분이고, 원자는 물질을 이루고 있는 기본 입자이다.

예 이산화 탄소(CO_2)는 탄소와 산소 두 종류의 원소로 이루어져 있고, 탄소 원자 1개와 산소 원자 2개가 결합하여 만들어진다.

❽ 에너지 준위

- 에너지 준위: 전자는 전자 껍질에만 존재하며, 전자 껍질에서 특정한 값의 에너지를 갖는 상태
- 전자 껍질의 에너지 준위는 원자핵과 가까울수록 낮고, 원자핵에서 멀수록 높다.

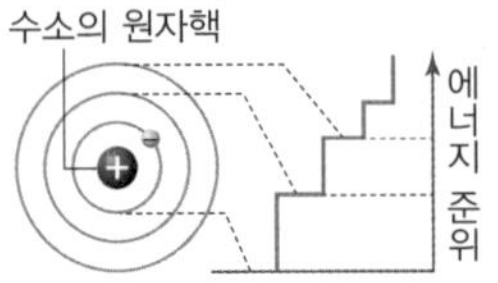

수소 원자의 전자 배치와 에너지 준위

❾ 원자가 전자

족	1	2	13	14	15	16	17	18[10]
원자가 전자 수	1	2	3	4	5	6	7	0

❿ 18족 원소의 원자가 전자

18족 원소는 가장 바깥 전자 껍질의 전자 수가 8이지만 이 전자들이 화학 결합에 참여하지 않으므로 원자가 전자 수는 0이다.

- 양성자(별 陽, 성품 性, 아들 子) 원자핵을 구성하는 양전하를 띠는 입자
- 전자(번개 電, 아들 子) 원자를 구성하는 음전하를 띠는 입자
- 주기성(돌다 週, 기약하다 期, 성품 性) 일정한 간격을 두고 되풀이되어 나타나는 성질

D 알칼리 금속과 할로젠 원소

한·줄·핵심 알칼리 금속과 할로젠 원소들은 각각 원자가 전자 수가 같아 공통적인 성질이 있어!

1. 알칼리 금속 수소(H)를 제외한 1족 금속 원소 예 Li, Na, K 등

(1) 1족 원소이므로 원자가 전자 수가 모두 1이다.

(2) 알칼리 금속[11]의 공통적 성질

① 실온에서 모두 고체 상태이다.

② 칼에 잘릴 정도로 무르며, 다른 금속에 비해 밀도가 작다.

③ 공기 중에서 쉽게 산소와 반응하여 금속 특유의 광택을 잃는다.
(나트륨 금속 겉표면에서 산소와 결합을 하므로 은백색에서 회백색으로 변한다.)

④ 물과 격렬하게 반응하여 수소 기체를 발생하고, 반응 후 수용액은 염기성을 띤다.

탐구 알칼리 금속의 공통적 성질

알칼리 금속[12]과 물의 반응을 통해 알칼리 금속의 공통적 성질을 알 수 있다.

과정

① 유리판 위에 나트륨 조각을 올려놓고 핀셋으로 잡은 다음, 칼로 잘라 단면을 관찰한다.

② 3개의 비커에 각각 물을 담고 페놀프탈레인 용액을 2방울~3방울씩 떨어뜨린 후, 쌀알 크기의 리튬, 나트륨, 칼륨 조각을 각각 물에 넣은 후 변화를 관찰한다.

①

②
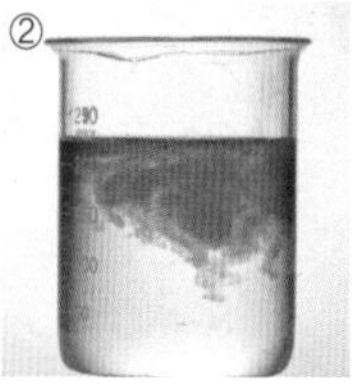

결과

① 칼로 자를 수 있고, 칼로 자른 단면은 공기 중에서 표면의 광택을 잃었다.

② 3가지 금속 모두 물 위에 떠서 매우 활발하게 반응하였고, 수용액의 색깔이 붉은색으로 변하였다.

정리

❶ **알칼리 금속과 물의 반응**: Li보다 Na이, Na보다 K이 물과 더 격렬하게 반응함을 알 수 있으며, 3가지 금속 모두 물 위에 떠서 반응하므로 물보다 밀도가 작다. → 반응성: 리튬 < 나트륨 < 칼륨

❷ **수용액의 색깔 변화**: 수용액의 색깔이 페놀프탈레인 용액에 의해 붉은색으로 변한 것은 3가지 금속이 물과 반응할 때 염기성 물질이 생성되기 때문이다. (용액이 산성, 중성일 때 무색, 염기성일 때 붉은색을 띠므로 수용액의 성질을 비교할 수 있다.)

2. 할로젠 원소 주기율표의 17족에 속하는 비금속 원소 예 F, Cl, Br, I 등

(1) 17족 원소이므로 원자가 전자 수가 모두 7이다.

(2) 할로젠 원소[13]의 공통적 성질

① 반응성이 매우 커서 자연 상태에서 대부분 화합물의 형태로 존재한다.

② 실온에서 두 원자가 결합하여 이원자 분자로 존재한다. → F_2, Cl_2, Br_2, I_2
(원자 2개가 결합하여 하나의 분자를 이룬다.)

③ 알칼리 금속이나 수소와 반응하여 염을 생성[14]하거나 수소 화합물을 생성한다.
(예 NaCl, KBr 등)
(수소와 결합한 화합물을 수소 화합물이라고 한다. 예 HF, HCl, HBr, HI 등)

④ 할로젠의 수소 화합물은 물에 녹아 산성을 띤다.

(3) 몇 가지 할로젠 원소의 성질

원소	색깔	나트륨과의 반응	수소와의 반응	실온에서의 상태
플루오린(F)	옅은 황색	매우 격렬하게 반응한다.	매우 빠르게 반응한다.	기체
염소(Cl)	황록색	격렬하게 반응한다.	빠르게 반응한다.	기체
브로민(Br)	적갈색	잘 반응한다.	잘 반응한다.	액체

⓫ 알칼리 금속의 이용

리튬(Li)	나트륨(Na)
휴대용 전지	비누, 가로등

#보충!

알칼리 금속의 보관

알칼리 금속은 공기 중의 산소, 수증기와 반응하므로 Na과 K은 벤젠이나 석유 속에 넣어 보관한다. Rb과 Cs은 밀봉된 용기에 넣어 산소와 물의 접촉을 철저히 차단한다.

⓬ 알칼리 금속의 사용 시 유의점

- 반응성이 커서 위험하므로 쌀알 크기로 반응시킨다.
- 물과의 반응성이 크므로 반응 시 너무 가까이에 있지 않는다.
- 남은 알칼리 금속과 반응액은 위험하므로 꼭 지정된 장소에 반납한다.

⓭ 할로젠 원소의 이용

플루오린(F)	염소(Cl)
치약	소독제, 표백제 등

⓮ 염소와 나트륨의 반응

● 염기(소금 鹽, 터 基) 물에 녹아 수산화 이온을 생성하는 물질

● 분자(나눌 分, 아들 子) 물질의 성질을 가지고 있는 가장 작은 입자로 독립적으로 움직일 수 있는 입자

정답과 해설 007쪽

간단 점검

7. 원자의 전자 배치에서 가장 바깥 전자 껍질에 들어 있는 전자 중 화학 결합에 참여하는 전자는?
8. 17족 원소의 원자가 전자 수는?
9. 3주기 원소의 전자가 들어 있는 전자 껍질 수는?
10. 알칼리 금속의 원자가 전자 수는?
11. 알칼리 금속과 물의 반응 후, 수용액의 성질은?
12. 할로젠 원소는 주기율표의 몇 족에 해당하는가?
13. 할로젠 원소가 공통적인 성질을 갖는 까닭은?

알아두면 시험이 쉬워지는 특강

원자의 전자 배치와 주기율표

1 원자의 전자 배치

1. 전자 배치의 규칙

- 전자는 안쪽 전자 껍질부터 차례로 채워지는데, 원자핵에서 가장 가까운 전자 껍질은 전자가 최대 2개 들어가고, 두 번째, 세 번째 전자 껍질은 전자가 최대 8개까지 들어간다.
- 가장 바깥 전자 껍질에 채워지는 전자 수는 8개를 초과할 수 없다.

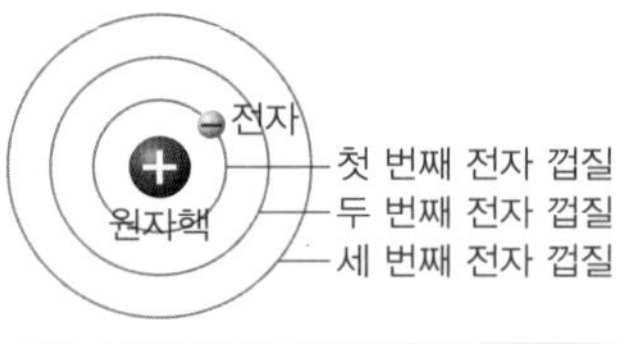

전자 배치 모형

2. 전자 배치하는 방법 (예 산소)

전자 수 알기
- 원자 번호 =양성자수 =전자 수
- 산소의 원자 번호는 8이므로 전자는 8개

전자 배치
- 첫 번째 전자 껍질에 2개, 두 번째 전자 껍질에 전자가 6개 배치된다.

산소의 전자 배치

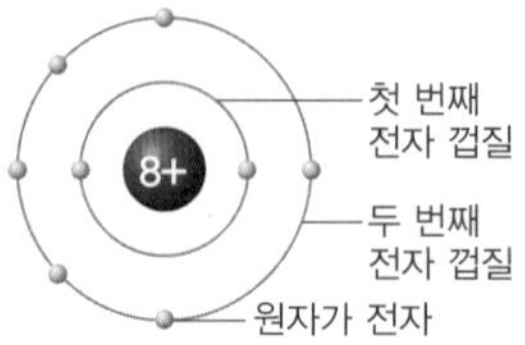

- 전자 껍질 수는 주기와 같은데, 산소는 전자 껍질이 2개이다. → 2주기
- 가장 바깥 전자 껍질에 배치되는 전자 수가 6개이다. → 원자가 전자 수 6

한·줄·핵심 가장 바깥 전자 껍질에 채워진 전자 수가 원자가 전자 수이며, 전자 껍질 수는 주기와 같다.

2 주기율표

1. 주기율표에서 원소의 가장 바깥 전자 껍질의 전자 배치를 보면 족과 주기에 따라 일정한 경향이 나타난다.

같은 족일 경우 원자가 전자 수가 같다.

주기＼족	1	2	3	4	5	6	7	8	9	10	11	12	13	14	15	16	17	18
1	1																	8
2	1	2											3	4	5	6	7	8
3	1	2											3	4	5	6	7	8
4	1	2											3	4	5	6	7	8
가장 바깥 전자 껍질의 전자 수	1	2											3	4	5	6	7	8
원자가 전자 수	1	2											3	4	5	6	7	0

1족에서 17족까지는 원자가 전자 수가 1개씩 증가한다.(단, 3~12족 제외)

원자가 전자 수가 16족은 6개로 같고, 17족은 7개로 같다.

2. 1족, 2족, 13족~18족 원소

- 원자가 전자 수는 족 번호의 끝자리 수와 같다(단, 18족 제외).
- 같은 족 원소는 원자가 전자 수가 같으므로 화학적으로 성질이 비슷하다.
- 18족 원소는 가장 바깥 전자 껍질이 모두 채워져 있어 반응성이 작고 안정하며, 가장 바깥 전자 껍질의 전자가 반응에 참여하지 않으므로 원자가 전자 수는 0이다.

한·줄·핵심 같은 족 원소는 원자가 전자 수가 같아 화학적으로 성질이 비슷하다.

확인 문제

정답과 해설 007쪽

1. 원자의 전자 배치에 대한 설명으로 옳은 것은 ○, 옳지 않은 것은 ×로 표시하시오.

(1) 전자는 가장 안쪽 전자 껍질부터 채워진다. ( )

(2) 두 번째 전자 껍질에 채워지는 최대 전자 수는 8이다. ( )

(3) 3주기 2족 원소는 가장 바깥 전자 껍질에 3개의 전자가 채워져 있다. ( )

(4) 산소는 가장 바깥 전자 껍질의 전자 수가 6개이다. ( )

2. 오른쪽 그림은 플루오린(F)의 전자 배치를 나타낸 것이다. 이에 대한 설명으로 옳은 것만을 |보기|에서 있는 대로 골라 기호를 쓰시오.

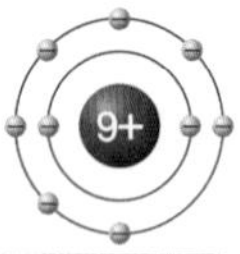

보기
ㄱ. 2주기 원소이다.
ㄴ. 17족 원소이다.
ㄷ. 원자가 전자 수는 7이다.

정답과 해설 007쪽

개념 문제

A 원소와 원소의 분류

01 원소에 대한 설명으로 옳은 것은 ○, 옳지 않은 것은 × 로 표시하시오.

(1) 물질을 이루는 가장 기본적인 성분이다. ( )
(2) 더 이상 다른 성분으로 분해되지 않는다. ( )
(3) 현재까지 알려진 원소는 118개이다. ( )

02 금속의 성질만을 | 보기 | 에서 있는 대로 골라 기호를 쓰시오.

보기
ㄱ. 전자를 잃고 양이온이 되기 쉬운 원소이다.
ㄴ. 열과 전기 전도성이 큰 원소이다.
ㄷ. 실온에서 주로 고체나 기체로 존재한다.

B 주기율표

03 설명 중 옳은 것은 ○, 옳지 않은 것은 ×로 표시하시오.

(1) 멘델레예프는 양성자수를 기준으로 주기율표를 만들었다. ( )
(2) 같은 족 원소들은 원자가 전자 수가 같다. ( )
(3) 1족에 속한 원소는 모두 금속 원소이다. ( )
(4) 주기율표에서 세로줄을 주기라고 하며, 같은 주기의 원소는 화학적 성질이 비슷하다. ( )

C 원자의 전자 배치

04 다음에서 설명하는 것은 무엇인지 쓰시오.

원자의 전자를 모형으로 배치하였을 때 가장 바깥 전자 껍질에 들어 있는 전자의 수이며, 이 수가 같은 원소들은 화학적 성질이 비슷하다.

D 알칼리 금속과 할로젠 원소

05 알칼리 금속에 대한 설명에는 '알', 할로젠 원소에 대한 설명에는 '할'이라고 쓰시오.

(1) 17족 원소로 원자가 전자 수가 7이다. ( )
(2) 공기 중에서 쉽게 산소와 반응한다. ( )
(3) 물과 격렬하게 반응하며, 반응 후 수용액은 염기성을 띤다. ( )

A 원소와 원소의 분류

06 원소를 금속 원소와 비금속 원소로 나누었을 때, 비금속 원소의 특징에 해당하는 것을 모두 고르면? (정답 2개)

① 전류가 잘 통한다.
② 음이온이 되기 쉽다.
③ 반짝거리는 광택이 난다.
④ 열을 잘 전달하지 않아서 절연체로 사용할 수 있다.
⑤ 힘을 가하면 부러지거나 부스러지는 대신 늘어나는 성질이 있다.

07 오른쪽 그림은 구리를 실생활에서 이용하는 예를 나타낸 것이다. 이와 같이 실생활에 이용될 때 적용되는 과학적 원리와 관련된 금속의 성질로 옳은 것은?

구리 – 난방 배관

① 광택 ② 열 전도성
③ 전기 전도성 ④ 뽑힘성
⑤ 물에 대한 용해성

B 주기율표

08 그림은 주기율표에 있는 원소를 성질에 따라 크게 2가지로 구분한 것을 나타낸 것이다.

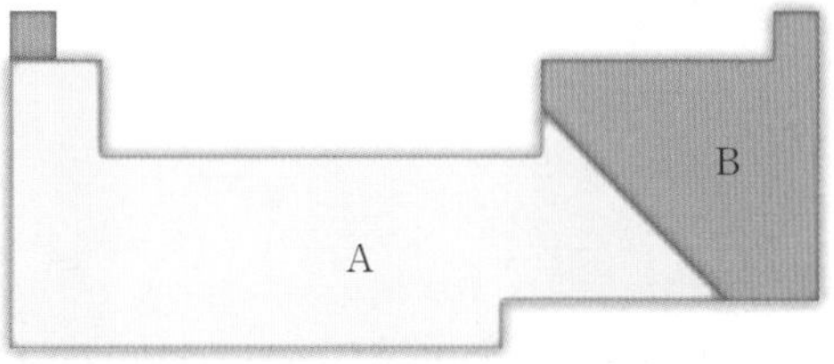

이에 대한 설명으로 옳은 것은?

① 탄소(C)는 A에 속한다.
② B는 비금속 원소이다.
③ A에 속한 원소에 힘을 가하면 잘 부서진다.
④ B에 속한 원소는 열과 전기 전도성이 있다.
⑤ A에 속한 원소는 실온에서 모두 고체로 존재한다.

09 다음은 현대 주기율표에 대한 설명이다.

> 현대 주기율표는 원소를 (　　) 순으로 나열했을 때 화학적 성질이 비슷한 원소들이 같은 세로줄에 오도록 나타낸 표이다.

(　　) 안에 알맞은 말과 가장 관계가 깊은 것은?

① 원자량　② 전자 수　③ 양성자수
④ 원자의 크기　⑤ 밀도

10 주기율표에 대한 설명으로 옳지 않은 것은?

① 세로줄을 족이라고 하며, 1족~18족까지 있다.
② 가로줄을 주기라고 하며, 1주기~7주기까지 있다.
③ 같은 족에 속한 원소는 화학적 성질이 비슷하다.
④ 현재 사용하는 주기율표는 멘델레예프가 만든 것이다.
⑤ 현재의 주기율표는 원소를 원자 번호 순으로 배열한 것이다.

C 원자의 전자 배치

11 원자 구조와 전자 배치에 대한 설명으로 옳지 않은 것은?

① 같은 족 원소는 원자가 전자 수가 같다.
② 같은 주기 원소는 전자 껍질의 수가 같다.
③ 전자 껍질에 배치될 수 있는 전자 수는 항상 최대 2개이다.
④ 전자가 운동하는 특정한 에너지를 갖는 궤도를 전자 껍질이라고 한다.
⑤ 원자를 구성하는 양성자수와 전자 수는 같으므로 원자는 전기적으로 중성이다.

단답형 알쉬툭

12 그림은 원소 A~D의 전자 배치를 모형으로 나타낸 것이다. 화학적 성질이 비슷한 원소를 찾아 기호를 쓰시오. (단, A~D는 임의의 원소 기호이다.)

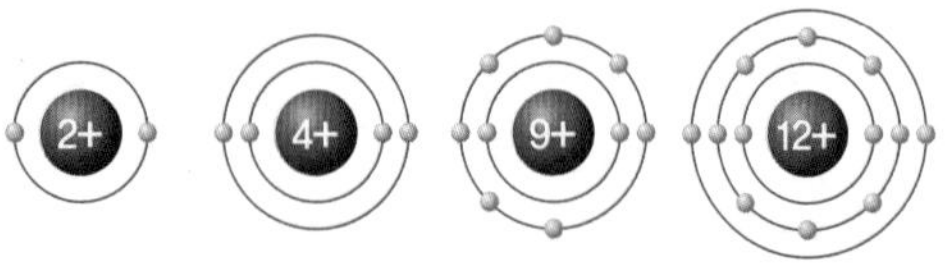

A　B　C　D

단답형 알쉬툭

13 그림은 원소 A~D의 전자 배치를 모형으로 나타낸 것이다.

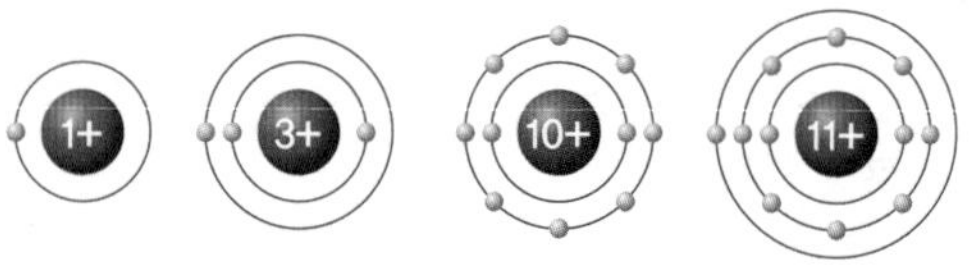

A　B　C　D

위 그림에서 다음 (가), (나)에 해당하는 원소를 각각 찾아 각 원소의 원자 번호의 합을 구하시오.

> (가) 전자 껍질 수가 가장 작은 원소
> (나) 원자가 전자 수가 가장 작은 원소

알쉬툭

14 오른쪽 그림은 원소 A의 전자 배치를 모형으로 나타낸 것이다. 원소 A에 대한 설명으로 옳은 것은? (단, A는 임의의 원소 기호이다.)

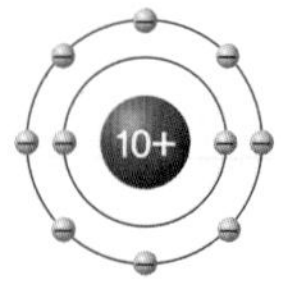

① 8족 원소이다.
② 전자 껍질 수는 8이다.
③ 원자가 전자 수는 2이다.
④ 전자를 얻어 음이온이 되기 쉽다.
⑤ 화학적으로 안정하여 반응성이 작다.

15 그림은 주기율표의 일부를 나타낸 것이다.

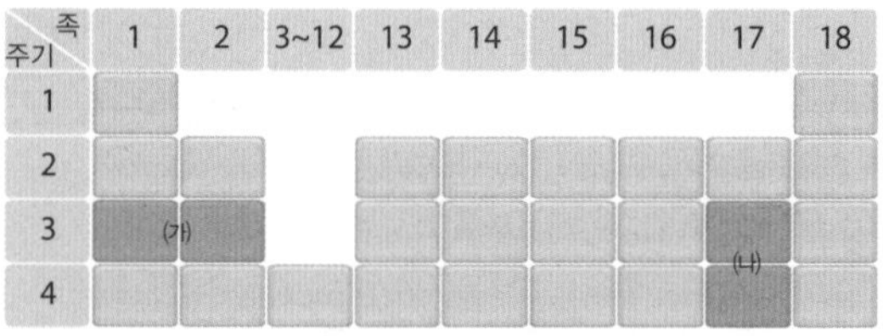

(나)에 속한 원소들이 (가)에 속한 원소들보다 큰 값을 갖는 것만을 보기에서 있는 대로 고른 것은?

> 보기
> ㄱ. 원자가 전자 수　ㄴ. 원자 번호
> ㄷ. 고체 상태에서 전기 전도성

① ㄱ　② ㄷ　③ ㄱ, ㄴ
④ ㄱ, ㄷ　⑤ ㄱ, ㄴ, ㄷ

정답과 해설 007쪽

16 그림은 주기율표의 일부를 나타낸 것이다.

주기＼족	1	2	13	14	15	16	17	18
1	A							
2	B						C	
3		D			E		F	
4								G

다음은 A~G에 대한 자료이다. $x+y+z$를 구하면? (단, A~G는 임의의 원소 기호이다.)

- 전자 껍질이 2개인 원소는 x가지이다.
- 원자가 전자가 7개인 원소는 y가지이다.
- 금속 원소는 z가지이다.

① 3 ② 4 ③ 5 ④ 6 ⑤ 7

D 알칼리 금속과 할로젠 원소

17 1족 원소인 Li, Na, K에 대한 설명으로 옳지 <u>않은</u> 것은?

① 알칼리 금속이라고 한다.
② 전기가 잘 통하지 않는다.
③ 공기 중의 산소와 쉽게 반응한다.
④ 무르기 때문에 칼로 쉽게 자를 수 있다.
⑤ 물에 넣으면 격렬하게 반응한다.

18 다음은 어떤 원소 X에 대한 자료이다.

- 전자 껍질 수가 3이다.
- 원자가 전자 수가 7이다.

X에 대한 설명으로 옳지 <u>않은</u> 것은? (단, X는 임의의 원소 기호이다.)

① 실온에서 기체로 존재한다.
② 물과 반응하여 염기성 물질을 생성한다.
③ 3주기 1족 원소와 반응하여 염을 생성한다.
④ 수소 기체와 반응하여 할로젠화 수소를 생성한다.
⑤ 반응성이 커 대부분 다른 원소와 결합한 상태로 존재한다.

19 다음은 나트륨(Na)의 성질을 알아보기 위한 실험이다.

[실험 과정 및 결과]
(가) Na을 칼로 잘랐을 때 쉽게 잘라지며, 공기 중에서 자른 면의 광택이 빨리 사라졌다.
(나) 쌀알 크기의 금속 Na 조각을 물에 넣었더니 물의 표면에서 격렬하게 반응하였다.
(다) 반응 후 수용액에 페놀프탈레인 용액을 떨어뜨렸더니 붉게 변하였다.

이에 대한 설명으로 옳지 <u>않은</u> 것은?

① Na은 물보다 밀도가 크다.
② Na은 칼로 잘릴 정도로 무르다.
③ (가)에서 Na은 공기 중 산소와 반응한다.
④ (다)에서 반응 후 수용액은 염기성이다.
⑤ Na 대신 칼륨(K)으로 같은 실험을 했을 때 실험 결과는 같다.

20 그림은 원소 A~D의 전자 배치를 모형으로 나타낸 것이다. 물과 공기의 접촉을 막기 위해 벤젠이나 석유 속에 넣어 보관하는 원소의 기호를 모두 쓰시오. (단, A~D는 임의의 원소 기호이다.)

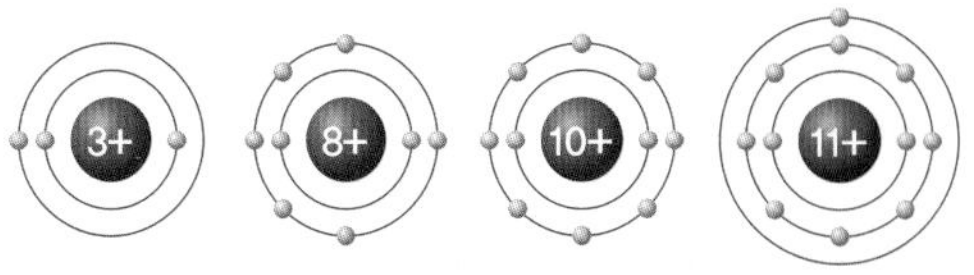

A B C D

21 그림은 주기율표의 일부를 나타낸 것이다.

주기＼족	1	2	3~12	13	14	15	16	17	18
2								A	
3	B							C	
4	D							E	

A~E에 대한 설명으로 옳은 것은? (단, A~E는 임의의 원소 기호이다.)

① 금속 원소는 3가지이다.
② 원자 번호는 D가 E보다 크다.
③ 원자가 전자 수는 A가 B보다 크다.
④ C와 E는 공기 중 산소와 잘 반응한다.
⑤ D보다는 B가 물과 더 격렬히 반응한다.

실력 올리기 문제

| 원소의 주기율과 주기율표 |

01 그림은 수행평가 보고서의 일부를 나타낸 것이다.

통합과학 수행평가

1학년 반 이름

원소의 주기율과 주기율표에 대한 질문 중 옳은 것은 ○, 옳지 않은 것은 ×로 표시하시오.

번호	질문	답
1	최초의 주기율표는 원소들을 원자 번호 순으로 배열하였다.	○
2	화학적 성질이 비슷한 원소는 같은 세로줄에 오도록 배열한다.	×
3	같은 족 원소들은 원자가 전자 수가 같다.	○
4	현대의 주기율표에서 3주기에 속하는 원소는 8개이다.	×
	점수: 항목별로 맞으면 1점, 틀리면 0점	(가)

(가)에 해당하는 점수로 옳은 것은?

① 0점 ② 1점 ③ 2점
④ 3점 ⑤ 4점

| 원자의 전자 배치와 원자가 전자 수 | 출제예감

02 그림은 3가지 원소 A~C의 전자 배치를 모형으로 나타낸 것이다.

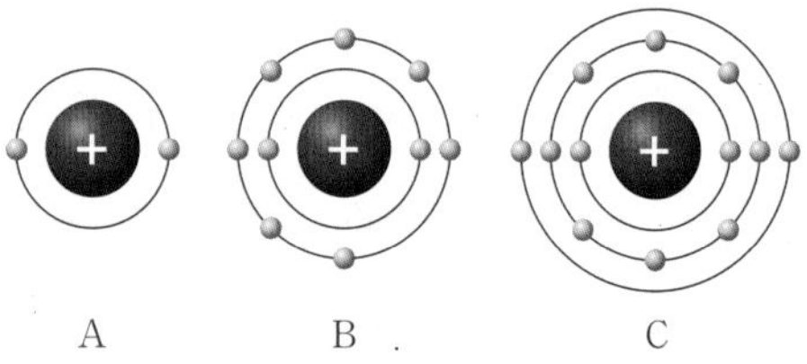

A~C에 대한 설명으로 옳은 것만을 | 보기 |에서 있는 대로 고른 것은? (단, A~C는 임의의 원소 기호이다.)

보기
ㄱ. 2주기 원소는 2가지이다.
ㄴ. A와 C는 화학적 성질이 비슷하다.
ㄷ. 양성자수는 C가 B보다 많다.

① ㄱ ② ㄷ ③ ㄱ, ㄴ
④ ㄴ, ㄷ ⑤ ㄱ, ㄴ, ㄷ

| 주기율표와 원소의 분류 |

03 그림은 주기율표의 일부를 나타낸 것이다.

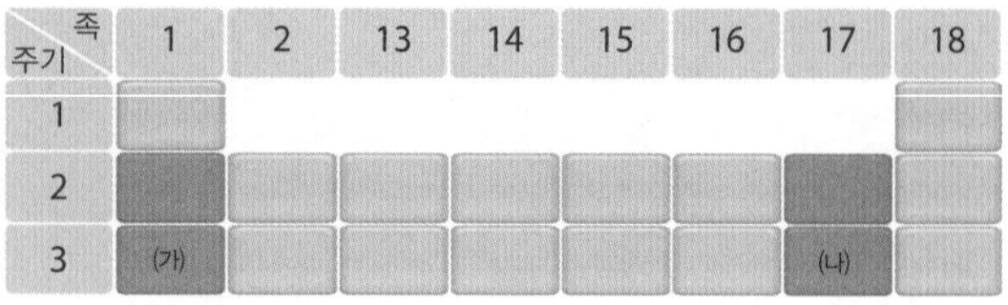

이에 대한 설명으로 옳은 것만을 | 보기 |에서 있는 대로 고른 것은?

보기
ㄱ. 원자가 전자 수는 (가) 원소보다 (나) 원소가 많다.
ㄴ. 같은 주기에서 원자 번호는 (나) 원소보다 (가) 원소가 크다.
ㄷ. 고체 상태에서 전기 전도성은 (나)원소보다 (가) 원소가 크다.

① ㄱ ② ㄷ ③ ㄱ, ㄴ
④ ㄱ, ㄷ ⑤ ㄴ, ㄷ

| 알칼리 금속과 할로젠 원소 | 출제예감

04 다음은 2, 3주기 원소 (가)~(다)에 대한 설명이다.

- (가)~(다)는 알칼리 금속, 할로젠 원소 중 하나이다.
- 원자가 전자 수는 (가)와 (나)가 (다)보다 많다.
- 원자의 전자 껍질 수는 (다)가 (나)보다 많다.

(가)~(다)에 대한 설명으로 옳은 것만을 | 보기 |에서 있는 대로 고른 것은?

보기
ㄱ. 원자 번호는 (가)가 가장 크다.
ㄴ. (가)와 (다)는 같은 주기 원소이다.
ㄷ. (나)와 (다)는 모두 알칼리 금속이다.

① ㄱ ② ㄷ ③ ㄱ, ㄴ
④ ㄴ, ㄷ ⑤ ㄱ, ㄴ, ㄷ

정답과 해설 008쪽

| 원소의 성질과 분류 |

05 그림은 3가지 원소를 분류 기준에 따라 분류하여 나타낸 것이다.

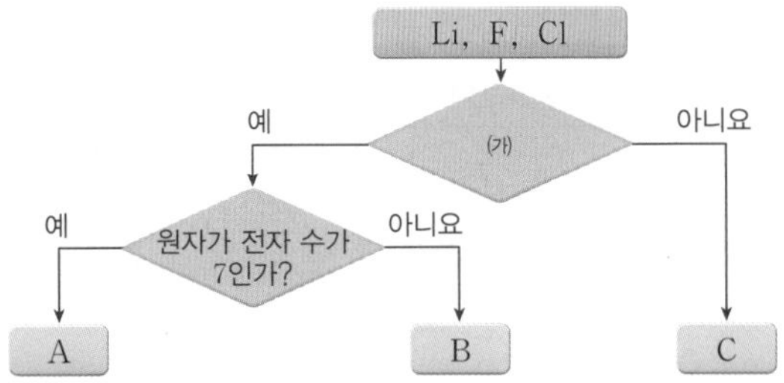

이에 대한 설명으로 옳은 것만을 | 보기 |에서 있는 대로 고른 것은?

보기
ㄱ. A와 C는 같은 족 원소이다.
ㄴ. (가)에 '2주기 원소인가'를 적용할 수 있다.
ㄷ. B를 물에 넣고 반응시킨 후 수용액은 염기성이다.

① ㄱ ② ㄷ ③ ㄱ, ㄴ
④ ㄴ, ㄷ ⑤ ㄱ, ㄴ, ㄷ

| 원소의 성질과 분류 |

06 그림의 작은 원에 Li, F, Ne, Na, Cl, Ar의 6가지 원소를 규칙 (가)~(다)에 따라 배치하였다.

[규칙]
(가) 같은 주기 원소는 서로 이웃하지 않도록 둔다.
(나) 원자 번호가 가장 작은 원소와 가장 큰 원소를 맞은편에 둔다.
(다) 할로젠 원소는 서로 이웃하게 둔다.

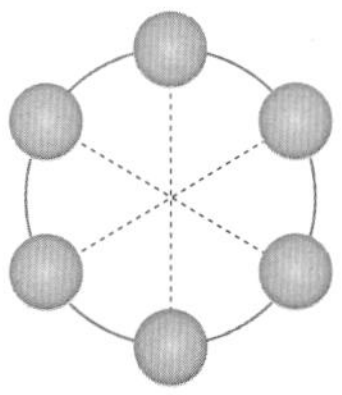

이에 대한 설명으로 옳은 것만을 | 보기 |에서 있는 대로 고른 것은?

보기
ㄱ. Ne의 맞은편에는 Cl가 있다.
ㄴ. 고체 상태에서 전기 전도성이 있는 원소는 서로 이웃하고 있다.
ㄷ. Na과 맞은편에 있는 원소의 양성자수의 합은 20이다.

① ㄴ ② ㄷ ③ ㄱ, ㄴ
④ ㄴ, ㄷ ⑤ ㄱ, ㄴ, ㄷ

| 원소의 분류 |

07 표는 몇 가지 물질을 분류 기준 (가)에 따라 분류하여 나타낸 자료이다.

분류 기준	예	아니요
(가)	철 구리 알루미늄	황 염소 다이아몬드

분류 기준 (가)로 가장 적절한 기준이 무엇인지 쓰고, 그 까닭을 서술하시오.

| 원자가 전자 수와 화학적 성질 |

[08~09] 그림은 주기율표의 일부를 나타낸 것이다. (단, A~D는 임의의 원소 기호이다.) 물음에 답하시오.

주기 \ 족	1	2	13	14	15	16	17	18
2	A						B	
3	C							D

08 화학적 성질이 비슷한 원소만을 있는 대로 고르고, 그 까닭을 서술하시오.

09 다른 원소와 반응하지 않는 원소를 고르고, 그 까닭을 전자 배치와 관련지어 서술하시오.

04 원소들의 결합

개념 이해 비활성 기체, 옥텟 규칙, 양이온, 음이온, 이온 결합, 공유 결합, 공유 전자쌍, 단일 결합, 2중 결합, 3중 결합

A 화학 결합의 원리

한·줄·핵심 원소들은 18족 원소와 같이 안정해지기 위해 전자를 잃거나 얻기도 하고, 원소들끼리 전자를 공유하기도 하는데, 그 과정에서 원소들이 화학 결합을 형성해.

1. 비활성 기체❶

(1) 비활성 기체 주기율표의 18족에 속하는 원소 예 헬륨(He), 네온(Ne), 아르곤(Ar) 등

(2) 성질 화학적으로 안정하고, 반응성이 작아 다른 원소와 잘 반응하지 않는다.
└ 다른 원소와 결합하지 않는다.

(3) 비활성 기체의 전자 배치 모형

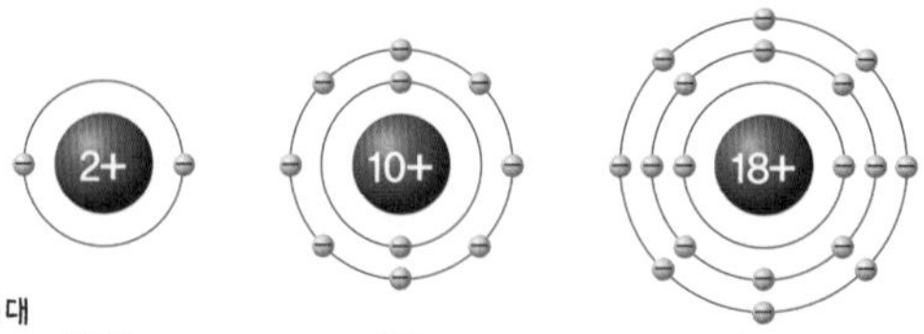

헬륨 (He) 네온 (Ne) 아르곤 (Ar)

첫 번째 전자 껍질은 최대 2개의 전자만 채워지므로 He은 가장 바깥 전자 껍질에 전자 2개가 채워져 있다.

가장 바깥 전자 껍질에 전자가 최대로 채워져 있다.

(1) He을 제외한 나머지 원소들은 가장 바깥 전자 껍질에 8개의 전자가 배치되어 있다.

(2) 매우 안정한 전자 배치로, 다른 원자와 반응하여 전자를 얻거나 잃으려 하지 않는다.

2. 화학 결합의 원리

(1) 옥텟 규칙❷(여덟 전자 원칙) 18족 원소에 속하지 않는 원소들이 18족 원소와 같이 가장 바깥 전자 껍질에 전자 8개(단, He은 2개)를 채워 안정한 전자 배치를 가지려는 경향

(2) 원소가 화학 결합을 하는 까닭 원소들은 안정한 전자 배치를 하기 위해 전자를 잃거나 얻고, 또는 원자들끼리 전자를 공유하기도 하는데, 그 과정에서 원자들이 화학 결합을 형성한다.
└ 공유 결합을 형성한다. / 이온 결합을 형성한다.

자료 18족 원소와 같은 전자 배치가 되는 방법 찾기

나트륨, 마그네슘, 산소, 플루오린의 전자 배치 모형을 통해 원자가 전자 수를 알아보고, 18족 원소와 같은 전자 배치가 되는 방법을 찾을 수 있다.

원소	나트륨(Na)	마그네슘(Mg)	산소(O)	플루오린(F)
전자 배치	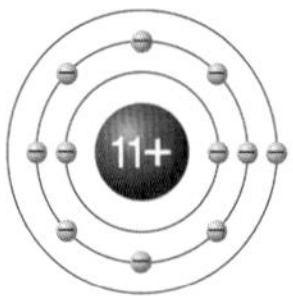 11+	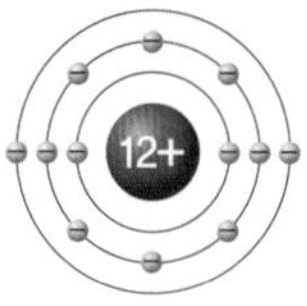 12+	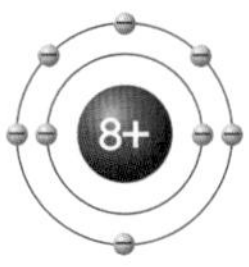 8+	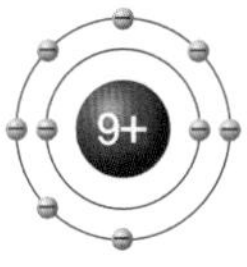 9+
원자가 전자 수	1	2	6	7
안정해지는 방법	전자 1개를 잃는다. 전자 7개를 얻는다.	전자 2개를 잃는다. 전자 6개를 얻는다.	전자 6개를 잃는다. 전자 2개를 얻는다.	전자 7개를 잃는다. 전자 1개를 얻는다.

정리

❶ **18족 원소와 안정성:** 헬륨을 제외한 18족 원소는 가장 바깥 전자 껍질에 전자 8개가 모두 채워져 있어 매우 안정하며 다른 원자와 거의 반응하지 않는다.

❷ **금속 원소와 양이온:** 나트륨과 마그네슘은 전자를 얻는 것보다 잃는 것이 더 쉬우므로, 전자를 잃고 양이온이 된다. ⇨ 나트륨과 마그네슘은 양이온이 되면 각각 네온과 같은 전자 배치를 갖게 되어 안정해진다.

❸ **비금속 원소와 음이온:** 산소와 플루오린은 전자를 잃는 것보다 얻는 것이 더 쉬우므로, 전자를 얻어 음이온이 된다. ⇨ 산소와 플루오린은 음이온이 되면 각각 네온과 같은 전자 배치를 갖게 되어 안정해진다.

---

❶ **비활성 기체의 이용**
- 헬륨: 광고용 풍선에 이용된다.

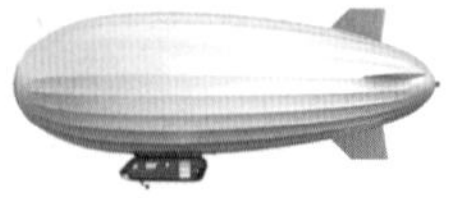

- 네온: 빛을 내는 간판에 이용된다.

- 아르곤: 형광등의 충전 기체로 이용된다.

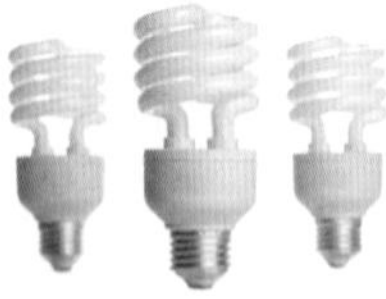

❷ **옥텟 규칙**
- 1족 원소는 원자가 전자 1개를, 2족 원소는 원자가 전자 2개를, 13족 원소는 원자가 전자 3개를 잃어 옥텟 규칙을 만족한다.
- 15족 원소는 전자 3개를, 16족 원소는 전자 2개를, 17족 원소는 전자 1개를 얻거나 다른 원자와 서로 공유하여 옥텟 규칙을 만족한다.

- **비활성(아닐 非, 살 活, 성품 性)** 활성이 없다는 뜻으로 반응성이 없고 안정하다는 의미
- **전자 배치(번개 電, 아들 子, 밀칠 排, 둘 置)** 전자를 일정한 규칙에 따라 나열하는 것

B 이온 결합

한·줄·핵심 금속 원소의 원자와 비금속 원소의 원자가 전자를 주고받아 양이온과 음이온을 형성하고, 양이온과 음이온 사이의 정전기적 인력에 의해 형성되는 결합이 이온 결합이야.

1. 이온의 형성

원자들은 18족 원소와 같은 안정한 전자 배치를 갖기 위해 이온을 형성한다.

양이온❸의 형성	음이온❹의 형성
대부분 금속 원소가 전자를 잃어서 형성된다.	대부분 비금속 원소가 전자를 얻어서 형성된다.

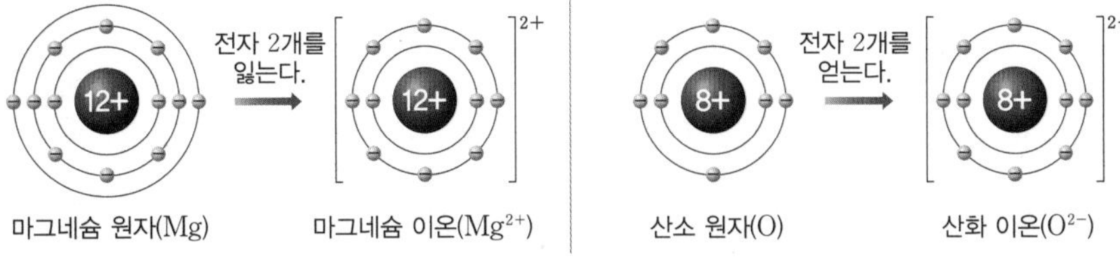

1족과 2족 원소는 금속 원소로, 원자가 전자가 1개 또는 2개이므로 전자를 얻는 것보다 잃어서 가장 바깥 전자 껍질에 전자 8개가 되어 양이온이 되는 것이 쉽다.	16족과 17족 원소는 비금속 원소로, 원자가 전자가 6개 또는 7개이므로 전자를 잃는 것보다 얻어서 가장 바깥 전자 껍질에 전자 8개가 되어 음이온이 되는 것이 쉽다.

2. 이온 결합❺

(1) 이온 결합 금속 양이온과 비금속 음이온 사이의 정전기적 인력으로 형성되는 결합

예 염화 나트륨(NaCl)의 형성: 나트륨 원자는 전자를 잃고, 염소 원자는 전자를 얻어서 나트륨 이온(Na^{+})과 염화 이온(Cl^{-})이 되고, 두 이온은 정전기적 인력에 의해 서로 결합하여 염화 나트륨(NaCl)을 형성한다.

정전기적 인력: 서로 다른 전하를 띠는 입자 사이에 작용하는 끌어당기는 힘

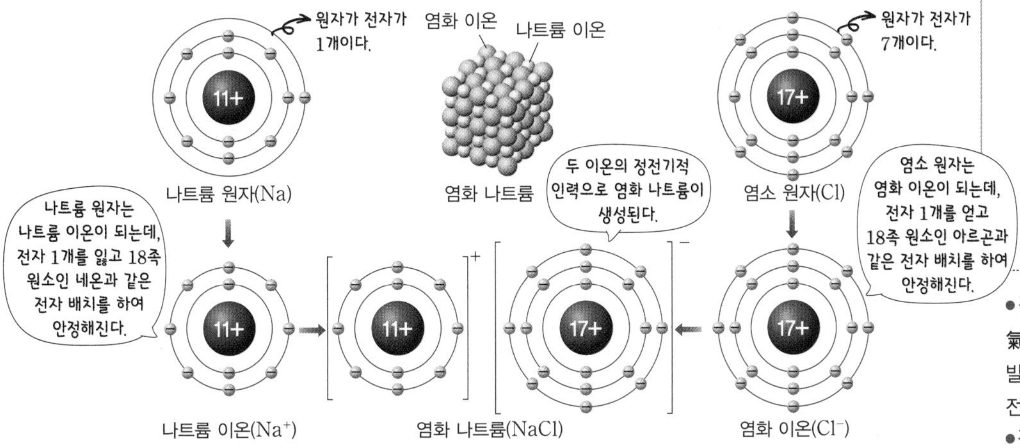

(2) 이온 결합 화합물의 화학식 전기적으로 중성이기 때문에 양이온의 총 전하량과 음이온의 총 전하량의 합이 0이 되는 개수비로 결합한다.

총 전하량: 전체 전하량

(양이온의 전하량×양이온의 수)+(음이온의 전하량×음이온의 수)=0

(양이온의 총 전하량) (음이온의 총 전하량)

---

❸ 양이온이 되기 쉬운 원소

- 원자가 전자 수가 1인 1족, 2인 2족, 3인 13족 원소
- 전자를 잃으려는 경향이 큰 원소(금속성이 강한 원소)

❹ 음이온이 되기 쉬운 원소

- 원자가 전자 수가 5인 15족, 6인 16족, 7인 17족 원소
- 전자를 얻으려는 경향이 큰 원소(비금속성이 강한 원소)

❺ 이온 결합의 형성

주기율표에서 1족, 2족의 금속 원소와 16족, 17족 원소 사이에는 이온 결합이 형성된다.

- 리튬(Li)+플루오린(F) → LiF
- 칼슘(Ca)+산소(O) → CaO

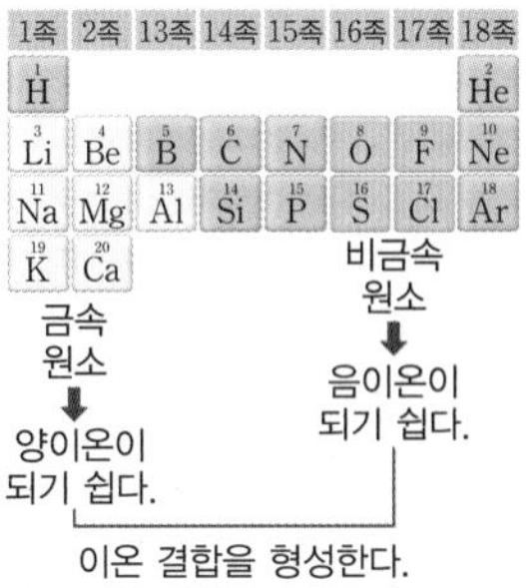

- **정전기(고요할 靜, 전기 電, 힘 氣)** 접촉이나 마찰에 의해 물체에 발생하며, 한 곳에 머물러 있는 전기
- **전하(번개 電, 연 荷)** 전기 현상을 일으키는 주체적인 원인으로 어떤 물질이 가진 전기의 양
- **전하량(번개 電, 연 荷, 헤아릴 量)** 전하의 양

정답과 해설 010쪽

간단 점검

1. 화학적으로 매우 안정하여 화학 반응을 하지 않는 18족 원소를 (　　)(이)라고 한다.
2. 아르곤의 가장 바깥 껍질에 채워진 전자 수는?
3. 18족 이외의 원소들은 18족 원소와 같은 안정한 전자 배치를 갖기 위해 (　　)을/를 형성한다.
4. 금속 원소가 원자가 전자를 잃어서 형성되는 것은?
5. 양이온과 음이온 사이의 정전기적 인력에 의해 이루어지는 결합은?
6. 염소 원자가 18족 원소와 같은 전자 배치를 갖기 위해 얻어야 할 전자 수는?

❻ 산소가 O^-로 존재하지 않는 까닭

산소는 원자가 전자 수가 6으로 전자 2개를 얻어야 18족 원소와 같은 안정한 전자 배치를 하기 때문에 O^{2-}로 존재한다.

❼ 산화 알루미늄의 화학식

산화 알루미늄(Al_2O_3)은 Al^{3+}과 O^{2-}이 2 : 3의 개수비로 결합

양이온의 총 전하량 : $(+3)\times2=+6$
음이온의 총 전하량 : $(-2)\times3=-6$
전체 전하량 : $(+6)+(-6)=0$

#보충!
비공유 전자쌍
공유 결합에 참여하지 않고 한 원자에만 속해 있는 전자쌍

#보충!
루이스 전자점식
- 원자 사이의 화학 결합을 나타내기 위해 원소 기호 주위에 원자가 전자를 점으로 나타낸 식
- H_2와 H_2O의 루이스 전자점식

$H:H \quad H:\ddot{\underset{..}{O}}:H$

#암기!
- 이온 결합: 금양비음정
- 공유 결합: 비전공

- 공유(한 가지 共, 가지다 有) 두 사람 이상이 한 가지 물건을 공동으로 소유함
- 결합(맺다 結, 모으다 合) 둘 이상의 사물이나 사람이 서로 관계를 맺어 하나가 됨

• 이온 결합 화합물을 나타내는 방법

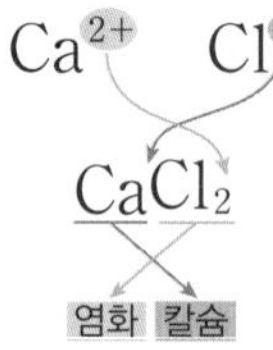

1. 쓰는 방법
   ① 양이온의 원소 기호를 앞에 쓰고, 음이온의 원소 기호를 뒤에 쓴다.
   ② 양이온과 음이온의 개수비를 원소 기호의 오른쪽 아래에 작은 숫자로 쓴다.
2. 읽는 방법: 음이온을 먼저 읽고, 양이온을 나중에 읽는다.

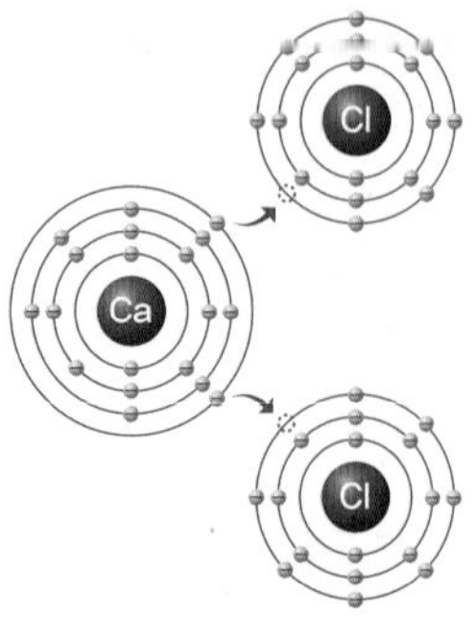

• 몇 가지 이온 결합 물질의 화학식

양이온	음이온	화학식	이름	양이온	음이온	화학식	이름
Na^+	SO_4^{2-}	Na_2SO_4	황산 나트륨	Ca^{2+}	CO_3^{2-}	$CaCO_3$	탄산 칼슘
Li^+	Cl^-	LiCl	염화 리튬	Al^{3+}	O^{2-}❻	$Al_2O_3$❼	산화 알루미늄

C 공유 결합

한·줄·핵심 비금속 원소는 전자를 얻으려는 경향이 있어 비금속 원자끼리는 이온 결합을 형성하기 어렵기 때문에 전자쌍을 공유하여 공유 결합을 형성하지.

1. 공유 결합

(1) 공유 결합 비금속 원소의 원자 사이에 전자쌍을 공유하여 형성되는 화학 결합
(비금속 원소는 전자를 얻으려는 경향이 있어 이온 결합을 형성하기 어렵다.)

(2) 공유 전자쌍 두 원자에 공유되는 전자쌍

2. 공유 결합의 형성 공유 전자쌍과 원자핵 사이의 정전기적 인력에 의해 결합을 형성한다.

(1) 수소 분자의 형성

① 수소 분자의 형성: 수소 원자는 원자가 전자가 1개이므로 2개의 수소 원자가 각각 1개씩의 전자를 내놓아 1개의 전자쌍을 이루고 이 전자쌍을 공유하여 수소 분자를 형성한다.

② 전자 배치: 수소 분자에서 수소 원자는 비활성 기체인 헬륨과 같은 전자 배치를 갖는다.

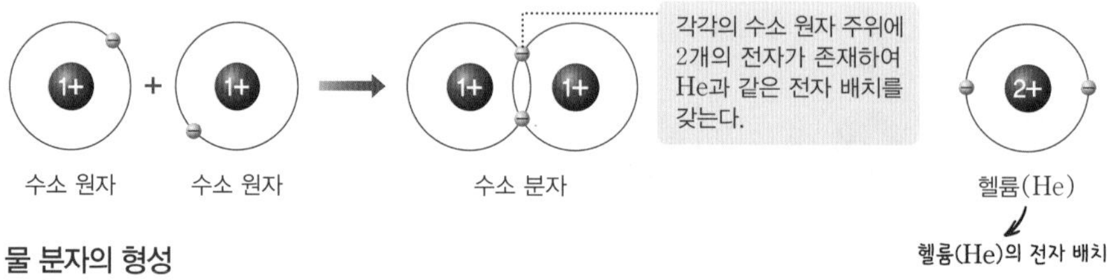

(2) 물 분자의 형성

① 물 분자의 형성: 수소 원자는 원자가 전자가 1개인 비금속 원소이고 산소 원자는 원자가 전자가 6개인 비금속 원소로, 1개의 산소 원자는 2개의 수소 원자와 각각 전자를 서로 공유하여 물 분자를 형성한다.

② 전자 배치: 물 분자에서 수소는 헬륨과 같은 전자 배치를, 산소는 네온과 같은 전자 배치를 갖는다.

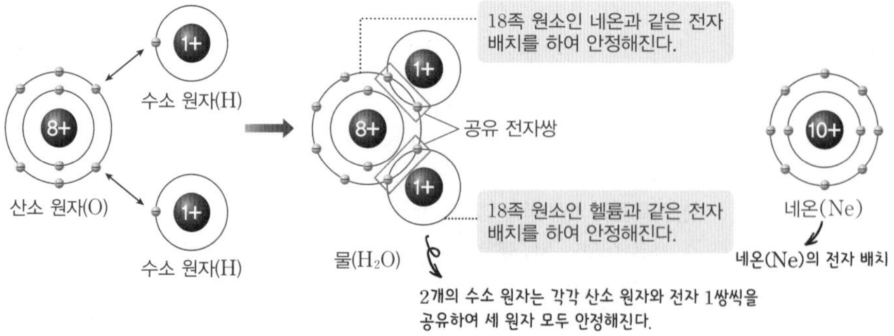

3. 단일 결합과 다중 결합 공유 결합은 두 원자 사이의 공유 전자쌍 수에 따라 단일 결합과 다중(2중, 3중) 결합으로 구분한다.

(1) 단일 결합 두 원자 사이에 1개의 전자쌍을 서로 공유하여 이루어지는 결합

플루오린 원자는 7개의 원자가 전자를 가지므로 네온과 전자 배치가 같아지려면 1개의 전자가 필요하다.
↳ 플루오린 원자 2개가 결합하여 분자를 형성할 때에는 1개의 전자쌍을 공유하여 결합한다. 플루오린 원자 주위에 8개의 전자가 있으므로 네온과 같은 전자 배치를 갖는다.

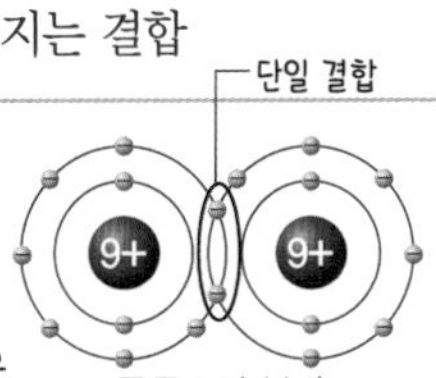

플루오린 분자

(2) 2중 결합❽ 두 원자 사이에 2개의 전자쌍을 서로 공유하여 이루어지는 결합

산소 원자는 6개의 원자가 전자를 가지므로 네온과 전자 배치가 같아지려면 2개의 전자가 필요하다.
↳ 산소 원자 2개가 결합하여 분자를 형성할 때에는 2개의 전자쌍을 공유하여 결합한다.

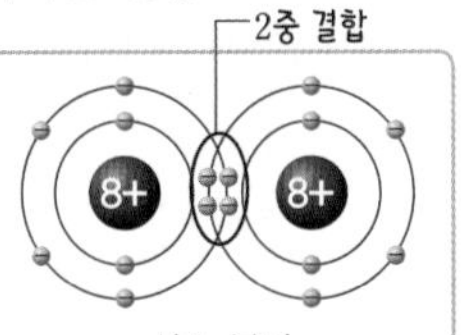

산소 분자

(3) 3중 결합 두 원자 사이에 3개의 전자쌍을 서로 공유하여 이루어지는 결합

질소 원자는 5개의 원자가 전자를 가지므로 네온과 전자 배치가 같아지려면 3개의 전자가 필요하다.
↳ 질소 원자 2개가 결합하여 분자를 형성할 때에는 3개의 전자쌍을 공유하여 결합한다.

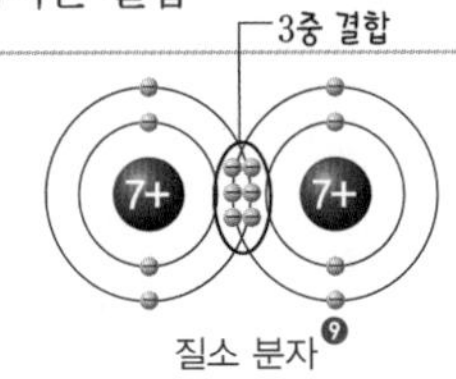

질소 분자❾

탐구 지구 시스템과 생명 시스템을 형성하는 화학 결합

지구 시스템과 생명 시스템을 구성하는 물질❿을 이온 결합 또는 공유 결합으로 구분하고, 화학 결합과 생명 현상이 나타나는 원리를 알 수 있다.

구분	지구 시스템	생명 시스템
구성 물질	질소(N), •규산염 광물(Si, O), 산화 알루미늄(Al, O), 소금(Na, Cl) 등	탄수화물(C, H, O), 단백질(C, H, O, N, S), 지질(C, H, O), 물(H, O) 등
	구성 원자는 N, O, Na, Al, Si, Cl 등이다.	구성 원자는 H, C, N, O, S 등이다.

결과

구분	이온 결합	공유 결합
구성 물질	산화 알루미늄, 소금, 규산염 광물	질소, Si−O 사면체, 탄수화물, 단백질, 지질, 물

규산염 광물은 Si−O 사면체가 기본 골격을 이루는 광물로 Si−O 사면체의 음이온과 금속 양이온은 이온 결합으로 다양한 광물을 형성한다.
Si와 O는 공유 결합을 형성한다.

정리

❶ **이온 결합과 공유 결합의 구분:** 이온 결합은 주로 금속 원소와 비금속 원소 사이에서 형성되고, 공유 결합은 비금속 원소와 비금속 원소 사이에서 형성되기 때문이다. 구성 원소를 금속 원소와 비금속 원소로 분류하면 물질이 생성될 때 결합 형태를 알 수 있다.

❷ **지각이 단단한 고체 상태인 까닭:** 지각 대부분을 차지하고 있는 규산염 광물이 공유 결합과 이온 결합으로 이루어져 있기 때문이다.

❸ **화학 결합과 생명 현상이 나타나는 원리:** 세포 호흡이나 소화와 같은 생명 현상이 나타날 때, 포도당이 산소와 결합하여 이산화 탄소와 물이 생성된다. 이처럼 물질을 이루는 화학 결합이 끊어지고 새로운 결합이 생성된다.

❽ **이산화 탄소의 전자 배치 모형**
탄소 원자 1개는 2개의 산소 원자와 각각 2개의 전자쌍을 공유하여 결합을 형성한다.

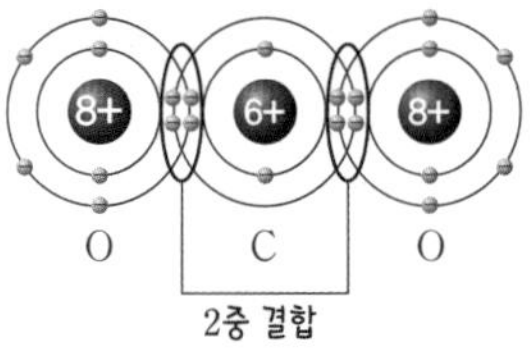

❾ **질소 분자와 반응성**
질소는 3중 결합을 하고 있어서 결합을 끊고 다른 물질과 결합하기가 쉽지 않으므로 질소 분자는 반응성이 거의 없다.

❿ **지구 시스템과 생명 시스템을 구성하는 물질**
지구 시스템과 생명 시스템을 구성하는 물, 이산화 탄소, 염화 나트륨, 산화 철, 탄산 칼슘, 탄수화물, 단백질 등과 같은 수많은 물질은 원소들이 이온 결합이나 공유 결합을 형성하여 만들어진 것이다.

•**규산염 광물(규소 硅, 초 酸, 소금 鹽)** 조암 광물 중 가장 많은 양을 차지하는 광물로 규소와 산소가 주성분인 광물

정답과 해설 010쪽

간단 점검

7. 원자들이 전자를 공유하면서 형성하는 화학 결합은?

8. 두 원자 사이에 2개의 전자쌍을 서로 공유하여 이루어지는 결합은?

9. 수소 원자와 염소 원자가 결합을 이룰 때 분자 사이에 공유하는 전자쌍 수는?

10. N_2에서 질소 원자는 18족의 어떤 원소와 전자 배치가 같은가?

알아두면 시험이 쉬워지는 탐구

화학 결합을 모형으로 나타내기

목표 물과 염화 나트륨의 화학 결합을 모형으로 표현할 수 있다.

과정

유의점
빨간색의 큰 원은 원자핵, 파란색의 작은 원은 전자를 의미한다.

❶ 4가지 원자의 전자 배치 나타내기

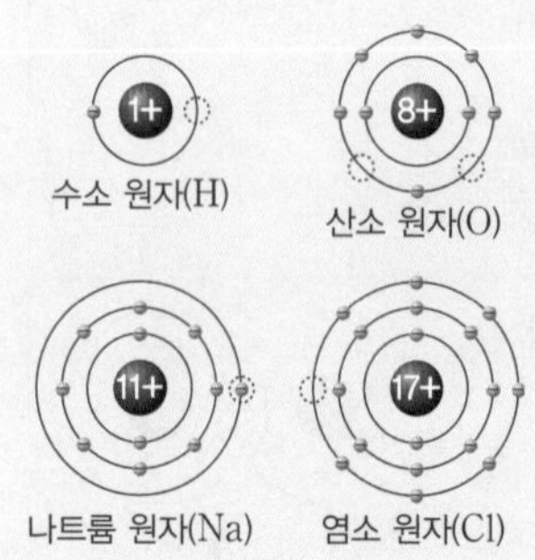

- 전자 껍질 모형을 이용하여 수소, 산소, 나트륨, 염소의 전자 배치를 빨간색 큰 원과 파란색 작은 원을 이용하여 나타낸다.

전자 껍질 모형에서 첫 번째 전자 껍질은 최대 2개의 전자가, 두 번째 전자 껍질은 최대 8개의 전자가 배치된다.

❷ 18족 원소와 같은 전자 배치가 되기 위해 필요한 전자 수 구하기

원자	잃거나 얻어야 하는 전자 수
H	1
O	2
Na	1
Cl	1

- 각 원자의 원자가 전자 수를 구한 후, 18족 원소와 같은 전자 배치가 되는 데 필요한 전자 수를 구한다.

18족 원소와 같은 전자 배치가 되기 위해 수소, 산소, 염소 원자는 전자를 얻어야 하고, 나트륨 원자는 전자를 잃어야 한다.

❸ 화학 결합을 모형으로 나타내기

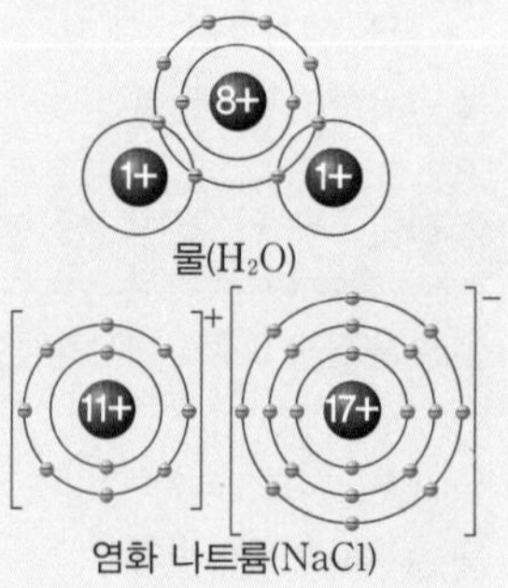

- 물과 염화 나트륨을 만들 때 필요한 원자 수를 구하고, ❶의 전자 배치 모형을 이용하여 화합물의 결합 모형을 만든다.

수소와 산소가 공유 결합을 형성하여 물을 만들고, 나트륨과 염소가 이온 결합을 형성하여 염화 나트륨을 만든다.

4가지 원자의 전자 배치 모형으로 만들 수 있는 화학 결합 모형

- 공유 결합

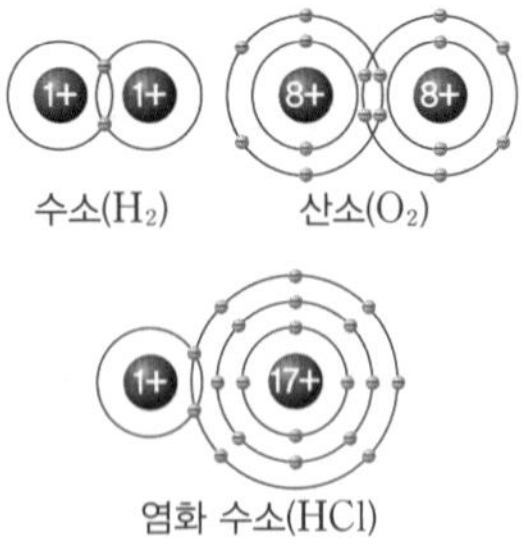

- 이온 결합

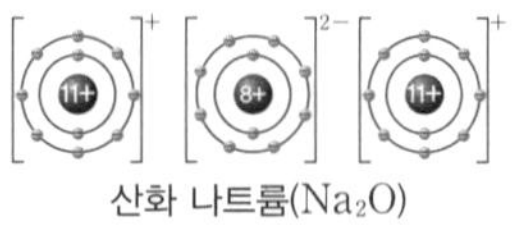

결과 및 해석

구분	화학 결합 형태	구성 입자의 종류와 수			
		H	O	Na	Cl
물	공유 결합	2	1	–	–
염화 나트륨	이온 결합	–	–	1	1

✔ **수소 원자**: 18족 원소와 같은 전자 배치가 되기 위해 1개의 전자를 얻어야 한다.
✔ **15족~17족의 비금속 원소**: 18족 원소와 같은 전자 배치가 되기 위해 (8−원자가 전자 수)만큼 전자를 얻어야 한다.
✔ **1족, 2족, 13족의 금속 원소**: 18족 원소와 같은 전자 배치가 되기 위해 원자가 전자 수만큼 전자를 잃어야 한다.

한·줄·핵심 18족 이외의 원소는 화학 결합을 통해 18족 원소와 같은 전자 배치를 갖는다.

확인 문제

정답과 해설 010쪽

1. 탐구에서 빨간색 원과 파란색 원이 각각 의미하는 것은 무엇인지 순서대로 쓰시오.

2. 탐구에서 모형으로 나타낸 각 화합물에서 구성 원소는 각각 18족 어떤 원소의 전자 배치와 같은지 쓰시오.

3. 과정 ❶에서 만든 각 원자의 전자 배치 모형을 이용하여 산화 나트륨과 염화 수소의 결합 모형을 만들었을 때, 이에 대한 설명으로 옳은 것만을 |보기|에서 있는 대로 고르시오.

보기
ㄱ. 염화 수소의 결합 방식은 염화 나트륨과 같다.
ㄴ. 염화 수소에서 염소의 전자 배치는 아르곤과 같다.
ㄷ. 산화 나트륨을 구성하는 이온 수비는 산화 이온 : 나트륨 이온=2 : 1이다.

정답과 해설 010쪽

개념 문제

A 화학 결합의 원리

01 18족 원소에 대한 설명 중 옳은 것은 ○, 옳지 않은 것은 ×로 표시하시오.

(1) 비활성 기체로 비금속 원소이다. ( )

(2) 네온의 원자가 전자 수는 8이다. ( )

(3) 반응성이 작아 화학 결합을 하지 않는다. ( )

02 다음 원자들이 18족 원소와 같은 전자 배치를 이루려면 각각 전자를 몇 개 잃거나 얻어야 하는지 쓰시오.

(1) Na (2) O (3) Al (4) F

B 이온 결합

03 다음 ( ) 안에 알맞은 말을 쓰시오.

(1) 양이온과 음이온 사이의 정전기적 인력에 의해 형성되는 결합을 ( )(이)라고 한다.

(2) 원자가 전자를 잃으면 ㉠ ( )이/가 되고, 전자를 얻으면 ㉡ ( )이/가 된다.

04 다음 이온들이 결합하여 형성된 이온 결합 물질의 화학식을 쓰시오.

(1) K^{+}과 Cl^{-} (2) Ca^{2+}과 O^{2-} (3) Al^{3+}과 O^{2-}

C 공유 결합

05 공유 결합에 대한 설명으로 옳은 것은 ○, 옳지 않은 것은 ×로 표시하시오.

(1) 금속 원소와 비금속 원소가 전자를 공유하여 이루는 결합이다. ( )

(2) 두 원자에 공유되는 전자쌍을 공유 전자쌍이라고 한다. ( )

(3) H와 F은 각각 전자 1개씩을 내놓아 공유 결합을 형성한다. ( )

(4) 17족 원소인 Cl는 원자가 전자가 7개이므로 Cl 원자 1개는 다른 원자와 1개의 공유 결합을 할 수 있다. ( )

A 화학 결합의 원리

06 비활성 기체에 대한 설명으로 옳지 않은 것은?

① 18족 원소이다.
② 비금속 원소이다.
③ 네온과 아르곤이 해당한다.
④ 가장 바깥 전자 껍질의 전자 수가 모두 8이다.
⑤ 반응성이 없어 산소와 반응하지 않는다.

07 원소가 화학 결합을 형성하는 까닭으로 옳은 것은?

① 안정한 화합물을 만들기 위해서이다.
② 가능한 많은 전자 수를 갖기 위해서이다.
③ 17족 원소와 같은 전자 배치를 갖기 위해서이다.
④ 가능한 많은 원자와 전자를 공유하기 위해서이다.
⑤ 가장 바깥 전자 껍질에 전자 18개를 만들기 위해서이다.

08 다음 중 18족 원소와 같은 전자 배치가 되기 위해 잃거나 얻어야 하는 전자 수가 가장 많은 것은?

① H ② Li ③ O
④ Mg ⑤ Al

09 화학 결합의 형성 원리에 대한 설명으로 옳은 것을 | 보기 |에서 있는 대로 고른 것은?

보기
ㄱ. S과 Cl는 가장 바깥 전자 껍질의 전자가 8개가 되도록 결합한다.
ㄴ. Al은 결합을 형성할 때 전자 5개를 얻는다.
ㄷ. Na과 F이 결합할 때 F은 전자를 잃는다.
ㄹ. O와 O가 결합할 때 전자를 공유하여 결합한다.

① ㄱ, ㄴ ② ㄱ, ㄹ ③ ㄴ, ㄷ
④ ㄷ, ㄹ ⑤ ㄴ, ㄷ, ㄹ

B 이온 결합

10 이온 결합에 대한 설명으로 옳지 않은 것은?

① 금속 원자는 전자를 잃고 양이온이 된다.
② 비금속 원자는 전자를 얻고 음이온이 된다.
③ 전자는 비금속 원자에서 금속 원자로 이동한다.
④ 양이온과 음이온 사이에 정전기적 인력이 작용한다.
⑤ 같은 종류의 전하를 띤 이온끼리는 결합하지 않는다.

[11~12] 그림은 나트륨 원자와 염소 원자가 결합하여 염화 나트륨이 생성되는 과정을 나타낸 것이다. 물음에 답하시오.

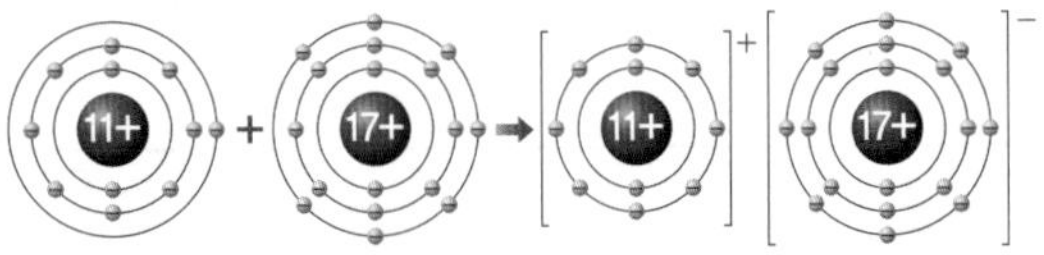

나트륨 원자 (Na) 염소 원자 (Cl) 염화 나트륨 (NaCl)

단답형

11 위 반응에서 생성되는 두 가지 이온을 이온식으로 옳게 쓰시오.

12 위 반응에 대한 설명으로 옳지 않은 것은?

① 염화 이온은 18개의 전자를 가진다.
② 나트륨 이온은 10개의 전자를 가진다.
③ 나트륨 원자에서 염소 원자로 전자가 이동한다.
④ 나트륨 원자와 염소 원자 사이에서 이동한 전자의 수는 2개이다.
⑤ 나트륨 이온과 염화 이온 사이에는 서로 끌어당기는 힘이 작용하여 결합한다.

13 이온 결합을 형성하고 있는 양이온과 음이온의 전자 배치가 같은 물질은?

① LiF ② NaCl ③ MgO
④ CaO ⑤ KF

14 그림은 주기율표의 일부를 나타낸 것이다.

주기 \ 족	1	2	13	14	15	16	17	18
1	A							
2		B				C		
3	D		E				F	

원소 A~F로 이루어진 화합물 중 이온 결합으로 이루어진 것이 아닌 것은? (단, A~F는 임의의 원소 기호이다.)

① AF ② BC ③ D_2C
④ DF ⑤ E_2C_3

15 그림은 화합물 AB의 결합 모형을 나타낸 것이다. 이에 대한 설명으로 옳지 않은 것은? (단, A, B는 임의의 원소 기호이다.)

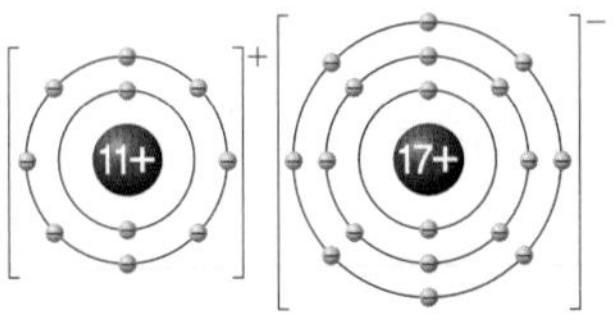

AB

① A와 B는 이온 결합을 한다.
② A 이온의 전하는 +1이다.
③ 원자가 전자 수는 A가 B보다 작다.
④ AB에서 A 이온의 전자 배치는 네온과 같다.
⑤ AB가 형성될 때 전자는 B에서 A로 이동한다.

16 그림은 원자 A와 B의 전자 배치를 모형으로 나타낸 것이다. 이에 대한 설명으로 옳은 것은? (단, A, B는 임의의 원소 기호이다.)

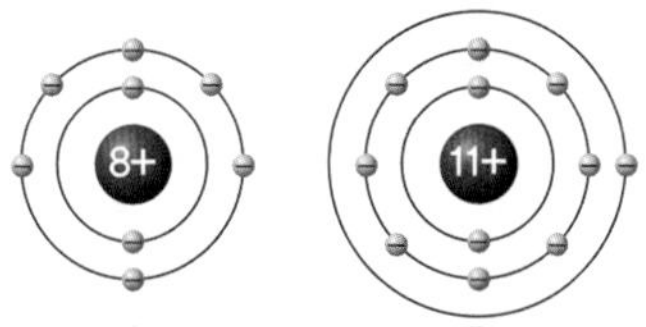

A B

① A와 B는 공유 결합을 한다.
② 원자 번호는 A가 B보다 크다.
③ A 이온과 B 이온의 전하량의 크기는 서로 같다.
④ A와 B로 이루어진 화합물의 화학식은 A_2B이다.
⑤ A와 B로 이루어진 화합물에서 A 이온과 B 이온의 전자 배치는 서로 같다.

C 공유 결합

17 공유 결합에 대한 설명으로 옳은 것만을 | 보기 |에서 있는 대로 고른 것은?

> 보기
> ㄱ. 금속 원소와 비금속 원소 사이에 형성된다.
> ㄴ. 두 원자가 내놓은 전자쌍을 공유하여 결합이 형성된다.
> ㄷ. 단일 결합은 두 원자 사이에 1개의 전자쌍을 공유한 결합이다.

① ㄱ ② ㄴ ③ ㄱ, ㄷ
④ ㄴ, ㄷ ⑤ ㄱ, ㄴ, ㄷ

18 그림은 수소 원자와 수소 원자가 결합하여 수소 분자를 형성하는 과정을 모형으로 나타낸 것이다.

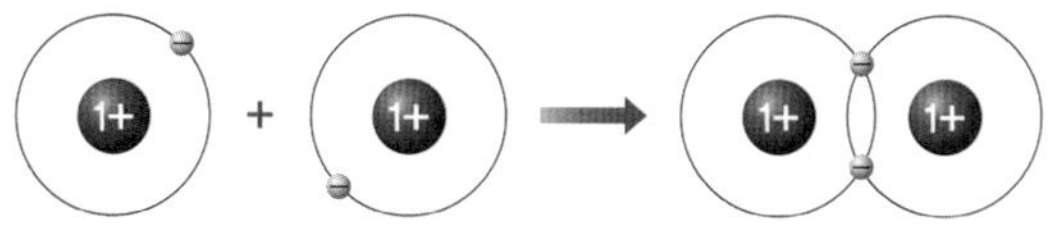

이에 대한 설명으로 옳은 것만을 | 보기 |에서 있는 대로 고른 것은?

> 보기
> ㄱ. 수소 원자는 원자가 전자가 1개이다.
> ㄴ. 수소 분자는 네온과 같은 전자 배치를 갖는다.
> ㄷ. 2개의 수소 원자는 전자를 1개씩 내놓아 1개의 전자쌍을 공유한다.

① ㄱ ② ㄴ ③ ㄱ, ㄷ
④ ㄴ, ㄷ ⑤ ㄱ, ㄴ, ㄷ

단답형

19 그림은 원자 A, B의 전자 배치 모형이다. A와 B로 이루어진 화합물에 대한 설명을 읽고, ( ) 안에 알맞은 숫자나 말을 쓰시오. (단, A, B는 임의의 원소 기호이다.)

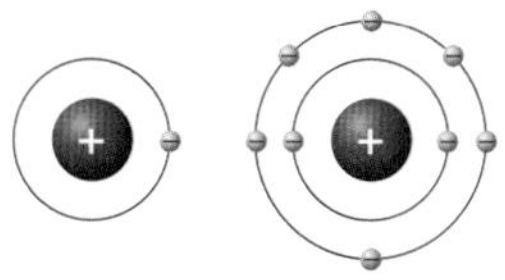

> B 원자 1개는 A 원자 (㉠)개와 각각 공유 결합하여 화합물을 형성하며, 화합물의 화학식은 (㉡)이다. 또한, 이 화합물의 중심 원자인 B의 전자 배치는 18족 원소인 (㉢)과 같다.

20 그림은 원자 A, B의 전자 배치 모형을 나타낸 것이다. 이에 대한 설명으로 옳지 않은 것은? (단, A, B는 임의의 원소 기호이다.)

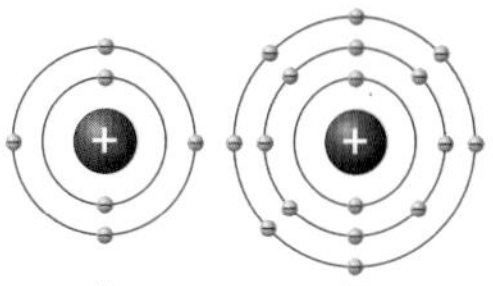

① A와 B는 모두 비금속 원소이다.
② A는 2주기, B는 3주기 원소이다.
③ 원자가 전자 수는 B가 A보다 크다.
④ A와 B로 이루어진 화합물에서 A와 B의 전자 배치는 같다.
⑤ A는 최대 4개의 B와 공유 결합을 형성한다.

알쉬탐

21 표는 분자 (가)와 (나)에 대한 자료이다. 이에 대한 설명으로 옳은 것은?

분자	구성 원자 수		
	H	C	O
(가)	4	1	0
(나)	0	1	x

① x는 4이다.
② 원자가 전자 수는 H가 C보다 크다.
③ (가)에는 단일 결합만 있다.
④ (나)의 구성 원자의 전자 배치는 모두 아르곤과 같다.
⑤ 공유 전자쌍의 총 수는 (나)가 (가)보다 크다.

22 그림은 주기율표의 일부를 나타낸 것이다.

주기 \ 족	1	2	13	14	15	16	17	18
1	A							B
2				C		D	E	

이에 대한 설명으로 옳지 않은 것은? (단, A~E는 임의의 원소 기호이다.)

① 공유 전자쌍은 E_2가 A_2보다 많다.
② CE_4에는 공유 전자쌍이 4개 있다.
③ 분자 AE에서 A의 전자 배치는 B와 같다.
④ 분자 D_2와 CD_2에는 모두 2중 결합이 있다.
⑤ D 원자 1개는 A 원자 2개와 각각 공유 결합을 한다.

실력 올리기 문제

| 이온의 형성 | 출제예감

01 그림은 A, B 원자가 이온이 되는 과정을 모형으로 나타낸 것이다.

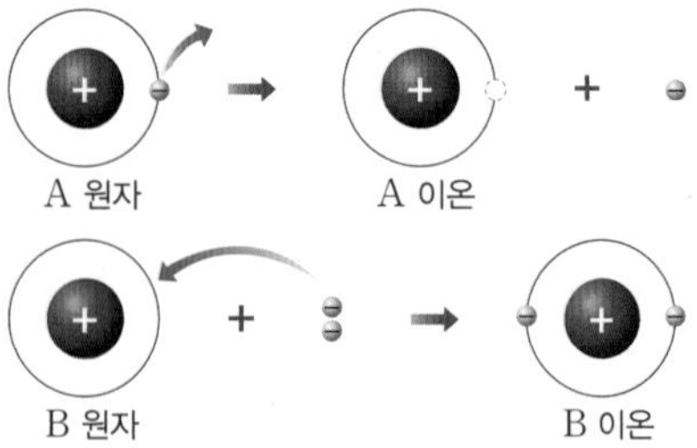

A 이온과 B 이온으로 이루어진 이온 결합 물질에서 A 이온과 B 이온의 개수비로 옳은 것은? (단, A, B는 임의의 원소 기호이다.)

① 1 : 1 ② 1 : 2 ③ 1 : 3
④ 2 : 1 ⑤ 3 : 1

| 화학 결합 원리와 공유 결합 |

02 그림은 3가지 원자 A~C의 전자 배치를 모형으로 나타낸 것이다.

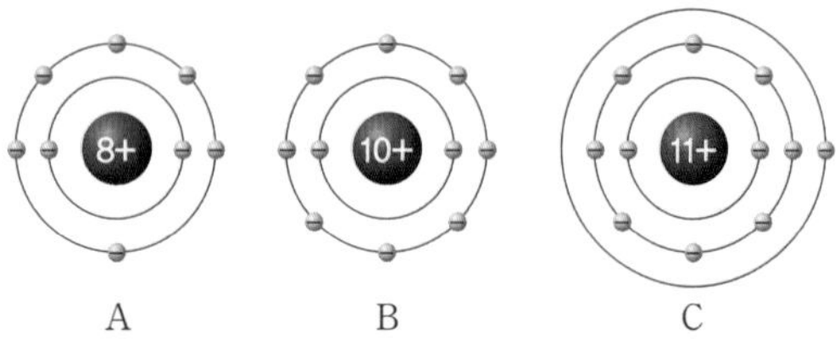

이에 대한 설명으로 옳은 것만을 | 보기 |에서 있는 대로 고른 것은? (단, A~C는 임의의 원소 기호이다.)

보기
ㄱ. A_2에는 2중 결합이 있다.
ㄴ. B 원자끼리 전자를 공유하여 결합한다.
ㄷ. C_2A에서 구성 입자의 전자 배치는 서로 같다.

① ㄱ ② ㄷ ③ ㄱ, ㄴ
④ ㄱ, ㄷ ⑤ ㄴ, ㄷ

| 공유 결합 | 출제예감

03 그림은 탄소와 산소로 이루어진 이산화 탄소의 전자 배치를 모형으로 나타낸 것이다.

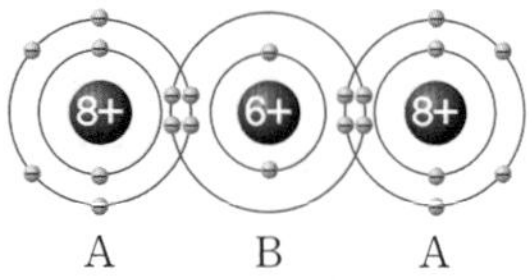

이 모형에 대한 설명으로 옳은 것만을 | 보기 |에서 있는 대로 고른 것은? (단, A와 B는 임의의 원소 기호이다.)

보기
ㄱ. A 원자는 탄소, B 원자는 산소이다.
ㄴ. A 원자는 양이온이 되고, B 원자는 음이온이 된다.
ㄷ. B 원자 1개는 A 원자 2개와 각각 2개의 전자쌍을 공유한다.

① ㄱ ② ㄷ ③ ㄱ, ㄴ
④ ㄴ, ㄷ ⑤ ㄱ, ㄴ, ㄷ

| 화학 결합의 원리와 공유 결합 |

04 표는 3가지 원자 X~Z에서 전자 껍질에 들어 있는 전자 수에 대한 자료이다.

전자 껍질	전자 수		
	X	Y	Z
첫 번째 전자 껍질	2	2	2
두 번째 전자 껍질	1	8	8
세 번째 전자 껍질	0	0	7

이에 대한 설명으로 옳은 것만을 | 보기 |에서 있는 대로 고른 것은? (단, X~Z는 임의의 원소 기호이다.)

보기
ㄱ. X~Z 중 원자가 전자 수가 가장 많은 원자는 Y이다.
ㄴ. Z 원자와 Z 원자가 결합할 때 공유하는 전자쌍 수는 1이다.
ㄷ. 화합물 XZ에서 구성 입자의 전자 배치는 모두 Y와 같다.

① ㄱ ② ㄴ ③ ㄱ, ㄷ
④ ㄴ, ㄷ ⑤ ㄱ, ㄴ, ㄷ

| 원소의 종류에 따른 화학 결합 |

05 그림은 주기율표의 일부를 나타낸 것이다.

주기 \ 족	1	2	13	14	15	16	17	18
1	A							
2		B				C		
3	D						E	

원소 A~E로 이루어진 화합물에 대한 설명으로 옳은 것만을 | 보기 |에서 있는 대로 고른 것은? (단, A~E는 임의의 원소 기호이다.)

보기
ㄱ. AE는 이온 결합으로 이루어진 화합물이다.
ㄴ. B와 C가 결합할 때 이동하는 전자 수는 2개이다.
ㄷ. D와 E가 결합하여 안정한 화합물을 형성할 때 D는 전자를 잃고, E는 전자를 얻는다.

① ㄱ ② ㄴ ③ ㄱ, ㄷ
④ ㄴ, ㄷ ⑤ ㄱ, ㄴ, ㄷ

| 화학 결합 | 출제예감

06 그림은 화합물 AB와 CDA의 결합 모형을 나타낸 것이다.

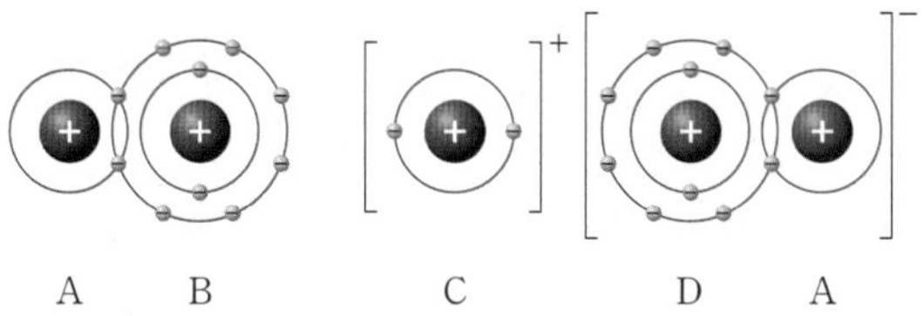

이에 대한 설명으로 옳은 것만을 | 보기 |에서 있는 대로 고른 것은? (단, A~D는 임의의 원소 기호이다.)

보기
ㄱ. A와 C는 같은 족 원소이다.
ㄴ. 원자가 전자 수는 B가 D보다 많다.
ㄷ. B와 C는 이온 결합으로 화합물을 생성한다.

① ㄱ ② ㄷ ③ ㄱ, ㄴ
④ ㄴ, ㄷ ⑤ ㄱ, ㄴ, ㄷ

| 이온 결합의 형성 |

07 그림은 플루오린(F)과 마그네슘(Mg)의 전자 배치 모형을 나타낸 것이다.

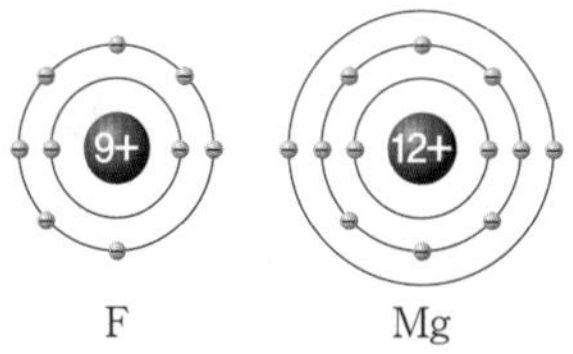

F과 Mg이 안정한 화합물을 형성할 때 화학식을 쓰고, 결합 과정을 서술하시오.

| 공유 결합과 결합 모형 |

08 표는 원자 X~Z의 전자 배치에 대한 자료이다.

전자 껍질	전자 수		
	X	Y	Z
첫 번째 전자 껍질	1	2	2
두 번째 전자 껍질	0	6	8
세 번째 전자 껍질	0	0	7

X~Z로 구성된 화합물 X_2Y와 XZ의 결합 모형을 각각 그리시오. (단, X~Z는 임의의 원소 기호이다.)

| 이온 결합과 공유 결합 |

09 그림은 NaCl과 HCl의 결합 모형을 나타낸 것이다.

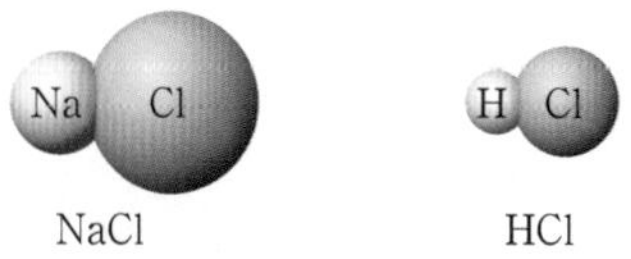

NaCl과 HCl의 화학 결합의 종류가 다른 까닭을 설명하시오.

05 원소들의 결합과 물질의 성질

개념 이해 이온 결합 물질, 이온 결합 물질의 성질 및 이용, 공유 결합 물질, 공유 결합 물질의 성질 및 이용

A 이온 결합 물질

한·줄·핵심 이온 결합 물질은 금속 원소와 비금속 원소가 이온 결합을 이루어 생성된 물질이므로 액체와 수용액 상태에서 전기 전도성이 있어!

1. 이온 결합 물질

(1) 의미 이온 결합으로 생성된 물질

(2) 물질의 배열 실제 이온 결합 물질은 양이온과 음이온이 한 쌍으로 존재하는 것이 아니라, 수없이 많은 양이온과 음이온들이 이온 결합하여 3차원적으로 서로를 둘러싸며 배열되어 있다.

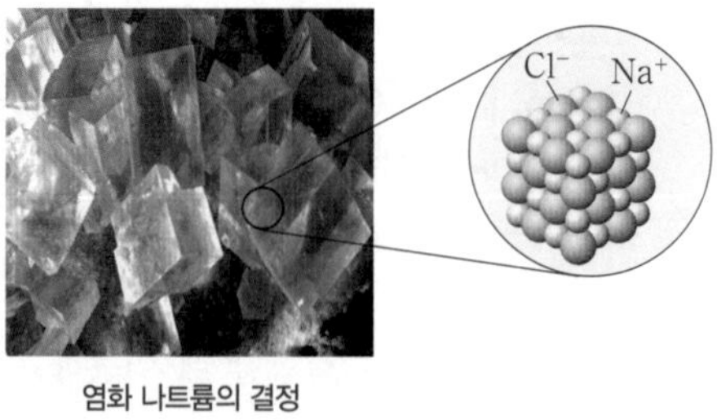

염화 나트륨의 결정

2. 이온 결합 물질의 성질

(1) 녹는점과 끓는점 양이온과 음이온은 강한 정전기적 인력❶에 의해 이온 결합을 형성하고 있으므로 녹는점과 끓는점은 매우 높다. ⇨ 이온 결합 물질은 실온에서 고체로 존재한다.

(2) 물에 대한 용해성 이온 결합 물질은 물에 잘 녹으며, 물에 녹으면 양이온과 음이온으로 수화❷된 상태로 존재한다.

(3) 전기 전도성 고체 상태에서는 이온들이 자유롭게 이동할 수 없으므로 전류가 흐르지 않지만, 수용액 상태와 액체(용융액) 상태에서는 전기 전도성이 있다.

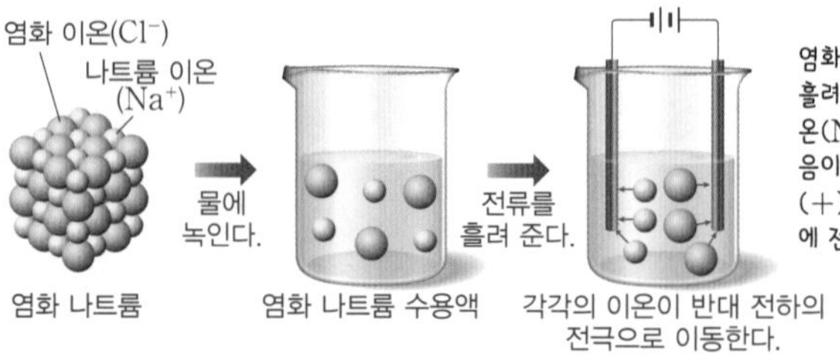

염화 나트륨 수용액에 전류를 흘려 주면 양이온인 나트륨 이온(Na^+)은 (−)극 쪽으로, 음이온인 염화 이온(Cl^-)은 (+)극 쪽으로 이동하기 때문에 전류가 흐른다.

염화 나트륨 수용액의 전기 전도성

(4) 단단한 정도

① 이온 결합 물질은 비교적 단단하지만, 외부에서 힘을 가하면 쉽게 쪼개지거나 부스러진다.

이온 결합 물질의 부스러짐

② 까닭: 양이온과 음이온이 규칙적으로 배열된 상태에서 강한 힘을 가하면 이온 층이 밀리게 되고, 이때 같은 전하를 띤 이온들이 서로 가까워져 반발력이 작용하기 때문이다.

3. 이온 결합 물질의 이용

이온 결합 물질	수산화 나트륨 (NaOH)	염화 칼슘❸ ($CaCl_2$)	탄산수소 나트륨 ($NaHCO_3$)	염화 나트륨 (NaCl)
구성 이온	Na^+, OH^-	Ca^{2+}, Cl^-	Na^+, CO_3^{2-}	Na^+, Cl^-
이용	비누	습기 제거제	베이킹파우더	소금의 주성분

#보충!

이온 결정

이온 결합 물질의 고체 상태를 이온 결정이라고 하며, 양이온과 음이온이 배열되는 형태는 이온의 크기와 결합을 이루는 이온의 개수비에 의해 결정된다.

❶ 정전기적 인력

양전하를 띤 입자와 음전하를 띤 입자가 서로 잡아당기는 힘

❷ 수화

- 수용액 속에서 물 분자가 용질 분자나 이온을 둘러싸고, 그 전체가 하나의 분자처럼 행동하는 현상
- 양이온과 음이온이 물 분자에 의해 둘러싸여 안정한 상태로 존재하게 된다.

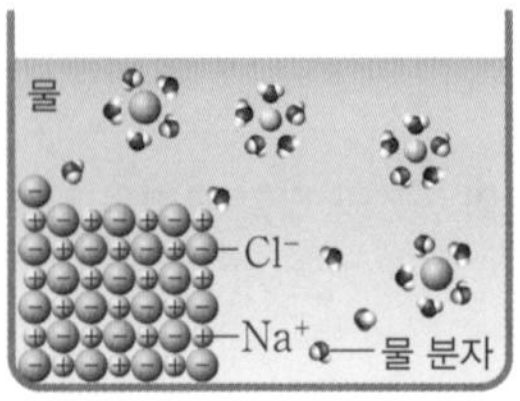

❸ 염화 칼슘

공기 중의 물을 흡수하는 성질인 조해성이 있다. 물에 녹을 때 열이 발생하고, 얼음의 녹는점을 낮추어 주기 때문에 제설제로 많이 사용된다.

●용해(녹다 熔, 풀다 解) 물질이 액체 속에서 균일하게 녹아 용액이 만들어지는 현상

B 공유 결합 물질

한·줄·핵심 공유 결합 물질은 이온으로 구성되어 있지 않으므로 고체 상태, 액체 상태와 대부분의 수용액 상태에서 전기 전도성이 없지!

1. 공유 결합 물질[4]

(1) 의미 공유 결합으로 생성된 물질

(2) 물질의 배열 대부분의 공유 결합 물질은 일정한 개수의 원자가 결합한 분자로 이루어져 있다.

2. 공유 결합 물질의 성질

(1) 녹는점과 끓는점 공유 결합 물질은 이온 결합 물질과 비교하면 녹는점과 끓는점이 비교적 낮아 실온에서 대부분 액체나 기체 상태로 존재한다.

대부분의 공유 결합 물질은 분자 사이의 힘이 매우 약하기 때문이다.

(2) 물에 대한 용해성 공유 결합 물질은 대부분 물에 녹지 않지만, 염화 수소, 암모니아, 설탕 등과 같은 물질은 물에 잘 녹는다.

(3) 전기 전도성 전하를 운반할 수 있는 이온이나 전자가 없어서 대부분 고체와 액체 상태에서 전기 전도성이 없다.(단, 흑연, 탄소 나노 튜브, 그래핀은 제외)

흑연은 공유 결합 물질이지만 자유롭게 움직일 수 있는 전자가 있어 전기 전도성이 있다.

탐구 결합의 종류에 따른 물질의 성질 비교

이온 결합 물질과 공유 결합 물질의 전기 전도성을 비교할 수 있다.

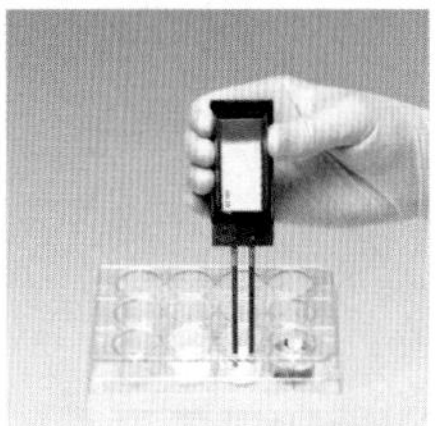

과정

① 고체 상태의 설탕과 염화 나트륨의 전기 전도성[5]을 각각 측정한다.

② 증류수의 전기 전도성을 측정한 후, 설탕과 염화 나트륨에 증류수를 넣어 녹인 후 수용액의 전기 전도성을 각각 측정한다.

결과

물질	고체 상태		액체 상태	수용액 상태	
	설탕	염화 나트륨	증류수	설탕 수용액	염화 나트륨 수용액
결합 형태	공유 결합	이온 결합	공유 결합	—	—
전기 전도성	×	×	×	×	○

(단, ○: 전류 흐름, ×: 전류 흐르지 않음)

정리

❶ 공유 결합 물질의 전기 전도성 — 설탕은 수용액 상태에서 전하를 띠지 않는 분자 상태로 존재한다.

- 공유 결합 물질인 설탕은 이온으로 구성되어 있지 않으므로 고체와 액체 상태에서 전류가 흐르지 않는다.

❷ 이온 결합 물질의 전기 전도성

- 고체 상태에서는 이온이 움직일 수 없으므로 전류가 흐르지 않는다.
- 수용액에서는 이온이 자유롭게 움직일 수 있으므로 전류가 잘 흐른다.

3. 공유 결합 물질

공유 결합 물질	소독용 에탄올 (C_2H_6O) — 상처의 소독에 이용	뷰테인 가스 (C_4H_{10}) — 휴대용 가스 레인지의 연료로 이용	설탕 ($C_{12}H_{22}O_{11}$) — 감미료	아스피린 ($C_9H_8O_4$) — 해열 진통제로 이용
구성 원소와 결합	탄소, 수소, 산소의 공유 결합	탄소와 수소의 공유 결합	탄소, 수소, 산소의 공유 결합	탄소, 수소, 산소의 공유 결합

---

❹ **공유 결합 물질의 종류**

얼음이나 드라이아이스처럼 분자로 구성된 물질과 다이아몬드처럼 원자 사이의 공유 결합만으로 구성된 물질이 있다.

❺ **염화 나트륨 수용액과 설탕 수용액의 전기 전도성 측정 모형**

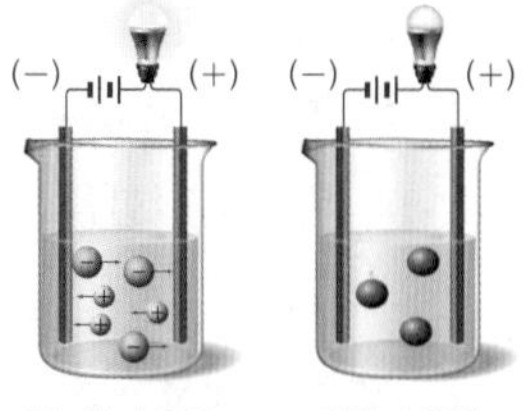

NaCl 수용액 설탕 수용액

❻ **염화 칼슘과 친환경 제설제**

구분	염화 칼슘	친환경 제설제
장점	값이 싸다. 염화 칼슘은 물에 녹아 이온화되므로 전류를 잘 흐르게 하여 부식을 촉진시킨다.	• 환경 오염이 거의 없다. • 반응 시간이 빠르며, 균일한 성능을 보인다.
단점	• 자동차 금속 부식 촉진 • 길가 식물 생장 방해 • 하천 오염, 도로 파손	값이 비싸다.

- **전기 전도성**(번개 電, 기운 氣, 전할 傳, 기운 導, 성질 性) 어떤 물질이 전기를 전달하는 성질
- **제설제**(없앨 除, 눈 雪, 약제 劑) 도로 등에 쌓인 눈을 제거하는 데 사용하는 물질
- **금속의 부식** 금속이 공기 중의 산소와 결합하여 녹이 스는 현상

정답과 해설 014쪽

간단 점검

1. 염화 나트륨 수용액에 전류가 흐르는 까닭은?

2. 공유 결합 물질의 성질을 2가지만 쓰시오.

3. 설탕 수용액과 소금 수용액을 구별할 수 있는 실험 방법은?

4. 제설제인 염화 칼슘이 일으킬 수 있는 환경 문제 2가지를 쓰시오.

개념 + 기본 문제

개념 문제

A 이온 결합 물질

01 이온 결합 물질에 대한 설명으로 옳은 것은 ○, 옳지 않은 것은 ×로 표시하시오.

(1) 양이온과 음이온으로 구성되어 있다. ( )
(2) 고체, 액체 상태에서 전기 전도성이 없다. ( )
(3) 염화 나트륨 수용액은 전류가 흐른다. ( )
(4) 외부에서 힘을 가해도 부스러지지 않는다. ( )

02 일상생활에서 사용하는 여러 가지 물질과 이 물질에 포함된 이온 결합 물질을 옳게 연결하시오.

(1) 습기 제거제 • • ㉠ 염화 칼슘
(2) 비누 • • ㉡ 탄산수소 나트륨
(3) 베이킹 파우더 • • ㉢ 수산화 나트륨

03 다음 ( ) 안에 알맞은 말을 쓰시오.

> 이온 결합 물질은 물에 녹아 ( )과 ( )이 물 분자에 둘러싸여 수화된 상태로 존재하며 이온이 자유롭게 움직일 수 있으므로 수용액은 전류가 흐른다.

B 공유 결합 물질

04 다음은 화학 결합으로 형성된 여러 가지 물질이다.

> 설탕 염화 나트륨 염화 칼슘

(1) 공유 결합 물질을 모두 고르시오.
(2) 고체 상태에서 전기 전도성이 있는 물질을 모두 고르시오.
(3) 수용액 상태에서 전기 전도성이 있는 물질을 모두 고르시오.

05 다음 ( ) 안에 알맞은 말을 쓰시오.

> 물 분자는 2개의 수소 원자와 1개의 산소 원자가 (㉠) 결합을 하여 형성되며, 물 분자의 수소는 (㉡)과 같은 전자 배치를, 산소는 (㉢)과 같은 전자 배치를 갖는다.

A 이온 결합 물질

06 이온 결합 물질에 대한 설명으로 옳은 것은?

① 실온에서 분자로 존재한다.
② 녹는점이 높고 매우 단단하다.
③ 실온에서 기체로 존재하는 물질이 있다.
④ 수용액 상태에서 전기 전도성이 있다.
⑤ 고체와 액체 상태에서 전기 전도성이 없다.

07 다음은 고체 염화 나트륨은 전기 전도성이 없지만, 액체 염화 나트륨은 전기 전도성이 있는 까닭을 설명한 것이다. ( ) 안에 공통으로 들어갈 알맞은 말을 쓰시오.

> 고체 상태에서는 ( )이 움직일 수 없고, 액체 상태에서는 ( )이 움직일 수 있기 때문이다.

08 다음은 어떤 물질의 성질에 대한 자료이다.

> • 실온에서 고체이다.
> • 수용액은 전기를 잘 통한다.
> • 고체 상태에서 전기를 통하지 않다가 가열하여 특정 온도가 되면 전기를 통하기 시작한다.

위 물질에 대한 설명으로 옳은 것은?

① 금속이다.
② 공유 결합 물질이다.
③ 넓게 펴지는 성질이 있다.
④ 물에 녹으면 이온이 자유롭게 움직일 수 있다.
⑤ 고체 상태에서 전기를 잘 통한다.

09 이온 결합 물질만을 | 보기 |에서 있는대로 골라 기호를 쓰시오.

> 보기
> ㄱ. 설탕 ㄴ. 소금
> ㄷ. 드라이아이스 ㄹ. 염화 칼슘

10 다음은 3가지 물질의 화학식을 나타낸 것이다.

NaCl　　$CaCl_2$　　NaOH

위 3가지 물질의 공통적인 특징으로 옳지 않은 것은?

① 물에 용해된다.
② 녹는점이 매우 높다.
③ 실온에서 기체로 존재한다.
④ 액체 상태에서 전류가 흐른다.
⑤ 외부에서 힘을 가하면 잘 부스러진다.

단답형

11 이온 결합 물질에 힘을 가하면 잘 부스러지는 까닭은 같은 전하의 이온끼리 맞닿아 무엇이 작용하기 때문인지 쓰시오.

B 공유 결합 물질

12 그림은 공유 결합 물질에 대해 학생들이 나눈 대화를 나타낸 것이다.

옳은 의견을 제시한 학생만을 있는 대로 고른 것은?

① A　② C　③ A, C
④ B, C　⑤ A, B, C

단답형

13 다음은 4가지 원소를 원소 기호로 나타낸 것이다.

H　　O　　Na　　Cl

위 원소로 이루어져 있는 공유 결합 물질을 3가지 쓰시오.

14 그림은 3가지 원자 A~C의 전자 배치를 나타낸 것이다.

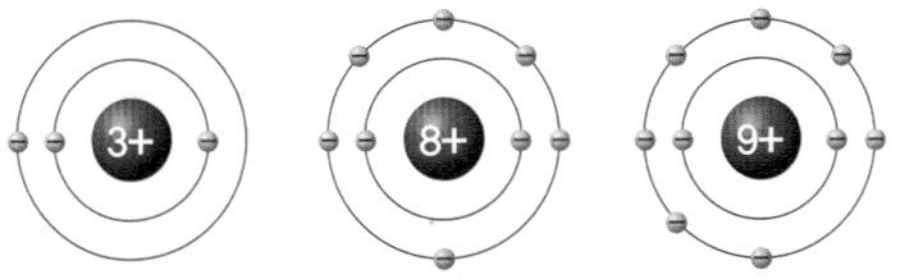

A　　B　　C

A~C로 이루어진 화합물 중 공유 결합 물질만을 옳게 짝 지은 것은? (단, A~C는 임의의 원소 기호이다.)

① AB_2, AC　② AB_2, B_2
③ AC, BC_2　④ AC, C_2
⑤ B_2, C_2

15 그림은 원자 X, Y의 전자 배치를 모형으로 나타낸 것이다.

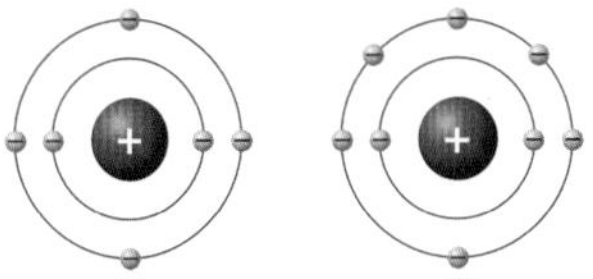

X　　Y

Y_2와 XY_2의 공통점이 아닌 것은? (단, X, Y는 임의의 원소 기호이다.)

① 2중 결합이 있다.
② 실온에서 기체이다.
③ 공유 결합 물질이다.
④ 액체 상태에서 전기 전도성이 있다.
⑤ 각 분자에서 구성 원자의 전자 배치는 네온과 같다.

단답형

16 표는 3가지 원자 X~Z에서 전자 껍질에 들어 있는 전자 수에 대한 자료이다.

전자 껍질	전자 수		
	X	Y	Z
첫 번째 전자 껍질	2	2	2
두 번째 전자 껍질	6	8	8
세 번째 전자 껍질	0	1	7

X~Z로 구성된 공유 결합 물질의 화학식을 3가지 쓰시오. (단, X~Z는 임의의 원소 기호이다.)

실력 올리기 문제

| 공유 결합 물질의 성질 |

01 다음은 화합물 X의 특징을 나타낸 것이다.

- 녹는점이 실온보다 높고, 분자로 구성된 물질이다.
- 고체와 액체 상태에서 전기 전도성이 없다.

화합물 X에 대한 설명으로 옳은 것만을 | 보기 |에서 있는 대로 고른 것은?

보기
ㄱ. 구성 원소에 금속 원소가 포함되어 있다.
ㄴ. 원소들이 전자쌍을 공유하여 이루어진 물질이다.
ㄷ. 넓게 펴지거나 가늘게 뽑히는 성질이 있다.

① ㄱ ② ㄴ ③ ㄱ, ㄷ ④ ㄴ, ㄷ ⑤ ㄱ, ㄴ, ㄷ

| 물질의 분류 |

02 그림은 3가지 물질을 분류 기준에 따라 분류한 것을 나타낸 것이다.

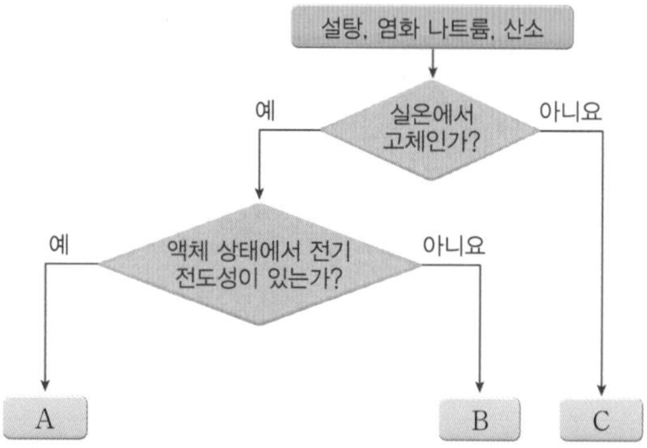

이에 대한 설명으로 옳은 것만을 | 보기 | 에서 있는 대로 고른 것은?

보기
ㄱ. A는 염화 나트륨이다.
ㄴ. C는 구성 원자 간 단일 결합으로 이루어져 있다.
ㄷ. 수용액 상태에서 전기 전도성은 A가 B보다 크다.

① ㄱ ② ㄴ ③ ㄱ, ㄷ ④ ㄴ, ㄷ ⑤ ㄱ, ㄴ, ㄷ

| 결합의 종류와 물질의 성질 |

03 표는 4가지 물질 (가)~(라)의 고체와 수용액 상태에서 각각 측정한 전기 전도성에 대한 자료의 일부이다. (가)~(라)는 설탕, 포도당, 염화 나트륨, 염화 칼슘 중 하나이다.

물질		(가)	(나)	(다)	(라)
전기 전도성	고체	없음			
	수용액		있음	없음	있음

(가)~(라)에 대한 설명으로 옳은 것만을 | 보기 |에서 있는 대로 고른 것은?

보기
ㄱ. (가)와 (다)는 모두 공유 결합 물질이다.
ㄴ. (나)와 (다)는 모두 고체 상태에서 전기 전도성이 없다.
ㄷ. (나)와 (라)의 수용액 속에는 같은 종류의 음이온이 들어 있다.

① ㄱ ② ㄷ ③ ㄱ, ㄴ ④ ㄴ, ㄷ ⑤ ㄱ, ㄴ, ㄷ

| 이온 결합 물질과 공유 결합 물질 | 출제예감

04 그림은 2가지 고체 X, Y를 물에 녹여 수용액 (가)와 (나)를 만들었을 때, 수용액 속에 들어 있는 입자의 모형을 나타낸 것이다. (가)와 (나)는 염화 나트륨과 설탕 중 하나이다.

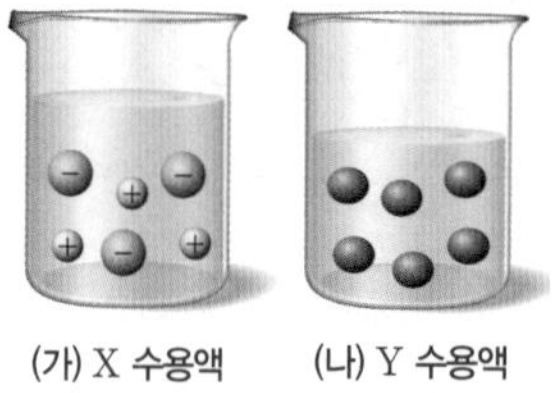

(가) X 수용액 (나) Y 수용액

X, Y에 대한 설명으로 옳은 것만을 | 보기 |에서 있는 대로 고른 것은?

보기
ㄱ. X는 이온 결합 물질이다.
ㄴ. 액체 상태에서의 전기 전도성은 X가 Y보다 크다.
ㄷ. 고체 상태에서 X와 Y는 외부 힘에 의해 잘 부스러진다.

① ㄱ ② ㄷ ③ ㄱ, ㄴ ④ ㄴ, ㄷ ⑤ ㄱ, ㄴ, ㄷ

정답과 해설 015쪽

| 화학 결합에 따른 전기 전도성 | 출제예감

05 다음은 어떤 고체 화합물 X의 성질을 알아보기 위한 실험이다.

> [실험 과정]
> (가) 고체 X에 전류를 흘려 본다.
> (나) 그림과 같이 X를 증류수에 녹인 후, 전류를 흘려 본다.
>
> 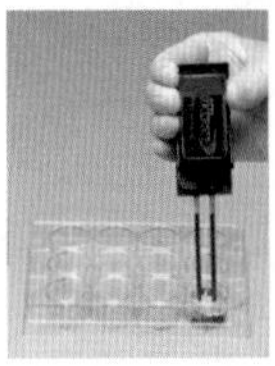
>
> [실험 결과] X는 고체 상태에서 전류가 흐르지 않았고, 수용액 상태에서 전류가 흘렀다.

이에 대한 설명으로 옳은 것만을 | 보기 |에서 있는 대로 고른 것은?

> 보기
> ㄱ. X는 금속 원소들이 전자를 공유하여 결합한 물질이다.
> ㄴ. X에 힘을 가하면 잘 부스러진다.
> ㄷ. X 수용액에는 이온이 들어 있다.

① ㄱ ② ㄷ ③ ㄱ, ㄴ
④ ㄴ, ㄷ ⑤ ㄱ, ㄴ, ㄷ

| 공유 결합 물질의 활용 |

06 공유 결합 물질의 활용을 옳게 나타낸 것만을 | 보기 |에서 있는 대로 고른 것은?

> 보기
> ㄱ. 수소 – 우주왕복선의 연료
> ㄴ. 메탄올 – 알코올램프의 연료
> ㄷ. 질소 – 소화기나 탄산음료의 원료
> ㄹ. 뷰테인 – 휴대용 가스버너의 연료
> ㅁ. 이산화 탄소 – 식품 포장의 충전 기체

① ㄱ, ㄹ ② ㄴ, ㄷ ③ ㄷ, ㅁ
④ ㄱ, ㄴ, ㅁ ⑤ ㄴ, ㄷ, ㅁ

[07~08] 표는 몇 가지 화합물에 대한 자료이다.

화합물		A	B	C
녹는점(℃)		−78	801	1414
끓는점(℃)		−33	1413	2335
전기 전도성	고체	없음	없음	없음
	액체	없음	있음	없음

| 물질의 상태와 전기 전도성 |

07 A~C 중 이온 결합 물질을 고르고, 그 까닭을 서술하시오.

| 물질의 상태와 전기 전도성 |

08 B는 고체 상태에서 전기 전도성이 없지만 액체 상태에서 전기 전도성이 있는 까닭을 서술하시오.

| 화학 결합에 따른 물질의 성질 |

09 그림은 선생님이 학생들에게 제시한 수행평가의 탐구 과제이다.

> 설탕, 아스피린, 염화 나트륨, 산화 철을 다음과 같이 화학 결합의 종류에 따라 분류할 수 있는 실험을 설계하고 수행하시오.
>
> • 공유 결합 물질: 설탕($C_{12}H_{22}O_{11}$), 아스피린($C_9H_8O_4$)
> • 이온 결합 물질: 염화 나트륨($NaCl$), 산화 철(Fe_2O_3)

이 탐구 과제를 해결하는 실험에서 비교해야 할 적절한 물질의 성질을 쓰고, 그 까닭을 서술하시오.

한번에 정리하는

대단원 마무리

정답과 해설 016쪽

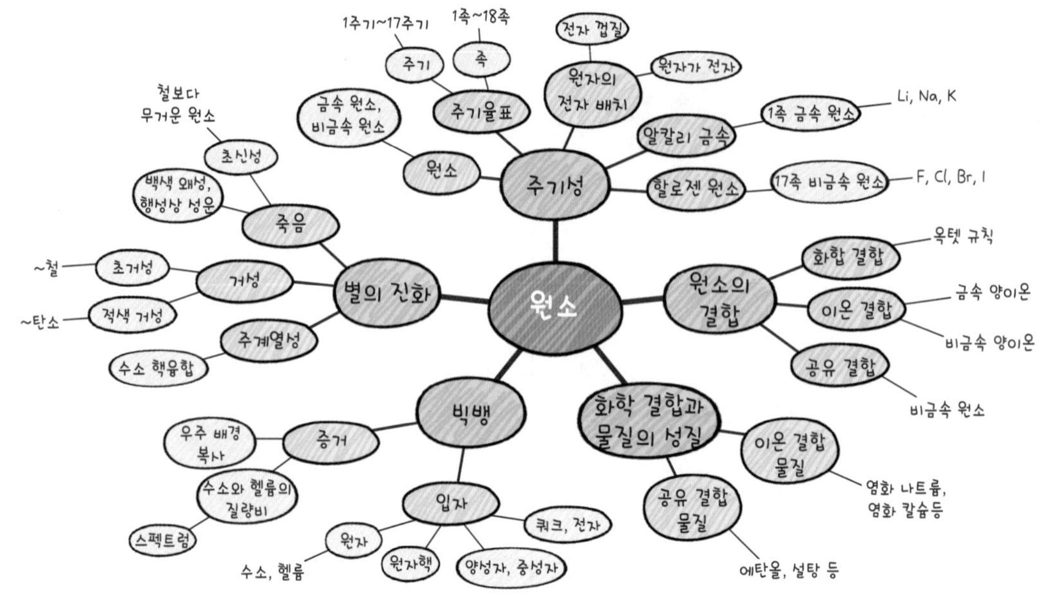

01 우주 초기에 만들어진 원소

(1) 물질을 구성하는 입자

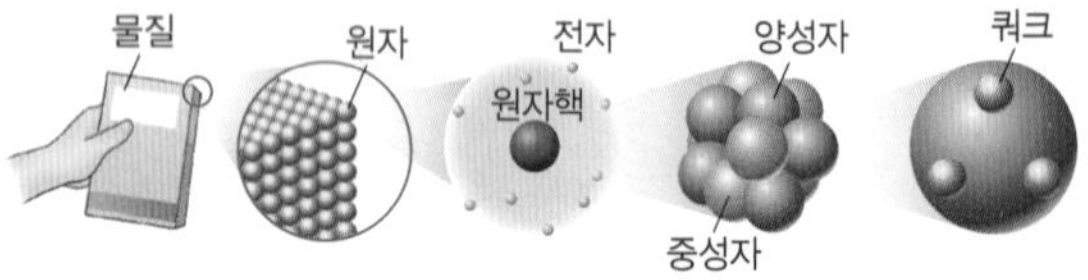

• 기본 입자: ①　　, 전자

(2) 빅뱅 우주론: 가모프가 발표한 것으로 빅뱅으로 우주가 시작되었으며, 우주는 ②　　하고 총 질량은 ③　　하여 우주의 밀도와 온도가 감소하면서 현재의 우주가 되었다.

(3) 빅뱅 후 우주 초기 물질의 합성

빅뱅

↓

기본 입자 형성(쿼크, 전자)

↓

양성자, 중성자 형성(양성자 : 중성자 개수비 = 7 : 1)

↓

빅뱅 후 3분 원자핵 형성(수소 원자핵, 헬륨 원자핵)

↓

빅뱅 후 ④　　　원자 형성(수소, 헬륨)

(4) 빅뱅 우주론의 증거: 우주 배경 복사, 수소와 헬륨의 질량비가 ⑤　　

(5) 스펙트럼: 연속 스펙트럼, 흡수 스펙트럼, 방출 스펙트럼이 있고, 원소의 종류에 따라 흡수선이나 방출선의 위치는 다르다.

02 별의 진화와 무거운 원소의 생성

(1) 원시별의 생성: 대부분 수소와 헬륨, 적은 양의 먼지로 이루어진 ⑥　　　이 중력 수축을 하여 성운을 형성 → 중력 수축을 계속하여 회전하는 원반 형태를 이룸 → 중력 수축에 의해 중심부의 온도가 높아져 빛을 방출하면서 원시별이 된다.

(2) ⑦　　 핵융합 반응: 4개의 수소 원자핵이 1개의 헬륨 원자핵을 형성하면서 줄어든 질량에 해당하는 에너지를 방출한다.

(3) 주계열성: 중심 온도가 1000만 K 이상이 되어 ⑦　　 핵융합 반응이 일어나 스스로 빛을 내는 별

(4) 주계열성 이후

① **태양 정도 질량의 별**: 주계열성 이후 중심부에서 헬륨 핵융합 반응이 일어나 탄소가 만들어지는 ⑧　　　이 된다.

② **태양보다 큰 질량의 별**: 주계열성 이후 계속되는 핵융합 반응으로 중심부에서 철까지 형성되는 초거성이 된다.

(5) 별의 죽음: 태양 정도 질량의 별은 적색 거성 이후 행성상 성운과 백색 왜성이 되며, 태양보다 질량이 큰 별은 초거성 이후 초신성 폭발을 하면서 철보다 무거운 원소를 형성하고 이후 중성자별이나 블랙홀이 된다.

(6) 태양계: 과거 ⑨　　　 폭발로 형성된 잔해들이 성운을 이루고 중력 수축하여 현재의 태양계가 되었다.

(7) 지구형 행성과 목성형 행성: 지구형 행성은 목성형 행성보다 안쪽 궤도를 공전하고 있으며, 크기와 질량이 작고 밀도가 크다.

03 원소들의 주기성

(1) ⑩ : 물질을 이루는 가장 기본적인 성분

(2) 금속 원소와 비금속 원소

구분	금속	비금속
이온의 형성	양이온	⑪
열과 전기 전도성	⑫	나쁨(단, 흑연 등 예외)
실온에서의 상태	모두 고체 (단, 수은은 액체)	기체, 고체 (단, 브로민은 액체)

(3) 주기율: 원소를 ⑬ 순으로 나열하였을 때, 화학적 성질이 비슷한 원소가 규칙적으로 나타나는 성질

(4) 주기율표: 원소들을 원자 번호 순으로 나열하여 화학적 성질이 비슷한 원소들이 같은 세로줄에 오도록 배열한 표

(5) 주기율표의 구성

주기	• 주기율표의 가로줄로, 1주기~7주기까지 존재한다. • 같은 주기의 원소는 ⑭ 의 수가 같다.
족	• 주기율표의 세로줄로, 1족~18족까지 존재한다. • 같은 족의 원소들은 ⑮ 가 같아 화학적 성질이 비슷하다.

(6) 전자 배치

⑯	전자가 운동하는 특정한 에너지를 갖는 궤도
전자 배치	첫 번째 전자 껍질에 2개, 두 번째, 세 번째 전자 껍질에 최대 8개

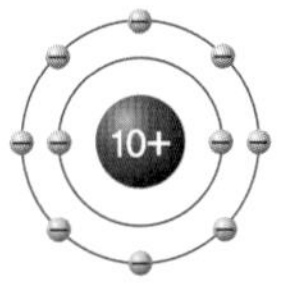

(7) 원자가 전자: 가장 바깥 전자 껍질에 들어 있는 전자 중 화학 결합에 참여하는 전자

(8) 원자가 전자 수의 주기성: 원소의 성질을 결정하는 원자가 전자 수가 주기적으로 나타나므로 화학적 성질이 비슷한 원소가 주기적으로 나타난다.

(9) 알칼리 금속과 할로젠 원소의 성질

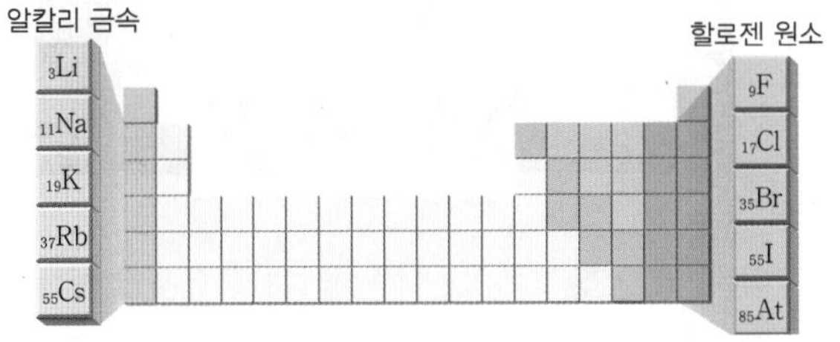

구분	알칼리 금속	할로젠 원소
종류	1족: Li, Na, K, Rb	17족: F, Cl, Br, I
원자가 전자 수	⑰	⑱
이온의 형성	전자 1개를 잃고 양이온을 형성한다.	전자 1개를 얻어 음이온을 형성한다.
반응	• 공기 중 산소와 반응한다. • 물과 반응하고 수용액은 염기성을 띤다.	• 수소와 반응하여 할로젠화 수소를 생성한다. • 할로젠화 수소 화합물은 물에 녹아 산성을 띤다.

04 원소들의 결합

(1) 화학 결합의 원리: 18족 원소에 속하지 않는 원소들은 ⑲ 와 같이 가장 바깥 전자 껍질에 ⑳ 개(단, He은 2개)의 전자를 채워 안정한 전자 배치를 가지려는 경향이 있으므로 화학 결합을 형성한다. ⇨ 옥텟 규칙

(2) ㉑ : 금속 원소의 양이온과 비금속 원소의 음이온 사이의 정전기적 인력으로 형성되는 결합

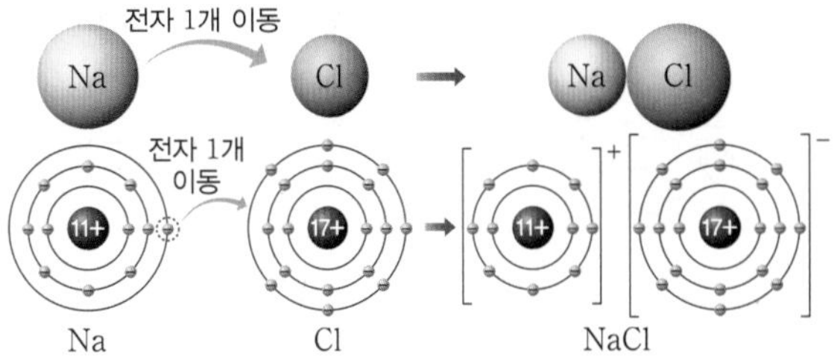

(3) ㉒ : 비금속 원자들이 전자를 내놓아 전자쌍을 만들고, 전자쌍을 공유하여 이루는 결합

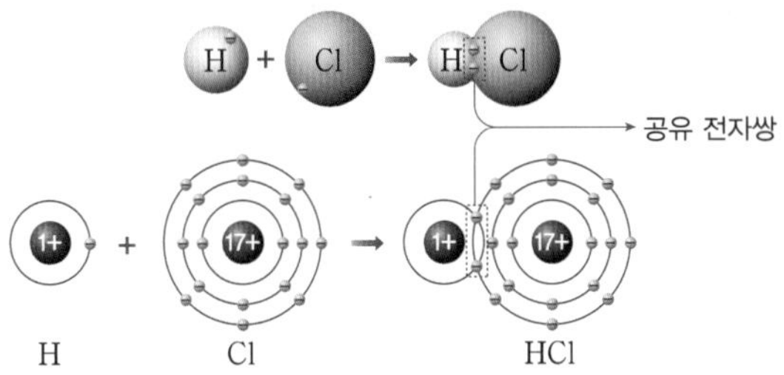

(4) 공유 결합의 종류

㉓	두 원자가 1개의 전자쌍을 서로 공유하여 이루어지는 결합 예 H_2, F_2, HCl 등
2중 결합	두 원자가 2개의 전자쌍을 서로 공유하여 이루어지는 결합 예 O_2, CO_2 등
3중 결합	두 원자가 3개의 전자쌍을 서로 공유하여 이루어지는 결합 예 N_2 등

05 원소들의 결합과 물질의 성질

(1) 결합 방식에 따른 물질의 분류

구분	이온 결합 물질	공유 결합 물질
결합 방식	금속 원소와 비금속 원소 사이의 이온 결합	비금속 원소 사이의 공유 결합
전기 전도성	고체 상태에서는 없으나, 액체나 수용액 상태에서는 전기 전도성이 ㉔ .	대부분 고체나 액체 상태에서 전기 전도성이 ㉕ .
녹는점과 끓는점	이온 사이의 정전기적 인력으로 인해 높다.	대부분 이온 결합 물질에 비해 비교적 낮다.
단단한 정도	단단하지만 잘 부스러진다.	대부분 잘 부스러진다.

(2) 염화 칼슘: 물에 녹을 때 열이 발생하고, 얼음의 녹는점을 낮추어 주므로 제설제로 사용하는데, 자동차의 금속 부분을 부식시키거나 식물의 생장을 방해하는 단점이 있다.

한번에 끝내는 대단원 마무리

정답과 해설 016쪽

01 그림은 물질을 이루고 있는 입자를 나타낸 것이다.

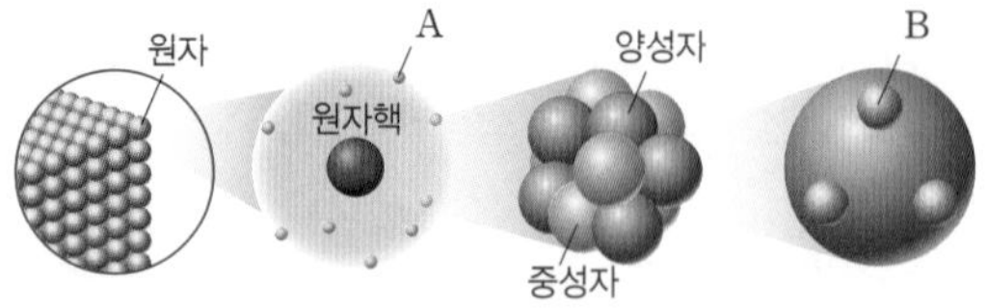

이에 대한 설명으로 옳은 것만을 |보기|에서 있는 대로 고른 것은?

보기
ㄱ. A는 전자이다.
ㄴ. B는 쿼크이다.
ㄷ. A와 B는 같은 시기에 형성되었다.

① ㄱ ② ㄴ ③ ㄱ, ㄴ
④ ㄴ, ㄷ ⑤ ㄱ, ㄴ, ㄷ

02 입자에 대한 설명으로 옳은 것만을 |보기| 에서 있는 대로 고른 것은?

보기
ㄱ. 헬륨 원자에 전자는 2개가 들어 있다.
ㄴ. 빅뱅 후 약 38만 년에 헬륨 원자가 형성되었다.
ㄷ. 헬륨 원자핵은 양성자 1개와 중성자 1개로 이루어져 있다.

① ㄱ ② ㄷ ③ ㄱ, ㄴ
④ ㄴ, ㄷ ⑤ ㄱ, ㄴ, ㄷ

03 그림은 진화 단계에 있는 어느 별의 내부 원소를 나타낸 것이다.

이에 대한 설명으로 옳은 것만을 |보기|에서 있는 대로 고른 것은?

보기
ㄱ. 질량이 태양보다 큰 별이다.
ㄴ. 주계열성 단계보다 크기가 작다.
ㄷ. 나중에 초신성 폭발을 할 것이다.

① ㄱ ② ㄴ ③ ㄱ, ㄷ
④ ㄴ, ㄷ ⑤ ㄱ, ㄴ, ㄷ

04 그림 (가)는 초신성을, (나)는 행성상 성운을 나타낸 것이다.

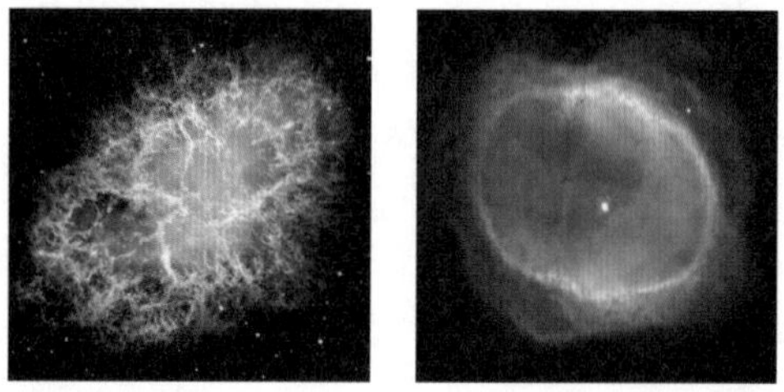

(가) (나)

이에 대한 설명으로 옳은 것만을 |보기| 에서 있는 대로 고른 것은?

보기
ㄱ. (가)에서 철보다 무거운 원소가 만들어진다.
ㄴ. 주계열성일 때의 질량은 (가)보다 (나)가 컸다.
ㄷ. 태양은 적색 거성 단계를 거쳐 (나)로 진화한다.

① ㄱ ② ㄴ ③ ㄷ
④ ㄱ, ㄷ ⑤ ㄴ, ㄷ

05 다음은 학생 A가 형성 평가에 답한 내용이다.

> 다음 4가지 원소에 대한 물음에 답하시오.
>
> | H F Ne Mg |
> |---|
>
> (가) 금속 원소를 모두 쓰시오. (H, Mg)
> (나) 전자가 들어 있는 전자 껍질 수가 짝수인 원소를 쓰시오. (F, Ne)
> (다) 가장 바깥 전자 껍질의 전자 수가 가장 작은 원소와 가장 큰 원소의 원자 번호를 더한 값을 쓰시오. (11)

학생 A가 옳게 답한 문항만을 있는 대로 고른 것은?

① (가) ② (나) ③ (가), (다)
④ (나), (다) ⑤ (가), (나), (다)

06 그림은 원소 A~C의 정보를 카드에 나타낸 것이다.

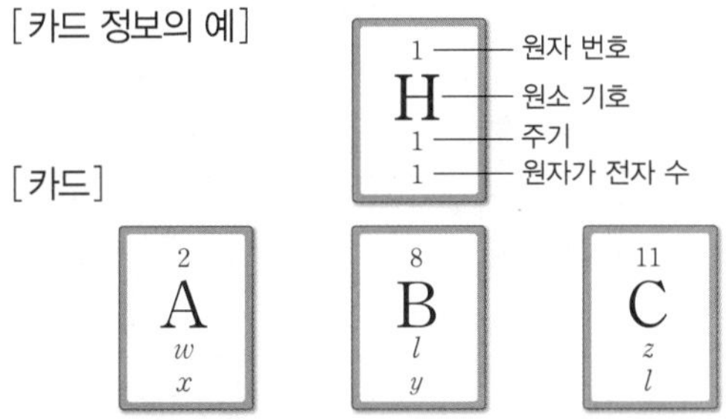

A~C에 대한 설명으로 옳은 것만을 |보기|에서 있는 대로 고른 것은? (단, A~C는 임의의 원소 기호이다.)

> 보기
> ㄱ. A는 2족 원소이다.
> ㄴ. $y>w+x+z$이다.
> ㄷ. B와 C는 이온 결합으로 화합물을 생성한다.

① ㄱ ② ㄴ ③ ㄱ, ㄷ
④ ㄴ, ㄷ ⑤ ㄱ, ㄴ, ㄷ

07 표는 몇 가지 원소를 분류 기준 (가)에 의해 분류한 것이다.

분류 기준 (가)	
예	아니요
Li, Na, K	F, Cl, Br

분류 기준 (가)로 적용할 수 있는 것만을 |보기|에서 있는 대로 고른 것은?

> 보기
> ㄱ. 음이온이 되기 쉬운가?
> ㄴ. 원자가 전자 수가 7인가?
> ㄷ. 고체 상태에서 전기 전도성이 있는가?

① ㄱ ② ㄷ ③ ㄱ, ㄴ
④ ㄴ, ㄷ ⑤ ㄱ, ㄴ, ㄷ

08 표는 알칼리 금속 A, B, C의 성질을 나타낸 것이다.

성질 \ 금속	A	B	C
공기 중 자른 면의 변화	자르는 순간 광택을 잃음	곧 광택을 잃음	서서히 광택을 잃음
물과의 반응	격렬하게 기체 발생	(가)	느리게 기체 발생
물과 반응한 용액의 액성	(나)	(다)	염기성

이에 대한 설명으로 옳은 것만을 |보기|에서 있는 대로 고른 것은? (단, A~C는 원자 번호가 20 이하인 임의의 원소 기호이다.)

> 보기
> ㄱ. A~C 중 A의 원자 번호가 가장 크다.
> ㄴ. (가)에는 '빠르게 기체 발생'이 들어갈 수 있다.
> ㄷ. (나)는 '산성'이고, (다)는 '중성'이다.

① ㄱ ② ㄷ ③ ㄱ, ㄴ
④ ㄴ, ㄷ ⑤ ㄱ, ㄴ, ㄷ

09 다음은 4가지 화합물의 화학식을 나타낸 것이다.

Na_2O KCl HCl NH_3

위의 화합물에 대한 설명으로 옳은 것만을 |보기|에서 있는 대로 고른 것은?

보기
ㄱ. 이온 결합으로 생성된 물질은 2가지이다.
ㄴ. 공유 결합으로 생성된 물질은 3가지이다.
ㄷ. 화합물에서 구성 입자의 전자 배치가 모두 같은 물질은 2가지이다.

① ㄱ ② ㄷ ③ ㄱ, ㄴ
④ ㄱ, ㄷ ⑤ ㄱ, ㄴ, ㄷ

10 그림은 2가지 물질의 화학 결합 모형을 나타낸 것이다.

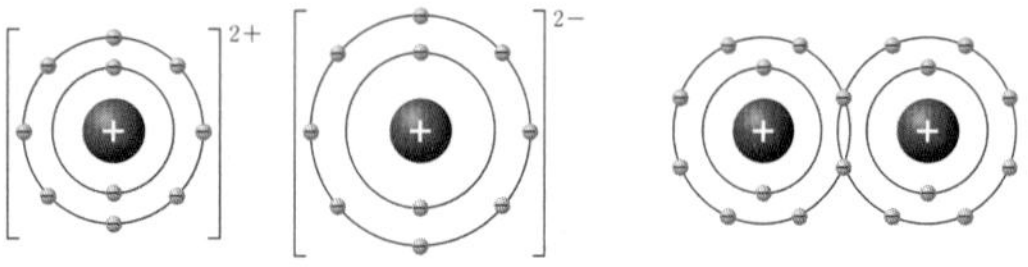

AB C_2

이에 대한 설명으로 옳은 것만을 |보기|에서 있는 대로 고른 것은?

보기
ㄱ. 원자가 전자 수는 C가 B보다 크다.
ㄴ. A와 C는 이온 결합으로 화합물을 형성한다.
ㄷ. B_2와 BC_2에 있는 공유 전자쌍 수는 서로 같다.

① ㄱ ② ㄴ ③ ㄱ, ㄷ
④ ㄴ, ㄷ ⑤ ㄱ, ㄴ, ㄷ

11 그림은 주기율표의 일부를 나타낸 것이다.

주기 \ 족	1	2	13	14	15	16	17	18
1								
2	A					B		
3	C						D	

A~D로 구성된 화합물에 대한 설명으로 옳은 것만을 |보기|에서 있는 대로 고른 것은?

보기
ㄱ. A와 B의 안정한 화합물의 화학식은 A_2B이다.
ㄴ. BD_2는 액체 상태에서 전기 전도성이 없다.
ㄷ. 고체 CD에 외부에서 힘을 가하면 잘 부스러진다.

① ㄱ ② ㄷ ③ ㄱ, ㄴ
④ ㄴ, ㄷ ⑤ ㄱ, ㄴ, ㄷ

고난도 통합 문제

12 표는 2, 3주기 원소 A~D가 이온 결합 물질 AD와 BC를 만들 때, 각 원소의 전자 배치를 나타낸 것이다. A~D 이온의 전자 배치는 모두 네온과 같다.

전자 껍질	전자 수			
	A	B	C	D
첫 번째 전자 껍질	2	2	2	2
두 번째 전자 껍질	8	8	y	7
세 번째 전자 껍질	x	2	—	—

이에 대한 설명으로 옳은 것을 |보기|에서 있는 대로 고른 것은? (단, A~D는 임의의 원소 기호이다.)

보기
ㄱ. y는 x의 6배이다.
ㄴ. A~D 중 원자 번호는 B가 가장 크다.
ㄷ. C와 D는 공유 결합하여 화합물 C_2D를 생성한다.

① ㄱ ② ㄷ ③ ㄱ, ㄴ
④ ㄴ, ㄷ ⑤ ㄱ, ㄴ, ㄷ

13 그림은 현재 태양의 모습이다. 물음에 답하시오.

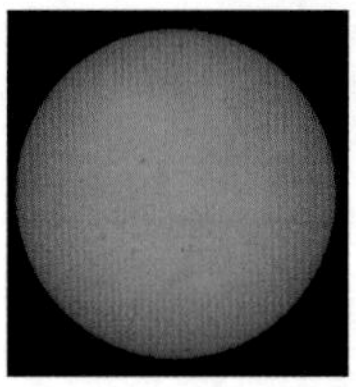

(1) 앞으로 태양이 어떤 과정을 거쳐 진화하게 될 것인지 서술하시오.

(2) 태양계는 초신성 폭발의 잔해로 만들어졌다고 한다. 그 근거를 서술하시오.

14 그림은 3가지 원자의 전자 배치 모형을 나타낸 것이다. 물음에 답하시오.

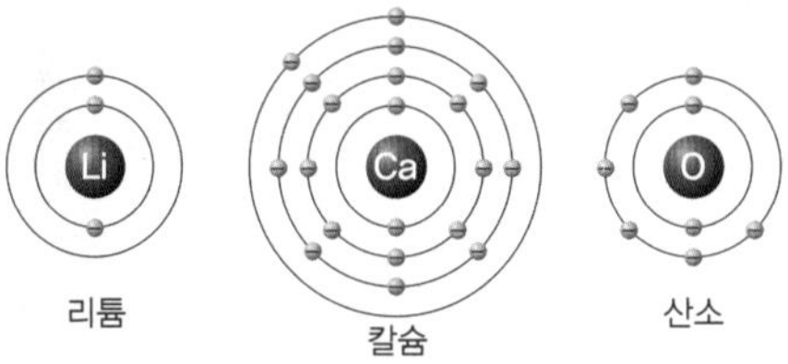

(1) 원자가 전자 수가 큰 것부터 순서대로 나열하시오.

(2) 3가지 원소로 화합물을 생성할 때 산소 원자 1개와 결합하는 리튬과 칼슘의 원자 수비를 구하고, 그 까닭을 서술하시오.

15 다음은 알칼리 금속의 성질을 알아보기 위한 실험이다.

[실험 과정]
(가) Li을 페트리 접시에 올려놓은 후 칼로 잘라 보고 표면의 변화를 관찰한다.
(나) 쌀알 크기의 금속 Li을 물이 들어 있는 유리병에 넣은 후 일어나는 변화를 관찰한다.
(다) (나)의 유리병에 페놀프탈레인 용액을 떨어뜨려 본다.
(라) Na, K을 이용하여 (가)~(다) 과정을 반복한다.

(가) (나) (다)

이 실험으로부터 알 수 있는 알칼리 금속의 공통적인 성질 3가지를 서술하시오.

16 그림은 주기율표의 일부를 나타낸 것이다.

주기 \ 족	1	2	13	14	15	16	17	18
1	A							
2						B		
3		C					D	
4	E							

위 주기율표의 원소 A~E 중에서 이온 결합을 형성하는 것끼리 옳게 짝 지은 것을 |보기|에서 모두 골라 기호를 쓰고, 그 까닭을 서술하시오. (단, A~E는 임의의 원소 기호이다.)

보기
ㄱ. A−D　ㄴ. B−C　ㄷ. B−D
ㄹ. C−D　ㅁ. C−E　ㅂ. D−E

Ⅱ 자연의 구성 물질

※ **나의 학습 일정표** : 스스로 계획하고 실천하면 실력이 올라갑니다.

단원명	내용 정리	알쉬탐 / 알쉬특	개념+기본 문제	실력 올리기 문제	대단원 마무리 + 문제
01 지각과 생명체의 구성 물질					
02 생명체의 주요 구성 물질					
03 신소재					

* 내용을 공부하기 전에 용어집을 읽어 보면 공부가 쉬워져요!!

산소와 규소로 이루어진 규산염 광물이 지각의 대부분을 차지하고 있어. 탄소를 기본 골격으로 하는 탄소 화합물은 생명체를 이루는 주요 물질이 되거나 생명체의 에너지원이 되지. 산소와 규소, 탄소와 같은 원소가 어떻게 결합하여 지각과 생명체를 구성하는지 알아보자.

배울 내용 미리보기

용어집 10쪽

01 지각과 생명체의 구성 물질

A 지각과 생명체를 구성하는 물질 #규소 #탄소

B 규산염 광물과 결합의 규칙성
#규산염 사면체 #규산염 광물 #규산염 광물의 결합 구조

C 탄소 화합물과 결합의 규칙성
#탄소 화합물 #탄소 화합물의 결합 구조

생명체를 구성하는 물질에는 물, 무기염류, 탄수화물, 단백질, 지방, 핵산 등이 있어. 이 중 탄수화물, 단백질, 핵산과 같은 물질은 단위체의 결합으로 구성된 탄소 화합물인데, 이러한 물질들에 대해 배우게 될거야.

용어집 11쪽

02 생명체의 주요 구성 물질

A 생명체의 구성 물질 #탄소 화합물 #단위체

B 단백질 #아미노산 #펩타이드 결합 #폴리펩타이드 #입체 구조

C 핵산 #DNA #RNA #뉴클레오타이드 #2중 나선 구조

용어집 13쪽

03 신소재

A 신소재의 종류와 물질의 분류 #신소재 #전기적 성질 #자기적 성질

B 전자기적 성질을 활용한 신소재
#액정 #반도체 #발광 다이오드 #트랜지스터 #초전도체 #네오디뮴 자석

C 탄소로 이루어진 신소재와 자연을 모방한 신소재
#그래핀 #탄소 나노 튜브 #풀러렌 # 자연을 모방한 신소재

물질의 물리적 성질을 변화시켜 만든 신소재에는 전자기적 성질을 활용한 신소재, 탄소로 이루어진 신소재, 자연을 모방한 신소재 등이 있지.

01 지각과 생명체의 구성 물질

개념 이해 규산염 사면체, 규산염 광물, 탄소 화합물

알쉬탐

A 지각과 생명체를 구성하는 물질

한·줄·핵심 지각은 산소와 규소가 결합한 규산염 광물, 생명체는 탄소를 기본 골격으로 하는 탄소 화합물을 기반으로 하지.

1. 지각

(1) 구성 지각은 암석으로, 암석은 광물로 구성되어 있다.

(2) 특징 암석을 구성하는 광물 중 산소(O)와 규소(Si)가 결합한 규산염 광물이 약 92 %를 차지하고 있다.

2. 생명체

(1) 구성 물과 무기염류 등의 무기물과 단백질, 지질, 핵산, 탄수화물 등의 유기물로 구성되어 있다.

(2) 특징 유기물은 탄소를 기본 골격으로 여러 원소가 결합한 탄소 화합물이다.

#보충!

유기물과 무기물

원래 유기물은 생물을 구성하거나 생물로부터 만들어진 물질, 무기물은 광물로부터 만들어진 물질을 가리키는 말이었다.
그러나 유기물을 합성해낼 수 있게 되었으며 현재는 유기물은 탄소 골격을 갖고 있으며 생명체와 관련 있는 물질을 나타낸다.

자료 지각과 생명체를 구성하는 원소

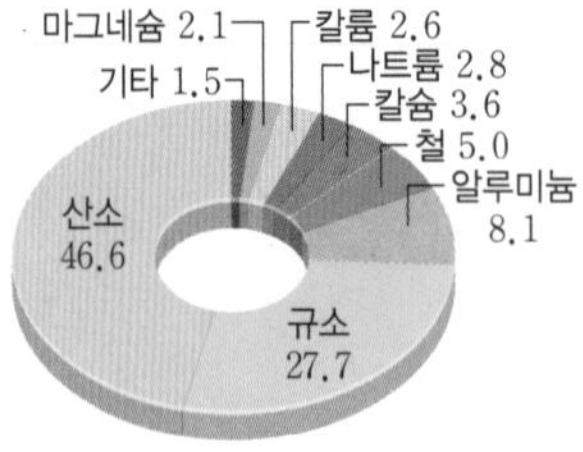

지각의 구성 원소의 질량비(단위: %)

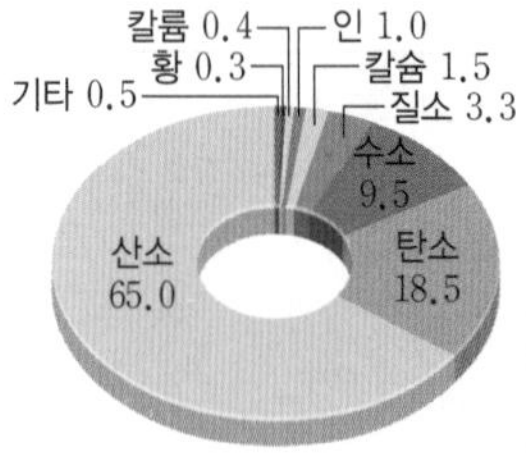

사람의 구성 원소의 질량비(단위: %)

사람을 구성하는 원소의 비율은 출처마다 조금씩 다르다. 그러므로 정확한 비율보다 어떤 원소가 많은지를 비교하면서 학습하도록 한다.

- 지각: 대부분 산소와 규소가 결합해 만들어진 광물로 이루어져 있다.(산소 > 규소 > 알루미늄 > 철)
- 사람을 구성하는 유기물: 탄소를 기본 골격으로 여기에 산소, 수소, 질소 등이 결합하여 만들어진 탄소 화합물로 이루어져 있다.
- 지각과 생명체에 공통으로 많은 원소: 산소 ⇨ 산소는 다른 원소(수소, 탄소, 규소 등)와 쉽게 결합을 한다.

#보충!

해수와 대기의 성분

- 해수의 구성 성분
  물 > 염류(염소 > 나트륨 > 황 > 마그네슘 > 기타)
- 대기의 구성 성분
  질소 > 산소 > 아르곤 > 기타

●무기염류(mineral) 생물체를 구성하는 원소 중에서 탄소, 수소, 산소를 제외한 것으로 칼슘, 인, 칼륨, 나트륨, 마그네슘, 철, 구리 등이 있다. 인체에서 많은 양이 필요하지는 않지만 부족하면 결핍증을 일으킬 수 있다.

3. 규소와 탄소의 특징

	규소(Si)	탄소(C)
공통점	• 원자가 전자 수: 4개 • 다른 원소와 규칙적으로 결합해 지각과 생명체의 골격을 이룬다.	
차이점	• 규소 화합물 형성 • 지각을 구성하는 규산염 광물	• 탄소 화합물 형성 • 생명체를 구성하는 유기 화합물
원자 모형	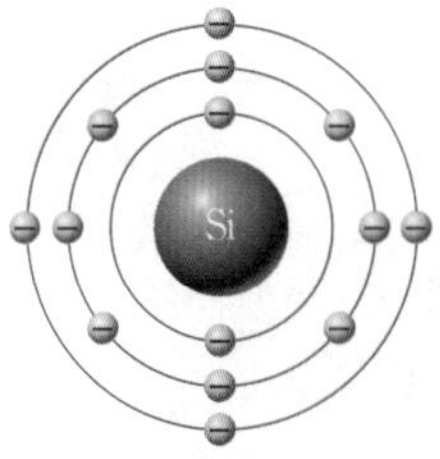 전자 수: 14개 원자가 전자 수: 4개	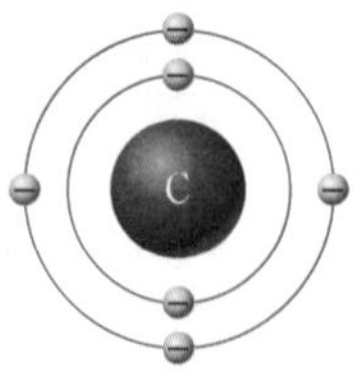 전자 수: 6개 원자가 전자 수: 4개

B 규산염 광물과 결합의 규칙성

한·줄·핵심 규소와 산소가 결합해 만들어진 규산염 사면체가 규칙적으로 결합해 만든 다양한 광물이 지각을 이루고 있어.

1. 규산염 광물

(1) 규산염 사면체(Si－O 사면체)

① 중심에 있는 규소 원자 1개에 4개의 산소 원자가 공유 결합하고 있는 사면체 구조

② 규소 원자는 원자가 전자의 수가 4개로 여기에 산소가 결합하여 규산염 사면체를 이룬다.(음전하를 띰)

- 규산염 사면체의 전기적 성질: 규소는 양이온의 전하량이 +4, 산소는 음이온의 전하량이 −2이고, 규소 1개와 산소 4개가 결합하므로 규산염 사면체의 전기적 성질은 $(+4)\times1+(-2)\times4=-4$이다.

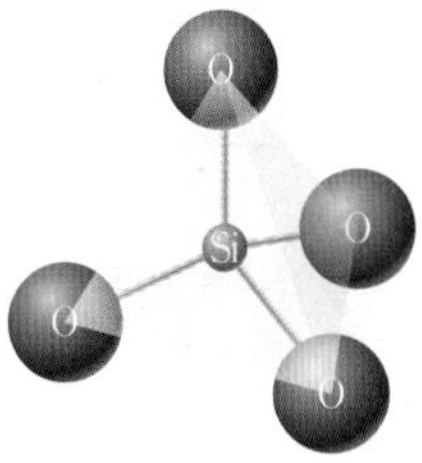

규산염 사면체(Si－O사면체)

(2) 규산염 광물 규산염 사면체를 기본 단위로 하여 다른 이온과 결합하고 있는 광물

2. 규산염 광물의 결합과 규칙성

(1) 규산염 광물의 결합 전기적으로 음전하를 띠는 규산염 사면체가 다른 양이온과 결합(이온 결합)하거나 다른 규산염 사면체와 산소를 공유하여 결합(공유 결합)(전기적으로 중성)

(2) 규산염 광물의 결합 구조

구조	독립 사면체 구조	단사슬 구조	복사슬 구조	판상 구조	망상 구조
특징	규산염 사면체가 다른 규산염 사면체와 결합하지 않고 다른 양이온과 결합하여 규산염 사면체가 독립적으로 존재한다.	규산염 사면체가 양쪽의 규산염 사면체와 각각 산소를 공유하여 한 방향으로 길게 연결되어 있다.	단사슬 구조 2개가 연결되어 이중의 사슬 형태로 나타나는 구조이다.	규산염 사면체가 3개의 규산염 사면체와 산소를 공유하여 판 모양의 구조를 이룬다.	규산염 사면체의 산소 4개가 모두 다른 규산염 사면체와 결합한 구조이다.
결합 구조	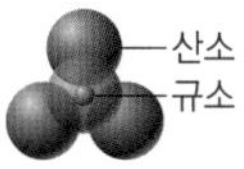		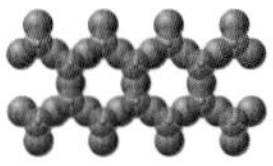	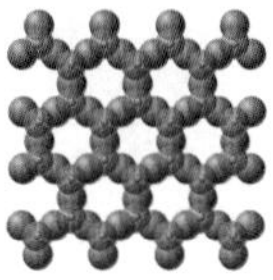	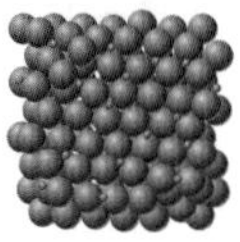
대표 광물	감람석 	휘석 	각섬석 	흑운모 	석영❶, 장석❷ 

(3) 결합 구조와 특징 결합 구조에 따라 광물의 성질이 달라진다.

① 판상 구조를 갖고 있는 흑운모는 얇은 판이 쌓인 형태이며, 판 모양으로 쪼개진다.

② 모든 산소가 공유 결합을 하고 있는 석영은 풍화에 강하다.

③ 사슬 구조를 갖고 있는 휘석이나 각섬석의 결정은 기둥 모양이다.

#보충!

양이온과 광물의 색

광물에 들어있는 양이온은 여러 가지 색을 나타내게 한다. 예를 들어 감람석은 규산염 사면체가 철(Fe^{2+})과 결합해 있다. 감람석은 이 철 이온 때문에 녹색을 띠게 된다.

❶ 석영

규소와 산소만으로 형성된 석영은 투명하거나 백색을 띤 주로 육각 기둥 모양의 결정이 나타난다. 풍화에 강하고 대부분의 산과 염기에도 안정한 편이다.

❷ 장석

지각을 구성하는 광물 중 가장 많은 양을 차지한다.

정답과 해설 020쪽

간단 점검

1. 지각과 생명체에 가장 많은 원소는?
2. 규소와 탄소의 원자가 전자 수는?
3. 지각에 가장 많은 원소 2가지를 순서대로 쓰시오.
4. 규산염 광물의 기본 구조는?
5. 규산염 광물 중 판상 구조를 이루고 있는 대표적인 광물은?

C 탄소 화합물과 결합의 규칙성

한·줄·핵심 탄소 원자끼리 결합하여 골격을 이루고 여기에 다양한 원자들이 결합해 여러 가지 탄소 화합물을 만들어.

1. 탄소 화합물

(1) 탄소 원자의 특징

① 4개의 원자가 전자를 갖고 있다. 최대 4개의 공유 결합 가능

② 여러 원소와 다양한 구조의 공유 결합을 안정하게 이루어 여러 가지 탄소 화합물을 만들 수 있다.

③ 탄소 원자와 수소 원자의 결합 탄소에 4개의 수소가 공유 결합을 하면 정사면체 구조의 메테인 분자가 된다.

메테인의 구조

(2) 탄소 화합물의 정의 많은 수의 탄소 원자가 연속적으로 결합하여 골격을 이루고 여기에 수소, 산소, 질소, 황 등 여러 원소가 공유 결합하여 이루어진 물질

2. 탄소 화합물의 결합 구조

(1) 탄소 화합물의 결합 구조 탄소는 다른 탄소 원자와 결합하여 사슬 모양, 가지 모양, 고리 모양 등 다양한 탄소 화합물의 골격을 형성한다.

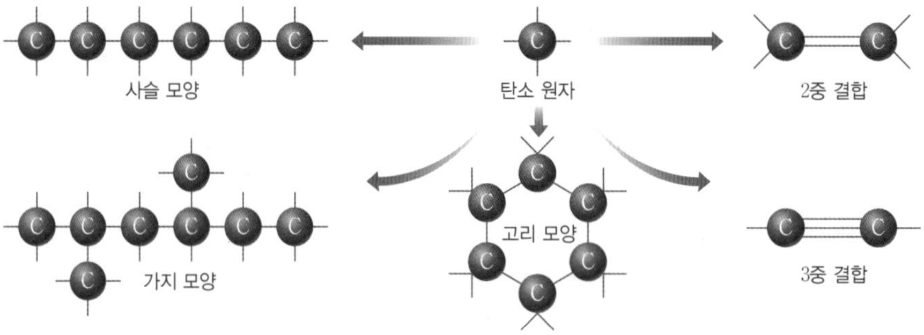

탄소 화합물의 결합 구조

(2) 탄소가 생명체에서 중요한 역할을 하는 까닭 여러 종류의 원자와 결합해 다양하고 복잡한 화합물을 만들기 때문이다.

① 탄소 화합물은 생명체의 구성 성분이나 에너지원이 된다.

② 탄소 화합물의 예: 단백질, 지질, 핵산, 탄수화물 등의 고분자 물질❸

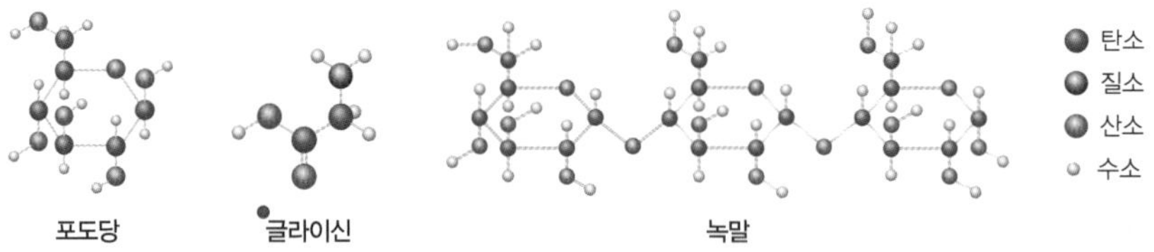

#보충!

탄소의 결합 방식

탄소는 공유 결합으로 대부분의 유기 화합물을 생성한다. 탄소 원자끼리의 결합이 안정적이고, 결합 방식도 단일 결합, 2중 결합, 3중 결합 등 다양한 종류가 있다. 따라서 여러 조합에 따라 다양한 화합물을 만들 수 있다. 또한, 산소, 질소 등 주기율표상에서 탄소 주변에 위치한 여러 원소와도 다양한 결합을 형성하고 있다.

❸ 고분자 물질

원자의 공유 결합으로 형성된 분자량이 큰 물질(분자)로서 보통 분자량 10000 이상의 것을 말한다.

- 핵산(nucleic acid) 생물의 세포 속에 들어있는 고분자 유기물의 일종
- 글라이신(glycine) 단백질을 구성하는 아미노산 중 가장 간단한 물질

정답과 해설 020쪽

간단 점검

6. 생명체를 구성하거나 에너지원이 되는 고분자 물질의 골격을 이루는 원소는?

7. 탄소가 수소, 산소, 질소, 황 등의 다른 여러 원소와 결합하여 다양하고 복잡한 화합물을 구성한다. 이런 종류의 화합물을 무엇이라고 하는가?

알아두면 시험이 쉬워지는 탐구

지구와 생명체의 구성 성분 비교 및 유래

목표 지구와 생명체의 구성 성분을 비교하여 그 유래를 설명할 수 있다.

과정

조사하기

유의점
질량비와 부피비를 구분하여 조사하여 적는다.

다음 표에 지구의 지각, 해양, 대기, 생명체를 구성하는 원소를 조사하여 써 본다.

대상	0 ~ 25 % ~ 50 % ~ 75 % ~ 100 %			
지각(질량비)	O	Si	Al	기타
해양(질량비)	O	H	기타	
대기(부피비)	N	O	기타	
생명체(질량비)	O	C	H	기타

토의하기

1. 위 표에 적은 원소를 원자 번호 순서로 써 본다.
   답: 수소(H), 탄소(C), 산소(O), 질소(N), 규소(Si)
2. 위에 적은 원소가 어떻게 형성되었을지 써 본다.

원소	형성 과정
수소(H)	빅뱅 후 38만 년에 전자가 수소 원자핵과 결합하여 형성
탄소(C)	초거성(또는 적색 거성) 단계에서 핵융합 반응으로 형성
산소(O)	초거성(또는 적색 거성) 단계에서 핵융합 반응으로 형성
질소(N)	초거성 단계에서 핵융합 반응으로 형성
규소(Si)	초거성 단계에서 핵융합 반응으로 형성

지구에 가장 많은 질량을 차지하는 원소는 철(Fe)이지만 지구 중심에 많이 있기 때문에 상대적으로 지각에는 그 양이 적다.

결과 및 해석

✓ 지구와 생명체를 구성하는 원소 중에는 초거성 단계에서 핵융합 반응으로 형성된 원소가 들어 있다. 따라서 지구에는 초거성의 다음 단계인 초신성 폭발로 형성된 원소가 존재할 것으로 생각할 수 있다. ㉠ 금, 우라늄 등

✓ 지각과 해양, 생명체에는 산소가 가장 많이 들어 있다.

한·줄·핵·심 지각에는 산소와 규소가 많고 생명체는 산소와 탄소가 많다. 산소, 규소, 탄소 모두 별의 내부에서 핵융합 반응에 의해서 형성된 원소이다.

확인 문제

정답과 해설 020쪽

1. 지각에 존재하는 가장 많은 질량을 차지하는 원소 2가지를 쓰시오.

2. 이 탐구에서 지구의 지각을 구성하는 원소 중 40 % 이상의 질량을 차지하는 것은 수소나 헬륨이 아니었다. 이 원소는 어떤 과정에 의해 형성되었는지 설명하시오.

3. 다음 설명 중 옳은 것은 ○, 옳지 않은 것은 ×로 표시하시오.
(1) 생명체와 지각에 가장 많은 원소는 산소이다. ( )
(2) 대기에 가장 많은 부피를 차지하는 원소는 산소이다. ( )
(3) 지구에는 빅뱅 후 38만 년 지났을 때 형성된 수소가 존재한다. ( )

개념 + 기본 문제

개념 문제

A 지각과 생명체를 구성하는 물질

01 (　　) 안에 알맞은 말을 쓰시오.

> (㉠)는 산소와 결합하여 지각의 규산염 광물을 구성하고 있으며, (㉡)는 수소나 산소 등과 결합한 고분자 물질인 탄소 화합물을 형성하여 생명체 구성 물질을 이루고 있다.

B 규산염 광물과 결합의 규칙성

02 다음 설명 중 옳은 것은 ○, 옳지 않은 것은 ×로 표시하시오.

(1) 규산염 광물에서 규소(Si)는 산소(O)와 결합하여 사면체를 이룬다. (　　)

(2) 암석을 이루는 광물의 대부분은 규산염 광물이다. (　　)

(3) 석영은 독립 사면체 구조이다. (　　)

(4) 흑운모는 깨지는 성질을 갖고 있다. (　　)

03 규산염 광물에 대한 설명으로 알맞은 말을 (　　) 안에 쓰시오.

(1) 규산염 광물의 기본 구조는 (　　　　　)이다.

(2) 규소(Si)의 원자가 전자 수는 (　　)개이다.

C 탄소 화합물과 결합의 규칙성

04 다음 설명 중 옳은 것은 ○, 옳지 않은 것은 ×로 표시하시오.

(1) 탄수화물은 탄소 화합물이다. (　　)

(2) 탄소(C)는 원자가 전자 수가 4개이다. (　　)

(3) 탄소는 다양한 결합을 이루기 힘들다. (　　)

(4) 탄소 화합물은 탄소가 기본 골격을 이룬다. (　　)

(5) 탄소와 탄소 사이에 단일 결합만 형성되고, 2중 결합이나 3중 결합은 형성되지 않는다. (　　)

A 지각과 생명체를 구성하는 물질

05 다음은 지각과 사람을 이루는 원소의 질량비를 나타낸 것이다.

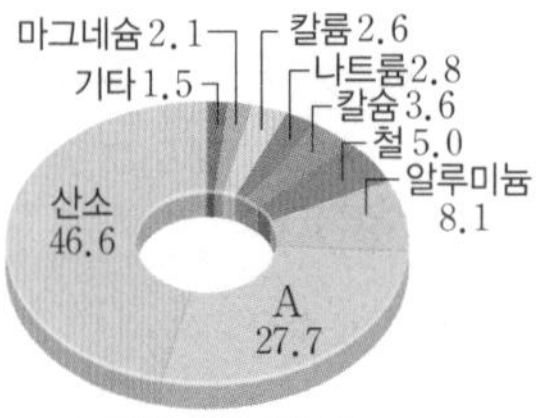

지각의 구성 원소의 질량비(단위: %)

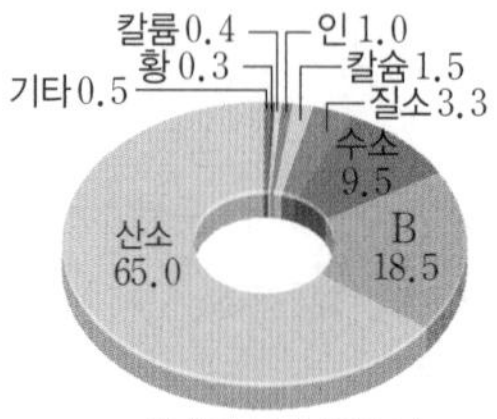

사람의 구성 원소의 질량비(단위: %)

이에 대한 설명으로 옳지 않은 것은?

① A는 규소이다.

② B는 탄소이다.

③ A, B 두 원소는 전자의 수가 같다.

④ 사람을 구성하는 탄소 화합물은 탄소에 다른 원자가 결합해 만들어진다.

⑤ 암석을 이루는 광물 중 규산염 사면체로 이루어진 광물이 90 % 이상을 차지한다.

06 그림은 서로 다른 원자의 모습을 모식적으로 나타낸 것이다.

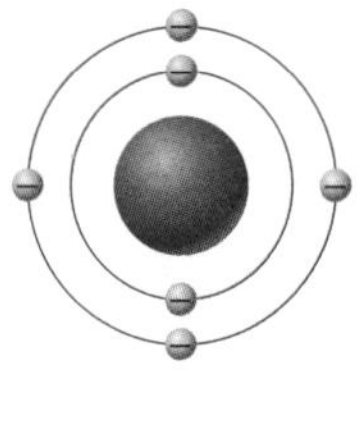

(가)

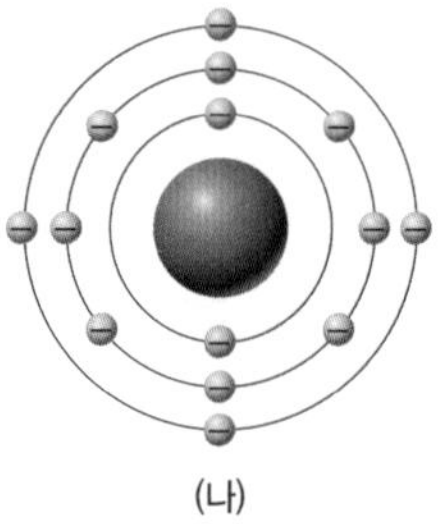

(나)

이에 대한 설명으로 옳은 것만을 | 보기 | 에서 있는 대로 고른 것은?

> **보기**
> ㄱ. (가)는 탄소, (나)는 산소이다.
> ㄴ. (가)보다 (나)의 전자 껍질의 수가 더 많다.
> ㄷ. (가)와 (나) 모두 원자가 전자 수는 4개이다.

① ㄱ　　② ㄷ　　③ ㄱ, ㄴ　　④ ㄴ, ㄷ　　⑤ ㄱ, ㄴ, ㄷ

알쉬탐

07 그림은 지각의 주요 구성 원소를 나타낸 것이다.

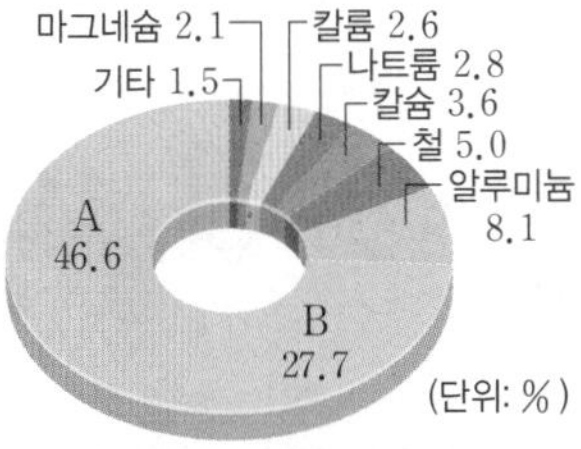

이에 대한 설명으로 옳은 것만을 | 보기 | 에서 있는 대로 고른 것은?

보기
ㄱ. A는 철이다.
ㄴ. A는 별에서 핵융합 반응에 의해 형성됐다.
ㄷ. B 원자 1개와 산소 원자 4개가 결합하여 규산염 사면체를 형성한다.

① ㄱ ② ㄷ ③ ㄱ, ㄴ
④ ㄴ, ㄷ ⑤ ㄱ, ㄴ, ㄷ

B 규산염 광물과 결합의 규칙성

08 그림은 규산염 광물을 이루는 규산염 사면체의 구조 모습이다.

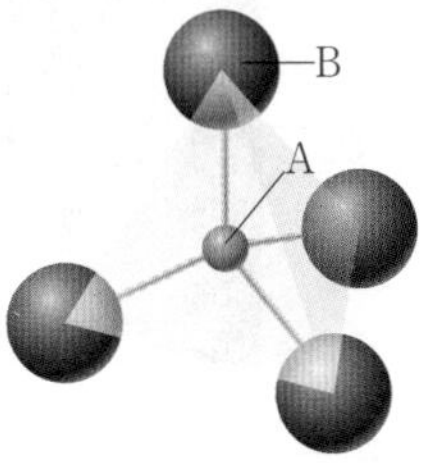

이에 대한 설명으로 옳지 않은 것은?

① A는 규소이다.
② B는 산소이다.
③ A의 원자가 전자 수는 4개이다.
④ 규산염 사면체는 양전하를 띤다.
⑤ 규산염 사면체는 규산염 광물 구조의 기본 단위이다.

09 그림은 규산염 광물을 이루는 구조를 나타낸 것이다.

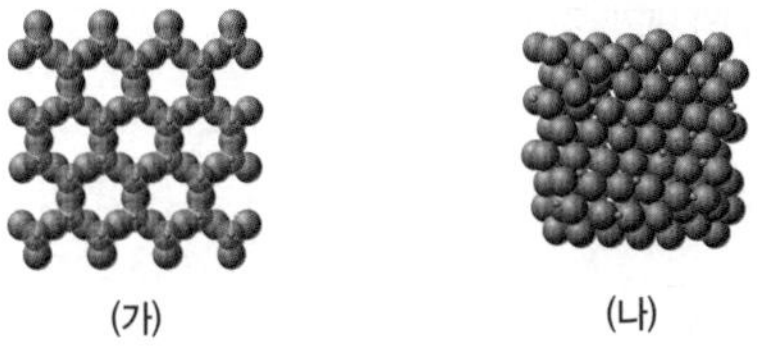

이에 대한 설명으로 옳은 것은?

① (가)는 판상 구조이다.
② (나)는 복사슬 구조이다.
③ (가)와 같은 구조를 갖고 있는 대표적인 광물은 석영이다.
④ (나)와 같은 구조를 갖고 있는 대표적인 광물은 감람석이다.
⑤ 규산염 사면체의 결합 구조는 광물의 성질과 관련이 없다.

C 탄소 화합물과 결합의 규칙성

10 그림은 다양한 탄소의 결합 구조를 나타낸 것이다.

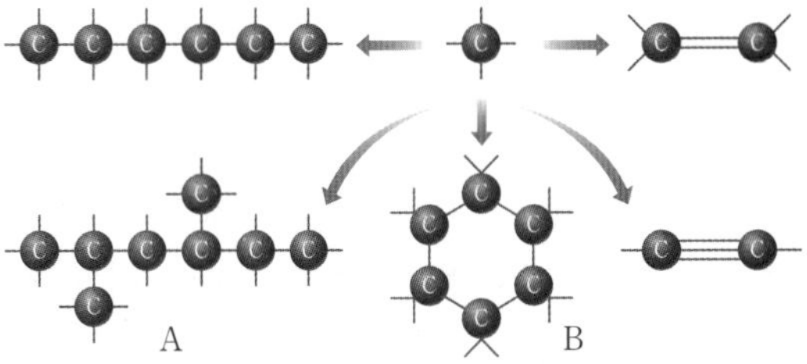

이에 대한 설명으로 옳은 것만을 | 보기 | 에서 있는 대로 고른 것은?

보기
ㄱ. A는 가지 모양이다.
ㄴ. B는 고리 모양이다.
ㄷ. 탄소는 공유 전자쌍을 2쌍까지 가질 수 있다.

① ㄱ ② ㄷ ③ ㄱ, ㄴ
④ ㄴ, ㄷ ⑤ ㄱ, ㄴ, ㄷ

실력 올리기 문제

| 지각과 생명체의 구성 원소 |

01 표는 지각, 사람에 포함된 원소의 질량비(%)를 나타낸 것이다. (단, 지각과 사람의 순서는 상관없이 제시되었다.)

(가)	산소	규소	알루미늄
	46.6	27.7	8.1
(나)	산소	탄소	수소
	65	18	10

이에 대한 설명으로 옳은 것만을 | 보기 | 에서 있는 대로 고른 것은?

보기
ㄱ. (가)는 사람, (나)는 지각이다.
ㄴ. (가)에서 규소와 산소는 규산염 사면체를 이룬다.
ㄷ. 사람에 탄소 화합물이 가장 많아 (나)에서 산소의 질량비가 높다.

① ㄱ　② ㄴ　③ ㄱ, ㄷ
④ ㄴ, ㄷ　⑤ ㄱ, ㄴ, ㄷ

| 규소의 특징 |

02 다음은 A~C 세 학생이 규소에 대해 이야기 한 내용을 나타낸 것이다.

- A: 규소는 원자가 전자 수가 4개야.
- B: 대부분의 광물은 규산염 광물이니까 지각에는 규소가 가장 많아.
- C: 규소는 규산염 광물을 구성하는 주요 원소야.

옳게 설명한 학생만을 있는 대로 고른 것은?

① B　② C　③ A, B
④ A, C　⑤ A, B, C

| 규산염 사면체(Si－O 사면체) | 출제예감

03 그림은 서로 다른 규산염 광물의 결합 모습을 나타낸 것이다.

(가)　(나)

이에 대한 설명으로 옳은 것만을 | 보기 | 에서 있는 대로 고른 것은?

보기
ㄱ. (가)는 독립 사면체 구조이다.
ㄴ. (나)의 대표적인 광물은 감람석이다.
ㄷ. (나)는 규산염 사면체가 다른 규산염 사면체와 산소를 공유하고 있다.

① ㄴ　② ㄷ　③ ㄱ, ㄷ
④ ㄴ, ㄷ　⑤ ㄱ, ㄴ, ㄷ

| 규산염 광물의 결합 구조 |

04 그림은 석영의 결정형이 잘 나타난 수정의 모습이다.

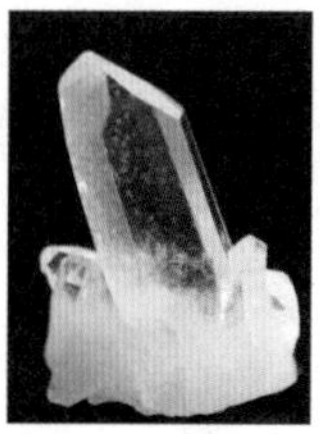

이에 대한 설명으로 옳은 것만을 | 보기 | 에서 있는 대로 고른 것은?

보기
ㄱ. 깨지는 성질이 있다.
ㄴ. 규산염 사면체가 기본 구조이다.
ㄷ. 망상 구조에 해당하는 광물이다.

① ㄱ　② ㄴ　③ ㄱ, ㄷ
④ ㄴ, ㄷ　⑤ ㄱ, ㄴ, ㄷ

| 탄소의 특징 | 출제예감

05 그림은 탄소 원자를 모식적으로 나타낸 것이다.

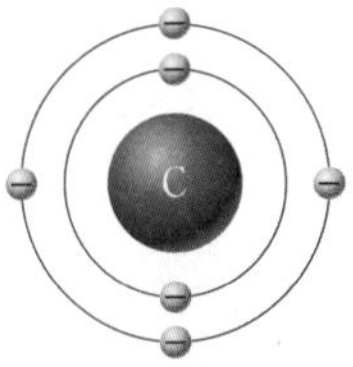

이에 대한 설명으로 옳은 것만을 | 보기 | 에서 있는 대로 고른 것은?

보기
ㄱ. 다양한 화합물을 형성한다.
ㄴ. 6개의 원자가 전자를 갖고 있다.
ㄷ. 다양한 결합 구조를 가질 수 있다.

① ㄱ ② ㄴ ③ ㄱ, ㄷ
④ ㄴ, ㄷ ⑤ ㄱ, ㄴ, ㄷ

| 탄소 화합물의 결합 규칙성 |

06 그림은 서로 다른 탄소 화합물의 결합 모형이다

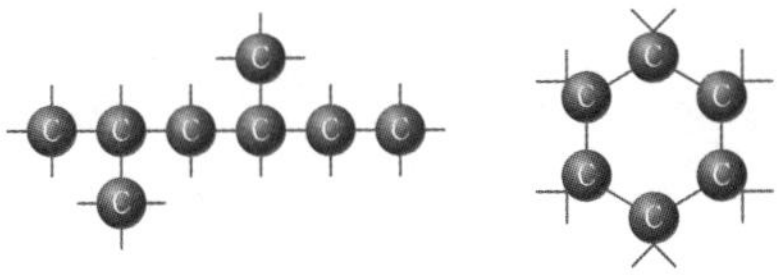

(가) (나)

이에 대한 설명으로 옳은 것만을 | 보기 | 에서 있는 대로 고른 것은?

보기
ㄱ. (가)는 가지 모양의 결합 구조이다.
ㄴ. (나)의 결합 모양을 갖는 생명체 구성 물질이 있다.
ㄷ. 탄소는 고분자 화합물을 형성할 수 있다.

① ㄱ ② ㄷ ③ ㄱ, ㄴ
④ ㄴ, ㄷ ⑤ ㄱ, ㄴ, ㄷ

| 탄소와 규소 |

07 그림은 탄소와 규소 원자의 모습을 모식적으로 나타낸 것이다.

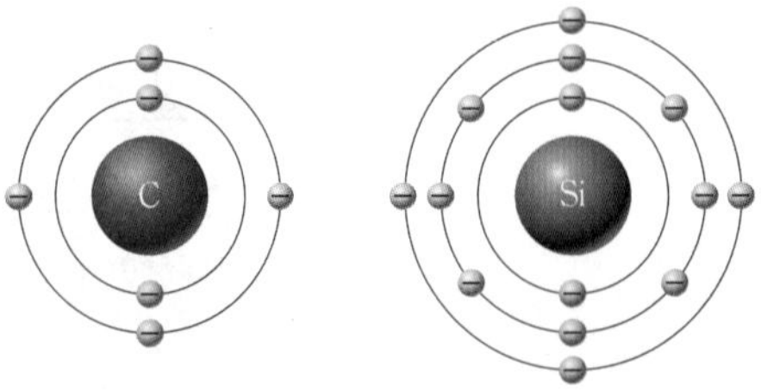

탄소 규소

두 원자의 공통점 2가지를 서술하시오. (단, 전자의 배치와 화학 결합의 관점에서 설명하시오.)

| 규산염 광물의 결합 구조 |

08 그림은 규산염 광물의 결합 구조를 나타낸 것이다. 물음에 답하시오.

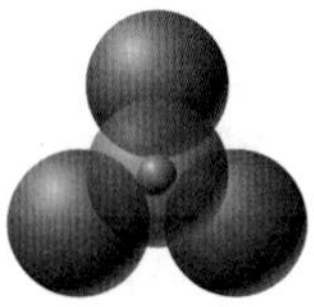

(1) 이런 구조의 명칭을 무엇이라 하는지 쓰시오.
(2) 규소(Si) : 산소(O)의 개수비를 쓰시오.
(3) 이러한 물질의 예를 쓰시오.

| 지구와 생명체를 구성한 성분의 기원 | 알쉬탐

09 그림은 지구와 생명체를 구성하는 원소를 나타낸 것이다.

대상	25 % · 50 % · 75 %			
지각(질량비)	O	Si	Al	기타
해양(질량비)	O	H	기타	
대기(부피비)	N	O	기타	
생명체(질량비)	O	C	H	기타

그림을 참고하여 지구가 초신성 폭발의 잔해로 만들어졌다는 근거를 서술하시오.

02 생명체의 주요 구성 물질

개념 이해 탄소 화합물, 탄수화물, 단백질, 아미노산, 펩타이드 결합, 폴리펩타이드, 핵산, DNA, RNA, 뉴클레오타이드

A 생명체의 구성 물질

한·줄·핵심 생명체의 주요 구성 물질 중 단백질, 탄수화물, 핵산, 지질 등은 탄소 화합물로서, 다양하고 복잡한 구조의 물질이야!

1. 생명체의 구성 물질의 종류 물, 무기염류❶, 단백질, 탄수화물, 지질, 핵산 등

(1) 생명체의 구성 물질의 특성 종류에 따라 구성 비율과 기능이 다르다.

구성 물질	특성
물	가장 많은 비율을 차지하며, •비열이 커 체온 유지에 유리, 물질 운반
무기염류	신체 구성, 생리 기능 조절
단백질	신체 구성, 다양한 종류, 다양한 기능 수행
탄수화물	주요 에너지원
지질	에너지 저장(중성 지방), 세포막 성분(인지질), 호르몬 성분
핵산	유전 물질

(단백질, 탄수화물, 지질, 핵산: 탄소 화합물)

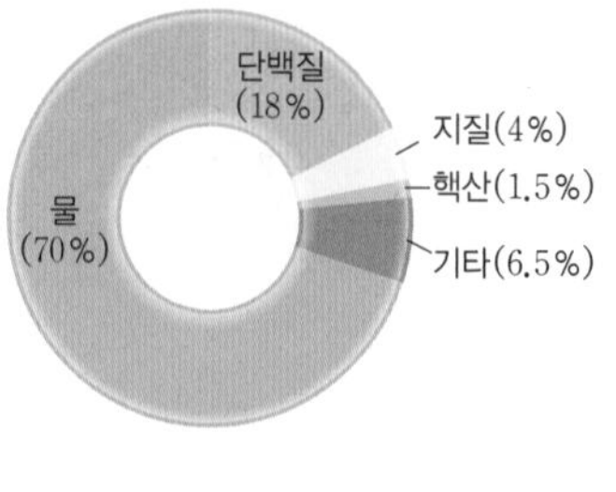

(2) 탄소 화합물❷ 생명체 구성 물질 중 물과 무기염류를 제외한 단백질, 탄수화물, 지질, 핵산은 모두 탄소 화합물에 해당된다. 탄소 화합물은 다양하고 복잡한 고분자 물질 형성이 가능하다.

2. 생명체의 주요 구성 물질의 형성

(1) 단위체 탄소 화합물에서 구성 단위 역할을 하는 작은 분자를 단위체라고 한다.

(2) 구조적 특징 단백질, 핵산, 탄수화물(•다당류)은 같거나 비슷한 구성 단위가 결합하여 연결된 긴 가닥으로 이루어진 분자이다.

(3) 구성 물질의 형성

① 단백질: 단위체인 아미노산의 결합에 의해 단백질을 형성한다.

② 핵산: 단위체인 뉴클레오타이드의 결합에 의해 핵산을 형성한다.

③ 탄수화물: 단위체인 단당류(포도당)의 결합에 의해 탄수화물을 형성한다.

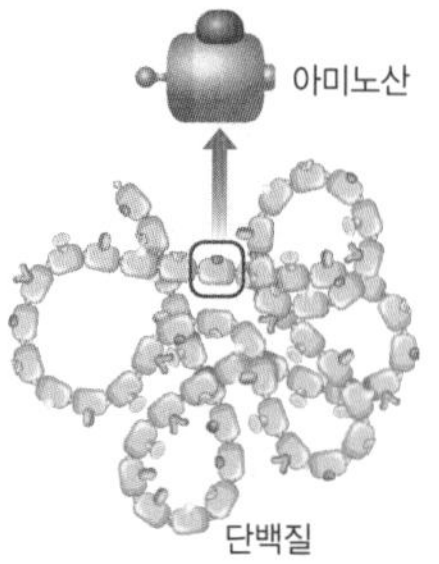

단백질

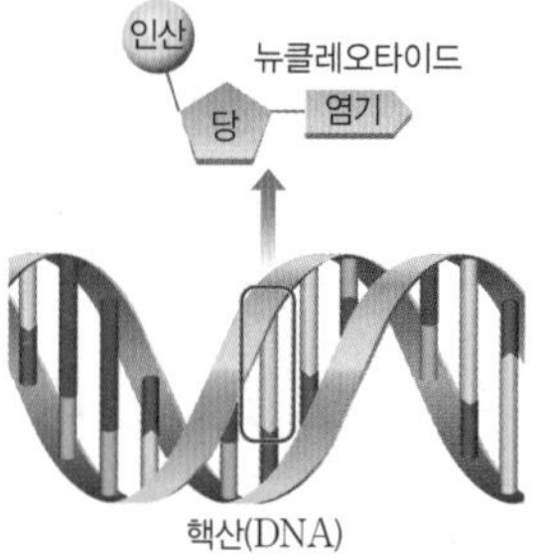

핵산(DNA)

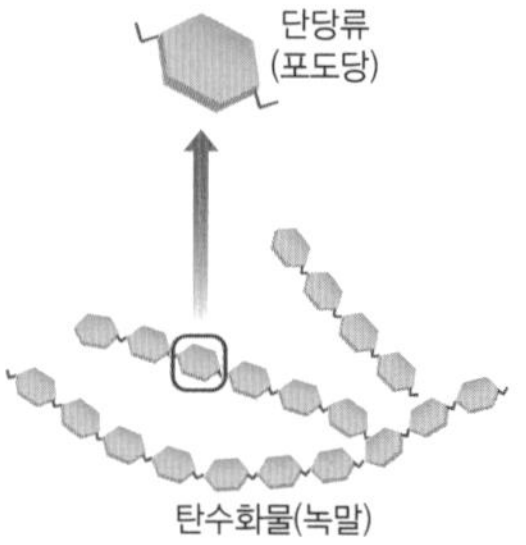

탄수화물(녹말)

❶ **무기염류**

금속 원소 등의 물질로 신체의 구성 성분이며, 생리 기능을 조절하는 역할을 한다.

❷ **탄소 화합물**

탄소는 생명체가 다양한 구성 물질을 만드는 데 유리한 물질이다.

#보충!

탄수화물(다당류)의 구조

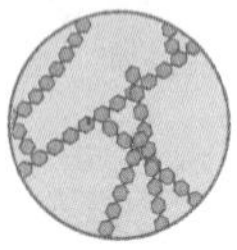
녹말

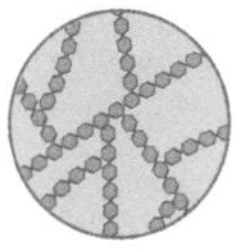
글리코젠

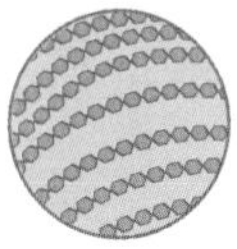
셀룰로스

•비열(견주다 比, 더울 熱) 어떤 물질 1 g을 1 ℃ 높이는 데 필요한 열량으로, 비열이 클수록 물질의 온도가 천천히 변함

•다당류(많을 多, 사탕 糖, 무리 類) 여러 분자로 이루어진 탄수화물을 다당류라고 하며, 하나의 분자로 이루어진 탄수화물을 단당류라고 함

B 단백질

한·줄·핵심 단백질은 여러 가지 기능을 하는 물질로서, 아미노산의 펩타이드 결합으로 구성돼!

1. 단백질의 기능 단백질은 생명체를 구성하는 데 필수적인 물질이다.

(1) 피부, 근육, 모발, 혈액 이외에도 효소나 항체, 호르몬 등의 주성분이다.
생명체 구성 물질 중 물 다음으로 많은 비율을 차지하고 있는 물질이 단백질이다.

(2) 생명체에서 일어나는 여러 화학 반응을 조절하고 생명 활동이 원활하게 일어나게 한다.
효소는 체내의 화학 반응을 조절하는 촉매이고 호르몬은 생리 기능을 조절하는데, 이들의 주성분이 단백질이다.

(3) 단백질은 각각의 구조에 따라 다양한 기능을 한다.
효소, 호르몬, 항체 등은 각 단백질의 입체 구조가 달라 서로 다른 기능을 나타낸다.

2. 단백질의 단위체 단백질의 단위체는 아미노산❸이다.

(1) 아미노산은 탄소를 중심으로 산소, 질소, 수소가 결합한 구조를 공통으로 가지며, 여기에 어떤 물질이 결합하는지에 따라 종류가 달라진다.

(2) 생명체를 구성하는 아미노산은 20종류이며, 20종류의 아미노산이 특정한 순서로 길게 연결되어 하나의 단백질을 만든다.

(3) 아미노산의 수와 결합 순서에 따라 단백질의 종류가 달라지므로 다양한 단백질이 만들어진다.

3. 단백질의 구성

(1) **펩타이드 결합** 두 아미노산 사이에 물 한 분자가 빠져나오면서 서로 결합하는데, 이를 펩타이드 결합이라고 한다.

(2) **단백질의 형성❹**

① 많은 수의 아미노산이 펩타이드 결합으로 연결되어 긴 사슬 모양의 폴리펩타이드가 형성된다.

② 폴리펩타이드가 아미노산의 배열 순서에 따라 구부러지고 접혀 독특한 입체 구조를 갖는 단백질이 된다.

자료 헤모글로빈의 형성 과정 대부분의 단백질은 여러 폴리펩타이드가 합쳐진 상태이다.

적혈구에 있는 단백질인 헤모글로빈의 형성 과정을 이해할 수 있다.

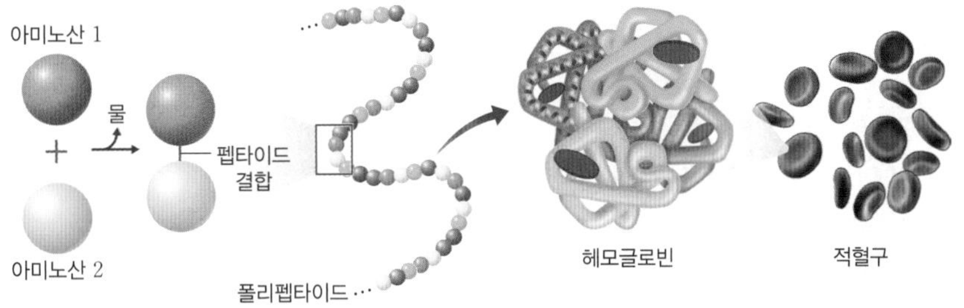

여러 아미노산이 펩타이드 결합으로 폴리펩타이드 사슬 형성 → 사슬이 규칙적으로 접히거나 일정한 방향으로 회전하여 입체 모양의 단백질(헤모글로빈) 구조 형성

4. 단백질의 구조와 기능이 다양한 까닭

(1) 단백질을 구성하는 아미노산의 종류와 순서에 의해 각각의 단백질은 다양한 입체 구조를 가질 수 있다. 단백질은 열이나 산, 염기에 따라 입체 구조가 변형될 수 있고, 입체 구조가 변형되면 본래의 기능을 상실한다.

(2) 단백질이 다양한 기능을 할 수 있는 것은 단백질이 기능에 알맞은 입체 구조를 가지기 때문이다.

❸ 아미노산

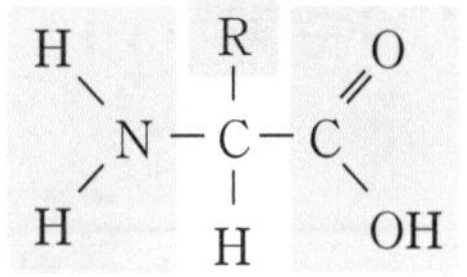

- 탄소 원자에 아미노기($-NH_2$), 카복실기($-COOH$), 수소 원자, 곁사슬(R)이 결합한 구조이다.
- 아미노기는 염기성, 카복실기는 산성을 나타낸다.
- 아미노산의 종류는 곁사슬의 종류에 따라 결정되며 20가지가 있다.

❹ 단백질의 형성

단백질의 특정 아미노산 배열 → 단백질의 특정 입체 구조 → 단백질의 특정 기능

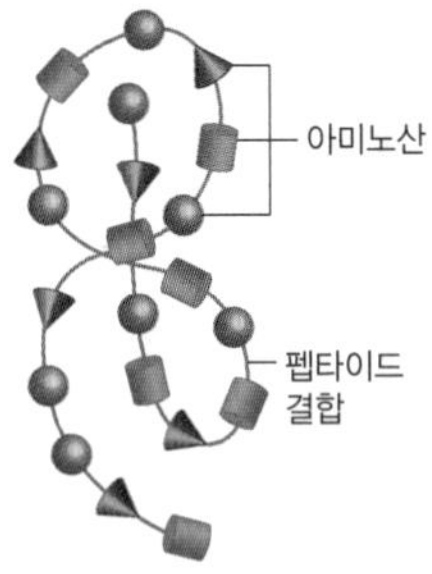

● 폴리펩타이드(polypeptide) 펩타이드 결합에 의해 아미노산 2분자가 결합한 것을 다이펩타이드, 3분자가 결합한 것을 트라이펩타이드라 하고 수많은 아미노산이 연결된 것을 폴리펩타이드라고 함

정답과 해설 022쪽

간단 점검

1. 생명체를 구성하는 물질 중 탄소 화합물인 것은?
2. 생명체의 구성 물질 중 주요 에너지원으로 사용하는 것은?
3. 탄소 화합물에서 반복적으로 결합하여 구성 단위 역할을 하는 것은?
4. 단백질의 단위체는?
5. 두 아미노산 사이에 물 한 분자가 빠져나오면서 일어나는 결합은?
6. 단백질이 다양한 기능을 할 수 있는 것은 단백질이 기능에 알맞은 무엇을 가지기 때문인가?

C 핵산

한·줄·핵심 핵산에는 DNA와 RNA가 있고, 단위체는 뉴클레오타이드이며, DNA는 이중 나선 구조이다.

1. 핵산의 특징

(1) 핵산은 뉴클레오타이드라는 단위체가 반복적으로 결합하여 형성된다.

(2) 핵산은 세포에서 유전 정보를 저장하고 단백질을 합성하는 데 관여한다.

2. 뉴클레오타이드⑤

(1) 핵산의 단위체로, 인산, 당, 염기가 각각 하나씩 결합한 화합물

뉴클레오타이드의 구성	염기의 종류
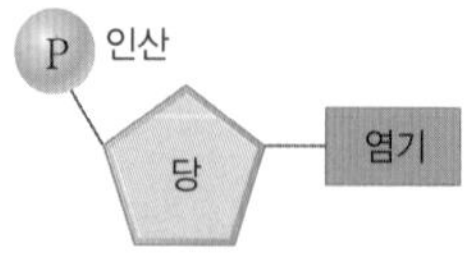	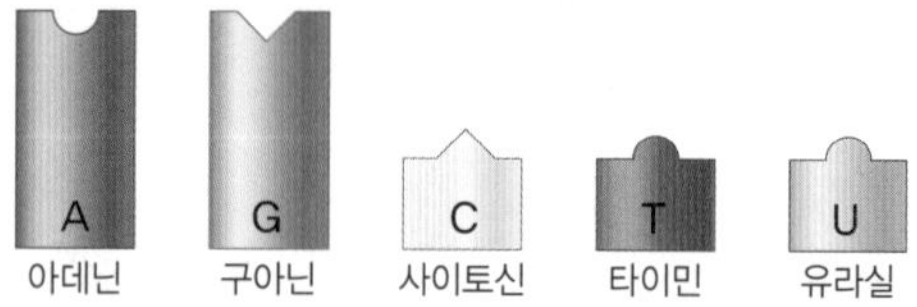

(2) **폴리뉴클레오타이드** 여러 뉴클레오타이드가 결합하여 형성된 긴 가닥

3. 핵산의 종류와 상보적 결합

(1) 종류 DNA와 RNA DNA는 주로 핵 속에 존재하며, 일부 DNA는 미토콘드리아와 엽록체에도 존재한다.

구분	DNA	RNA
구성	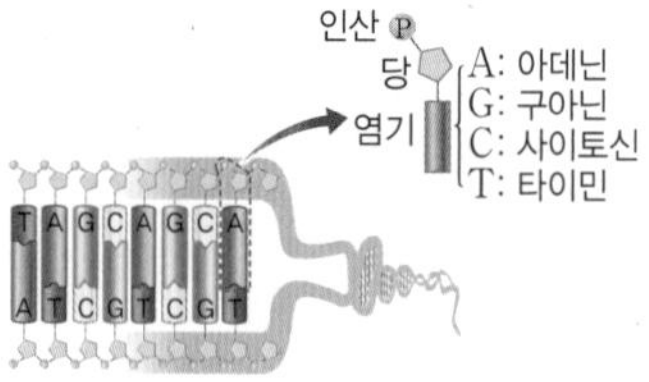	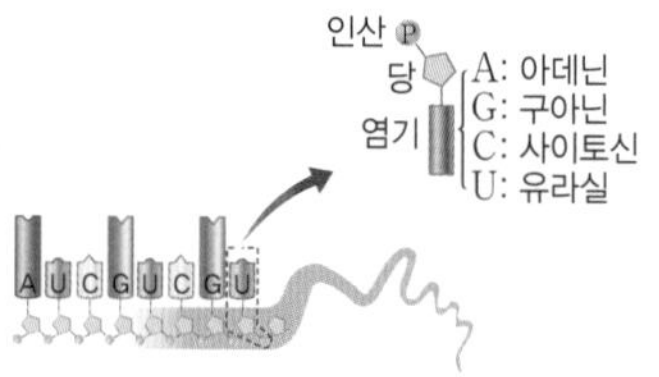
당	디옥시리보스	리보스
염기	A, G, C, T	A, G, C, U RNA에는 T이 없고 U이 있다.
구조	이중 나선 구조⑥	단일 가닥 구조
기능	유전 정보 저장	유전 정보 전달 DNA의 유전 정보에 따라 단백질을 합성하는 데 관여

(2) **염기의 상보적 결합⑦** DNA 이중 나선 사이의 염기는 서로 상보적으로 결합한다. 알쉬탐

① 아데닌(A)은 항상 타이민(T)과 결합 RNA에는 T이 없고 U이 있다.

② 구아닌(G)는 항상 사이토신(C)과 결합

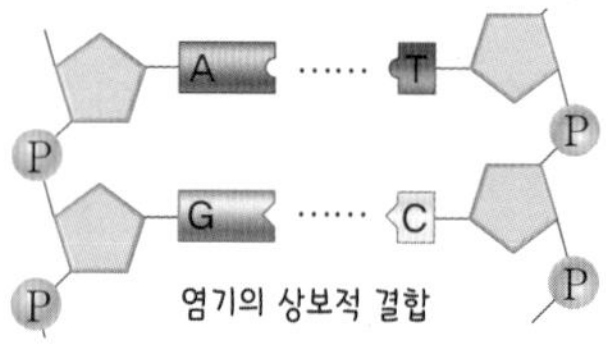

염기의 상보적 결합

4. 핵산의 유전 정보

(1) DNA에서 4종류의 뉴클레오타이드가 배열된 순서는 유전 정보가 된다.

(2) 생물마다 DNA를 이루는 뉴클레오타이드의 배열 순서가 달라 생물 고유의 특성이 나타난다.

⑤ **뉴클레오타이드**

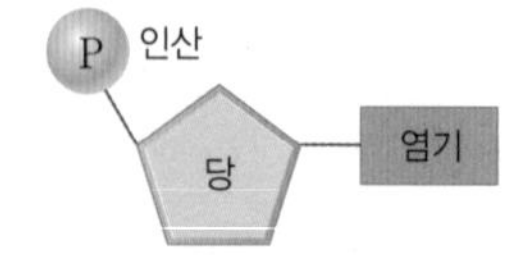

당, 인산, 염기로 구성된다.

⑥ **이중 나선 구조**

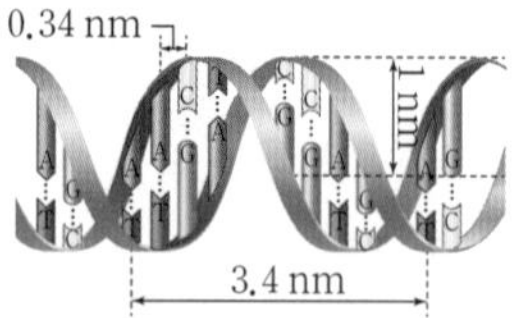

- 두 가닥의 폴리뉴클레오타이드가 결합해 꼬여 있는 이중 나선 구조이다.
- 바깥쪽에 당－인산이 교대로 연결된 골격이 있고, 안쪽으로는 양쪽 가닥의 염기가 A－T, G－C간 상보적 결합을 하고 있다.

⑦ **염기의 상보적 결합**

항상 정해진 염기와만 짝을 이루어 결합한다.

- 핵산(nucleic acid) 세포의 핵 속에 존재하고 산성을 띠기 때문에 핵산이라고 이름 붙임
- DNA(deoxyribonucleic acid) 디옥시리보스가 있는 핵산이라는 뜻
- RNA(ribonucleic acid) 리보스가 있는 핵산이라는 뜻

정답과 해설 022쪽

간단 점검

7. 핵산의 단위체는?

8. DNA 뉴클레오타이드와 RNA 뉴클레오타이드를 구성하는 각각의 당은?

9. DNA에서 아데닌(A)과 상보적으로 결합하는 염기는?

10. DNA에는 없고, RNA에만 있는 염기는?

알아두면 시험이 쉬워지는 탐구

DNA 모형 제작

목표 DNA의 구조를 알아보고, DNA의 구조에서 나타나는 규칙성은 무엇인지 이해할 수 있다.

유의점
4명~5명이 모둠을 이루어 진행해야 여러 개의 뉴클레오타이드를 쉽게 만들 수 있으며, 모둠별로 모형을 비교하면 다양한 염기 서열이 존재할 수 있음을 알 수 있다.

#보충!
DNA 이중 나선의 방향
DNA의 이중 나선을 구성하는 2개의 폴리뉴클레오타이드 가닥은 서로 반대 방향을 하고 있다.

과정

❶ 뉴클레오타이드 만들기 ❷ 뉴클레오타이드 쌍 만들기 ❸ 뉴클레오타이드 쌍 연결하기 ❹ DNA 모형 완성하기

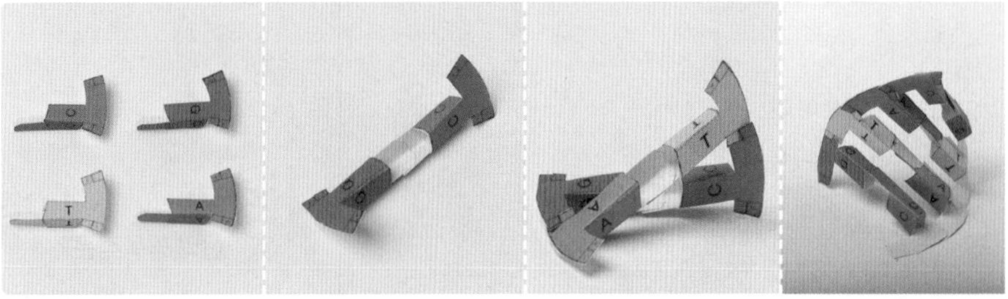

- ❶ 4가지 종류의 뉴클레오타이드를 여러 개 만든다.
  A과 T, C과 G은 같은 수로 만든다.
- ❷ 여러 개의 뉴클레오타이드 중 짝이 되는 염기가 있는 2개의 뉴클레오타이드를 찾아 염기끼리 연결한다.
  상보적으로 결합하는 염기에 주의하여 연결한다.
- ❸ 여러 개의 뉴클레오타이드 쌍을 위아래 연결한다.
  위아래 연결 방향에 주의한다.
- ❹ 위아래의 뉴클레오타이드 연결을 반복하여 DNA 모형을 완성한 후 자세히 관찰한다.

결과 및 해석

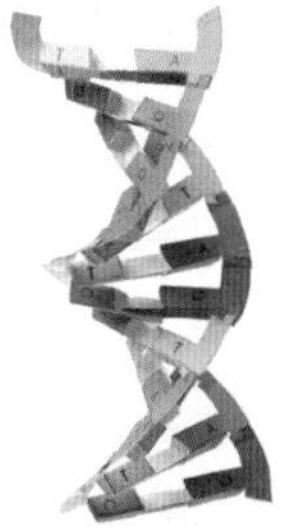

DNA의 구조	폴리뉴클레오타이드 2가닥이 꼬인 이중 나선 구조이다.
DNA의 염기 결합	2가닥의 폴리뉴클레오타이드는 염기 간의 상보적 결합(A과 T, C과 G)으로 되어 있다.
DNA의 유전 정보	염기 서열에 저장되어 있다.

한·줄·핵심 DNA는 일정한 규칙성을 가진 이중 나선 구조이며, 염기 서열에 유전 정보가 저장되어 있다.

확인 문제

정답과 해설 022쪽

1. DNA 뉴클레오타이드를 구성하는 3가지 물질을 DNA 이중 나선 구조의 바깥쪽에 위치한 것부터 안쪽에 위치한 것의 순으로 옳게 나열한 것은?

① 당 - 당 - 염기
② 당 - 염기 - 인산
③ 인산 - 당 - 염기
④ 인산 - 염기 - 당
⑤ 염기 - 인산 - 당

2. 이 탐구에 대한 설명으로 옳은 것은 ○, 옳지 않은 것은 ×로 표시하시오.

(1) DNA는 단일 나선 구조이다. ( )
(2) DNA의 이중 나선에서 마주 보는 뉴클레오타이드의 염기는 서로 상보적 결합을 하고 있다. ( )
(3) DNA의 유전 정보는 디옥시리보스에 저장되어 있다. ( )

개념 + 기본 문제

개념 문제

A 생명체의 구성 물질

01 생명체를 구성하는 물질의 특징을 옳게 연결하시오.

(1) 가장 많은 비율을 차지하며, 체온 유지나 물질 운반에 도움을 준다. •   • ㉠ 지질

(2) 중성 지방이나 인지질이 포함된다. •   • ㉡ 단백질

(3) 탄소 화합물이며 효소나 항체의 주성분이다. •   • ㉢ 물

B 단백질

02 다음은 단백질에 대한 설명이다.

> 단백질은 단위체가 여러 개 결합하여 형성되는데, 단백질의 단위체인 (㉠)은/는 물 분자가 빠져나오면서 서로 결합하는 (㉡) 결합으로 연결된다.

위 설명 중 ㉠과 ㉡에 들어갈 알맞은 말을 순서대로 옳게 나열한 것은?

① 포도당, 수소
② 포도당, 펩타이드
③ 아미노산, 수소
④ 아미노산, 펩타이드
⑤ 뉴클레오타이드, 펩타이드

C 핵산

03 DNA 뉴클레오타이드를 구성하는 물질이 될 수 <u>없는</u> 것은?

① 디옥시리보스   ② 인산
③ 아데닌   ④ 구아닌
⑤ 유라실

A 생명체의 구성 물질

04 생명체의 구성 물질에 대한 설명으로 옳지 <u>않은</u> 것은?

① 물이 가장 많은 비율을 차지한다.
② 주요 구성 물질은 탄소 화합물이다.
③ 입자의 크기가 작은 무기염류도 포함된다.
④ 광물을 구성하는 물질과 종류와 비율이 동일하다.
⑤ 단위체가 여러 개 결합한 고분자 물질이 포함된다.

05 사람의 몸을 구성하는 물질 중 단백질, 지질, 포도당, 핵산의 공통점은?

① 탄소 화합물이다.
② 유전 정보를 저장하고 있다.
③ 미량으로 생리 기능을 조절한다.
④ 하나의 단위체가 여러 개 결합하여 형성된다.
⑤ 체내에서 합성되지 않아 음식물로 섭취해야 한다.

06 사람의 몸을 구성하는 물질과 주요 기능을 옳게 연결한 것은?

① 물－주요 에너지원
② 탄수화물－몸의 구성 성분
③ 중성 지방－에너지 저장
④ 핵산－체온 유지
⑤ 무기염류－유전 정보 전달

07 생명체를 구성하는 탄소 화합물의 특징으로 옳은 것만을 |보기|에서 있는 대로 고른 것은?

> 보기
> ㄱ. 다양한 화합물 형성이 가능하다.
> ㄴ. 비열이 높아 체온 유지에 유리하다.
> ㄷ. 복잡한 고분자 유기물 형성이 가능하다.
> ㄹ. 단위체들의 결합에 의해 이루어진 물질을 포함한다.

① ㄱ, ㄴ   ② ㄱ, ㄷ   ③ ㄴ, ㄷ
④ ㄴ, ㄹ   ⑤ ㄱ, ㄷ, ㄹ

B 단백질

08 주성분이 단백질인 것으로만 짝 지은 것이 아닌 것은?

① DNA, RNA ② 효소, 항체
③ 손톱, 털 ④ 머리카락, 피부
⑤ 헤모글로빈, 근육

09 아미노산에 대한 설명으로 옳은 것만을 | 보기 | 에서 있는 대로 고른 것은?

보기
ㄱ. 단백질의 단위체로서 4가지 종류가 있다.
ㄴ. 모든 단백질은 공통적인 아미노산 서열을 갖는다.
ㄷ. 탄소를 중심으로 수소, 질소, 산소가 포함된 탄소 화합물이다.
ㄹ. 두 아미노산 사이에서 물 한 분자가 빠져나오면서 결합하는 것을 펩타이드 결합이라고 한다.

① ㄱ, ㄴ ② ㄱ, ㄷ ③ ㄴ, ㄹ
④ ㄷ, ㄹ ⑤ ㄴ, ㄷ, ㄹ

10 단백질의 입체 구조에 대한 설명으로 옳지 않은 것은?

① 열이나 산, 염기에 따라 입체 구조가 변형될 수 있다.
② 단백질의 입체 구조는 기능에 알맞은 형태로 되어 있다.
③ 단백질의 입체 구조가 변형되어도 기능에는 영향을 주지 않는다.
④ 단백질을 구성하는 아미노산의 서열에 따라 입체 구조가 결정된다.
⑤ 생명체에는 다양한 입체 구조를 가진 다양한 종류의 단백질이 존재한다.

C 핵산

11 다음은 DNA를 구성하는 뉴클레오타이드를 나타낸 것이다.

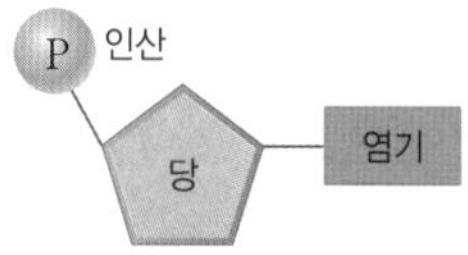

DNA를 구성하는 뉴클레오타이드와 RNA를 구성하는 뉴클레오타이드의 차이점으로 옳은 것을 | 보기 | 에서 있는 대로 고른 것은?

보기
ㄱ. 당의 종류
ㄴ. 염기의 종류
ㄷ. 결합한 인산의 수
ㄹ. 당과 염기의 결합 방법

① ㄱ, ㄴ ② ㄱ, ㄷ ③ ㄴ, ㄹ
④ ㄷ, ㄹ ⑤ ㄴ, ㄷ, ㄹ

알쉬탐

12 DNA 이중 나선 구조에서 염기는 아데닌과 타이민, 사이토신과 구아닌이 상보적으로 결합하고 있다. 100쌍의 뉴클레오타이드로 구성된 어떤 DNA 분자에 아데닌이 40개 포함되어 있다면, 사이토신은 총 몇 개가 포함되어 있는가?

① 20개 ② 40개 ③ 60개
④ 80개 ⑤ 100개

단답형

13 다음은 DNA와 RNA에 대한 설명이다. ( ) 안에 알맞은 말을 쓰시오.

DNA는 이중 나선 구조이고, RNA는 단일 사슬 구조인데 이는 여러 개의 뉴클레오타이드로 연결된 (   )이/가 DNA는 2가닥, RNA는 1가닥으로 되어 있음을 의미한다.

실력 올리기 문제

| 생명체의 구성 물질 |

01 생명체를 구성하는 물질에 대한 설명으로 옳은 것만을 | 보기 | 에서 있는 대로 고른 것은?

보기
ㄱ. 무기염류와 물은 생명체의 주요 에너지원이다.
ㄴ. 생명체를 구성하는 물질은 모두 탄소 화합물이다.
ㄷ. 단백질과 핵산은 각각 단위체가 여러 개 결합하여 형성된 탄소 화합물이다.

① ㄴ ② ㄷ ③ ㄱ, ㄴ
④ ㄱ, ㄷ ⑤ ㄴ, ㄷ

| 생명체의 구성 물질 | 출제예감

02 다음 표는 생명체를 구성하는 물질 A~C의 특징을 나타낸 것이다. A~C는 각각 물, 단백질, 탄수화물 중 하나이다.

물질	특징
A	항체의 주성분이다.
B	포도당, 녹말, 글리코젠이 속한다.
C	인체를 구성하는 물질 중 비율이 가장 높다.

이에 대한 설명으로 옳은 것만을 | 보기 | 에서 있는 대로 고른 것은?

보기
ㄱ. A는 단백질이다.
ㄴ. B는 우리 몸의 에너지원이다.
ㄷ. C의 단위체는 아미노산이다.

① ㄴ ② ㄷ ③ ㄱ, ㄴ
④ ㄱ, ㄷ ⑤ ㄴ, ㄷ

| 단백질 |

03 그림은 생명체에서 일어나는 어떤 반응을 나타낸 것이다.

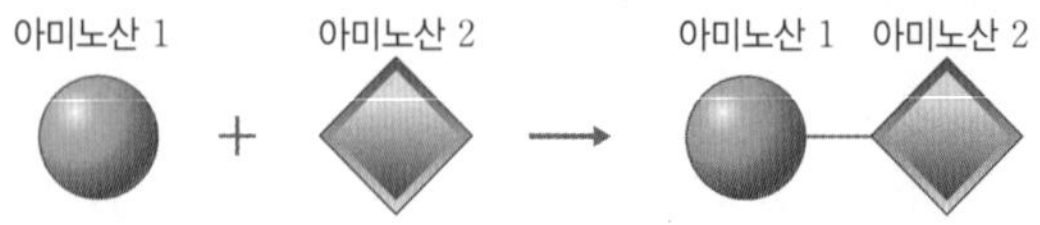

이에 대한 설명으로 옳은 것만을 | 보기 | 에서 있는 대로 고른 것은?

보기
ㄱ. 물이 첨가되는 반응이다.
ㄴ. 생성물은 펩타이드 결합을 가진다.
ㄷ. 반응물과 생성물 모두 탄소 화합물이다.

① ㄴ ② ㄷ ③ ㄱ, ㄴ
④ ㄱ, ㄷ ⑤ ㄴ, ㄷ

| 단백질과 핵산 | 출제예감

04 그림은 생명체를 구성하는 물질을 나타낸 것이다. (가)와 (나)는 각각 단백질과 핵산 중 하나이다.

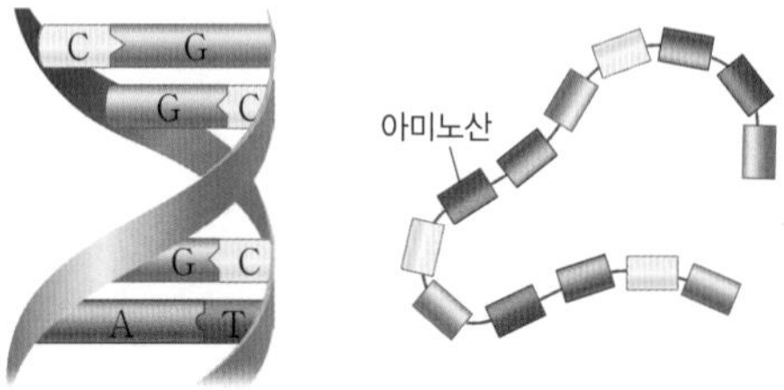

(가) (나)

이에 대한 설명으로 옳은 것만을 | 보기 | 에서 있는 대로 고른 것은?

보기
ㄱ. (가)를 구성하는 단위체는 뉴클레오타이드이다.
ㄴ. (나)에는 펩타이드 결합이 있다.
ㄷ. 사람의 몸을 구성하는 비율은 (가)가 (나)보다 높다.

① ㄴ ② ㄷ ③ ㄱ, ㄴ
④ ㄱ, ㄷ ⑤ ㄴ, ㄷ

정답과 해설 023쪽

| 핵산 |

05 그림 (가)와 (나)는 뉴클레오타이드를 나타낸 것이다.

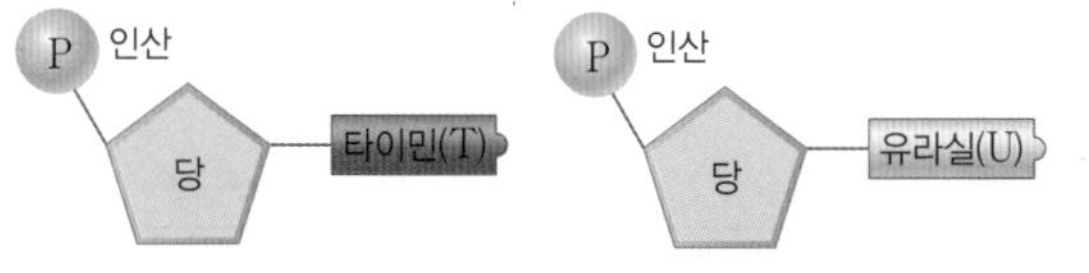

(가) (나)

이에 대한 설명으로 옳은 것만을 | 보기 | 에서 있는 대로 고른 것은?

보기
ㄱ. (가)를 구성하는 당은 디옥시리보스이다.
ㄴ. (나)는 RNA의 구성 단위 중 하나이다.
ㄷ. (가)와 (나) 모두 인산, 당, 염기의 비율은 1 : 1 : 1이다.

① ㄴ ② ㄷ ③ ㄱ, ㄴ
④ ㄱ, ㄷ ⑤ ㄱ, ㄴ, ㄷ

| DNA의 구조 | 출제예감

06 다음은 DNA 모형을 만들고 관찰한 학생 A~C의 대화 내용이다.

DNA 구조에 대해 옳게 설명한 학생만을 있는 대로 고른 것은?

① B ② C ③ A, B
④ A, C ⑤ B, C

| 생물체의 구성 물질 |

07 다음은 생명체를 구성하는 단백질과 핵산을 나타낸 것이다.

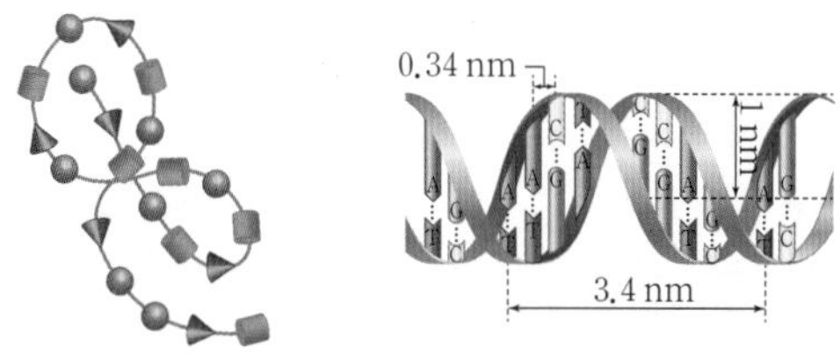

단백질 핵산

단백질과 핵산의 공통점을 2가지만 서술하시오.

| 단백질 |

08 근육과 머리카락은 모두 단백질로 구성되었지만, 이들의 기능과 특징은 매우 다르다. 이처럼 단백질이 서로 다른 기능과 특징을 가질 수 있는 까닭을 서술하시오.

| 핵산 |

09 DNA와 RNA의 차이점을 구조와 성분을 중심으로 2가지만 쓰시오.

03 신소재

개념 이해 신소재, 액정, 반도체, 발광 다이오드, 트랜지스터, 초전도체, 임계 온도, 네오디뮴 자석, 그래핀, 탄소 나노 튜브, 풀러렌, 자연을 모방한 신소재

A 신소재의 종류와 물질의 분류

한·줄·핵심 신소재는 기존 물질의 물리적 성질을 변화시켜 만들어!

1. 신소재의 종류

(1) 신소재 물질의 물리적 성질을 변화시켜 단점을 보완하거나 새로운 기능과 성질을 가진 물질

(2) 물리적 성질 측정할 수 있는 물질의 성질

㉠ 강도, 밀도, 녹는점과 끓는점, 비열, 전기 전도성, 자성, 굴절률 등

(3) 신소재의 종류와 특징

	형상 기억 합금	전도성 고분자❶	유기 태양 전지	파인 세라믹스❷
특징	실온에서 모양을 변형해도 가열하면 변형 전의 형태로 되돌아가는 합금	플라스틱의 유연성과 가벼움에 전기 전도성을 더한 소재	유기 색소를 주원료로 하여 저렴하고 가공성이 뛰어난 태양 전지	세라믹스의 불순물을 제거하고 재질을 균일하게 하여 보다 강력하고 정교하게 만든 세라믹스
이용	안경, 온도 센서, 온실 창의 개폐 장치 등 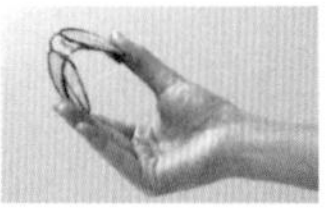	고분자 태양 전지, 고분자 발광 다이오드 등 	저가형 태양 전지, 플렉시블 전자 소자 등 	인공 뼈, 인공 관절, 인공 치아 등 

2. 전자기적 성질에 따른 물질의 분류

(1) 전기적 성질에 따른 물질의 분류

구분	•도체	•절연체	반도체
특징	전기 저항이 작아 전류가 잘 흐르는 물질	전기 저항이 매우 커서 전류가 거의 흐르지 않는 물질	온도나 압력 등 조건에 따라서 전기 저항이 변하여 도체처럼 활용할 수 있는 물질
예	철, 구리, 알루미늄	고무, 유리, 플라스틱	규소❸, 저마늄
이용	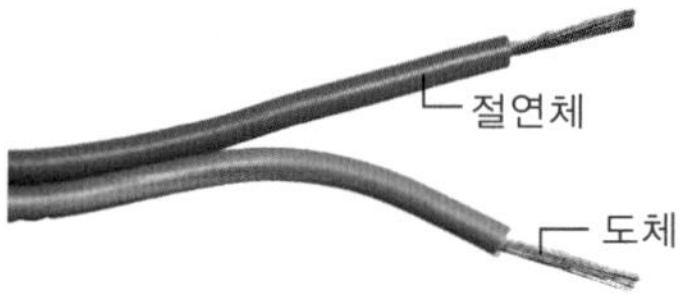		
	전기 도선	도선을 감싸는 절연 피복	반도체 소자

- 절연체는 부도체라고도 한다.
- 극저온에서는 전기 저항이 매우 크지만 실온에서는 온도가 높아질수록 전기 저항이 작아진다.
- (절연 피복) 잘 휘어지는 탄성 재질이다.

(2) 자기적 성질에 따른 물질의 분류

구분	자석이 될 수 있는 물질	자석이 될 수 없는 물질
특징	강한 자기장 속에 놓아 두었다가 외부 자기장을 제거해도 오랫동안 자석의 성질을 유지한다.	강한 자기장 속에 놓아두면 자석에 약하게 끌려오지만, 외부 자기장을 제거하면 자석의 성질을 유지할 수 없다.
예	철, 니켈, 코발트 등	종이, 알루미늄 등

❶ **고분자**
분자의 상대적 질량을 나타내는 분자량이 1만 이상인 거대 분자. 대표적인 합성 고분자 화합물로는 플라스틱, 합성 섬유, 합성 고무 등이 있다.

대표적인 고분자 물질인 플라스틱

❷ **세라믹스**
무기 재료를 일정한 모양으로 성형한 후 가마에 구워 만든 것으로 도자기, 유리, 시멘트 등은 모두 세라믹스에 속한다.

❸ **규소**
지각에 가장 많이 분포하는 광물로 고대 이집트 시대부터 유리의 원료로 사용되었다. 반도체 산업에서 집적 회로의 바탕이 되는 웨이퍼의 재료이다.

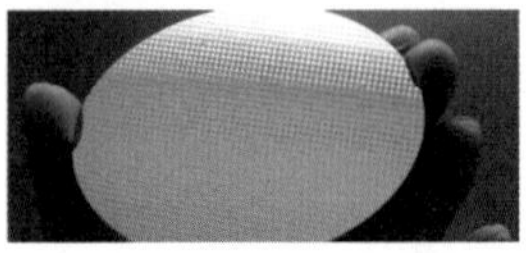

고순도 규소로 만든 웨이퍼

- 도체(통하게 하다 導, 몸 體) 전기에 대한 저항이 매우 작아 전기를 잘 전달하는 물체
- 절연체(끊다 絕, 가선 緣, 몸 體) 전기에 대한 저항이 매우 커서 전기를 잘 전달하지 못하는 물체

B 전자기적 성질을 활용한 신소재

한·줄·핵심 물질의 전기적, 자기적 성질을 이용해서 다양한 신소재를 만들고 우리 생활에 활용하고 있어!

1. 전기적 성질을 이용한 신소재

(1) 액정(Liquid Crystal) 가늘고 긴 분자가 규칙적인 배열을 하고 있어, 고체 결정의 성질을 가지고 있으면서도 흐르는 성질이 있는 신소재

① 특징: 전압을 가하여 분자 배열을 조절하면 빛을 투과시키거나 투과시키지 않도록 할 수 있다.❹

② 액정 디스플레이(LCD, Liquid Crystal Display): 액정을 이용한 영상 표시 장치

③ 이용: 정보 표시 장치의 화면, 고화질의 텔레비전, 휴대 전화 등

(2) 반도체 소자 순수 반도체에 불순물을 첨가(도핑이라고 한다)하여 전기가 흐르는 성질을 증가시킨 후 발광 다이오드, 트랜지스터 등 전기 소자를 만든다.

구분	발광 다이오드(LED)	트랜지스터
특징	• 전류가 흐를 때 전자가 에너지를 방출하며 가시광선을 방출한다. • 첨가하는 원소의 종류에 따라 방출하는 색이 다르다. • 소비 전력이 작고 수명이 길다.	• 약한 신호를 큰 신호로 바꿀 수 있다. • 1과 0으로 된 신호를 만들 수 있다. • 매우 작게 만들 수 있다. • 소비 전력이 작고 열이 거의 발생하지 않는다.
이용	리모컨, 광통신, 신호등, 조명, 텔레비전의 배경 광원 등	증폭기, •집적 회로, 스마트폰 등 다양한 전자 제품, 정보·통신·항공·우주 산업의 핵심 부품

2. 자기적 성질을 이용한 신소재

(1) 초전도체 초전도 현상을 나타내는 물질

① 초전도 현상: 특정 온도 이하에서 물질의 전기 저항이 0이 되는 현상

예 4.2 K 이하에서 수은의 전기 저항이 사라진다.

② •임계 온도: 물질의 전기 저항이 0이 되기 시작하는 온도

③ 초전도체의 특징과 이용

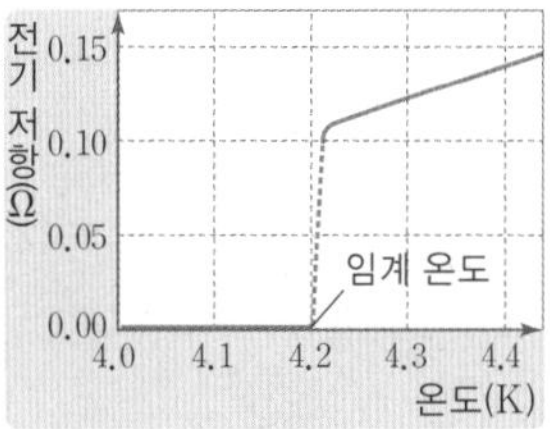

온도에 따른 수은의 전기 저항

특징	전기 저항이 0이 된다.		자석이 만든 자기장을 밀어낸다.❺
	전류가 흐르더라도 열이 발생하지 않는다.	큰 전류를 흘려 강한 자기장을 만들 수 있다.	자석 위에 떠서 마찰 없이 움직이게 할 수 있다.
이용	초전도 송전선, 초전도 슈퍼컴퓨터	핵융합 발전, 자기 공명 영상(MRI) 장치, 입자 가속기	자기 부상 열차

(2) 네오디뮴 자석 철 원자 사이에 네오디뮴과 붕소를 첨가하여 철 원자의 자기장 방향이 흐트러지지 않아 자기의 성질이 매우 강한 자석

예 하드 디스크, 고출력 소형 스피커, 강력 모터 등 강한 자기장이 필요한 장치

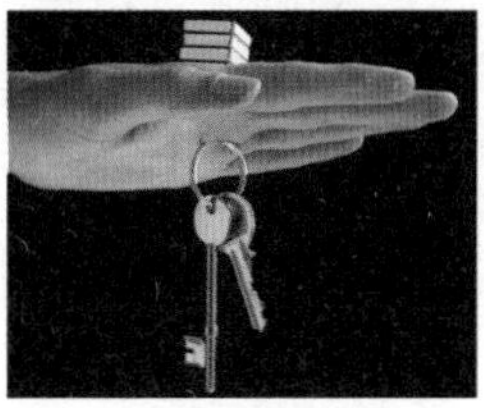
네오디뮴 자석

❹ **액정 분자의 배열**
액정 분자의 배열 방향에 따라 빛이 투과하거나 투과하지 못한다.

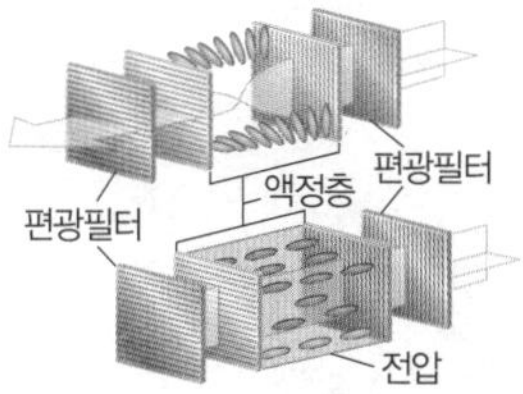

#보충!
유기 발광 다이오드(OLED)
자체적으로 빛을 내기 때문에 LCD보다 얇게 제작할 수 있고, 휘어지는 디스플레이로도 개발 가능하다.

❺ **초전도체의 마이스너 효과**

외부 자기장을 밀어내는 초전도체의 성질로, 이로 인해 자석이 냉각된 초전도체 위에 떠 있다.

• 집적 회로(모이다 集, 쌓다 積, 돌다 回, 길 路) 많은 전자 소자가 하나의 기판 위에 분리가 불가능한 상태로 결합되어 있는 초소형 구조

• 임계 온도(임하다 臨, 경계 界, 따뜻하다 溫, 법도 度) 초전도체가 전도 상태에서 초전도 상태로 전이하는 온도

정답과 해설 024쪽

간단 점검

1. 물질의 물리적 성질을 변화시켜 단점을 보완하거나 새로운 성질을 갖게 된 물질을 무엇이라고 하는가?
2. 온도나 압력 등 조건에 따라 전기 저항이 변하여 도체처럼 활용할 수 있는 물질은?
3. 약한 신호를 큰 신호로 바꿀 수 있고, 1과 0으로 된 신호를 만들 수 있는 소자는?
4. 임계 온도 이하에서 저항이 0에 가까워지는 물질은?

한·줄·핵심 최근에는 나노 수준에서 조작한 탄소 신소재와 자연을 모방한 신소재도 개발되고 있어.

C 탄소로 이루어진 신소재와 자연을 모방한 신소재

❻ 나노(nano)
나노는 10^{-9}을 나타내는 접두어로 1나노미터(nm)는 대체로 원자 몇 개 정도의 크기이다.

#보충!
흑연의 구조:
우리 주위에서 흔히 볼 수 있는 흑연은 탄소 원자가 육각형 모양으로 결합하여 겹겹이 쌓인 구조이며 그래핀은 그 한 겹이라 할 수 있다.

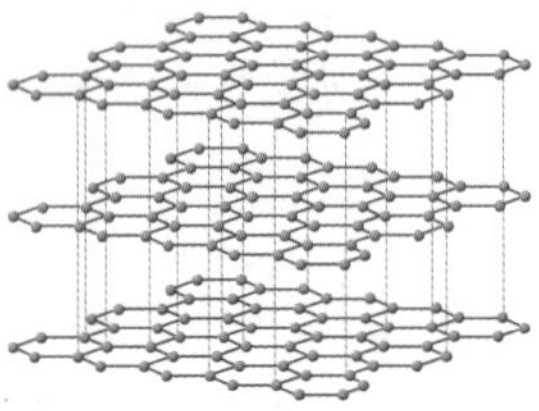

❼ 그래핀의 발견
노보셀로프는 지도교수인 가임과 함께 스카치테이프의 접착력을 이용해 흑연의 표면층을 한 층 떼어내는 방식으로 그래핀을 발견하여 2010년 노벨 물리학상을 수상하였다.

●**생체 모방(생명 生 몸 體 본보기 模 본뜰 倣)** 생명체의 특성을 본뜨는 것

1. 탄소로 이루어진 신소재 과학 기술이 발달함에 따라 나노❻ 단위 수준도 다룰 수 있게 되면서 탄소의 결합 구조나 배열을 변화시킨 신소재를 개발하고 있다.

구분	그래핀❼	탄소 나노 튜브	풀러렌
구조	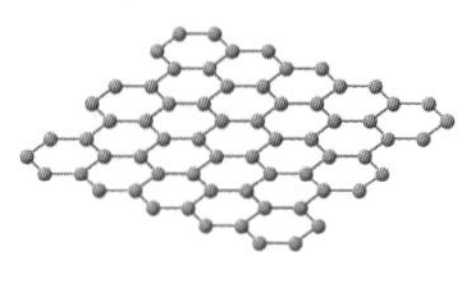 탄소 원자가 육각형 모양으로 결합하여 한 층으로 펼쳐진 평면 구조	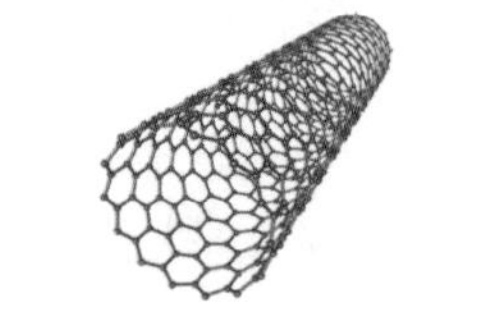 그래핀을 둥글게 만 것과 같은 원통형의 구조	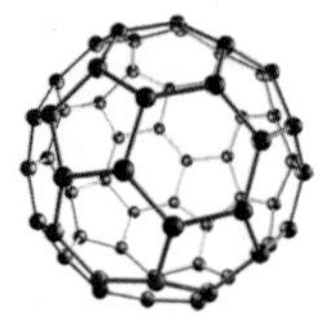 탄소 60개가 축구공처럼 결합한 구조
특징	• 단단하고 열을 잘 전달한다. • 빛을 잘 투과시켜 투명하다. • 전기 전도성이 좋다. • 면적을 늘리거나 휘어도 전기적 성질이 변하지 않는다.	• 열을 잘 전달한다. • 전기 전도성이 좋다. • 가벼우면서도 강도가 높다.	• 단단하다. • 고온과 고압에 강하다. • 내부에 빈 공간이 있어 작은 입자를 운반하는 역할을 한다.
이용	 **휘어지는 디스플레이** 빛을 잘 투과시키고, 잘 휘어지더라도 전기적 성질이 변하지 않는 성질을 이용한 투명하며 잘 구부러지는 디스플레이	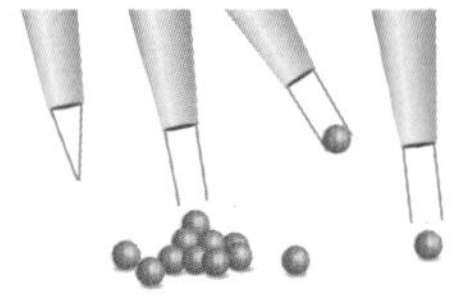 **나노 핀셋** 탄소 나노 튜브 두 가닥이 서로 붙었다가 떨어지는 움직임을 이용한 분자 크기의 물체를 집을 수 있는 집게	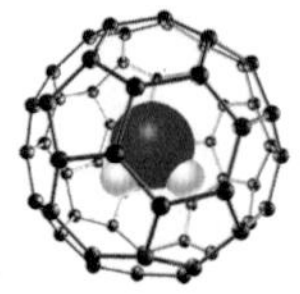 **인체 내 의약품 운반** 구 형태의 풀러렌 내부 공간을 이용하여 인체 내에 약물을 운반하는 운반체로 활용

2. 자연을 모방한 신소재 알쉬특

(1) 생체 모방 생명체의 행동이나 구조, 특성을 모방하는 것

(2) 자연을 모방한 신소재 환경을 오염시키지 않고, 자원과 에너지를 낭비하지 않는 자연의 특징을 모방하여 만들어진 신소재

(3) 자연을 모방한 신소재의 활용

① 홍갈고리 구조를 가진 도꼬마리 열매를 모방한 벨크로 테이프
② 도마뱀붙이의 발바닥과 홍합의 접착력을 모방한 수중 접착제
③ 특정한 색소 없이도 색을 나타내는 모르포 나비를 모방한 모르포텍스
(모르포 나비: 독특한 미세 날개 구조에 의한 빛의 반사와 산란 때문에 색이 나타난다.)
④ 시세포가 둥글게 배열된 망막을 모방한 전자 눈 카메라
⑤ 새의 날개와 같이 비행 상태에 따라 모습을 변형하는 모핑 항공기
(모습을 변형: 양력을 많이 받을 때는 날개를 펴고, 추진력이 필요할 때는 날개를 접는다.)
⑥ 물을 밀어내는 연잎의 특성을 이용한 유리 코팅제

정답과 해설 024쪽

간단 점검

5. 그래핀, 탄소 나노 튜브, 풀러렌은 모두 어떤 원소로 이루어져 있는가?
6. 휘어지더라도 전기적 성질이 변하지 않아 휘어지는 디스플레이로 활용할 수 있는 물질은?
7. 내부에 빈 공간이 있어 의약품 등을 운반하는 데 사용할 수 있는 탄소 신소재는?
8. 신소재를 만들 때 생명체의 행동이나 구조, 특성을 모방하는 것을 무엇이라고 하는가?

자연을 모방한 신소재

1 자연에서 얻은 소재

문명의 단계에서 인류는 자연에서 소재를 얻어 사용하였으며 이는 인류의 삶에 큰 영향을 미쳤다.

돌을 긴 시간 동안 자르거나 갈아서 도구를 만듦

주석과 구리를 녹여 만든 청동을 사용함

단단한 철로 만든 농기구를 사용하여 농업 생산량이 증가함

2 자연을 모방한 신소재

1. 도꼬마리 열매와 벨크로 테이프

- 옷이나 신발과 같은 일상용품에 다양하게 이용되는 벨크로 테이프는 도꼬마리와 같이 갈고리 구조를 가진 식물의 열매가 사람의 옷이나 동물의 털에 잘 달라붙는 현상에 착안한 것이다.

2. 도마뱀붙이, 홍합과 수중 접착제

- 도마뱀붙이의 발바닥 미세 섬모와 홍합의 수염에서 분비되는 단백질이 수중에서도 잘 붙는다는 점을 이용하여 수중 접착제를 개발하였다.

3. 모르포 나비와 모르포텍스 섬유

- 모르포 나비의 날개는 특정한 색소 없이도 아름다운 색을 나타내는데, 이를 모방하여 빛에 의해 색을 나타내는 모르포텍스 섬유가 개발되었다.

4. 사람의 눈과 전자 눈 카메라

- 둥근 망막에 시세포가 있는 것처럼 카메라의 빛 감지 센서를 평면이 아닌 곡면으로 배열하여 입체적으로 볼 수 있게 한다.

5. 새의 비행과 모핑 항공기

- 새와 같이 비행 상태에 따라 날개의 모습을 변형하는 항공기를 만든다.

6. 연잎과 유리 코팅제

- 물을 밀어내는 연잎의 특성을 이용하여 유리 코팅제를 개발하였다.

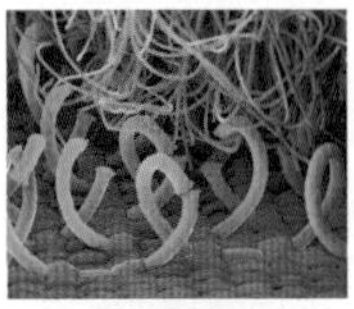
벨크로 테이프

홍합과 수중 접착제

모르포텍스

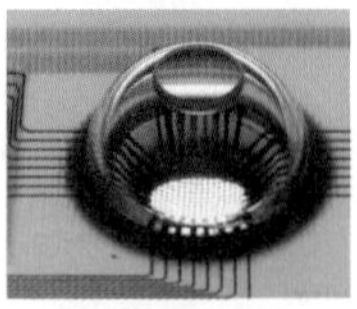
전자 눈 카메라

모핑 항공기

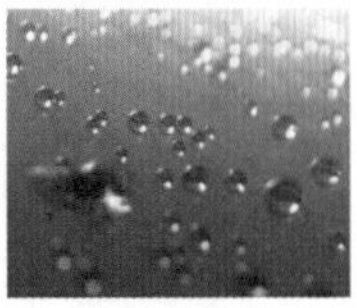
유리 코팅제를 바른 유리

확인 문제

정답과 해설 024쪽

1. 신소재에 대한 설명으로 옳은 것은 ○, 옳지 않은 것은 ×로 표시하시오.

(1) 가공되지 않은 천연 상태의 재료들만 신소재가 될 수 있다. ( )

(2) 벨크로 테이프는 도꼬마리 열매의 특성을 모방한 것이다. ( )

2. 자연을 모방한 신소재로 적절한 것을 | 보기 | 에서 있는 대로 고른 것은?

보기
ㄱ. 홍합의 특성을 이용한 수중 접착제
ㄴ. 연잎의 특성을 이용한 유리 코팅제
ㄷ. 빛에 의해 색을 나타내는 모르포텍스 섬유

개념 문제

A 신소재의 종류와 물질의 분류

01 다음 설명 중 옳은 것은 ○, 옳지 않은 것은 ×로 표시하시오.

(1) 물질의 강도, 밀도, 녹는점과 끓는점은 모두 물리적 성질이다. ( )

(2) 과학 기술을 이용하여 기존 소재의 결점을 보완하고 새로운 기능과 성질을 갖도록 만든 재료를 신소재라 한다. ( )

(3) 철과 니켈은 강한 자기장 속에 놓아 두면 자석의 성질을 가지게 되고, 외부 자기장을 제거해도 자석의 성질을 유지한다. ( )

B 전자기적 성질을 활용한 신소재

02 다음에서 설명하는 것은 무엇인지 쓰시오.

> 가늘고 긴 분자가 규칙적인 배열을 하고 있어 고체 결정의 성질을 가지고 있으면서 액체처럼 흐르는 성질이 있는 물질

03 다음은 초전도체를 이용한 사례와 초전도체의 특징이다. 각각의 사례가 이용한 특징을 옳게 짝 지으시오.

(1) 자기 공명 영상 장치 •	• ㉠ 열이 발생하지 않는다.
(2) 초전도 송전선 •	• ㉡ 강한 자기장을 만들 수 있다.
(3) 자기 부상 열차 •	• ㉢ 자석이 만든 자기장을 밀어낸다.

C 탄소로 이루어진 신소재와 자연을 모방한 신소재

04 다음에서 설명하는 것이 무엇인지 쓰시오.

> 환경을 오염시키지 않고, 자원과 에너지를 낭비하지 않는 자연의 특징을 모방하여 만들어진 신소재

A 신소재의 종류와 물질의 분류

05 다음 중 물질의 물리적 성질을 변화시킨 신소재가 아닌 것은?

① 자성을 띠는 도자기를 만들었다.
② 소비 전력이 작고, 수명이 긴 조명을 만들었다.
③ 충격에 강하고 흠집이 잘 생기지 않는 유리를 만들었다.
④ 규소에 소량의 다른 원소를 첨가하여 전기 전도성이 크게 증가한 반도체를 만들었다.
⑤ 둥글었던 토기의 바닥을 평평하게 만들어 세울 수 있게 하였다.

단답형

06 다음은 어떤 물질의 전기적 성질에 대한 설명이다. ( ) 안에 알맞은 말을 쓰시오.

> ( )은/는 온도나 압력 등 조건에 따라서 전기 저항이 변하여 도체처럼 활용할 수 있는 물질을 말한다.

07 다음은 전선과 전선을 감싸는 피복을 나타낸 것이다.

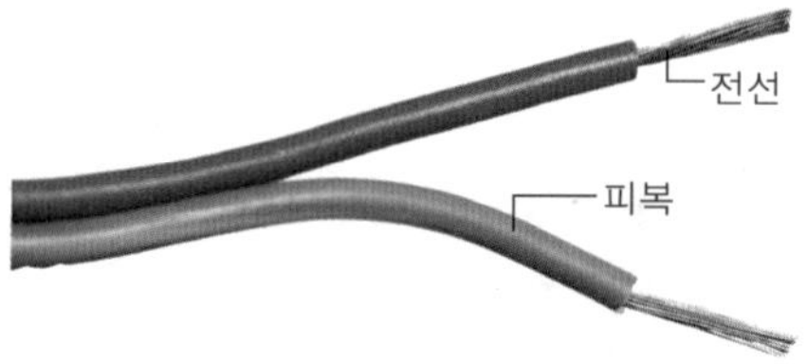

이에 대한 설명으로 옳은 것만을 | 보기 | 에서 있는 대로 고른 것은?

> 보기
> ㄱ. 전선은 도체로 만든다.
> ㄴ. 피복은 전선보다 전기 저항이 작은 물질로 만든다.
> ㄷ. 전기 전도도가 큰 물질일수록 전선에 적합하다.

① ㄱ ② ㄷ ③ ㄱ, ㄴ
④ ㄱ, ㄷ ⑤ ㄴ, ㄷ

정답과 해설 024쪽

B 전자기적 성질을 활용한 신소재

단답형

08 다음은 전기적 성질을 이용한 신소재에 대한 설명이다. (　　) 안에 알맞은 말을 쓰시오.

> 매우 작게 만들 수 있고, 소비 전력이 작으며 열도 거의 발생하지 않아 많은 (　　)을/를 한 곳에 집중한 집적 회로를 만들어 전자기기에 활용한다.

09 다음 중 자기적 성질을 이용한 신소재에 대한 설명으로 옳지 <u>않은</u> 것은?

① 초전도체는 임계 온도 이하에서 전기 저항이 0에 가까워진다.
② 초전도체는 외부 자기장을 밀어내는 성질이 있다.
③ 초전도체는 자기 공명 영상 장치(MRI), 자기 부상 열차에 활용할 수 있다.
④ 네오디뮴 자석은 자성을 강하게 한 신소재이다.
⑤ 네오디뮴 자석은 순수 반도체에 불순물을 첨가하여 만든다.

C 탄소로 이루어진 신소재와 자연을 모방한 신소재

단답형

10 다음은 탄소로 이루어진 신소재에 대한 설명이다. (　　) 안에 알맞은 말을 쓰시오.

> (　　)은/는 그래핀을 둥글게 만 것과 같은 원통형 구조로 열을 잘 전달하며 전기가 잘 통하고 가벼우면서도 강도가 높다.

11 다음은 그래핀을 활용한 휘어지는 디스플레이를 나타낸 것이다.

이를 만들기 위해 필요한 그래핀의 특성으로 옳은 것만을 | 보기 | 에서 있는 대로 고른 것은?

> 보기
> ㄱ. 전기 전도성이 좋다.
> ㄴ. 내부에 빈 공간이 있어 작은 입자를 운반하는 역할을 한다.
> ㄷ. 면적을 늘리거나 휘어지더라도 전기적 성질이 변하지 않는다.

① ㄱ　② ㄷ　③ ㄱ, ㄴ　④ ㄱ, ㄷ　⑤ ㄴ, ㄷ

알쉬툭

12 다음은 도꼬마리 열매와 이를 모방하여 만든 벨크로 테이프를 나타낸 것이다.

도꼬마리 열매

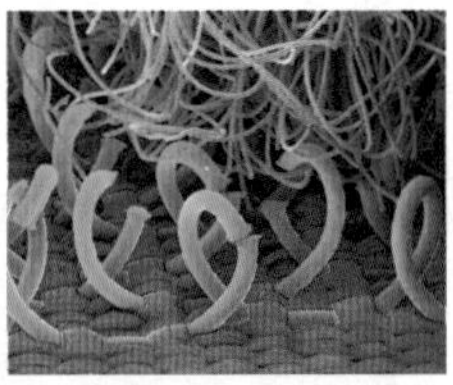
벨크로 테이프

이와 같은 생체 모방 연구의 사례로 가장 거리가 <u>먼</u> 것은?

① 순수 반도체에 여러 가지 불순물을 첨가하여 전기 전도도가 높은 불순물 반도체를 개발하였다.
② 물을 밀어내는 연잎의 특성을 이용하여 방수용 유리 코팅제를 개발하였다.
③ 스스로 빛을 내는 반딧불이의 발광 기관을 연구하여 유기 발광 다이오드를 개발하였다.
④ 홍합에서 분비되는 단백질이 수중에서도 잘 붙는다는 점을 이용하여 수중 접착제를 개발하였다.
⑤ 특정한 색소 없이 색을 내는 모르포 나비를 모방하여 모르포텍스 섬유를 개발하였다.

실력 올리기 문제

| 신소재 |

01 다음은 신소재에 대한 학생들의 대화이다.

옳게 설명한 학생을 있는 대로 고른 것은?

① 철수 ② 영희 ③ 철수, 민수
④ 영희, 민수 ⑤ 철수, 영희, 민수

| 전기적 성질과 소재 | 출제예감

02 다음은 멀티탭의 각 부분을 나타낸 것이다.

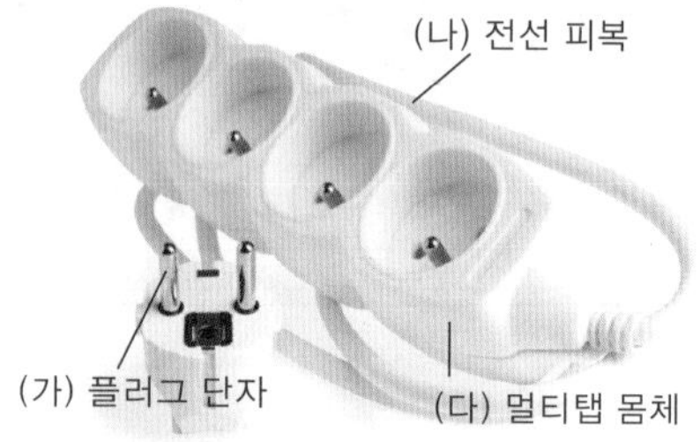

이에 대한 설명으로 옳은 것만을 | 보기 | 에서 있는 대로 고른 것은?

보기
ㄱ. (가)는 전기 전도성이 큰 소재로 만든다.
ㄴ. (나)는 (다)보다 신축성이 큰 소재이다.
ㄷ. (다)를 이루는 물질은 도체이다.

① ㄱ ② ㄷ ③ ㄱ, ㄴ
④ ㄱ, ㄷ ⑤ ㄴ, ㄷ

| 발광 다이오드(LED) |

03 다음은 소비 전력이 작고, 수명이 긴 LED 조명을 나타낸 것이다.

LED에 대한 설명으로 옳은 것만을 | 보기 | 에서 있는 대로 고른 것은?

보기
ㄱ. 순수 반도체를 사용하여 만든다.
ㄴ. 전류가 흐를 때 전자가 가시광선을 방출한다.
ㄷ. 빛의 3원색에 해당하는 LED를 이용하여 텔레비전의 광원으로 활용한다.

① ㄱ ② ㄷ ③ ㄱ, ㄴ
④ ㄱ, ㄷ ⑤ ㄴ, ㄷ

| 초전도체 |

04 그림은 물질 A, B의 온도에 따른 전기 저항을 나타낸 것이다.

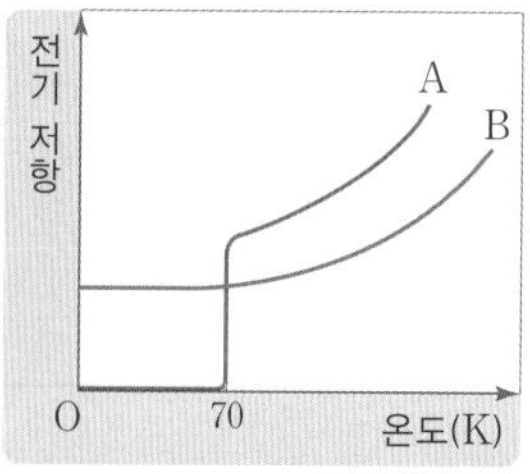

이에 대한 설명으로 옳은 것만을 | 보기 | 에서 있는 대로 고른 것은?

보기
ㄱ. A의 임계 온도는 70 K이다.
ㄴ. B는 초전도체이다.
ㄷ. A, B 모두 60 K에서 외부 자기장을 밀어내는 성질이 나타난다.

① ㄱ ② ㄷ ③ ㄱ, ㄴ
④ ㄱ, ㄷ ⑤ ㄴ, ㄷ

| 탄소로 이루어진 신소재 |

05 그림은 탄소 원자가 벌집 모양으로 연결된 신소재의 구조를 나타낸 것이다.

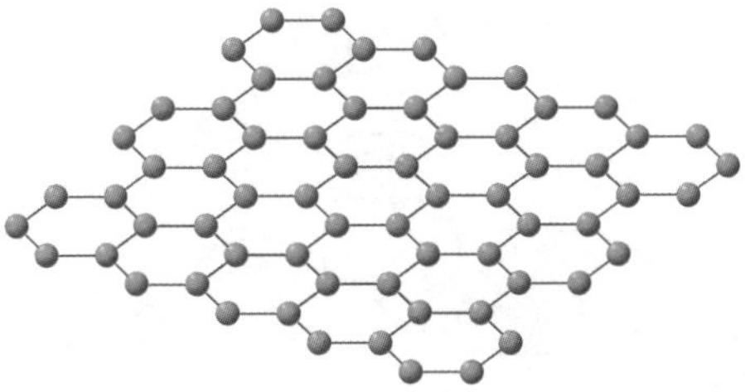

이에 대한 설명으로 옳은 것만을 | 보기 | 에서 있는 대로 고른 것은?

보기
ㄱ. 이 신소재는 그래핀이다.
ㄴ. 강도가 커서 구부러지거나 휘어지지 않는다.
ㄷ. 빛이 투과할 수 있어 투명한 디스플레이를 만들 수 있다.

① ㄱ ② ㄴ ③ ㄱ, ㄴ
④ ㄱ, ㄷ ⑤ ㄴ, ㄷ

| 자연을 모방한 신소재 |

06 다음은 연잎에 물방울이 맺혀 있는 모습을 나타낸 것이다.

연잎의 특성을 모방하여 만든 신소재로 가장 적절한 것은?

① 전기적 성질을 이용한 플렉시블 기기
② 물을 밀어내는 특성을 이용한 유리 코팅제
③ 빛에 의해 색을 내는 모르포텍스 섬유
④ 강력하고 정교한 파인 세라믹스
⑤ 유기 색소를 활용한 태양 전지

| 초전도체의 임계 온도 |

07 그림은 반도체로 만든 전기 소자를 나타낸 그림이다.

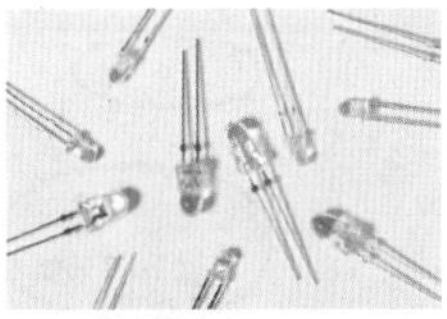
발광 다이오드(LED)

트랜지스터

순수한 반도체의 전기적 성질을 서술하고 소자를 만들기 위해 거쳐야 하는 단계에 관하여 서술하시오.

| 초전도체 |

08 다음은 초전도체의 특징을 이용한 두 가지 사례이다.

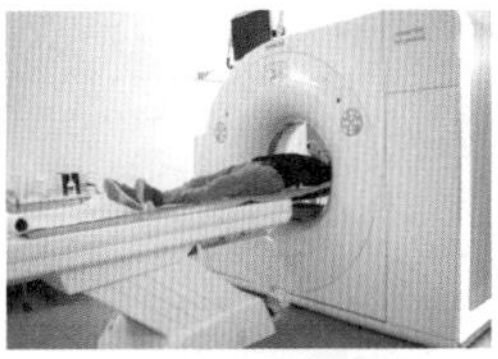
(가) 자기 공명 영상 장치

(나) 자기 부상 열차

(가)와 (나)는 각각 초전도체의 어떤 특징을 활용한 것인지 서술하시오.

| 자연을 모방한 신소재 |

09 다음은 도마뱀붙이의 발바닥과 홍합을 나타낸 것이다.

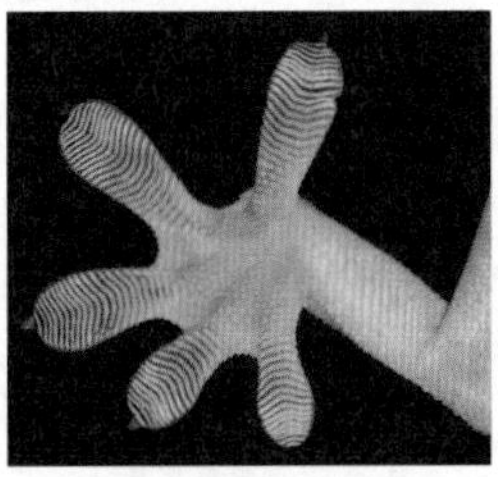
도마뱀붙이의 발바닥

홍합

이를 이용하여 수중 접착제를 개발한다고 할 때 어떤 성질을 모방한 것인지 서술하시오.

Ⅱ. 자연의 구성 물질

정답과 해설 026쪽

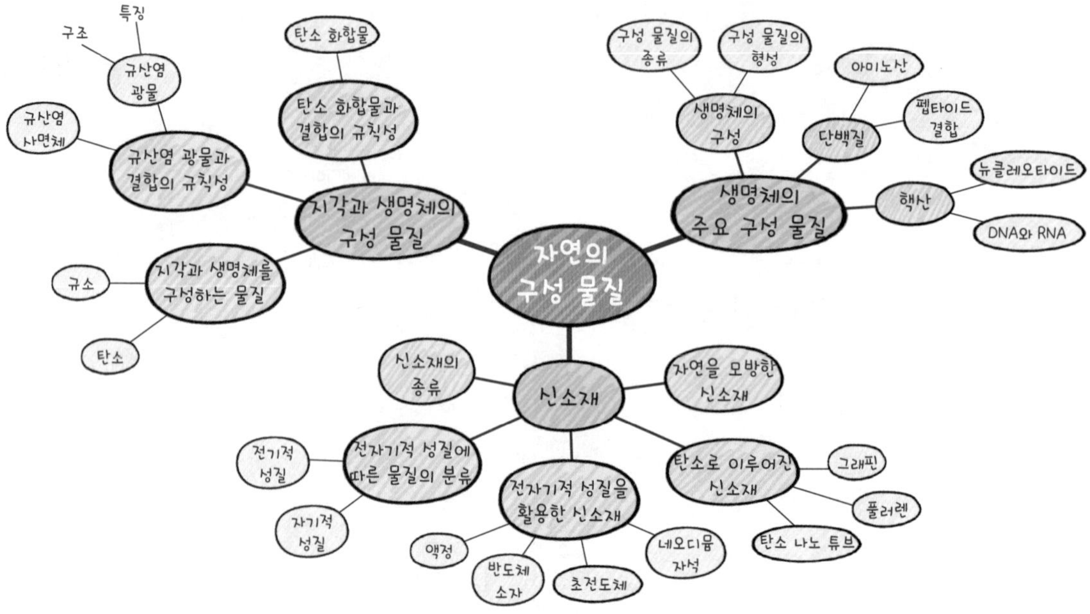

01 지각과 생명체의 구성 물질

(1) 지각과 생명체를 구성하는 원소

① **지각**: 산소>①　　>알루미늄>철>칼슘…

② **사람**: 산소>탄소>수소>질소>칼슘…

(2) 규소와 탄소의 특징

규소	탄소
• 원자가 전자의 수 ② • 규소 화합물 형성 • 지각을 구성하는 규산염 광물	• 원자가 전자의 수 ② • 탄소 화합물 형성 • 생명체를 구성하는 유기 화합물

(3) 규산염 광물

① ③　　　(Si−O **사면체**): 규소 원자 1개에 산소 원자 4개가 결합되어 있는 사면체 구조

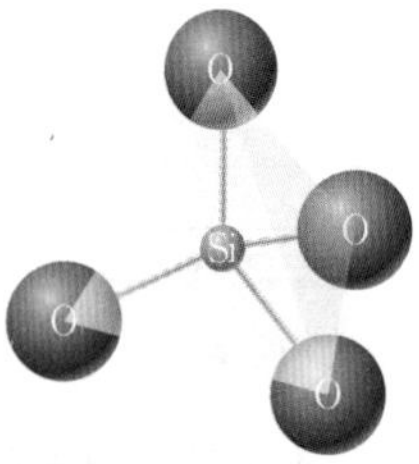

② **규산염 광물**: 규산염 사면체를 기본 단위로 하는 광물

③ **규산염 광물의 결합 구조**

명칭	독립 사면체 구조	단사슬 구조	복사슬 구조	판상 구조	망상 구조
구조				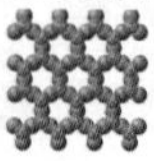	
대표 광물	감람석	휘석	각섬석	④	석영, 장석

(4) 탄소 화합물: 탄소 원자는 여러 원소와 다양한 구조의 공유 결합을 안정하게 이루어 여러 가지 탄소 화합물 형성

① **구조**

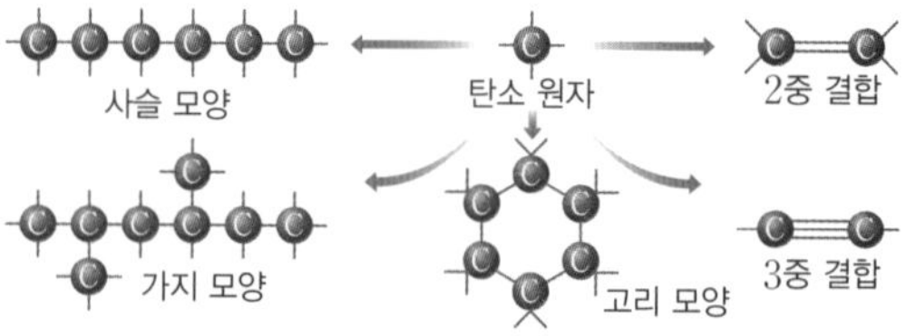

② 탄소 원자가 결합해 골격을 이루고 여기에 수소, 질소, 산소 등이 결합해 다양한 화합물 형성

③ 생명체의 구성 성분이나 에너지원이 됨

02 생명체의 주요 구성 물질

(1) 생명체의 구성 물질

① 생명체를 구성하는 물질의 종류와 기능

구성 물질	특징 및 기능
⑤	가장 많은 비율, 체온 유지, 물질 운반
무기염류	신체 구성 성분, 생리 기능 조절
단백질	신체 구성 물질, 다양한 종류와 기능
⑥	주요 에너지원
지질	에너지 저장
핵산	유전 물질

② 생명체의 주요 구성 물질은 탄수화물, 단백질, 지질, 핵산 등과 같은 [⑦] 이다.

③ 생명체를 구성하는 물질 중 탄수화물, 단백질, 핵산 등은 여러 개의 [⑧] 가 반복적으로 결합하여 형성된 것이다.

(2) 단백질

① **단백질의 특징:** 탄소 화합물 중 인체 구성 비율이 가장 높다. 피부, 근육, 머리카락 등 몸의 구성 성분일 뿐 아니라 효소, 항체, 헤모글로빈 등 생명 활동에 필수적으로 작용하는 물질의 주성분이다.

- [⑨] : 단백질의 기본 단위체로, 20종류가 있으며 탄소, 수소, 산소, 질소가 주된 구성 원소이다.
- [⑩] 결합: 물 한 분자가 빠지면서 두 아미노산이 결합한다.

② **단백질의 구조**

- 단백질 구조의 형성

여러 아미노산의 펩타이드 결합

↓

특정한 아미노산 서열을 가진 [⑪] 사슬 형성

↓

사슬이 규칙적으로 접히거나 회전하여 입체 모양의 구조 형성

- 단백질의 구조와 기능
  단백질의 입체 구조는 각 단백질의 종류와 기능에 알맞은 구조로 되어 있다.

(3) 핵산

① **종류:** [⑫] 와 RNA를 핵산이라고 하며, 유전 정보를 저장하거나 전달하는 역할을 한다.

② **구조**

- [⑬] : 핵산의 단위체로, 인산, 당, 염기가 1 : 1 : 1로 구성된다.
- DNA 뉴클레오타이드의 당은 [⑭] 이고, RNA 뉴클레오타이드의 당은 리보스이다.
- DNA 뉴클레오타이드의 염기는 아데닌(A), 구아닌(G), 사이토신(C), 타이민(T)이고, RNA 뉴클레오타이드의 염기는 아데닌(A), 구아닌(G), 사이토신(C), 유라실(U)이다.
- [⑮] 는 뉴클레오타이드가 여러 개 연결된 폴리뉴클레오타이드 두 가닥이 꼬여 있는 2중 나선 구조이며, RNA는 폴리뉴클레오타이드 한 가닥으로 구성된 단일 가닥 구조이다.
- DNA의 2중 나선 안쪽의 염기는 아데닌과 타이민, 구아닌과 사이토신이 짝을 이루는 상보적 결합을 하고 있으며, 2중 나선의 간격은 일정하다.

③ **기능**

- DNA: 뉴클레오타이드의 염기 서열에 따라 다양한 [⑯] 가 저장된다.
- RNA: 유전 정보를 전달하는 역할을 한다.

03 신소재

(1) [⑰] : 기존 물질의 물리적 성질을 변화시켜 단점을 보완하거나 새로운 성질을 가진 물질

(2) 전기적 성질에 따른 물체의 분류

⑱	⑲	⑳
전기 저항이 작아서 전류가 잘 흐르는 물질	전기 저항이 매우 커서 전류가 거의 흐르지 않는 물질	조건에 따라서 전기 저항이 변하는 물질

(3) 자기적 성질에 따른 물체의 분류

① **자석이 될 수 있는 물질:** 외부 자기장을 제거해도 오랫동안 자석의 성질을 유지한다.

② **자석이 될 수 없는 물질:** 외부 자기장을 제거하면 자석의 성질을 유지할 수 없다.

(4) 전기적 성질을 이용한 신소재

① [㉑] : 영상 표시 장치로 이용

② [㉒] : 전류가 흐를 때 가시광선을 방출하는 다이오드

③ [㉓] : 매우 작게 만들 수 있고 열이 거의 발생하지 않아 한 곳에 집중하여 집적 회로를 만들 수 있다.

(5) 자기적 성질을 이용한 신소재

① [㉔] : [㉕] 이하에서 전기 저항이 0이 되는 물질

② [㉖] : 철 원자 사이에 네오디뮴과 붕소를 첨가하여 자성의 성질을 매우 강하게 한 자석

(6) 탄소로 이루어진 신소재

㉗	㉘	㉙
탄소 원자가 육각형 모양으로 결합하여 한 층으로 펼쳐진 구조로, 단단하고 열을 잘 전달하며 빛을 투과시켜 투명하다.	그래핀을 둥글게 만 원통형 구조로 열을 잘 전달하며 전기가 잘 통하고, 가벼우면서도 강도가 높다.	탄소 60개가 축구공 모양으로 결합한 구조로 단단하고 온도와 압력에 강하며 내부에 빈 공간이 있다.

(7) 자연을 모방한 신소재: 생명체의 행동이나 구조, 특성을 모방하는 생체 모방을 통한 신소재 개발이 이루어지고 있다.

한번에 끝내는
대단원 마무리

정답과 해설 026쪽

01 그림은 규산염 광물을 이루는 기본 구조이다.

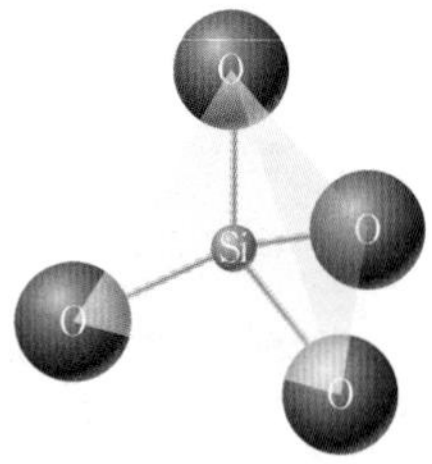

이에 대한 설명으로 옳은 것만을 |보기| 에서 있는 대로 고른 것은?

보기
ㄱ. 규산염 사면체이다.
ㄴ. 규소의 원자가 전자의 수는 4개이다.
ㄷ. 주요 조암 광물의 대부분을 차지한다.

① ㄱ ② ㄴ ③ ㄱ, ㄴ
④ ㄴ, ㄷ ⑤ ㄱ, ㄴ, ㄷ

02 그림은 서로 다른 탄소 화합물의 결합 모형이다.

이에 대한 설명으로 옳은 것만을 |보기| 에서 있는 대로 고른 것은?

보기
ㄱ. (가)는 판상 구조이다.
ㄴ. (나)는 가지 모양의 구조이다.
ㄷ. 탄소는 4개의 원자와 결합할 수 있다.

① ㄱ ② ㄷ ③ ㄱ, ㄴ
④ ㄴ, ㄷ ⑤ ㄱ, ㄴ, ㄷ

03 그림은 규소와 탄소의 원자 모형이다.

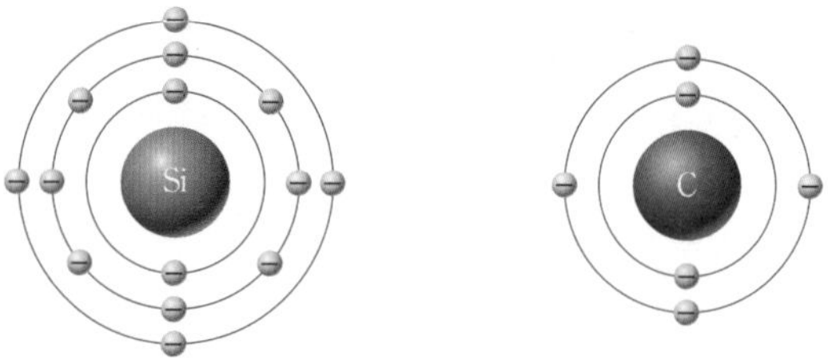

규소 탄소

이에 대한 설명으로 옳은 것만을 |보기| 에서 있는 대로 고른 것은?

보기
ㄱ. 탄소는 규소보다 전자 껍질 수가 적다.
ㄴ. 탄소는 규소보다 원자가 전자의 수가 많다.
ㄷ. 탄소는 규소보다 결합할 수 있는 원자의 개수가 많다.

① ㄱ ② ㄴ ③ ㄱ, ㄷ
④ ㄴ, ㄷ ⑤ ㄱ, ㄴ, ㄷ

04 다음은 A, B, C 세 학생이 지각과 생명체를 구성하는 원소에 대해 나눈 대화이다.

- A: 지각을 이루는 원소에서 산소는 가장 많은 질량을 차지하고 있어.
- B: 지각의 규소와 생명체의 탄소는 원자가 전자 수가 4개로 화학적 성질이 유사하지.
- C: 생명체를 이루는 원소 중에서 탄소가 가장 많은 질량을 차지하고 있지.

옳게 설명한 한 학생만을 있는 대로 고른 것은?

① B ② C ③ A, B
④ A, C ⑤ A, B, C

05 그림은 생명체를 구성하는 기본 물질의 구성을 나타낸 것이다.

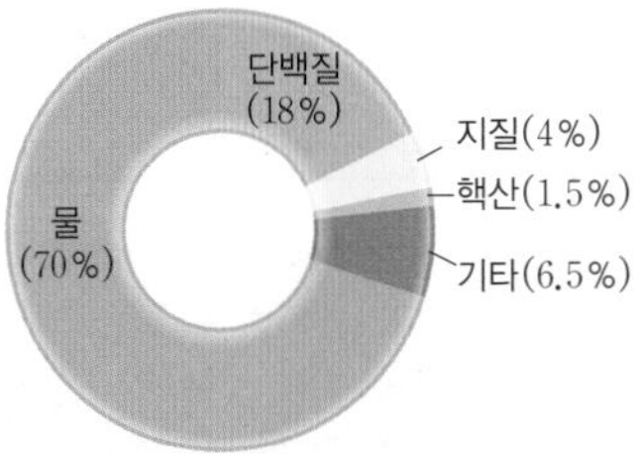

이에 대한 설명으로 옳은 것만을 |보기| 에서 있는 대로 고른 것은?

> 보기
> ㄱ. 물은 사람의 체온 유지에 도움이 된다.
> ㄴ. 핵산의 단위체는 뉴클레오타이드이다.
> ㄷ. 물과 핵산은 모두 탄소 화합물이다.

① ㄱ　② ㄴ　③ ㄱ, ㄴ　④ ㄴ, ㄷ　⑤ ㄱ, ㄴ, ㄷ

06 표는 물질 A~C의 특징을 나타낸 것이다. A~C는 단백질, 탄수화물, 핵산을 순서 없이 나타낸 것이다.

물질	특징
A	펩타이드 결합을 가진다.
B	뉴클레오타이드로 구성된다.
C	단당류, 이당류, 다당류로 구분된다.

A~C에 대한 설명으로 옳지 않은 것은?

① A는 효소와 항체의 주성분이다.
② B는 사람의 주된 에너지원으로 이용된다.
③ C의 인체 구성 비율은 A보다 적다.
④ A의 단위체는 아미노산이다.
⑤ DNA는 B에 해당하는 물질이다.

07 그림은 물질 A~C와 그것의 특성을 선으로 연결하여 나타낸 것이다. A~C는 각각 단백질, 탄수화물, 핵산 중 하나이다.

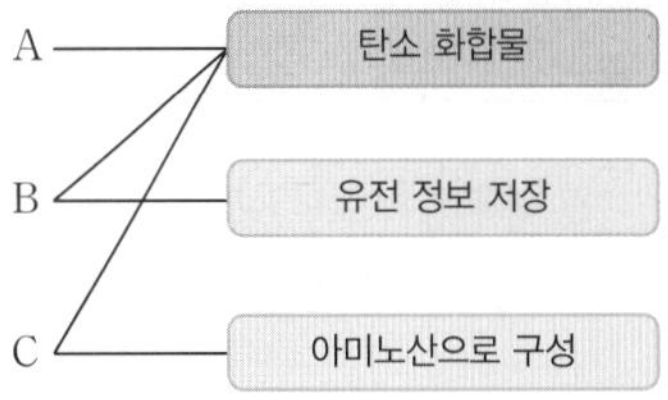

A~C에 해당하는 물질의 예를 모두 옳게 연결한 것은?

	A	B	C
①	DNA	녹말	항체
②	헤모글로빈	포도당	RNA
③	포도당	DNA	헤모글로빈
④	RNA	녹말	지방
⑤	녹말	항체	DNA

고난도

08 그림 (가)는 어떤 핵산의 구조를, (나)는 (가)에 포함된 단위체 중 하나를 나타낸 것이다.

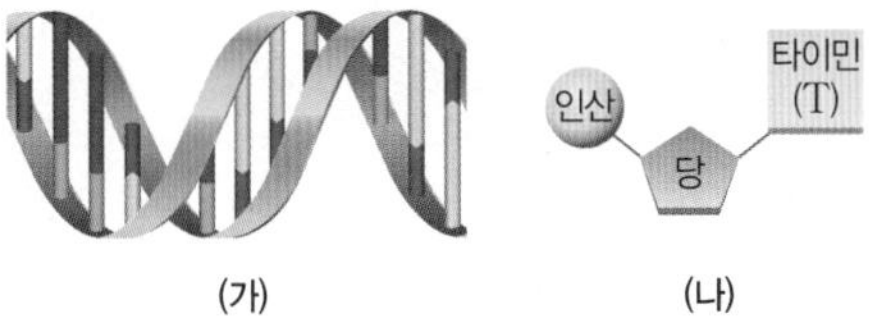

(가)　(나)

이에 대한 설명으로 옳은 것만을 |보기| 에서 있는 대로 고른 것은?

> 보기
> ㄱ. (나)의 당은 디옥시리보스이다.
> ㄴ. (가)는 사람의 염색체를 구성하는 물질이다.
> ㄷ. (가)에서는 (나)의 타이민과 아데닌(A)의 결합이 존재한다.

① ㄱ　② ㄷ　③ ㄱ, ㄴ　④ ㄴ, ㄷ　⑤ ㄱ, ㄴ, ㄷ

09 그림 (가)~(다)는 신소재의 이용 방법을 나타낸 것이다.

(가) 액정 디스플레이 (나) 집적 회로 (다) 휘어지는 디스플레이

이에 대한 설명으로 옳은 것만을 |보기| 에서 있는 대로 고른 것은?

보기
ㄱ. (가), (나), (다) 모두 탄소로 이루어진 신소재를 이용한 것이다.
ㄴ. (가)는 고체 결정의 성질과 액체처럼 흐르는 성질을 가진 신소재를 이용한 것이다.
ㄷ. (나)는 자기적 성질을 이용한 신소재로 만든다.

① ㄴ ② ㄷ ③ ㄱ, ㄴ
④ ㄱ, ㄷ ⑤ ㄱ, ㄴ, ㄷ

10 그림은 스타이로폼 용기에 담긴 액체 질소를 이용하여 냉각시킨 초전도체를 네오디뮴 자석 위에 올려놓았을 때, 초전도체가 자석 위에 떠 있는 모습을 나타낸 것이다.

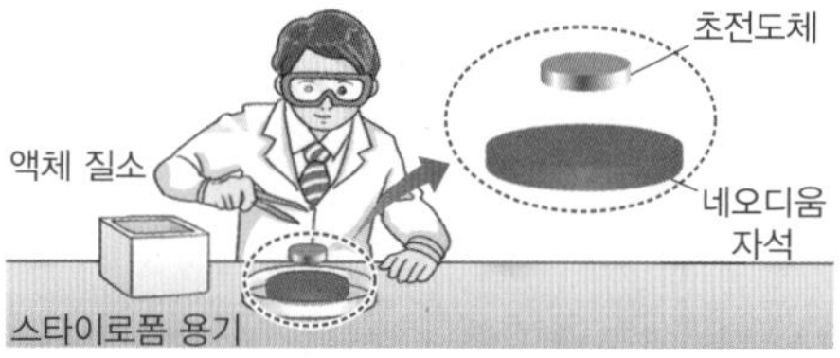

이에 대한 설명으로 옳은 것만을 |보기| 에서 있는 대로 고른 것은?

보기
ㄱ. 초전도체가 자석 위에 떠 있는 현상은 자석이 만든 자기장을 밀어내는 성질과 관련이 있다.
ㄴ. 0 ℃에서 전기 저항이 0이다.
ㄷ. 자기 부상 열차, 자기 공명 영상 장치에 이용된다.

① ㄱ ② ㄴ ③ ㄱ, ㄷ
④ ㄴ, ㄷ ⑤ ㄱ, ㄴ, ㄷ

11 다음은 탄소로 이루어진 신소재에 대한 학생들의 대화이다.

옳게 설명한 학생들을 있는 대로 고른 것은?

① 철수 ② 영희 ③ 민수
④ 철수, 민수 ⑤ 영희, 민수

12 다음 중 자연을 모방한 생체 모방 기술로 가장 적절하지 않은 것은?

① 인공 거미줄로 제작한 방탄복
② 상어 지느러미의 특성을 본뜬 전신 수영복
③ 열대어의 형상으로 설계하여 공기 저항을 줄인 자동차
④ 풀러렌을 변형하여 제작한 인공 다이아몬드
⑤ 새싹이 밖으로 나오면서 넓게 퍼지는 것을 본뜬 우주선의 태양전지

통합 문제

13 탄소 화합물과 탄소로 이루어진 신소재를 설명한 내용으로 옳은 것만을 |보기| 에서 있는 대로 고른 것은?

보기
ㄱ. 탄소 화합물은 여러 원소와 다양한 구조의 공유 결합을 안정하게 이루어 탄소 화합물을 형성한다.
ㄴ. 단백질과 DNA에는 탄소 원자가 포함되어 있다.
ㄷ. 탄소 나노 튜브는 내부에 빈 공간이 있어 의약품 등을 운반하는 데 활용할 수 있다.

① ㄱ ② ㄷ ③ ㄱ, ㄴ
④ ㄴ, ㄷ ⑤ ㄱ, ㄴ, ㄷ

14 그림은 규산염 광물의 결합 구조 중 대표적인 모형을 나타낸 것이다.

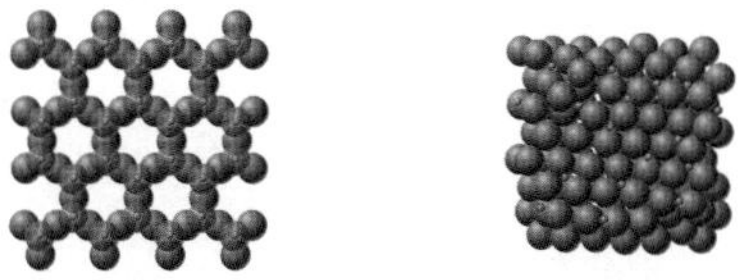

(가)　　　　(나)

(1) (가)와 (나)의 결합 구조 명칭을 적고, 대표적인 광물 1가지를 쓰시오.

- (가) 명칭: (　　　), 대표 광물: (　　　)
- (나) 명칭: (　　　), 대표 광물: (　　　)

(2) (가)와 (나) 중 풍화에 강한 것이 어느 것인지 쓰고, 그 까닭을 서술하시오.

15 그림은 DNA 분자 구조를 나타낸 것이다. 어떤 DNA 가닥를 구성하는 염기 중 아데닌의 숫자를 정확히 알면 타이민의 숫자도 알 수 있는 이유를 서술하시오.

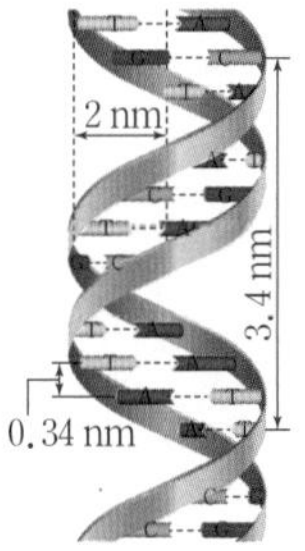

16 다음 그림은 단백질의 구조를 나타낸 것이다.

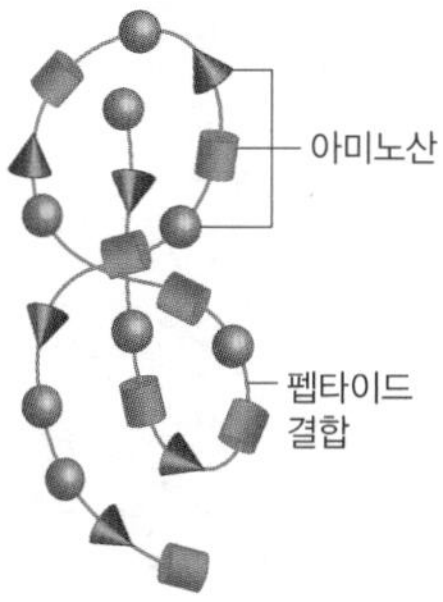

아미노산 10개로 구성된 단백질에 존재하는 펩타이드 결합의 수에 대해 서술하시오.

17 다음은 어떤 신소재의 온도에 따른 저항을 나타낸 그래프이다.

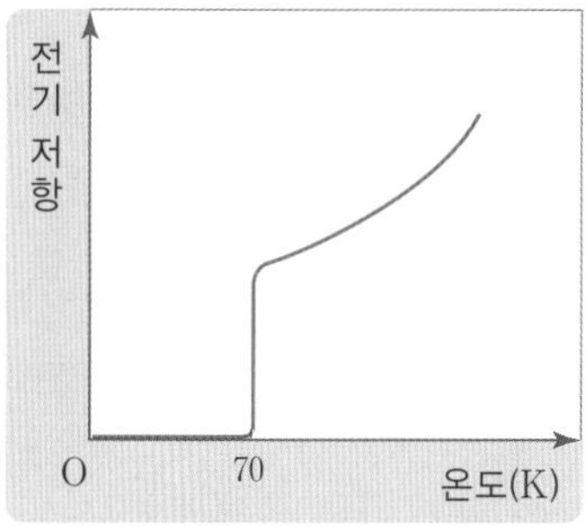

이 신소재가 무엇인지 쓰고, 장점과 단점을 한 가지 씩 서술하시오.

III
역학적 시스템

※ **나의 학습 일정표**: 스스로 계획하고 실천하면 실력이 올라갑니다.

단원명	내용 정리	알쉬탐 / 알쉬툭	개념+기본 문제	실력 올리기 문제	대단원 마무리 + 문제
01 역학적 시스템과 중력					
02 운동과 충돌, 그리고 안전					

* 내용을 공부하기 전에 용어집을 읽어 보면 공부가 쉬워져요!!

서로 힘을 주고받으면서 상호 작용 하는 시스템인 역학적 시스템에는 중력이 작용해. 중력은 지구 시스템과 생명 시스템에 영향을 미치면서 다양한 자연 현상을 일으키지.

배울 내용 미리보기

용어집 15쪽

01 역학적 시스템과 중력

A 역학적 시스템과 힘, 가속도 #역학적 시스템 #힘 #가속도

B 중력 #중력 #자유 낙하 운동 #수평으로 던진 물체의 운동

C 중력과 자연 현상 #중력과 지구 시스템 #중력과 생명 시스템

용어집 16쪽

02 운동과 충돌, 그리고 안전

A 관성, 운동량과 충격량 #관성 #운동량 #충격량

B 운동량과 충격량의 관계 #운동량의 변화량 #평균 힘 #충돌 시간

C 충돌과 안전 대책 #받는 힘 줄이기 #관성 이기기 #안전거리 확보하기

운동하는 물체가 가지는 운동의 정도를 나타낸 물리량을 운동량이라고 하고 물체에 힘이 작용할 때 물체가 받는 충격의 정도를 나타낸 물리량을 충격량이라고 해. 안전을 위해서는 물체가 충돌할 때 충격을 줄이는 게 중요해.

01 역학적 시스템과 중력

개념 이해 역학적 시스템, 힘, 가속도, 중력, 무게, 자유 낙하 운동, 지구 시스템, 생명 시스템

A 역학적 시스템과 힘, 가속도

한·줄·핵심 우리는 시스템 속에 살고 있고, 물체는 여러 가지 힘을 받고 있어!

1. 역학적 시스템❶

(1) 역학적 시스템 물체들 사이에 힘이 작용하여 물체의 운동 상태나 모양이 변하는 체계

(2) 구성 요소 지구와 태양, 공기와 물, 주변의 물체 등 서로 힘을 주고받는 모든 사물

2. 힘

(1) 힘 물체에 작용하여 물체의 모양이나 운동 상태를 변하게 하는 원인(단위: N(뉴턴)❷)

(2) 여러 가지 힘

탄성력	전기력	자기력	마찰력
		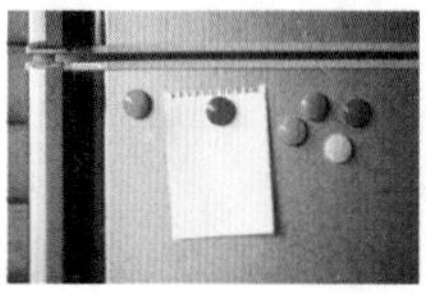	
탄성을 가진 물체가 원래 상태로 되돌아가려는 힘	전기❸를 띤 물체 사이에서 서로 밀거나 당기는 힘	자석과 자석 또는 자석과 쇠붙이 사이에서 서로 밀거나 당기는 힘	물체가 면에 접촉하여 운동할 때 그 물체의 운동을 방해하는 힘

장대높이뛰기의 장대에는 휘어지면 다시 돌아가려는 탄성력이 작용한다.

3. 가속도

물체에 힘이 작용하지 않으면 물체는 속도가 일정한 운동을 한다.

(1) 가속도 물체에 힘이 작용하면 물체의 속도가 변하는 데 이때 단위 시간당 속도의 변화량을 가속도라고 한다. 가속도의 단위는 m/s^2이다.

$$\text{가속도} = \frac{\text{속도 변화량}}{\text{시간}}$$

(2) 힘과 가속도의 관계(가속도 법칙) 물체의 질량이 일정할 때 가속도의 크기는 힘의 크기에 비례하고, 힘의 크기가 일정할 때 가속도의 크기는 질량에 반비례한다.

$$\text{가속도의 크기} = \frac{\text{힘의 크기}}{\text{질량}}$$

(3) 등가속도 운동

① 등가속도 운동: 물체에 일정한 크기의 힘이 작용하여 단위 시간당 속도 변화량이 일정한 운동

② 등가속도 운동의 표현: 시간을 x축, 속도를 y축으로 하여 등가속도 운동의 속도−시간 그래프를 나타내면, 기울기가 일정한 그래프를 얻는다.

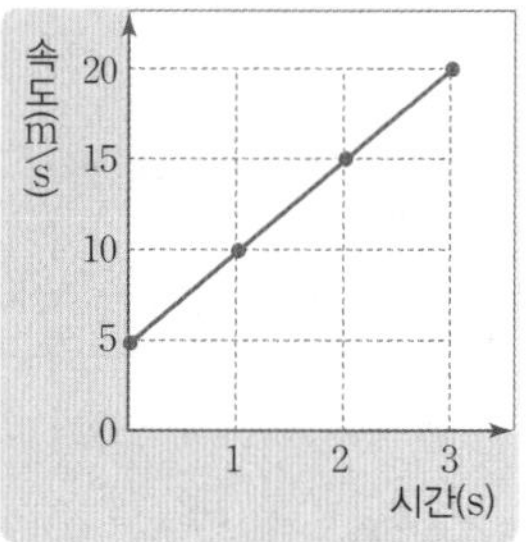

속도−시간 그래프

B 중력

한·줄·핵심 지구상에서 물체에는 항상 지구 중심 방향으로 질량에 비례하는 중력이 작용해!

1. 중력

(1) 중력 질량이 있는 모든 물체가 서로 끌어당기는 인력

(2) 중력의 크기와 방향

① 두 물체의 질량이 클수록, 두 물체 사이의 거리가 가까울수록 중력의 크기가 커진다.

② A가 B를 당기는 중력과 B가 A를 당기는 중력은 서로 크기가 같고 반대 방향이다.❹

---

❶ 시스템
여러 가지 구성 요소들이 모여 상호 작용 하면서 전체를 이루는 것

❷ 힘의 단위 N
힘의 단위 N은 과학자 뉴턴의 이름을 따서 정해졌다. 1 N만큼의 힘은 질량이 1 kg인 물체에 힘을 가해 주었을 때 1 m/s^2만큼의 가속도가 생기는 힘이다. 따라서 N을 $kg \cdot m/s^2$로 쓰기도 한다.

$1\ N = 1\ kg \cdot m/s^2$

❸ 전기
양(+) 또는 음(−)의 성질을 갖는 전하가 많거나 적어서 나타나는 여러 가지 성질 또는 그 성질 때문에 생기는 에너지를 전기라고 한다.

❹ 작용 반작용 법칙
한 물체가 다른 물체에 힘을 작용하면 다른 물체는 원 물체에 이 힘과 크기는 같고 방향이 반대인 힘을 작용한다. 모든 두 물체 사이에 작용하는 힘에 관한 이 법칙을 작용 반작용 법칙이라고 한다.

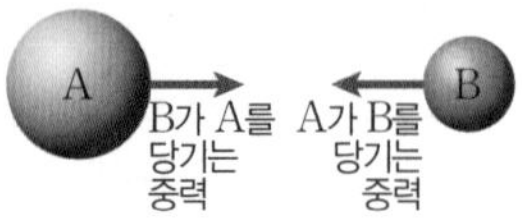

두 물체 사이에서 작용하는 중력

- **역학(힘 力 학문 學)** 힘과 물체의 운동 사이의 관계를 탐구하는 학문
- **등가속도(가지런할 等, 더할 加, 빠를 速, 정도 度)** 물체의 가속도가 일정한 운동

(3) **지구의 중력** 지구가 질량이 있는 물체를 끌어당기는 힘

① 지구 중력의 방향: 지구 중심 방향

② 무게: 지구가 물체에 작용하는 중력의 크기(단위: N)

2. 자유 낙하 운동과 수평 방향으로 던진 물체의 운동 비교 알쉬탐

(1) 자유 낙하 운동

① 정의: 공기 저항을 무시할 때, 물체가 중력만을 받아 낙하하는 운동

② 자유 낙하 하는 물체는 질량과 관계없이 단위 시간당 속도 변화량이 중력 가속도[5]로 같다.

(2) 수평 방향으로 던진 물체의 운동 수평 방향의 등속 직선 운동과 연직 방향의 자유 낙하 운동이 합쳐져 대각선 방향의 속력을 갖고 포물선을 그리며 운동한다.

① 연직 방향: 물체가 중력만을 받아서 운동하므로 자유 낙하 운동한다.

② 수평 방향: 물체에 힘이 작용하지 않으므로 등속 직선 운동한다.

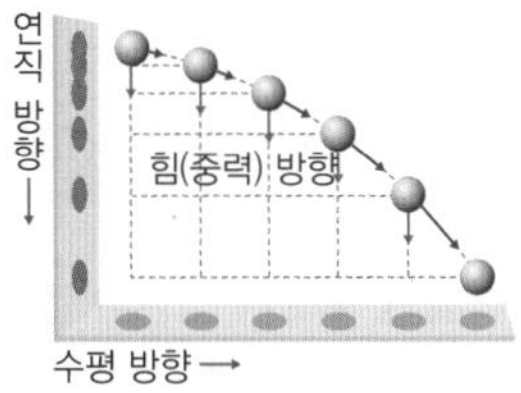

수평 방향으로 던진 물체의 운동

구분	수평 방향	연직 방향
힘	0	중력
속도	일정하다.	일정하게 증가한다.
가속도	0	중력 가속도
운동	등속 직선 운동	등가속도 운동

자료 높은 산 위에서 수평 방향으로 던진 물체의 운동

그림과 같이 지구의 높은 산 위에서 공을 수평 방향으로 던지면 공은 앞으로 멀리 나아가면서 점차 지면으로 떨어진다. 공의 속력을 점점 증가시켰을 때 공의 운동이 어떻게 되는지 알 수 있다.

결과

공이 수평 방향으로 더 멀리 나아가다가 일정 속력 이상이 되면 지구 주위를 한 바퀴 돌아 원래 자리로 돌아온다.

정리

❶ **공의 수평 도달 거리:** 수평 방향으로 공의 속력이 달라져도 연직 방향으로는 자유 낙하 운동이기 때문에 바닥에 도달하는 시간은 같다. 따라서 같은 낙하 시간 동안 수평 방향으로의 속력이 클수록 수평 도달 거리는 커진다.

❷ **물체가 원래 자리로 돌아오는 까닭:** 물체가 중력에 의해 떨어지는 거리와 지구가 둥글어 구부러지는 길이가 같아서 물체는 지구 표면에 평행하게 나아갈 수 있다.

❸ **달과 인공위성[6]의 운동:** 달과 인공위성 역시 중력이 계속 작용하여 아래로 떨어지는 동시에 수평 방향으로 운동하여 계속해서 지구 주위를 회전할 수 있다.

우주 정거장의 운동

❺ 중력 가속도
중력 때문에 자유 낙하 하는 물체의 가속도. 지표면 부근에서 약 $9.8\ m/s^2$이나 정확한 값은 지구 내부의 질량 분포에 따라 장소마다 다르며, 시간에 따라 달라진다.

❻ 인공위성
행성(주로 지구)의 둘레를 공전하는 인공적인 물체. 통신 위성, 과학 위성, GPS 위성 등 용도에 따라 다양하며 고도에 따라 정지 위성과 이동 위성으로 나누기도 한다.

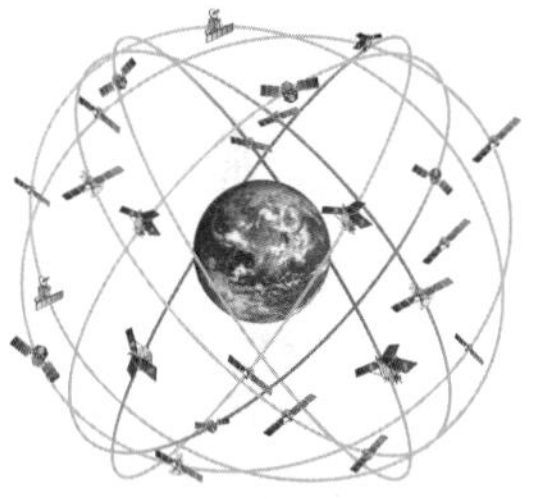
GPS 위성

● 위성(지킬 衛, 별 星) 행성의 인력 때문에 행성의 주위를 공전하는 천체

정답과 해설 029쪽

간단 점검

1. 힘이 작용함에 따라 물체의 운동 상태나 모양이 변하는 체계는?
2. 탄성을 가진 물체가 원래대로 되돌아가려는 힘은?
3. 질량을 가진 두 물체가 서로 끌어당기는 힘은?
4. 공기 저항을 무시할 때, 가만히 놓은 물체가 중력만 받으면 어떤 운동을 하는가?

C 중력과 자연 현상

한·줄·핵심 지구 중심 방향으로 작용하는 중력에 의해 여러 가지 자연 현상이 나타나!

#보충!

우주에서의 양초 불꽃

지구에서는 온도가 높아진 기체가 위로 올라가면서 불꽃이 길쭉해지지만 우주에서는 가벼워진 기체가 올라가지 못하기 때문에 불꽃이 둥근 모양이 된다.

1. 중력이 지구 시스템에 미치는 영향

대류	지표의 침식	기상 현상	달의 공전

차가운 공기는 밀도가 커서 아래로 이동하고, 따뜻한 공기는 밀도가 작아 위로 이동한다.	중력에 의해 흐르는 물과 빙하는 오랜 기간에 걸쳐 지표를 변화시킨다.	중력은 공기 중 수증기가 비나 눈의 형태로 지표로 떨어져 흐르도록 한다.	달은 중력에 의해 지구에서 멀어지지 않고 지구 주변을 공전한다.

2. 중력이 생명 시스템에 미치는 영향

(1) 중력이 동물에게 미치는 영향

① 무거운 동물의 골격: 코끼리나 하마처럼 육상에서 살아가는 무거운 동물은 강한 근육과 단단한 골격을 가지고 있다.

② 기린의 심장: 기린은 다른 동물에 비해 심장이 크고, 혈압이 높아 심장과 머리의 거리가 멀어도 중력을 이기고 혈액을 보낼 수 있다.

③ 전정 기관: 전정 기관 안에 있는 작은 칼슘 덩어리인 이석❼이 중력을 감지하여 몸의 평형을 유지하거나 자세의 안정감을 찾는다.

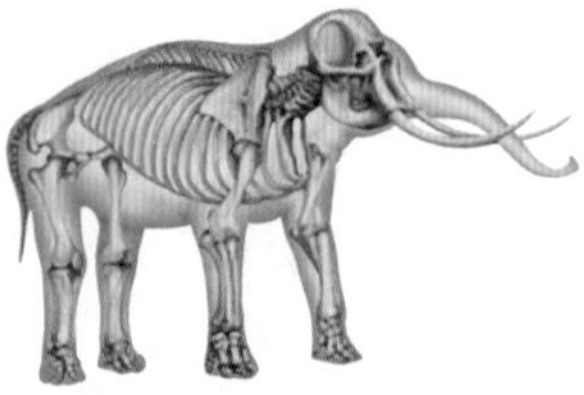
무거운 동물의 골격

기린의 심장

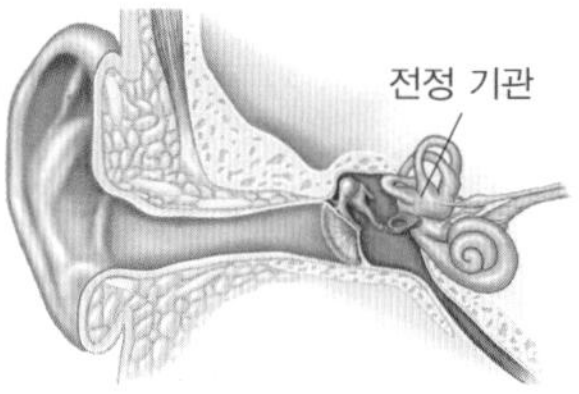

전정 기관

❼ 이석

동물의 평형 기관 속에 있는 고형체. 머리가 기울어지면 중력 방향으로 기울어지면서 귀의 감각모를 눌러서 몸의 기울어짐을 감지할 수 있게 한다.

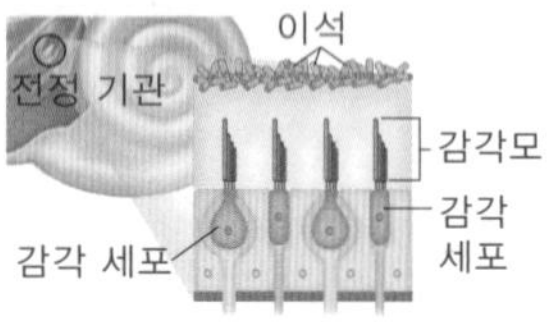

전정 기관과 이석

(2) 중력이 식물에게 미치는 영향

① 세포벽: 식물에는 세포벽이 있어 세포의 중력으로 생기는 무게를 지탱하고 높이 자랄 수 있도록 한다.

② 뿌리와 줄기: 식물은 중력이 작용하는 방향으로 뿌리를 내리고 반대 방향으로 줄기를 뻗는다.

③ 민들레 씨의 깃털: 민들레 씨는 깃털 구조를 가지고 있어 중력을 받아도 지면에 떨어지지 않고 멀리 퍼져나갈 수 있다.

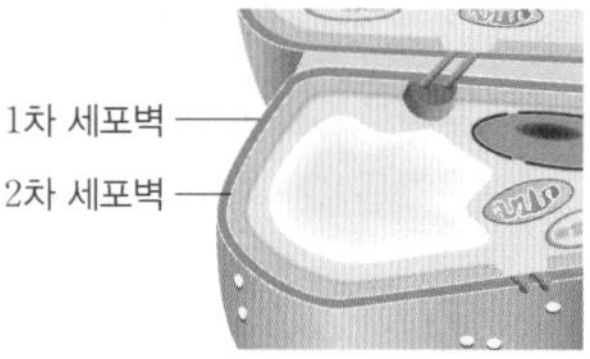

세포벽

뿌리와 줄기

민들레 씨의 깃털

● **전정 기관(앞 前, 뜰 庭, 기구 器, 기관 官)** 귀의 가장 안쪽 내이에 위치한 공간으로 몸의 균형을 담당하는 평형 기관

정답과 해설 029쪽

간단 점검

5. 차가운 공기는 밀도가 (커서, 작아서) 아래로 이동하고 따뜻한 공기는 밀도가 (커서, 작아서) 위로 이동하면서 대류한다.

6. 중력을 감지하여 평형을 유지할 수 있도록 하는 동물의 기관은?

7. 중력을 지탱할 수 있도록 하는 식물 세포의 구조는?

알아두면 시험이 쉬워지는 탐구

중력을 받는 물체의 운동

목표 자유 낙하 운동과 수평 방향으로 던진 물체의 운동을 비교하여 설명할 수 있다.

과정

❶ A와 B를 동시에 발사시키기

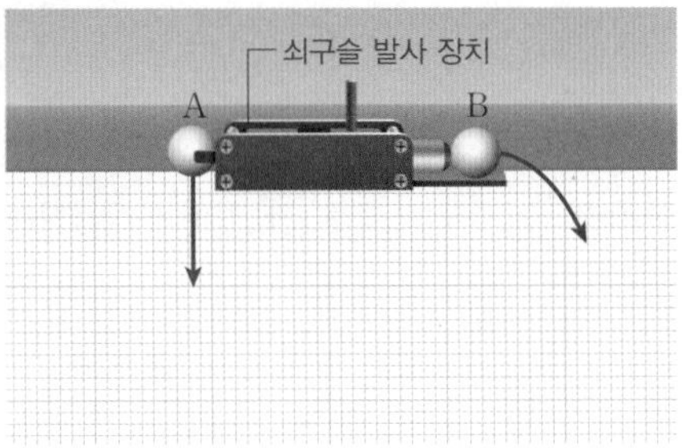

- 1 m 정도의 높이에 쇠구슬 발사 장치를 고정하고 A는 가만히 놓고 B는 발사한다. 이때 A, B의 질량은 같고 운동 시작 시점도 같아야 한다.

❷ 쇠구슬 A, B의 운동 궤적을 촬영하기

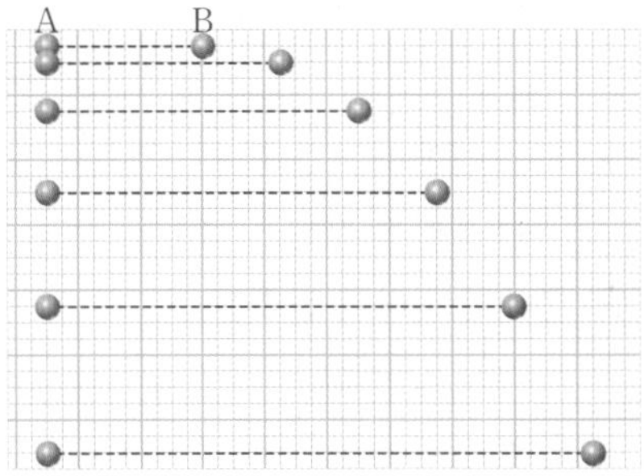

- 연직 아래 방향으로 가만히 놓은 A와 오른쪽 수평 방향으로 발사한 B의 운동을 동영상으로 촬영하고 0.1초 간격으로 A, B의 위치를 모눈종이에 나타낸다.
  └ 동영상 분석 프로그램을 사용한다.

유의점

운동을 분석할 때 다음 내용을 고려한다.

1. 속도는 구간 거리를 시간으로 나누어 구한다.
2. 연직 아래 방향은 지구 중력 방향을 뜻한다.
3. 시간 간격을 다르게 하여 분석할 수도 있다.
4. 휴대 전화 앱을 이용하여 분석할 수도 있다.

이런 실험도 있어요

쇠구슬 발사 장치가 없을 때에는 그림과 같이 진자를 만들어서 유리 구슬을 부딪치면 수평으로 던진 물체의 운동을 관찰할 수 있다.

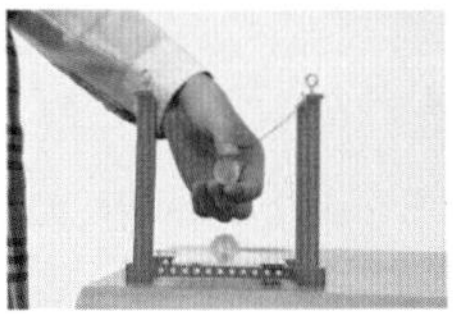

결과 및 해석

✔ A는 자유 낙하 운동을 하고, B는 수평 방향으로는 등속 직선 운동, 연직 방향으로는 자유 낙하 운동을 한다.
✔ A, B의 연직 방향 속도는 항상 같고, 동시에 바닥에 도달한다.
✔ A, B의 0.1초 동안 연직 방향 이동 거리가 일정하게 증가한다. 속력이 일정하게 증가하므로 가속도는 일정하다.
✔ A, B에 작용하는 힘은 중력뿐이므로 두 물체에 작용하는 힘의 크기와 방향은 같다.
✔ A, B의 가속도는 중력 가속도로 서로 같다.

한·줄·핵심 같은 높이에서 자유 낙하와 수평으로 던진 물체의 운동을 비교하면 두 물체의 중력이 같기 때문에 같은 시각에 같은 높이에 위치한다.

확인 문제

정답과 해설 029쪽

1. 탐구에서 쇠구슬 B의 수평 방향의 운동을 설명하시오.

2. 탐구에서 쇠구슬 A, B의 연직 방향의 속력을 비교하시오.

3. 이 탐구에 대한 설명으로 옳은 것은 ○, 옳지 않은 것은 ×로 표시하시오.

(1) 쇠구슬 A, B의 가속도는 항상 같다. ( )

(2) 쇠구슬 A, B의 속도는 항상 같다. ( )

(3) 쇠구슬 A, B에 작용하는 힘의 크기와 방향은 항상 같다. ( )

4. 그림은 자유 낙하 시킨 쇠구슬 A와 수평 방향으로 발사한 쇠구슬 B의 운동 경로를 일정한 시간 간격으로 나타낸 것이다.

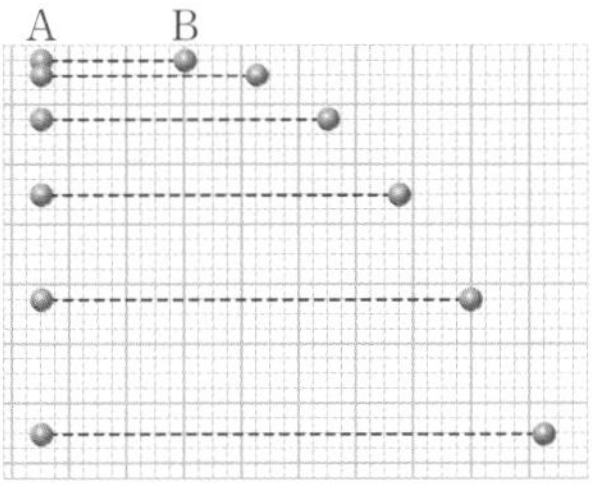

이에 대한 설명으로 옳은 것만을 |보기|에서 있는 대로 골라 기호를 쓰시오.

보기

ㄱ. A, B에 작용하는 중력의 크기는 일정하다.
ㄴ. B는 수평 방향으로 등속 직선 운동을 한다.
ㄷ. A, B 모두 연직 방향으로는 등가속도 운동을 한다.
ㄹ. A, B의 질량이 클수록 바닥에 도달하는 데까지 걸리는 시간은 짧아진다.
ㅁ. 수평 방향으로 B를 발사한 속력이 2배가 되면 B가 A보다 먼저 바닥에 도달한다.

개념 + 기본 문제

개념 문제

A 역학적 시스템과 힘, 가속도

01 다음 설명 중 옳은 것은 ○, 옳지 않은 것은 ×로 표시하시오.

(1) 역학적 시스템이란 힘이 작용하고 그에 따라 물체의 운동 상태나 모양이 변하는 체계를 말한다. ( )

(2) 힘은 물체에 작용하여 물체의 모양이나 운동 상태를 변하게 하는 원인이다. ( )

(3) 물체의 질량이 일정할 때 가속도의 크기는 힘의 크기에 반비례한다. ( )

(4) 힘의 단위는 N(뉴턴)을 사용한다. ( )

B 중력

02 다음 설명 중 옳은 것은 ○, 옳지 않은 것은 ×로 표시하시오.

(1) A가 B를 당기는 중력과 B가 A를 당기는 중력의 방향은 서로 같다. ( )

(2) 공기 저항을 무시할 때 자유 낙하 하는 물체에는 중력만 작용한다. ( )

(3) 자유 낙하 하는 물체의 가속도는 일정하게 증가한다. ( )

(4) 수평 방향으로 던져진 물체에는 손과 분리된 후 수평 방향으로는 힘이 작용하지 않는다. ( )

C 중력과 자연 현상

03 중력이 지구 시스템에 미치는 영향으로 적절하지 않은 것은?

① 대류 ② 지표의 침식
③ 비와 눈 ④ 달의 공전
⑤ 번개

A 역학적 시스템과 힘, 가속도

04 그림 (가), (나)는 역학적 시스템에서 어떤 힘이 작용하고 있는 상황을 나타낸 것이다.

(가) (나)

(가), (나)에 작용하는 힘을 옳게 짝 지은 것은?

	(가)	(나)
①	마찰력	전기력
②	탄성력	전기력
③	마찰력	탄성력
④	탄성력	자기력
⑤	전기력	자기력

05 힘과 가속도에 대한 설명으로 옳지 않은 것은?

① 힘이 작용하면 물체의 모양이 변할 수 있다.
② 힘이 작용하지 않으면 움직이던 물체는 속도가 일정한 운동을 한다.
③ 힘이 작용하면 가속도가 생긴다.
④ 작용하는 힘이 일정할 때 가속도의 크기는 질량에 비례한다.
⑤ 직선으로 운동하는 물체에 운동 방향으로 힘이 일정하게 작용하면 등가속도 운동을 한다.

단답형

06 직선으로 운동하는 물체에 일정한 힘이 작용하고 있을 때 힘의 크기를 3배로 늘리고, 질량을 $\frac{1}{2}$배로 줄이면 가속도의 크기는 몇 배로 증가하는지 쓰시오.

B 중력

07 중력에 대한 설명으로 옳지 않은 것은?

① 중력은 질량이 있는 모든 물체가 서로 끌어당기는 인력이다.
② 서로 끌어당기는 두 물체의 질량이 클수록, 두 물체 사이의 거리가 가까울수록 중력의 크기가 커진다.
③ 두 물체가 서로 끌어당기는 힘의 크기의 비는 각각의 질량의 비와 같다.
④ 지구에서 중력의 방향은 지구 중심 방향이다.
⑤ 무게는 지구가 물체에 작용하는 중력의 크기로 단위로는 N(뉴턴)을 사용한다.

08 자유 낙하 운동에 대한 설명으로 옳지 않은 것은?

① 가속도의 크기가 일정한 운동이다.
② 시간에 따른 속도의 변화가 일정하다.
③ 가속도의 방향은 지구 중심 방향이다.
④ 물체가 중력만 받아 낙하하는 운동이다.
⑤ 같은 높이에서 가만히 놓았을 때 질량이 클수록 빨리 떨어진다.

알쉬탐

09 그림은 같은 높이에서 동시에 운동하는 두 물체를 같은 시간 간격으로 연속 촬영한 것이다.

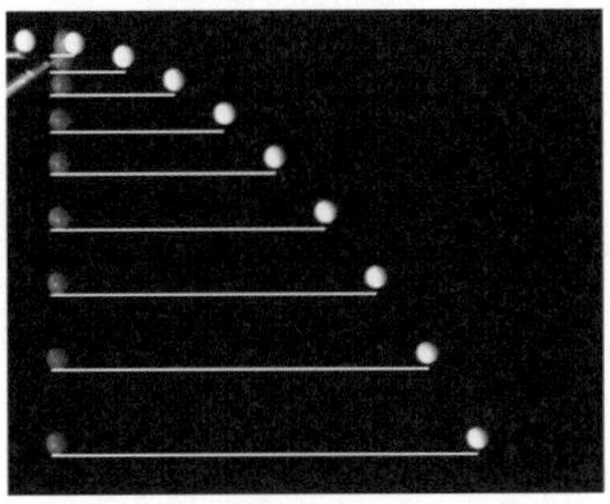

이에 대한 설명으로 옳은 것만을 |보기|에서 있는 대로 고른 것은?

보기
ㄱ. 두 물체의 속력은 항상 같다.
ㄴ. 두 물체는 바닥에 동시에 도달한다.
ㄷ. 두 물체에 작용하는 힘의 크기와 방향은 같다.

① ㄱ ② ㄱ, ㄴ ③ ㄱ, ㄷ
④ ㄴ, ㄷ ⑤ ㄱ, ㄴ, ㄷ

C 중력과 자연 현상

10 그림은 대류 현상을 나타낸 것이다.

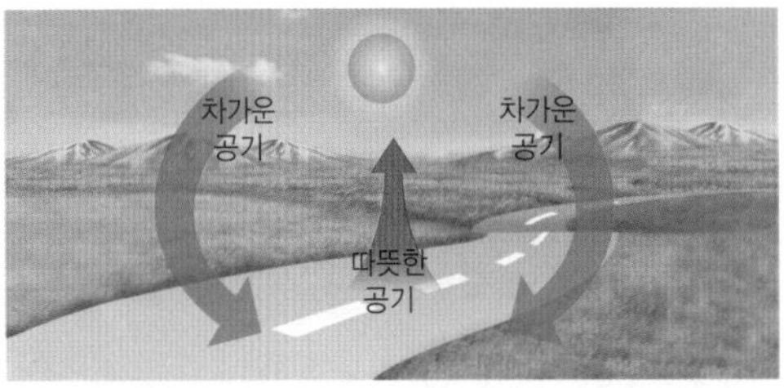

이에 대한 설명으로 옳은 것만을 |보기|에서 있는 대로 고른 것은?

보기
ㄱ. 차가운 공기는 따뜻한 공기보다 밀도가 크다.
ㄴ. 중력에 의해 차가운 공기가 아래로 내려온다.
ㄷ. 따뜻해진 공기는 모두 중력의 영향에서 벗어나 우주로 날아간다.

① ㄱ ② ㄱ, ㄴ ③ ㄱ, ㄷ
④ ㄴ, ㄷ ⑤ ㄱ, ㄴ, ㄷ

단답형

11 다음은 중력이 생명 시스템에 미치는 영향 중 1가지에 대한 설명이다. (　) 안에 알맞은 말을 쓰시오.

(　　　) 안에 있는 작은 칼슘 덩어리인 이석이 중력을 감지하여 몸의 평형을 유지하거나 자세의 안정감을 찾는다.

12 중력이 생명 시스템에 미치는 영향으로 적절한 것만을 |보기|에서 있는 대로 고른 것은?

보기
ㄱ. 식물은 중력이 작용하는 방향으로 뿌리를 내린다.
ㄴ. 큰 포유류는 중력을 견디기 위해 근육과 골격이 발달하였다.
ㄷ. 민들레 씨는 깃털 구조를 가지고 있어 중력을 받아도 바닥으로 떨어지지 않고 퍼져나간다.

① ㄱ ② ㄱ, ㄴ ③ ㄱ, ㄷ
④ ㄴ, ㄷ ⑤ ㄱ, ㄴ, ㄷ

실력 올리기 문제

| 가속도 |

01 그림은 질량이 각각 m, m, $3m$인 세 물체를 마찰이 없는 수평면 위의 출발선에 놓고 각각 F, $2F$, F의 일정한 힘을 같은 시간 동안 작용하는 실험을 나타낸 것이다.

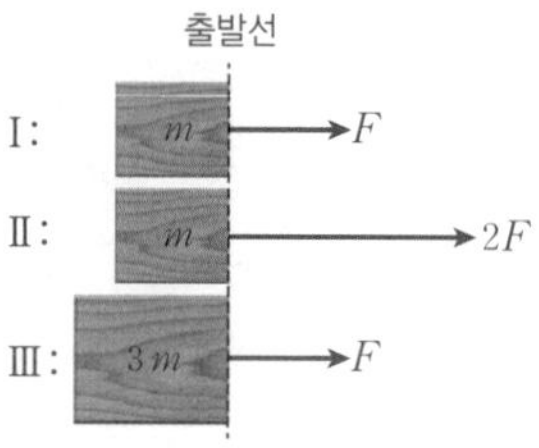

가속도와 힘의 관계, 가속도와 질량의 관계를 알아볼 수 있는 실험을 옳게 짝 지은 것은?

	가속도와 힘의 관계	가속도와 질량의 관계
①	Ⅰ, Ⅱ	Ⅰ, Ⅲ
②	Ⅰ, Ⅱ	Ⅱ, Ⅲ
③	Ⅰ, Ⅲ	Ⅰ, Ⅱ
④	Ⅱ, Ⅲ	Ⅰ, Ⅱ
⑤	Ⅱ, Ⅲ	Ⅰ, Ⅲ

| 등가속도 운동 | 출제예감

02 그림은 직선상에서 정지해 있던 자동차가 출발하여 등가속도 운동하는 것을 나타낸 것이다. 출발한 후 2초, 4초일 때 자동차의 속력은 각각 4 m/s, 8 m/s이다.

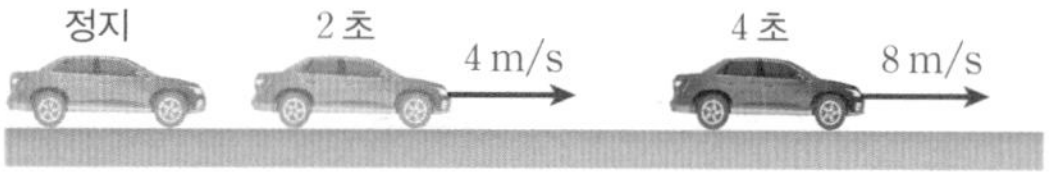

자동차의 운동에 대한 설명으로 옳은 것만을 | 보기 | 에서 있는 대로 고른 것은? (단, 자동차의 크기는 무시한다.)

보기
ㄱ. 속력이 일정하게 증가하는 운동이다.
ㄴ. 3초일 때 속력은 5 m/s이다.
ㄷ. 가속도의 크기는 2 m/s^2이다.

① ㄱ ② ㄱ, ㄴ ③ ㄱ, ㄷ
④ ㄴ, ㄷ ⑤ ㄱ, ㄴ, ㄷ

| 자유 낙하 운동 | 출제예감

03 그림은 공기 중과 진공 상태에서 깃털과 구슬을 각각 가만히 놓았을 때 같은 시간 간격으로 위치를 나타낸 것이다.

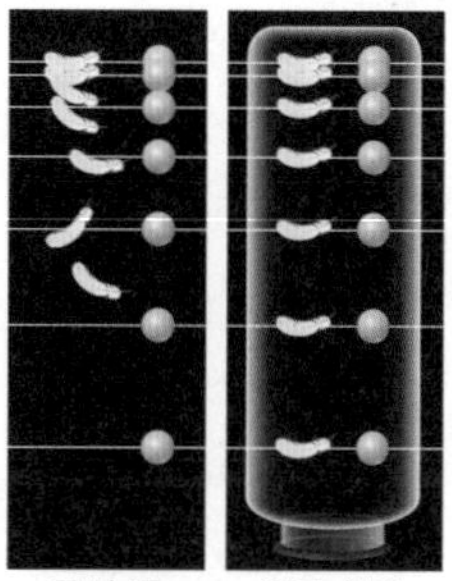
공기 중 진공 상태

이에 대한 설명으로 옳은 것만을 | 보기 | 에서 있는 대로 고른 것은?

보기
ㄱ. 진공 상태에서 깃털과 구슬의 속력은 항상 같다.
ㄴ. 공기 중에서 깃털은 구슬보다 공기 저항을 크게 받는다.
ㄷ. 진공 상태에서 깃털과 구슬에 작용하는 힘의 크기와 방향은 같다.

① ㄱ ② ㄷ ③ ㄱ, ㄴ
④ ㄴ, ㄷ ⑤ ㄱ, ㄴ, ㄷ

| 수평으로 던진 물체의 운동 |

04 그림은 일정한 높이에서 수평 방향으로 v의 속력으로 던진 공의 위치를 일정한 시간 간격으로 나타낸 것이다.

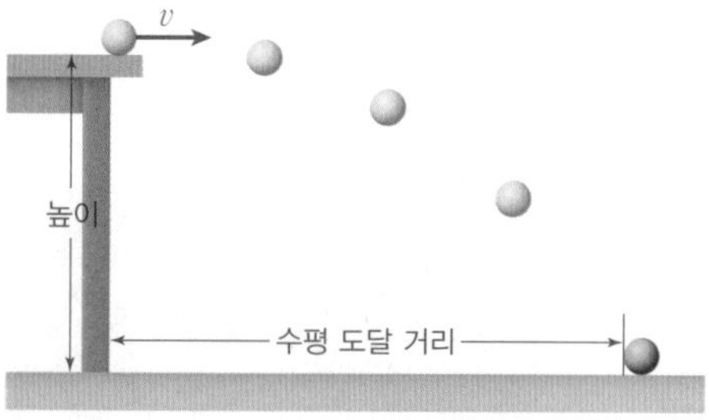

수평 방향으로 이동한 거리를 늘리기 위한 방법으로 옳은 것만을 | 보기 | 에서 있는 대로 고른 것은? (단, 중력 가속도는 9.8 m/s^2이다.)

보기
ㄱ. 물체의 위치를 더 높게 한다.
ㄴ. 수평 방향으로 던지는 속력을 v보다 크게 한다.
ㄷ. 중력 가속도가 9.8 m/s^2보다 큰 곳에서 던진다.

① ㄱ ② ㄱ, ㄴ ③ ㄱ, ㄷ
④ ㄴ, ㄷ ⑤ ㄱ, ㄴ, ㄷ

정답과 해설 030쪽

| 중력지도와 GPS |

05 그림 (가)는 지구 표면에서 중력의 크기를 나타내는 중력 지도를, (나)는 GPS 위성을 나타낸 것이다.

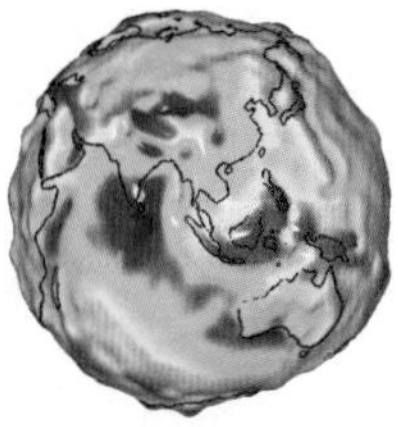
(가)

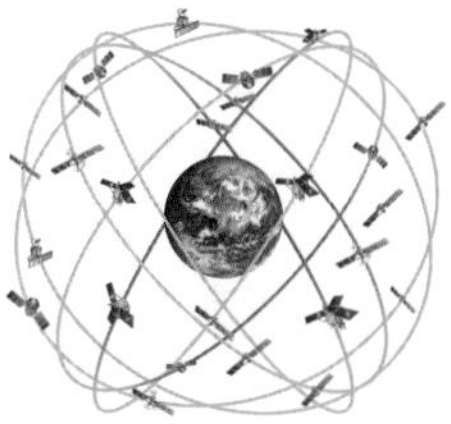
(나)

이에 대한 설명으로 옳은 것만을 | 보기 | 에서 있는 대로 고른 것은?

보기
ㄱ. 중력 가속도의 크기는 지구상에서 위치와 시간에 상관없이 항상 $9.8\ m/s^2$이다.
ㄴ. 중력의 방향은 지구상에서 항상 지구 중심 방향이다.
ㄷ. GPS 위성은 지구 중심 방향으로는 중력 가속도로 자유 낙하 하는 운동을 한다.

① ㄴ ② ㄷ ③ ㄱ, ㄴ
④ ㄴ, ㄷ ⑤ ㄱ, ㄴ, ㄷ

| 중력의 영향 |

06 그림은 중력의 영향에 대해 세 학생이 대화하는 것을 나타낸 것이다.

제시된 내용이 옳은 학생만을 있는 대로 고른 것은?

① 철수 ② 철수, 영희 ③ 철수, 민수
④ 영희, 민수 ⑤ 철수, 영희, 민수

| 힘과 가속도의 관계 |

07 그림은 마찰이 없는 수평면에 놓인 물체를 일정한 힘 F를 작용시켜 p에서 q까지 이동시킨 것을 나타낸 것이다.

동일한 조건에서 질량 $2m$인 물체로 바꿔 힘 F를 작용시켰을 때 일어나는 변화가 무엇인지 그 까닭과 함께 서술하시오.

| 달과 지구 사이의 중력 |

08 그림은 지구 주위를 공전하는 달의 운동 방향과 공전 궤도를 나타낸 것이다.
달이 지표면으로 떨어지지 않고 공전하는 까닭을 그림을 이용하여 서술하시오.

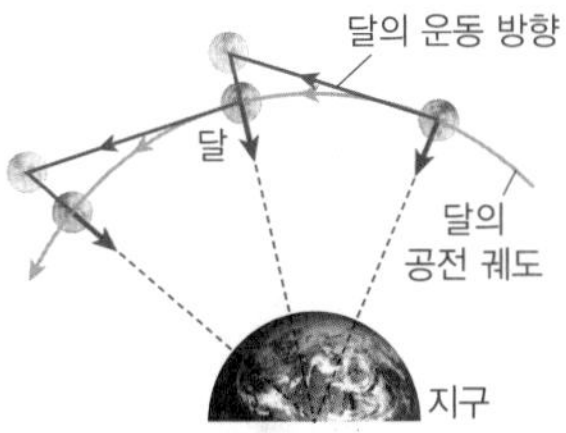

| 중력의 영향 |

09 그림은 지구상에 사는 무거운 동물의 골격을 나타낸 것이다.
무거운 동물이 강한 근육과 단단한 골격을 가지는 까닭을 지구의 중력과 관련지어 서술하시오.

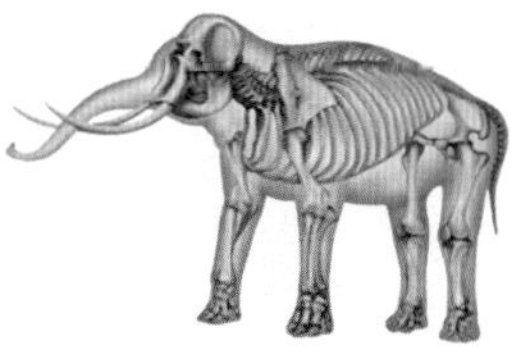

운동과 충돌, 그리고 안전

개념 이해 관성, 운동량, 충격량, 운동량과 충격량의 관계, 평균 힘

A 관성, 운동량과 충격량

한·줄·핵심 운동량은 물체의 운동 정도를, 충격량은 물체가 받는 충격의 정도를 나타내!

달려가던 사람이 돌부리에 걸리면 몸은 운동 상태를 유지하려고 하기 때문에 앞으로 넘어진다.

1. 관성● 외부에서 힘이 작용하지 않을 때 물체가 운동 상태를 유지하려는 성질

(1) 관성의 크기 질량에 비례 ⇨ 질량이 큰 물체일수록 갑자기 움직이거나 멈추기 위해 큰 힘이 필요하다.

질량을 관성의 크기로 정의하기도 한다.

㈎ 질량이 큰 화물선은 항구에 진입할 때 쉽게 정지하기 어렵기 때문에 엔진을 끄고 작은 예인선[1]에 끌려서 들어온다.

(2) 버스 안에서의 관성

버스가 갑자기 멈출 때	버스가 갑자기 출발할 때

버스는 멈추지만, 사람의 몸은 앞으로 계속 움직이려는 관성 때문에 앞으로 쏠린다.	버스는 앞으로 움직이지만, 사람의 몸은 정지 상태를 유지하려는 관성 때문에 뒤로 쏠린다.

(3) 종이 위에 얹힌 동전의 관성 컵 위에 두꺼운 종이를 놓고 종이 위에 동전을 얹은 뒤에 손가락으로 종이를 빠르게 튕기면 종이는 손가락으로부터 힘을 받아 앞으로 튕겨나가지만 동전은 정지 관성 때문에 수평 운동을 하지 않고 컵 속으로 떨어진다.

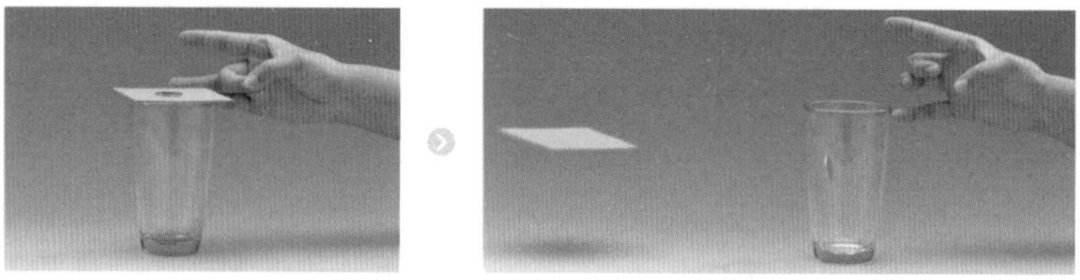

종이 위에 얹힌 동전의 관성

2. 운동량

(1) 운동량 운동하는 물체가 가지는 운동의 정도를 나타내는 물리량(단위: kg · m/s)

$$운동량(p)=물체의\ 질량(m)\times 속도(v)$$

① 운동량과 질량의 관계: 질량이 클수록 운동량이 크다.

② 운동량과 속력의 관계: 속력이 빠를수록 운동량이 크다.[2]

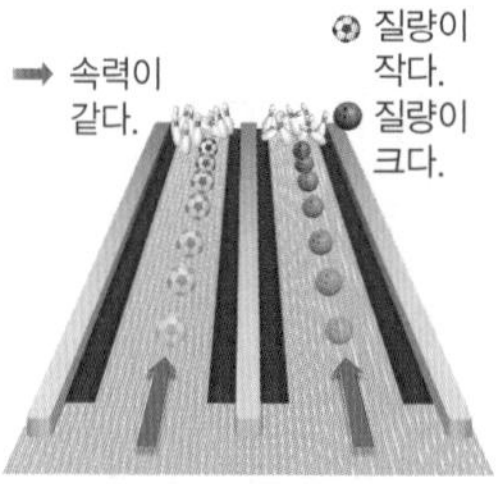

운동량과 질량의 관계

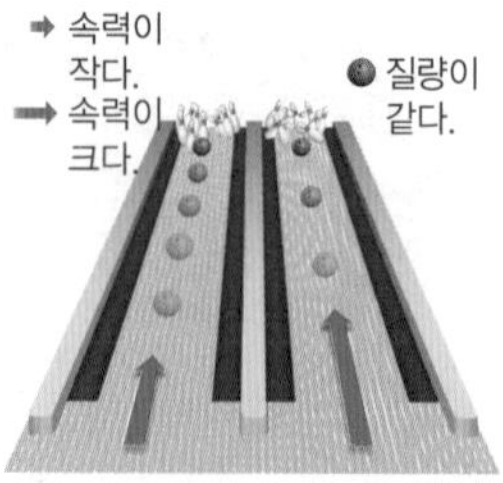

운동량과 속력의 관계

(2) 운동량의 방향 물체의 운동 방향(속도의 방향)과 같다.

#보충!

뉴턴 운동 법칙

- 제1법칙(관성의 법칙): 힘이 작용하지 않으면 물체는 운동 상태를 유지한다.
- 제2법칙(가속도의 법칙): 물체의 가속도는 물체에 작용한 힘에 비례하고 물체의 질량에 반비례한다.
- 제3법칙(작용 반작용 법칙): 한 물체가 다른 물체에 힘을 작용하면 다른 물체도 원래 물체에 크기는 같고 방향이 반대인 힘을 작용한다.

❶ 예인선

강력한 엔진을 갖고 있어 다른 선박 등을 끌어 조정하거나 구조하는 데 사용되는 배

큰 선박을 끄는 예인선

❷ 속도와 운동량

총알의 경우 질량은 작지만 속도가 빨라서 운동량이 매우 크다.

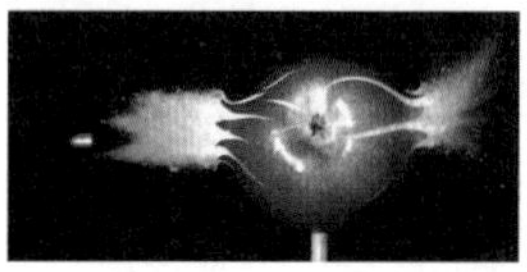

사과를 관통하는 총알

●관성(버릇 慣, 성질 性) 물체에 가해지는 외부 힘이 0일 때 자신의 운동 상태를 지속하는 성질

3. 충격량

(1) 충격량 물체에 힘이 작용할 때 물체가 받는 충격의 정도(단위: N·s)

충격량(I)=힘(F)[3]×시간(t)

① 충격량과 힘의 관계: 힘이 클수록 충격량이 크다.

② 충격량과 시간의 관계: 힘이 작용하는 시간이 길수록 충격량이 크다.[4]

탐구 충격량과 시간의 관계

같은 크기의 힘이 작용할 때 힘이 작용하는 시간과 충격량의 관계를 알 수 있다.

과정

① 면봉을 반으로 잘라서 빨대 끝에 넣은 후 입으로 불어 준다.

② 면봉을 반으로 잘라서 입 근처의 빨대에 넣은 후 같은 세기로 불어 준다.

③ 면봉이 날아가는 거리를 비교한다.

결과

빨대에 넣은 면봉이 빨대 끝에 있을 때보다 입 근처에 있을 때 더 멀리 날아간다.

정리

일정한 크기의 힘이 작용할 때 힘이 작용하는 시간이 길수록 충격량의 크기가 크다. 결과적으로 속력이 빨라져 멀리 날아갈 수 있다.

(2) 충격량의 방향 힘이 작용하는 방향과 같다.

(3) 힘-시간 그래프 힘-시간 그래프에서 그래프 아래의 면적은 충격량을 의미한다.

힘의 크기가 일정할 때	힘의 크기가 변할 때
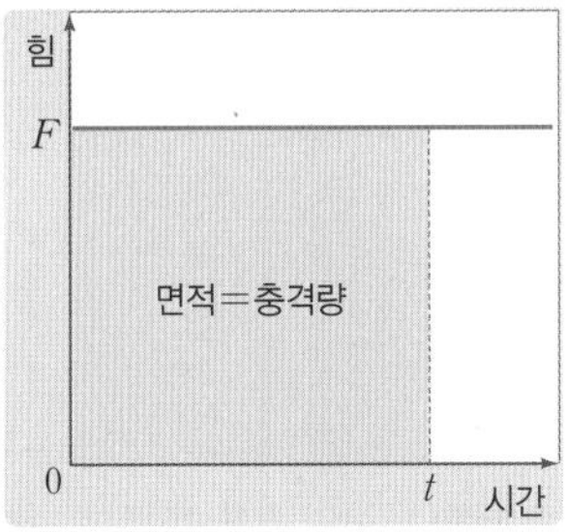	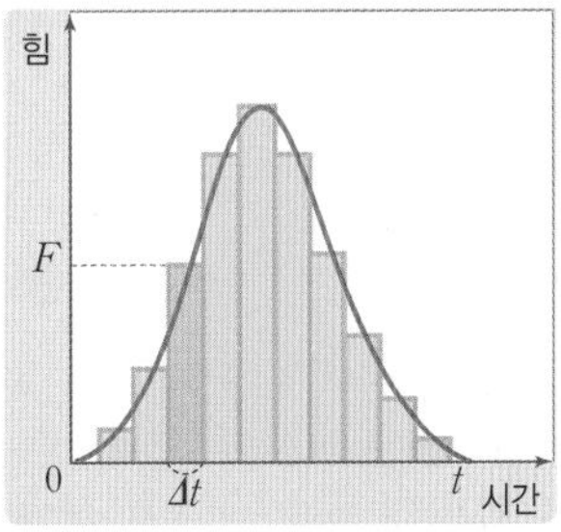
그래프가 시간 축과 이루는 사각형의 면적은 Ft이므로 충격량과 같다.	색칠한 직사각형 면적은 매우 짧은 시간 Δt 동안 받은 충격량과 같으며, 직사각형 면적을 모두 더하면 그래프가 시간 축과 이루는 면적과 같다. 즉, 충격량과 같다.

❸ 충돌 과정에서 받는 힘
충돌 과정에서 충격량을 이용하여 물체의 운동을 설명할 때 작용하는 힘을 충격력이라고 한다.

❹ 시간을 길게 하는 경우: 팔로스루
테니스나 야구 등에서 공을 강하게 보내기 위해 채나 배트로 타격 자세를 유지하며 공을 따라가듯이 힘을 가해 주는 것을 팔로 스루라고 한다.

#보충!

포신의 길이와 발사 거리
포신이 긴 대포는 대포알에 힘이 작용하는 시간이 길다. 포신이 짧은 대포보다 충격량이 크기 때문에 발사 속도가 빠르며 멀리 날아갈 수 있다.

과거에 사용한 대포

• 충격량(맞부딪칠 衝 부딪칠 擊 헤아릴 量) 물체가 충돌 과정 중에 받은 충격의 정도

정답과 해설 031쪽

간단 점검

1. 질량이 클수록 관성의 크기는 (크다, 작다).
2. 같은 속도로 운동하는 물체는 질량이 클수록 운동량이 (크다, 작다).
3. 물체가 받은 충격의 정도를 나타내는 물리량은?
4. 힘-시간 그래프에서 그래프 아래의 면적이 의미하는 것은?
5. 힘의 크기가 같을 때 충격량의 크기는 힘이 작용하는 시간에 (비례한다, 반비례한다).

B 운동량과 충격량의 관계

한·줄·핵심 운동량의 변화량은 충격량과 같아!

1. 운동량과 충격량의 관계 충격량은 운동량의 변화량과 같고(같은 단위를 갖는다.), 충격량의 방향은 운동량 변화량의 방향과 같다.

운동량과 충격량은 모두 방향을 고려하는 물리량이므로 운동량의 변화량을 계산할 때 방향을 유의해야 한다.

충격량(I)=운동량의 변화량(Δp)=나중 운동량−처음 운동량[5]

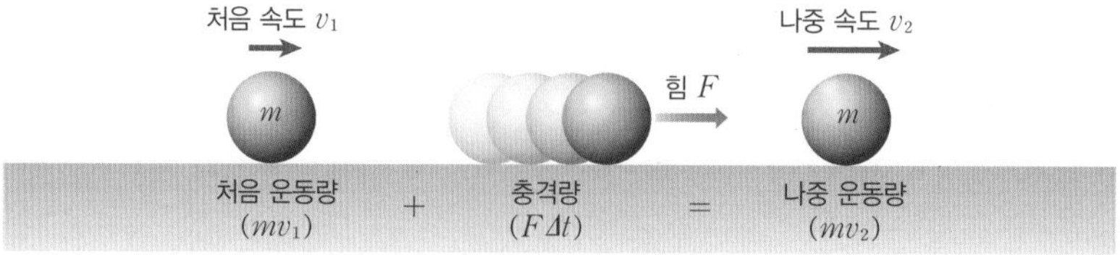

운동량과 충격량의 관계

2. 충격량이 같을 때 물체에 작용하는 힘

(1) **평균 힘**[6] 물체에 충격이 가해질 때 작용하는 힘의 평균값

일반적으로 충돌할 때는 힘이 계속해서 변하므로 평균 힘을 정의하여 사용한다.

$$\text{평균 힘}=\frac{\text{충격량}}{\text{시간}}=\frac{\text{운동량의 변화량}}{\text{시간}}$$

(2) 충돌 시간이 길어질수록 물체에 작용하는 평균 힘이 작아진다.

㉠ 박스 더미와 충돌한 차량은 안전하지만 벽에 부딪힌 차량은 크게 파손된다.

자동차와 상자가 충돌할 때(충돌 시간이 김)

자동차와 벽이 충돌할 때(충돌 시간이 짧음)

자료 힘이 작용한 시간에 따른 충격의 정도[7]

충격량(운동량의 변화량)이 같을 때 충돌 시간과 평균 힘의 관계를 알 수 있다.

결과

그림은 야구 경기에서 포수가 야구공을 받을 때, 손을 앞으로 내밀면서 받은 경우와 손을 뒤로 빼면서 받은 경우에 손에 작용하는 힘의 크기를 시간에 따라 나타낸 것이다. 이때 곡선 A와 B 그래프 아래의 넓이는 같다.

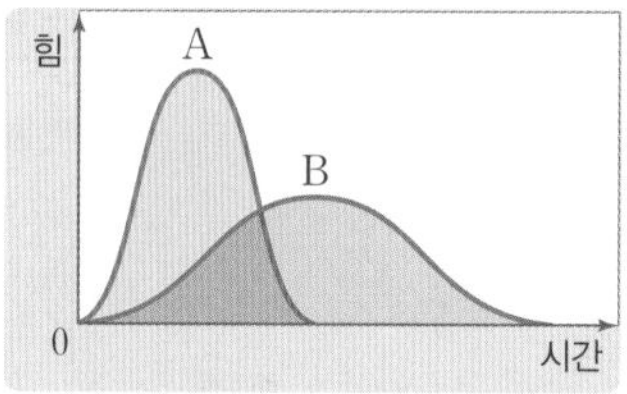

정리

충격량(운동량의 변화량) 비교	A=B	그래프 아래 부분의 넓이가 같으므로 손이 받은 충격량은 같다.
힘(충격력)을 받는 시간 비교	A<B	충돌 시간이 길어지면 손이 받는 힘(충격력)의 크기는 작아진다.
충격력(평균 힘) 비교	A>B	

---

5 운동량과 충격량의 관계

가속도 법칙에 의해 $F=ma=m\left(\frac{v_2-v_1}{\Delta t}\right)$, $F\Delta t=mv_2-mv_1=\Delta p$ 이므로 $I=\Delta p$가 성립한다.

6 충격량과 평균 힘

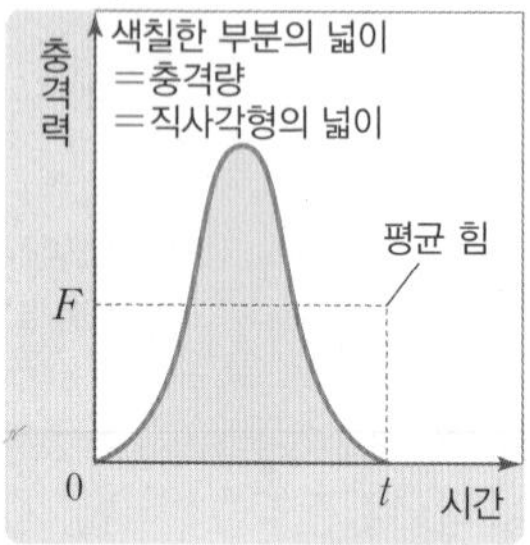

7 투수용 글러브와 포수용 글러브

얇은 투수용 글러브(위)보다 두꺼운 포수용 글러브(아래)가 평균 힘을 더 줄여 준다.

C 충돌과 안전 대책

한·줄·핵심 일상생활에서 우리는 안전을 위해 여러 가지 기구를 사용해!

1. 충돌 시간을 길게 하여 받는 힘을 줄이기

(1) 교통수단

에어백⑧	자동차의 범퍼	도로의 가드레일
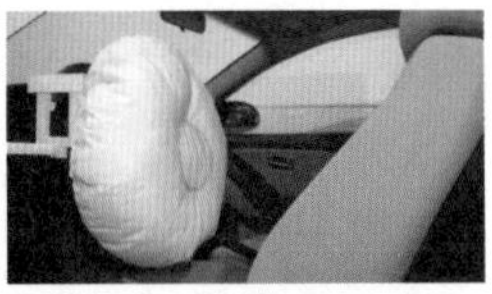		
운전자가 부딪히는 것을 방지하여 받는 힘을 줄여 준다.	내부가 빈 부서지기 쉬운 재질로 만들고, 충돌 시간을 길게 한다.	자동차가 도로를 이탈하는 것을 막고, 충돌 시간을 길게 해 준다.

(2) 스포츠 활동

태권도의 헤드기어	뜀틀 착지 동작	유도 매트

푹신한 재질로 만들어 머리에 가해지는 충격을 흡수한다.	착지할 때 다리를 구부리면 힘을 받는 시간이 길어져 받는 힘이 작아진다.	유도 선수가 바닥에 의한 충격을 흡수할 수 있는 재질로 만든다.

(3) 일상생활

모서리 보호대	포장재	공사장 안전모⑨

뾰족한 모서리 부분에 보호대를 덧대어 충격을 흡수한다.	포장재는 공기가 들어 있어 충격을 흡수한다.	머리 위로 물체가 떨어질 때의 충격을 흡수한다.

2. 관성 이기기

안전벨트
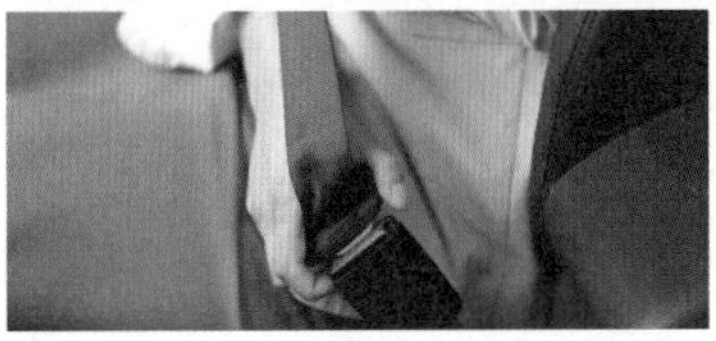
급제동 시 관성 때문에 앞으로 튕겨나가는 것을 방지해 준다.

3. 안전거리⑩ 확보하기

안전거리 확보 표지판

속도가 빨라질수록 충분한 안전거리를 확보해야 사고를 예방할 수 있다.

⑧ 에어백
에어백은 1952년 존 W. 해트릭에 의해 최초로 발명되었으며 에어백이 있어서 수많은 운전자가 목숨을 구할 수 있었다.

⑨ 안전모의 원리
작은 충격은 겉부분의 단단한 외피가 완화시켜주고 외피 속에는 스티로폼 같은 충격 흡수 소재가 두껍게 들어 있어 큰 충격을 받으면 찌그러지면서 내부의 머리를 보호한다.

⑩ 안전거리
일반 도로의 경우 속력에서 15 정도를 뺀 m로 유지하고 시속 80 km 이상이거나 고속도로를 주행하는 경우에는 속도계의 수치에 그대로 m를 붙인 정도로 안전거리를 유지해야 한다. 하지만 도로의 상황이나 기상 상황에 따라 크게 달라지므로 충분한 안전거리를 확보하는 것이 중요하다.

정답과 해설 031쪽

간단 점검

6. 충격량이 클수록 운동량의 변화는 (작다, 크다)
7. 충격량의 크기가 같을 때 평균 힘의 크기는 충돌 시간에 (비례한다, 반비례한다).
8. 포수가 글러브를 뒤로 빼면서 공을 받는 까닭은?
9. 교통수단에서 충돌 시간을 길게 하여 평균 힘을 줄이는 원리로 안전사고를 방지하는 예를 3가지 쓰시오.

개념 + 기본 문제

개념 문제

A 관성, 운동량과 충격량

01 다음 설명 중 옳은 것은 ○, 옳지 않은 것은 ×로 표시하시오.

(1) 외부에서 힘이 작용하지 않을 때, 물체는 그 운동 상태를 유지한다. ( )

(2) 관성의 크기는 질량에 반비례한다. ( )

(3) 운동량의 크기가 같을 때 질량은 속력에 비례한다. ( )

(4) 물체가 받는 충격의 정도를 나타내는 물리량인 충격량의 단위는 N·s이다. ( )

B 운동량과 충격량의 관계

02 다음은 운동량과 충격량의 관계에 대한 내용이다. ( ) 안에 알맞은 말을 쓰시오.

> (㉠)은 운동량의 변화량과 같고, 방향은 운동량 변화량의 방향과 같다. 운동량의 변화량이 같을 때 물체가 받는 평균 힘은 충돌 시간에 (㉡)한다.

C 충돌과 안전 대책

03 표는 충격량과 충돌 시간에 관련된 사례를 나타낸 것이다.

(가) 포수의 장갑	(나) 골프채	(다) 에어백

두꺼운 포수 장갑은 공을 받을 때 공을 멈추는 데 걸리는 시간을 길게 한다.	금속 대신 나무로 된 골프채를 휘둘러 공과의 접촉 시간을 길게 한다.	자동차의 에어백은 충돌 사고 시 운전자에게 힘이 작용하는 시간을 길게 한다.

접촉 시간을 길게 함으로써 물체가 받는 힘의 크기를 감소시킨 사례만을 있는 대로 골라 기호를 쓰시오.

A 관성, 운동량과 충격량

단답형

04 다음은 어느 물리 현상에 대한 내용이다. ( ) 안에 알맞은 말을 쓰시오.

> 질량이 큰 화물선은 항구에 진입할 때 ( ) 이/가 커서 쉽게 정지하기 어렵기 때문에 엔진을 끄고 작은 예인선에 끌려서 들어온다.

05 일상생활에서 경험할 수 있는 여러 가지 현상 중 관성에 의한 현상만을 |보기|에서 있는 대로 고른 것은?

> 보기
> ㄱ. 사람이 땅을 뒤로 밀면서 앞으로 나아간다.
> ㄴ. 앞으로 달리던 사람이 돌부리에 걸려 앞으로 넘어진다.
> ㄷ. 버스가 갑자기 앞으로 출발하면 승객들은 뒤로 쏠린다.

① ㄴ ② ㄷ ③ ㄱ, ㄴ
④ ㄱ, ㄷ ⑤ ㄴ, ㄷ

06 그림 (가), (나)는 면봉을 반으로 잘라 빨대에 넣은 것이다. (가) 빨대 끝과 (나) 입 근처에 면봉을 각각 넣은 후 같은 세기로 빨대를 입으로 불었다.

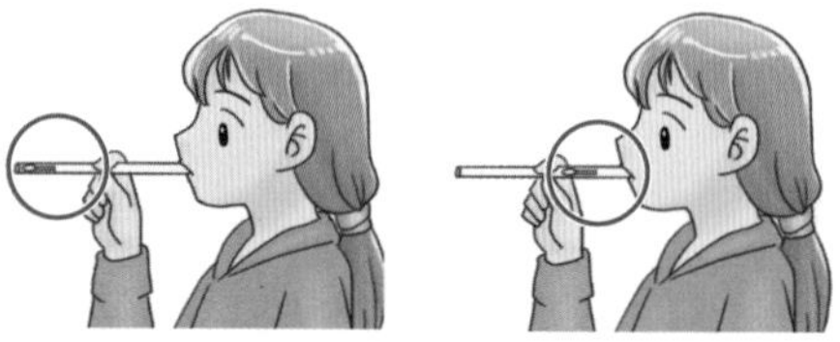

(가) 빨대 끝　　(나) 입 근처

이에 대한 설명으로 옳지 않은 것은?

① 두 면봉이 받는 충격량의 크기는 (가), (나)에서 같다.

② 면봉이 받는 평균 힘의 크기는 (가), (나)에서 같다.

③ (가), (나)로 대포의 포신이 긴 까닭을 설명할 수 있다.

④ 면봉이 힘을 받는 시간은 (나)에서가 (가)에서보다 크다.

⑤ 면봉이 빨대를 벗어날 때 속력은 (나)에서가 (가)에서보다 크다.

07 운동량에 대한 설명으로 옳은 것만을 | 보기 | 에서 있는 대로 고른 것은?

보기

ㄱ. 정지한 물체의 운동량은 0이다.

ㄴ. 운동량의 단위는 충격량의 단위와 같다.

ㄷ. 질량이 일정할 때 물체의 속력이 클수록 물체의 운동량의 크기가 크다.

① ㄱ ② ㄷ ③ ㄱ, ㄴ
④ ㄱ, ㄷ ⑤ ㄱ, ㄴ, ㄷ

B 운동량과 충격량의 관계

08 그림은 직선상에 정지한 질량이 2 kg인 물체에 작용하는 힘을 시간에 따라 나타낸 것이다.

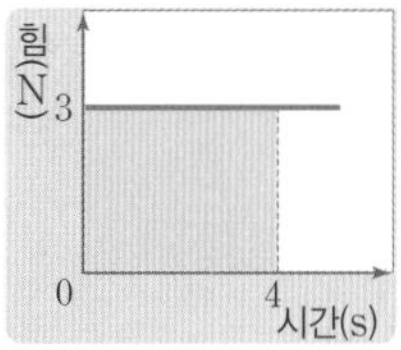

4초일 때 물체의 속력은? (단, 마찰은 무시한다.)

① 2 m/s ② 4 m/s ③ 6 m/s
④ 8 m/s ⑤ 12 m/s

09 그림은 질량 $2m$인 어른 A와 질량 m인 어린이 B가 마찰이 없는 수평면 위에 마주 서서 정지 상태에서 일정한 힘으로 미는 모습을 나타낸 것이다.

이에 대한 설명으로 옳은 것만을 | 보기 | 에서 있는 대로 고른 것은?

보기

ㄱ. A가 B에 작용하는 힘의 크기와 B가 A에 작용하는 힘의 크기는 같다.

ㄴ. 충격량의 크기는 B가 A의 2배이다.

ㄷ. A와 B의 손이 떨어진 순간 A와 B의 속력은 같다.

① ㄱ ② ㄴ ③ ㄱ, ㄴ
④ ㄱ, ㄷ ⑤ ㄴ, ㄷ

10 그림은 포수가 공을 손을 앞으로 내밀면서 받을 때와 손을 뒤로 빼면서 받을 때 손이 받는 힘을 시간에 따라 나타낸 것이다.

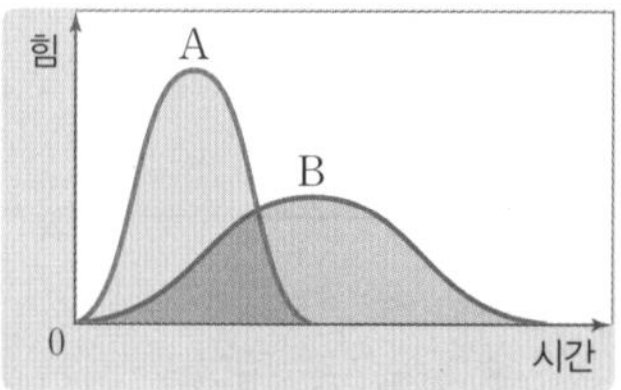

A, B 아래의 면적이 같다고 할 때 이에 대한 설명으로 옳지 않은 것은?

① 두 경우 충격량은 같다.
② 두 경우 운동량의 변화량은 같다.
③ 손을 앞으로 내밀면서 받은 경우는 A이다.
④ 평균 힘의 크기는 B가 A보다 크다.
⑤ 충돌 시간이 길어질수록 평균 힘의 크기는 작아진다.

C 충돌과 안전 대책

11 그림은 야구 선수가 운동량이 같은 공을 야구 장갑으로 받는 모습이다. (가)에서는 야구 장갑을 뒤로 빼면서, (나)에서는 야구 장갑을 움직이지 않은 채로 공을 받았다.

(가) (나)

공이 야구 장갑에 닿는 순간부터 정지할 때까지, 이에 대한 설명으로 옳은 것만을 | 보기 | 에서 있는 대로 고른 것은?

보기

ㄱ. 공이 야구 장갑으로부터 받는 충격량의 크기는 (가)에서가 (나)에서보다 크다.

ㄴ. 야구 장갑이 공으로부터 받는 평균 힘의 크기는 (가)에서가 (나)에서보다 크다.

ㄷ. 공의 운동량이 0이 되는 데 걸리는 시간은 (가)에서가 (나)에서보다 크다.

① ㄱ ② ㄷ ③ ㄱ, ㄴ
④ ㄱ, ㄷ ⑤ ㄴ, ㄷ

실력 올리기 문제

| 관성 |

01 그림과 같이 동전이 놓여 있는 종이를 컵 위에 놓고 손가락으로 종이만 튕기면 종이는 날아가고 동전은 컵 속으로 떨어진다. 이와 같은 원리로 설명할 수 있는 현상만을 | 보기 | 에서 있는 대로 고른 것은?

보기
ㄱ. 로켓이 가스를 내뿜으며 올라간다.
ㄴ. 달리기 선수가 받침대를 이용하여 출발한다.
ㄷ. 망치 자루를 바닥에 치면 머리 부분이 단단히 박힌다.

① ㄱ ② ㄷ ③ ㄱ, ㄴ
④ ㄱ, ㄷ ⑤ ㄴ, ㄷ

| 운동량과 충격량 | 출제예감

02 그림 (가)는 활시위를 당긴 활과 질량이 0.2 kg인 화살을, 그림 (나)는 활시위를 놓는 순간부터 활이 화살에 수평 방향으로 작용한 힘의 크기를 시간에 따라 나타낸 것이다.

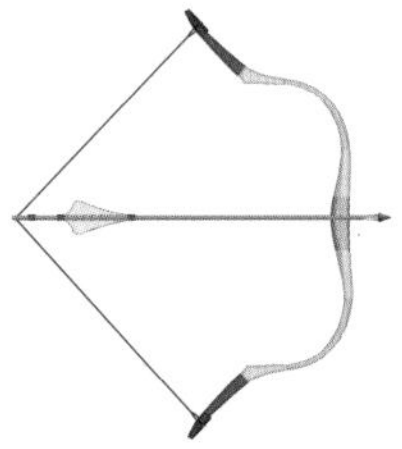

(가)

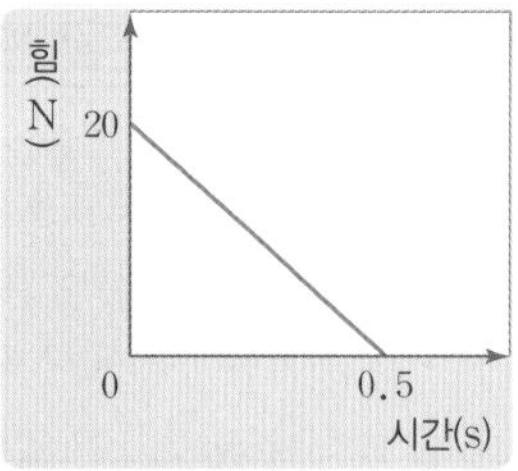

(나)

정지한 화살이 활시위를 떠나는 순간 화살의 속력은? (단, 활이 화살에 수평 방향으로 작용한 힘 이외의 힘은 무시한다.)

① 20 m/s ② 25 m/s ③ 30 m/s
④ 35 m/s ⑤ 40 m/s

| 운동량과 충격량 |

03 그림과 같이 마찰없는 수평인 얼음 위에서 질량이 각각 80 kg, 40 kg인 어른과 어린이가 줄을 잡고 정지해 있다.

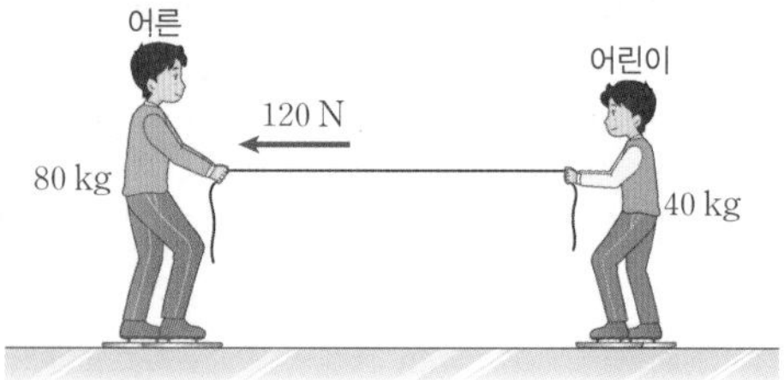

어른이 120 N의 일정한 힘으로 1초 동안 줄을 당길 때, 이에 대한 설명으로 옳은 것만을 | 보기 | 에서 있는 대로 고른 것은?

보기
ㄱ. 어른은 계속 정지해 있고, 어린이는 어른 쪽으로 끌려간다.
ㄴ. 어린이가 받는 충격량의 크기는 어른이 받는 충격량의 크기의 2배이다.
ㄷ. 1초 후 어린이의 속력은 3 m/s이다.

① ㄱ ② ㄴ ③ ㄷ
④ ㄱ, ㄷ ⑤ ㄴ, ㄷ

| 충돌 시간과 평균 힘 | 출제예감

04 그림 (가)는 같은 높이에서 떨어뜨린 달걀이 쟁반에 떨어졌을 때는 깨지지만 방석에 떨어졌을 때는 깨지지 않은 것을 나타낸 것이다. 그림 (나)는 두 경우에 달걀이 받은 힘을 시간에 따라 나타낸 것으로, A와 B의 그래프 아래 부분의 면적은 같다.

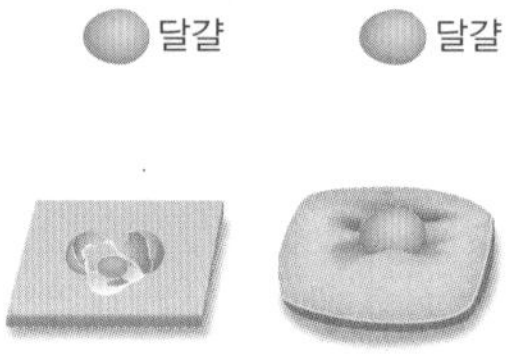

(가)

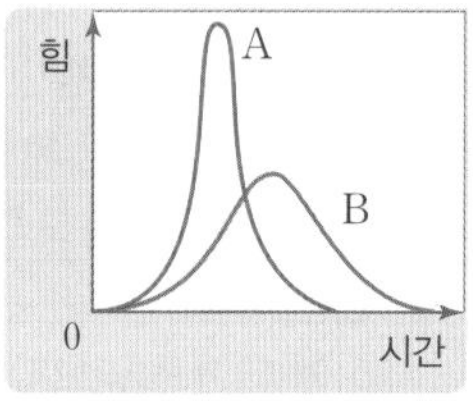

(나)

이에 대한 설명으로 옳은 것만을 | 보기 | 에서 있는 대로 고른 것은?

보기
ㄱ. B가 쟁반에 떨어진 달걀의 경우이다.
ㄴ. A, B에서 충격량의 크기는 같다.
ㄷ. A, B에서 평균 힘의 크기는 같다.

① ㄴ ② ㄷ ③ ㄱ, ㄴ
④ ㄱ, ㄷ ⑤ ㄴ, ㄷ

| 충격량과 평균 힘 |

05 그림 (가)는 마찰이 없는 수평면 위에서 질량이 1 kg인 수레가 완충 장치가 있는 벽을 향해 운동하다가 충돌하는 것을 나타낸 것이다. 그림 (나)는 수레가 충돌하는 순간부터 수레의 속도를 시간에 따라 나타낸 것이다. 수레는 충돌하는 동안 동일 직선상에서 운동한다.

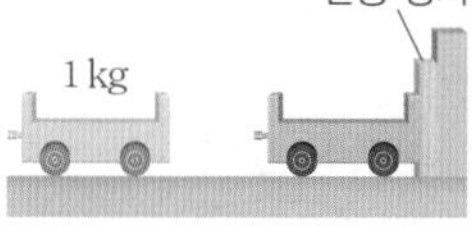

(가)

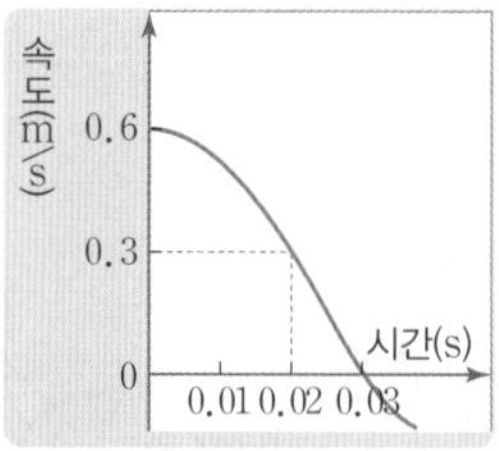

(나)

다른 조건은 그대로 하고 완충 장치가 없을 때 이에 대한 설명으로 옳은 것만을 | 보기 | 에서 있는 대로 고른 것은?

보기
ㄱ. 처음 속도가 0.6 m/s보다 커진다.
ㄴ. 수레가 멈출 때까지 받는 평균 힘의 크기가 커진다.
ㄷ. 속도가 0이 될 때까지 걸리는 시간이 0.03초보다 짧아진다.

① ㄱ ② ㄷ ③ ㄱ, ㄴ
④ ㄱ, ㄷ ⑤ ㄴ, ㄷ

| 충돌과 안전장치 |

06 그림은 충돌과 안전장치에 대해 세 학생이 대화하는 것을 나타낸 것이다.

제시한 내용이 옳은 학생만을 있는 대로 고른 것은?

① 철수 ② 영희 ③ 철수, 영희
④ 철수, 민수 ⑤ 영희, 민수

| 평균 힘 |

07 그림은 야구 선수가 야구 방망이로 야구공을 친 모습을 나타낸 것이다.

야구 방망이로 공을 칠 때 길게 끝까지 휘두르면 공이 멀리 날아가는 까닭을 충격량과 관련지어 서술하시오.

| 평균 힘 |

08 그림은 물풍선을 던지고 받는 모습을 나타낸 것이다.

물풍선을 받을 때 터뜨리지 않기 위한 방법을 평균 힘과 관련지어 서술하시오.

| 안전장치 |

09 그림은 번지 점프하는 모습을 나타낸 것이다.

번지 점프에서 고무줄 대신 강철 줄을 사용했을 때 발생할 수 있는 문제점을 서술하시오.

한번에 정리하는
대단원 마무리

정답과 해설 033쪽

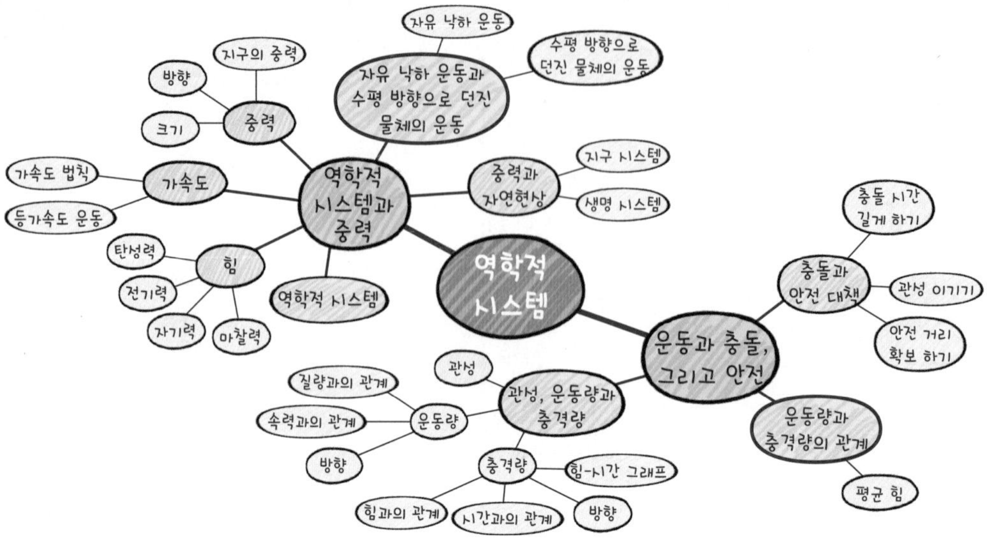

01 역학적 시스템과 중력

(1) 역학적 시스템: 힘이 작용하고 그에 따라 물체의 운동 상태나 모양이 변하는 체계

(2) ① ____ : 물체에 작용하여 모양이나 운동 상태를 변하게 하는 원인으로 단위는 N(뉴턴), $kg \cdot m/s^2$이다.

- 여러 가지 힘: 탄성력, 전기력, 자기력, 마찰력 등

(3) ② ____ : 물체에 힘이 작용하여 물체의 속도가 변할 때 단위 시간당 속도의 변화량

① **힘과 가속도의 관계**

- 같은 질량의 물체에 힘의 크기를 2배로 증가시키면 가속도의 크기는 ③ ____ 가 된다.
- 같은 크기의 힘이 작용할 때 물체의 질량이 2배로 증가하면 가속도의 크기는 ④ ____ 가 된다.

② ⑤ ____ : 물체에 일정한 크기와 방향으로 힘을 가했을 때, 속도의 변화가 일정한 운동을 한다.

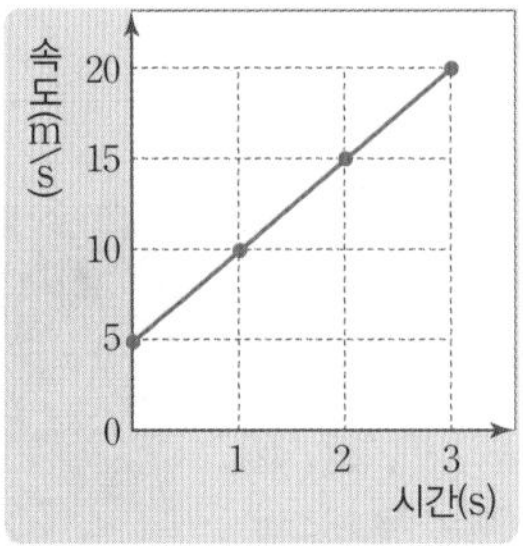

(4) 중력

① ⑥ ____ : 질량이 있는 모든 물체가 서로 끌어당기는 힘

② **중력의 크기와 방향**

- 크기: 서로 끌어당기는 두 물체의 질량이 클수록, 두 물체 사이의 거리가 가까울수록 중력의 크기가 커진다.
- 방향: 두 물체가 서로에게 작용하는 중력은 반대 방향이다.

③ **지구의 중력:** 지구가 질량이 있는 물체를 끌어당기는 힘으로 ⑦ ____ 라고 하며 방향은 ⑧ ____ 이다.

(5) 자유 낙하 운동과 수평 방향으로 던진 물체의 운동 비교

① **자유 낙하 운동:** 공기 저항을 무시할 때, 물체가 중력만 받아 낙하하는 운동으로 물체의 질량과 관계없이 단위 시간당 속도 변화량이 ⑨ ____ 로 같다.

② **수평으로 던진 물체의 운동:** 수평 방향으로는 속도의 변화가 없는 ⑩ ____ 을 하고, 연직 방향으로는 ⑪ ____ 로 등가속도 운동을 하는 자유 낙하 운동을 한다.

구분	수평 방향	연직 방향
힘	0	중력
속도	일정하다.	일정하게 증가한다.
가속도	0	중력 가속도
운동	등속 직선 운동	등가속도 운동

(6) 중력

① ⑫ ______ : 차가운 공기는 밀도가 커서 아래로 이동하고 따뜻한 공기는 밀도가 작아 위로 이동한다.

② ⑬ ______ : 중력에 의해 흐르는 물과 빙하는 오랜 기간에 걸쳐 지표를 변화시킨다.

③ **기상 현상:** 중력은 공기 중 수증기가 비나 눈의 형태로 지표로 떨어져 흐르도록 한다.

④ **달의 공전:** 달은 중력에 의해 지구에서 멀어지지 않고 지구 주변을 ⑭ ______ 한다.

⑤ **무거운 동물의 골격:** 육상에서 살아가는 무거운 동물은 강한 근육과 단단한 골격을 가지고 있다.

⑥ **기린의 심장:** 기린은 다른 동물에 비해 심장이 크고, 혈압이 높아 심장과 머리의 거리가 멀어도 중력을 이기고 혈액을 보낼 수 있다.

⑦ **전정 기관:** 전정 기관 안에 있는 ⑮ ______ 이 중력을 감지하여 몸의 평형을 유지한다.

⑧ **세포벽:** 식물의 세포벽은 중력에 의한 세포의 무게를 지탱한다.

⑨ **뿌리와 줄기:** 식물은 중력 방향으로 뿌리를 내리고 반대 방향으로 줄기를 뻗는다.

⑩ **민들레 씨의 깃털:** 민들레 씨는 깃털 구조를 가지고 있어 중력을 받아도 멀리 퍼져나갈 수 있다.

02 운동과 충돌, 그리고 안전

(1) 운동량과 충격량

① ⑯ ______ : 물체가 운동 상태를 유지하려는 성질

- 관성의 크기는 질량에 비례: 질량이 큰 물체일수록 갑자기 움직이거나 멈추기 위해 큰 힘이 필요하다.
- 관성 때문에 갑자기 출발하는 버스에서는 몸이 뒤로 쏠리고, 갑자기 멈추는 버스에서는 몸이 앞으로 쏠린다.

- 종이 위에 얹힌 동전에도 관성이 작용한다.

② ⑰ ______ : 운동하는 물체가 가지는 운동의 정도를 나타낸 물리량으로 물체의 질량이 클수록, 물체의 속도가 빠를수록 크다.

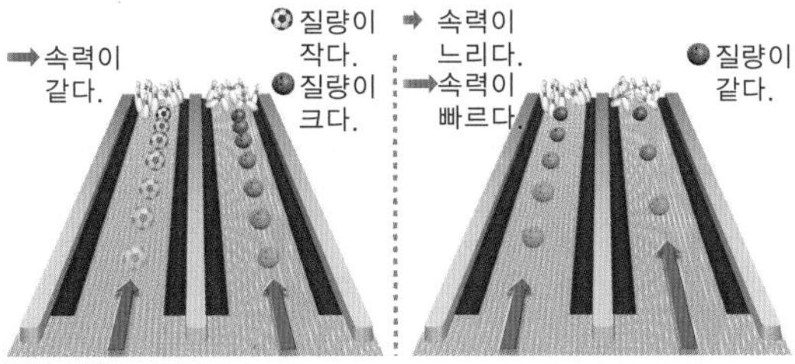

③ ⑱ ______

- 물체에 힘이 작용할 때 물체가 받는 충격의 정도로 물체에 작용하는 힘의 크기가 클수록, 힘이 작용하는 시간이 길수록 크다.
- 힘–시간 그래프에서 그래프 아래의 면적은 충격량을 의미한다.

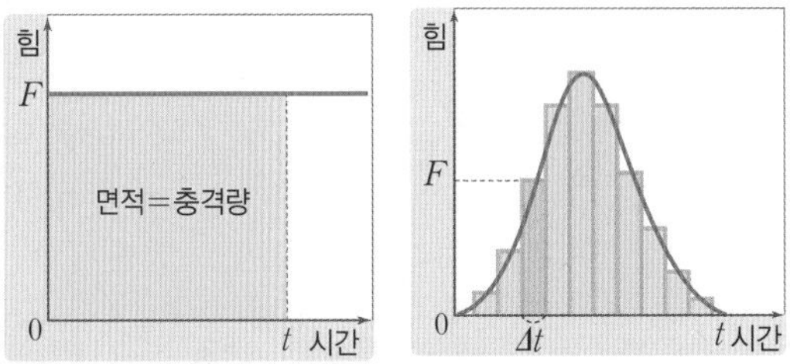

(2) 운동량과 충격량의 관계

① **운동량과 충격량의 관계**

- 충격량은 운동량의 변화량과 같고, 충격량의 방향은 운동량 변화량의 방향과 같다.

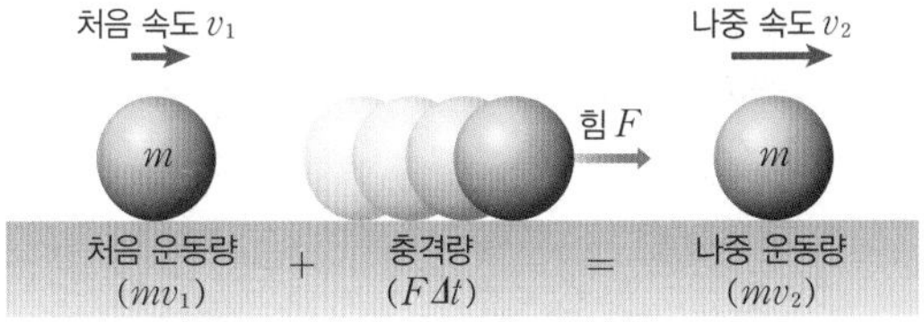

- 같은 크기의 힘이 작용할 때 힘이 작용하는 시간이 길어지면 충격량이 크므로, 운동량의 변화량도 커진다.

② **충격량이 같을 때 물체에 작용하는 힘**

- ⑲ ______ : 물체에 충격이 가해질 때 작용하는 힘의 평균값
- 충격량이 같을 때 충돌 시간이 길어질수록 물체에 작용하는 평균 힘이 작아진다.

  예 포수가 손을 뒤로 빼면서 공을 받을 때가 손을 앞으로 내밀면서 받을 때보다 평균 힘이 작다.

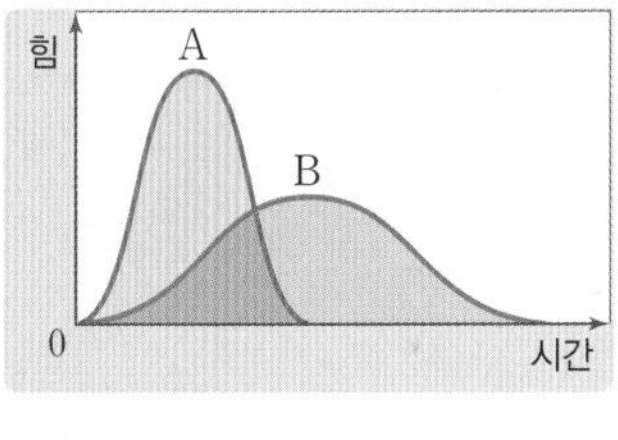

충격량 (그래프 아래의 면적)	A=B
힘을 받는 시간	A<B
평균 힘	A>B

③ **충돌과 안전 대책**

- 충돌 시간을 ⑳ ______ 하여 받는 힘을 줄이기

  예 에어백, 헤드기어, 모서리 보호대 등
- 관성 이기기 예 안전벨트
- 안전거리 확보하기 예 안전거리 확보 표지판

한번에 끝내는 대단원 마무리

정답과 해설 033쪽

01 다음은 가속도의 법칙에 대한 실험이다.

[실험 과정]

① 시간기록계를 작동시킨 후 2 N의 일정한 힘으로 수레를 수평으로 잡아당긴다.

② 힘을 4 N, 6 N, 8 N으로 하여 과정 ①을 반복한다.

③ 수레에 수레와 같은 질량의 추를 1개, 2개, 3개씩 올려놓고 과정 ①을 반복한다.

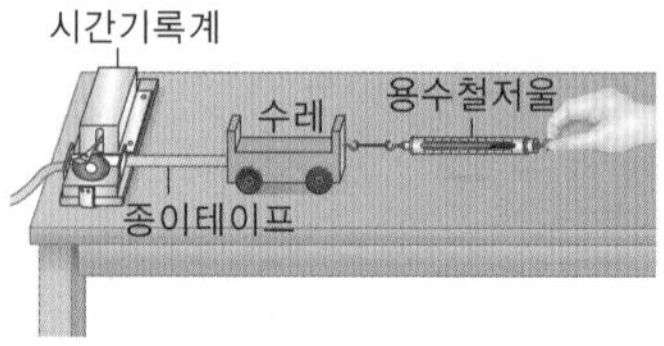

[실험 결과]

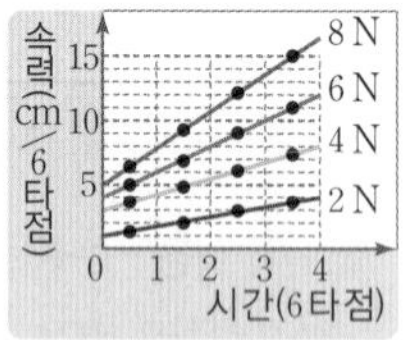

질량이 일정할 때

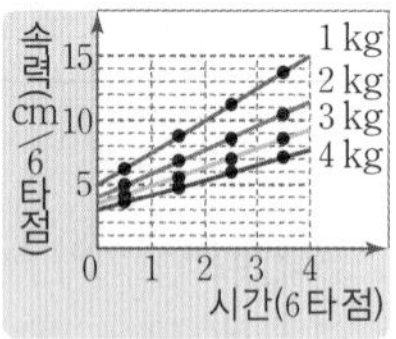

힘이 일정할 때

이에 대한 설명으로 옳은 것만을 |보기| 에서 있는 대로 고른 것은?

보기
ㄱ. 두 그래프에서 기울기는 가속도를 의미한다.
ㄴ. 질량이 일정할 때 그래프는 힘의 크기가 가속도의 크기에 비례함을 보여준다.
ㄷ. 힘이 일정할 때 질량이 2배 증가하면 가속도도 2배 증가한다.

① ㄱ ② ㄷ ③ ㄱ, ㄴ
④ ㄱ, ㄷ ⑤ ㄴ, ㄷ

02 그림은 직선상에서 정지한 상태에서 출발하여 등가속도 운동 하는 장난감 자동차를 0.2초 간격으로 찍은 것이다.

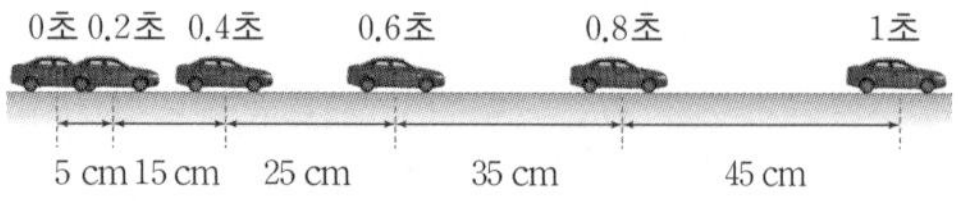

1초일 때 장난감 자동차의 속력은?

① 2 m/s ② 2.5 m/s ③ 3 m/s
④ 3.5 m/s ⑤ 4 m/s

고난도

03 그림은 직선상에서 운동하는 물체의 속도를 시간에 따라 나타낸 것이다. 이에 대한 설명으로 옳은 것만을 |보기| 에서 있는 대로 고른 것은?

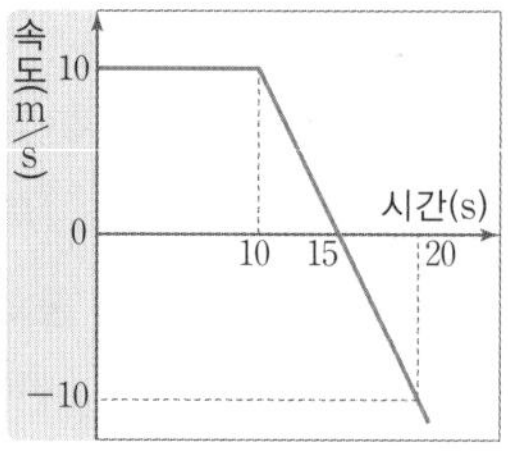

보기
ㄱ. 0초~10초 동안 물체는 등속도 운동을 한다.
ㄴ. 15초일 때 물체에 작용하는 힘의 크기는 0이다.
ㄷ. 15초~20초 동안 물체에 작용하는 힘의 크기는 변하지 않는다.

① ㄱ ② ㄴ ③ ㄱ, ㄴ
④ ㄱ, ㄷ ⑤ ㄱ, ㄴ, ㄷ

04 그림은 우리 몸의 혈액이 한 방향으로 순환하도록 하는 판막을 나타낸 것이다. 심장 아래 정맥에 있는 판막은 중력을 이기고 심장까지 혈액이 도달할 수 있도록 한다.

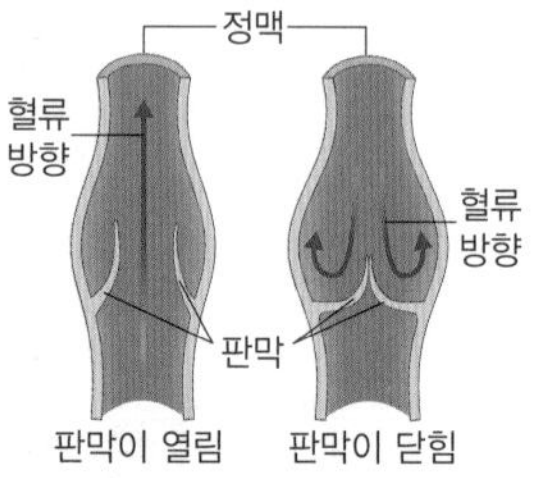

판막과 같이 중력이 생명 시스템에 미치는 영향으로 옳은 것만을 |보기| 에서 있는 대로 고른 것은?

보기
ㄱ. 포유류는 몸이 큰 동물일수록 혈압이 높다.
ㄴ. 민들레 씨는 깃털 구조에 의해 중력을 받아 근처에서만 번식한다.
ㄷ. 중력에 의해 흐르는 물과 빙하는 오랜 기간에 걸쳐 지표를 변화시킨다.

① ㄱ ② ㄷ ③ ㄱ, ㄴ
④ ㄱ, ㄷ ⑤ ㄴ, ㄷ

고난도

05 그림은 일정한 높이에서 물체 A는 자유 낙하 시키고, 동시에 물체 B는 수평 방향으로 던졌을 때 두 물체의 운동을 찍은 다중 섬광 사진을 나타낸 것이다.

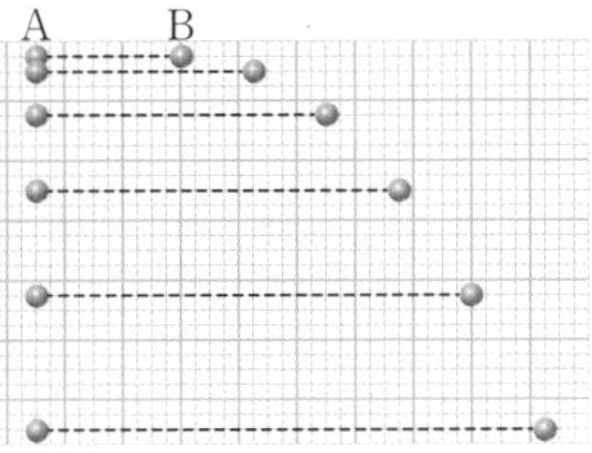

이에 대한 설명으로 옳은 것만을 |보기| 에서 있는 대로 고른 것은? (단, 공기 저항은 무시한다.)

> 보기
> ㄱ. A와 B의 가속도 크기는 같다.
> ㄴ. 더 높은 곳에서 실험하면 A가 바닥에 도달하는 시간과 B가 바닥에 도달하는 시간의 차이가 커진다.
> ㄷ. A가 B를 보면 등속도 운동 하는 것처럼 보인다.

① ㄱ ② ㄷ ③ ㄱ, ㄴ
④ ㄱ, ㄷ ⑤ ㄴ, ㄷ

06 경사각이 45°인 경사면 위에서 공을 떨어뜨린 뒤 공의 운동 모습으로 가장 적절한 것은?

①
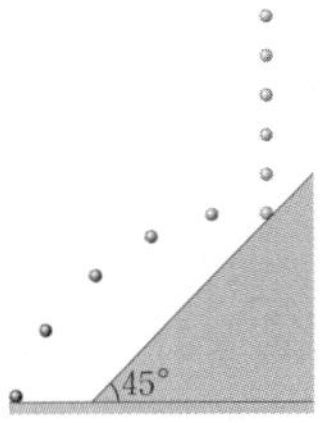

②
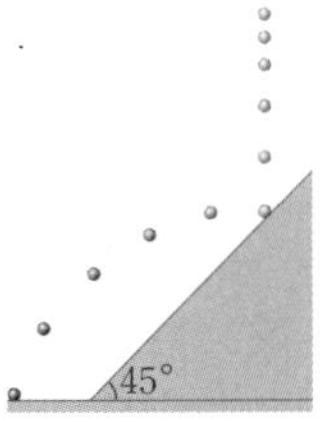

③
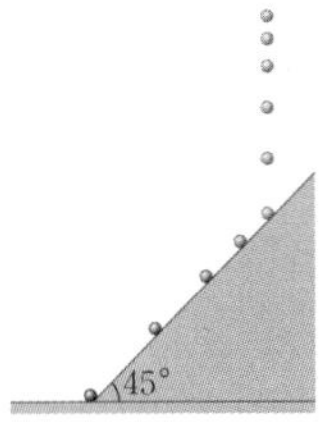

④
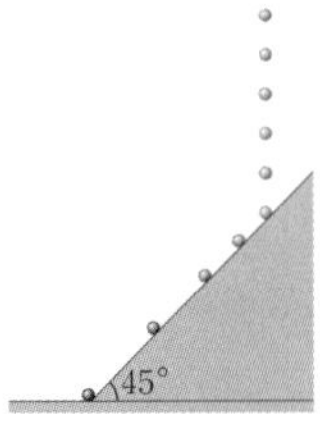

⑤
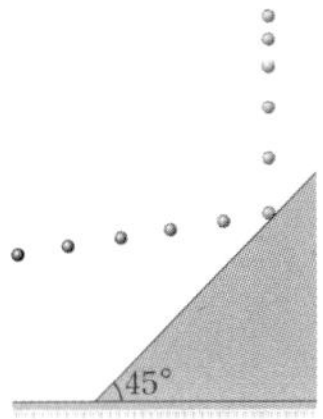

07 관성에 대한 설명으로 옳지 않은 것은?

① 달려가던 사람이 돌부리에 걸려 넘어지는 것은 관성 때문이다.
② 자동차에서 관성에 의한 사고를 방지하기 위해 안전띠를 꼭 착용해야 한다.
③ 질량이 큰 화물선은 질량이 작은 예인선보다 갑자기 움직이거나 멈추기 힘들다.
④ 버스가 갑자기 출발할 때와 종이 위에 얹힌 동전에는 같은 종류의 관성이 작용한다.
⑤ 속력이 같을 때 축구공보다 볼링공이 더 많은 볼링핀을 쓰러뜨리는 것은 관성과 관련이 있다.

08 그림은 철수가 철봉에 매달려 가만히 정지해 있는 것을 나타낸 것이다. 이에 대한 설명으로 옳은 것만을 |보기| 에서 있는 대로 고른 것은?

> 보기
> ㄱ. 철수의 가속도는 0이다.
> ㄴ. 철수가 철봉을 당기는 힘의 크기는 철봉이 철수를 당기는 힘의 크기보다 작다.
> ㄷ. 철수가 손을 놓으면 철수는 중력을 받아 아래로 떨어진다.

① ㄱ ② ㄴ ③ ㄷ
④ ㄱ, ㄴ ⑤ ㄱ, ㄷ

09 그림 (가)는 마찰이 없는 수평면에 정지해 있던 질량이 2 kg인 물체에 일정한 힘 F를 수평 방향으로 작용하는 것을, (나)는 물체의 운동량을 시간에 따라 나타낸 것이다.

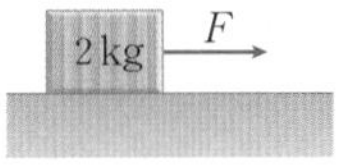

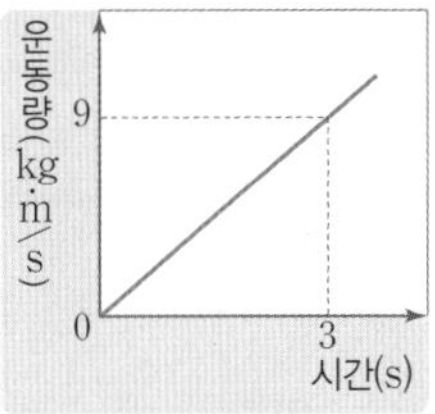

F의 크기는?

① 2 N ② 3 N ③ 4 N
④ 4.5 N ⑤ 9 N

10 그림 (가), (나)는 서로 다른 상황에서 공으로 볼링핀을 쓰러뜨리는 것을 나타낸 것이다.

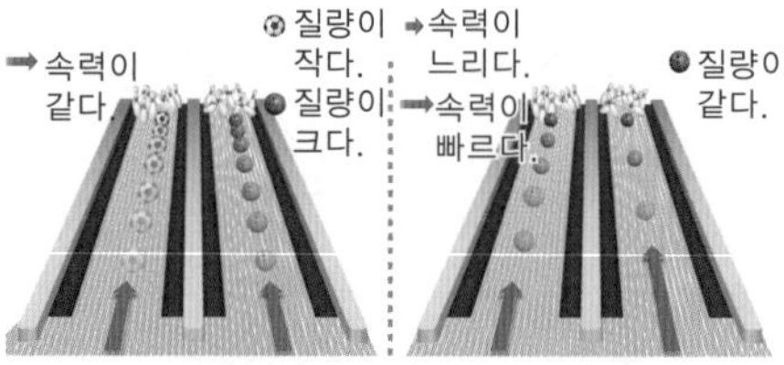

(가) (나)

(가), (나)에서 알 수 있는 관계로 옳은 것은?

	질량과 운동량의 관계	속력과 운동량의 관계
①	비례	비례
②	비례	상관없다
③	상관없다	비례
④	비례	반비례
⑤	반비례	비례

11 그림 (가)는 동일한 인형과 자동차 A, B를 이용한 충돌 실험을 나타낸 것이다. 자동차가 벽에 충돌하는 순간 A, B의 속도는 같고, A에서는 에어백이 작동하였으나, B에서는 작동하지 않았다. 그림 (나)는 두 인형이 충돌 순간부터 정지할 때까지 받는 힘을 시간에 따라 나타낸 것이다.

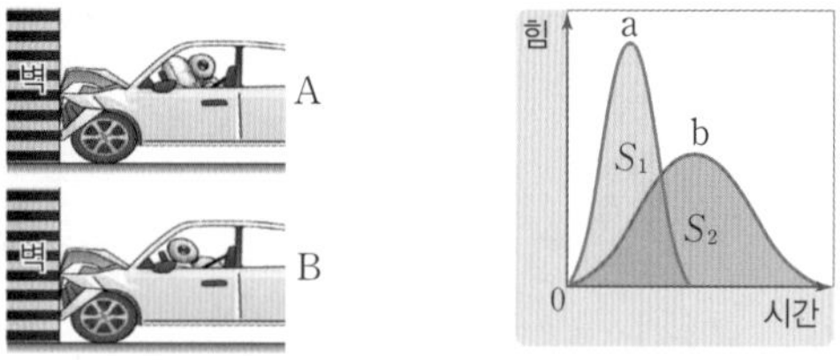

(가) (나)

충돌 순간부터 정지할 때까지 이에 대한 설명으로 옳은 것만을 |보기|에서 있는 대로 고른 것은? (단, 그래프 a, b 아래의 넓이 S_1, S_2는 서로 같다.)

보기
ㄱ. A에서 인형이 받는 힘을 나타낸 그래프는 a이다.
ㄴ. 두 인형의 운동량 변화량의 크기는 같다.
ㄷ. 인형이 받는 평균 힘은 A에서가 B에서보다 작다.

① ㄴ ② ㄷ ③ ㄱ, ㄴ
④ ㄱ, ㄷ ⑤ ㄴ, ㄷ

12 그림은 물체에 작용하는 힘에 대해 세 학생이 대화하는 것을 나타낸 것이다.

제시한 내용이 옳은 학생만을 있는 대로 고른 것은?

① 철수 ② 민수 ③ 철수, 영희
④ 철수, 민수 ⑤ 영희, 민수

통합 문제

13 다음은 물체가 충돌할 때 나타나는 효과를 알아보기 위한 실험이다.

[실험 과정]
① 나무판 위에 찰흙을 깔고 질량이 큰 쇠구슬과 질량이 작은 쇠구슬을 같은 높이에서 떨어뜨려 찰흙이 변형된 정도를 관찰한다.
② 두 쇠구슬을 떨어뜨리는 높이를 다르게 하여 찰흙이 변형된 정도를 관찰한다.

[실험 결과]
① 쇠구슬의 질량이 클수록 찰흙이 더 많이 변형되었다.
② 쇠구슬의 속도가 빠를수록 찰흙이 더 많이 변형되었다.

이에 대한 설명으로 옳은 것만을 |보기|에서 있는 대로 고른 것은?

보기
ㄱ. 찰흙이 변형된 정도는 충격량의 크기를 나타낸다.
ㄴ. 과정 ①에서 질량이 큰 쇠구슬은 질량이 작은 쇠구슬보다 운동량이 크다.
ㄷ. 이 실험을 통해 충돌하는 데 걸리는 시간을 늘리면 평균 힘이 줄어드는 것을 알 수 있다.

① ㄱ ② ㄷ ③ ㄱ, ㄴ
④ ㄱ, ㄷ ⑤ ㄱ, ㄴ, ㄷ

14 그림은 질량 m인 물체에 일정한 힘 F가 작용하는 것을 나타낸 것이다.

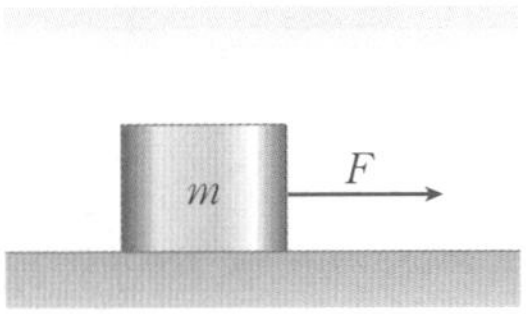

물체의 가속도 크기를 구하고, 가속도 크기를 2배로 증가시키는 방법을 2가지 서술하시오.

15 질량이 큰 물체에 작용하는 중력이 크지만 진공에서 질량이 다른 두 물체를 같은 높이에서 낙하시키면 동시에 바닥에 도달하는 까닭을 서술하시오.

16 그림은 빈 카트와 물건이 가득 든 카트를 미는 모습을 나타낸 것이다.

빈 카트보다 물건이 가득 든 카트를 움직이게 하거나 멈추게 하는 데 더 큰 힘이 필요한 까닭을 서술하시오.

17 다음은 안전띠 착용을 의무화한 법률 내용의 일부이다.

> 제 50조 1항(특정 운전자의 준수 사항)
> 자동차(이륜자동차는 제외한다)의 운전자는 자동차를 운전할 때 좌석 안전띠를 매어야 하며, 모든 좌석의 동승자에게도 좌석 안전띠를 매도록 하여야 한다.

교통사고 발생 시 안전띠의 역할에 대해 관성과 관련지어 서술하시오.

18 그림은 대포를 나타낸 것이다. 대포의 포신을 길게 하면 포탄이 멀리 날아가는 까닭을 서술하시오.

19 그림은 뜀틀 선수가 착지하는 모습을 나타낸 것이다.

뜀틀 선수가 다리를 구부리지 않고 착지할 때와 다리를 구부리며 착지할 때의 차이를 서술하시오.

Ⅳ

지구 시스템

※ **나의 학습 일정표** : 스스로 계획하고 실천하면 실력이 올라갑니다.

단원명	내용 정리	알쉬탐 / 알쉬특	개념+기본 문제	실력 올리기 문제	대단원 마무리 + 문제
01 지구 시스템의 구성과 상호 작용					
02 지구 시스템의 물질과 에너지 순환					
03 지구 시스템과 지권의 변화					

* 내용을 공부하기 전에 용어집을 읽어 보면 공부가 쉬워져요!!

배울 내용 미리보기

지구 시스템은 무엇으로 구성되어 있을까? 지구 시스템을 구성하는 요소들과 지구 시스템의 성층 구조를 파악하고, 지구 시스템의 상호 작용이 생명체의 유지와 번성에 어떻게 기여하고 있는지 알아보자.

용어집 18쪽

01 지구 시스템의 구성과 상호 작용

- **A** 지구 시스템의 구성 #지구 시스템 #지권 #기권 #수권 #생물권 #외권 #층상 구조
- **B** 지구 시스템의 상호 작용 #각 권 사이의 상호 작용
- **C** 지구 시스템과 생명의 유지 #상호 작용 #생물권에 영향

용어집 20쪽

02 지구 시스템의 물질과 에너지 순환

- **A** 지구 시스템의 에너지원 #태양 에너지 #지구 내부 에너지 #조력 에너지
- **B** 물질과 에너지의 순환 #물의 순환 #탄소의 순환

지구 시스템의 상호 작용으로 물질과 에너지가 이동해. 지구 시스템에 영향을 주는 에너지원에는 무엇이 있을까? 물이나 탄소와 같은 물질이 지구 시스템을 어떻게 순환하는지 공부해 보자.

용어집 20쪽

03 지구 시스템과 지권의 변화

- **A** 지각 변동과 판의 경계 #변동대 #지진대 #화산대 #판 구조론 #발산형 경계 #보존형 경계 #수렴형 경계 #해령 #변환 단층 #해구 #습곡 산맥
- **B** 지진과 화산 활동의 영향 #지진 #화산 활동

우리가 사는 지표면은 지진, 화산 등 지각 변동이 일어나며 끊임없이 변하고 있어. 판 경계의 종류와 각 경계에서 일어나는 지각 변동에 관해 공부하게 된 거야. 그리고 지진과 화산 활동이 우리에게 어떤 영향을 주는지도 알 수 있어.

01 지구 시스템의 구성과 상호 작용

개념 이해 지구 시스템, 지권, 기권, 수권, 생물권, 외권, 상호 작용

A 지구 시스템의 구성

한·줄·핵심 지구 시스템의 구성 요소는 지권, 기권, 수권, 생물권, 외권이야.

1. 태양계와 지구 시스템

(1) 태양계•

① 중심에 위치한 태양과 그 주위를 공전하는 8개의 행성, 행성 주위를 공전하는 위성, 소행성, 혜성, 왜소 행성, 유성 등의 천체로 구성된 역학적 시스템

② 태양계 성운의 중력 수축으로 태양이 만들어지고, 태양을 중심으로 태양계를 이루는 여러 천체들이 만들어져 형성

(2) **지구 시스템** 지구를 구성하는 여러 요소가 서로 상호 작용을 하며 이루어진 시스템•

2. 지구 시스템의 구성 요소 지권, 기권, 수권은 층상 구조를 이루고 있다.

(1) 지권

① 영역: 고체 지구를 이루는 지표와 지구 내부로, 지표면부터 그 아래의 지구 내부의 깊이 약 6400 km의 영역

② 특징

- 생명체가 살아가는 터전을 제공한다.
- 수륙 분포 변화, 화산 활동 등은 환경 변화에 영향을 준다.

③ 지권의 층상 구조 밀도와 상태에 따라 구분한다.

지각	• 주로 가벼운 원소인 산소와 규소로 구성 • 해양 지각❶과 대륙 지각❷으로 구분
맨틀	• 지권 전체 부피의 약 80 %를 차지 • 맨틀 대류가 대륙 이동의 원동력
외핵	• 철과 니켈로 구성 • 액체 상태 → 지구 자기장 형성
내핵	• 철과 니켈로 구성 • 고체 상태

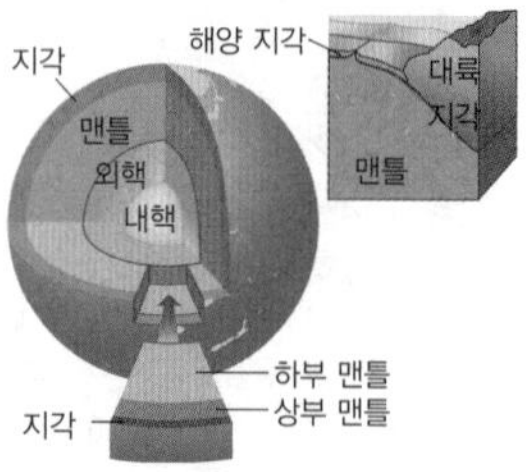

(2) 기권

① 영역: 지구를 둘러싸고 있는 대기이며, 지표부터 높이 약 1000 km의 영역

② 특징

- 질소, 산소, 아르곤, 이산화 탄소, 수증기 등으로 구성
- 온실 효과, 열에너지 운송, 외권으로부터 들어오는 유성체를 대부분 막아준다.

③ 기권의 층상 구조 높이에 따른 기온 변화로 구분한다.

열권	• 올라갈수록 기온이 급격히 높아지는 층(안정한 층) • 공기가 희박하여 일교차가 크다. • 오로라❸가 나타나기도 한다.
중간권	• 올라갈수록 기온이 낮아지는 층(불안정한 층) • 대류는 일어나지만 기상 현상은 일어나지 않는다.
성층권	• 올라갈수록 기온이 높아지는 층(안정한 층) • 오존층이 있어 유해한 자외선을 차단한다.
대류권	• 올라갈수록 기온이 낮아지는 층(불안정한 층) • 구름, 비, 바람 등의 기상 현상이 일어난다. • 전체 공기의 약 75 % 분포

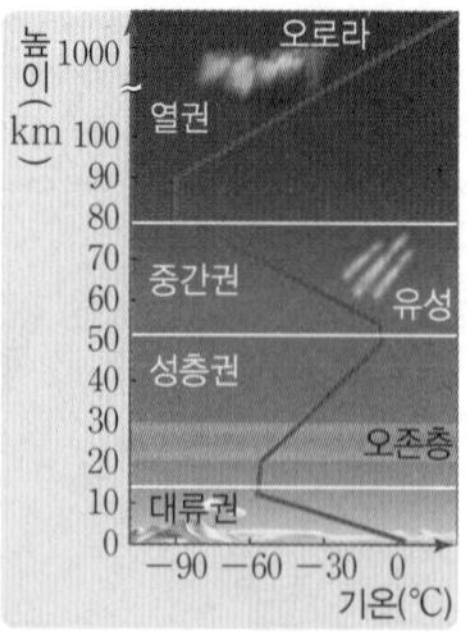

❶ 해양 지각
- 현무암질 암석으로 이루어져 있다.
- 평균 두께는 약 10 km이다.

❷ 대륙 지각
- 화강암질 암석으로 이루어져 있다.
- 평균 두께는 약 35 km이다.

❸ 오로라
태양에서 방출된 전하를 띤 입자의 일부가 지구 자기장에 이끌려 대기로 들어오면서 공기와 반응해 빛을 내는 현상이다.

• 태양계(크다 太 볕 陽 매다 系) 태양과 태양의 중력에 의해 태양 주위를 도는 천체들의 모임으로 지구와 같은 행성, 위성, 소행성, 혜성, 유성 등으로 구성

• 시스템(system) 여러 개의 고유한 기능을 갖고 있는 독립된 구성 요소가 유기적으로 결합하여 상호 작용을 하며 기능을 수행하는 집합체

(3) 수권

① 영역: 기권의 수증기를 제외한 지구에 분포하는 물

② 특징

- 바다, 강, 호수, 빙하, 지하수를 포함하며 거의 대부분이 해수이다.
- 생명체의 발생과 번성, 지구 시스템의 물질과 에너지 순환에 중요한 역할을 한다.

③ 해수의 층상 구조 깊이에 따른 온도 변화로 구분한다.

혼합층	바람에 의한 혼합 작용으로 수심에 따른 수온 변화가 거의 없다.
수온 약층	수심이 깊어질수록 수온이 낮아지며 해수의 연직 순환이 일어나지 않는다.(안정한 층)
심해층	빛이 닿지 않는 깊은 바다이며 연중 수온 변화가 거의 없다.

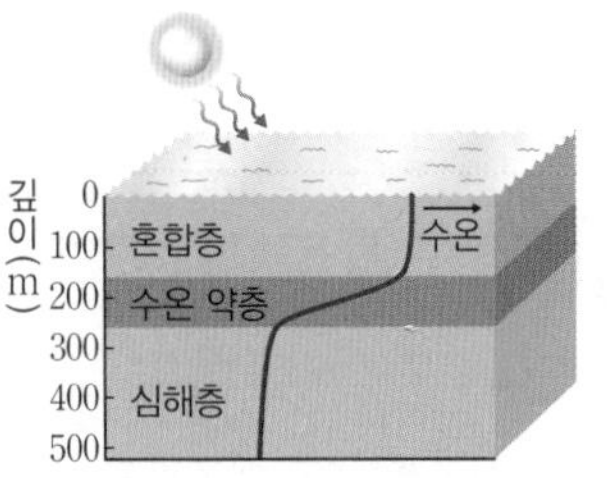

(4) **생물권**[4] 지구상에 존재하는 모든 생물 또는 생물이 사는 영역

(5) **외권** 기권 밖 약 1000 km 이상의 우주 공간이며, 지구 자기장은 유해한 우주선으로부터 생명체를 보호한다.

B 지구 시스템의 상호 작용

한·줄·핵심 지구 시스템의 구성 요소는 서로 영향을 주고받아!

1. 지구 시스템을 구성하는 요소의 상호 작용

(1) 지구 시스템을 이루는 각 권은 유기적으로 서로 영향을 주고받는다. 한 요소의 변화는 다른 요소에도 영향을 준다.

(2) 지구 시스템의 구성 요소가 상호 작용을 할 때 지구 시스템 내에서 물질과 에너지 순환이 일어난다.

(3) 지구에서 일어나는 자연 현상은 지구 시스템의 각 권 사이에서 일어나는 상호 작용으로 설명할 수 있다.

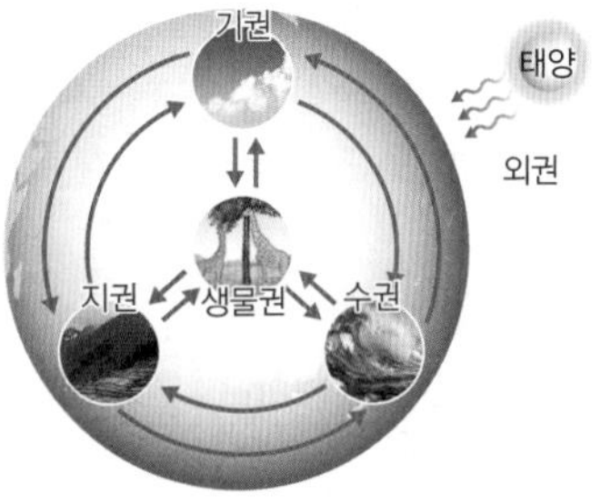

지구 시스템 구성 요소의 상호 작용

2. 지구 시스템에서 상호 작용의 예 알쉬탐

(1) 각 권 사이의 상호 작용

A. 기권 – 지권	• 화산 폭발로 인한 화산재의 분출 • 바람에 의한 풍화·침식
B. 지권 – 수권	• 지진 해일 발생, 석회 동굴 형성 • 하천의 흐름에 의한 지형의 변화
C. 기권 – 수권	• 폭풍에 의한 해일 발생, 태풍의 발생
D. 생물권 – 기권	• 동물의 호흡, 식물의 광합성
E. 생물권 – 지권	• 식물 뿌리에 의한 암석의 풍화 • 대륙의 이동(생물의 서식처 변화)
F. 생물권 – 수권	• 녹조류에 의한 하천의 녹조 현상 • 물고기의 물에서의 배설

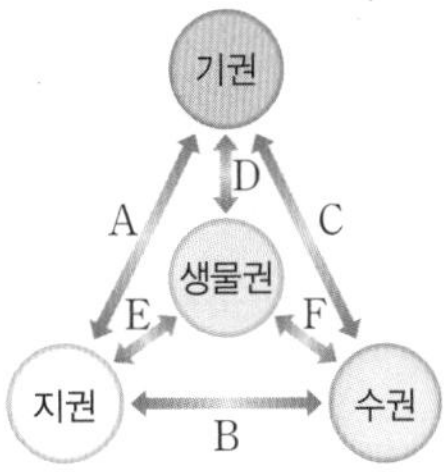

4 생물권
- 생물권은 지권, 기권, 수권에 분포한다.
- 생물 그 자체도 생물권이다.

#보충!
해양 생물의 분포
대부분의 해양 생물은 빛이 들어오는 수심 200 m 이내에서 살아간다.

#보충!
외권의 상호 작용
- 오로라, 유성(외권 → 기권)
- 지구 자기장 형성(지권 → 외권)

●빙하(얼음 氷, 물 河) 오랜 시간 동안 쌓인 눈으로 만들어진 얼음이 중력에 의해 천천히 흘러 내리는 것

●녹조(푸를 綠, 마름 藻) 영양 염류가 늘어난 호수, 늪지나 하천에서 녹조류와 남조류가 크게 증가하여 물빛이 녹색이 되는 현상

정답과 해설 036쪽

간단 점검

1. 지표면부터 그 아래의 지구 내부 영역이며 생명체가 살아가는 터전을 제공하는 지구 구성 요소는?
2. 기권 중 지표와 가장 가까운 곳에 위치한 층은?
3. 수권 중 가장 많은 양을 차지하는 것은?
4. 태풍은 지구 시스템의 어느 영역의 상호 작용인가?

(2) 각 권 내의 상호 작용의 예

제주도, 하와이

① 지권: 판의 운동, 지진으로 일어난 산사태, 화산 활동으로 만들어진 섬

② 기권: 기단의 상호 작용

③ 수권: 해수의 혼합, 심층수와 표층수의 순환

④ 생물권: 먹이 사슬

C 지구 시스템과 생명의 유지

한·줄·핵심 지구 시스템의 구성 요소는 생명의 유지와 번성에 기여하고 있어.

1. 지권

(1) 액체인 외핵의 대류로 지구에 자기장이 형성된다.

(2) 지권은 생물에게 중요한 삶의 터전이 된다.

(3) 맨틀 대류로 판이 이동한다. 이는 연결되어 있던 서식지를 분리시켜 서로 다른 생물로 진화하게 하고, 다양한 환경에 적응한 생물을 출현시켜 생물 다양성에 기여한다.

2. 기권

(1) 지구 외부에서 지구로 들어오는 유성체 중 대부분을 태워 지표면에 도달하지 않도록 한다.

(2) 호흡에 필요한 산소와 광합성에 필요한 이산화 탄소를 공급한다.

(3) 오존층❺은 자외선을 차단해 생명체를 보호한다.

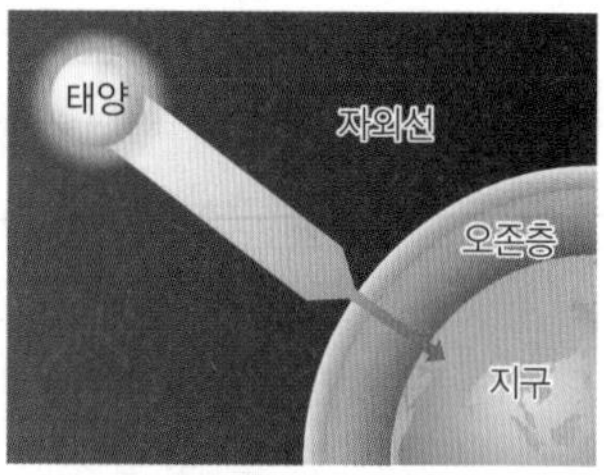

오존층의 자외선 차단

3. 수권

생물이 안정적으로 살아갈 수 있도록 도와준다.

(1) 지구 표면의 약 70 %를 차지하는 바다는 지구의 온도가 크게 변하지 않도록 한다.

(2) 생명체를 구성하는 물질 중 가장 많은 양을 차지하며, 생명체의 체온이 큰 변화를 일으키지 않도록 돕는다.

(3) 물에는 여러 물질이 잘 녹아 생명체가 영양분을 공급받을 수 있다.

(4) 추워질 때 표면부터 얼어 수면 아래의 생명체가 살아갈 수 있다.

지구는 생명 가능 지대에 위치

4. 외권

(1) **적당한 거리** 현재 태양에서 지구까지의 거리에 비해 거리가 지나치게 가깝거나 멀었다면 지구에는 물이 수증기로 존재했거나 얼음으로 존재했을 것이다.

(2) **지구 자기장** 지구 자기장은 생물에게 해로운 우주선이나 태양풍을 차단한다.

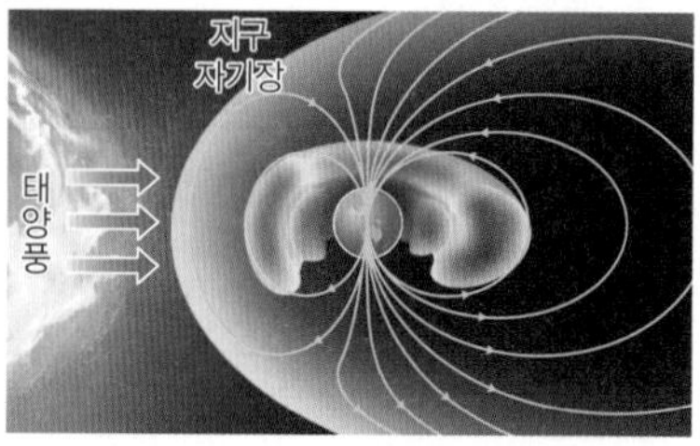

지구 자기장

#보충!

비열

어떤 물질 1 g의 온도를 1 ℃ 높이는 데 필요한 열량이다. 물은 비열이 가장 큰 물질이어서 외부의 온도 변화에도 온도가 크게 변화하지 않는다.

❺ 오존층

성층권에서 오존(O_3)의 밀도가 높은 구간으로 산소가 자외선을 흡수해 만들어졌으며 육상 생물이 출현하는 데 크게 기여하였다.

#보충!

생명 가능 지대

별로부터 액체 상태의 물이 존재할 수 있는 거리의 범위를 생명 가능 지대라 한다. 태양계에서 지구는 생명 가능 지대에 속한다.

●**유성체(흐르다 流, 별 星, 몸 體)**
우주 공간을 움직이는 소행성보다 작은 고체 상태의 천체

정답과 해설 036쪽

간단 점검

5. 지구 구성 요소 중 지구 표면에서 가장 넓은 면적을 차지하는 것은?

6. 기권에서 자외선을 차단해 생명체를 보호하는 것은?

7. 지구 구성 요소 중 지구에 들어오는 유성체를 태워 생명체를 보호하는 것은?

8. 지구 자기장을 형성하는 것과 관련 있는 지구 구성 요소는?

알아두면 시험이 쉬워지는 탐구

지구 시스템의 각 권이 생명 유지에 기여하는 원리

목표 지구 시스템의 각 권이 생명 유지에 기여하는 원리를 설명할 수 있다.

과정

1. 그림에 나타난 지구 시스템의 각 권역을 찾고 그림에 표시해 본다.

2. 그림에서 각 권이 생물권에 어떤 영향을 주는지 정리해 본다.

3. 2에서 정리한 내용을 바탕으로 지구 시스템의 각 권이 생명 유지에 기여하는 내용을 글로 써 본다.

유의점
그림에서 드러나있지 않은 부분(예 대기, 물 속의 생물) 등도 고려하여 표시한다.

유의점
각 교과서에서는 이 탐구의 내용 외에도 다음과 같은 주제를 다루고 있으므로 학습 시 참고하도록 한다.

금성	각 권의 균형이 깨졌을 때 생명체에 미치는 영향
동아	그림에서 생명체가 생명을 지속적으로 유지하기 위해 필요한 조건
미래엔	각 권에서 일어난 변화가 인간에게 주는 영향, 지구 시스템을 보전하지 못했을 때 다음 세대에 미치는 영향
천재	각 권이 생명체가 살아 가는 데 기여하는 원리 토론, 지구 시스템과 생명을 주제로 글쓰기

결과 및 해석

✓ 그림에 나타난 각 권이 생물권에 주는 영향

	지권	기권	수권	외권
육상 생물	• 서식처 제공 • 무기 염류 등 양분 제공	• 호흡을 위한 산소 제공 • 광합성을 위한 이산화 탄소 제공 • 서식처 제공	생존에 필요한 물 제공	온도 유지 및 광합성 등에 필요한 햇빛
수중 생물	양분과 산소, 이산화 탄소 등이 지권과 기권에서 수권으로 이동하고 이것을 생물이 사용한다.		• 생존에 필요한 물 제공 • 서식처 제공 • 물에 녹아 있는 양분, 무기 염류, 산소, 이산화 탄소 등 제공	온도 유지 및 광합성 등에 필요한 햇빛

✓ 각 권이 생물의 생명 유지에 기여하는 원리

생물은 각 권에서 서식처를 제공받아 살아간다. 물은 모든 생물의 생존에 필수적이다. 특히 물속에서 사는 생물은 지권과 기권에서 물로 녹아 들어간 염류와 산소, 이산화 탄소 등의 기체를 물에서 제공받는다.

기권의 산소와 이산화 탄소는 생물의 호흡과 광합성에 꼭 필요하다. 또한 외권의 태양에서 들어오는 햇빛은 온도를 유지시켜주고 식물이 광합성을 할 수 있도록 한다. 이처럼 지구 시스템의 모든 권은 지구에서 생물이 살아갈 수 있도록 하는 데 기여하고 있다.

한·줄·핵심 지구 시스템을 구성하는 각 권들의 상호 작용으로 지구에 생명체가 살아갈 수 있다.

확인 문제

정답과 해설 036쪽

1. 다음 설명 중 옳은 것은 ○, 옳지 않은 것은 ×로 표시하시오.

(1) 지권은 물속에 사는 생물에 영향을 주지 않는다. ( )

(2) 지구 시스템의 모든 권들은 생명 유지에 기여하고 있다. ( )

(3) 외권은 생물권의 유지에 기여하지 않는다. ( )

개념 + 기본 문제

개념 문제

A 지구 시스템의 구성

01 지구 시스템의 요소에 대한 설명과 요소를 옳게 연결하시오.

(1) 높이 1000 km 이상의 우주 공간 • • ㉠ 기권

(2) 바다, 강, 호수, 빙하, 지하수 등 • • ㉡ 외권

(3) 지구를 둘러싸고 있는 대기 • • ㉢ 수권

B 지구 시스템의 상호 작용

02 다음에서 설명하는 자연 현상과 관련 있는 지구 구성 요소를 쓰시오.

> 해식 동굴은 산지가 해안까지 연결되어 만들어진 절벽을 지속해서 파도가 쳐 약한 부분부터 깎아내어 만든 동굴이다.

C 지구 시스템과 생명의 유지

03 (　　) 안에 들어갈 알맞은 말을 쓰시오.

> 지구에 액체 상태의 물이 존재할 수 있는 것은 태양으로부터 적당한 (　　)에 위치하기 때문이다.

04 다음 설명 중 옳은 것은 ○, 옳지 않은 것은 ×로 표시하시오.

(1) 지구 외부에서 지구로 들어오는 유성체를 대부분 차단하는 것은 기권이다. (　　)

(2) 지구 자기장은 생물에게 해로운 자외선을 차단한다. (　　)

A 지구 시스템의 구성

05 다음 중 태양계와 관련된 설명으로 옳지 않은 것을 모두 고르면? (정답 2개)

① 소행성은 태양계에 속한다.
② 혜성은 대기 중에 존재한다.
③ 지구는 태양계 역학적 시스템의 영향을 받는다.
④ 태양계 성운의 중력 수축으로 태양이 생성되었다.
⑤ 지구는 태양으로부터 태양의 생명 가능 지대보다 먼 거리에 위치하고 있다.

06 다음 중 지구 시스템의 구성 요소에 대한 설명으로 옳은 것만을 |보기|에서 있는 대로 고른 것은?

> 보기
> ㄱ. 지권은 생명체가 살아가는 터전을 제공한다.
> ㄴ. 수권에서 가장 많은 양을 차지하는 것은 빙하이다.
> ㄷ. 생물권은 생물이 살아가는 영역을 말하며 지권과 수권에만 분포한다.

① ㄱ　② ㄴ　③ ㄷ　④ ㄱ, ㄴ　⑤ ㄴ, ㄷ

07 다음 중 지구 시스템의 층상 구조에 대한 설명으로 옳지 않은 것은?

① 기권에서 오존층은 중간권에 위치한다.
② 지권에서 가장 부피가 큰 것은 맨틀이다.
③ 기권에서 기상 현상이 발생하는 것은 대류권이다.
④ 수권에서 해수면에 가장 가까운 것은 혼합층이다.
⑤ 수온 약층은 수심이 깊어질수록 수온이 낮아진다.

08 다음 중 지구 시스템의 층상 구조에 대한 설명으로 옳은 것은?

① 오로라는 외권에서 발생한다.
② 외권과 가장 가까운 것은 중간권이다.
③ 지권의 층상 구조는 모두 생물권이다.
④ 자외선으로부터 생명체를 보호하는 층이 존재하는 것은 성층권이다.
⑤ 지구 자기장의 발생은 기권의 층상 구조와 관련 있는 것으로 생각된다.

09 다음 중 해수의 층상 구조와 관련된 설명으로 옳지 않은 것은?

① 생물의 밀도가 가장 높은 것은 혼합층이다.
② 수온 약층에서는 해수의 연직 순환이 어렵다.
③ 연중 수온 변화가 가장 적은 것은 심해층이다.
④ 혼합층에서는 수심에 따른 수온 변화가 거의 없다.
⑤ 기권과의 상호 작용이 활발한 층은 수온 약층이다.

10 기권의 층상 구조에 대한 설명으로 옳은 것만을 | 보기 |에서 있는 대로 고른 것은?

보기
ㄱ. 중간권에서는 대류가 일어난다.
ㄴ. 일교차가 가장 큰 것은 열권이다.
ㄷ. 기상 현상은 대류권과 중간권에서 모두 발생한다.

① ㄱ ② ㄴ ③ ㄷ
④ ㄱ, ㄴ ⑤ ㄴ, ㄷ

B 지구 시스템의 상호 작용

단답형

11 (　　) 안에 들어갈 알맞은 말을 쓰시오.

> 지권, 기권, 수권, 생물권의 (　　)은 생명이 번성하는 지구 시스템의 형성에 중요한 역할을 한다.

12 다음 설명에 해당하는 상호 작용과 관련 있는 지구 구성 요소들로 옳은 것은?

> 화산이 분출하면서 화산재가 대기 중으로 퍼져 나갔다.

① 지권, 수권 ② 지권, 기권
③ 수권, 기권 ④ 지권, 생물권
⑤ 수권, 생물권

C 지구 시스템과 생명의 유지

알쉬탐

13 다음 중 지구 시스템의 요소가 지구 생명체의 형성 및 유지에 기여하는 것으로 옳지 않은 것은?

① 기권이 산소를 제공한다.
② 기권이 이산화 탄소를 제공한다.
③ 지권이 양분과 서식처를 제공한다.
④ 외권에서 태양풍과 자외선을 공급한다.
⑤ 수권이 생물을 구성하는 물과 서식처를 제공한다.

14 다음 중 지구가 생명체 생존에 적합한 환경임을 알려주는 것으로 옳지 않은 것은?

① 산소가 존재해 생물체의 호흡이 가능하다.
② 바다가 존재하며 지구의 온도가 쉽게 변하지 않는다.
③ 대기는 지구로 유입되는 유성체들의 대부분을 태워 차단한다.
④ 대기는 유해한 우주선이나 태양풍으로부터 생명체를 보호한다.
⑤ 태양으로부터 액체 상태의 물이 존재할 수 있는 적당한 거리에 위치한다.

실력 올리기 문제

| 생물권 |

01 다음은 A~C 세 학생이 생물권에 대해 이야기 한 내용을 나타낸 것이다.

> A. 지권은 모두 생물권이 될 수 있어.
> B. 기권은 모두 생물권이 될 수 있지.
> C. 바다에는 수심 200m 이내에 많은 생물이 분포해.

옳게 설명한 학생만을 있는 대로 고른 것은?

① A ② B ③ C
④ A, B ⑤ B, C

| 바다의 성층 구조 | 출제예감

02 다음은 해수를 수심에 따른 수온 변화를 기준으로 구분한 층을 나타낸 것이다.

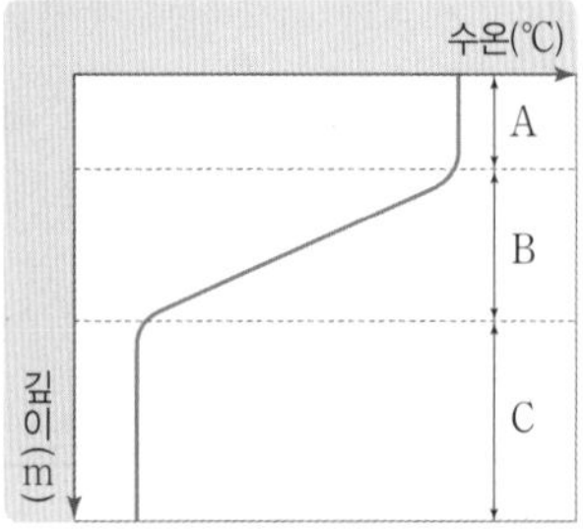

이에 대한 설명으로 옳은 것만을 | 보기 | 에서 있는 대로 고른 것은?

> 보기
> ㄱ. A층은 바람의 혼합 작용으로 수온이 일정하다.
> ㄴ. B층은 해수의 연직 순환이 가장 활발하다.
> ㄷ. C층은 연중 수온 변화가 거의 없다.

① ㄱ ② ㄴ ③ ㄱ, ㄴ
④ ㄱ, ㄷ ⑤ ㄴ, ㄷ

| 지구 시스템의 상호 작용 | 출제예감

03 그림은 지구 시스템의 구성 요소 (가)~(다)와 상호 작용 A~C를 나타낸 것이다.

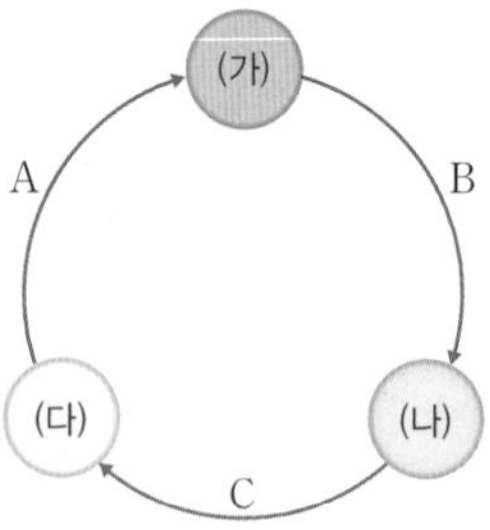

상호 작용 A, B, C가 각각 다음과 같을 때 구성 요소 (가)~(다)를 각각 옳게 연결한 것은?

> A. 화산 폭발로 인한 화산재의 분출
> B. 폭풍에 의한 해일
> C. 석회 동굴의 형성

	(가)	(나)	(다)
①	기권	수권	지권
②	기권	지권	수권
③	수권	기권	지권
④	수권	지권	기권
⑤	지권	기권	수권

| 지구 시스템의 상호 작용 |

04 다음은 지구 구성 요소의 상호 작용으로 나타나는 자연 현상을 나열한 것이다.

> ㄱ. 태풍의 발생 ㄴ. 지진 해일
> ㄷ. 장마에 의한 산사태 ㄹ. 해식 동굴

자연 현상을 일으키는 구성 요소가 같은 것을 있는 대로 고른 것은?

① ㄱ, ㄴ ② ㄷ, ㄹ ③ ㄱ, ㄴ, ㄷ
④ ㄴ, ㄷ, ㄹ ⑤ ㄱ, ㄴ, ㄷ, ㄹ

[05~06] 다음은 학생 A와 B의 대화이다. 물음에 답하시오.

A: 지구는 현재까지 생명체의 존재가 확인된 유일한 행성이야.
B: 왜 지구에만 생명체가 존재할까?
A: ㉮물이 존재하기 때문일 거야.
B: 지구로 들어오는 ㉯유성체의 대부분이 땅에 거의 떨어지지 않는 것도 이유가 될 거야.
A: ㉰풍부한 산소도 이유 중 하나일 거야.
B: ㉱오존층이 존재하는 것도 중요한 이유이겠지.
A: 우리가 이야기한 것만으로 생명체가 살 수 있을까?
B: (㉲)

| 지구 시스템의 구성 요소와 생명체 | 출제예감

05 ㉮~㉱에 대한 설명으로 옳은 것만을 | 보기 | 에서 있는 대로 고른 것은?

보기
ㄱ. ㉮가 고체, 액체, 기체 중 어떤 상태이더라도 생명체는 존재할 수 있다.
ㄴ. ㉯는 기권의 작용으로 일어나는 현상이다.
ㄷ. ㉰가 있었기 때문에 ㉱가 존재하게 되었다.

① ㄱ ② ㄴ ③ ㄷ
④ ㄱ, ㄴ ⑤ ㄴ, ㄷ

| 지구 시스템과 생명체 |

06 (㉲)에 들어갈 말로 옳은 것은?

① 광합성을 위해 거의 맑은 날이어야 해.
② 자외선을 차단하기 위해 지구 자기장이 필요해.
③ 광합성을 위해 많은 양의 이산화 탄소가 필요해.
④ 추가적인 운석 충돌을 막기 위해 지구 자기장이 필요해.
⑤ 유해한 태양풍이나 우주선을 차단하기 위해 지구 자기장이 필요해.

| 지권과 생물 다양성 |

07 지구에 다양한 종류의 생명체가 존재할 수 있는 이유를 지권과 연관지어 서술하시오.

| 지구 시스템의 상호 작용 |

08 다음에서 설명하는 자연 현상이 지구 구성 요소 중 어떤 요소의 상호 작용인지 쓰고 그 까닭을 서술하시오.

강원도 영월 선암 마을에는 그림과 같이 한반도 모양의 지형을 보이는 곳이 있다.

| 수권과 생물 |

09 지구에 생명체가 존재하는 데 물이 미친 영향을 2가지 이상 서술하시오.

02 지구 시스템의 물질과 에너지 순환

개념 이해 태양 에너지, 지구 내부 에너지, 조력 에너지, 물의 순환, 탄소의 순환

A 지구 시스템의 에너지원

한·줄·핵심 지구 시스템은 세 가지 에너지원을 바탕으로 끊임없이 상호 작용하며 변화해!

1. 지구 시스템의 에너지원의 종류 태양 에너지, 지구 내부 에너지, 조력 에너지

2. 지구 시스템의 에너지원의 특징

(1) 태양 에너지❶ 지구 시스템의 모든 요소에 영향을 주는 근원 에너지로 지구 시스템의 에너지원 중 가장 많은 양을 차지한다. 파도, 해류는 바람에 의해 발생하므로 결국 파도, 해류의 에너지원은 태양 에너지이다.

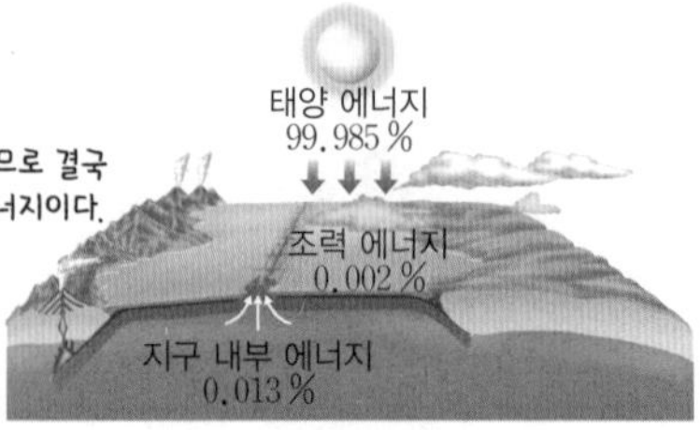

지구 시스템의 에너지원

① 기상 현상을 일으키고, 해류를 순환하게 한다.

② 풍화·침식을 일으켜 지형을 변화시킨다.

③ 생명 활동에 필요한 에너지로 사용된다.

④ 화석 연료의 근원이 된다.

⑤ 지구의 에너지 평형 위도별 태양 복사 에너지의 불균형이 발생한다.

- 지구는 구형이어서 같은 면적에 도달하는 태양 복사 에너지의 양은 저위도 지방이 고위도 지방보다 훨씬 많다. 적도는 태양 복사 에너지 유입량에 대해 지구 복사 에너지의 방출량이 적어 에너지 과잉 상태이고 극은 반대여서 에너지 부족 상태이다.
- 대기와 해수의 순환으로 저위도의 에너지를 고위도로 수송하여 에너지 평형을 이룬다.
- 태풍은 저위도의 에너지를 고위도로 수송하는 대표적인 예이다.

(2) 지구 내부 에너지❷ 맨틀 대류를 통해 대륙을 이동시키고, 지진과 화산 활동을 일으킨다.

(3) 조력 에너지❸ 밀물, 썰물을 일으키고 조간대를 형성하는 등 해안 지역의 지형과 생태계에 영향을 준다.

3. 지구 시스템의 에너지원의 흐름 지구 시스템의 여러 권이 상호 작용할 때 물질과 에너지가 이동한다.

자료 태풍과 에너지의 이동

다음은 열대 해상에서 태풍이 생긴 후 고위도로 이동하여 소멸하는 과정이다.

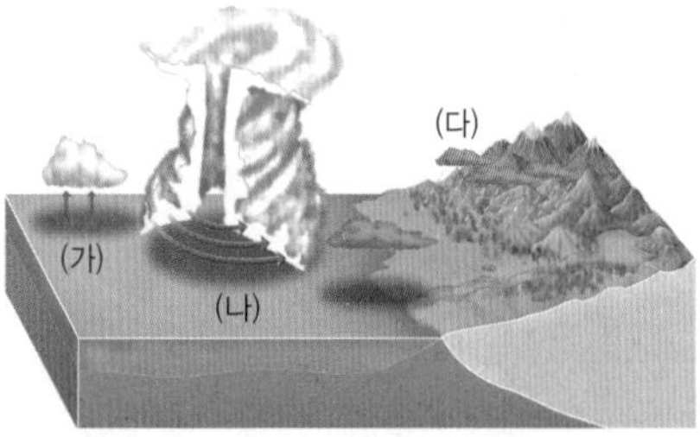

(가) 태양 에너지를 흡수한 해수의 온도가 상승하여 증발하고 구름이 생긴다.

(나) 수증기를 공급받으면서 점차 성장하여 태풍이 된다.

(다) 육지에 상륙한 후 점차 소멸한다.

❶ 태풍을 발생시키는 에너지원: 태풍은 태양 에너지에 의해 발생하는 자연 현상이다.

❷ 물과 에너지의 흐름

- 증발에 의해 물이 대기로 이동하면서 열도 함께 이동하여 태풍이 형성된다.
- 태풍은 비를 내려 지표면으로 물을 전달한다. 태풍에 의해 집중 호우가 발생하기도 하고, 해일이 발생하기도 한다.
- 태풍이 가진 열에너지는 육지로 이동하는 과정에서 저위도의 열을 고위도로 수송한다.

---

❶ 태양 에너지
태양이 수소 핵융합 반응으로 방출한 에너지로 매우 적은 양이 지구에 도달한다.

#보충!
위도와 태양 복사 에너지의 도달량의 관계

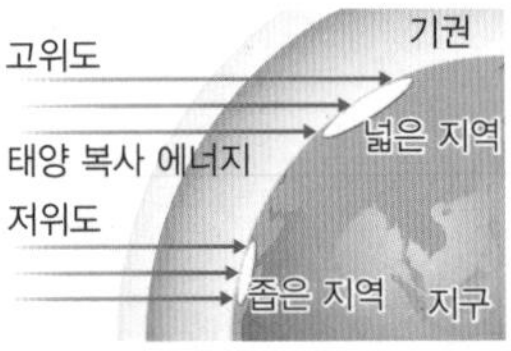

위도가 높을수록 면적당 적은 양의 에너지가 도달한다.

❷ 지구 내부 에너지
방사성 동위원소의 붕괴열과 지구 생성 초기의 미행성 충돌에 의한 열에너지이다.

❸ 조력 에너지
달과 태양의 인력에 의해 조류의 방향이 주기적으로 변하게 하는 에너지이다.

● 조간대(조수 潮, 틈 間, 띠 帶)
해안에서 해수면이 가장 높아졌을 때의 해수면과 육지의 경계선은 만조선, 해수면이 가장 낮아졌을 때의 해수면과 육지의 경계선은 간조선이라 하는데, 조간대는 만조선과 간조선 사이의 부분

B 물질과 에너지의 순환

한·줄·핵·심 지구 시스템의 상호 작용을 통해 지구에서는 물질과 에너지가 순환해!

1. 물의 순환

(1) 물은 지권, 기권, 수권, 생물권에 모두 존재한다.

(2) 물이 에너지를 흡수하거나 방출하면서 각 권 사이를 끊임없이 이동한다.

(3) 지표를 흐르는 물은 풍화·침식을 일으켜 지형을 변화시킨다.

(4) 에너지원 순환을 일으키는 주된 에너지원은 태양 에너지이다.

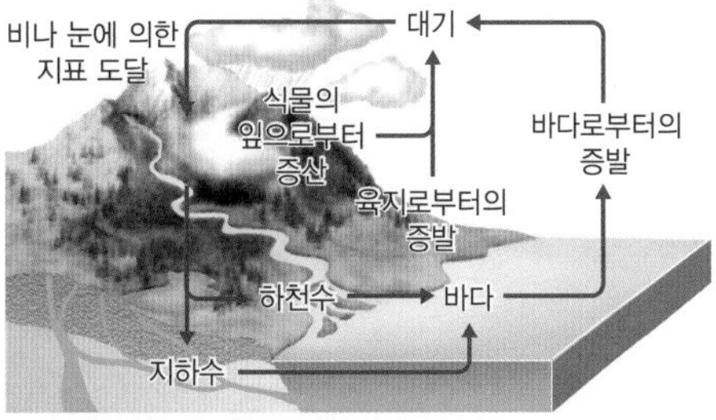

물의 순환

(5) 물의 순환

물의 이동 방향	과정
지권, 수권, 생물권 → 기권	• 지권에서 화산이 분출할 때 수증기가 기권으로 유입된다. • 하천, 호수, 바다 등 수권에서 태양 에너지를 흡수해 증발한다. • 생물권에서 증산 작용이 일어난다.
기권 → 지권, 수권	수증기가 응결하여 구름이 되었다가 비나 눈으로 내린다.
수권 → 생물권	물이 생물의 생명 활동에 이용되며 인간의 활동에 다양하게 사용되기도 한다.

(6) 물의 평형 물이 각 권 사이를 이동할 때 각 권이 얻은 물의 양과 잃은 물의 양이 같아 평형을 이룬다. 또한 지구 시스템 전체의 물의 양은 변화하지 않는다.

자료 물의 평형

다음은 물이 순환할 때 발생하는 연평균 증발량과 강수량 값을 나타낸 것이다.

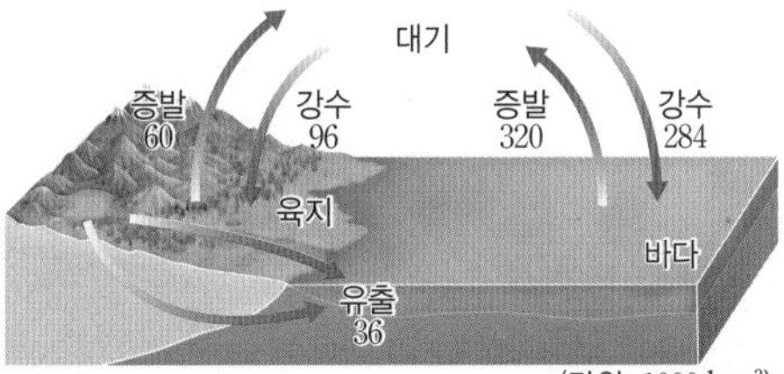

	유입(단위: km^3)	유출(단위: km^3)
대기(기권)	육지에서 증발＋바다에서 증발 ＝60000＋320000＝380000	육지로 강수＋바다로 강수 ＝96000＋284000＝380000
바다(수권)	대기에서 강수＋지표 유출 ＝284000＋36000＝320000	대기로 증발＝320000
육지(지권)	대기에서 강수＝96000	대기로 증발＋지표 유출 ＝60000＋36000＝96000

각 권을 기준으로 계산하면 유입량과 유출량은 같아 평형을 이루고 있다.

#보충!

물의 상태 변화와 에너지 출입

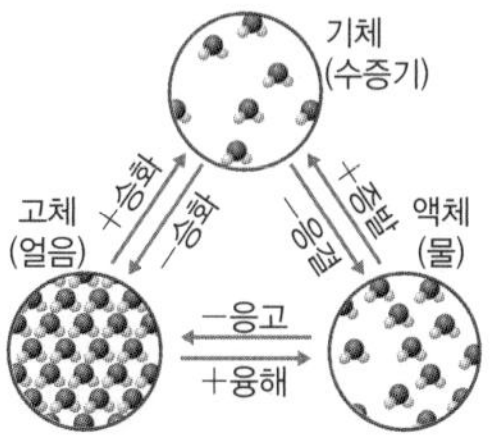

+: 숨은열 흡수 −: 숨은열 방출

#보충!

숨은열

물이 상태가 변할 때 열에너지를 흡수하거나 방출하는데 이 열을 숨은열이라고 한다.

#보충!

물의 순환과 에너지

수권의 물이 태양 에너지를 흡수하여 수증기가 되고 에너지를 방출하며 구름이 된다. 떨어지는 비나 눈, 높은 곳에서 낮은 곳으로 흐르는 물은 역학적 에너지를 갖고 있으며 풍화·침식을 일으켜 지형을 변화시킨다.

●증산 작용(**찔 蒸 흩을 散 만들 作 쓸 用**) 잎의 기공을 통해 물이 증발하여 식물을 빠져 나가는 작용

정답과 해설 038쪽

간단 점검

1. 날씨 변화와 파도, 해류의 원인이 되는 에너지원은?
2. 화산과 지진을 일으키는 에너지원은?
3. 밀물과 썰물을 일으키는 에너지원은?
4. 물을 순환시키는 에너지원은?
5. 물이 순환할 때 각 권의 물 유입량과 유출량이 같아 (　　)을/를 이루고 있다.

2. 탄소의 순환 알쉬툭

(1) 탄소의 형태

지권	석회암(탄산 칼슘), 화석 연료	수권	탄산 이온
기권	이산화 탄소, 메테인	생물권	유기물(탄소 화합물)

❹ 탄소 순환의 다른 예
화산 분출, 해수에서 방출 등으로 기권에 탄소가 공급된다. 기권의 이산화 탄소가 물에 녹으면 약산성을 띠고 이 비는 석회암을 녹인다.

(2) 탄소의 순환 과정

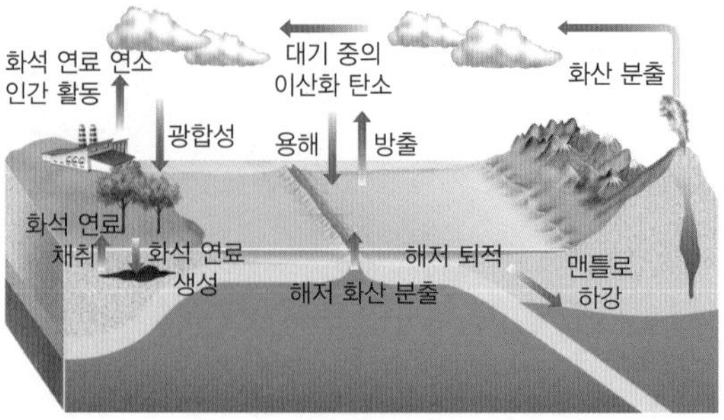

탄소의 순환

	탄소의 순환 예시[4]
석회암	• 기권의 이산화 탄소가 해수에 용해된다.(기권 → 수권) • 해수에 용해된 탄소는 해저에 침전되거나 생물체를 이루었다가 쌓여 석회암이 된다. (수권 → 지권 또는 수권 → 생물권 → 지권)
화석 연료	• 식물의 광합성으로 대기 중 이산화 탄소가 생물로 이동한다.(기권 → 생물권) • 생물의 호흡 또는 죽은 생물을 미생물이 분해하여 이산화 탄소가 대기 중으로 이동한다.(생물권 → 기권) • 또는 죽은 생물이 쌓여 화석 연료가 된다.(생물권 → 지권) • 화석 연료를 사용하면 이산화 탄소가 대기로 방출된다.(지권 → 기권)

#보충!
탄소 순환과 에너지
화산 분출은 지구 내부 에너지에 의한 것이다. 해수 수온이 상승하여 이산화 탄소가 방출될 때는 태양 에너지를 흡수하며 광합성으로 이산화 탄소를 식물이 저장할 때는 화학 에너지로 저장된다. 화석 연료를 사용한 때는 열에너지나 빛에너지로 에너지가 방출된다.

(3) 인간의 화석 연료 사용으로 대기 중 이산화 탄소가 크게 증가하면서 탄소 순환의 균형이 무너지고 있다. 인간은 짧은 시간에 화석 연료를 사용하는 데 비해 화석 연료가 만들어지는 데 걸리는 시간은 수백만 년 이상이므로 탄소 순환의 균형이 깨지고 있다.

• 화석 연료(fossil fuel) 지각에 묻힌 동식물의 유해가 오랜 시간에 걸쳐 만들어진 연료로 석탄, 석유, 천연가스 등

3. 질소의 순환

(1) **기권 → 지권** 대기 중 질소는 토양 속 미생물에 의해 식물이 흡수 가능한 상태로 바뀌어 토양에 존재하게 된다. 질산 이온

(2) **지권 → 생물권** 토양 속의 질소를 식물이 흡수하고 동물은 이 식물을 먹는다. 생물에서 질소는 단백질의 구성 성분이 된다.

(3) **생물권 → 기권** 생물의 배설물이나 사체는 미생물이 분해하여 질소가 대기로 이동한다.

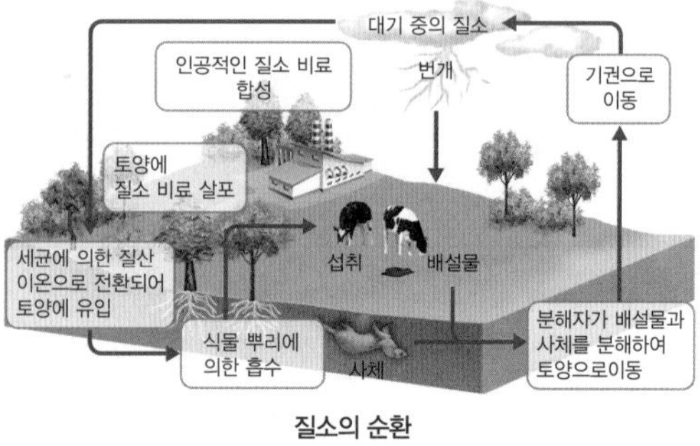

질소의 순환

정답과 해설 038쪽

간단 점검

6. 수권에서 존재하는 탄소의 형태는?
7. 해수에 녹은 탄소가 탄산 칼슘의 형태로 해저에 쌓여 만들어지는 암석은?
8. 식물의 (　　　)에 의해 대기 중 이산화 탄소가 생물권으로 이동한다.
9. 살아있는 식물과 동물이 이산화 탄소를 대기 중으로 방출하는 과정은?

알아두면 시험이 쉬워지는 특강

지구 시스템 균형 유지의 중요성

1 지구 시스템의 탄소 순환 균형 붕괴

1. 지구 온난화: 인간의 화석 연료 사용으로 지권에 저장된 탄소가 대기 중으로 빠르게 배출된다. 그 결과 대기 중 이산화 탄소의 농도가 급격히 증가하여 지구 평균 기온이 상승하고 있다.

2. 토지를 얻기 위한 벌채 등도 지구 환경을 파괴하고 있다. → 이산화 탄소 배출량은 급증하지만, 이산화 탄소를 흡수하는 식물이 감소한다. 그 결과 온난화가 심화되고 급격한 환경 변화와 생태계 교란이 발생한다.

3. 화석 연료의 소비는 빠르지만 자연에서 만들어지기까지 수백만 년 이상 걸린다.

2 지구 시스템의 상호 작용과 확산

1. 미세 먼지: 중국의 공업 지대에서 발생한 미세 먼지는 편서풍을 타고 우리나라와 일본에 영향을 준다. (지권 → 기권 → 생물권)

2. 미세 플라스틱: 5 mm 미만의 작은 플라스틱이 하천이나 바다로 유입되고 물고기나 어패류 등이 먹이로 착각하고 섭취한다. 이 물고기나 어패류를 먹은 상위 포식자에게 미세 플라스틱이 축적될 수 있다. (지권 → 수권 → 생물권)

3 지구 시스템의 문제는 결국 인간의 위기

1. 급격한 기후 변화와 오염으로 인간이 생존할 수 있는 지역이 줄어든다.

2. 식량 부족의 위기가 올 수 있다.

3. 미세 먼지나 미세 플라스틱이 인간에게 쌓여 질병을 유발할 수 있다.

4 지구 시스템의 균형 유지를 위한 노력

1. 한 권역에서 일어난 사건은 지구 시스템의 상호 작용으로 여러 권역을 이동하며 넓은 범위에 영향을 미친다.

2. 지구 시스템의 균형 유지는 인류뿐만 아니라 생물권 전체의 생존을 위해 매우 중요하다.

3. 각 국가와 개인의 노력뿐만 아니라 국제적 공조와 협력이 필요하다.

한·줄·핵심 인간과 생물권의 생존을 위해 지구 시스템의 균형을 유지해야 하며, 이를 위해 국가와 개인의 노력이 필요하다.

확인 문제

정답과 해설 038쪽

1. 지구 시스템 균형 붕괴에 대한 설명으로 옳은 것은 ○, 옳지 않은 것은 ×로 표시하시오.

(1) 하나의 권에서 발생한 문제는 다른 권에도 영향을 준다. ( )

(2) 인간의 화석 연료 사용으로 기권의 탄소는 지권으로 이동한다. ( )

(3) 무분별한 벌목은 지구 환경을 파괴할 수 있다. ( )

2. 지구 시스템 균형 유지에 대한 노력으로 옳은 것만을 | 보기 |에서 있는 대로 고르시오.

보기
ㄱ. 대규모의 벌채를 장려한다.
ㄴ. 친환경 에너지를 개발하여 사용한다.
ㄷ. 국가 차원의 환경을 위한 규제를 실시한다.

개념 + 기본 문제

개념 문제

A 지구 시스템의 에너지원

01 다음 설명 중 옳은 것은 ○, 옳지 않은 것은 ×로 표시하시오.

(1) 대륙 이동의 에너지원은 태양 에너지이다. ( )

(2) 밀물과 썰물을 일으키는 에너지원은 조력 에너지이다. ( )

(3) 화산과 지진 활동의 에너지원은 지구 내부 에너지이다. ( )

(4) 지구 시스템의 에너지원 중 가장 많은 양을 차지하는 에너지는 태양 에너지이다. ( )

(5) 화석 연료의 근원이 되는 에너지원은 지구 내부 에너지이다. ( )

02 지구 시스템의 에너지원에 대한 설명으로 알맞은 것을 |보기|에서 찾아 기호를 쓰시오.

> 보기
> ㄱ. 태양 에너지 ㄴ. 조력 에너지
> ㄷ. 지구 내부 에너지

(1) 달과 태양의 인력에 의한 에너지로 조류의 방향을 주기적으로 변하게 한다. ( )

(2) 지구 시스템의 에너지원 중 99 % 이상을 차지하고 있다. ( )

(3) 맨틀 대류를 일으키는 에너지원이다. ( )

B 물질과 에너지의 순환

03 다음 설명 중 옳은 것은 ○, 옳지 않은 것은 ×로 표시하시오.

(1) 물은 태양 에너지에 의해 순환한다. ( )

(2) 물이 증발할 때 물은 열을 방출한다. ( )

(3) 물이 각 권 사이를 이동할 때 수권은 얻은 물의 양이 잃은 물의 양보다 많고 지권은 얻은 물의 양보다 잃은 물의 양이 많다. ( )

(4) 탄소는 지권에서 주로 석회암이나 화석 연료의 형태로 존재한다. ( )

(5) 인간의 화석 연료 사용으로 탄소 순환의 균형이 무너지고 있다. ( )

A 지구 시스템의 에너지원

04 다음 중 태양 에너지에 대한 설명으로 옳지 않은 것은?

① 에너지원 중 가장 적은 양을 차지한다.
② 파도 형성의 근원이 되는 에너지원이다.
③ 해류 발생의 근원이 되는 에너지원이다.
④ 생명 활동의 근원이 되는 에너지원이다.
⑤ 날씨 변화의 근원이 되는 에너지원이다.

단답형

05 다음 설명에 해당하는 지구 시스템의 에너지원은 무엇인지 쓰시오.

> 맨틀 대류를 통해 화산과 지진 활동을 일으키는 에너지원이다.

06 다음 중 조력 에너지에 대한 설명으로 옳은 것은?

① 판을 이동시킨다.
② 지진 해일을 일으킨다.
③ 밀물과 썰물을 일으킨다.
④ 다양한 생명 활동을 일으킨다.
⑤ 방사성 동위원소의 붕괴열로 발생한다.

단답형

07 ( ) 안에 들어갈 알맞은 말을 쓰시오.

> 지구에서는 위도별 태양 복사 에너지의 불균형이 발생하는데 지구 시스템은 대기와 해수의 순환을 통해 흡수하는 태양 복사 에너지와 방출하는 지구 복사 에너지가 서로 같은 상태인 에너지 ( )을 이룬다.

정답과 해설 038쪽

B 물질과 에너지의 순환

08 다음 중 물의 순환에 대한 설명으로 옳은 것은?

① 조력 에너지에 의해 순환한다.
② 지구 표면에서 증발량이 강수량보다 많다.
③ 육지에서의 강수 현상은 지표면을 보존한다.
④ 강수 현상에 의해 육지에 공급된 물은 바다로 이동하지 않는다.
⑤ 육지에서의 강수 현상에 의해 지표 아래로 들어간 물은 지하수가 된다.

09 그림은 물의 순환을 나타낸 것이다.

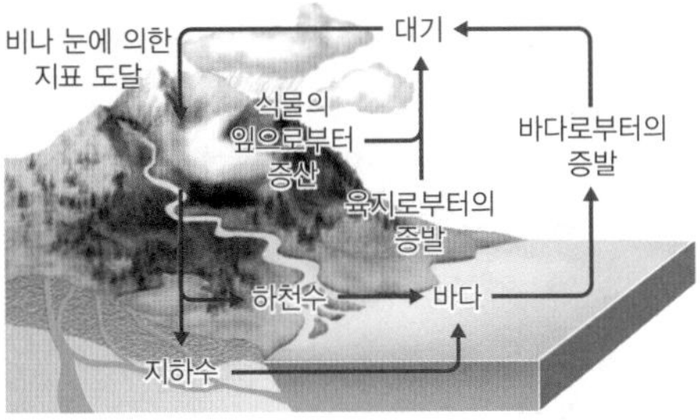

이에 대한 설명으로 옳은 것만을 | 보기 | 에서 있는 대로 고른 것은?

보기
ㄱ. 대기 중의 물은 강수 과정을 통해 지권으로 이동한다.
ㄴ. 지권으로 유입된 물은 모두 바다로 이동한다.
ㄷ. 물의 순환을 일으키는 에너지원은 지구 내부 에너지이다.

① ㄱ ② ㄴ ③ ㄷ
④ ㄱ, ㄷ ⑤ ㄴ, ㄷ

10 다음 중 수권에 존재하는 탄소의 주된 형태로 옳은 것은?

① 석회암 ② 유기물 ③ 탄산 이온
④ 화석 연료 ⑤ 이산화 탄소

11 다음 중 탄소의 순환에 대한 설명으로 옳지 <u>않은</u> 것은?

① 탄소의 순환은 상호 작용에 해당한다.
② 해수의 탄소는 지권으로 이동할 수 있다.
③ 기권의 탄소는 생물권으로 이동할 수 있다.
④ 지권의 탄소는 석회암의 형태로만 존재한다.
⑤ 화산 분출로 탄소는 지권에서 기권으로 이동한다.

알쉬특

12 최근 인간 활동의 영향으로 지구 시스템의 균형이 무너지고 있다. 이와 관련된 현상으로 옳은 것만을 | 보기 | 에서 있는 대로 고른 것은?

보기
ㄱ. 기권의 탄소가 감소하고 있다.
ㄴ. 생태계 교란이 발생하고 있다.
ㄷ. 지구의 평균 기온이 낮아지고 있다.

① ㄱ ② ㄴ ③ ㄷ
④ ㄱ, ㄴ ⑤ ㄴ, ㄷ

13 그림은 질소의 순환을 나타낸 것이다. 이에 대한 설명으로 옳지 <u>않은</u> 것은?

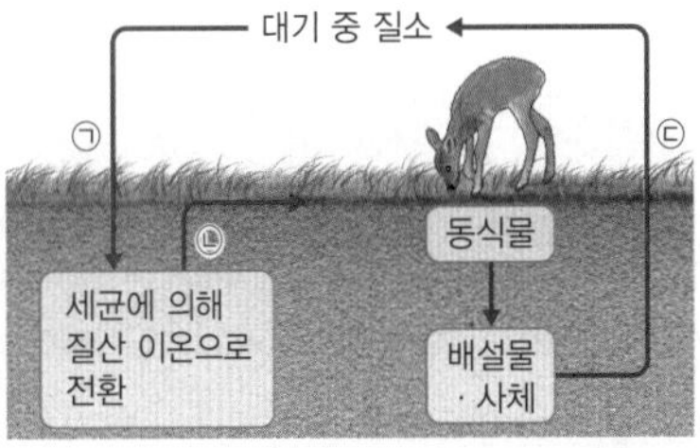

① ㉠은 대기 중 질소가 미생물에 의해 토양으로 이동하는 과정이다.
② 토양의 질소를 식물이 흡수하는 것은 ㉡에 해당된다.
③ ㉢은 생물의 사체나 배설물을 미생물이 분해하여 질소가 기권으로 이동하는 과정이다.
④ 생물권에서 질소는 동물의 단백질에만 들어있다.
⑤ 식물이 섭취한 질소는 먹이사슬을 따라 생물권을 이동한다.

실력 올리기 문제

| 지구 시스템의 에너지원 |

01 다음은 지구 시스템의 에너지원을 나타낸 것이다.

에너지원	비율
A	99.985 %
B	0.013 %
조력 에너지	0.002 %

에너지원 A, B에 대한 설명으로 옳은 것만을 | 보기 | 에서 있는 대로 고른 것은?

보기
ㄱ. A는 생명 활동의 근원이 되는 에너지이다.
ㄴ. B는 조수 간만의 차를 일으키는 에너지이다.
ㄷ. B는 기권에 영향을 주지 않는다.

① ㄱ ② ㄷ ③ ㄱ, ㄴ
④ ㄱ, ㄷ ⑤ ㄴ, ㄷ

| 지구 시스템의 에너지원 | 출제예감

02 그림은 지구 시스템의 에너지원을 나타낸 것이다.

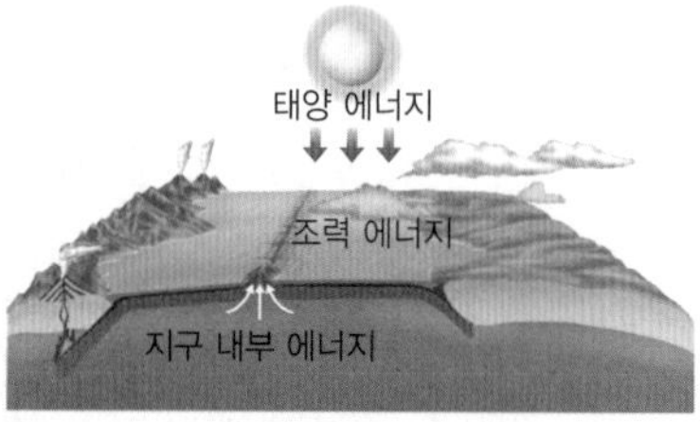

이에 대한 설명으로 옳은 것만을 | 보기 | 에서 있는 대로 고른 것은?

보기
ㄱ. 조력 에너지는 해안 생태계에 큰 영향을 준다.
ㄴ. 지구가 둥글기 때문에 태양 에너지는 고위도에 더 많이 도달한다.
ㄷ. 지구 내부 에너지는 지구 시스템의 에너지원 중 가장 많은 양을 차지하고 있다.

① ㄱ ② ㄷ ③ ㄱ, ㄴ
④ ㄴ, ㄷ ⑤ ㄱ, ㄴ, ㄷ

[03~04] 다음은 물의 순환에 대한 설명이다. 설명을 보고 물음에 답하시오.

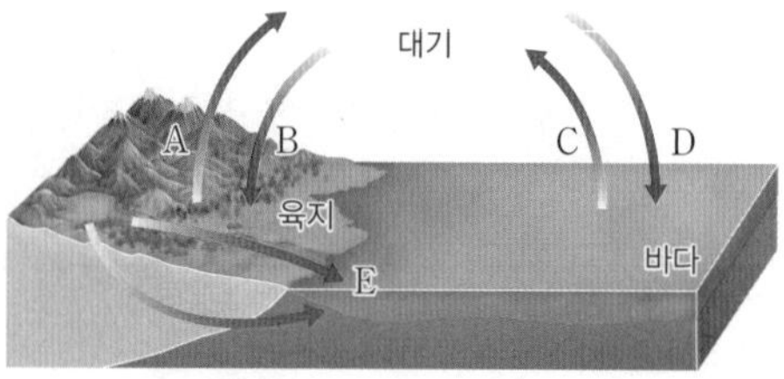

- 육지와 바다에서 각각 유입량과 유출량은 같다.
- A는 육지에서의 연평균 증발량, B는 육지에서의 연평균 강수량, C는 바다에서의 연평균 증발량, D는 바다에서의 연평균 강수량을 나타낸 것이며 E는 지표 유출량이다.

| 물의 순환 | 출제예감

03 그림에 대한 설명으로 옳은 것만을 | 보기 | 에서 있는 대로 고른 것은?

보기
ㄱ. A를 위해 필요한 에너지는 태양으로부터 얻는다.
ㄴ. B, E 과정에서 지표의 변화는 일어나지 않는다.
ㄷ. 물의 순환 과정에서 물의 총량은 변하지 않는다.

① ㄱ ② ㄴ ③ ㄱ, ㄴ
④ ㄱ, ㄷ ⑤ ㄴ, ㄷ

| 물의 순환 |

04 그림에 대한 설명으로 옳은 것만을 | 보기 | 에서 있는 대로 고른 것은?

보기
ㄱ. A, C 과정에서는 숨은열이 대기로 이동한다.
ㄴ. 지하수는 E에 포함되어 있다.
ㄷ. 육지에서는 강수량이 증발량보다 많다.

① ㄴ ② ㄷ ③ ㄱ, ㄴ
④ ㄴ, ㄷ ⑤ ㄱ, ㄴ, ㄷ

정답과 해설 039쪽

| 탄소의 순환 | 출제예감

05 그림은 탄소의 순환 과정의 일부를 나타낸 것이다. 이에 대한 설명으로 옳은 것만을 | 보기 | 에서 있는 대로 고른 것은?

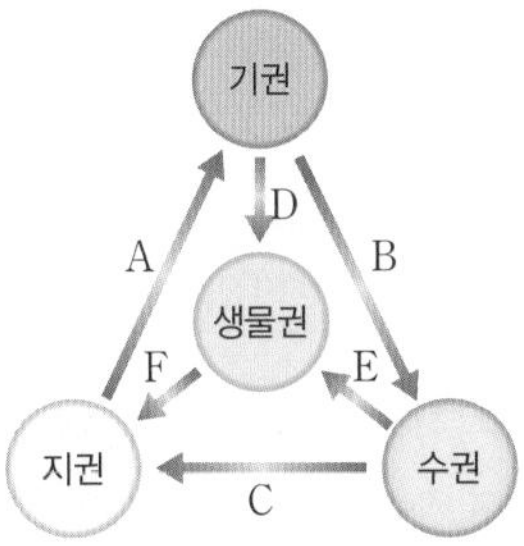

보기

ㄱ. 화산 분출, 화석 연료 사용은 B 과정에 해당한다.

ㄴ. C 과정에서 탄산 이온에서 석회암의 형태로 바뀐다.

ㄷ. 인간의 활동으로 D 과정이 활발해지고 있다.

① ㄱ ② ㄴ ③ ㄷ
④ ㄱ, ㄴ ⑤ ㄴ, ㄷ

| 탄소의 순환 |

06 그림은 탄소의 순환을 나타낸 것이다.

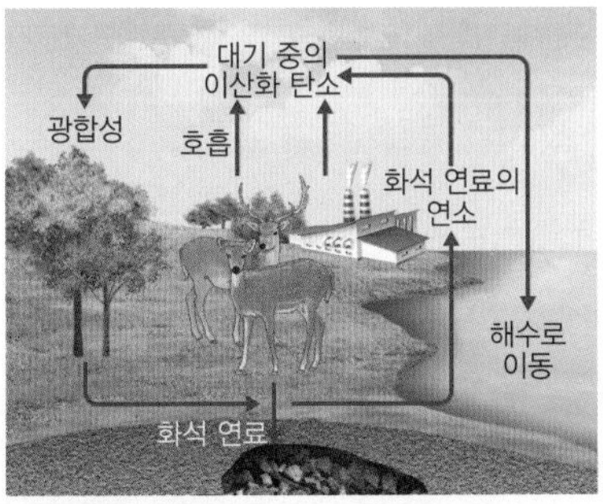

그림에 대한 설명으로 옳은 것만을 | 보기 | 에서 있는 대로 고른 것은? (단, 기체의 용해도는 온도가 높아지면 낮아진다.)

보기

ㄱ. 수권에서 탄소는 액체 형태로 존재한다.

ㄴ. 화석 연료를 사용하는 인간의 활동은 지권의 탄소를 증가시킨다.

ㄷ. 해수와 대기 사이에서만 탄소가 순환한다고 가정했을 때, 기온이 높아지면 대기 중 탄소의 양은 증가한다.

① ㄱ ② ㄴ ③ ㄷ
④ ㄱ, ㄴ ⑤ ㄴ, ㄷ

| 지구 시스템의 에너지원 |

07 다음의 자연 현상에 대해 현상을 일으키는 지구 시스템의 에너지원을 쓰고 그 이유를 서술하시오.

> 암석 해안이 파도의 침식을 받아 해수면 가까이에 나타나는 좁고 평탄한 지형을 파식 대지라 한다.

| 지구의 에너지 평형 |

08 그림은 위도별 복사 에너지량을 나타낸 것이다. 그림과 같이 위도별 에너지 불균형이 발생하는 이유와 지구 시스템이 평형을 이루는 방법을 서술하시오.

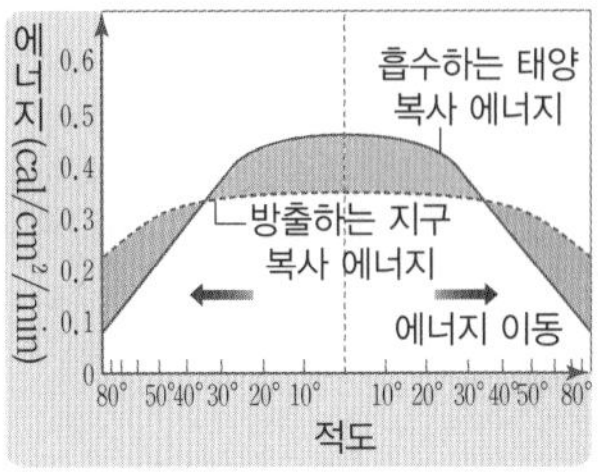

| 탄소의 순환 |

09 그림은 탄소의 순환을 나타낸 것이다. 화석 연료에 들어 있는 탄소가 지구 시스템의 각 권을 순환하는 과정을 서술하시오.

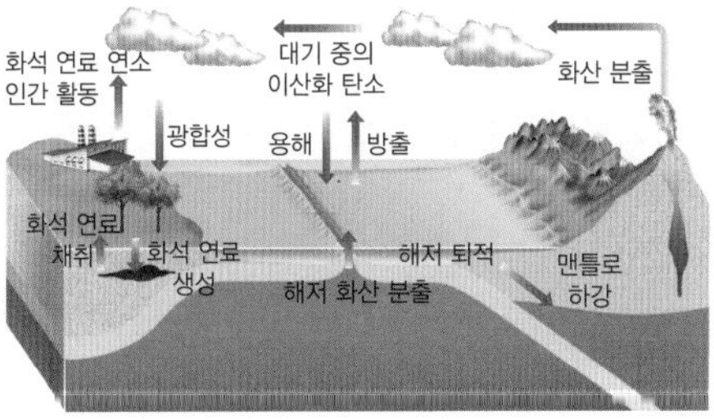

03 지구 시스템과 지권의 변화

개념 이해 지진대, 화산대, 판 구조론, 발산형 경계, 수렴형 경계, 보존형 경계, 지진, 화산 활동

A 변동대와 판의 경계

한·줄·핵심 지진, 화산 활동이 자주 일어나는 곳은 판의 경계와 관련이 있는데 판의 움직임에 따라 판 경계의 종류가 나뉘지.

1. 변동대 지진, 화산 활동 등의 지각 변동[1]이 자주 일어나는 지역

(1) 지진대 지진이 자주 발생하는 지역

(2) 화산대 화산 활동이 자주 발생하는 지역

(3) 지진대와 화산대는 거의 일치하며 주로 대륙과 해양의 경계 부근에 띠 모양으로 분포

자료 지진대와 화산대

다음은 화산과 지진의 발생 분포를 나타낸 지도이다.

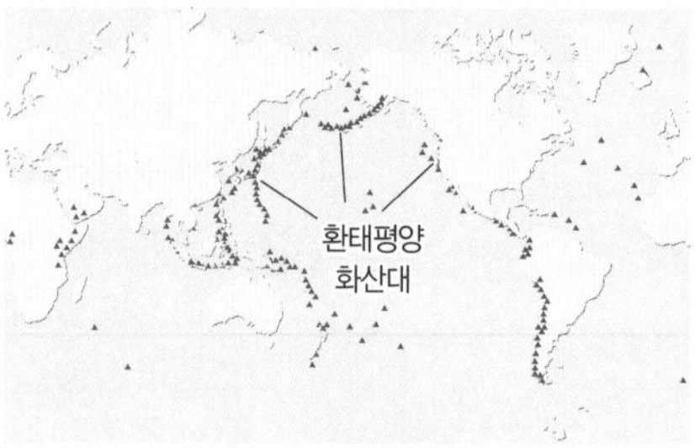

화산대

지진대

❶ 화산과 지진은 특정 지역에서 주로 발생하며 발생 지역은 대체로 일치한다. – 판 경계와 관련이 있다.

❷ 지진이 일어나는 지역이 화산 활동이 일어나는 지역보다 더 넓게 분포한다.

2. 판의 경계 알쉬톡

(1) 판 구조론 판의 운동으로 인해 지각 변동이 발생한다는 이론이다. 판 구조론의 정립으로 지각 변동을 더 정확하게 이해할 수 있게 되었다.

(2) 판의 구조

① 판[2]: 상부 맨틀 일부와 지각을 포함한 두께 약 100 km의 단단한 암석으로 이루어진 부분

② 연약권: 깊이 약 100 km 아래에 있는 부분으로 유동성이 있다.

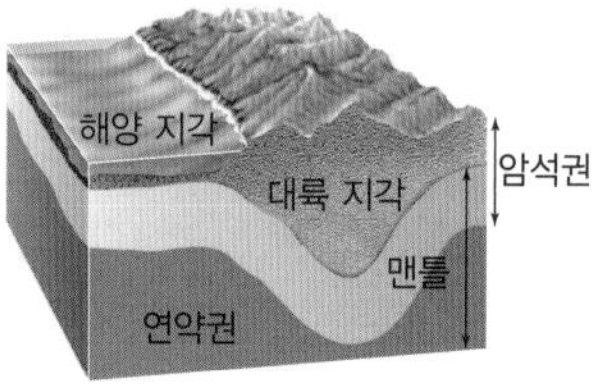

판의 구조

(3) 판의 경계 대부분의 지각 변동은 판의 경계와 관련이 있다.

① 판 이동의 원동력: 지구 내부 에너지에 의해 맨틀 대류가 일어나 연약권과 연약권 위의 판이 움직이게 된다.

② 지표면은 10여 개의 판으로 이루어져 있으며 판의 이동 방향과 속도에 따라 경계가 형성된다.

판의 분포와 이동

(4) 판 경계의 종류와 특징 마그마가 분출해 판이 만들어진다.

① 발산형 경계: 판이 갈라져 서로 멀어지는 경계이다.

---

❶ 지각 변동
지진, 화산 활동 및 조산 운동(습곡 산맥 형성), 조륙 운동(넓은 범위에 걸쳐 지각이 상승 또는 하강)과 이와 관련된 단층, 습곡 등의 지각의 변형

#보충!
환태평양 화산대·지진대(조산대)
태평양 연안을 따라 고리 모양으로 분포하는 지역으로 화산과 지진 활동이 자주 발생한다. 특히 전 세계 화산 활동의 80 %가 이 지역에서 발생하여 '불의 고리'라고도 한다.

❷ 판
- 암석권이라고도 한다.
- 대륙 지각을 포함하면 대륙판, 해양 지각을 포함하면 해양판이라고 한다.

#암기!
판의 경계
'보수'적인 '발'레리나 → 판의 경계에는 보존형, 수렴형, 발산형 경계가 있다.

#보충!
베게너와 대륙 이동설
- 독일의 과학자로 대륙 이동설을 주장하였다.
- 베게너가 대륙 이동설을 주장할 당시에는 대륙 이동의 원동력을 설명할 수 없어 받아들여지지 않았다.
- 이후 점차 발전하여 판 구조론으로 정립되었다.

●변동대(변하다 變, 움직이다 動, 띠 帶) 지진, 화산 활동이 자주 일어나는 지역

② 수렴형 경계: 판과 판이 만나는 경계이다.
판의 경계를 중심으로 두 판이 모여든다.

③ 보존형 경계: 두 판이 서로 어긋나는 경계이다.

종류		특징		모식도
발산형 경계	해양	• 맨틀 대류의 상승부 • 천발 지진과 화산 활동이 일어난다. • 해양에서는 해령이 나타나고, 대륙에서는 열곡대가 나타난다.		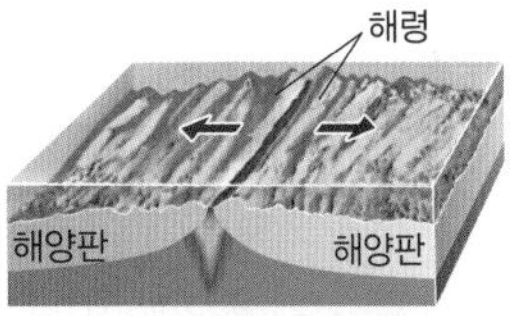
	대륙			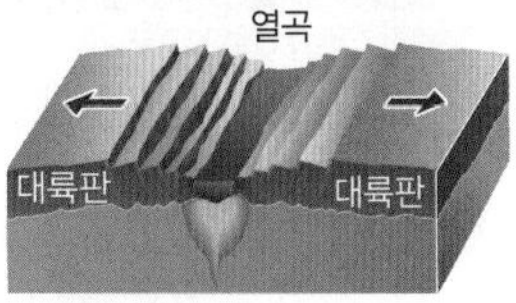
수렴형 경계	대륙과 해양	• 해구에서 판이 소멸한다. • 지진과 화산 활동이 일어난다. 해구 근처에서는 천발 지진이 일어나고 섭입한 판의 깊이가 깊어질수록 지진도 깊은 곳에서 일어난다.	• 해구, 습곡 산맥❸, 호상 열도 등이 형성된다.	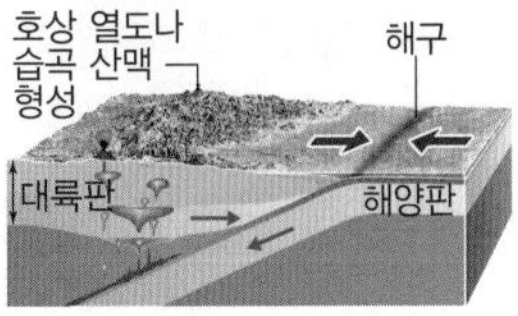
	해양과 해양		• 해구, 호상 열도❹ 등이 형성된다.	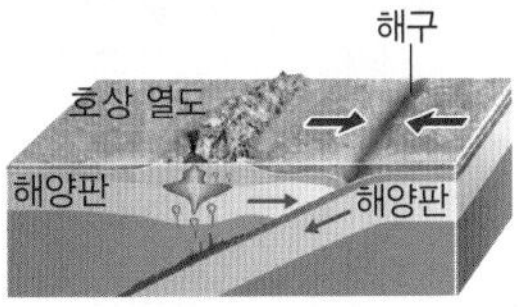
	대륙과 대륙	• 지진이 일어난다. 천발~중발 • 습곡 산맥이 형성된다. • 히말라야 산맥이 대표적이다.		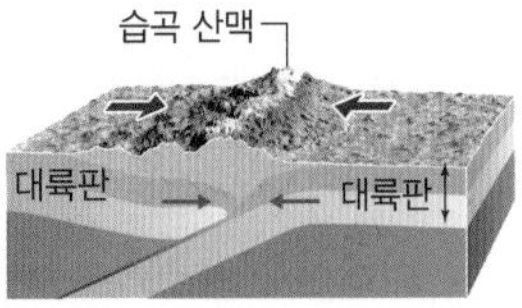
보존형 경계		• 천발 지진이 일어나지만 화산 활동은 일어나지 않는다. • 변환 단층이 발생한다. • 산안드레아스 단층이 대표적이다. • 해령과 해령 사이에 잘 나타난다.		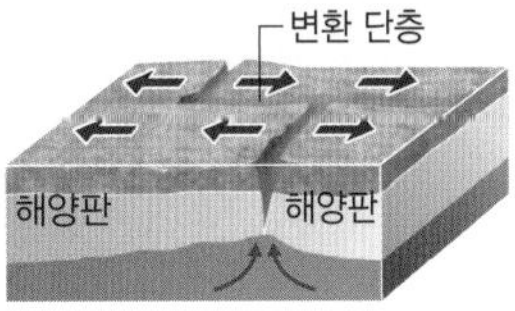

#보충!

발생 깊이에 따른 지진의 분류

깊이 70 km 미만에서 발생하는 지진을 천발 지진, 깊이 300 km 이상에서 발생하는 지진을 심발 지진이라고 한다. 깊이 70 km ~ 300 km 사이에서 일어나는 지진을 중발 지진이라고 한다.

❸ 습곡 산맥

지층에 좌우에서 누르는 힘이 작용하여 지층이 휘어진 구조를 습곡이라고 하며 양쪽에서 누르는 힘을 받아 형성된 산맥을 습곡 산맥이라고 한다.
양쪽의 판이 충돌했을 때 두 판 사이의 퇴적층이 습곡 작용을 받으며 밀려올라가 습곡 산맥을 형성한다. 대표적인 예로 히말라야, 알프스, 안데스 산맥 등이 있다.

❹ 호상 열도

해구에서 대륙 쪽으로 이동한 곳에 화산 활동으로 만들어진 섬이 직선이나 호 모양으로 늘어선 것이다. 화산 활동과 지진이 자주 일어난다.

B 지진과 화산 활동의 영향

한·줄·핵심 지진과 화산 활동은 우리 삶에 많은 영향을 주고 있어!

지진과 화산 활동은 지구 내부 에너지가 지표로 방출되는 현상이다.

1. 지진

(1) 지진의 발생

① 과정: 지구 내부 에너지에 의한 지구 내부의 움직임 ⇨ 암석에 탄성 한계 이상의 힘 ⇨ 단층 형성, 진동 에너지를 한꺼번에 방출

② 주로 판의 경계에서 발생한다.

• 탄성 한계(**탄알 彈, 성질 性, 한계 限, 지경 界**) 외부의 힘에 의해 변형된 물체가 그 힘을 없앨 경우 본래의 형태로 되돌아가는 힘의 범위

정답과 해설 040쪽

간단 점검

1. 지진이 자주 일어나는 지역은?
2. 화산 활동이 자주 일어나는 지역은?
3. 상부 맨틀 일부와 지각을 포함한 두께 약 100 km의 단단한 암석으로 이루어진 부분은?
4. 맨틀 대류의 상승부에서 발생하는 판의 경계는?
5. 판과 판이 서로 어긋나는 판의 경계는?
6. 두 판이 만나는 판의 경계는?

(2) 지진 피해 지진의 발생을 미리 예측하는 것은 거의 불가능하다.

① 1차 피해: 건축물의 파손과 붕괴, 산사태, 지진 해일(쓰나미)

② 2차 피해: 전력선, 가스관의 파손 등으로 인한 화재, 댐 붕괴로 인한 홍수, 교통, 수도, 전기, 가스, 통신 시설 등의 마비 등

(3) 대책

① 구조물에 대한 내진 설계, 면진 설계, 지진 경보 시스템 등을 갖추어야 한다.

② 지진은 짧은 시간 동안 지속되므로 건물 내에서는 낙하물로부터 몸을 보호하고 지진이 멈춘 때를 이용해 밖으로 신속하게 이동해야 한다.

#보충!

규모와 진도

- 규모: 지진 발생시 총 에너지량
- 진도: 어느 지점에서의 흔들림이나 피해의 정도

2. 화산 활동

(1) 화산 활동의 발생

마그마는 주변 암석에 비해 밀도가 낮아 지표를 향해 상승할 수 있다.

① 과정: 지구 내부 에너지에 의해 지하에 마그마 형성 ⇨ 지각의 약한 부분을 뚫고 상승 ⇨ 분출(용암, 화산 기체❺, 화산 쇄설물을 방출)

② 주로 판의 경계에서 발생한다.

❺ 화산 기체

수증기, 이산화 탄소, 이산화황 등으로 이루어져 있다.

(2) 인간의 삶에 주는 영향

긍정적인 영향	• 열을 이용해 지열 발전을 할 수 있다. • 지열로 데워진 지하수를 활용해 온천을 개발할 수 있다. • 화산 지형 및 화산 활동 지역이 아름다운 관광지로 활용될 수 있다. • 화산 쇄설물이 쌓인 곳은 오랜 시간이 지난 후 비옥한 농경지가 될 수 있다.
부정적인 영향	• 용암은 숲, 건물, 시설을 태우거나 덮는다. • 화산 기체는 생물의 생장에 해를 준다. • 화산 쇄설물은 햇빛을 차단하고 항공기 운항을 어렵게 하며 주변의 땅을 황폐하게 한다. • 화산 쇄설물이 빠르게 흘러내려 인명과 재산 피해를 낸다.

#보충!

화산 활동에 의한 피해

화산 쇄설물이 빠르게 이동해 피해를 주는 화산 쇄설류, 많은 양의 물이 포함된 화산 쇄설물이 점성이 약해져 빠르게 흘러내리는 화산 이류 등이 있다.

자료 화산 분출이 미치는 영향

- 아이슬란드 에이야파들라외퀴들 화산은 2010년 분출해 유럽에 항공 대란을 일으켰다.
- 인도네시아 탐보라 화산은 1816년 분출하여 1816년을 여름이 없는 해로 만들었다.
- 필리핀 피나투보 화산은 1991년 분출하여 지구의 평균 기온이 약 0.5 ℃ 낮아졌다.

화산재가 대기권으로 유입되어 햇빛을 차단하였다.

❶ 지구 시스템에 화산 분출이 미치는 영향

- 지권: 지형을 변화시킨다(섬, 용암 동굴 등 생성), 화산재에 의한 산사태를 일으킨다, 토양이 비옥해진다.
- 기권: 화산재가 기권에 유입되어 평균 기온이 낮아진다.
- 수권: 해일이 발생한다.
- 생물권: 동식물과 사람이 죽거나 다친다. 생태계에 변화를 일으킨다.

❷ 화산 분출로 다음과 같은 피해가 발생하였다.

- 기온이 낮아졌다.
- 동식물이 죽거나 다쳤다.
- 농경지가 황폐화되었다.
- 화산재가 주거지를 덮쳐 많은 사람이 집을 잃었다.
- 항공기가 날지 못해 많은 사람이 곤란을 겪었다.

❸ 화산이 분출하면 환경 · 사회 · 경제에 피해가 발생하여 지구 시스템의 여러 영역에 영향을 준다.

●화산 쇄설물(**불 火, 뫼 山, 부술 碎, 가루 屑, 만물 物**) 화산 활동 시 분출하는 암석이다. 크기에 따라 작은 것부터 화산진, 화산재, 화산력, 화산탄 등으로 분류한다.

정답과 해설 040쪽

간단 점검

7. 암석에 탄성 한계 이상의 힘이 주어져 단층이 형성되며 진동을 전달하는 현상은?

8. 화산 활동의 에너지원은?

9. 화산 활동과 관련해 에너지를 얻을 수 있는 사례는?

알아두면 시험이 쉬워지는 특강

판의 경계와 지형

아이슬란드 열곡대

대서양 중앙 해령이 아이슬란드를 지나가 형성된 열곡대이다.

히말라야 산맥

인도판과 유라시아판이 충돌하여 형성되었다. 지진은 활발하나 화산 활동은 거의 일어나지 않는다.

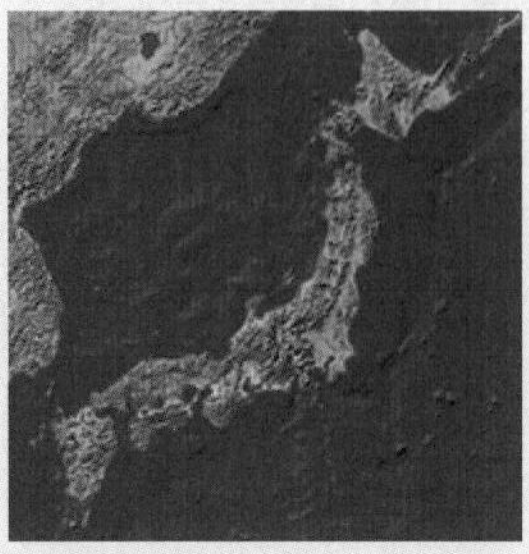

일본 해구

태평양판이 유라시아판 아래로 들어가면서 만들어진 수렴형 경계로 천발, 심발 지진과 화산 활동이 활발하다. 최근 우리나라도 이와 관련하여 지진이 발생하고 있다. 일본은 호상 열도에 해당한다.

동아프리카 열곡대

대륙판이 갈라지는 곳이다.

산안드레아스 단층

육지에서 나타나는 변환 단층으로 북아메리카판과 태평양판이 서로 어긋나게 이동한다. 지진이 자주 발생한다.

안데스 산맥

나스카판이 남아메리카판 아래로 들어가면서 형성된 습곡 산맥이다. 산맥을 따라 화산이 분포한다.

한·줄·핵심 아이슬란드 열곡대와 동아프리카 열곡대는 발산형 경계, 히말라야 산맥, 일본 해구, 안데스 산맥은 수렴형 경계, 산안드레아스 단층은 보존형 경계의 대표 지형이다.

확인 문제

정답과 해설 040쪽

1. 위의 자료를 참고하여 판이 서로 멀어지는 곳의 예를 쓰시오.

2. 히말라야 산맥과 안데스 산맥이 나타나는 판의 경계는 (발산형, 보존형, 수렴형) 경계이다.

3. 다음 설명 중 옳은 것은 ○, 옳지 않은 것은 ×로 표시하시오.

(1) 산안드레아스 단층은 판의 생성이나 소멸과 관련이 없다. (　　)

(2) 일본에서는 천발 지진만 발생한다. (　　)

(3) 히말라야 산맥에서는 지진과 화산 활동이 활발하다. (　　)

개념 + 기본 문제

개념 문제

A 변동대와 판의 경계

01 다음 설명 중 옳은 것은 ○, 옳지 않은 것은 ×로 표시하시오.

(1) 지진대는 변동대에 속한다. ( )
(2) 화산대는 대륙의 한가운데에 위치한다. ( )
(3) 맨틀은 판에 속하지 않는다. ( )
(4) 맨틀 대류의 에너지원은 지구 내부 에너지이다. ( )

02 판의 경계와 경계의 특징을 옳게 연결하시오.

(1) 발산형 경계 • • ㉠ 맨틀 대류의 상승
(2) 보존형 경계 • • ㉡ 맨틀 대류의 하강부
(3) 수렴형 경계 • • ㉢ 변환 단층 발생

B 지진과 화산 활동의 영향

03 다음에서 설명하는 것은 무엇인지 쓰시오.

> 암석에 탄성 한계 이상의 힘이 주어지면 단층을 형성하며 진동 에너지를 한꺼번에 방출한다.

04 다음 설명 중 옳은 것은 ○, 옳지 않은 것은 ×로 표시하시오.

(1) 화산의 분출은 지구 내부 에너지와 관련이 있다. ( )
(2) 지진과 화산은 판의 경계에서 주로 발생한다. ( )
(3) 지진과 화산은 빠르고 정확한 예보가 가능하다. ( )
(4) 화산 활동의 영향은 긍정적인 면과 부정적인 면이 모두 존재한다. ( )

A 변동대와 판의 경계

05 다음 중 지각 변동에 대한 설명으로 옳지 않은 것은?

① 지진대와 화산대는 거의 일치한다.
② 지진대는 주로 대륙과 해양의 경계 부근에 위치한다.
③ 지구 전체의 화산 활동 중 대부분을 차지하는 지역은 대서양이다.
④ 지진이 자주 발생하는 지역이 띠 모양으로 분포한 것을 지진대라 한다.
⑤ 화산 활동이 자주 발생하는 지역이 띠 모양으로 분포한 것을 화산대라 한다.

06 다음 중 판에 대한 설명으로 옳은 것은?

① 연약권이라고도 한다.
② 부분 용융된 상태이다.
③ 깊이 약 100 km의 아래쪽에 있다.
④ 상부 맨틀 일부와 지각을 포함한 부분이다.
⑤ 지표면은 수백 개의 판들로 구성되어 있다.

07 다음 중 발산형 경계와 관계있는 것만을 | 보기 | 에서 있는 대로 고른 것은?

> 보기
> ㄱ. 천발 지진이 일어난다.
> ㄴ. 판이 생성되는 경계이다.
> ㄷ. 두 판이 만나는 경계이다.
> ㄹ. 해양에서는 습곡 산맥이 나타난다.

① ㄱ, ㄴ ② ㄴ, ㄷ ③ ㄱ, ㄹ
④ ㄷ, ㄹ ⑤ ㄴ, ㄷ, ㄹ

정답과 해설 040쪽

단답형

08 다음 설명에 해당하는 지형을 쓰시오.

> 수렴형 경계에서 대륙판과 해양판이 만나거나 해양판과 해양판이 만나 생성되는 지형이다. 밀도가 높은 판이 밀도가 낮은 판 아래로 섭입되는 경계에 형성된다. 깊은 바다 밑에 움푹 들어간 좁고 긴 지형이다.

09 그림은 어느 판의 경계를 나타낸 것이다.

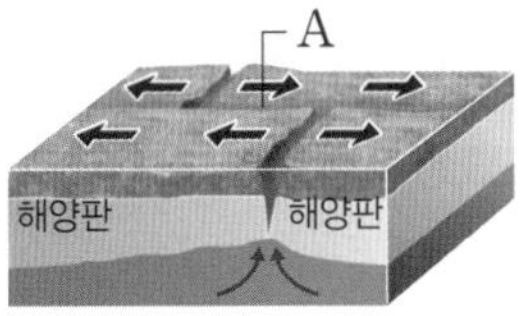

다음 중 A에서 나타나는 지진과 화산 활동을 각각 옳게 나타낸 것은?

	지진	화산 활동
①	천발 지진만 발생	발생
②	천발 지진만 발생	발생하지 않음
③	심발 지진만 발생	발생
④	심발 지진만 발생	발생하지 않음
⑤	천발 지진과 심발 지진이 모두 발생	발생

B 지진과 화산 활동의 영향

10 다음 중 지진과 관련된 설명으로 옳은 것만을 | 보기 | 에서 있는 대로 고른 것은?

> 보기
> ㄱ. 쉽게 예보할 수 있다.
> ㄴ. 지속 시간이 매우 길다.
> ㄷ. 지구 내부 에너지가 에너지원이다.
> ㄹ. 내진 설계는 피해를 줄이는 데 도움이 된다.

① ㄱ, ㄴ ② ㄷ, ㄹ ③ ㄱ, ㄴ, ㄷ
④ ㄴ, ㄷ, ㄹ ⑤ ㄱ, ㄴ, ㄷ, ㄹ

단답형

11 다음은 화산 활동과 관련된 설명이다. ( ) 안에 들어갈 알맞은 말을 쓰시오.

> 화산이 분출할 때 ( ), 화산 기체, 화산 쇄설물 등이 나온다.

12 다음 중 화산 활동에 대한 설명으로 옳은 것만을 | 보기 | 에서 있는 대로 고른 것은?

> 보기
> ㄱ. 판의 경계에서는 모두 화산 활동이 일어난다.
> ㄴ. 화산에 의한 지형은 관광 자원이 될 수 있다.
> ㄷ. 화산이 있는 지역에서는 온천을 개발할 수 있다.

① ㄱ ② ㄷ ③ ㄱ, ㄴ
④ ㄴ, ㄷ ⑤ ㄱ, ㄴ, ㄷ

13 그림은 백두산의 위치를 나타낸 것이다. 겨울철에 백두산이 폭발적으로 분출한다고 할 때 백두산의 화산재가 우리나라에 미칠 영향에 대한 설명으로 옳지 않은 것은? (단, 겨울에는 강한 북서풍이 분다고 가정한다.)

① 항공기가 결항될 수 있다.
② 농작물에 화산재가 쌓인다.
③ 평균 기온이 내려갈 수 있다.
④ 도로에 화산재가 쌓여 교통 혼란이 올 수 있다.
⑤ 울릉도, 독도에 비해 제주도의 피해가 더 클 것이다.

14 다음 중 화산 활동의 긍정적인 영향과 거리가 먼 것을 모두 고르면? (정답 2개)

① 온천 ② 관광지 ③ 지열 발전
④ 화산 이류 ⑤ 화산 쇄설류

실력 올리기 문제

| 지각 변동과 판 구조론 |

01 다음 중 판에 대한 설명으로 옳은 것만을 | 보기 | 에서 있는 대로 고른 것은?

> 보기
> ㄱ. 베게너가 판의 정의를 내렸다.
> ㄴ. 연약권의 움직임 때문에 판이 이동한다.
> ㄷ. 지표면에는 여러 개의 판이 각기 다른 속도와 방향으로 이동하고 있다.

① ㄱ ② ㄷ ③ ㄱ, ㄴ
④ ㄴ, ㄷ ⑤ ㄱ, ㄴ, ㄷ

| 판의 경계 | 출제예감

02 그림은 판 경계의 모식도를 나타낸 것이다.

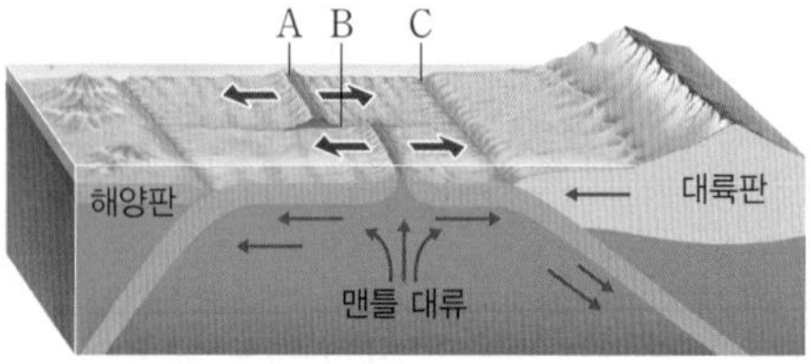

A~C에 대한 설명으로 옳은 것만을 | 보기 | 에서 있는 대로 고른 것은?

> 보기
> ㄱ. A는 판이 생성되는 경계이다.
> ㄴ. B에서는 화산 활동이 활발하게 일어난다.
> ㄷ. A, B, C 모두 심발 지진이 활발하게 일어난다.

① ㄱ ② ㄴ ③ ㄱ, ㄴ
④ ㄱ, ㄷ ⑤ ㄴ, ㄷ

알쉬특

[03~04] 그림은 세계 지도에 판의 경계를 나타낸 것이다. 그림을 보고 물음에 답하시오.

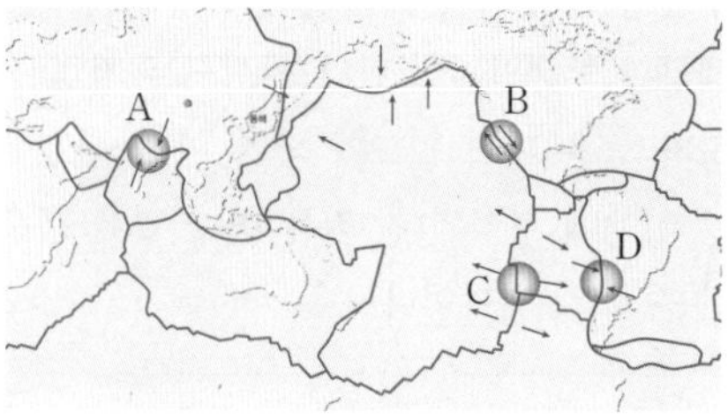

| 판의 경계 |

03 A~D 중 (가) 지진이 일어나는 곳과 (나) 화산 활동이 일어나는 곳을 각각 바르게 제시한 것은?

	(가)	(나)
①	A, B	C, D
②	C, D	A, B
③	A, B, C	C, D
④	B, C, D	A, B
⑤	A, B, C, D	C, D

| 판의 경계 | 출제예감

04 A~D에 대한 설명으로 옳은 것만을 | 보기 | 에서 있는 대로 고른 것은?

> 보기
> ㄱ. D에서 판은 소멸한다.
> ㄴ. B, C는 모두 맨틀 대류의 상승부에 위치한다.
> ㄷ. A, D는 모두 대륙판과 해양판 사이의 경계이다.

① ㄱ ② ㄴ ③ ㄱ, ㄴ
④ ㄱ, ㄷ ⑤ ㄴ, ㄷ

정답과 해설 042쪽

| 지진 |

05 지진에 대한 설명으로 옳은 것만을 | 보기 | 에서 있는 대로 고른 것은?

> 보기
> ㄱ. 지구의 평균 기온을 낮춘다.
> ㄴ. 지진이 발생하면 바로 건물 밖으로 나가야 한다.
> ㄷ. 지진의 에너지원은 화산 활동을 일으키는 에너지원과 같다.

① ㄱ ② ㄷ ③ ㄱ, ㄴ
④ ㄱ, ㄷ ⑤ ㄴ, ㄷ

| 화산 활동 | 출제예감

06 다음은 제주도에 대한 설명이다.

> 제주도에는 화산 활동과 관련된 지형인 주상 절리, 용두암, 한라산 등에 많은 관광객이 몰리고 있다.

주상 절리

용두암

이에 대한 설명으로 옳은 것만을 | 보기 | 에서 있는 대로 고른 것은?

> 보기
> ㄱ. 제주도의 형성 과정은 화산 활동과 관련이 있다.
> ㄴ. 제주도의 화산 지형은 다양한 관광 자원을 제공하고 있다.
> ㄷ. 제주도에서는 용암을 볼 수 있다.

① ㄱ ② ㄴ ③ ㄱ, ㄴ
④ ㄱ, ㄷ ⑤ ㄴ, ㄷ

| 변동대와 판 구조론 |

07 변동대와 판의 경계를 비교하여 설명하고 그렇게 설명한 이유를 서술하시오.

| 판의 경계 |

08 그림은 일본과 일본 해구를 나타낸 것이다.

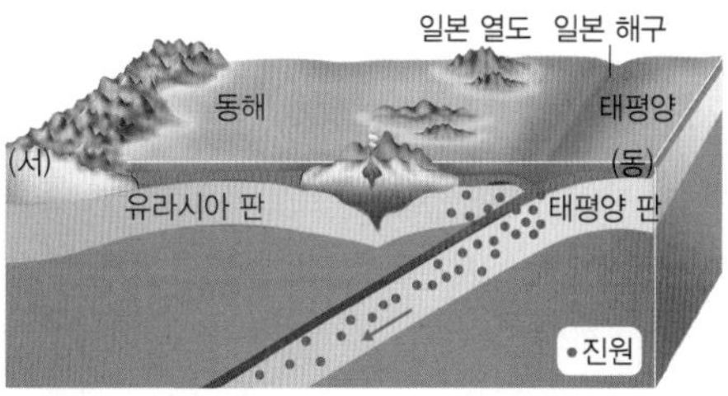

일본 해구와 관련된 지형과 지각 변동의 특징을 2가지만 서술하시오.

| 지진 |

09 화산 활동은 우리 삶에 많은 영향을 주는 자연 현상이라 할 수 있다. 화산 활동의 긍정적인 영향과 부정적인 영향을 각각 1가지씩 서술하시오.

한번에 정리하는
대단원 마무리

정답과 해설 042쪽

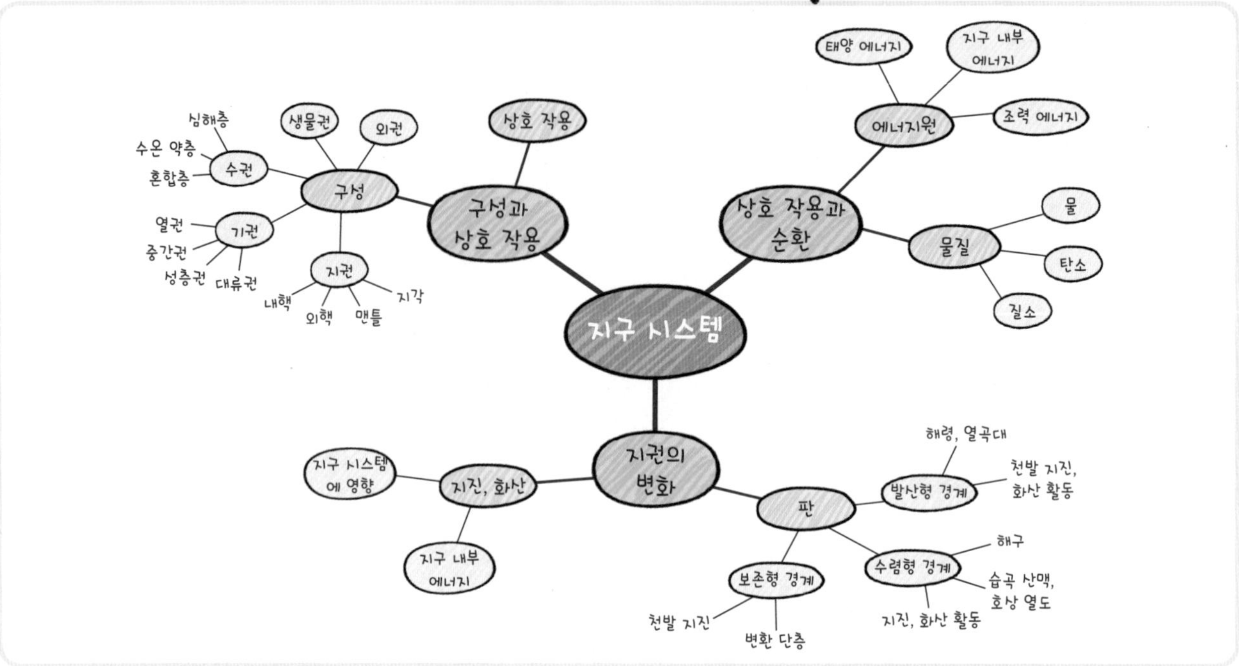

01 지구 시스템의 구성과 상호 작용

(1) 태양계: 태양과 행성, 위성 등의 천체로 구성된 역학적 시스템

(2) ① : 지구를 구성하는 요소가 상호 작용을 하며 이루어진 시스템

(3) 지구 시스템의 구성 요소

① ② : 고체 지구를 이루는 지표와 지구 내부

- ③ 에 따라 지각, 맨틀, 외핵, 내핵으로 구분

② ④ : 지구를 둘러싸고 있는 대기

- 높이에 따른 ⑤ 변화를 기준으로 대류권, 성층권, 중간권, 열권으로 구분

③ ⑥ : 수증기를 제외한 지구에 분포하는 물

- 해수가 가장 많은 양을 차지
- 해수는 ⑦ 변화에 따라 혼합층, 수온 약층, 심해층으로 구분

④ ⑧ : 지구상에 존재하는 모든 생물과 생물이 사는 영역

⑤ ⑨ : 기권 밖 1000 km 이상의 우주 공간

(4) 지구 시스템의 상호 작용

① 지구 시스템을 구성하는 요소는 서로 영향을 주고 받는다.

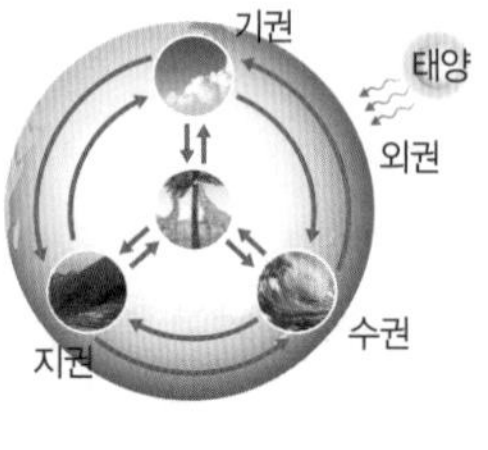

② 각 권이 상호 작용할 때 물질과 ⑩ 가 이동한다.

③ 지구의 자연 현상은 상호 작용으로 설명할 수 있다.

- 지권과 기권 사이의 상호 작용 예 화산 활동에 의한 화산재 분출
- 수권과 기권 사이의 상호 작용 예 태풍의 발생

(5) 지구 시스템과 생명 유지

지권	지구 자기장 형성, 삶의 터전, 생물 다양성에 기여
기권	유성체를 막아줌, 호흡에 필요한 산소 공급, 오존층
수권	지구와 생물의 온도 변화 완충, 생물에 영양분 공급
외권	생명이 살아가기에 적당한 거리, 지구 자기장이 태양풍, 우주선 차단

02 지구 시스템의 물질과 에너지 순환

(1) 지구 시스템의 에너지원

⑪ 에너지	• 지구 시스템의 에너지원 중 가장 많은 양 • 풍화·침식, 날씨 변화, 파도, 해류, 생명 활동 등에 영향
⑫ 에너지	• 방사성 동위원소의 붕괴열, 지구 생성 초기의 에너지 • 맨틀 대류를 통한 대륙 이동, 지진, 화산 활동의 원동력
⑬ 에너지	• 달과 태양과의 인력 • 밀물과 썰물을 일으키는 힘 • 해양 지형과 생태계에 영향

(2) 에너지 평형

① 지구는 구형이어서 태양 복사 에너지의 위도별 불균형이 발생 → 저위도>고위도

② 대기와 해수의 순환에 의해 에너지 평형

예) 태풍, 해류

(3) ⑭ ___ 의 순환

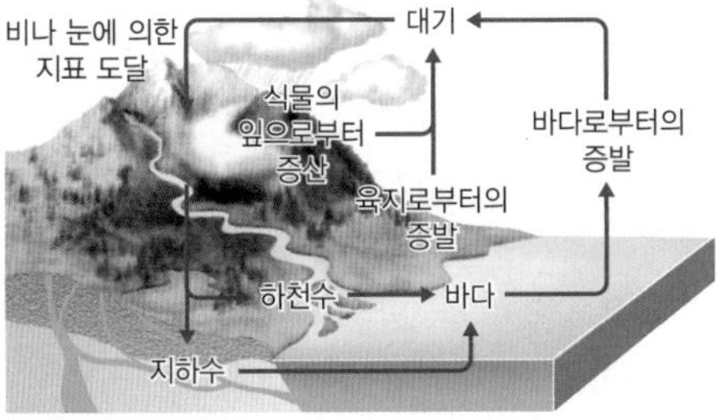

① 태양 에너지를 바탕으로 순환하며 총량은 보존

② 물이 각 권 사이를 이동할 때 에너지 출입이 일어난다.

③ 물의 평형: 물이 이동할 때 각 권이 얻은 물의 양과 잃은 물의 양은 같고 지구 시스템 전체 물의 양은 일정

(4) ⑮ ___ 의 순환: 다양한 형태로 지구 구성 요소 간 순환

지권	석회암, 화석 연료
기권	이산화 탄소, 메테인
수권	탄산 이온
생물권	유기물(탄소 화합물)

03 지구 시스템과 지권의 변화

(1) ⑯ ___ : 지진과 화산 활동이 자주 발생하는 지역으로 판의 경계와 분포가 비슷하다.

(2) ⑰ ___ : 판의 운동으로 인해 지각 변동이 발생한다는 이론

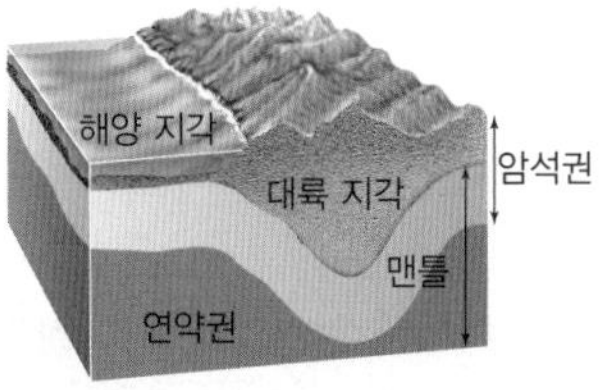

① 에너지원: 지구 내부 에너지

② 판: 상부 맨틀의 일부와 지각을 포함한 두께 약 100 km의 단단한 암석으로 이루어진 부분

(3) 판의 경계

① ⑱ ___ : 판과 판이 멀어지는 경계

특징	• 맨틀 대류의 상승부 • 판이 갈라져 서로 멀어짐 • 판이 생성	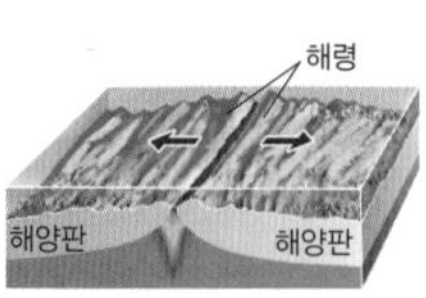
지각 변동	• ⑲ ___ 지진 • 화산 활동	
지형	• 해양에서는 해령 • 대륙에서는 열곡대	

② ⑳ ___ : 판과 판이 만나는 경계

대륙판과 해양판	해양판과 해양판	대륙판과 대륙판
• 해구에서 판이 소멸 • 지진과 화산 활동 (판의 깊이에 따라 천발~심발 지진)		• 두 대륙판이 충돌 • 지진 활발 (천발~중발 지진)
㉑ ___ , 습곡 산맥, 호상 열도	㉑ ___ , 호상 열도	습곡 산맥
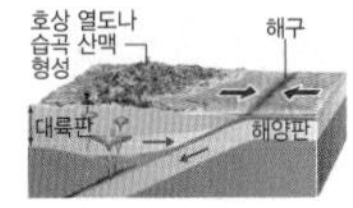	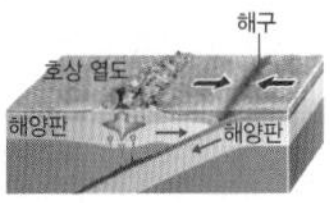	

③ ㉒ ___ : 두 판이 서로 어긋나는 경계

특징	두 판이 서로 반대 방향으로 스쳐 지나가는 경계	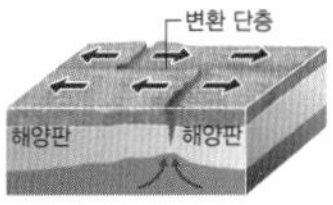
지각 변동	• 천발 지진	
지형	변환 단층	

(4) 지진

① 발생 과정

㉓ ___ 에 의한 지구 내부의 움직임 → 암석에 탄성 한계 이상의 힘 축적 → 단층 형성, 진동 에너지를 한꺼번에 방출

② 피해

- 1차 피해: 건축물 파손, 산사태 지진 해일(쓰나미) 등
- 2차 피해: 화재 및 교통, 수도, 전기, 가스, 통신 시설 마비 등

③ 대책: 내진 설계, 지진 경보 시스템 등을 갖추고, 지진 발생시 대응 요령을 숙지하여 안전하게 대피한다.

(5) 화산 활동

① 발생 과정

㉓ ___ 로 지하에 마그마 형성 → 마그마가 지각의 약한 부분을 뚫고 상승 → 분출(용암, 화산 가스, 화산 쇄설물을 방출)

② 부정적인 영향: 용암으로 인한 화재, 화산 가스, 화산 쇄설류, 화산 이류 등으로 동식물에 피해, 화산 쇄설물로 인한 기온 하강, 항공기 운항 곤란 등

③ 긍정적인 영향: 지열을 이용한 지열 발전 및 온천 개발, 관광 자원 제공, 비옥한 농경지

한번에 끝내는
대단원 마무리

정답과 해설 042쪽

01 다음에서 설명하는 것이 존재하는 지구 구성 요소로 옳은 것은?

> 태양으로부터 오는 자외선을 차단해 생물을 보호한다.

① 기권 ② 수권 ③ 외권
④ 지권 ⑤ 생물권

[02~03] 다음은 지구의 성층 구조 중 일부에 대한 설명이다. 물음에 답하시오.

> • A: 기권 중 기상 현상이 일어나는 층이다.
> • B: 바다 중 바람의 혼합 작용으로 수심에 따른 수온 변화가 거의 없는 층이다.
> • C: 지권 중 부피가 가장 크고 대류가 일어나는 층이다.

02 위 글에 대한 설명으로 옳은 것만을 |보기|에서 있는 대로 고른 것은?

> 보기
> ㄱ. A에는 생물권이 분포할 수 있다.
> ㄴ. B는 바다에서 가장 깊은 층이다.
> ㄷ. C는 핵을 움직이게 한다.

① ㄱ ② ㄷ ③ ㄱ, ㄴ
④ ㄱ, ㄷ ⑤ ㄴ, ㄷ

03 A~C 중 태양 에너지와 관련이 없는 것을 모두 고르면?

① A ② C ③ A, B
④ A, C ⑤ B, C

04 다음은 양수에 대한 설명이다.

> 양수는 태아를 둘러싸고 있는 양막 안에 차 있는 액체로 바닷물의 성분과 비슷하며 태아의 몸으로부터 나온 여러 물질들이 섞여있고 태아의 체온 조절을 돕는다.

이를 통해 유추할 수 있는 수권이 생명에 주는 영향으로 옳은 것만을 |보기|에서 있는 대로 고른 것은?

> 보기
> ㄱ. 유해한 우주선이나 태양풍을 차단한다.
> ㄴ. 지구의 온도가 쉽게 변하지 않도록 한다.
> ㄷ. 여러 물질을 잘 녹여 생물체가 영양분을 공급받도록 한다.

① ㄱ ② ㄷ ③ ㄱ, ㄴ
④ ㄴ, ㄷ ⑤ ㄱ, ㄴ, ㄷ

05 다음은 암석의 풍화를 일부만 설명한 것이다.

> 암석이 여러 원인으로 토양이 되는 과정을 풍화라 한다. 석회암 지대를 흐르는 지하수는 석회암을 녹여 석회 동굴을 만든다. 식물의 뿌리는 암석의 틈으로 들어가 암석을 부수기도 한다.

위의 암석의 풍화와 관련이 있는 지구 구성 요소를 모두 바르게 제시한 것은?

① 지권, 수권
② 지권, 생물권
③ 지권, 기권, 생물권
④ 지권, 수권, 생물권
⑤ 기권, 수권, 지권, 생물권

06 표는 몇 가지 자연 현상에 대한 설명이다.

A	파도가 치고 있는 해변에 지진 해일이 닥쳐 해안이 침수되었다.
B	큰 태풍이 와서 강한 바람에 의해 나무가 쓰러졌다.

이에 대한 설명으로 옳은 것만을 |보기| 에서 있는 대로 고른 것은?

보기
ㄱ. A와 B는 모두 같은 지구 구성 요소들 간의 상호 작용이다.
ㄴ. A와 B를 일으킨 에너지원은 각각 한 가지씩이다.
ㄷ. A와 B 모두에 영향을 미치는 에너지원은 태양 에너지이다.

① ㄱ ② ㄷ ③ ㄱ, ㄴ
④ ㄴ, ㄷ ⑤ ㄱ, ㄴ, ㄷ

07 그림은 위도별 복사 에너지량을 나타낸 것이다.

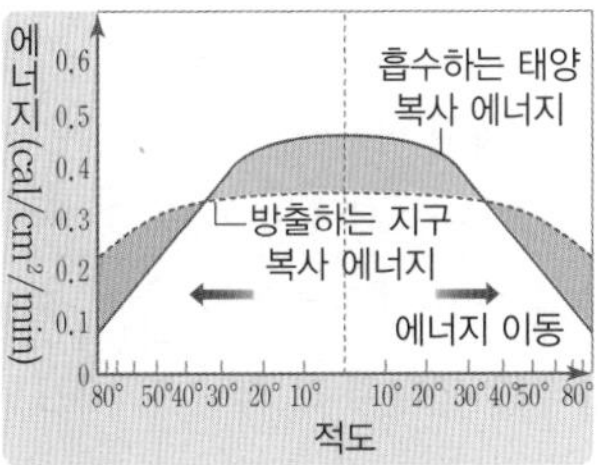

이에 대한 설명으로 옳은 것만을 |보기| 에서 있는 대로 고른 것은?

보기
ㄱ. 적도는 에너지 과잉 상태이다.
ㄴ. 극은 지구 복사 에너지가 태양 복사 에너지보다 크다.
ㄷ. 극 지역은 점점 추워지고 적도 지역은 점점 따뜻해진다.

① ㄱ ② ㄴ ③ ㄷ
④ ㄱ, ㄴ ⑤ ㄴ, ㄷ

[08~10] 다음은 물의 순환을 나타낸 것이다. 물음에 답하시오.

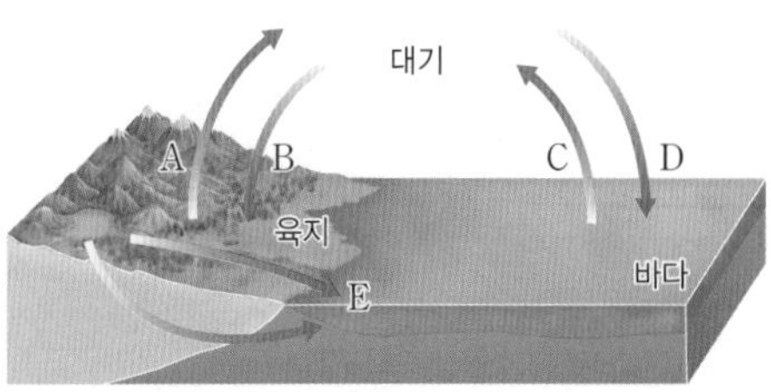

- A는 육지에서의 연평균 증발량, B는 육지에서의 연평균 강수량이다.
- C는 바다에서의 연평균 증발량, D는 바다에서의 연평균 강수량이다.
- E는 지표 유출로 하천, 지하수 등에 해당한다.
- 다음은 A~D의 상대적인 값이다.
  A=60, B=96, C=320, D=284

08 이에 대한 설명으로 옳은 것만을 |보기| 에서 있는 대로 고른 것은?

보기
ㄱ. 물의 순환에서 에너지는 순환하지 않는다.
ㄴ. 물의 순환을 통해 지표면에 변화가 생긴다.
ㄷ. 물의 순환을 일으키는 에너지원은 다양한 생명 활동에도 영향을 준다.

① ㄱ ② ㄷ ③ ㄱ, ㄴ
④ ㄴ, ㄷ ⑤ ㄱ, ㄴ, ㄷ

09 그림에 대한 설명으로 옳은 것만을 |보기| 에서 있는 대로 고른 것은?

보기
ㄱ. 육지보다 바다에서의 강수량이 더 많다.
ㄴ. 바다는 증발량이 강수량보다 36만큼 많다.
ㄷ. 전체 지구 표면에서 증발량보다 강수량이 더 많다.

① ㄱ ② ㄷ ③ ㄱ, ㄴ
④ ㄴ, ㄷ ⑤ ㄱ, ㄴ, ㄷ

10 E의 상대적인 값으로 옳은 것은?

① 20 ② 36 ③ 224
④ 188 ⑤ 260

11 다음은 어떤 판의 경계를 나타낸 것이다.

> 대륙판과 대륙판이 서로 반대로 멀어지면 (A), 충돌하면 (B)이다.

이에 대한 설명으로 옳지 않은 것은?

① A는 변환 단층이 형성된다.
② A에서는 화산 활동이 발생한다.
③ B에서는 천발 지진이 발생한다.
④ B의 예로 히말라야 산맥을 들 수 있다.
⑤ A는 발산형 경계, B는 수렴형 경계이다.

고난도

12 그림은 어느 기간 동안 관찰한 우리나라 주변에서 발생한 규모 4 이상의 지진의 분포와 판의 경계를 나타낸 것이다.

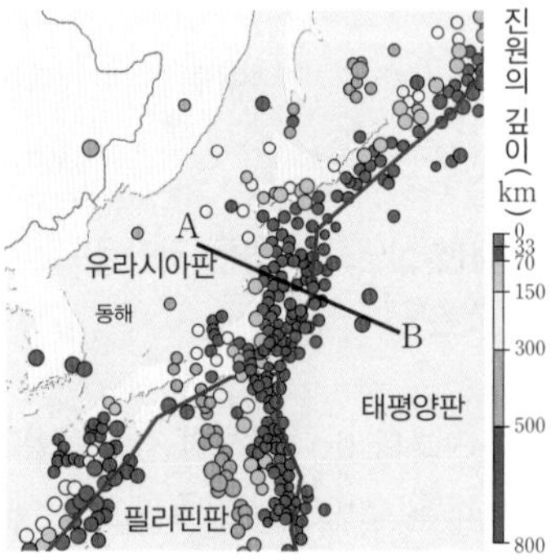

이에 대한 설명으로 옳은 것만을 | 보기 | 에서 있는 대로 고른 것은?

> 보기
> ㄱ. 위의 판의 경계는 모두 해구이다.
> ㄴ. 판 경계 근처에서 화산 활동은 일어나지 않는다.
> ㄷ. 지진의 깊이는 B → A 방향으로 갈수록 깊어진다.

① ㄱ ② ㄴ ③ ㄱ, ㄷ
④ ㄴ, ㄷ ⑤ ㄱ, ㄴ, ㄷ

13 다음은 판 구조론과 판 경계에 대한 설명이다.

> • 베게너는 대륙 이동설을 제시하며 대륙 이동의 증거는 제시하였지만 대륙 이동의 원동력인 (A)을(를) 설명하지 못했다.
> • (A)의 상승부에서는 (B)이(가) 발생한다.
> • (A)의 하강부에서는 (C)이(가) 발생한다.

다음 중 A, B, C를 각각 옳게 짝 지은 것은?

	A	B	C
①	맨틀 대류	화산 활동	천발 지진
②	핵의 대류	심발 지진	화산 활동
③	맨틀 대류	판의 소멸	판의 생성
④	핵의 대류	호상 열도	해령
⑤	맨틀 대류	습곡 산맥	해령

통합 문제

14 다음은 어느 화산 활동을 나타낸 것이다.

> • 아이슬란드 에이야파들라외퀴들 화산은 2010년 분출해 유럽에 항공 대란을 일으켰다.
> • (가) 인도네시아 탐보라 화산은 1816년 분출하여 1816년을 여름이 없는 해로 만들었다.
> • 필리핀 피나투보 화산은 1991년 분출하여 지구의 평균 기온이 약 0.5 ℃ 낮아졌다.

이에 대한 설명으로 옳은 것만을 | 보기 | 에서 있는 대로 고른 것은?

> 보기
> ㄱ. 이 현상은 모두 화산재가 원인이다.
> ㄴ. (가)는 지권과 수권 사이의 상호 작용이다.
> ㄷ. 이 현상은 모두 지구 내부 에너지에 의해 발생한 것이다.

① ㄱ ② ㄷ ③ ㄱ, ㄴ
④ ㄱ, ㄷ ⑤ ㄴ, ㄷ

15 다음은 바다의 층상 구조에 대한 설명이다.

> 바다는 수심에 따른 수온 변화에 따라 혼합층, 수온 약층, 심해층으로 구분한다.

바다의 층상 구조 중 지구 시스템 구성 요소의 상호 작용에 의해 만들어진 층을 쓰고 어떤 구성 요소들 간의 상호 작용인지 판단한 근거와 함께 서술하시오. (단, 층만 제시하면 답으로 인정하지 않는다.)

16 지구에 생명체가 살 수 있는 이유 중 기권 이상의 높이에서 생명체를 보호하는 사례 2가지를 서술하시오. (단, 오존층은 제외한다.)

17 육지와 해안에서 수권과 지권이 상호 작용하는 예를 각각 1가지씩 서술하시오.

18 최근 인간은 탄소의 순환에 영향을 주고 있다. 인간이 탄소 순환에 영향을 주는 사례와 이를 통해 지구에 일어나는 변화를 각각 서술하시오.

19 그림은 판의 경계를 나타낸 것이다.

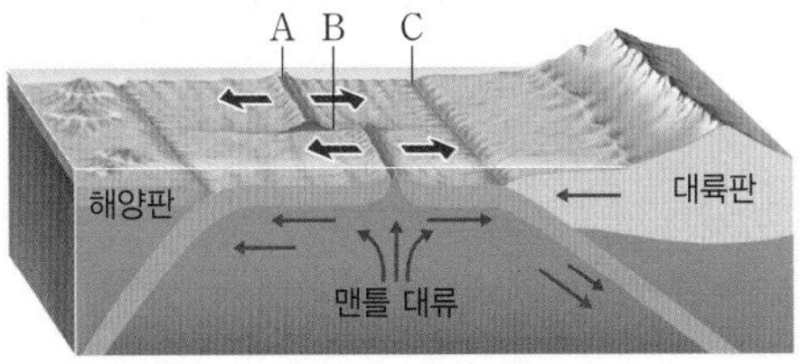

화산 활동이 일어나는 판의 경계를 그림에서 골라 기호로 쓰고 화산 활동에 의한 영향을 사례를 들어 서술하시오.

V

생명 시스템

※ **나의 학습 일정표** : 스스로 계획하고 실천하면 실력이 올라갑니다.

단원명	내용 정리	알쉬탐 / 알쉬특	개념+기본 문제	실력 올리기 문제	대단원 마무리 + 문제
01 생명 시스템의 기본 단위					
02 생명 시스템에서의 화학 반응					
03 생명 시스템에서의 정보 흐름					

* 내용을 공부하기 전에 용어집을 읽어 보면 공부가 쉬워져요!!

지구 시스템에서 생명체는 몸을 구성하는 여러 요소가 상호 작용하여 다양한 생명 활동을 수행하는 하나의 생명 시스템이야. 생명 시스템의 기본 단위는 세포라고 해.

배울 내용 미리보기

용어집 23쪽

01 생명 시스템의 기본 단위

A 세포와 세포 소기관 #동물 세포 #식물 세포 #핵 #미토콘드리아 #엽록체 #소포체 #골지체 #리보솜

B 세포막의 구조와 물질 출입 #세포막 #선택적 투과성 #확산 #삼투

용어집 25쪽

02 생명 시스템에서의 화학 반응

생명 시스템 유지를 위해서는 물질대사를 통해 에너지가 공급되고 구성 물질이 합성되어야 하는데, 물질대사는 생명체 밖에서 일어나는 화학 반응과 달리 생체 촉매인 효소의 도움으로 일어나지.

A 물질대사 #물질대사 #효소 #동화 작용 #이화 작용 #세포 호흡 #광합성

B 효소의 작용과 특성 #활성화 에너지 #반응물 #생성물 #카탈레이스

C 효소의 활용 #발효 식품 #의약품 #생명 공학 분야

용어집 26쪽

03 생명 시스템에서의 정보 흐름

A DNA와 유전자 #DNA #유전자 #염색체 #형질

B 유전 정보의 흐름 #생명 중심 원리 #전사 #번역 #코돈

C 유전자 이상과 유전 질환 #페닐케톤뇨증 #낫 모양 적혈구 빈혈증

생명체는 세포에서 유전 정보에 따라 단백질이 합성되는 것을 조절하여 생명 시스템을 유지해. 유전 정보는 핵 속의 DNA에 저장되어 있다가 RNA에 전달되어 단백질로 합성되는데, 이것을 생명 중심 원리라고 해.

01 생명 시스템의 기본 단위

개념 이해 세포, 동물 세포, 식물 세포, 세포 소기관, 핵, 리보솜, 소포체, 골지체, 엽록체, 미토콘드리아, 액포, 세포벽, 세포막, 인지질 2중층, 선택적 투과성, 확산, 삼투

A 세포와 세포 소기관

한·줄·핵심 모든 생물은 생명 시스템의 기본 단위인 세포로 구성되어 있으며 여러 세포 소기관이 서로 유기적으로 작용하여 생명 시스템을 유지하지!

1. 세포● 생명 시스템❶을 구성하는 구조적 단위이자, 생명 활동이 일어나는 기능적 단위

(1) 구조적 단위로서의 세포 모든 생물은 세포로 구성

① 단세포 생물: 세포 하나가 곧 개체 예 아메바, 짚신벌레

② 다세포 생물: 수많은 세포들이 모여 복잡하고 정교한 체제를 이룬 개체 예 동물, 식물

- 다세포 생물의 구성 단계❷: 세포 → 조직 → 기관 → 개체
  세포가 모여 조직을 이루고, 조직이 모여 고유한 형태와 기능을 가진 기관을 이루며, 기관이 모여 독립적으로 생명 활동을 하는 개체가 된다.

(2) 기능적 단위로서의 세포 세포에 있는 세포 소기관❸들이 물질대사, 생식, 유전 등 여러 생명 활동을 담당하면서 서로 유기적으로 작용한다.
(유기적: 전체를 구성하고 있는 각 부분이 서로 밀접하게 관련을 가지고 있어서 떼어 낼 수 없다는 뜻)

2. 세포 소기관

세포는 세포막으로 외부와 내부로 구분되고, DNA의 유전 정보에 따라 리보솜에서 단백질이 합성되어 생물의 특성을 나타내고 스스로 물질대사를 할 수 있다.

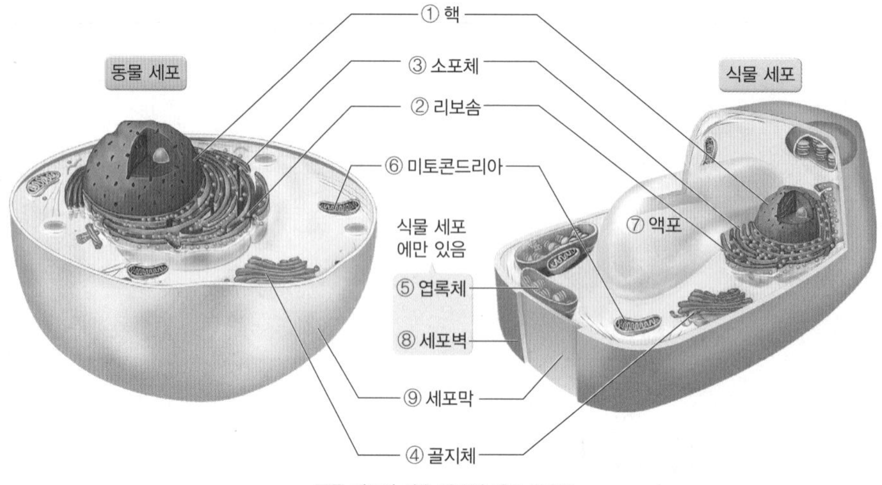

동물 세포와 식물 세포의 세포 소기관

(1) 물질 합성과 관련된 세포 소기관 핵, 소포체, 골지체, 엽록체, 미토콘드리아, 액포는 막으로 싸여 있는 구조이고, 리보솜은 막으로 싸여 있지 않다.

종류	특징
① 핵	• 동물 세포와 식물 세포에서 생장, 생식, 유전 등 생명 활동의 중심 • 유전 정보를 저장하고 있는 DNA가 있다.
② 리보솜	DNA에 저장된 유전 정보에 따라 단백질 합성
③ 소포체	• 세포 내 물질의 이동 통로 • 리보솜에서 합성된 단백질을 골지체나 세포의 다른 부위로 운반 • 지질 합성 소포체에는 리보솜이 붙어 있지 않다.
④ 골지체	소포체에서 운반된 단백질이나 지질을 변형하여 세포 내외로 분비

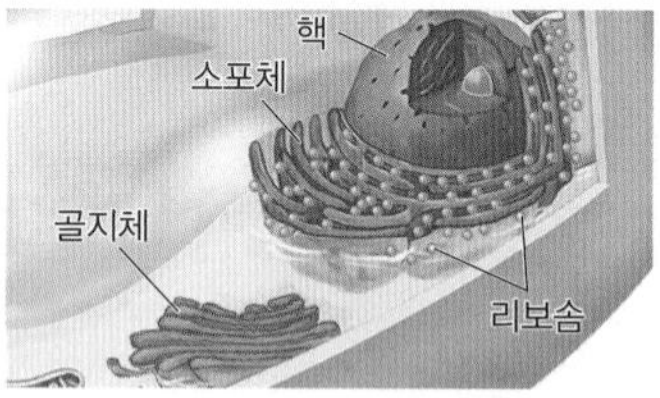

❶ **생명 시스템**
지구 시스템에서 생명체가 물, 공기, 빛 등 외부 환경 요소와 서로 상호 작용하면서 다양한 생명 활동을 수행하는 시스템

❷ **다세포 생물의 구성 단계**
- 동물체의 구성 단계: 세포 → 조직 → 기관 → 기관계 → 개체 (기관계: 동물체에만 있는 구성 단계)
- 식물체의 구성 단계: 세포 → 조직 → 조직계 → 기관 → 개체 (조직계: 식물체에만 있는 구성 단계)

❸ **세포 소기관**
세포는 핵과 세포질로 구분되며, 세포질에 다양한 세포 소기관이 있어 유기적으로 생명 활동을 수행한다.

●세포(가늘 細, 세포 胞) 로버트 훅은 얇게 저민 참나무의 코르크 조각에서 수많은 벌집 모양의 작은 칸막이로 되어 있는 구조를 발견하였으며 수도원의 작은 방을 닮았다고 하여 '작은 방'이라는 의미를 지닌 '세포'(cell)라고 함

(2) 에너지 전환을 담당하는 세포 소기관

종류	특징	
⑤ 엽록체	광합성❹을 하는 식물 세포에서 빛에너지를 흡수하여 포도당과 같은 유기물을 합성 • 빛에너지가 화학 에너지로 전환되는 과정을 광합성이라고 한다. • 엽록체는 잎의 울타리 조직, 해면 조직에 많이 들어 있다.	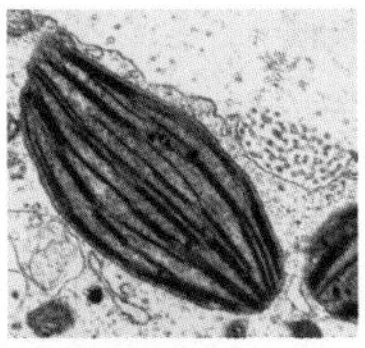
⑥ 미토콘드리아	산소를 이용해 유기물을 분해하는 세포 호흡❺이 일어나 세포 활동에 필요한 에너지 생성 근육 세포와 같이 많은 에너지가 필요한 세포에 많이 들어 있다.	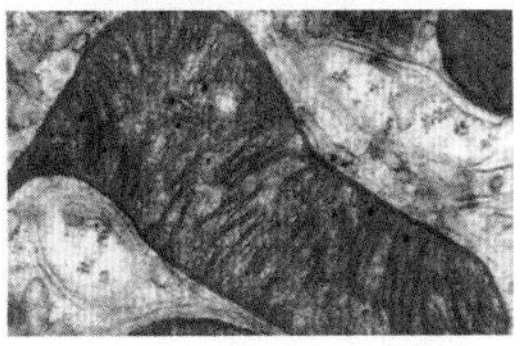

(3) 물질 저장 및 보호, 형태 유지를 담당하는 세포 소기관

종류	특징
⑦ 액포●	• 주로 식물 세포에서 발달 • 물과 양분, 노폐물 저장 액포를 통해 식물 세포 내외로 물이 출입한다.
⑧ 세포벽	• 식물 세포의 세포막 바깥쪽에 있는 두껍고 단단한 막 • 세포의 형태를 유지하고 세포 안쪽을 보호
⑨ 세포막	• 세포 전체를 둘러싸는 얇은 막 • 인지질 2중층에 단백질이 불규칙하게 분포 • 세포의 형태 유지 • 세포 안팎의 물질 출입 조절 • 물질대사가 일어날 수 있는 독립적인 환경 형성 세포막은 물질 출입이 조절되지만, 세포벽은 물질 출입 조절 기능이 없다.

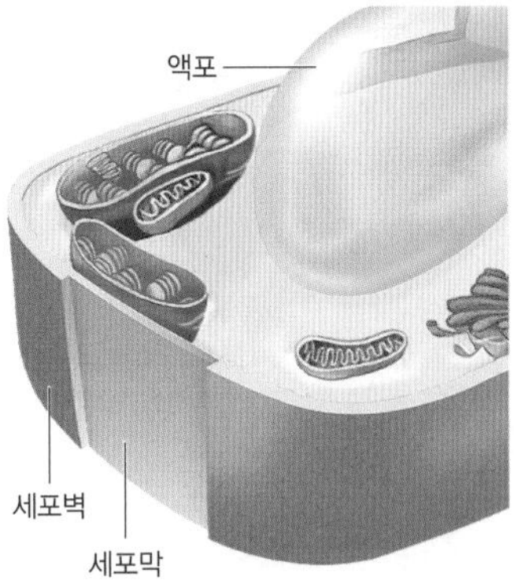

자료 동물 세포와 식물 세포의 세포 소기관 비교

동물 세포와 식물 세포의 구조를 비교하여 공통점과 차이점을 분석할 수 있다.

구분	동물 세포	식물 세포
공통적으로 가지고 있는 세포 소기관	핵, 세포막, 미토콘드리아, 소포체, 골지체, 리보솜	
차이점	세포벽과 엽록체가 없다.	• 세포벽이 있어 세포가 일정한 형태 유지 • 엽록체가 있어 광합성 작용 가능 • 액포 발달

❹ 광합성

식물의 엽록체에서 이산화 탄소와 물을 이용하여 포도당과 산소가 생성되는 반응으로, 식물의 에너지원을 합성한다.

❺ 세포 호흡

세포에서 포도당을 산소를 이용하여 이산화 탄소와 물로 분해하고, 이 과정에서 방출된 에너지를 생명 활동에 필요한 에너지로 전환하는 과정이다.

#암기!

세포 소기관의 유기적 관계

핵의 DNA에 유전 정보 존재 → 리보솜에서 유전 정보에 따라 단백질 합성 → 소포체, 골지체에서 합성된 단백질 운반 후 세포 밖으로 분비

●액포(진 液, 세포 胞) 세포질 내에서 세포액에 단일막으로 둘러싸여 다른 세포질과 구별된 구조를 액포라고 함

정답과 해설 045쪽

간단 점검

1. 세포는 생명 시스템을 구성하는 ( ), ( ) 기본 단위이다.
2. DNA가 있으며 세포의 생명 활동을 조절하는 세포 소기관은?
3. DNA에 저장된 유전 정보를 전달받아 단백질을 합성하는 세포 소기관은?
4. 식물 세포에서 포도당을 생성하는 세포 소기관은?
5. 세포에서 세포 호흡이 일어나는 세포 소기관은?
6. 세포 전체를 둘러싸는 인지질 2중층으로 된 얇은 막으로, 세포 안팎의 물질 출입을 조절하는 것은?
7. 식물 세포에는 있으나 동물 세포에는 없는 세포 소기관은?

❻ **세포막**

- 막단백질(세포막에 있는 단백질)의 기능: 세포 내부의 물질대사에 관여하는 효소 역할, 물질 이동에 관여하는 수송 단백질로서의 역할, 세포 외부에서 특정 물질과 결합하는 수용체 역할
- 세포막의 유동성: 세포막의 단백질 중 일부는 인지질의 유동성 때문에 위치가 쉽게 변한다.

❼ **확산 속도**

확산 속도는 분자의 크기가 작을수록, 농도 기울기가 클수록, 지질에 대한 용해도가 클수록 빠르다. → 산소, 이산화 탄소 등 매우 작은 분자나 지방산, 지용성 비타민 등 지용성 물질들은 세포막에 대해 높은 투과성을 나타낸다.

#보충!

삼투 현상에서의 농도

삼투의 작용 방향은 전체 용질의 농도에 의해 결정된다. 즉, 세포의 내부에는 수많은 용질이 녹아 있지만 세포 전체 용질의 농도보다 진한 소금물에 넣으면 세포 내부의 물이 빠져나가게 된다.

#암기!

확산

고농도 – (용질) → 저농도
(용질: 용액에 녹아 있는 물질)

삼투

저농도 – (용매) → 고농도
(용매: 용질을 녹이는 물질)

●**확산(넓히다 擴, 흩어지다 散)** 농도가 높은 쪽에서 낮은 쪽으로 농도가 균일해질 때까지 분자가 스스로 운동하여 이동하는 현상

●**삼투(스미다 滲, 통하다 透)** 농도가 다른 두 액체를 반투과성 막으로 막아놓았을 때, 농도가 낮은 쪽에서 높은 쪽으로 용매가 이동하는 현상으로, 이때 반투과성 막이 받는 압력을 삼투압이라고 함

B 세포막의 구조와 물질 출입

한·줄·핵심 세포막은 물질에 따라 선택적 투과성을 가지며, 확산, 삼투 등의 원리로 물질이 이동해!

1. 세포막❻의 구조

인지질의 머리 부분에는 친수성인 인산이 있고, 꼬리 부분에는 소수성인 지방산이 2개 있다.

(1) 인지질 친수성(물과 잘 섞이는 성질) 머리 부분과 소수성(물과 잘 섞이지 않는 성질) 꼬리 부분으로 되어 있다. ⇨ 소수성 꼬리 부분이 마주 보며 배열되어 인지질 2중층 형성 (세포 안과 밖에 물이 풍부하므로 소수성 부분이 마주 보며 배열)

(2) 단백질 인지질 2중층에 파묻혀 있거나 관통하고 있다. ⇨ 세포막에서의 물질 출입이나 신호 인식 등의 기능 (세포막에 있는 단백질을 막단백질이라고 한다.)

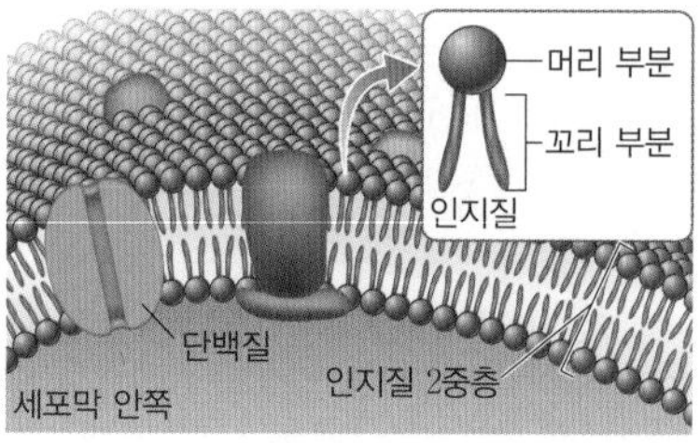

세포막의 구조

2. 선택적 투과성

세포막의 구조로 인해 물질의 종류, 크기 등에 따라 세포막을 통한 물질의 이동이 다르게 일어나는 성질

3. 세포막을 통한 물질 출입

구분	특징	예
●확산❼	• 물질이 스스로 운동하여 농도가 높은 곳에서 낮은 곳으로 퍼져 나가는 현상 • 기체 분자와 같이 크기가 매우 작은 물질은 인지질 2중층을 통해 이동 • 인지질 2중층을 직접 통과하기 어려운 물질은 세포막을 관통하고 있는 단백질을 통해 확산	• 산소가 폐포에서 모세 혈관으로 이동할 때 • 혈액 속의 포도당이 단백질 통로를 통해 조직 세포로 이동할 때
●삼투 삼투는 반투과성막을 통과하지 못하는 용질이 있을 때 용매가 이동하는 것이다.	• 물이 세포막을 경계로 농도가 낮은 쪽에서 높은 쪽으로 이동하는 현상 • 물 분자가 많은 쪽에서 적은 쪽으로 물이 확산하는 현상	• 물이 콩팥의 세뇨관에서 모세 혈관으로 재흡수될 때 • 식물의 뿌리털이 토양에서 물을 흡수할 때

탐구 적혈구에서의 삼투 현상 알쉬탐

동물 세포인 적혈구를 삼투압이 다른 여러 용액에 넣어 그 결과를 삼투 현상으로 설명할 수 있다.

과정

소금물을 이용하여 저장액, 등장액, 고장액을 만들어 각각 적혈구를 넣고 일정 시간 후 현미경으로 관찰한다.

결과

저장액 적혈구의 삼투압보다 삼투압이 더 낮은 용액	등장액 적혈구의 삼투압과 같은 삼투압을 가진 용액	고장액 적혈구의 삼투압보다 삼투압이 더 높은 용액
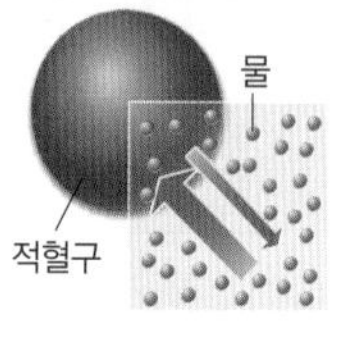	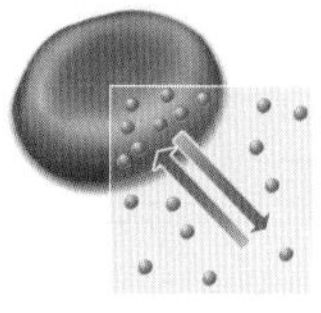	

정리

❶ **저장액에 넣은 경우:** 적혈구 안으로 들어오는 물의 양이 많아 부풀어 오르다 터질 수 있다.
❷ **등장액에 넣은 경우:** 적혈구 안팎으로 이동하는 물의 양이 같아 부피 변화가 없다. – 농도가 같아지더라도 물의 이동은 계속 일어난다.
❸ **고장액에 넣은 경우:** 적혈구 밖으로 빠져나가는 물의 양이 많아 적혈구가 쪼그라든다.

정답과 해설 045쪽

간단 점검

8. 세포막의 구조로 인해 물질의 종류, 크기 등에 따라 세포막을 통한 물질의 이동이 다르게 일어나는 성질은?

9. 세포막을 통한 물질 출입 원리 중 산소가 폐포에서 모세 혈관으로 이동하는 원리는?

알아두면 시험이 쉬워지는 탐구

식물 세포의 삼투 현상

목표 식물 세포인 양파 세포에서 일어나는 삼투 현상을 관찰하고 그 원리를 이해할 수 있다.

유의점
양파 표피 세포로 현미경 표본을 만들 때 최대한 얇게 펴서 관찰하며, 현미경 사용 방법을 숙지한 후 사용한다.

#이런 실험도 있어요.

달걀노른자 또는 상추 잎 조각을 이용한 실험

[과정]
달걀노른자(상추)를 각각 증류수와 10 % 설탕 용액(또는 소금 용액)에 담가 두고 10분(상추는 5분) 후 변화를 관찰한다.

[결과]

용액	증류수	설탕/소금 용액
달걀 노른자	크기 커짐	크기 줄어듦
상추 잎	뻣뻣해짐	시들해짐

- 증류수: 삼투에 의해 달걀노른자나 상추 잎 조각으로 물이 흡수된다.
- 설탕/소금 용액: 삼투에 의해 달걀노른자나 상추 잎 조각에서 물이 빠져나간다.

#보충!

원형질 분리
식물 세포에서 물이 많이 빠져나가 세포가 쭈그러들면서 세포막이 세포벽과 분리되는 현상

과정

❶ 양파 표피 세포 분리하기 ❷ 양파 조각을 서로 다른 농도의 용액에 넣기 ❸ 양파 표피 조각 관찰하기

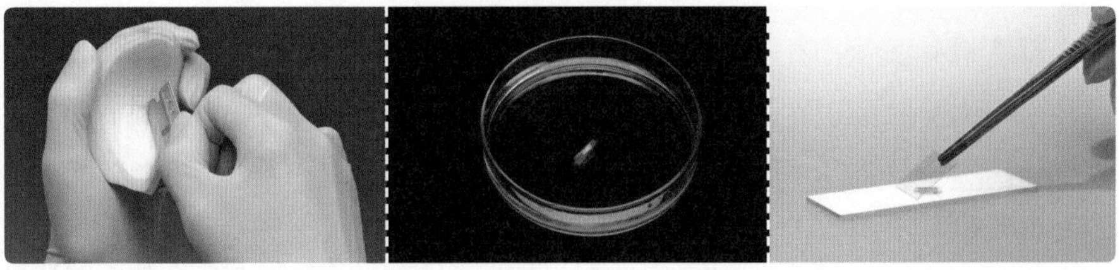

- 양파의 표피에 면도칼을 이용하여 가로, 세로 각각 5 mm 크기로 칼집을 내고, 핀셋을 이용하여 양파 표피 조각을 벗겨 낸다.
- 3개의 양파 표피 조각을 증류수, 10 % 설탕 수용액, 20 % 설탕 수용액이 담긴 페트리 접시에 약 10분 동안 각각 담가 둔다.
- 양파의 표피 조각을 꺼내어 현미경 표본을 만든 후 현미경으로 관찰한다.
  식물 세포 내의 수분량이 조절될 때에는 액포의 크기도 함께 변하므로 세포의 부피와 함께 액포의 크기도 관찰한다.

결과 및 해석

페트리 접시의 용액	증류수(저장액)	10 % 설탕 수용액(등장액)	20 % 설탕 수용액(고장액)
관찰된 모습	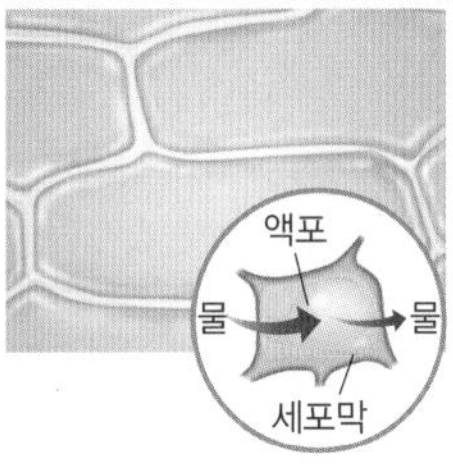	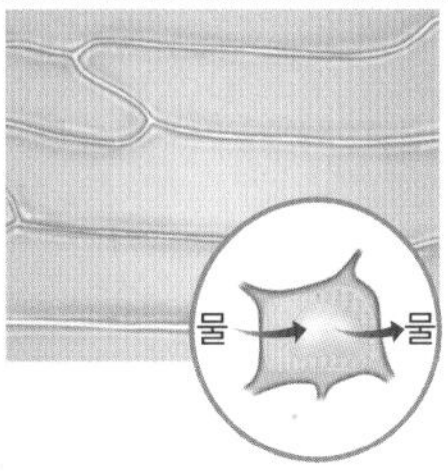	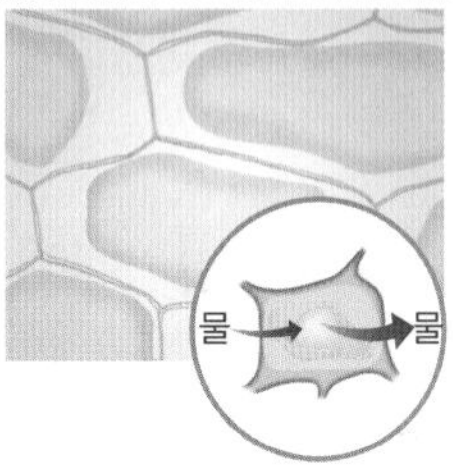
세포의 부피 변화	커짐	변화 없음	작아짐
물의 이동	양파 세포 안으로 들어오는 물의 양이 양파 세포 밖으로 나가는 물의 양보다 많아 세포가 팽팽해진다. 동물 세포와 달리 식물 세포는 단단한 세포벽이 있어 세포가 팽창해도 터지지 않는다.	양파 세포 안팎으로 이동하는 물의 양이 같아 세포의 부피 변화가 없다.	양파 세포 밖으로 빠져나가는 물의 양이 양파 세포 안으로 들어오는 물의 양보다 많아 세포질의 부피가 작아지다가 결국에는 세포막이 세포벽에서 분리된다. - 원형질 분리

한·줄·핵심 식물 세포를 저장액에 넣으면 부피가 커지고, 고장액에 넣으면 세포막과 세포벽이 분리된다.

확인 문제

정답과 해설 045쪽

1. 양파 표피 세포를 저장액에 넣었을 때 세포의 부피 변화와 이때 세포 안팎으로 출입하는 물의 양을 비교하여 설명하시오.

2. 양파 표피 세포를 등장액에 넣었을 때 부피 변화가 없는 까닭을 설명하시오.

3. 양파 표피 세포 실험에 대한 설명으로 옳은 것은 ○, 옳지 않은 것은 ×로 표시하시오.

(1) 식물 세포를 증류수에 넣었을 때 부피가 증가해도 터지지 않는 까닭은 세포벽이 있기 때문이다. ( )

(2) 세포막을 경계로 농도가 같은 용액이 있을 경우에는 물질의 출입이 일어나지 않는다. ( )

(3) 식물 세포를 고장액에 넣으면 세포막과 세포벽이 분리되는 현상이 나타난다. ( )

개념 + 기본 문제

개념 문제

A 세포와 세포 소기관

01 다음 설명 중 옳은 것은 ○, 옳지 않은 것은 ×로 표시하시오.

(1) 모든 생명체는 세포로 구성되어 있다. ( )

(2) 세포는 생명체의 구조적 기본 단위이나, 기능적 기본 단위는 아니다. ( )

(3) 세포의 핵은 생명 활동의 중심이다. ( )

(4) 동물 세포에는 엽록체가 없고, 식물 세포에는 미토콘드리아가 없다. ( )

02 세포 소기관의 특징이나 기능을 옳게 연결하시오.

(1) DNA에 저장된 유전 정보에 따라 단백질을 합성 • • ㉠ 골지체

(2) 소포체에서 운반된 단백질이나 지질을 변형하여 세포 내외로 분비 • • ㉡ 미토콘드리아

(3) 산소를 이용해 유기물을 분해하여 세포 활동에 필요한 에너지 생산 • • ㉢ 리보솜

B 세포막의 구조와 물질 출입

03 세포막의 구조로 인해 물질의 종류, 크기 등에 따라 세포막을 통한 물질의 이동이 다르게 일어나는 성질을 무엇이라고 하는지 쓰시오.

04 다음 중 동물 세포인 적혈구를 고장액에 넣었을 때 일어나는 변화로 옳은 것은?

① 변화 없다.
② 수축한다.
③ 부풀다가 터진다.
④ 세포막과 세포벽이 분리된다.
⑤ 세포 안으로 들어오는 물의 양이 나가는 양보다 많다.

A 세포와 세포 소기관

05 세포에 대한 설명으로 옳지 않은 것은?

① 핵 속에 리보솜이 있다.
② 생명 시스템의 기본 단위이다.
③ 생명체의 구조적, 기능적 기본 단위이다.
④ 세포막이 있어 환경과 세포 내부가 구분된다.
⑤ 세포에 있는 세포 소기관들은 서로 유기적으로 작용한다.

06 세포 소기관에 대한 설명으로 옳지 않은 것은?

① 미토콘드리아에서 포도당이 합성된다.
② 소포체는 세포 내 물질의 이동 통로이다.
③ 핵 안에는 이중 나선 구조의 DNA가 들어 있다.
④ 미토콘드리아, 엽록체는 막으로 된 세포 소기관이다.
⑤ 미토콘드리아에서는 유기물을 분해하여 에너지를 생산한다.

07 식물 세포에는 있으나 동물 세포에는 없는 세포 소기관만을 옳게 나열한 것은?

① 핵, 소포체　② 골지체, 세포막
③ 엽록체, 세포벽　④ 미토콘드리아, 리보솜
⑤ 리보솜, 액포

08 다음 중 핵에 관한 설명으로 옳은 것만을 | 보기 |에서 있는 대로 고른 것은?

보기
ㄱ. 세포의 형태를 유지한다.
ㄴ. 생식, 생장 등 생명 활동의 중심이다.
ㄷ. 유전 정보를 저장하고 있는 DNA가 들어 있다.
ㄹ. 산소를 이용해 유기물을 분해하여 에너지를 생성한다.

① ㄱ　② ㄴ　③ ㄱ, ㄴ
④ ㄱ, ㄹ　⑤ ㄴ, ㄷ

09 세포 소기관의 기능에 대한 설명으로 옳은 것만을 | 보기 | 에서 있는 대로 고른 것은?

보기
ㄱ. 리보솜에서 합성한 물질이 소포체를 통해 운반된다.
ㄴ. 골지체는 물질을 저장하여 변형시킨 후 분비한다.
ㄷ. 액포에서는 DNA의 유전 정보에 따라 단백질이 합성된다.

① ㄱ ② ㄷ ③ ㄱ, ㄴ
④ ㄱ, ㄷ ⑤ ㄴ, ㄷ

10 그림 (가)와 (나)는 각각 엽록체와 미토콘드리아 중 하나이다.

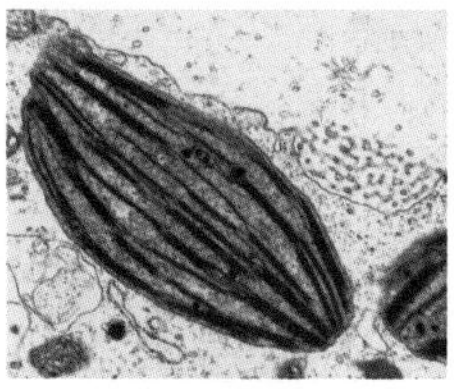
(가)

(나)

이에 대한 설명으로 옳은 것은?

① (가)는 미토콘드리아이다.
② (가)에서 물질대사가 일어나 산소가 방출된다.
③ (나)는 식물 세포에 없다.
④ (나)에서 포도당이 생성된다.
⑤ (가)와 (나)는 모두 동물 세포에 존재한다.

11 식물 세포의 세포 소기관에 대한 설명으로 옳은 것만을 | 보기 | 에서 있는 대로 고른 것은?

보기
ㄱ. 엽록체에서는 화학 에너지가 빛에너지로 전환된다.
ㄴ. 미토콘드리아에서는 세포에 필요한 에너지가 생성된다.
ㄷ. 리보솜에서는 DNA의 유전 정보에 따라 단백질이 합성된다.

① ㄱ ② ㄷ ③ ㄱ, ㄴ
④ ㄴ, ㄷ ⑤ ㄱ, ㄴ, ㄷ

B 세포막의 구조와 물질 출입

12 세포막의 구조와 특성에 대한 설명으로 옳은 것만을 | 보기 | 에서 있는 대로 고른 것은?

보기
ㄱ. 인지질이 한 층으로 배열되어 있다.
ㄴ. 단백질이 세포막을 관통하거나 파묻혀 있는 등 불규칙하게 분포한다.
ㄷ. 물질의 종류, 크기 등에 따라 세포막에 대한 투과성이 다르다.
ㄹ. 어떤 물질도 세포막을 직접 통과할 수는 없다.

① ㄱ, ㄴ ② ㄱ, ㄷ ③ ㄴ, ㄷ
④ ㄴ, ㄹ ⑤ ㄴ, ㄷ, ㄹ

알쉬탐

13 그림은 양파 표피 세포를 설탕 용액 X에 넣은 후 관찰한 모습이다.

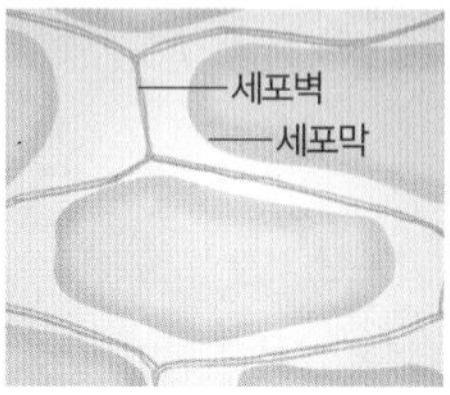

이에 대한 설명으로 옳지 않은 것은?

① X는 고장액이다.
② 세포막과 세포벽이 분리된 상태이다.
③ 물 분자가 많은 곳에서 적은 곳으로 확산되었다.
④ 설탕이 세포막을 통과할 수 있다는 것을 알 수 있다.
⑤ 세포에서 빠져나간 물의 양이 들어온 물의 양보다 많다.

단답형

14 세포막에서 일어나는 물질 이동 원리 중 세포막을 경계로 농도가 낮은 쪽에서 높은 쪽으로 물이 이동하는 현상으로, 물 분자가 많은 쪽에서 적은 쪽으로 물이 확산하는 현상을 무엇이라고 하는지 쓰시오.

실력 올리기 문제

| 세포 |

01 다음은 세포에 대한 학생 A~C의 대화 내용이다.

제시한 내용이 옳은 학생만을 있는 대로 고른 것은?

① A ② C ③ A, B
④ B, C ⑤ A, B, C

| 세포 소기관 | 출제예감

02 그림은 어떤 동물 세포의 구조를 나타낸 것이다.

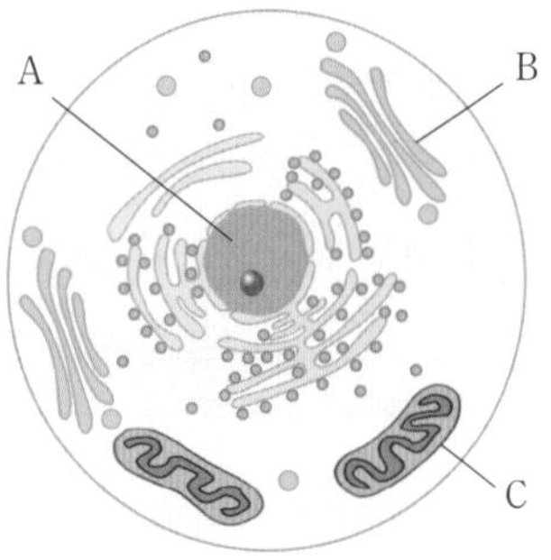

세포 소기관 A~C에 대한 설명으로 옳은 것만을 | 보기 | 에서 있는 대로 고른 것은?

보기
ㄱ. A에는 DNA가 들어 있다.
ㄴ. B에서 단백질의 저장과 변형이 일어난다.
ㄷ. C는 미토콘드리아이다.

① ㄴ ② ㄷ ③ ㄱ, ㄴ
④ ㄱ, ㄷ ⑤ ㄱ, ㄴ, ㄷ

| 세포 소기관 | 출제예감

03 표는 세포 소기관 A~C의 특징을 나타낸 것이다. A~C는 각각 핵, 세포벽, 엽록체 중 하나이다.

세포 소기관	특징
A	막에 싸여 있으며, 안에 많은 양의 DNA가 뭉쳐 있다.
B	빛에너지를 이용하여 포도당을 생성한다.
C	세포막 바깥쪽에 있으며, 세포의 형태를 유지하고 세포 안쪽을 보호한다.

A~C에 대한 설명으로 옳은 것만을 | 보기 | 에서 있는 대로 고른 것은?

보기
ㄱ. A는 리보솜이다.
ㄴ. B는 식물의 뿌리보다 잎을 구성하는 세포에 더 많다.
ㄷ. A~C는 모두 동물 세포에 들어 있다.

① ㄴ ② ㄷ ③ ㄱ, ㄴ
④ ㄱ, ㄷ ⑤ ㄴ, ㄷ

| 세포 소기관 |

04 다음은 세포에서 일어나는 생명 활동의 일부를 설명한 것이다. A~C는 각각 소포체, 골지체, 리보솜 중 하나이다.

단백질은 (A)에서 만들어져 일부는 (B) 을/를 통해 이동한다. 이후 단백질은 (C) 을/를 거쳐 세포 밖으로 분비된다.

이에 대한 설명으로 옳은 것만을 | 보기 | 에서 있는 대로 고른 것은?

보기
ㄱ. 동물 세포는 A를 가지고 있다.
ㄴ. B는 막으로 싸여 있는 구조의 세포 소기관이다.
ㄷ. C는 소포체이다.

① ㄴ ② ㄷ ③ ㄱ, ㄴ
④ ㄱ, ㄷ ⑤ ㄴ, ㄷ

정답과 해설 047쪽

| 세포막을 통한 물질 이동 | 출제예감

05 그림 (가)와 (나)는 각각 사람의 몸에서 물질 A와 B가 세포막을 통해 이동하는 방식을 나타낸 것이다.

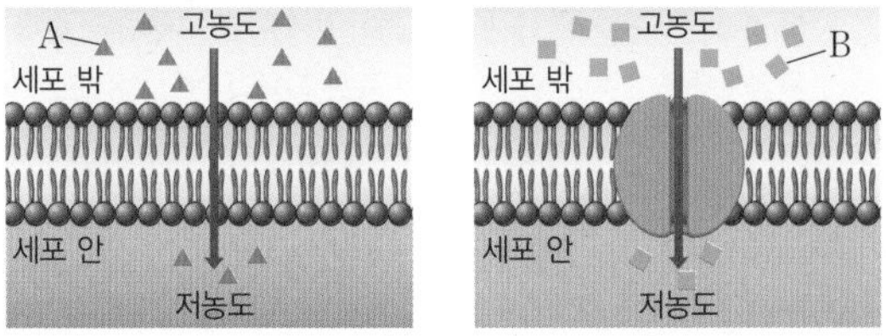

(가) (나)

이에 대한 설명으로 옳은 것만을 | 보기 | 에서 있는 대로 고른 것은?

보기
ㄱ. (가)와 (나)는 모두 확산 현상이다.
ㄴ. 산소가 폐포에서 모세 혈관으로 이동하는 방식은 (가)에 해당한다.
ㄷ. 적혈구를 고장액인 설탕 용액에 넣었을 때 수축하는 것은 설탕이 (나)와 같이 이동했기 때문이다.

① ㄱ ② ㄷ ③ ㄱ, ㄴ
④ ㄱ, ㄷ ⑤ ㄱ, ㄴ, ㄷ

| 삼투 |

06 그림 (가)는 양파 조직을 설탕 용액 A에 넣기 전의 상태를, (나)는 이 조직을 설탕 용액 A에 넣어 충분한 시간이 지난 후의 상태를 나타낸 것이다.

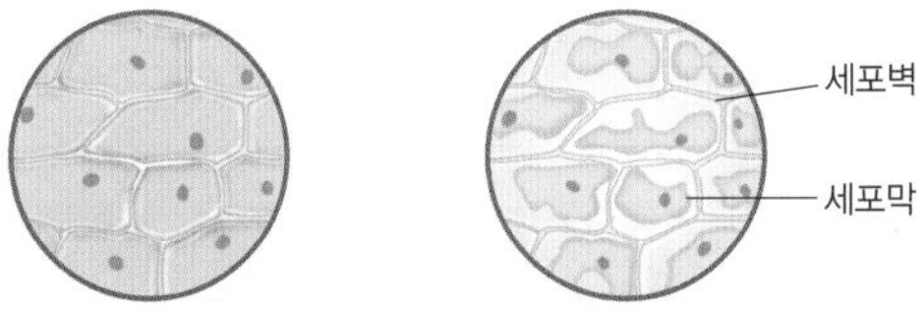

(가) (나)

이에 대한 설명으로 옳은 것만을 | 보기 | 에서 있는 대로 고른 것은?

보기
ㄱ. 설탕은 세포막을 쉽게 통과할 수 있는 물질이다.
ㄴ. 설탕 용액 A는 (가)의 세포에 대해 고장액이다.
ㄷ. (가)의 세포를 증류수에 넣으면 부피가 커지다가 터진다.

① ㄴ ② ㄷ ③ ㄱ, ㄴ
④ ㄱ, ㄷ ⑤ ㄱ, ㄴ, ㄷ

| 세포 소기관 |

07 운동을 시키지 않은 쥐 A와 운동을 시킨 쥐 B의 근육 세포를 분리하여 세포 소기관의 수를 조사해 보았다. 그 결과 A보다 B에 미토콘드리아가 더 많은 것을 확인했다면 그 까닭은 무엇인지 서술하시오.

| 삼투 |

08 다음은 삼투 현상에 대한 실험 결과이다.

- 동물 세포인 적혈구를 증류수에 넣으면 부피가 커지다가 터진다.
- 식물 세포인 양파 표피 세포를 증류수에 넣으면 부피가 커질 뿐 터지지는 않는다.

위와 같은 결과가 나오는 까닭을 이와 관련된 세포 소기관의 이름과 이 세포 소기관이 동물 세포와 식물 세포 중 어느 쪽에 존재하는지를 포함하여 서술하시오.

| 세포막 |

09 세포막의 성분은 인지질과 단백질이다. 이 중 인지질이 2중층 구조를 하고 있는 것이 세포의 상황에서 유리한 점을 인지질의 화학적 성질을 중심으로 서술하시오.

02 생명 시스템에서의 화학 반응

개념 이해 물질대사, 동화 작용, 이화 작용, 효소, 생체 촉매, 활성화 에너지, 발효, 카탈레이스

A 물질대사의 특징과 구분

한·줄·핵심 생명체 내에서 물질이 합성되고 분해되는 화학 반응을 물질대사라고 하고, 물질대사는 동화 작용과 이화 작용으로 구분해!

1. 물질대사 생명체 내에서 물질이 분해되거나 합성되는 모든 화학 반응

물질대사로 생명 활동에 필요한 물질이나 에너지를 얻으므로 생명 유지에 필수적인 과정이다.

2. 물질대사의 특징❶

(1) 에너지 출입 에너지가 흡수되면서 생명 활동에 필요한 물질이 합성되거나, 물질을 분해하여 생명 활동에 필요한 에너지를 얻는다. 에너지가 한꺼번에 출입하면 많은 에너지가 방출 또는 흡수되어 세포가 해를 입을 수 있다.

(2) 단계적 반응 다양한 효소가 관여하여 반응이 단계적으로 일어난다.

(3) 효소 작용 생체 촉매인 효소의 도움으로 체온 정도의 낮은 온도에서 반응이 쉽게 일어난다.

❶ 물질대사의 특징

- 반드시 에너지 출입이 함께 일어나기 때문에 에너지 대사라고도 한다.
- 매우 여러 단계를 거쳐 일어나므로 에너지도 조금씩 출입하고, 중간 생성물을 거친다.

자료 물질대사(세포 호흡)와 생명체 밖 화학 반응(연소)의 비교

생명체 내에서 효소의 작용으로 포도당이 분해되는 과정인 세포 호흡과 생명체 밖에서 포도당이 분해되는 과정인 연소를 비교하여 일반적인 화학 반응과 물질대사의 차이를 분석할 수 있다.

구분	물질대사(세포 호흡)	생명체 밖 화학 반응(연소)
공통점	산소가 이용되며, 에너지가 방출되는 반응이다.	
차이점	낮은 압력(1기압)과 체온 범위(35 ℃~37 ℃)에서 분해된다.	높은 압력과 고온(400 ℃ 이상)에서 연소된다.
	반응이 여러 단계에 걸쳐 일어난다.	반응이 한번에 일어난다.
	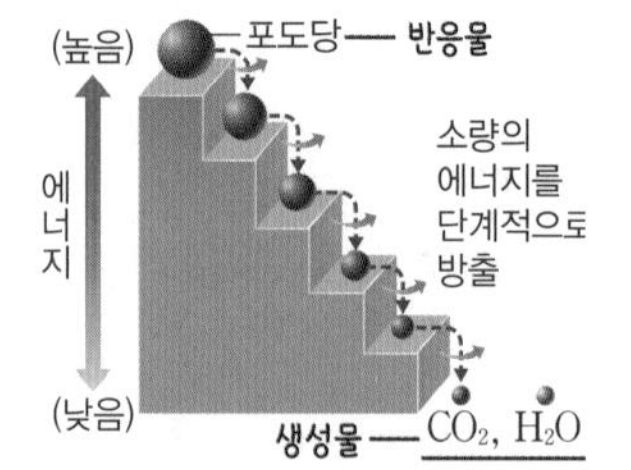	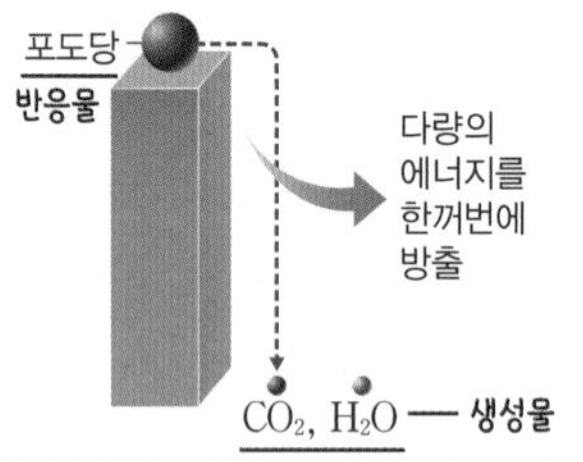

❷ 물질대사의 예

- 동화 작용의 예: 광합성(이산화 탄소와 물로부터 포도당 합성)
- 이화 작용의 예: 세포 호흡(포도당을 이산화 탄소와 물로 분해)

#암기!

물질대사는 1) 생명체 내의 2) 화학 반응이다.

1) 생명체 내에만 있는 효소가 관여한다.

2) 화학 반응이므로 에너지가 출입한다.

동화 작용과 이화 작용의 구분은 물질이 저분자로부터 고분자를 합성하는 반응인지 고분자를 저분자로 분해하는 반응인지를 기준으로 삼는다. 에너지가 흡수되는 흡열 반응과 에너지가 방출되는 발열 반응을 기준으로 삼지 않는다.

3. 물질대사의 구분 물질대사의 종류에는 동화 작용과 이화 작용이 있다.

구분	동화 작용	이화 작용
정의	저분자로부터 고분자를 합성하는 반응	고분자를 저분자로 분해하는 반응
에너지 출입	에너지 흡수(흡열 반응)	에너지 방출(발열 반응)
예❷	광합성, 단백질 합성	세포 호흡, 소화
과정	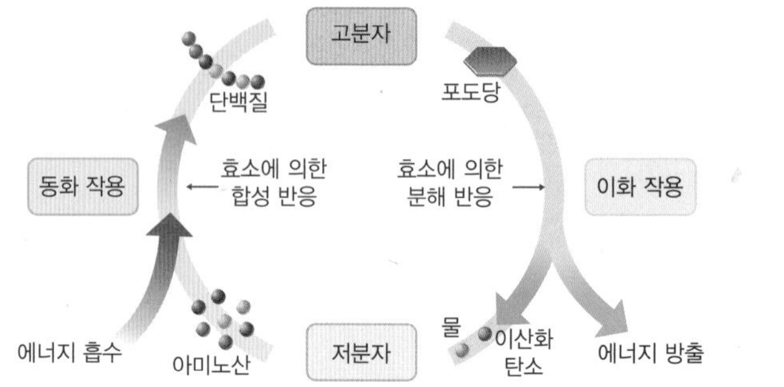	

- 물질대사(만물 物, 바탕 質, 대신하다 代, 사례하다 謝) 생명체 내에서 일어나는 물질의 분해와 합성의 화학적 변화
- 동화(한 가지 同, 되다 化) 작용 단순한 구조의 물질로부터 복잡한 구조의 물질을 합성하는 반응
- 이화(다르다 異, 되다 化) 작용 복잡한 구조의 물질을 단순한 물질로 분해하는 반응

B 효소의 작용과 특성

한·줄·핵심 효소는 생체 내에서 화학 반응에 관여하는 생체 촉매이고, 반응물과 결합하여 활성화 에너지를 낮추어 반응 속도를 촉진해!

1. 효소의 작용

알쉬탐 생명체 내에서 화학 반응을 촉진하는 생체 촉매❸를 효소라고 한다.

(1) 효소에 의한 생명 활동❹ 효소는 생명체에서 생명 활동에 필요한 반응이 쉽게 일어날 수 있도록 한다. 효소의 주성분은 단백질로, 단백질은 열이나 산에 의해 입체 구조가 변형되면 제 기능을 하지 못하므로 효소의 작용에 온도나 pH가 영향을 미친다.

(2) 효소와 활성화 에너지❺ 반응을 일으키는 데 필요한 최소한의 에너지를 활성화 에너지라고 하며, 효소는 활성화 에너지를 감소시켜 반응 속도를 증가시킨다.

자료 활성화 에너지

에너지가 방출되는 반응과 흡수되는 반응에서 효소가 있을 때와 없을 때의 활성화 에너지에 대해 알 수 있다.

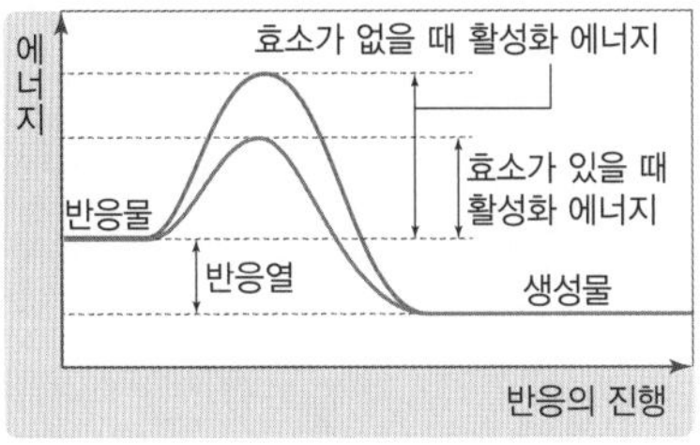

(가) 에너지가 방출되는 반응

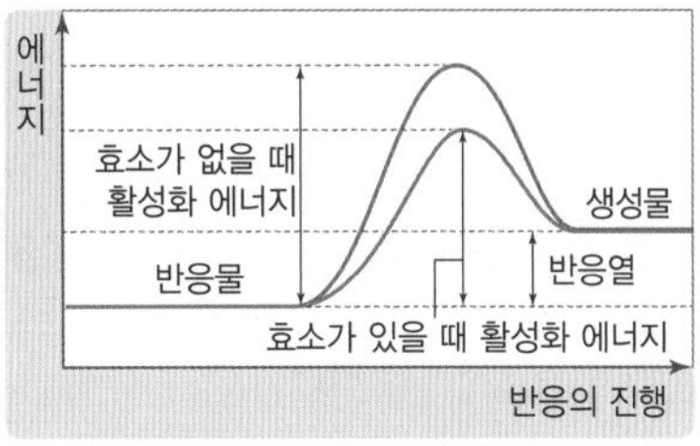

(나) 에너지가 흡수되는 반응

구분	(가)	(나)
반응물과 생성물의 에너지	반응물의 에너지 > 생성물의 에너지	반응물의 에너지 < 생성물의 에너지

❶ **반응물과 생성물의 에너지 비교:** (가)에서는 반응이 진행될 때 에너지가 방출되므로 반응물의 에너지보다 생성물의 에너지가 더 낮고, (나)에서는 반응이 진행될 때 에너지가 흡수되므로 반응물의 에너지보다 생성물의 에너지가 더 높다.

❷ **효소가 반응에 참여했을 때 활성화 에너지 변화:** 효소가 반응에 참여하면 활성화 에너지가 낮아진다. 단, 반응열은 효소의 유무에 관계없이 일정하다.

2. 효소의 특성

(1) 반응물과 결합 화학 반응 촉진 과정에서 반응물과 일시적으로 결합하여 활성화 에너지를 낮춘다.

(2) 특정 반응물에만 결합(기질 특이성) 구조에 맞는 반응물에만 결합하여 촉매 작용을 한다.

(3) 반응 후 재사용 가능 화학 반응이 끝나면 생성물과 분리되어 다시 반응물과 결합하여 촉매 작용을 반복할 수 있다.

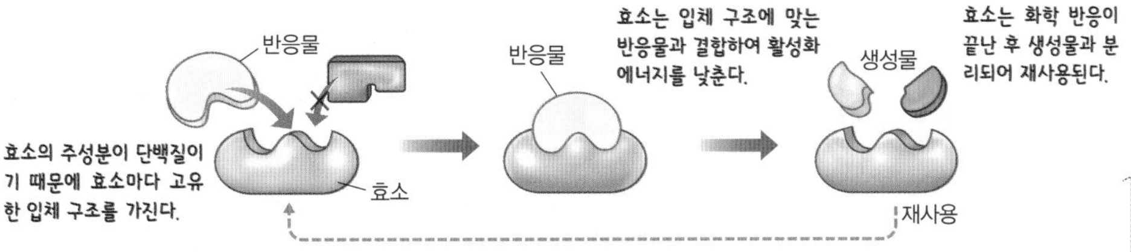

효소의 작용 원리

---

❸ 촉매
화학 반응에서 자신은 소모되거나 변하지 않으면서 반응 속도를 바꾸는 물질로 반응 속도를 빠르게 해 주는 정촉매와 반응 속도를 느리게 해 주는 부촉매가 있다. 일반적으로 촉매라고 하면 정촉매를 의미한다.

❹ 효소에 의한 생명 활동
식물의 광합성, 대장균의 포도당 분해, 아메바의 분열, 출혈 시 혈액 응고, 간에서 독성 물질 분해, 소화 기관에서의 영양소 분해 등

❺ 활성화 에너지
화학 반응이 일어나려면 반응 분자 사이에 충돌이 있어야 한다. 그런데 충돌이 일어났다고 해서 항상 반응이 일어나는 것은 아니고 화학 반응이 일어날 수 있을 만큼 분자가 충분한 에너지를 가져야 하는데, 이 에너지를 활성화 에너지라고 한다.

#보충!
반응열
반응물의 평균 에너지양과 생성물의 평균 에너지양의 차이를 반응열이라고 하며, 촉매나 효소는 반응열의 크기에는 영향을 주지 않는다.

- **효소(술이 괴다 酵, 희다 素)** 발효 연구 중 알콜 생성 반응에서 효모에 들어 있는 발효소가 촉매 역할을 한다는 결론을 얻은 후, 효모(酵母)에 들어 있는 요소(要素)라는 의미로 이름 붙여짐
- **촉매(닿다 觸, 중매하다 媒)** 화학 반응에 참여하여 자신은 아무런 변화가 없으면서 다른 물질의 반응에 영향을 주는 물질

정답과 해설 048쪽

간단 점검

1. 생명체에서 일어나는 모든 화학 반응은?
2. 물질대사 중 저분자로부터 고분자를 합성하는 반응은?
3. 효소가 반응물과 결합하여 (　　　　)을/를 낮추면 반응이 촉진된다.

C 효소의 활용

한·줄·핵심 효소는 일상생활뿐만 아니라 의약 분야, 산업 분야에 폭넓게 활용되고 있어!

1. 식품 분야

종류	활용 방법
발효[6] 식품	미생물을 첨가하거나 증식시켜 미생물이 가지고 있는 효소의 작용으로 생성된 물질을 활용한 식품 예 된장, 고추장, 김치, 치즈, 포도주, 빵 (효모의 효소를 이용하여 밀가루 반죽을 발효시킴)
효소가 든 재료 첨가	아밀레이스가 든 재료를 녹말과 섞어 단맛이 나는 엿당을 생성하거나 연육 효소가 든 재료를 활용한다. 예 식혜: 밥알 속 녹말을 엿기름 속 효소가 엿당으로 분해하여 단맛이 나게 한다. 고기 양념에 과일 활용: 과일 속의 연육 효소가 고기를 부드럽게 한다.

과일 속에는 단백질 분해 효소가 들어 있어 고기를 연하게 한다. 또 다른 예로 새우젓은 발효될 때 단백질 분해 효소와 지방 분해 효소가 많아져 기름진 돼지고기의 단백질과 지방 분해를 촉진한다.

2. 의약품[7] 분야

종류	활용 방법
소화제	소화제 속에는 단백질이나 지방, 녹말을 분해하는 소화 효소가 들어 있어 음식물의 소화를 돕는다.
검사, 진단	당뇨 검사: 요 검사지에는 포도당 산화 효소가 있어 오줌 속의 포도당과 반응하여 과산화 수소를 발생시키며, 발색 반응으로 확인한다.
항생제	세균의 세포벽 합성 효소에 대한 저해제를 활용하여 세균 증식을 억제하는 항생제로 이용된다.

저해제: 효소의 촉매 작용을 막는 물질

항생제: 최초의 항생제인 페니실린은 푸른곰팡이에서 추출한 효소를 활용한 것으로, 세균성 질병의 치료에 널리 활용되었다.

3. 환경 및 생활용품 분야

종류	활용 방법
수질 정화	생활 하수, 공장 폐수 속 오염 물질을 다양한 미생물이 가진 오염 물질 분해 효소를 이용해 제거한다.
효소 세제	세탁용 세제에 단백질, 지방 분해 효소가 들어 있어 때를 분해한다.
효소 치약	치약에 들어 있는 탄수화물 분해 효소에 의해 세균 증식을 억제한다.
화학 제품	• 섬유 및 의류의 탈색, 가죽, 펄프 등 제품의 생산 과정에 효소를 활용한다. • 각질과 피지를 분해하는 효소 성분이 든 화장품을 개발한다.

4. 생명 공학 분야

종류	활용 방법
유전자 재조합 기술	DNA를 잘라내는 효소와 DNA를 붙이는 효소를 활용하여 사람의 인슐린 유전자를 세균에 재조합하여 인슐린을 대량 생산한다.
중합 효소 연쇄 반응(PCR)	극한 미생물에서 추출한 내열성 DNA 중합 효소를 활용하여 생명체 밖에서 DNA 복제 과정을 일으켜 DNA의 특정 부위를 증폭시킬 수 있다.
수명 연장, 노화 방지, 질병 퇴치 등	효소가 생명체 밖에서도 작용할 수 있도록 연구하여 다양한 분야에서 인류 복지를 위해 유용하게 활용한다.

5. 산업 제품에 효소를 활용할 때의 장점

(1) 효소는 반응이 끝나고 재사용이 가능하므로 적은 양으로도 효과가 나타나므로 경제적이고 환경 오염이 적다. 효소는 상온, 대기압에서 작용하기 때문에 위험성이 적고 경제적이며, 반응 과정에서 중간 산물이 만들어지지 않아 친환경적이다.

(2) 효소의 주성분은 단백질이므로 자연 상태에서 쉽게 분해된다.

(3) 다양한 미생물에서 아직 기능이 밝혀지지 않은 효소를 활용할 수 있어 개발 가능성이 크다.

6 발효
미생물이 지니고 있는 효소의 작용으로 유기물이 분해되었을 때 생성된 물질이 인간에게 유용한 경우 이를 발효라고 한다. 발효를 통해 얻은 식품을 발효 식품이라고 한다.

7 의약품과 효소
- 혈당 측정기: 측정기 끝에 포도당 산화 효소가 있어 혈액을 묻혔을 때 포도당이 산화되면서 전류가 발생한다. → 전류의 세기로 혈당 측정
- 혈전을 용해하는 효소를 이용한 혈전 용해제, 염증을 억제하는 소염제, 출혈을 막는 지혈제 등에도 효소를 이용한다.

#보충!
효소의 활용
현재 효소는 바이오 에너지의 생산, 화학 제품의 생산, 생명 공학과 관련된 산업 분야에도 이용되며, 범위가 더욱 넓어지고 있다.

#보충!
효소의 산업적 이용
- 악취 제거제: 냄새의 원인이 되는 분자를 효소가 분해한다.
- 젖당이 없는 우유를 만들 때 효소를 이용한다.

- **발효(술이 괴다 醱, 술지게미 酵)** 효모 등의 미생물이 유기물을 분해하여 에너지를 얻는 작용으로, 어원은 라틴어 'fever(끓는다)'인데, 이는 효모에 의한 발효 중 이산화 탄소가 생겨 거품이 많이 생기는 것에서 유래함

정답과 해설 048쪽

간단 점검

4. 효소가 활용되는 분야는?

5. 생명 공학 분야에 효소가 활용되는 예를 두 가지만 쓰시오.

알아두면 시험이 쉬워지는 탐구

카탈레이스의 작용

목표 카탈레이스의 작용을 관찰하여 생명 현상에서 효소의 기능을 이해할 수 있다.

유의점
- 과산화 수소수가 피부나 옷에 묻지 않게 주의하고, 향에 불을 붙일 때 화상을 입지 않도록 주의한다.

#이런 실험도 있어요.
생간 대신 감자 즙이나 당근 즙으로도 실험이 가능하다.

#보충!
- **카탈레이스**: 대부분의 세포에 존재하는 효소이다.
- **대조군**: 실험 결과에 대한 객관성과 타당성을 얻기 위해 조작 없이 자연 상태로 두는 집단이다.
- **실험군**: 실험에서 검증하려는 요인을 변화시키는 집단이다.

과정

❶ 과산화 수소수가 든 시험관을 준비하고, 기포 발생 확인하기

❷ 기포의 성분 확인하기

❸ 반응이 끝난 후 효소 반응이 다시 나타나는지 확인하기

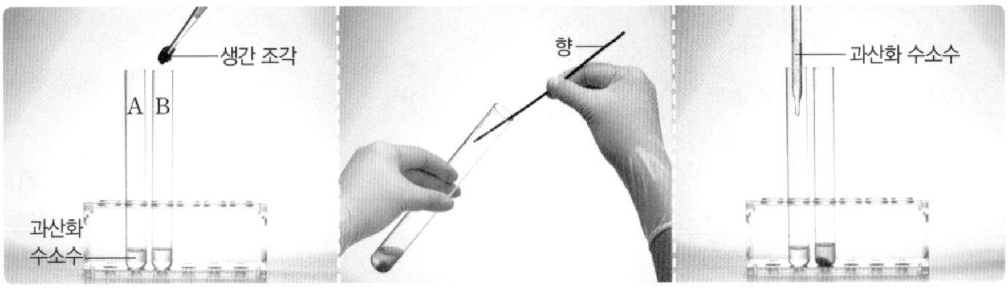

❶
- 시험관 A, B에 과산화 수소수를 5 mL씩 넣는다.
- 시험관 A는 그대로 두고, 시험관 B에는 생간 조각을 넣은 후 시험관에서 기포가 발생하는지 관찰한다.

❷
- 향에 불을 붙였다 끈 후 꺼져가는 불씨를 시험관 A, B에 각각 넣고 불씨의 변화를 관찰한다.

기포가 산소임을 확인하는 과정이다.

❸
- 시험관 A, B에 과산화 수소수를 3 mL씩 더 넣고 기포가 발생하는지 관찰한다.

효소가 재사용 가능함을 확인하는 과정이다.

결과 및 해석

구분	과정 ❶의 결과	과정 ❷의 결과	과정 ❸의 결과
시험관 A-대조군	기포 발생 적음	불씨가 꺼짐	기포 발생 적음
시험관 B-실험군	기포 발생 많음	불씨가 살아남	기포 발생 많음

✓ **과산화 수소**: 생간 속에 들어 있는 효소인 카탈레이스의 반응물

✓ **카탈레이스의 작용**

생간 속의 카탈레이스가 활성화 에너지를 낮추어 과산화 수소가 물과 산소로 빠르게 분해된다.

과산화 수소($2H_2O_2$) ⟶ 물($2H_2O$) + 산소(O_2)

✓ **효소**: 반응 전후에 변하거나 소모되지 않으므로 반응이 끝나도 반응물이 추가되면 동일한 작용을 다시 일으킬 수 있다.

한·줄·핵심 카탈레이스는 과산화 수소를 물과 산소로 분해하는 반응을 촉진하는 효소이다.

확인 문제

정답과 해설 048쪽

1. 과산화 수소수를 상처난 곳에 바르면 거품이 생기는데, 그 까닭이 무엇인지 설명하시오.

2. 과산화 수소수가 들어 있는 용액에 생간을 넣어 기포 발생 반응이 일어난 후 과산화 수소수를 다시 추가하면 기포가 다시 발생하는 까닭을 설명하시오.

3. 이 실험에 대한 설명으로 옳은 것은 ○, 옳지 않은 것은 ×로 표시하시오.

(1) 이 실험에서 효소는 생간 속에 있는 물질이고, 과산화 수소는 반응물이다. ( )

(2) 과산화 수소를 분해하는 효소는 식물 세포에는 없고 동물 세포에만 있다. ( )

(3) 생간 대신 익힌 간을 사용해도 기포가 발생하는 정도는 동일하다. ( )

개념 + 기본 문제

개념 문제

A 물질대사의 특징과 구분

01 다음 설명 중 옳은 것은 ○, 옳지 않은 것은 ×로 표시하시오.

(1) 모든 화학 반응은 물질대사이다. ( )

(2) 물질대사에는 효소가 관여한다. ( )

(3) 생명체 내에서 저분자로부터 고분자를 합성하는 반응은 동화 작용에 해당한다. ( )

(4) 물질대사는 생명체가 생명 활동을 지속하기 위한 필수적인 작용이다. ( )

B 효소의 작용과 특성

02 다음은 촉매에 관한 설명이다. ( ) 안에 알맞은 말을 쓰시오.

> 촉매는 화학 반응의 (㉠)을/를 낮춰 반응을 촉진하는데, 생명체 내에서 일어나는 화학 반응에 관여하는 촉매를 (㉡) 또는 효소라고 한다.

03 생명체를 구성하는 물질 중 효소의 주성분은?

① 탄수화물 ② 핵산 ③ 지질
④ 단백질 ⑤ 무기염류

C 효소의 활용

04 효소 활용의 예와 해당하는 분야를 옳게 연결하시오.

(1) 미생물 속의 발효 효소에 의해 생성되는 물질을 활용 • • ㉠ 의약품 분야

(2) 세균의 세포벽 합성 효소의 작용을 저해하는 물질 개발 • • ㉡ 생명 공학 분야

(3) DNA 분해 효소와 연결 효소를 활용하여 유전자를 재조합 • • ㉢ 식품 분야

A 물질대사의 특징과 구분

05 물질대사에 대한 설명으로 옳지 않은 것은?

① 효소가 관여한다.
② 에너지가 방출되거나 흡수된다.
③ 생명체 내에서 일어나는 화학 반응이다.
④ 높은 온도에서 한꺼번에 물질이 분해된다.
⑤ 광합성이나 단백질 합성은 물질대사에 해당한다.

06 포도당이 공기 중에서 연소되는 반응과 세포 내에서 분해되는 반응의 공통점은?

① 이화 작용이다.
② 체온 범위에서 일어난다.
③ 에너지가 한꺼번에 방출된다.
④ 산소가 소모되고 이산화 탄소가 생성된다.
⑤ 여러 효소가 관여하여 반응이 단계적으로 일어난다.

07 동화 작용에 해당하는 것만을 옳게 나열한 것은?

① 연소, 소화 ② 삼투, 확산
③ 세포 호흡, 광합성 ④ 광합성, 단백질 합성
⑤ 소화, 단백질 합성

08 이화 작용에 대한 설명으로 옳은 것만을 | 보기 | 에서 있는 대로 고른 것은?

> 보기
> ㄱ. 생명체 내에서 일어나는 화학 반응이다.
> ㄴ. 저분자로부터 고분자를 합성하는 과정이다.
> ㄷ. 공기 중에서 포도당이 연소되는 반응은 이화 작용의 예이다.
> ㄹ. 반응물을 분해하는 과정에서 에너지가 방출된다.

① ㄱ, ㄴ ② ㄱ, ㄷ ③ ㄱ, ㄹ
④ ㄴ, ㄹ ⑤ ㄴ, ㄷ, ㄹ

정답과 해설 049쪽

B 효소의 작용과 특성

09 효소에 대한 설명으로 옳은 것만을 | 보기 | 에서 있는 대로 고른 것은?

> 보기
> ㄱ. 주성분은 단백질이다.
> ㄴ. 생명체 내에서 화학 반응을 촉진하는 촉매이다.
> ㄷ. 반응물의 운동 에너지를 증가시켜 반응이 빠르게 일어나도록 한다.

① ㄱ ② ㄷ ③ ㄱ, ㄴ
④ ㄱ, ㄷ ⑤ ㄴ, ㄷ

10 효소의 특성에 대한 설명으로 옳지 않은 것은?

① 화학 반응의 활성화 에너지를 낮춘다.
② 효소 구조에 따라 결합할 수 있는 물질이 다르다.
③ 체온 범위에서 반응이 쉽게 일어날 수 있도록 한다.
④ 반응 과정에서 소모되지 않아 반응이 끝나도 다시 작용할 수 있다.
⑤ 생명체 내에서 화학 반응이 일어날 때 생성물과 결합하여 반응을 촉진한다.

11 그림은 생명체 내에서 에너지가 방출되면서 반응물 A로부터 생성물 B가 생성되는 화학 반응의 에너지 변화를 나타낸 것이다.

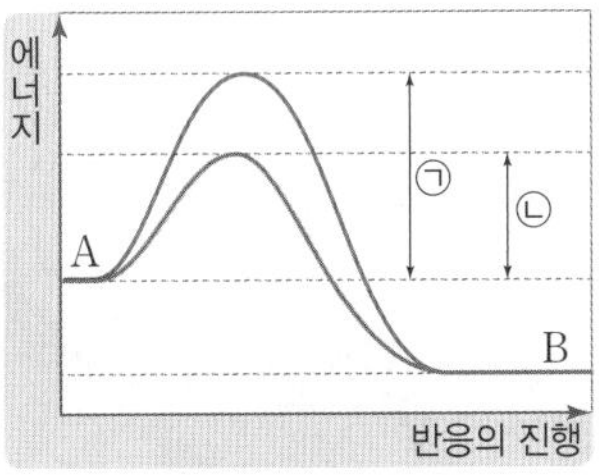

㉠과 ㉡에 해당하는 것을 옳게 짝 지은 것은?

	㉠	㉡
①	효소가 있을 때의 활성화 에너지	효소가 없을 때의 활성화 에너지
②	효소가 없을 때의 활성화 에너지	효소가 있을 때의 활성화 에너지
③	반응물의 평균 운동 에너지	생성물의 평균 운동 에너지
④	생성물의 평균 운동 에너지	반응물의 평균 운동 에너지
⑤	효소가 있을 때의 활성화 에너지	반응물과 생성물의 에너지 차이

알쉬탐

12 그림은 과산화 수소수가 든 시험관 A, B 중 시험관 A는 그대로 두고 시험관 B에 생간 조각을 넣는 실험 과정을 나타낸 것이다.

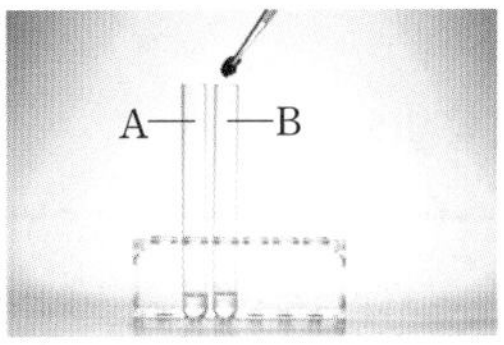

이에 대한 설명으로 옳은 것만을 | 보기 | 에서 있는 대로 고른 것은?

> 보기
> ㄱ. 생간 조각에는 카탈레이스가 들어 있다.
> ㄴ. 실험 결과 B에서 이산화 탄소가 생성된다.
> ㄷ. 실험 결과 B보다 A에서 기포가 많이 발생한다.

① ㄱ ② ㄷ ③ ㄱ, ㄴ
④ ㄱ, ㄷ ⑤ ㄴ, ㄷ

C 효소의 활용

13 효소의 활용 예에 대한 설명으로 옳지 않은 것은?

① 식혜는 미생물의 발효 효소를 이용한 식품이다.
② DNA 분해 효소와 연결 효소를 유전자 재조합 기술에 이용한다.
③ 소화제에는 단백질이나 지방 소화 효소가 들어 있어 소화 작용을 돕는다.
④ 수질 오염 물질을 분해하는 효소를 합성하는 미생물을 이용하여 환경 정화에 이용한다.
⑤ 고기 양념에 과일을 넣는 것은 과일 속의 연육 효소가 고기를 부드럽게 만들기 때문이다.

14 일상생활에서 경험할 수 있는 효소 작용의 예에 대한 설명으로 옳지 않은 것은?

① 혈액 응고 현상은 과다 출혈을 막아 몸을 보호한다.
② 빵은 효모의 효소를 이용하여 밀가루 반죽을 발효시킨다.
③ 과일 속에는 지방 분해 효소가 들어 있어 고기를 연하게 한다.
④ 효소 치약에는 탄수화물 분해 효소가 들어 있어 세균 증식을 억제한다.
⑤ 밥을 오랫동안 씹으면 아밀레이스에 의해 녹말이 엿당으로 분해되어 단맛이 난다.

실력 올리기 문제

| 물질대사 |

01 그림 (가)는 포도당이 열량계에서 연소되는 과정에서의 에너지 변화를, (나)는 포도당이 세포 호흡에 이용되는 과정에서의 에너지 변화를 나타낸 것이다.

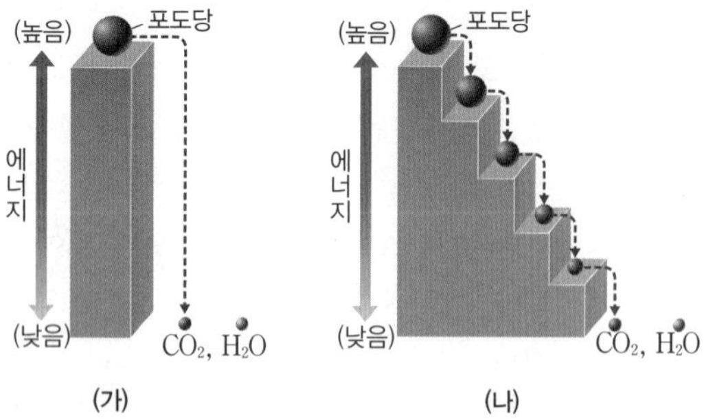

이에 대한 설명으로 옳은 것만을 | 보기 | 에서 있는 대로 고른 것은?

보기
ㄱ. (가)에 효소가 관여한다.
ㄴ. (나)는 이화 작용이다.
ㄷ. (가)와 (나)의 과정에 모두 산소가 필요하다.

① ㄴ ② ㄷ ③ ㄱ, ㄴ
④ ㄱ, ㄷ ⑤ ㄴ, ㄷ

| 물질대사 |

02 다음은 여러 생명체에서 일어나는 생명 현상을 설명한 것이다.

(가) 끈끈이주걱은 효소를 분비하여 털에 붙은 곤충을 소화한다.
(나) 사람의 소장에서 흡수된 포도당의 일부는 간에서 글리코젠으로 전환된다.
(다) 빛이 있을 때 식물은 광합성을 통해 양분을 합성한다.
(라) 식물은 뿌리에서 질산염을 흡수하여 단백질 합성에 이용한다.

(가)~(라) 중 동화 작용에 해당하는 것만을 있는 대로 고른 것은?

① (나) ② (다) ③ (가), (나)
④ (다), (라) ⑤ (나), (다), (라)

| 활성화 에너지 |

03 다음은 생명체 내에서 일어나는 어떤 화학 반응에서 효소가 있을 때와 없을 때의 에너지 변화를 나타낸 것이다.

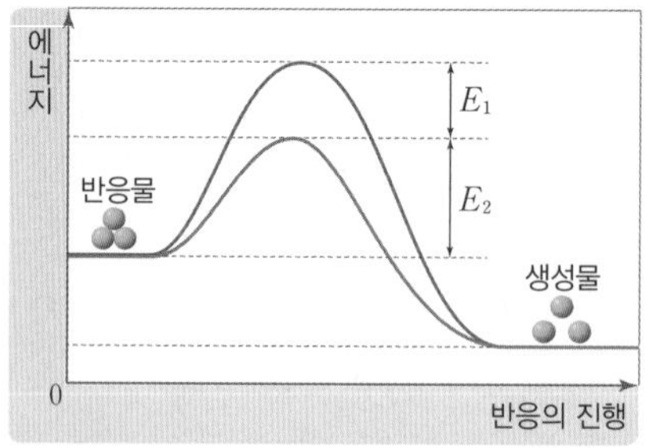

이에 대한 설명으로 옳은 것만을 | 보기 | 에서 있는 대로 고른 것은?

보기
ㄱ. 에너지가 흡수되는 반응이다.
ㄴ. 효소가 있을 때 활성화 에너지는 E_2이다.
ㄷ. 생성물의 생성 속도는 효소가 없을 때보다 효소가 있을 때가 더 빠르다.

① ㄴ ② ㄷ ③ ㄱ, ㄴ
④ ㄱ, ㄷ ⑤ ㄴ, ㄷ

| 물질대사 | 출제예감

04 그림은 광합성과 호흡 과정을 나타낸 것이다.

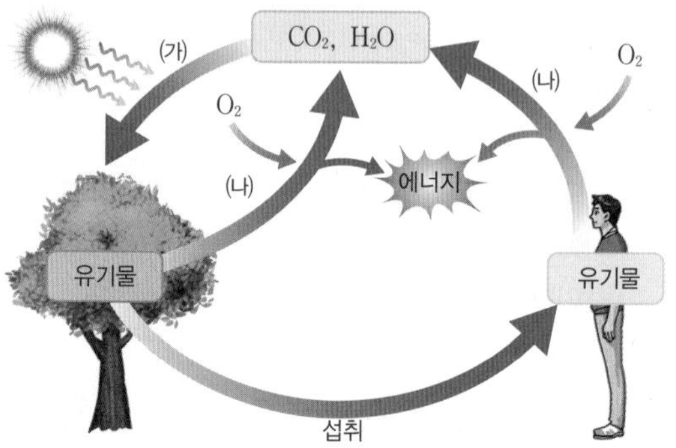

이에 대한 설명으로 옳은 것만을 | 보기 | 에서 있는 대로 고른 것은?

보기
ㄱ. (가)의 결과 포도당이 생성된다.
ㄴ. (가)는 동화 작용, (나)는 이화 작용이다.
ㄷ. (가)와 (나)에 작용하는 효소는 모두 동일하다.

① ㄴ ② ㄷ ③ ㄱ, ㄴ
④ ㄱ, ㄷ ⑤ ㄱ, ㄴ, ㄷ

| 효소의 특성 | 출제예감

05 그림은 효소 반응을 나타낸 것이다. A와 B는 각각 효소와 반응물 중 하나이다.

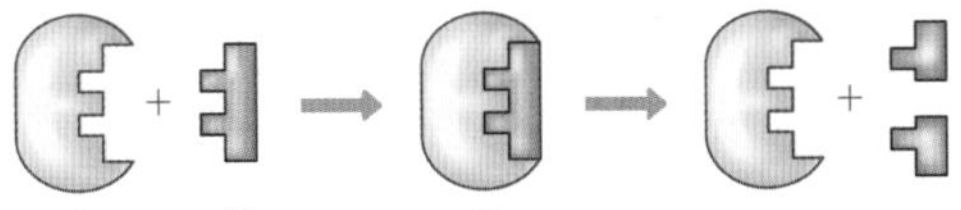

이에 대한 설명으로 옳은 것만을 | 보기 | 에서 있는 대로 고른 것은?

보기
ㄱ. A의 주성분은 단백질이다.
ㄴ. B는 반응물이다.
ㄷ. C가 형성될 때 활성화 에너지가 높아진다.

① ㄴ ② ㄷ ③ ㄱ, ㄴ
④ ㄱ, ㄷ ⑤ ㄱ, ㄴ, ㄷ

| 효소의 활용 |

06 자료 (가)는 옥수수의 당도를 유지하는 방법을, (나)는 식혜를 만드는 과정을 나타낸 것이다.

(가) 옥수수의 당도를 유지하기 위해서는 옥수수를 수확하여 곧바로 ㉠ 끓는 물에 2분~3분 동안 담근 후 식혀서 냉장 보관한다. 이렇게 하지 않으면 시간이 지나면서 옥수수에 들어 있는 효소 A에 의해 녹말의 양이 증가하여 당도가 떨어진다.
(나) 식혜를 만들 때 밥알을 엿기름물과 혼합해 4시간~5시간 보온한다. 이렇게 하면 엿기름물 속의 효소 B에 의한 작용이 활발해져 단맛이 증가하고 밥알이 뜨게 된다. 이후 1시간 정도 끓인 후 식혀서 냉장 보관한다.

이에 대한 설명으로 옳은 것만을 | 보기 | 에서 있는 대로 고른 것은?

보기
ㄱ. 효소 A의 작용은 ㉠에 의해 억제된다.
ㄴ. 효소 A는 동화 작용에 관여한다.
ㄷ. 효소 B는 엿당과 결합하여 이화 작용을 촉진한다.

① ㄴ ② ㄷ ③ ㄱ, ㄴ
④ ㄱ, ㄷ ⑤ ㄱ, ㄴ, ㄷ

| 활성화 에너지 |

07 그림 (가)와 (나)는 과산화 수소(H_2O_2)가 분해되는 반응에서 카탈레이스가 있을 때의 에너지 변화와 없을 때의 에너지 변화를 순서 없이 나타낸 것이다.

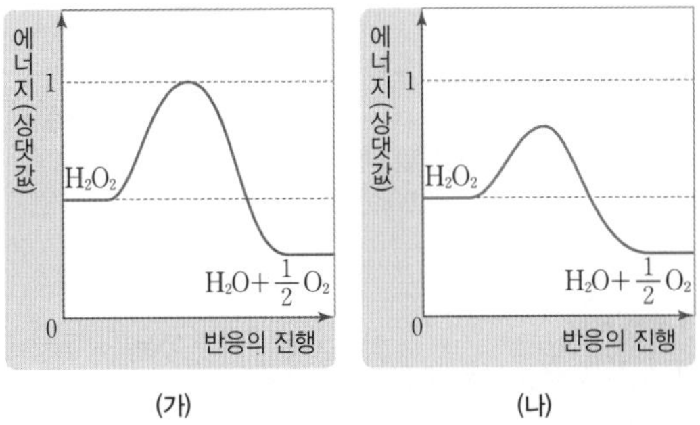

카탈레이스가 있을 때의 에너지 변화는 (가)와 (나) 중 무엇인지 쓰고, 그 까닭을 서술하시오.

| 효소의 작용 |

08 사람의 소화 과정에서 아밀레이스는 녹말을 엿당으로 분해하는 소화 효소이고, 말테이스는 엿당을 포도당으로 분해하는 소화 효소이다. 아밀레이스가 엿당을 분해하거나 말테이스가 녹말을 분해할 수 있는지 판단하고, 그 까닭을 서술하시오.

| 효소의 활용 |

09 빵을 만들 때 밀가루 반죽에 효모를 넣는 까닭을 효소의 작용을 중심으로 서술하시오.

03 생명 시스템에서의 정보 흐름

개념 이해 DNA, 유전자, 염색체, 형질, 생명 중심 원리, 염기 서열, 전사, 번역, 코돈, 유전 질환, 페닐케톤뇨증, 낫 모양 적혈구 빈혈증

A DNA와 유전자

한·줄·핵심 단백질 합성에 대한 유전 정보가 있는 DNA의 특정 부위를 유전자라고 하며 DNA는 단백질과 함께 염색체를 형성하여 핵 속에 들어 있다.

1. DNA, 유전자, *염색체

구분	의미와 특징
DNA	• 생물의 형질❶에 대한 모든 유전 정보를 담고 있는 유전자의 본체 • 단백질과 결합한 상태로 핵 속에 있다. 사람은 세포의 핵 속에 세포 당 46개의 염색체를 가지고 있다.
유전자	• 유전 정보❷가 저장된 DNA의 특정 부분
염색체 ❸	• 세포가 분열할 때 핵 속의 염색사가 응축되어 나타나는 막대 모양의 구조물 • 세포 분열을 통해 유전 물질은 염색체의 형태로 자손에게 전달된다.

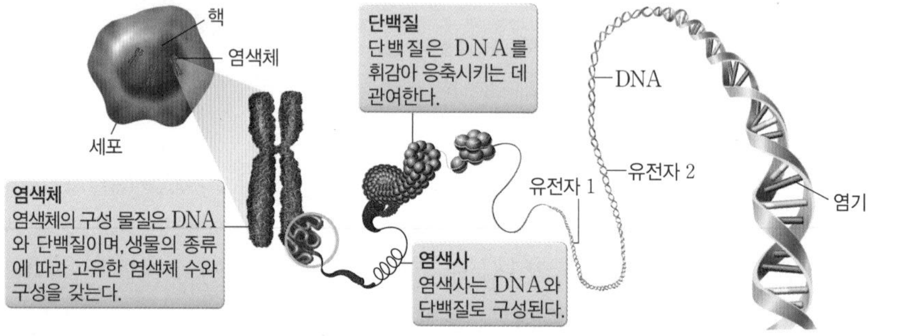

2. 유전자와 단백질

(한 분자의 DNA에 수많은 유전자가 있다.)

2. 유전자와 단백질 각 유전자에는 특정 단백질에 대한 정보가 저장되어 있어 유전자에 저장된 정보에 따라 다양한 단백질이 합성되고, 한 개체의 여러 형질이 결정된다.

⇨ 유전자에 이상이 생기면 단백질 이상으로 인한 유전 질환이 발생한다.

탐구 유전자와 단백질의 관계

눈동자의 색이라는 형질이 유전자에 따라 다르게 나타나는 과정을 분석할 수 있다.

과정

갈색 눈동자와 파란색 눈동자가 나타나는 과정을 유전자와 단백질의 관계로 설명한다.

결과

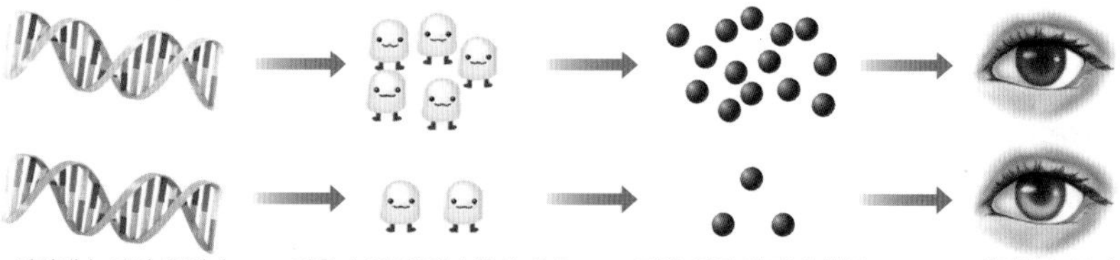

(멜라닌: 동물의 조직에 있는 검은색 또는 흑갈색의 색소 단백질로, 그 양에 따라 머리카락, 눈동자 등의 색깔이 결정된다.)

정리

❶ **갈색 눈동자와 파란색 눈동자가 나타나는 과정:** 갈색 눈동자 유전자는 멜라닌 합성 효소를 많이 합성하도록 하여 많은 양의 멜라닌이 합성되어 눈동자 색이 갈색으로 나타나고, 파란색 눈동자 유전자는 멜라닌 합성 효소를 적게 합성하도록 하여 적은 양의 멜라닌이 합성되어 눈동자 색이 파란색으로 나타난다.

❷ **유전자와 단백질의 관계:** 유전자는 특정 단백질 합성에 대한 정보를 가지고 있는 부분으로, 유전자가 다르면 합성되는 단백질이 달라져 형질이 다르게 나타난다.

---

❶ 형질
눈동자의 색, 눈꺼풀 모양, 털 색 등과 같이 생물이 나타내는 특성

❷ 유전 정보
DNA는 5탄당인 디옥시리보스, 인산, 염기로 구성된 뉴클레오타이드가 수없이 많이 연결된 고분자 물질이며, 염기의 배열 순서에 따라 유전 정보가 달라진다.

❸ 염색체

생물	염색체 수(개)
사람	46
침팬지	48
보리	14
완두	14
감자	48

• 염색체 수와 생물 종 간의 관계에는 규칙이 없다.
• 같은 종의 생물은 염색체 수가 같으나, 염색체 수가 같다고 해서 같은 종은 아니다. 염색체 수가 같아도 종이 다르면 염색체의 크기나 모양, 유전자의 종류 등이 다르다.

#암기!
유전자와 단백질
유전자(DNA의 특정 부위) → 단백질 합성 → 형질

• 염색체(물들이다 染, 빛 色, 몸 體) 세포를 현미경으로 관찰하던 중 카민과 같은 염색액에 의해 염색이 잘 되기 때문에 붙여진 이름

B 유전 정보의 흐름

한·줄·핵심 DNA의 유전 정보는 전사라는 과정을 통해 RNA로 전달되고, 이 정보에 따라 번역이라는 과정을 통해 리보솜에서 단백질이 합성된다.

1. 생명 중심 원리❹ 유전 정보가 DNA에서 RNA로, RNA에서 단백질로 전달된다는 이론으로, 유전 정보의 흐름을 설명하는 원리

(1) 유전 정보의 흐름 알쉬탐 유전 정보는 DNA에 담겨 있으며, 전사와 번역이라는 과정을 통해 단백질이 합성된다.

① 전사: DNA에 저장된 유전 정보가 RNA로 전달되는 과정으로, DNA가 있는 핵 속에서 일어난다.

② 번역: RNA의 유전 정보로부터 단백질이 합성되는 과정으로, 세포질에 있는 리보솜에서 일어난다.

(2) 유전 정보의 저장 DNA의 유전 정보는 4종류의 염기 서열에 저장되어 있으며, 전사를 통해 RNA의 4종류의 염기 서열에 저장되고, 번역을 통해 20종류의 아미노산 서열이 결정되어 단백질이 합성된다.

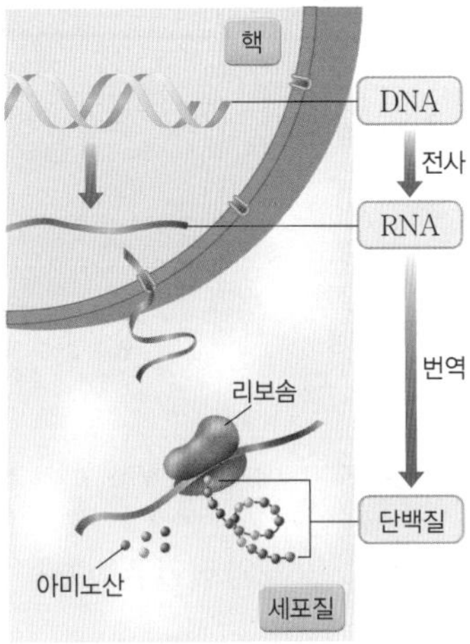

생명 중심 원리

2. 유전 정보의 전달과 발현

전사	DNA의 염기가 배열된 순서에 따라 상보적인 염기❺ 서열로 구성된 RNA 뉴클레오타이드가 결합 ⇨ RNA가 합성된 후 세포질로 빠져나온다. DNA에 저장된 유전 정보를 전달받은 RNA가 세포질로 이동한다.
↓ 번역 ↓	리보솜이 전사된 RNA와 결합 ⇨ 리보솜이 RNA 가닥을 따라 이동하면서 RNA의 염기가 배열된 순서에 따라 세포질에 있는 아미노산을 연결 ⇨ 단백질(폴리펩타이드)이 합성된 후 리보솜에서 빠져나온다.
발현	합성된 단백질이 특정 기능을 수행하여 형질이 나타난다.

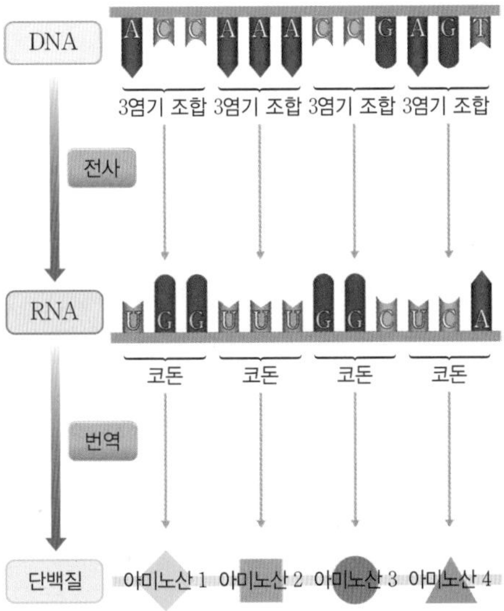

전사의 효과: 핵 속에 DNA를 안정적으로 보존하고, 같은 유전자를 여러 번 반복해서 발현할 수 있으며, 전사의 속도를 조절하여 필요에 따라 단백질 합성 속도를 조절할 수 있다.

3. 유전 암호 체계

(1) DNA의 유전 정보 4종류의 염기가 특정한 순서로 나열되어 연속된 3개의 염기 조합으로 아미노산에 대한 유전 정보 형성

(2) RNA의 유전 정보(코돈❻) 전사 과정에서 DNA의 염기와 상보적 염기로 구성된 RNA 상의 염기 서열에서 하나의 아미노산을 지정하는 연속된 3개의 염기 서열

(3) 유전 암호 체계의 공통성 세균에서 사람에 이르기까지 거의 모든 생물은 동일한 유전 암호 체계를 사용한다.

⇨ 사람의 유전자를 세균에 넣으면 사람의 유전자에 저장된 정보대로 아미노산이 결합하여 사람의 단백질이 합성된다.

(예) 생명 공학 기술을 이용하여 사람의 인슐린을 대량 생산한다.

---

❹ 생명 중심 원리

1958년 크릭이 처음으로 제안하였고, 그 이전인 1953년 왓슨과 함께 DNA 이중 나선 구조를 밝혀 냈다.

#암기!

전사(RNA 합성)

DNA 염기 서열 → RNA 염기 서열

번역(단백질 합성)

RNA 염기 서열→단백질의 아미노산 서열

❺ 전사 과정의 상보적 염기

RNA에는 타이민(T)이 없고 유라실(U)이 있으므로 아데닌(A)에 상보적인 염기는 유라실(U)이 된다.

DNA	A	G	C	T
전사	↓	↓	↓	↓
RNA	U	C	G	A

❻ 코돈(codon)

- 아미노산은 20가지인데 코돈은 64가지이므로 하나의 코돈이 1가지 아미노산을 지정하는 경우도 있지만 여러 개의 코돈이 1가지 아미노산을 지정하기도 한다.
- 하나의 코돈이 2가지 이상의 아미노산을 지정하는 경우는 없다.

#보충!

DNA 4종류의 염기로 20종류의 아미노산을 표현하기 위해서는 3개의 염기가 하나의 정보를 나타낼 때 아미노산의 종류보다 많은 64가지(=4^3)의 유전 암호를 나타낼 수 있으므로 코돈은 연속된 3개의 염기로 구성되어 있다.

●전사(전하다 傳, 베끼다 寫) 글이나 그림 따위를 옮겨 그대로 베끼는 것을 의미함

●번역(번역할 飜, 번역할 譯) 어떤 언어로 된 글을 다른 언어의 글로 옮기거나 바꾸는 것을 의미함

C 유전자 이상과 유전 질환

한·줄·핵심 DNA의 유전 정보인 염기 서열에 이상이 생기면 단백질 합성에 이상이 생겨 생명 활동에 이상이 있는 유전 질환이 생길 수 있다.

❼ 유전 질환

- 유전 질환에는 염색체 이상으로 인한 것과 유전자 이상으로 인한 것이 있다.
- 염색체 이상으로 인한 유전 질환에는 다운 증후군과 같이 염색체 수에 이상이 있는 경우와 고양이 울음 증후군과 같이 염색체의 구조에 이상이 있는 경우가 있다.

1. 유전자 이상으로 인한 유전 질환❼

유전자의 본체인 DNA의 염기 서열에 이상이 생겨 나타나는 유전 질환 유전자 이상으로 인한 유전 질환은 염색체를 분석하는 방법으로는 알아낼 수 없다.

질환	원인	증상
페닐케톤뇨증●	페닐알라닌을 타이로신으로 전환시키는 효소의 유전자에 이상	체내에 페닐알라닌이 축적되어 중추 신경계 손상으로 지적 장애 발생
낫 모양 적혈구 빈혈증	헤모글로빈 합성과 관련된 유전자에 이상 헤모글로빈: 적혈구 속에 있으며, 산소와 쉽게 결합하여 호흡에서 산소 운반에 중요한 역할을 한다.	• 비정상적인 헤모글로빈이 합성되어 낫 모양의 적혈구 형성 • 산소 운반 능력 감소로 악성 빈혈 발생 • 특유의 구조로 인해 모세 혈관의 혈액 흐름을 저해하여 심장, 뇌 기능 손상

페닐케톤뇨증과 낫 모양 적혈구 빈혈증의 공통점: 특정 유전자의 이상으로 발생하며, 특정 단백질이 정상적으로 만들어지지 않는다.

#보충!

페닐알라닌

단백질을 구성하는 아미노산의 한 종류

#보충!

유전 질환의 예

알비노증: 멜라닌 색소 합성에 관한 유전자에 이상이 생겨 멜라닌 색소가 정상적으로 합성되지 않아 몸의 일부 또는 전체가 하얗게 되는 증상

● 페닐케톤뇨증(phenylketonuria, PKU) 페닐알라닌을 타이로신으로 전환시키는 효소 유전자 이상으로 페닐알라닌이 과도하게 축적되며, 대사 산물인 페닐케톤이 축적되어 소변으로 배출됨

탐구 낫 모양 적혈구 빈혈증

낫 모양 적혈구 빈혈증이 생기는 과정을 분석하여 유전자 이상으로 인한 유전 질환을 구체적으로 설명할 수 있다.

과정

정상 적혈구가 생기는 과정과 낫 모양 적혈구가 생기는 과정을 유전자와 단백질 합성 과정을 중심으로 비교하여 설명한다.

결과

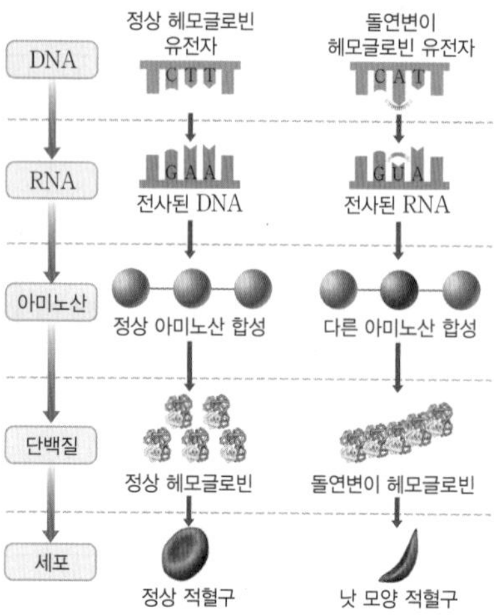

정리

❶ **정상 적혈구 유전자와 낫 모양 적혈구를 만드는 유전자:** 헤모글로빈 단백질의 DNA 염기 서열 중 한 개의 염기에 차이가 있다.

❷ **낫 모양 적혈구 형성 과정**

헤모글로빈 단백질의 DNA 염기 서열 이상(DNA의 염기 T이 A으로 바뀐다.)

⇨ 전사된 RNA 염기 서열 이상(RNA의 염기가 U이 되어 코돈이 달라진다.

⇨ 헤모글로빈 단백질을 구성하는 1개의 아미노산 이상

⇨ 헤모글로빈 단백질 입체 구조 이상

⇨ 낫 모양 적혈구 형성

적혈구는 골수에서 생성되므로 치료를 위해 골수 이식을 하는 경우가 있다.

정답과 해설 051쪽

간단 점검

1. 유전 정보가 저장된 DNA의 특정 부분은?
2. 염색체의 구성 성분은?
3. 염색사는 (　　　　　) 과정에서 응축되어 막대 모양의 염색체가 형성된다.
4. 유전 정보가 DNA에서 RNA로, RNA에서 단백질로 전달된다는 이론은?
5. DNA의 유전 정보가 (　　)(으)로 전달되는 과정을 전사라고 하며, 세포에서 전사는 (　　)에서 일어난다.
6. 세포 소기관 중 번역이 일어나는 장소는?
7. 코돈은 (　　)개의 염기로 구성된 RNA 상의 유전 정보이며, (　　)개의 아미노산 중 하나를 지정하는 암호이다.
8. 헤모글로빈 단백질 유전자의 이상으로 비정상 적혈구가 형성되는 유전 질환은?

알아두면 시험이 쉬워지는 탐구

유전 정보의 흐름 역할 놀이

목표 세포의 DNA에서 단백질이 합성되기까지 유전 정보가 어떻게 전달되는지 이해할 수 있다.

과정

❶ 모둠 구성, 역할 맡기

활동을 끝낸 후 서로 역할을 바꿔보는 것도 좋다.

- 3명이 모둠을 구성하여 DNA, RNA, 리보솜의 역할을 맡고, 자신이 맡은 역할을 이름표에 써서 가슴에 단다.
- DNA는 특정 유전 정보를 종이에 써서 RNA에게 보여 준다.

❷ 각자 맡은 역할을 하면서 아미노산 사슬 모형 만들기

㉠ AAA GCT CGG GAA CCA AGA AGA GGG

- RNA는 DNA의 유전 정보를 전사한 후 리보솜에게 전달한다.
- 리보솜은 RNA 정보 표를 이용하여 RNA의 첫 번째 염기부터 염기 3개가 지정하는 아미노산 모양을 차례대로 그려 ㉠의 아미노산 사슬 모형을 완성한다.

❸ DNA 유전 정보를 변형하여 아미노산 사슬 모형 만들기

㉡ AAA GCT CGG GAA GCC AAG AAG AGG

- DNA는 유전 정보의 12번째와 13번째 염기 사이에 구아닌(G)이 끼어 들어간 유전 정보를 종이에 쓴 후 RNA에게 보여 준다.
- RNA와 리보솜이 과정 ❷의 자신의 역할을 반복하여 ㉡의 아미노산 사슬 모형을 완성한다.

RNA 코돈	아미노산 모양	RNA 코돈	아미노산 모양	RNA 코돈	아미노산 모양	RNA 코돈	아미노산 모양	RNA 코돈	아미노산 모양
UUU	▲	UCU	♠	UAU	◇	UGU	◈	GCU	◐
UUC		UCC		UAC		UGC		GCC	
UUA	○	UCA		UAA	연결 멈춤	UGA	연결 멈춤	GCA	
UUG		UCG		UAG	연결 멈춤	UGG	*	GCG	
CUU	○	CCU	●	CAU	☆	CGU	♧	GAU	◎
CUC		CCC		CAC		CGC		GAC	
CUA		CCA		CAA	♥	CGA		GAA	▣
CUG		CCG		CAG		CGG		GAG	
AUU	■	ACU	✠	AAU	❖	AGU	♠	GGU	□
AUC		ACC		AAC		AGC		GGC	
AUA		ACA		AAA	◆	AGA	♧	GGA	
AUG	♣	ACG		AAG		AGG		GGG	

RNA 정보 표

결과 및 해석

구분	아미노산 사슬 모형
㉠	▲ ♧ ◐ ○ □ ♠ ♠ ●
㉡	▲ ♧ ◐ ○ ♧ ▲ ▲ ♠

✔ DNA의 유전 정보

(1) 3개의 염기 조합으로 되어 있으며, 이것은 RNA 상의 3개의 염기 조합으로 전달되고, 이에 따라 특정 아미노산 서열이 결정된다.

(2) 단백질 합성에 대한 정보이므로 DNA 염기 서열에 이상이 생기면 단백질의 아미노산 서열에 이상이 생긴다.

한·줄·핵심 DNA의 염기 서열에 따라 RNA 특정 염기 서열로 정보가 전달되어 특정 아미노산 서열로 구성된 단백질이 합성된다.

유의점
색연필, 사인펜 등을 이용하여 RNA 정보 표대로 아미노산의 모양과 색을 정확하게 그려야 한다.

#보충!
RNA 정보 표
실제로는 RNA 코돈이 지정하는 아미노산에 대한 표가 존재한다.

과정 ❸은 유전자 이상으로 유전 질환이 나타나는 과정에 해당한다.

실제 코돈과 아미노산 표를 이용하여 낫 모양 적혈구 빈혈증이 나타나는 과정을 재현해 볼 수 있다.

확인 문제

정답과 해설 051쪽

1. DNA의 염기 A, G, C, T는 전사 과정에서 각각 RNA의 염기 중 무엇으로 전달되는지 순서대로 쓰시오.

2. 사람의 인슐린 유전자를 대장균에 넣으면 대장균에서 전사와 번역을 거쳐 사람의 인슐린 단백질이 만들어진다. 대장균이 사람의 인슐린 단백질을 합성할 수 있는 까닭을 설명하시오.

3. 이 실험에 대한 설명으로 옳은 것은 ○, 옳지 않은 것은 ×로 표시하시오.

(1) 유전 정보는 DNA → RNA → 단백질의 순으로 전달된다. ( )

(2) 코돈의 수와 아미노산의 종류는 동일하다. ( )

(3) DNA의 염기 서열에 이상이 생기면 합성되는 단백질에 이상이 생길 수 있다. ( )

개념 + 기본 문제

개념 문제

A DNA와 유전자

01 다음 설명 중 옳은 것은 ○, 옳지 않은 것은 ×로 표시하시오.

(1) DNA 한 분자 당 하나의 유전자가 들어 있다. (　　)

(2) 염색사와 염색체의 구성 물질은 모두 DNA와 단백질이다. (　　)

(3) 유전자는 단백질 합성에 대한 정보를 가지고 있는 DNA의 특정 부위이다. (　　)

B 유전 정보의 흐름

02 세포에서 전사와 번역이 일어나는 세포 소기관을 각각 구분하여 쓰시오.

03 다음은 생명 중심 원리에 대한 설명이다. (　　) 안에 알맞은 말을 쓰시오.

> DNA의 유전 정보는 전사 과정을 거쳐 RNA에 전달되며, RNA 상의 연속된 3개의 염기 조합으로 구성된 (㉠)에 따라 (㉡)이/가 특정한 서열로 펩타이드 결합을 형성하여 단백질이 합성된다.

C 유전자 이상과 유전 질환

04 유전자 이상과 유전 질환의 명칭을 옳게 연결하시오.

(1) 헤모글로빈 단백질 유전자에 이상 • 　　• ㉠ 페닐케톤뇨증

(2) 페닐알라닌을 타이로신으로 전환시키는 효소의 유전자에 이상 • 　　• ㉡ 알비노증

(3) 멜라닌 색소 합성에 관한 유전자에 이상 • 　　• ㉢ 낫 모양 적혈구 빈혈증

A DNA와 유전자

05 염색체에 대한 설명으로 옳지 않은 것은?

① 핵 속에 존재한다.
② DNA와 단백질로 되어 있다.
③ 세포 분열 시 풀어진 상태의 염색사가 된다.
④ 단백질 합성에 대한 유전 정보가 들어 있다.
⑤ 생물의 종류마다 고유한 염색체 수와 구성을 갖는다.

단답형

06 DNA의 특정 부위인 유전자는 생명체를 구성하는 어떤 물질 합성에 대한 정보를 가지고 있다. 생명체의 형질을 결정하는 이 물질은 무엇인지 쓰시오.

07 사람의 형질에 관한 유전 정보가 저장된 형태에 대한 설명으로 옳은 것은?

① 염색체 당 한 종류의 유전 정보가 들어 있다.
② DNA 뉴클레오타이드의 당이 유전 정보이다.
③ DNA의 염기 하나는 한 종류의 아미노산에 대한 정보로 작용한다.
④ DNA에 이상이 생겨도 형질이 나타나는 데 영향을 미치지 않는다.
⑤ DNA의 염기 서열에 단백질의 아미노산에 대한 정보가 들어 있다.

B 유전 정보의 흐름

08 생명 중심 원리에 대한 설명으로 옳은 것만을 | 보기 | 에서 있는 대로 고른 것은?

> 보기
> ㄱ. 유전 물질의 본체는 단백질이다.
> ㄴ. DNA의 유전 정보는 RNA로 전달된다.
> ㄷ. 번역은 핵에서 일어난다.
> ㄹ. RNA의 유전 정보에 따라 단백질이 합성된다.

① ㄱ, ㄴ　　② ㄱ, ㄷ　　③ ㄴ, ㄷ
④ ㄴ, ㄹ　　⑤ ㄴ, ㄷ, ㄹ

정답과 해설 051쪽

09 그림은 유전 정보의 흐름을 나타낸 것이다.

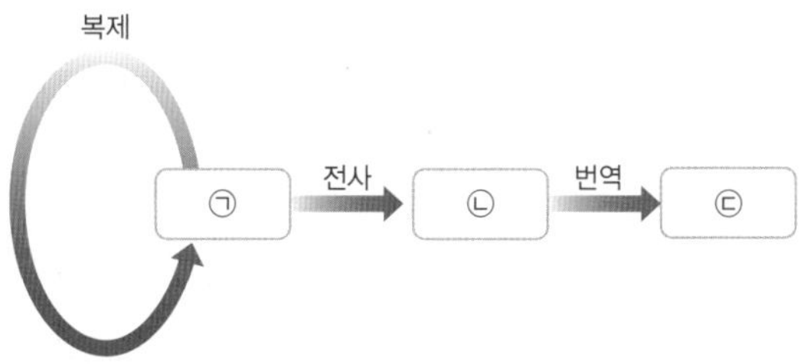

㉠~㉢에 들어갈 물질을 모두 옳게 연결한 것은?

	㉠	㉡	㉢
①	DNA	RNA	단백질
②	DNA	단백질	RNA
③	단백질	RNA	DNA
④	RNA	단백질	DNA
⑤	RNA	DNA	단백질

10 코돈에 대한 설명으로 옳은 것만을 | 보기 | 에서 있는 대로 고른 것은?

보기
ㄱ. RNA 상의 유전 정보이다.
ㄴ. 20가지의 코돈이 존재한다.
ㄷ. 1개의 염기가 1개의 아미노산에 대한 정보를 갖는다.
ㄹ. 여러 개의 코돈이 같은 아미노산을 지정하는 경우가 있다.

① ㄱ, ㄷ ② ㄴ, ㄹ ③ ㄱ, ㄹ
④ ㄱ, ㄴ, ㄷ ⑤ ㄴ, ㄷ, ㄹ

11 전사와 번역에 대한 설명 중 옳지 않은 것은?

① 전사는 DNA의 유전 정보를 RNA에 전달하는 과정이다.
② 전사가 일어난 후 핵 속의 DNA는 세포질로 빠져나간다.
③ 번역은 리보솜에서 일어난다.
④ 번역은 RNA의 유전 정보에 따라 단백질이 합성되는 과정이다.
⑤ RNA의 염기 서열에 아미노산에 대한 정보가 들어 있다.

단답형
12 다음은 번역의 과정을 순서 없이 나타낸 것이다.

(가) 단백질이 리보솜에서 빠져나온다.
(나) 리보솜이 RNA 가닥을 따라 이동하면서 RNA의 염기가 배열된 순서에 따라 세포질에 있는 아미노산이 연결된다.
(다) 리보솜이 전사된 RNA와 결합한다.

(가)~(다)를 번역의 과정에 알맞게 나열하시오.

단답형 알쉬탐
13 다음은 단백질 X의 유전 정보가 들어 있는 DNA 염기 서열이다.

AAA GCT CGG GAA CCA AGA AGA GGG

위 DNA의 왼쪽 첫 번째 염기 부분부터 전사가 이루어졌을 때, 전사된 RNA의 염기 서열을 쓰시오.

C 유전자 이상과 유전 질환

14 낫 모양 적혈구 빈혈증 환자에 대한 설명으로 옳은 것만을 | 보기 | 에서 있는 대로 고른 것은?

보기
ㄱ. 멜라닌 색소의 양이 정상인보다 적어 피부색이 하얗다.
ㄴ. 자손에게 자신의 유전 질환을 물려 줄 가능성이 있다.
ㄷ. 헤모글로빈 단백질 유전자의 염기 서열이 정상인과 다르다.
ㄹ. 정상인의 적혈구보다 적혈구의 크기가 작아 모세 혈관을 쉽게 통과한다.

① ㄱ, ㄷ ② ㄱ, ㄹ ③ ㄴ, ㄷ
④ ㄴ, ㄹ ⑤ ㄴ, ㄷ, ㄹ

실력 올리기 문제

| DNA와 염색체 |

01 그림은 핵 속의 구성 물질의 구조를 나타낸 것이다. A~C는 각각 단백질, 염색체, DNA 중 하나이다.

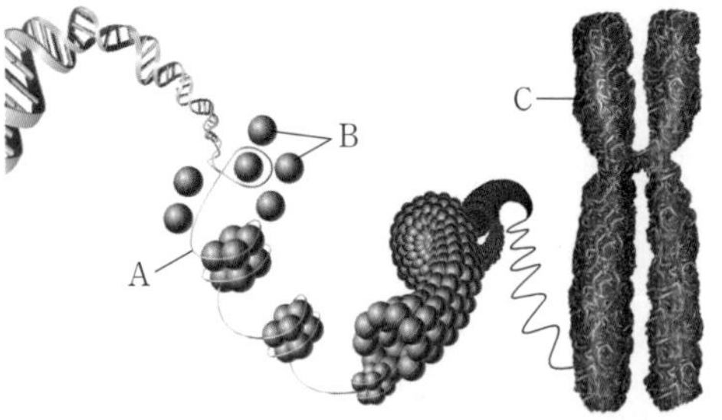

이에 대한 설명으로 옳은 것만을 | 보기 | 에서 있는 대로 고른 것은?

> 보기
> ㄱ. A는 이중 나선 구조이다.
> ㄴ. B에 유전자가 들어 있다.
> ㄷ. C에 A와 B가 들어 있다.

① ㄴ ② ㄷ ③ ㄱ, ㄴ
④ ㄱ, ㄷ ⑤ ㄴ, ㄷ

| 유전 정보의 흐름 |

02 그림은 세포에서 유전 정보의 흐름을 나타낸 것이다.

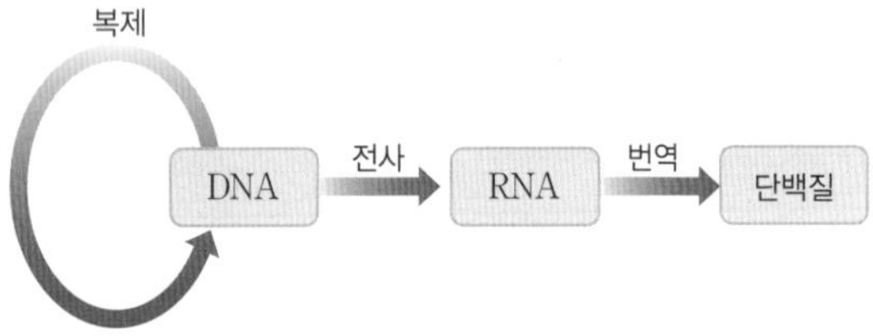

전사와 번역의 공통점으로 옳은 것은?

① 핵 속에서 일어나는 과정이다.
② 리보솜과 RNA의 결합과 분리 과정이 있다.
③ 상보적 염기를 가진 뉴클레오타이드가 결합한다.
④ 리보솜에서 아미노산 간의 펩타이드 결합이 일어난다.
⑤ 염기의 배열 순서에 따라 단위체가 결합하여 진행된다.

| 생명 중심 원리 |

03 다음은 생명 중심 원리에 대한 학생 A~C의 세 학생의 대화 내용이다.

생명 중심 원리에 대해 옳게 설명한 학생만을 있는 대로 고른 것은?

① B ② C ③ A, B
④ A, C ⑤ A, B, C

| 번역 |

04 그림은 어떤 단백질에 대한 코돈이 있는 RNA의 염기 서열과 이 유전 정보로부터 합성된 단백질의 아미노산 서열을 나타낸 것이고, 표는 코돈에 대응되는 아미노산을 나타낸 것이다.

> RNA: … GGCUGUCCGACA …
> ↓㉠
> 단백질: …글라이신-시스테인-(가)-트레오닌…

코돈	ACA	CCG	(나)	UGU
아미노산	트레오닌	프롤린	글라이신	시스테인

이에 대한 설명으로 옳은 것만을 | 보기 | 에서 있는 대로 고른 것은?

> 보기
> ㄱ. ㉠은 전사이다.
> ㄴ. (가)는 프롤린이다.
> ㄷ. GGC는 (나)에 해당하는 RNA 뉴클레오타이드의 염기 서열이다.

① ㄱ ② ㄷ ③ ㄱ, ㄴ
④ ㄱ, ㄷ ⑤ ㄴ, ㄷ

| 유전 정보의 흐름 | 출제예감

05 그림은 세포의 유전 정보 흐름을 나타낸 것이다.

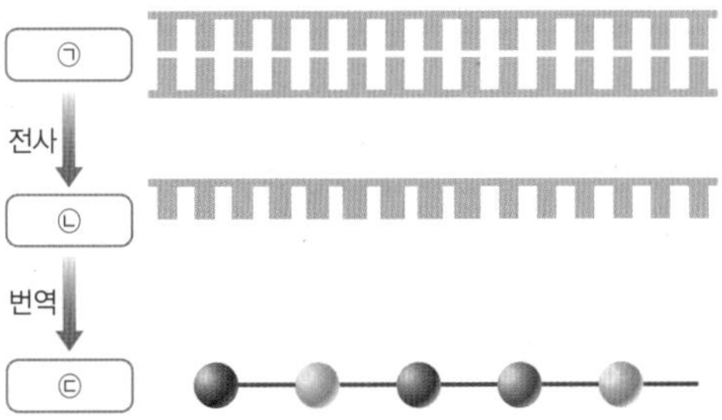

이에 대한 설명으로 옳은 것만을 | 보기 | 에서 있는 대로 고른 것은?

> 보기
> ㄱ. 번역에 리보솜이 관여한다.
> ㄴ. ㉡의 염기 1개가 아미노산 1개를 지정한다.
> ㄷ. ㉠과 ㉡을 구성하는 염기의 종류는 모두 같다.

① ㄱ ② ㄷ ③ ㄱ, ㄴ
④ ㄱ, ㄷ ⑤ ㄴ, ㄷ

| 유전자 이상과 유전 질환 | 출제예감

06 다음은 정상 적혈구와 낫 모양 적혈구를 비교한 것이다. (가)와 (나)는 각각 정상 적혈구와 낫 모양 적혈구 중 하나이다.

구분	(가)	(나)
DNA의 염기 서열 일부	…… CTT …… …… GAA ……	…… CAT …… …… GTA ……
헤모글로빈 β 사슬의 6번째 아미노산	… 글루탐산 …	… 발린 …
적혈구 모양		

이에 대한 설명으로 옳은 것만을 | 보기 | 에서 있는 대로 고른 것은?

> 보기
> ㄱ. (가)는 낫 모양 적혈구이다.
> ㄴ. 낫 모양 적혈구 빈혈증은 DNA의 염기 서열 이상에 의한 유전 질환이다.
> ㄷ. 정상 적혈구와 낫 모양 적혈구의 헤모글로빈을 구성하는 아미노산의 서열은 서로 다르다.

① ㄱ ② ㄷ ③ ㄱ, ㄴ
④ ㄱ, ㄷ ⑤ ㄴ, ㄷ

| 전사 |

07 그림은 세포에서 전사가 일어나는 과정을 나타낸 것이다.

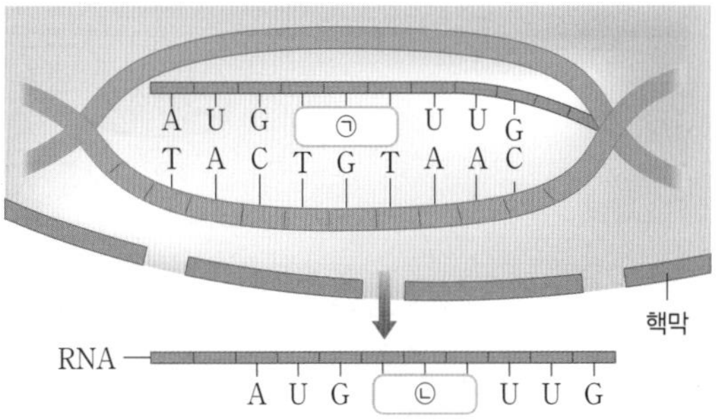

㉠과 ㉡에 들어갈 염기 서열을 각각 쓰시오.

| 유전자와 단백질 |

08 그림은 유전 형질인 갈색 눈동자와 파란색 눈동자가 나타나는 과정을 나타낸 것이다.

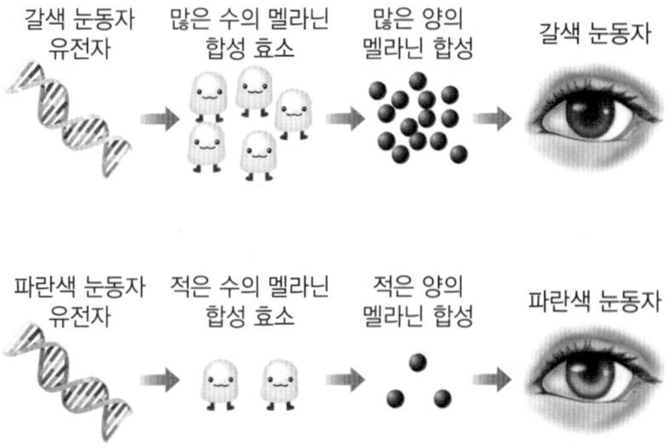

그림을 참고로 유전자와 형질의 관계를 서술하시오.

| 전사와 번역 |

09 세포에서 전사와 번역의 차이점을 2가지만 서술하시오.

V. 생명 시스템

정답과 해설 054쪽

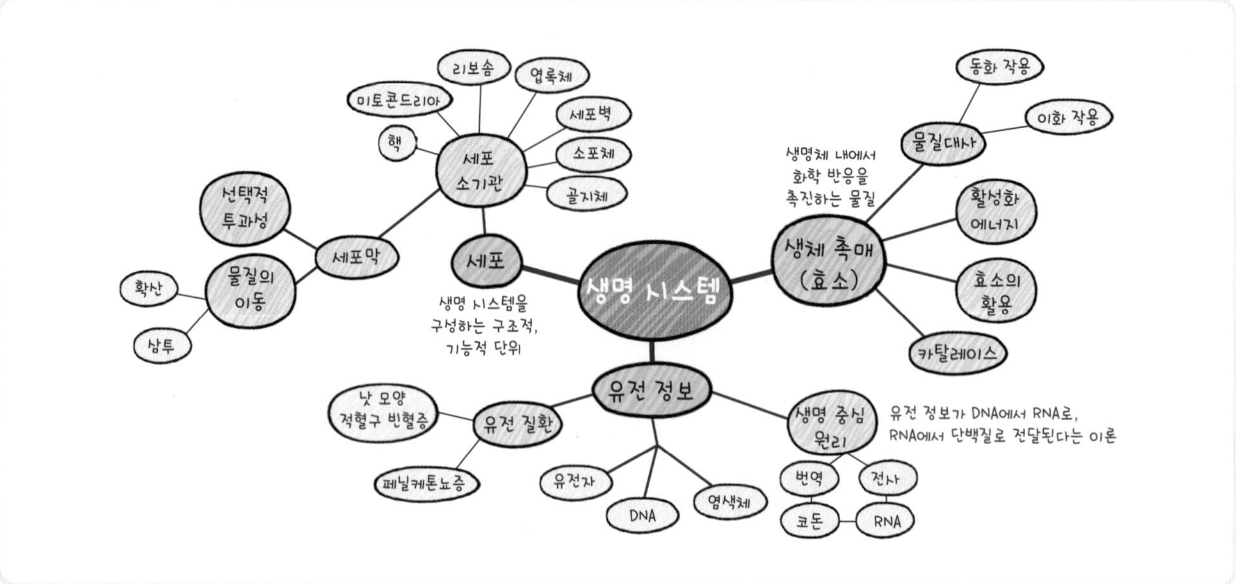

01 생명 시스템의 기본 단위

(1) 세포: 생명 시스템을 구성하는 구조적, ① ______ 기본 단위

(2) 단세포 생물과 다세포 생물

① **단세포 생물:** 세포 하나가 곧 개체

예 아메바, 짚신벌레 등

② **다세포 생물:** 수많은 세포들이 모여 복잡하고 정교한 체제를 이룬 개체

예 동물, 식물

(3) 세포 소기관

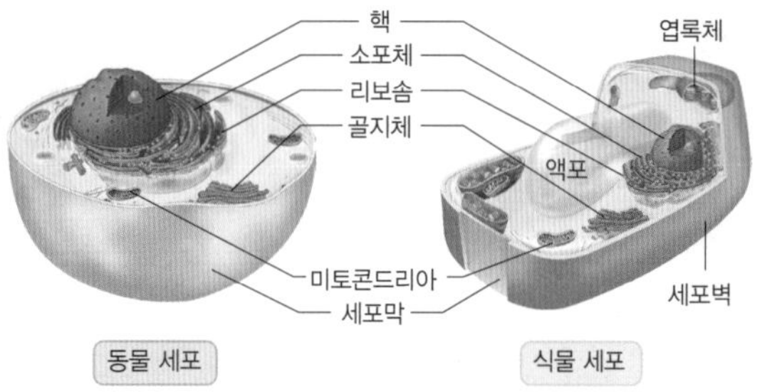

① ② ______ : 유전 물질을 저장하며, 세포의 생명 활동의 중심이다.

② ③ ______ : 세포 호흡이 일어나는 세포 소기관으로, 생명 활동에 필요한 에너지를 생성한다.

③ **엽록체:** 동물 세포에는 없고 식물 세포에 있으며, ④ ______ 이 일어나 포도당을 합성한다.

④ ⑤ ______ : 유전 정보에 따라 단백질을 합성한다.

(4) 세포막

① **세포막의 구조:** ⑥ ______ 2중층에 단백질이 불규칙하게 분포

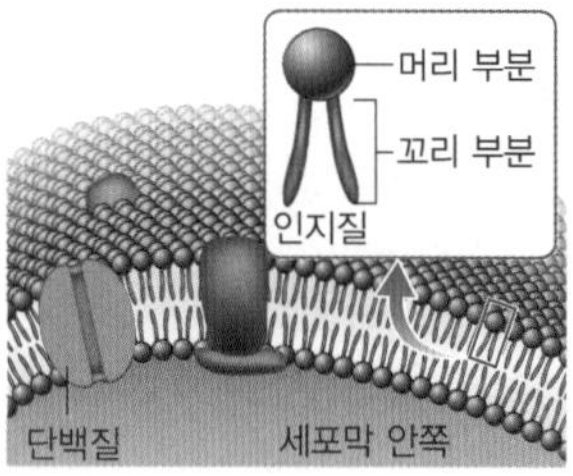

② ⑦ ______ : 세포막의 구조로 인해 물질의 종류, 크기 등에 따라 세포막을 통한 물질의 이동이 다르게 일어나는 성질

③ ⑧ ______ : 기체 분자가 인지질 2중층을 직접 통과하거나 세포막을 관통하고 있는 단백질을 통해 물질이 농도가 높은 곳에서 낮은 곳으로 이동

④ ⑨ ______ : 물이 세포막을 경계로 농도가 낮은 쪽에서 높은 쪽으로 이동하는 현상

⑤ **적혈구(동물 세포)의 삼투 현상**

저장액	등장액	고장액

⑥ **양파 표피 세포(식물 세포)의 삼투 현상**

저장액	등장액	고장액
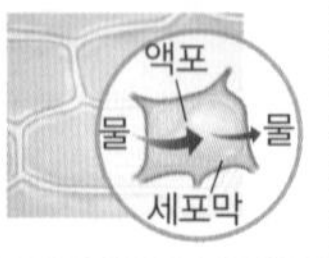	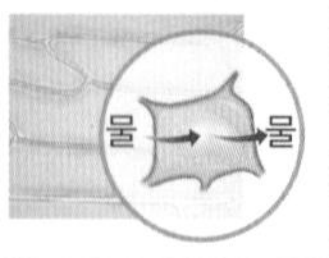	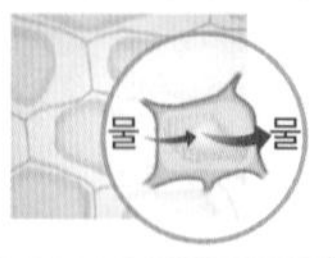

02 생명 시스템에서의 화학 반응

(1) ⑩ ______ : 생명체 내에서 물질이 합성·분해되는 모든 화학 반응으로, 생체 촉매인 효소가 관여하고 에너지 출입이 있다.

(2) 물질대사의 구분

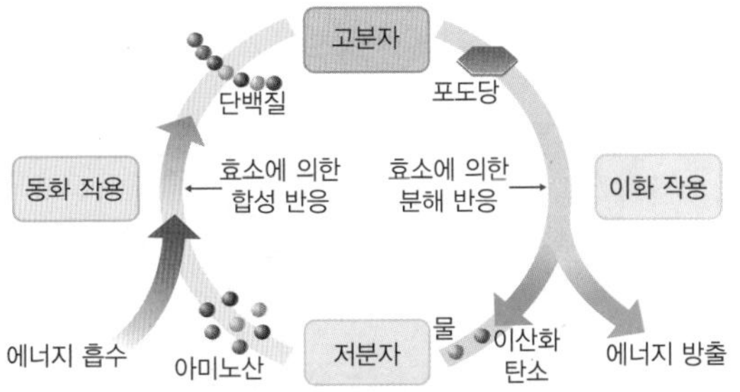

구분	⑪ ______	⑫ ______
정의	저분자로부터 고분자를 합성	고분자를 저분자로 분해
에너지 출입	에너지 흡수	에너지 방출
예	광합성, 단백질 합성	소화, 세포 호흡

(3) ⑬ ______ : 반응을 일으키는 데 필요한 최소한의 에너지로, 촉매가 활성화 에너지를 낮추면 반응 속도가 빨라진다.

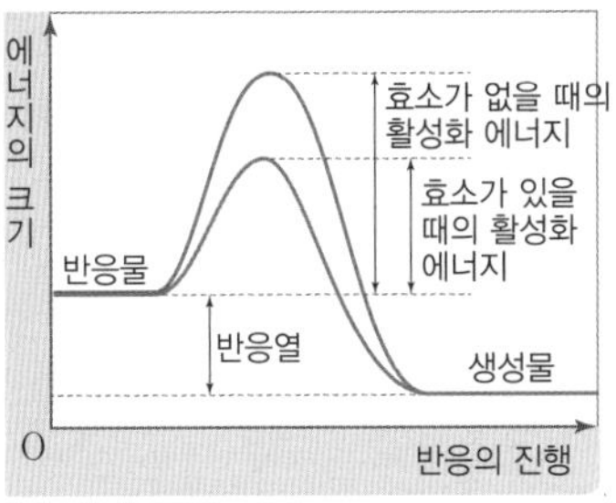

(4) 효소의 특성: 효소는 ⑭ ______ 에 맞는 반응물하고만 결합하여 촉매 작용을 하며, 화학 반응이 끝나면 다시 촉매 작용을 반복할 수 있다.

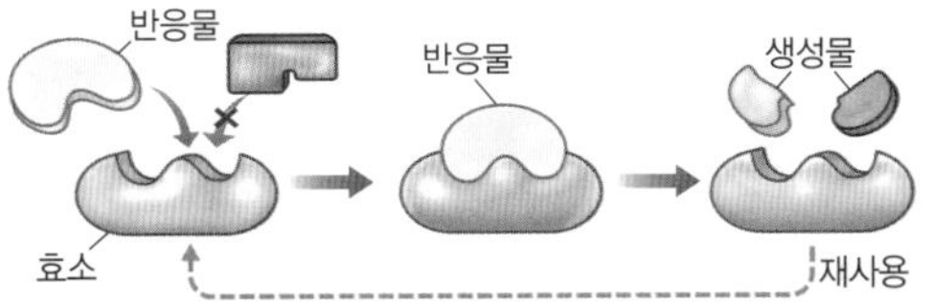

(5) ⑮ ______ : 생간, 감자즙 등 동물 세포와 식물 세포에 널리 존재하는 효소로, 과산화 수소를 물과 산소로 분해한다.

(6) 효소의 활용: 효소는 경제적이고 친환경적이므로 식품, 의약품, 환경 정화 및 생활용품, 생명 공학 기술 등에 활용된다.

03 생명 시스템에서의 정보 흐름

(1) DNA, 유전자, 염색체

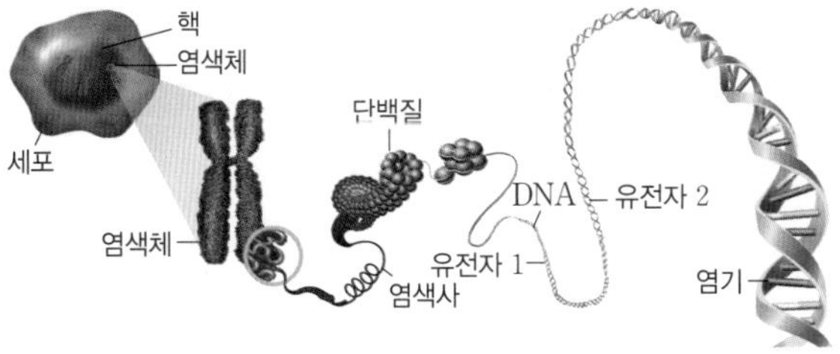

⑯ ______	· 생물의 형질에 대한 모든 유전 정보를 담고 있는 분자
⑰ ______	· 특정 유전 형질에 대한 유전 정보가 있는 DNA의 특정 부분 · 유전자에 저장된 정보에 따라 개체의 여러 형질이 결정된다.
⑱ ______	· 세포가 분열할 때 핵 속의 염색사가 응축되어 나타나는 막대 모양의 구조물 · DNA와 단백질로 구성

(2) 유전자는 ⑲ ______ 합성에 대한 정보를 가지고 있어 이 정보에 따라 생물의 형질이 나타난다.

(3) ⑳ ______ : 유전 정보가 DNA에서 RNA로, RNA에서 단백질로 전달된다는 이론

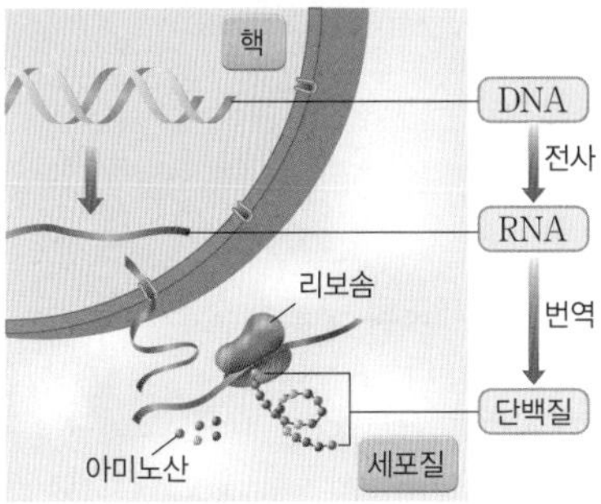

(4) 전사와 번역

구분	전사	번역
의미	DNA에 저장된 유전 정보가 ㉑ ______ 로 전달되는 과정	RNA의 유전 정보로부터 ㉒ ______ 이 합성되는 과정
장소	핵	세포질(리보솜)

(5) ㉓ ______ : 전사 과정에서 DNA의 염기와 상보적 염기(유라실(U), 사이토신(C), 구아닌(G), 아데닌(A))로 구성된 RNA 상의 염기 서열에서 하나의 아미노산을 지정하는 연속된 3개의 염기 서열로, 번역 과정에서 이에 따라 특정 아미노산 서열을 갖는 단백질이 합성된다.

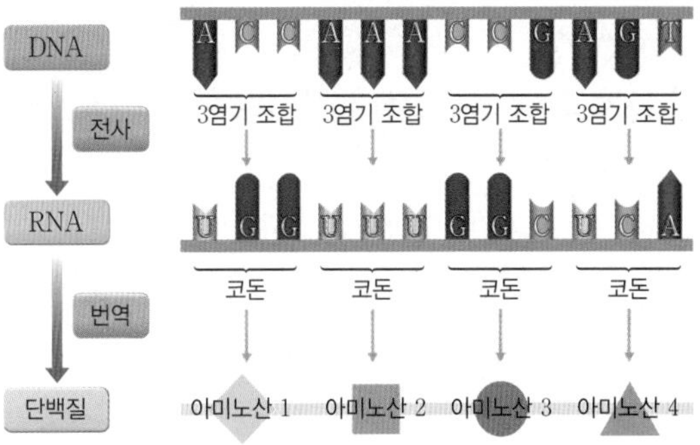

(6) 유전자 이상에 의한 유전 질환: DNA 염기 서열 이상으로 단백질 합성에 이상이 생겨 발생하는 질환으로, 페닐케톤뇨증과 헤모글로빈 단백질 유전자에 이상이 생겨 낫 모양의 적혈구가 형성되는 ㉔ ______ 등이 있다.

한번에 끝내는
대단원 마무리

정답과 해설 054쪽

01 세포에 대한 설명으로 옳은 것만을 |보기| 에서 있는 대로 고른 것은?

보기
ㄱ. 모든 생물은 세포로 구성되어 있다.
ㄴ. 생명체의 구조적, 기능적 기본 단위이다.
ㄷ. 단백질 합성이 일어나는 세포 소기관은 리보솜이다.

① ㄱ ② ㄷ ③ ㄱ, ㄴ
④ ㄴ, ㄷ ⑤ ㄱ, ㄴ, ㄷ

02 그림은 동물 세포의 구조를 나타낸 것이다. A~C는 각각 세포막, 핵, 미토콘드리아 중 하나이다.

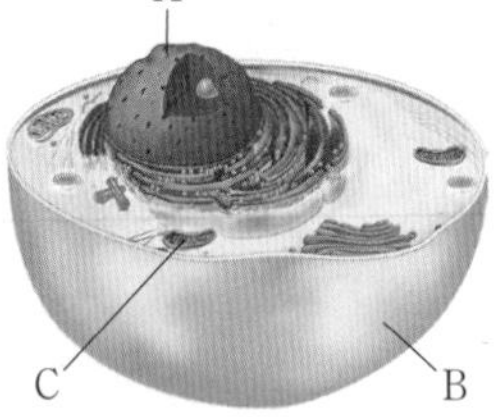

이에 대한 설명으로 옳은 것을 |보기| 에서 있는 대로 고른 것은?

보기
ㄱ. 식물 세포에 A~C가 모두 존재한다.
ㄴ. B는 인지질과 단백질로 구성되어 있다.
ㄷ. C에서 이화 작용이 일어난다.

① ㄱ ② ㄷ ③ ㄱ, ㄴ
④ ㄴ, ㄷ ⑤ ㄱ, ㄴ, ㄷ

03 다음 중 세포막을 통한 물질 이동에 대한 설명으로 옳지 않은 것은?

① 세포막은 선택적 투과성을 가진다.
② 산소가 폐포에서 모세 혈관으로 이동할 때 인지질 2중층을 직접 통과한다.
③ 세포막을 경계로 고농도에서 저농도로 물이 이동하는 현상을 삼투라고 한다.
④ 세포막을 관통하는 단백질이 통로 역할을 하여 물질이 확산되는 경우도 있다.
⑤ 적혈구를 증류수에 넣으면 물이 세포막 안쪽으로 많이 이동하여 적혈구가 터질 수 있다.

04 그림은 세포 소기관 A~C를 나타낸 것이다. A~C는 각각 소포체, 골지체, 미토콘드리아 중 하나이다.

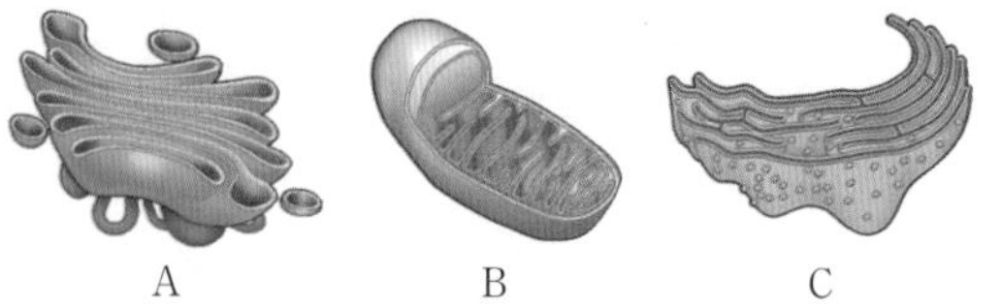

이에 대한 설명으로 옳은 것만을 |보기| 에서 있는 대로 고른 것은?

보기
ㄱ. A는 소포체이다.
ㄴ. B에서 에너지가 방출되는 반응이 일어난다.
ㄷ. C는 인지질 2중층의 막 구조를 가지고 있다.

① ㄱ ② ㄷ ③ ㄱ, ㄴ
④ ㄴ, ㄷ ⑤ ㄱ, ㄴ, ㄷ

05 표는 서로 다른 농도의 설탕 용액 A~D에 동일한 종류의 식물 세포를 각각 넣고, 10분 후 세포의 부피를 등장액에서 세포 부피에 대한 상댓값으로 나타낸 것이다.

설탕 용액	A	B	C	D
$\frac{\text{10분 후 세포의 부피}}{\text{등장액에서 세포의 부피}}$	0.9	1.0	1.2	1.3

A~D 용액 중 넣은 식물 세포의 세포막과 세포벽이 분리되는 것만을 있는 대로 고른 것은?

① A ② B ③ C, D
④ A, C, D ⑤ B, C, D

06 효소 활용의 예로 옳지 않은 것은?

① 밥알에 엿기름을 넣어 식혜를 만든다.
② 밀가루 반죽에 효모를 넣어 빵을 부풀게 한다.
③ 유산균으로 우유를 발효시켜 요구르트를 만든다.
④ 불고기 양념을 만들 때 배나 키위를 갈아 넣는다.
⑤ 장작불을 피울 때 부채질을 하여 바람을 일으킨다.

07 그림 (가)는 U자관의 A에 개구리 세포와 등장액인 설탕 용액을, B에는 갈치 세포와 등장액인 설탕 용액을 같은 양으로 넣은 모습을, 그림 (나)는 충분한 시간이 지난 후 더 이상 수면의 높이 변화가 없을 때의 모습을 나타낸 것이다.

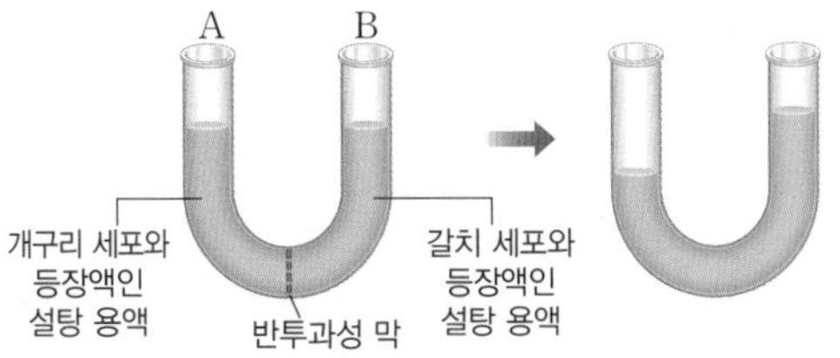

(가) (나)

이에 대한 설명으로 옳은 것만을 | 보기 | 에서 있는 대로 고른 것은?

보기
ㄱ. (가)에서 물 분자는 A에서 B로 확산된다.
ㄴ. (나)에서 반투과성 막을 통한 물 분자의 이동은 없다.
ㄷ. 개구리 세포 내액은 갈치 세포 내액보다 고장액이다.

① ㄱ ② ㄷ ③ ㄱ, ㄴ
④ ㄴ, ㄷ ⑤ ㄱ, ㄴ, ㄷ

고난도

08 그림 (가)는 엿당 분해 반응에서 말테이스의 유무에 따른 에너지 변화를, (나)는 일정량의 엿당에 말테이스가 작용할 때 생성된 포도당의 양을 나타낸 것이다.

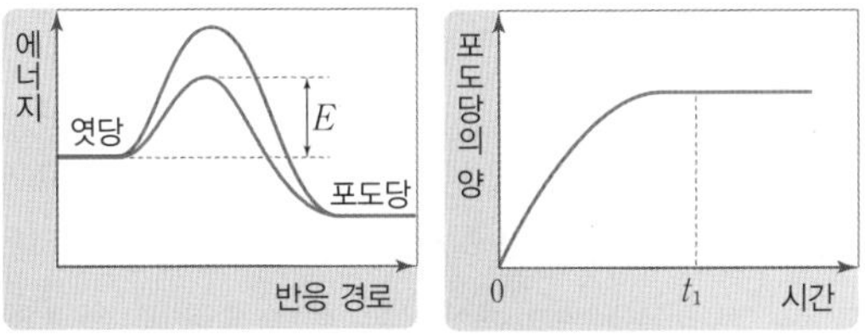

(가) (나)

이에 대한 설명으로 옳은 것만을 | 보기 | 에서 있는 대로 고른 것은?

보기
ㄱ. 말테이스는 포도당과 결합하여 반응 속도를 촉진하는 효소이다.
ㄴ. (가)의 E는 말테이스가 있을 때의 활성화 에너지이다.
ㄷ. (나)의 t_1에서 말테이스는 모두 엿당과 결합하고 있다.

① ㄴ ② ㄷ ③ ㄱ, ㄴ
④ ㄱ, ㄷ ⑤ ㄱ, ㄴ, ㄷ

09 그림 (가)는 사람의 체내에서 포도당이 세포 호흡을 거쳐 최종 분해 산물로 되는 과정을, (나)는 체내에서 포도당이 글리코젠으로 되는 과정을 나타낸 것이다.

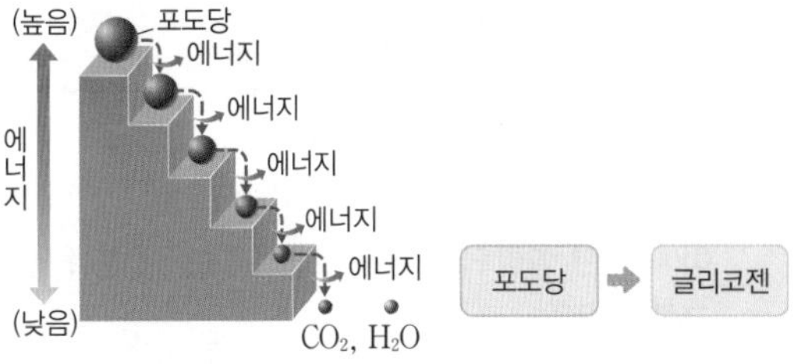

(가) (나)

이에 대한 설명으로 옳은 것만을 | 보기 | 에서 있는 대로 고른 것은?

보기
ㄱ. (가)에는 효소가 필요하다.
ㄴ. (나)에서는 동화 작용이 일어난다.
ㄷ. (가)는 400 ℃ 이상에서 활발하게 일어난다.

① ㄱ ② ㄷ ③ ㄱ, ㄴ
④ ㄴ, ㄷ ⑤ ㄱ, ㄴ, ㄷ

10 다음은 카탈레이스의 반응에 영향을 미치는 요인을 알아보기 위한 실험이다.

[과정]

① 시험관 A~C에 표와 같이 물질을 넣는다. 그 외의 조건은 모두 동일하게 한다.

(－: 넣지 않음)

구분	A	B	C
5 % H_2O_2 용액(mL)	5	5	5
증류수(mL)	2	－	－
5 % HCl 용액(mL)	－	2	－
5 % NaOH 용액(mL)	－	－	2
생간(g)	1	1	1

② A~C에서 발생하는 기포의 양을 측정한다.

[결과]

구분	A	B	C
㉠ 기포 발생량	+++	+	++

(+의 수가 많을수록 기포 발생량이 많음)

이 실험에 대한 설명으로 옳은 것만을 | 보기 | 에서 있는 대로 고른 것은?

보기
ㄱ. ㉠은 산소이다.
ㄴ. 카탈레이스는 생간 속에 들어 있다.
ㄷ. 카탈레이스의 작용은 산성일 때보다 중성일 때 더 활발하다.

① ㄱ ② ㄷ ③ ㄱ, ㄴ
④ ㄴ, ㄷ ⑤ ㄱ, ㄴ, ㄷ

11 그림은 염색체의 구조를 나타낸 것이다.

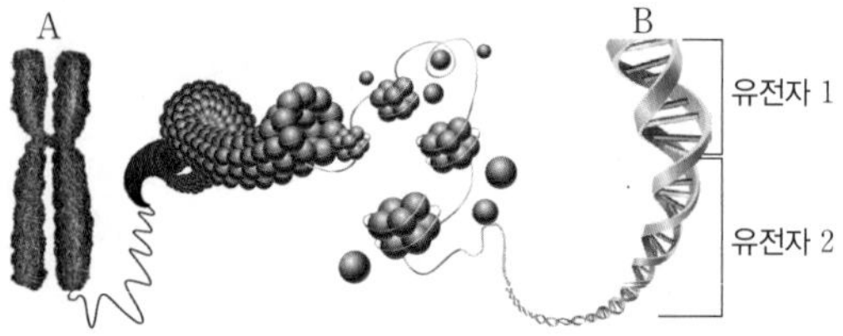

이에 대한 설명으로 옳은 것만을 |보기| 에서 있는 대로 고른 것은?

보기
ㄱ. A는 DNA와 단백질로 구성된다.
ㄴ. B에 단백질이 존재한다.
ㄷ. 유전자 1과 유전자 2에 단백질 합성에 대한 정보가 들어 있다.

① ㄱ ② ㄴ ③ ㄱ, ㄷ
④ ㄴ, ㄷ ⑤ ㄱ, ㄴ, ㄷ

12 그림은 DNA에서 단백질이 합성되는 과정을 나타낸 것이다.

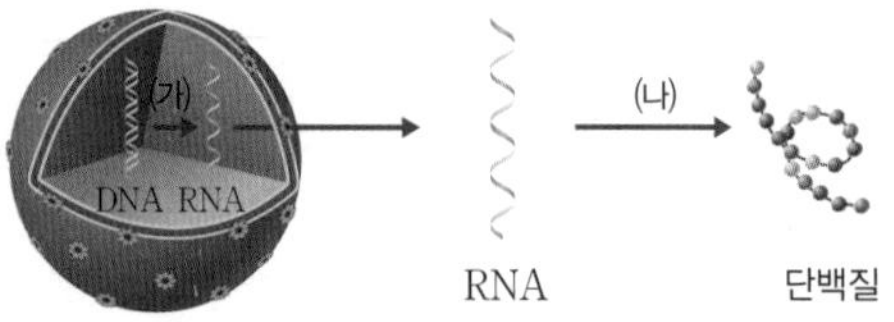

이에 대한 설명으로 옳은 것은?

① (가) 과정은 번역이다.
② (나) 과정에서 펩타이드 결합이 일어난다.
③ (나) 과정에 관여하는 RNA 코돈은 최대 20가지이다.
④ (나) 과정에서 합성되는 단백질은 최대 20가지이다.
⑤ (가) 과정에서 연속된 4개의 염기가 1조인 유전 암호가 형성된다.

13 낫 모양 적혈구 빈혈증에 대한 설명으로 옳은 것만을 |보기| 에서 있는 대로 고른 것은?

보기
ㄱ. 유전자의 이상으로 나타나는 유전 질환이다.
ㄴ. 세포에서 전사와 번역이 모두 일어나지 않는 증상이 나타난다.
ㄷ. 헤모글로빈 단백질 유전자의 염기 서열이 정상인 경우와 달라 발생하는 질환이다.

① ㄱ ② ㄴ ③ ㄱ, ㄷ
④ ㄴ, ㄷ ⑤ ㄱ, ㄴ, ㄷ

14 다음은 형광 고양이를 얻는 과정이다.

심해에 사는 발광 해파리의 형광 유전자를 고양이의 수정란에 넣어 어둠 속에서 초록색으로 형광을 띠는 고양이를 탄생시켰다.

이에 대한 설명으로 옳은 것만을 |보기| 에서 있는 대로 고른 것은?

보기
ㄱ. 해파리의 형광 유전자는 초록색 형광 단백질 합성에 대한 정보를 가지고 있다.
ㄴ. 해파리의 형광 유전자는 고양이에서 형광 단백질로 발현되지 않는다.
ㄷ. 형광 유전자를 발현하는 코돈은 발광 해파리와 고양이에서 동일하다.

① ㄱ ② ㄴ ③ ㄱ, ㄷ
④ ㄴ, ㄷ ⑤ ㄱ, ㄴ, ㄷ

통합 문제

15 다음은 세포 소기관에 대한 자료이다.

- 핵은 유전 물질인 (㉠)을/를 가지고 있어 유전 형질 발현에 중요한 역할을 한다.
- 미토콘드리아에서는 생명 활동에 필요한 에너지가 생성되는 (㉡)이/가 일어난다.
- 리보솜은 세포질에 있거나 소포체에 붙어 있으며, ㉢ 단백질 합성이 일어나는 곳이다.

이에 대한 설명으로 옳은 것만을 |보기| 에서 있는 대로 고른 것은?

보기
ㄱ. ㉠에는 ㉢에 대한 정보가 들어 있다.
ㄴ. ㉡에 생체 촉매가 관여한다.
ㄷ. ㉢은 이화 작용이다.

① ㄱ ② ㄷ ③ ㄱ, ㄴ
④ ㄴ, ㄷ ⑤ ㄱ, ㄴ, ㄷ

16 그림은 사람의 적혈구를 세 종류 동물의 링거액에 넣었을 때의 변화를 나타낸 것이다.

양서류, 파충류, 해수어류 링거액 중 농도가 높은 것부터 순서대로 쓰고, 그 까닭을 서술하시오. (단, 링거액은 증류수에 무기염류를 첨가하여 그 동물의 체액과 같은 농도로 만든 용액이다.)

17 그림은 어떤 효소의 반응에서 시간에 따른 반응액 내 물질 A~D의 농도를 나타낸 것이다. A~D는 각각 반응물과 결합하지 않은 효소, 반응물과 결합한 효소, 반응물, 생성물 중 하나이다.

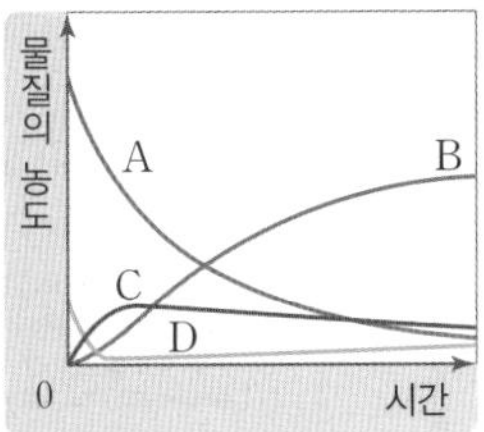

A~D는 각각 무엇인지 서술하시오.

18 그림 (가)는 폐포에서 기체가 교환되는 과정을, (나)는 소장에서 아미노산이 흡수되는 과정을 나타낸 것이다.

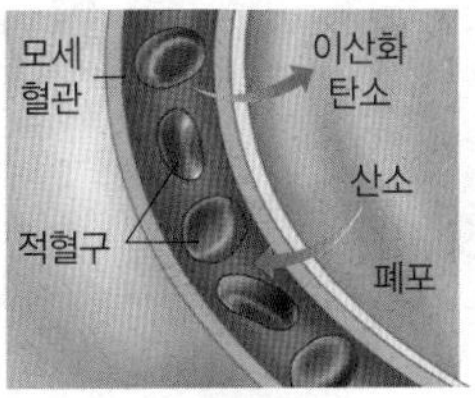

(가)

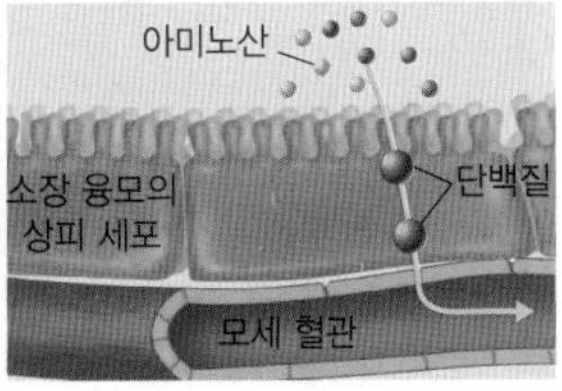

(나)

(가)의 기체와 (나)의 아미노산이 이동하는 과정에서 공통점과 차이점을 각각 서술하시오.

19 다음은 효모의 물질대사에 관한 실험이다.

[실험 과정]
병 A에는 증류수와 효모를, 병 B에는 포도당 수용액과 효모를 넣고 그림과 같이 장치한다.

(가)

(나)

[실험 결과]
2시간 후 온도를 측정한 결과 병 A보다 병 B에서 온도가 더 높아졌고, (나)의 석회수만 뿌옇게 변했다.

온도가 높아진 까닭과 관련 있는 물질대사가 동화 작용인지 이화 작용인지 쓰고, (나)의 석회수가 뿌옇게 흐려진 까닭을 서술하시오.

20 그림은 DNA의 염기 서열 중 일부를 나타낸 것이다. 물음에 답하시오.

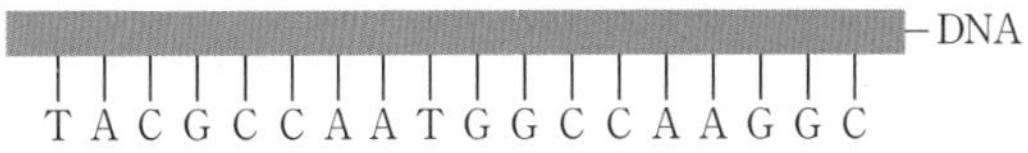

(1) 이 부분이 전사되어 만들어지는 RNA의 염기 서열을 쓰시오.

(2) (1)에서 전사된 RNA의 모든 염기 서열이 단백질 합성에 대한 정보로 작용한다면, 이로부터 생성된 단백질의 아미노산은 총 몇 개인지 쓰고, 까닭을 서술하시오.

Ⅵ

화학 변화

※ **나의 학습 일정표** : 스스로 계획하고 실천하면 실력이 올라갑니다.

단원명	내용 정리	알쉬탐 / 알쉬특	개념+기본 문제	실력 올리기 문제	대단원 마무리 + 문제
01 지구와 생명의 역사를 바꾼 화학 반응					
02 산화 환원 반응과 다양한 변화					
03 우리 주변의 산과 염기					
04 산과 염기의 중화 반응					

* 내용을 공부하기 전에 용어집을 읽어 보면 공부가 쉬워져요!!

지구와 생명의 역사에 영향을 준 화학 반응에는 어떠한 화학 반응이 있을까? 이러한 화학 반응의 공통점을 알아보자.

배울 내용 미리보기

용어집 28쪽

01 지구와 생명의 역사를 바꾼 화학 반응

A 광합성 #광합성 #광합성의 영향

B 철의 제련 #철의 제련 #철의 제련의 영향

C 화석 연료의 연소
#화석 연료 #화석 연료의 연소 #화석 연료 연소의 영향

D 지구와 생명의 역사를 바꾼 화학 반응의 공통점
#산소 #산화 환원 반응

용어집 29쪽

02 산화 환원 반응과 다양한 변화

산화 환원 반응은 왜 일어날까? 산소의 이동과 전자의 이동으로 산화 환원 반응을 알아볼 거야.

A 산소의 이동과 산화 환원 반응
#산소의 이동과 산화 환원 #산화 환원 반응의 동시성

B 전자의 이동과 산화 환원 반응
#전자의 이동과 산화 환원 #산화 환원 반응의 동시성

C 우리 주변의 산화 환원 반응
#생명 현상에서 산화 환원 반응 #일상생활에서 산화 환원 반응

용어집 30쪽

03 우리 주변의 산과 염기

산과 염기는 어떤 특징이 있을까? 산과 염기의 성질을 배울 거야.

A 산성과 염기성 #산 #염기 #산성 #염기성 #지시약 #pH

B 산성과 염기성이 나타나는 까닭
#산의 이온화와 수소 이온 #염기의 이온화와 수산화 이온

C 지구의 환경과 생명에 영향을 미친 산과 염기
#산성비, 산성 눈, 산성 안개 #이산화 탄소 #해양 산성화

용어집 32쪽

04 산과 염기의 중화 반응

A 중화 반응 #중화 반응 #중화열 #염 #물 #이온 수 변화

B 중화 반응이 일어날 때의 변화
#중화점 #지시약의 색 변화 #혼합 용액의 온도 변화
#일상생활에서 중화 반응의 이용

산과 염기를 섞으면 어떤 변화가 나타날까? 산과 염기가 만났을 때 일어나는 변화를 알아보자.

01 지구와 생명의 역사를 바꾼 화학 반응

개념 이해 광합성, 철의 제련, 화석 연료의 연소, 지구와 생명의 역사를 바꾼 화학 반응의 공통점, 산화 환원 반응

A 광합성

한·줄·핵심 광합성은 생명체가 살아가는 데 필요한 영양 물질을 생성하는 반응으로 지구와 생명 현상에 매우 중요한 화학 반응이야!

1. 광합성 식물이 빛에너지를 이용하여 이산화 탄소와 물로 포도당과 산소를 만드는 반응
(포도당: 생물이 살아가는 데 필요한 영양 물질)

이산화 탄소 + 물 —빛에너지→ 포도당 + 산소

광합성

2. 광합성의 영향

(1) 대기 중으로 방출된 산소는 생물의 호흡이나 물질의 연소 반응에 쓰이고, 광합성 반응에서 이산화 탄소가 소모됨으로써 지구 온난화를 방지할 수 있다.

(2) 광합성은 여러 가지 지구와 생명 현상과 관련된 매우 중요한 화학 반응이다.

산소 농도 증가 원인	지구 대기 중의 산소 농도 증가의 영향	산소 증가에 따른 결과
원시 지구에서 남세균[1]의 광합성에 의해 생성된 산소가 초기에는 바닷속 철을 산화시키는 데 소모되었지만, 시간이 흘러 여분의 산소가 대기로 방출되어 대기 중의 산소 농도가 증가하였다.	대기 중의 산소는 태양의 자외선을 흡수하여 오존을 생성하였고, 이로 인해 해로운 빛을 차단해 주는 오존층[2]이 대기에 형성되어 다양하고 수많은 동식물이 출현하였다. (산소로 호흡하는 생물 출현)	자연에서는 산소와 관련된 많은 화학 반응이 일어나는 것이 가능해졌다.

광합성이 지구와 생명에 미친 영향

B 철의 제련

한·줄·핵심 자연 상태의 철광석을 제련하여 철을 이용할 수 있게 됨으로써 인류 문명은 발달을 하게 되었어!

1. 철 철은 지구 전체적으로 가장 많은 원소이며, 반응성이 커서 자연 상태에서 산소와 결합한 형태인 철광석으로 존재한다.
(산화물의 형태인 광석으로부터 순수한 철을 얻기 어려워 철보다 매장량이 훨씬 적은 구리보다 이용 시기가 늦었다.)

2. 철의 제련 철은 자연계에서 산소와 결합한 산화 철(Ⅲ)(Fe_2O_3)이 주성분인 철광석의 형태로 존재하므로 순수한 철을 얻기 위해서는 산화 철에서 산소를 떼어내야 하는데, 이 과정을 철의 제련이라고 한다.

산화 철 + 일산화 탄소 ——→ 철 + 이산화 탄소

3. 철의 제련의 영향

(1) 철광석에서 산소를 분리하여 순수한 철을 얻게 되면서 철을 이용할 수 있게 되었다. ⇨ 인류는 기원전부터 철을 제련하여 도구와 무기를 만들어 사용하면서 철기 시대를 열었고 문명을 발달시켰다.

(2) 철은 각종 생활용품, 전자 제품, 교통수단, 건축물, 우주 산업 등 다양한 분야에 이용되고 있다.

---

❶ 남세균
빛에너지와 물, 탄산가스를 이용하여 광합성을 하고 산소를 만들어내는 호기성 세균으로, 35억 년 전에 사이아노박테리아가 지구에 등장하였다.

❷ 오존층
지구 대기 중 성층권 내에 오존이 집중적으로 모여 있는 지상 25 km~30 km 사이의 대기층으로 태양으로부터 오는 유해 자외선을 차단하여 지상의 생명체를 보호해 준다.

#보충!
철이 구리보다 늦게 사용된 까닭
- 구리는 산소와의 반응이 잘 일어나지 않아 자연 상태에서 금속으로 얻어지지만, 철은 산소와 결합한 철광석 형태로 존재하기 때문이다.
- 철은 구리보다 녹는점이 높아 용융시켜 가공하기가 어렵기 때문이다.

- **광합성(빛 光, 합할 合, 이룰 成)** 빛에너지를 이용하여 새로운 물질을 합성하는 작용
- **제련(지을(만들) 製, 불리다(단련하다) 鍊)** 자연 상태의 광석을 열이나 화학적, 전기적 방법을 통해 가공(단련)하여 순수한 금속으로 만드는 과정

C 화석 연료의 연소

한·줄·핵심 화석 연료가 연소할 때 나오는 에너지를 이용하여 산업 혁명과 교통 혁명을 이루어 인류 문명이 크게 발전하였어!

1. 화석 연료 지질 시대 생물의 사체가 땅속에서 높은 열과 압력을 오랜 시간 동안 받아 생성된 것으로 석탄, 석유, 천연가스 등이 있다.

화석 연료	석탄	석유	천연가스
주성분 원소	탄소	탄소, 수소	탄소, 수소
용도	증기 기관차 및 선박 연료, 화력 발전소, 공장	플라스틱 및 합성 섬유의 원료, 자동차, 비행기, 선박 등의 운송 수단의 연료	자동차, 난방, 조리용 연료

2. 화석 연료의 연소 화석 연료의 주성분 원소는 탄소와 수소로 산소(O_2)와 반응하면 많은 열이 발생하면서 이산화 탄소와 물이 생성된다.

화석 연료 + 산소 ⟶ 이산화 탄소 + 물 + 열에너지

3. 화석 연료 연소의 영향

(1) 화석 연료를 연소시켜 발생하는 열로 증기 기관을 움직여 산업 혁명을 이끌었다.

(2) **화석 연료 연소의 문제점** 화석 연료의 연소 반응을 통해 만들어지는 에너지를 이용하여 산업 혁명과 교통 혁명을 이루어 인류 문명이 발전되었으나 생성물인 이산화 탄소에 의한 지구 온난화❸ 등의 환경 문제가 대두되었다.

D 지구와 생명의 역사를 바꾼 화학 반응의 공통점

한·줄·핵심 지구와 생명의 역사를 바꾼 광합성, 철의 제련, 화석 연료의 연소는 모두 산소가 관여하는 반응이야!

1. 지구와 생명의 역사를 바꾼 화학 반응❹

반응	설명	반응식
광합성	광합성 과정에서 이산화 탄소는 포도당($C_6H_{12}O_6$)으로 되면서 산소를 잃는다.	$6CO_2 + 6H_2O \longrightarrow C_6H_{12}O_6 + 6O_2$ (이산화 탄소, 물, 포도당, 산소)
철의 제련	철의 제련 과정에서 일산화 탄소는 이산화 탄소로 되면서 산소를 얻고, 산화 철(Ⅲ)(Fe_2O_3)은 철로 되면서 산소를 잃는다.	$Fe_2O_3 + 3CO \longrightarrow 2Fe + 3CO_2$ (산화 철(Ⅲ), 일산화 탄소, 철, 이산화 탄소)
화석 연료의 연소	화석 연료의 연소 과정에서 메테인(CH_4)은 이산화 탄소로 되면서 산소를 얻는다.	$CH_4 + 2O_2 \longrightarrow CO_2 + 2H_2O$ (메테인, 산소, 이산화 탄소, 물)

2. 지구와 생명의 역사를 바꾼 화학 반응의 공통점 지구와 생명의 역사를 바꾼 광합성, 철의 제련, 화석 연료의 연소 반응은 모두 공통으로 산소가 관여하는 화학 반응이다. ⇨ 화학 반응에서 산소가 관여하는 반응을 산화 환원 반응이라고 한다.

산소는 우리 주변 어디에나 존재하므로 산화 환원 반응은 우리 생활과 밀접한 관계가 있다.

❸ **온실 효과와 지구 온난화**

- 온실 효과: 대기에 있는 이산화 탄소, 메테인, 수증기 등의 기체가 지구 복사 에너지를 흡수하였다가 일부를 지표로 다시 방출함으로써 지구가 따뜻해지는 현상
- 지구 온난화: 온실 효과가 가속화되어 지구 평균 기온이 상승하고 있는 현상

❹ **지구와 생명의 역사를 바꾼 화학 반응의 반응물과 생성물**

반응	반응물	생성물
광합성	이산화 탄소, 물	포도당, 산소
철의 제련	산화 철, 일산화 탄소	철, 이산화 탄소
화석 연료의 연소	화석 연료, 산소	이산화 탄소, 물

●화석 연료(될 化, 돌 石, 사를(탈) 燃, 재료 料) 땅속에 묻힌 생물로부터 만들어진 화석에서 나오는 태울 수 있는 재료(연료)

정답과 해설 058쪽

간단 점검

1. 광합성은 빛에너지를 이용하여 이산화 탄소와 물을 원료로 산소와 생물이 살아가는 데 필요한 영양 물질을 생성하는 화학 반응이다. 이 영양 물질은?
2. 철을 이용하기 위해 철광석으로부터 산소와 불순물을 제거하는 과정은?
3. 화석 연료의 주성분 원소 2가지는?
4. 지구와 생명의 역사를 바꾼 광합성, 철의 제련, 화석 연료의 연소 반응에 공통으로 관여하는 원소는?
5. 화학 반응에서 산소가 관여하는 반응은?

개념 + 기본 문제

개념 문제

A 광합성

01 광합성에 대한 설명으로 옳은 것은 ○, 옳지 않은 것은 ×로 표시하시오.

(1) 광합성 반응에서의 반응물은 이산화 탄소와 물이다. (　　)

(2) 광합성 반응에서 수소 기체가 발생한다. (　　)

(3) 광합성 반응이 일어나면 에너지를 방출한다. (　　)

B 철의 제련

02 다음은 철의 제련 과정에 대한 설명이다. (　　) 안에 공통으로 들어갈 알맞은 말을 쓰시오.

> 철은 자연에서 (　　)와/과 결합하여 철광석으로 존재하므로 철을 이용하기 위해서는 철과 결합해 있는 (　　)와/과 불순물을 제거해야 한다.

C 화석 연료의 연소

03 다음에서 설명하는 것이 무엇인지 쓰시오.

> 지질 시대의 생물이 땅속에 묻혀 특정 환경에서 분해되어 만들어진 것으로 19세기에 증기 기관차와 선박 등의 연료로 이용되어 산업 혁명의 꽃을 피웠다.

D 지구와 생명의 역사를 바꾼 화학 반응의 공통점

04 다음은 지구와 생명의 역사를 바꾼 3가지 화학 반응이다.

> • 이산화 탄소 + 물 $\xrightarrow{㉠}$ 포도당 + 산소
> • 산화 철(Ⅲ) + 일산화 탄소 $\xrightarrow{㉡}$ 철 + 이산화 탄소
> • 천연 가스 + 산소 $\xrightarrow{㉢}$ 이산화 탄소 + 물

(1) ㉠~㉢에 각각 들어갈 반응의 명칭을 쓰시오.

(2) 3가지 화학 반응에 공통으로 관여하는 물질을 쓰시오.

A 광합성

05 다음은 광합성 반응을 화학 반응식으로 나타낸 것이다.

> 물 + (㉠) ⟶ (㉡) + 산소

㉠과 ㉡에 해당하는 물질을 옳게 짝 지은 것은?

	㉠	㉡
①	이산화 탄소	포도당
②	이산화 탄소	질소
③	포도당	이산화 탄소
④	포도당	질소
⑤	질소	포도당

단답형

06 다음은 광합성에 대한 설명이다. (　　) 안에 알맞은 말을 쓰시오.

> 광합성은 식물에서 일어나며, 광합성 반응에서 (㉠)이/가 소모됨으로써 지구 온난화를 방지할 수 있고, 광합성 결과 생물의 호흡에 필요한 (㉡)을/를 공급해 준다.

B 철의 제련

07 그림은 지구와 생명의 역사를 바꾼 금속 X의 이용 사례를 나타낸 것이다.

농기구에 이용

다리 등 구조물에 이용

다음 중 금속 X로 가장 적절한 것은?

① 금　　② 은　　③ 구리
④ 철　　⑤ 알루미늄

08 철의 제련 과정과 이용에 대한 설명으로 옳지 않은 것은?

① 철의 제련 과정에서 산소가 발생한다.
② 철을 제련하게 되면서 철기 시대가 열렸다.
③ 철은 자연에서 산소와 결합한 산화 철로 존재한다.
④ 철은 반응성이 커서 구리보다 사용 시기가 늦었다.
⑤ 철은 강도가 높아서 다리 및 구조물을 만드는 데 다양하게 이용된다.

C 화석 연료의 연소

09 화석 연료가 우리 생활에 영향을 준 사례로 옳은 것만을 |보기|에서 있는 대로 고른 것은?

보기
ㄱ. 난방 및 조리용 연료
ㄴ. 플라스틱, 합성 섬유의 원료
ㄷ. 비료의 발달로 식량 대량 생산
ㄹ. 토기 제작이 가능하여 음식 저장
ㅁ. 자동차, 비행기, 선박 등 운송 수단의 동력원

① ㄱ, ㄹ ② ㄴ, ㄹ ③ ㄷ, ㅁ
④ ㄱ, ㄴ, ㅁ ⑤ ㄱ, ㄹ, ㅁ

10 화석 연료에 대한 설명으로 옳은 것은?

① 석탄, 철광석 등이 있다.
② 주성분 원소는 탄소와 산소이다.
③ 연소 생성물은 이산화 탄소와 수소이다.
④ 운송 수단, 다리 등의 구조물 등에 이용된다.
⑤ 화석 연료에 저장된 에너지는 태양 에너지로부터 온 것이다.

단답형

11 다음은 어떤 화석 연료에 대한 설명이다.

- 플라스틱, 합성 섬유의 원료로 사용된다.
- 자동차, 비행기, 선박 등 운송 수단의 동력원으로 이용된다.
- 지질 시대의 플랑크톤이나 바다 생물의 사체가 퇴적된 후 오랜 시간 열과 압력을 받아 생성되었다.

이에 해당하는 가장 적절한 화석 연료를 쓰시오.

D 지구와 생명의 역사를 바꾼 화학 반응의 공통점

12 지구와 생명의 역사를 바꾼 화학 반응에 대한 설명으로 옳은 것만을 |보기|에서 있는 대로 고른 것은?

보기
ㄱ. 철의 제련으로 철기 시대가 열리게 되었다.
ㄴ. 광합성을 통해 생물이 살아가는 데 필요한 포도당을 생성할 수 있다.
ㄷ. 화석 연료가 연소할 때 나오는 에너지의 이용으로 산업 혁명을 이루었다.

① ㄱ ② ㄴ ③ ㄱ, ㄷ
④ ㄴ, ㄷ ⑤ ㄱ, ㄴ, ㄷ

단답형

13 다음은 지구와 생명의 역사를 바꾼 화학 반응의 공통점에 대한 설명이다. ( ) 안에 알맞은 말을 쓰시오.

지구와 생명의 역사를 바꾼 광합성, 철의 제련, 화석 연료의 연소 반응은 모두 공통으로 (㉠) 이/가 관여하는 (㉡) 반응이다.

실력 올리기 문제

| 광합성 | 출제예감

01 지구와 생명의 역사를 바꾼 광합성에 대한 설명으로 옳지 않은 것은?

① 반응물은 이산화 탄소와 물이다.
② 생성물로 산소 기체가 발생한다.
③ 광합성으로 인해 오존층이 형성되었다.
④ 지구에 수많은 동식물이 출현하고 번성할 수 있었다.
⑤ 광합성을 하는 생물이 출현한 후 대기 조성은 원시 대기와 크게 달라지지 않았다.

| 철의 제련과 이용 | 출제예감

02 다음은 철의 제련과 이용에 대한 내용이다.

> (가) 철은 자연 상태에서 (나) 산화 철 형태로 존재하여 순수한 철을 이용하기 어려웠다. 산화 철이 주성분인 (다) 철광석을 코크스와 함께 가열하여 순수한 철을 만드는 기술이 개발되고 현재는 대량 생산되어 다양한 분야에 이용되고 있다.

이에 대한 설명으로 옳은 것만을 | 보기 | 에서 있는 대로 고른 것은?

보기
ㄱ. (가)에서 (나)로 되는 과정에서 산소와 분리된다.
ㄴ. (다) 과정에서 이산화 탄소가 발생한다.
ㄷ. (다)는 산화 환원 반응이다.

① ㄱ ② ㄴ ③ ㄱ, ㄷ
④ ㄴ, ㄷ ⑤ ㄱ, ㄴ, ㄷ

| 화석 연료 | 출제예감

03 다음은 지구와 생명의 역사를 바꾼 물질에 대한 자료이다.

> (가) 은/는 지질 시대의 생물 사체가 수억 년에 걸쳐 분해되어 생성된 것으로 인류 문명의 발전에 매우 중요한 역할을 하였다. 19세기에는 석탄을 연료로 하는 증기 기관이 산업 혁명의 꽃을 피웠고, 석유는 플라스틱, 합성 섬유의 원료로, 천연가스는 자동차, 비행기 등 운송 수단의 동력원과 난방 및 조리용 연료로도 많이 이용되고 있다. 주성분 원소가 (나) 인 석유와 천연가스는 연소할 때 (다) 와/과 반응하여 이산화 탄소와 물을 생성한다.

(가)~(다)에 대한 설명으로 옳은 것만을 | 보기 | 에서 있는 대로 고른 것은?

보기
ㄱ. (가)는 화석 연료이다.
ㄴ. (나)는 탄소와 수소이다.
ㄷ. (다)는 산소이다.

① ㄱ ② ㄷ ③ ㄱ, ㄴ
④ ㄴ, ㄷ ⑤ ㄱ, ㄴ, ㄷ

| 화석 연료의 연소 반응 |

04 다음은 2가지 반응의 화학 반응식이다.

- (가) $+ O_2 \longrightarrow CO_2$
- (나) $+ 2O_2 \longrightarrow CO_2 + 2H_2O$

이에 대한 설명으로 옳은 것만을 | 보기 | 에서 있는 대로 고른 것은?

보기
ㄱ. (가)와 (나)는 같은 원소로 구성되어 있다.
ㄴ. (가)와 (나)는 모두 화석 연료이다.
ㄷ. 2가지 반응 모두 열을 방출한다.

① ㄱ ② ㄴ ③ ㄱ, ㄷ
④ ㄴ, ㄷ ⑤ ㄱ, ㄴ, ㄷ

정답과 해설 059쪽

| 철의 제련과 화석 연료의 연소 |

05 철의 제련과 화석 연료의 연소에 대한 설명으로 옳지 않은 것은?

① 화석 연료가 연소하면 산소와 물이 생성된다.
② 철광석에서 산소를 떼어 내어 순수한 철을 얻는다.
③ 철을 제련하여 여러 가지 도구를 만들어 사용하였다.
④ 화석 연료가 연소할 때 발생하는 열로 산업을 발전시켰다.
⑤ 철의 제련과 화석 연료의 연소는 모두 산소가 관여하는 반응이다.

| 지구와 생명의 역사를 바꾼 화학 반응 |

06 다음은 지구와 생명의 역사를 바꾼 3가지 반응의 화학 반응식이다.

- $6CO_2 + 6H_2O \longrightarrow C_6H_{12}O_6 + 6X$
- $Y + 2X \longrightarrow Z + 2H_2O$
- $Fe_2O_3 + 3CO \longrightarrow 2Fe + 3Z$

이에 대한 설명으로 옳은 것만을 | 보기 | 에서 있는 대로 고른 것은?

보기
ㄱ. X는 O_2이다.
ㄴ. Y는 수소를 포함하고 있다.
ㄷ. Z는 지구 온난화의 원인이 되는 물질이다.

① ㄱ　② ㄴ　③ ㄱ, ㄷ
④ ㄴ, ㄷ　⑤ ㄱ, ㄴ, ㄷ

| 광합성 |

07 그림은 식물의 잎에서 일어나는 광합성 반응을 나타낸 것이다.

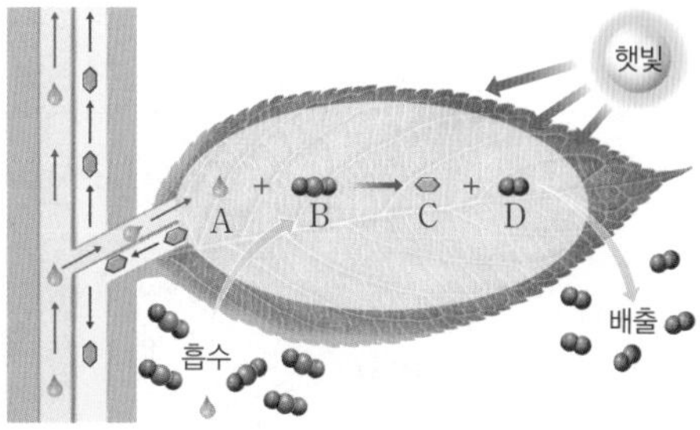

A~D에 해당하는 물질이 무엇인지 쓰고, 이 물질들을 이용하여 광합성 반응의 과정을 서술하시오.

| 철의 제련 |

08 그림은 지구와 생명의 역사를 바꾼 어떤 반응과 관련이 있는 것을 나타낸 것이다.

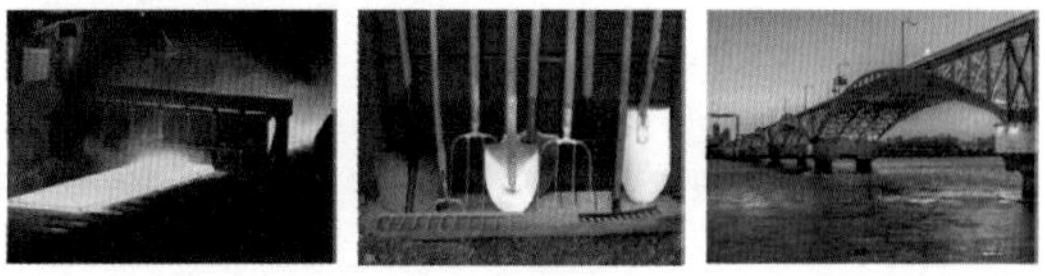

이와 관련 있는 반응의 명칭과 반응이 우리 생활에 이용되는 예시 1가지를 쓰시오.

| 지구와 생명의 역사를 바꾼 반응 |

09 다음은 지구와 생명의 역사를 바꾼 여러 가지 반응들이다.

(가) 식물은 이산화 탄소와 물을 이용해 포도당을 만들고 산소를 배출하는 광합성을 한다.
(나) 철광석에서 산소를 분리하여 순수한 철을 얻게 되면서 철을 이용할 수 있게 되었다.
(다) 화석 연료를 연소시켜 발생하는 열로 증기 기관을 움직여 산업 혁명을 이끌었다.

(가)~(다)의 화학 반응에서 반응물이나 생성물에 공통적으로 포함된 물질이 무엇인지 쓰고, 그 물질을 이용한 위 반응의 공통점을 서술하시오.

02 산화 환원 반응과 다양한 변화

개념 이해 산화, 환원, 산화 환원 반응의 동시성, 생명 현상에서 산화 환원 반응, 일상생활에서 산화 환원 반응

A 산소의 이동과 산화 환원 반응

한·줄·핵심 물질이 산소와 결합하는 반응을 산화, 물질이 산소를 잃는 반응을 환원이라고 해!

1. 산화 물질이 산소를 얻는 반응

철의 부식❶ 느린 산화	철이 산소와 결합하여 산화 철(Ⅲ)로 된다. (산화) $4Fe + 3O_2 \longrightarrow 2Fe_2O_3$ 철 산소 산화 철(Ⅲ)
숯(C)의 연소❷ 빠른 산화	숯(C)이 산소와 결합하여 이산화 탄소로 된다. (산화) $C + O_2 \longrightarrow CO_2$ 탄소 산소 이산화 탄소

2. 환원 물질이 산소를 잃는 반응

산화 은의 환원	산화 은을 가열하면 산화 은이 산소를 잃고 은으로 된다. (환원) $2Ag_2O \longrightarrow 4Ag + O_2$ 산화 은 은 산소

3. 산화 환원 반응의 동시성 한 물질이 산소를 잃어 환원될 때 다른 물질이 그 산소를 얻어 산화되므로 산화 반응과 환원 반응은 항상 동시에 일어난다. 알쉬탐

(산화)
$2CuO + C \longrightarrow 2Cu + CO_2$
산화 구리(Ⅱ) 탄소 구리 이산화 탄소
(환원)

산화 구리(Ⅱ)는 산소를 잃어 구리로 환원되고, 탄소는 그 산소를 얻어 이산화 탄소로 산화된다.

B 전자의 이동과 산화 환원 반응❸

한·줄·핵심 물질이 전자를 잃는 반응을 산화, 물질이 전자를 얻는 반응을 환원이라고 해!

1. 산화 물질이 전자를 잃는 반응

$2Na \longrightarrow 2Na^+ + 2\ominus$

2. 환원 물질이 전자를 얻는 반응

$Cl_2 + 2\ominus \longrightarrow 2Cl^-$

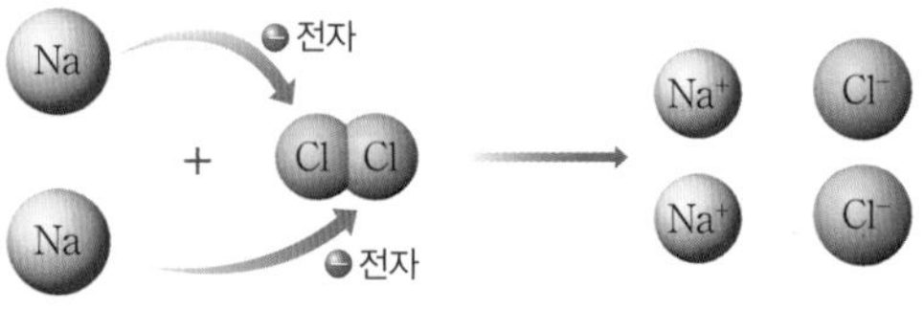

나트륨(Na)과 염소(Cl_2)의 반응에서 전자의 이동

예) 나트륨과 염소의 반응

나트륨과 염소가 반응하면 염화 나트륨이 생성된다. 이때 나트륨은 전자를 잃어 나트륨 이온이 되고, 염소는 전자를 얻어 염화 이온이 된다. 즉, 나트륨은 산화되고, 염소는 환원된다.

(산화)
$2Na + Cl_2 \longrightarrow 2Na^+ + 2Cl^-$
나트륨 염소 나트륨 이온 염화 이온
(환원)

---

❶ 부식
금속이 화학적 또는 전기적으로 산화 또는 변질하여 비금속성의 부식 생성물이 되는 현상

❷ 연소
연소는 물질이 산소와 빠르게 반응하면서 빛과 열을 내는 현상으로, 산화 환원 반응이다.

❸ 전자의 이동과 산화 환원 반응
산화 환원 반응을 전자의 이동으로 정의하면 산소가 관여하지 않는 여러 가지 반응을 산화와 환원으로 설명할 수 있다.
- 금속과 산의 반응
  $Zn + 2HCl \rightarrow ZnCl_2 + H_2$
  산화: $Zn \rightarrow Zn^{2+} + 2\ominus$
  환원: $2H^+ + 2\ominus \rightarrow H_2$
- 할로젠의 반응
  $2HBr + Cl_2 \rightarrow Br_2 + 2HCl$
  산화: $2Br^- \rightarrow Br_2 + 2\ominus$
  환원: $Cl_2 + 2\ominus \rightarrow 2Cl^-$

- 산소 그리스어의 'oxys(acid)+genes(former)', '산을 만든다.'라는 말에서 유래
- 산화 환원 산화(Oxidation)는 산소와 결합한다는 의미이고, 환원(Reduction)은 원래의 상태로 되돌아간다는 의미의 라틴어 어원에서 나온 말

탐구 전자의 이동과 산화 환원 반응

구리와 질산 은 수용액의 반응을 통해 산화 환원 반응을 전자의 이동으로 설명할 수 있다.

과정

① 구리판을 나무 모양으로 자른다. **나무 그림을 그린 종이를 구리판에 붙인 후 구리판을 잘라낸다.**

② ①에서 자른 구리판을 페트리 접시에 올려놓은 후 질산 은 수용액을 붓고 일어나는 변화를 관찰한다. **질산 은 수용액을 천천히 붓는다.** **10분 정도 흔들리지 않도록 놓아둔 후 관찰한다.**

결과

구리판에 금속 결정이 석출되어 점점 자라는 것을 관찰할 수 있고, 용액의 색은 점점 푸른색으로 변한다. **화학 반응이 일어났음을 알 수 있다.**

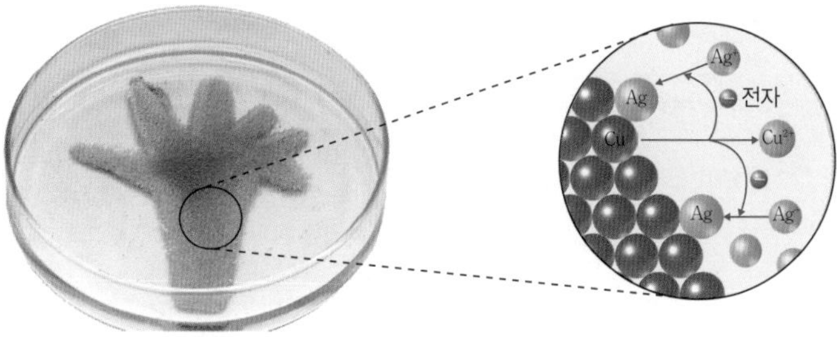

정리

❶ **구리의 산화:** 수용액이 푸른색으로 변하는 까닭은 구리가 전자를 잃고 구리 이온으로 되어 용액 속에 녹아 들어가기 때문이다. 이때 구리는 산화된다. $Cu \longrightarrow Cu^{2+} + 2⊖$ **구리판의 질량은 감소한다.**

❷ **은 이온의 환원:** 질산 은 수용액 속의 은 이온은 전자를 얻어 은으로 석출된다. 이때 은 이온은 환원된다.
$2Ag^{+} + 2⊖ \longrightarrow 2Ag$

❸ **전체 반응식:** $Cu + 2Ag^{+} \longrightarrow Cu^{2+} + 2Ag$

#이런 실험도 있어요!

황산 구리(Ⅱ) 수용액과 마그네슘 판의 반응

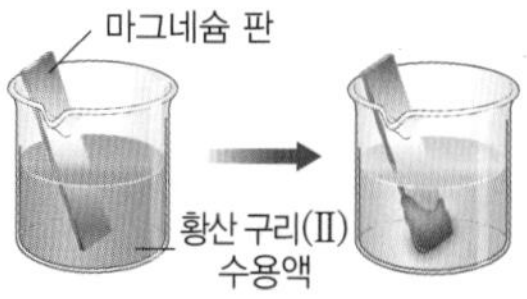

마그네슘 판을 푸른색의 황산 구리(Ⅱ) 수용액에 담가 두면 수용액의 푸른색이 점점 옅어지고 마그네슘 판에 결정이 생긴다. 그 까닭은 구리 이온이 전자를 얻어 구리로 석출되기 때문이다.

- 산화: $Mg \longrightarrow Mg^{2+} + 2⊖$
- 환원: $Cu^{2+} + 2⊖ \longrightarrow Cu$
- 전체 반응식: $Mg + Cu^{2+} \longrightarrow Mg^{2+} + Cu$

3. 산화 환원 반응의 동시성

(1) 한 물질이 전자를 잃어 산화될 때 다른 물질이 그 전자를 얻어 환원되므로 산화 반응과 환원 반응은 항상 동시에 일어난다.

Cu^{2+} (구리 이온) + Zn (아연) ⟶ Cu (구리) + Zn^{2+} (아연 이온)
(산화: Zn → Zn^{2+}, 환원: Cu^{2+} → Cu)

황산 구리(Ⅱ) 수용액에 아연판을 넣으면, 수용액 속의 구리 이온은 전자를 얻어 구리로 환원되어 석출되고, 아연은 전자를 잃고 아연 이온으로 산화된다.

(2) 산화되는 물질이 잃은 전자 수와 환원되는 물질이 얻은 전자 수는 같다.❹

예 철과 은 이온이 반응 할 때

- 산화 반응: $Fe \longrightarrow Fe^{2+} + 2⊖$
- 환원 반응: $2Ag^{+} + 2⊖ \longrightarrow 2Ag$
- 전체 반응: $Fe + 2Ag^{+} \longrightarrow Fe^{2+} + 2Ag$

⇨ 철 1개가 산화될 때 2개의 전자를 잃고, 은 이온 2개가 환원될 때 2개의 전자를 얻는다.

❹ **산화 환원 반응의 동시성과 산화 환원 반응식**

산화와 환원은 동시에 일어나므로 전체 반응식을 나타낼 때 산화 반응에서의 잃은 전자 수와 환원 반응에서의 얻은 전자 수를 같게 하여 반응식을 더한다.

● 석출(쪼갤 析 날 出) 액체 속에서 고체가 생기는 현상

정답과 해설 060쪽

간단 점검

1. 물질이 산소를 얻는 반응을 (㉠) 반응이라 하고, 물질이 산소를 잃는 반응을 (㉡) 반응이라 한다.
2. 금속의 부식은 느린 ( ) 반응이고, 연소는 빠른 ( ) 반응이다.
3. 어떤 물질이 산소를 잃어 환원되면 다른 물질은 그 산소를 얻어 산화되는 것은?
4. 물질이 전자를 잃는 반응을 (㉠) 반응이라 하고, 물질이 전자를 얻는 반응을 (㉡) 반응이라 한다.
5. 나트륨과 염소가 반응하여 염화 나트륨을 생성할 때 전자를 잃는 물질은?
6. 구리와 질산 은 수용액이 반응할 때 환원되는 물질은?

4. 산소가 이동하는 산화 환원 반응에서 전자의 이동 산소의 이동으로 설명할 수 있는 산화 환원 반응은 모두 전자의 이동으로도 설명할 수 있다.

(1) 마그네슘의 연소 마그네슘을 연소시키면 산소와 반응하여 마그네슘 이온과 산화 이온이 결합한 산화 마그네슘을 생성한다.

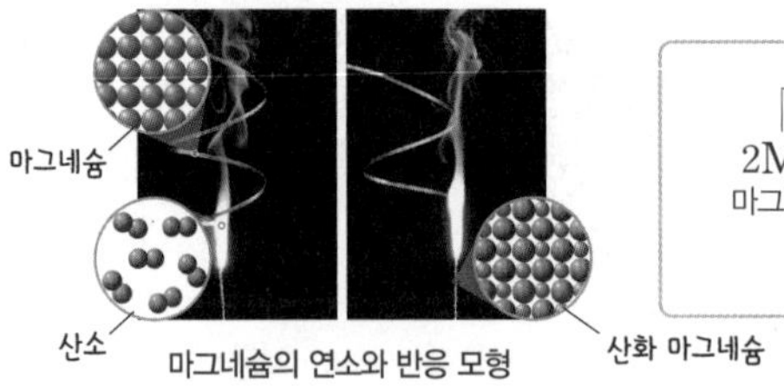

마그네슘의 연소와 반응 모형

$$2Mg\ (\text{마그네슘}) + O_2\ (\text{산소}) \longrightarrow 2MgO(2Mg^{2+} + 2O^{2-})\ (\text{산화 마그네슘})$$

(Mg → Mg^{2+}: 산화, O_2 → O^{2-}: 환원)

산소의 이동으로 설명	전자의 이동으로 설명
마그네슘은 산소를 얻어 산화 마그네슘으로 되는 산화 반응을 한다.	마그네슘은 전자를 잃고 마그네슘 이온으로 되는 산화 반응을 하고, 산소는 전자를 얻어 산화 이온으로 되는 환원 반응 을 한다.

(2) 철이 산소와 만나 산화 철(Ⅲ)을 형성할 때에도 전자가 이동하는 산화 환원 반응이 일어난다. 이때 철은 전자를 잃어 산화되고 산소는 전자를 얻어 환원된다.

$$4Fe\ (\text{철}) + 3O_2\ (\text{산소}) \longrightarrow 2Fe_2O_3(4Fe^{3+} + 6O^{2-})\ (\text{산화 철(Ⅲ)})$$

(Fe → Fe^{3+}: 산화, O_2 → O^{2-}: 환원)

C 우리 주변의 산화 환원 반응

한·줄·핵심 생명 현상과 일상생활에서 일어나고 있는 중요한 반응들은 대부분 산화 환원 반응이야!

1. 생명 현상에서 산화 환원 반응

(1) 산화 환원 반응은 생명을 유지할 수 있게 해주는 가장 중요한 반응이다.

(2) 광합성과 호흡❺ 생명 현상에서 나타나는 대표적인 화학 반응이다.

	광합성	호흡
장소	식물 세포의 엽록체	생물 세포의 미토콘드리아
시간	빛이 있을 때 (낮)	항상 일어남 (낮과 밤 모두)
반응식	$6CO_2\ (\text{이산화 탄소}) + 6H_2O\ (\text{물}) \xrightarrow{\text{빛에너지}} C_6H_{12}O_6\ (\text{포도당}) + 6O_2\ (\text{산소})$ 산화: H_2O → O_2 (산소의 산화) 환원: CO_2 → $C_6H_{12}O_6$ (탄소의 환원)	$C_6H_{12}O_6\ (\text{포도당}) + 6O_2\ (\text{산소}) \longrightarrow 6CO_2\ (\text{이산화 탄소}) + 6H_2O\ (\text{물}) + \text{에너지}$ 산화: $C_6H_{12}O_6$ → CO_2 (탄소의 산화) 환원: O_2 → H_2O
기체 출입	이산화 탄소 흡수, 산소 방출	산소 흡수, 이산화 탄소 방출
에너지 출입	(빛)에너지 흡수	에너지 방출 일부는 생명 현상을 유지하는 데 쓰임
모식도	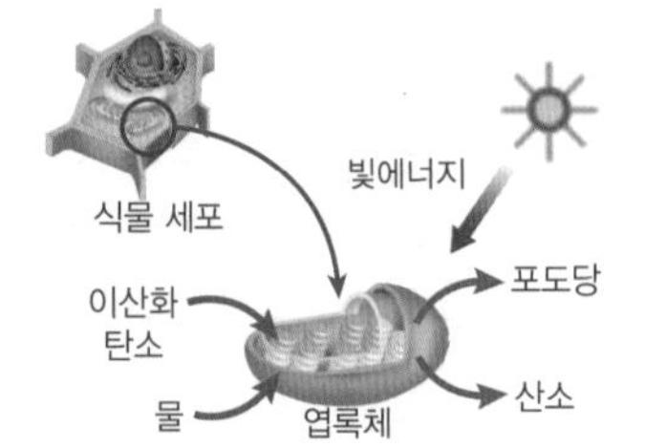	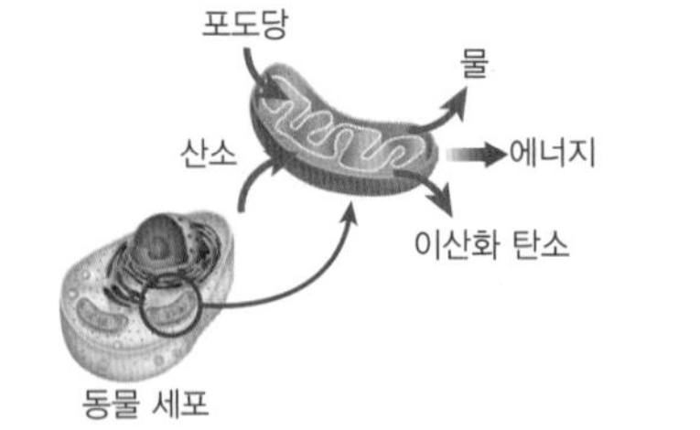

#보충

수소를 포함한 물질들의 반응은 수소를 기준으로 산화와 환원 반응을 설명할 수 있다.

- $CH_4 + 2O_2 \longrightarrow CO_2 + 2H_2O$
  - ⇨ 메테인(CH_4)의 C는 O를 얻어서 산화된 것으로 설명할 수도 있고, H를 잃어서 산화된 것으로도 설명할 수 있다.
  - ⇨ O_2의 O는 수소를 얻어 H_2O로 환원된다.
- $2H_2 + O_2 \longrightarrow 2H_2O$
  - ⇨ H_2는 산소를 얻어 H_2O로 산화된다.
  - ⇨ O_2는 수소를 얻어 H_2O로 환원된다.

#암기!

산화 환원 반응의 정의

구분	산화	환원
산소	산소를 얻음	산소를 잃음
전자	전자를 잃음	전자를 얻음

❺ 광합성 및 호흡과 산소

우리는 광합성으로 생성되는 당과 녹말로 이루어진 음식물들을 섭취하며 살고 있다. 또한, 광합성으로 생성된 산소를 이용하여 호흡하고 있으며, 호흡을 통해 생명을 유지할 수 있다. 광합성은 자연에서 일어나는 반응 중 유일하게 산소를 생성하는 반응이다.

- 엽록체(잎 葉 푸를 綠 몸 體) 식물의 세포에 들어 있는 세포 소기관으로, 광합성이 이루어지는 장소
- 미토콘드리아(mitochondria) 세포 소기관의 하나로 세포 호흡에 관여

2. 철의 제련과 산화 환원 반응 산화 철(Ⅲ)은 산소를 잃어 철로 환원되고, 일산화 탄소는 그 산소를 얻어 이산화 탄소로 산화된다.

$$Fe_2O_3 + 3CO \longrightarrow 2Fe + 3CO_2$$

산화 철(Ⅲ), 일산화 탄소 → 철, 이산화 탄소 (산화: $CO \rightarrow CO_2$, 환원: $Fe_2O_3 \rightarrow Fe$)

자료 철의 제련 과정

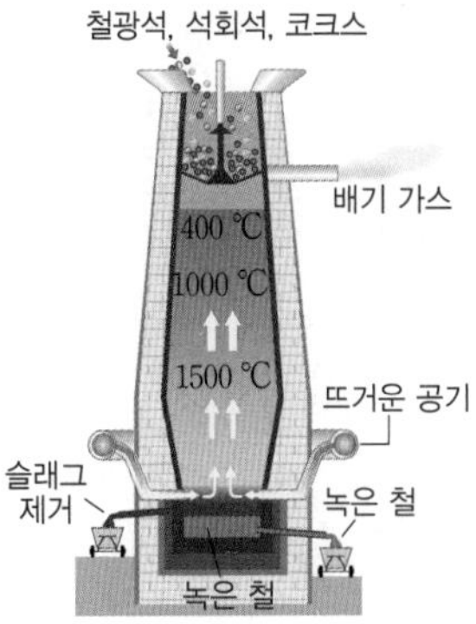

- 용광로에 산화 철(Ⅲ)이 주성분인 철광석, 석회석, 코크스❻를 함께 넣고 뜨거운 공기를 불어 넣는다.
- 코크스(C)는 용광로 속 뜨거운 공기와 반응하여 일산화 탄소(CO)가 되고, 생성된 일산화 탄소(CO)는 산화 철(Ⅲ)(Fe_2O_3)의 산소를 빼앗아 이산화 탄소(CO_2)로 되고, 산화 철은 산소를 잃고 용융 상태의 철(Fe)이 된다. 녹는 철

$2C + O_2 \longrightarrow 2CO$, $Fe_2O_3 + 3CO \longrightarrow 2Fe + 3CO_2$

- 석회석($CaCO_3$)이 열분해되어 생성된 산화 칼슘(CaO)은 철광석의 불순물인 이산화 규소(SiO_2)와 반응하여 슬래그($CaSiO_3$)가 된다.

$CaCO_3 \longrightarrow CaO + CO_2$, $CaO + SiO_2 \longrightarrow CaSiO_3$

3. 화석 연료의 연소 반응과 산화 환원 반응 가정에서 사용하는 도시가스의 주성분인 메테인의 연소 반응에서 메테인은 산소를 얻어 이산화 탄소로 산화된다.

$$CH_4 + 2O_2 \longrightarrow CO_2 + 2H_2O$$

메테인, 산소 → 이산화 탄소, 물 (산화: $CH_4 \rightarrow CO_2$, 환원: $O_2 \rightarrow H_2O$)

4. 일상생활에서 산화 환원 반응 연료의 연소, 금속의 부식 반응 등을 포함하여 우리 주변에는 다양하고 수많은 산화 환원 반응이 일어나고 있다.

(1) 깎아 놓은 과일의 색이 갈색으로 변한다. 과일 속 물질이 공기 중 산소와 반응
(2) 염소를 이용하여 물을 소독한다.❼
(3) 음식물을 발효시킨다. 산소가 관여하지 않는 균에 의한 산화 환원 반응
(4) 철 가루가 들어 있는 손난로가 따뜻해진다.
(5) 표백제로 옷을 하얗게 만든다.
(6) 건전지 등 화학 전지에서 일어나는 반응 (-)극에서 산화 반응이 일어나고, (+)극에서 환원 반응이 일어난다.
(7) 휴대폰 등 전기 제품을 충전할 때 일어나는 반응 전기 분해의 원리를 이용

그 밖의 산화 환원 반응: 오래된 음식물이 썩는다, 폭죽이 폭발하여 빛을 낸다, 반딧불이가 불빛을 내며 반짝거린다, 머리카락을 염색한다, 도시가스가 연소된다, 철이 부식된다, 전통 도자기를 구울 때 도자기의 색을 낸다. 등

❻ 코크스
석탄으로부터 만들어지는 회색을 띠고 단단한 다공성 고체이다. 주성분은 탄소이고, 가정용 연료로 사용되기보다는 제철용으로 사용한다.

#보충!
철의 부식(산화) 방지 방법
철은 공기 중의 산소와 결합하여 녹이 스는데, 공기 중에 수분이 많을수록 붉은 녹이 잘 생긴다. 철의 부식을 방지하려면 철이 공기 중의 산소나 수분과 접촉하는 것을 막아야 한다. 이러한 방법에는 철 표면에 페인트를 칠하거나 기름을 칠하는 것 등이 있다.

❼ 물의 염소 소독 반응
$Cl_2 + H_2O \rightarrow HCl + HClO$
염소, 물, 염화 수소, 하이포 염소산
수돗물, 수영장 등에서 물을 염소 소독을 함으로써 질병으로부터 우리를 보호해 준다.

- 슬래그(slag) 철을 제련하는 과정에서 발생하는 찌꺼기로 철광석에서 철을 제외한 나머지 성분
- 표백(떠다닐 漂 흰 白) 산화 환원 원리를 이용하여 화학적으로 물질을 탈색시켜 희게 만드는 것으로, 산화 표백제와 환원 표백제가 있음

정답과 해설 060쪽

간단 점검

7. 광합성이 일어날 때 반응물 중에서 환원되는 물질은?
8. 호흡이 일어나면 포도당이 (㉠)와/과 (㉡)로 분해된다.
9. 철의 제련 과정에서 산화 철(Ⅲ)과 코크스가 반응하여 철과 이산화 탄소가 생성된다. 이 과정에서 산화된 물질은?
10. 메테인의 연소에서 산화되는 물질은?

알아두면 시험이 쉬워지는 탐구

산소의 이동과 산화 환원 반응

목표 구리의 산화와 산화 구리(Ⅱ)의 환원 반응을 통해 산화 환원 반응을 산소의 이동으로 설명할 수 있다.

과정

유의점
- 시약이 피부나 옷에 묻지 않게 주의한다.
- 화상을 입지 않게 주의한다.
- 실험 후 남은 물질은 지정된 곳에 모아 처리한다.

❶ 구리 가루 가열하기

- 도가니에 구리 가루 10 g을 넣고 가열하면서 구리 가루의 색을 관찰한다.

❷ 산화 구리(Ⅱ) 가열하기

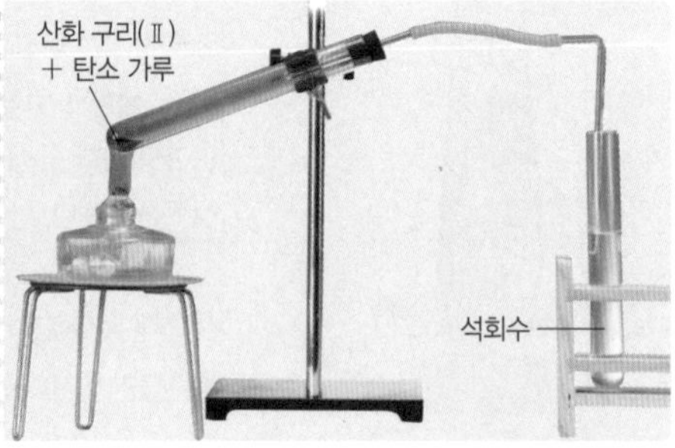

- ❶에서 생성된 물질 6 g과 탄소 가루 1 g을 잘 섞어 시험관에 넣고 가열하면서 가열한 시험관과 석회수가 들어 있는 시험관의 변화를 관찰한다.

#이런 실험도 있어요!

구리판의 가열

① 붉은색 구리판을 산소가 있는 겉불꽃에 넣고 가열하면 구리가 산화되어 검은색 산화 구리(Ⅱ)로 변한다.

② 검게 변한 산화 구리(Ⅱ)를 산소가 충분히 공급되지 않는 속불꽃에 넣으면 알코올램프의 불완전 연소로 남은 탄소와 반응하여 다시 붉게 변한다.

결과

1. 붉은색 구리 가루가 검은색으로 변한다. **화학 반응이 일어났음을 알 수 있다.**
2. 가열한 시험관 속의 물질이 검은색에서 다시 붉은색으로 변하고, 석회수가 뿌옇게 흐려진다. **이산화 탄소가 발생함을 알 수 있다.**

정리

구리의 산화	산소를 얻는 반응 산화: Cu → CuO $2Cu + O_2 \longrightarrow 2CuO$ (구리, 산소, 산화 구리(Ⅱ)) 환원: O_2 → CuO	붉은색 구리 가루가 검은색으로 변한 까닭은 구리가 산소와 반응하여 검은색의 산화 구리(Ⅱ)로 산화되었기 때문이다.
산화 구리(Ⅱ)의 환원	산소를 잃는 반응 산화: C → CO_2 $2CuO + C \longrightarrow 2Cu + CO_2$ (산화 구리(Ⅱ), 탄소, 구리, 이산화 탄소) 환원: CuO → Cu	산화 구리(Ⅱ)가 탄소와 반응하여 산소를 잃고 환원되기 때문에 다시 붉은색의 구리가 되며, 탄소가 산소를 얻어 이산화 탄소를 생성하기 때문에 석회수가 뿌옇게 흐려진다. **탄소가 구리보다 산소와 결합하려는 성질이 강하다.**

한·줄·핵심 한 물질이 산소를 잃고 환원되면 다른 물질이 그 산소를 얻어 산화된다. (산화 환원 반응의 동시성)

확인 문제

정답과 해설 060쪽

1. ( ) 안에 산화 또는 환원을 옳게 쓰시오.

$2CuO + C \longrightarrow 2Cu + CO_2$

C → CO_2: (㉠)

CuO → Cu: (㉡)

2. 이 실험에 대한 설명으로 옳지 않은 것은?

① 탄소 가루는 산화된다.
② 석회수가 뿌옇게 흐려진다.
③ 과정 ❶에서 구리는 산화된다.
④ 과정 ❷에서 산화 구리(Ⅱ)는 산화된다.
⑤ 산화 환원은 항상 동시에 일어난다.

개념 + 기본 문제

정답과 해설 060쪽

개념 문제

A 산소의 이동과 산화 환원 반응

01 다음 설명 중 옳은 것은 ○, 옳지 않은 것은 ×로 표시하시오.

(1) 물질이 산소를 얻는 반응을 산화 반응이라 한다. ( )

(2) 철이 부식되는 반응은 산화 반응이다. ( )

(3) 붉은색 구리를 가열하면, 구리는 환원되어 검은색으로 변한다. ( )

(4) 한 물질이 산소를 잃는 반응을 하면 다른 물질은 그 산소를 얻는 반응을 한다. ( )

B 전자의 이동과 산화 환원 반응

02 다음 설명 중 옳은 것은 ○, 옳지 않은 것은 ×로 표시하시오.

(1) 물질이 전자를 잃는 반응을 환원 반응이라 한다. ( )

(2) 마그네슘의 연소 반응에서 마그네슘은 전자를 잃고 산화된다. ( )

(3) 한 물질이 전자를 잃는 반응을 하면 다른 물질은 그 전자를 얻는 반응을 한다. ( )

C 우리 주변의 산화 환원 반응

03 광합성과 호흡에 대한 설명이다. ( ) 안에 알맞은 말을 고르시오.

(1) 식물의 엽록체에서 광합성이 일어날 때 이산화 탄소가 포도당으로(산화, 환원)된다.

(2) 사람이 호흡할 때 세포 내 미토콘드리아에서 포도당이 이산화 탄소로 (산화, 환원)된다.

04 | 보기 | 에서 산화 환원 반응을 있는 대로 골라 기호를 쓰시오.

보기
ㄱ. 물의 증발
ㄴ. 음식의 발효
ㄷ. 사과의 갈변 현상
ㄹ. 휴대폰 배터리 충전
ㅁ. 드라이아이스의 승화
ㅂ. 세탁물의 살균 및 소독

A 산소의 이동과 산화 환원 반응

05 다음 중 산화 환원 반응이 아닌 것은?

① 광합성 ② 철의 부식
③ 철의 제련 ④ 얼음의 융해
⑤ 양초의 연소

06 화학 반응식에서 밑줄 친 물질이 산화된 것만을 | 보기 | 에서 있는 대로 골라 기호를 쓰시오.

보기
ㄱ. $\underline{4Fe} + 3O_2 \longrightarrow 2Fe_2O_3$
ㄴ. $\underline{C} + O_2 \longrightarrow CO_2$
ㄷ. $\underline{Ag_2O} \longrightarrow Ag + O_2$

07 다음은 구리와 관련된 2가지 화학 반응식이다.

(가) $2Cu + O_2 \longrightarrow 2CuO$
(나) $2CuO + C \longrightarrow 2Cu + CO_2$

이에 대한 설명으로 옳은 것만을 | 보기 | 에서 있는 대로 고른 것은?

보기
ㄱ. (가)는 구리의 연소 반응이다.
ㄴ. (가)에서 구리는 산화된다.
ㄷ. (나)에서 탄소는 환원된다.

① ㄱ ② ㄷ ③ ㄱ, ㄴ
④ ㄴ, ㄷ ⑤ ㄱ, ㄴ, ㄷ

단답형

08 ( ) 안에 산화 또는 환원을 옳게 쓰시오.

$CuO + H_2 \longrightarrow Cu + H_2O$

(CuO → Cu): (㉠)
(H_2 → H_2O): (㉡)

단답형 알쉬탐

09 그림은 검은색 산화 구리(Ⅱ)와 탄소 가루(C)를 잘 섞어 시험관에 넣고 가열하였을 때 시험관 속의 석회수가 뿌옇게 흐려지는 모습을 나타낸 것이다. 물음에 답하시오.

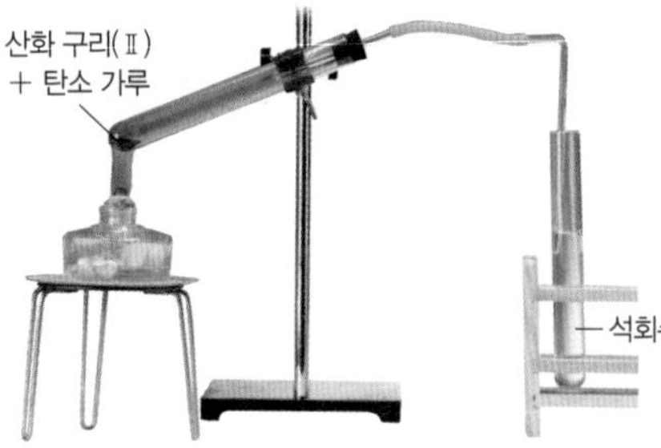

(1) 발생한 기체는 무엇인지 쓰시오.

(2) 산화 구리(Ⅱ)와 탄소 가루가 들어 있는 시험관에서 일어나는 변화를 화학 반응식으로 쓰시오.

(3) 이 반응에서 산화된 물질과 환원된 물질은 무엇인지 차례대로 쓰시오.

B 전자의 이동과 산화 환원 반응

10 전자의 이동에 의한 산화 환원을 설명한 것으로 옳은 것만을 |보기|에서 있는 대로 고른 것은?

보기
ㄱ. 어떤 물질이 전자를 잃으면 산화되었다고 한다.
ㄴ. 산화와 환원 반응은 항상 동시에 일어난다.
ㄷ. 마그네슘의 연소 반응은 전자의 이동으로 산화 환원 반응을 설명할 수 있다.

① ㄱ ② ㄷ ③ ㄱ, ㄴ
④ ㄴ, ㄷ ⑤ ㄱ, ㄴ, ㄷ

단답형

11 다음은 3가지 산화 환원 반응식이다.

(가) $2Na + Cl_2 \longrightarrow 2NaCl$
(나) $Cl_2 + 2Br^- \longrightarrow 2Cl^- + Br_2$
(다) $2Ag^+ + Fe \longrightarrow 2Ag + Fe^{2+}$

각 반응에서 환원된 물질을 쓰시오.

12 다음은 구리선을 무색의 질산 은 수용액에 넣었을 때 구리선의 표면에 은이 석출된 모습을 나타낸 것이다.

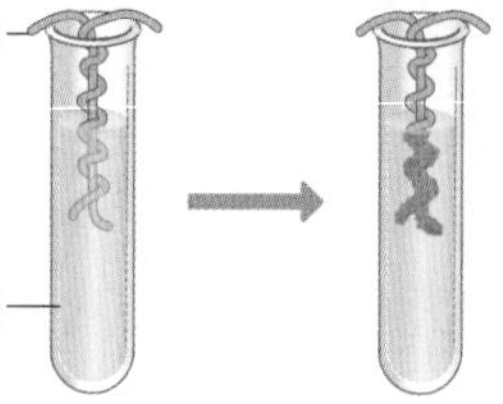

이에 대한 설명으로 옳은 것만을 |보기|에서 있는 대로 고른 것은?

보기
ㄱ. 구리는 환원된다.
ㄴ. 용액의 색은 푸른색으로 변한다.
ㄷ. 전자는 구리에서 은 이온으로 이동한다.

① ㄱ ② ㄷ ③ ㄱ, ㄴ
④ ㄴ, ㄷ ⑤ ㄱ, ㄴ, ㄷ

단답형

13 다음 반응에서 전자를 잃은 물질과 얻은 물질을 각각 순서대로 쓰시오.

(가) $2Mg + O_2 \longrightarrow 2MgO$
(나) $Cu + 2Ag^+ \longrightarrow Cu^{2+} + 2Ag$

14 그림과 같이 황산 구리(Ⅱ) 수용액에 마그네슘판을 넣었더니 마그네슘판 표면에서 붉은색 고체가 석출되었다.

이에 대한 설명으로 옳은 것만을 |보기|에서 있는 대로 고른 것은?

보기
ㄱ. 마그네슘은 환원된다.
ㄴ. 붉은색 고체는 구리이다.
ㄷ. 수용액이 푸른색을 띠는 것은 구리 이온 때문이다.

① ㄱ ② ㄴ ③ ㄱ, ㄷ
④ ㄴ, ㄷ ⑤ ㄱ, ㄴ, ㄷ

15 그림은 묽은 염산에 금속 아연판을 넣었을 때 일어나는 변화를 모형으로 나타낸 것이다.

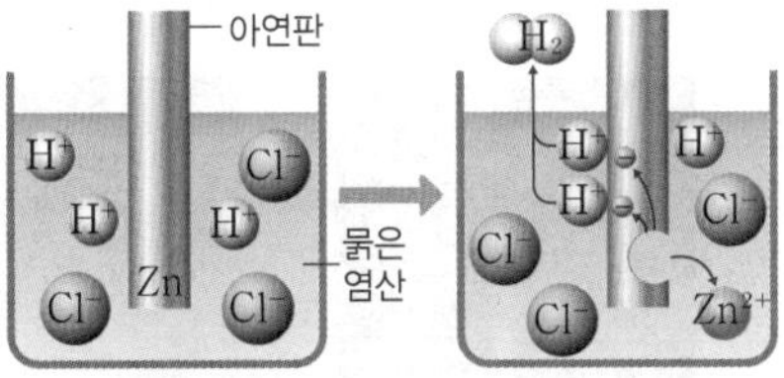

이에 대한 설명으로 옳은 것은?

① 아연은 환원된다.
② 수소 이온은 산화된다.
③ 염화 이온의 수는 감소한다.
④ 아연판의 질량은 점점 증가한다.
⑤ 수용액 속 아연 이온은 점점 증가한다.

C 우리 주변의 산화 환원 반응

16 다음은 호흡 반응의 화학 반응식이다.

$$C_6H_{12}O_6 + 6O_2 \longrightarrow 6CO_2 + 6H_2O$$

이 반응에 대한 설명으로 옳은 것만을 | 보기 | 에서 있는 대로 고른 것은?

보기
ㄱ. 산화 환원 반응이다.
ㄴ. 반응 결과 에너지가 발생한다.
ㄷ. 세포의 미토콘드리아에서 일어난다.

① ㄱ ② ㄴ ③ ㄱ, ㄷ
④ ㄴ, ㄷ ⑤ ㄱ, ㄴ, ㄷ

단답형

17 다음은 광합성과 호흡에 대한 설명이다. (   ) 안에 알맞은 말을 쓰시오.

광합성은 식물 세포의 (㉠)에서 일어나며, 이때 생성되는 (㉡)은/는 우리가 먹는 거의 모든 음식물의 원천이 되는 물질이다. 동물을 포함한 생물은 호흡으로 (㉡)을/를 산화시켜 살아가는 데 필요한 에너지를 얻는데, 호흡은 세포의 (㉢)에서 일어난다.

18 그림은 철의 제련 과정을 모식도로 나타낸 것이다.

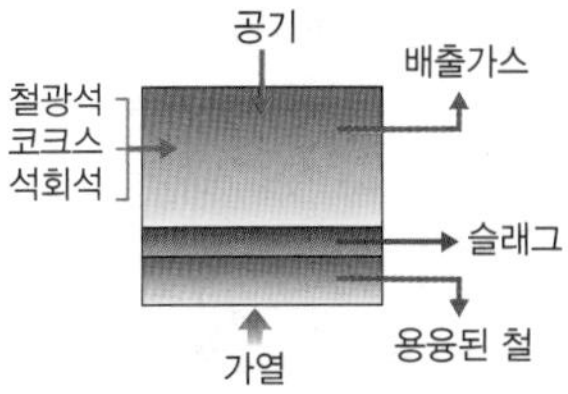

이에 대한 설명으로 옳은 것만을 | 보기 | 에서 있는 대로 고른 것은?

보기
ㄱ. 코크스는 산화된다.
ㄴ. 석회석은 철광석에 포함된 산소를 제거하여 철로 환원시킨다.
ㄷ. 밀도는 슬래그가 용융된 철보다 크다.

① ㄱ ② ㄷ ③ ㄱ, ㄴ
④ ㄴ, ㄷ ⑤ ㄱ, ㄴ, ㄷ

단답형

19 다음은 메테인의 연소 반응을 화학 반응식으로 나타낸 것이다.

$$CH_4 + 2O_2 \longrightarrow CO_2 + 2H_2O$$

이 반응에서 산화되는 물질을 쓰시오.

20 산화 환원 반응의 예로 옳지 않은 것은?

① 물을 염소로 소독한다.
② 생선회에 레몬 즙을 뿌린다.
③ 표백제로 옷을 하얗게 만든다.
④ 깎아 놓은 사과의 색이 갈색으로 변한다.
⑤ 철 가루가 들어 있는 손난로를 흔들면 따뜻해진다.

실력 올리기 문제

| 산소의 이동과 산화 환원 반응 | 출제예감

01 다음은 구리와 관련된 실험이다.

> [실험 과정 및 결과]
> (가) 도가니에 구리 가루를 넣고 가열하니 검은색의 산화 구리(Ⅱ)가 생성되었다.
> (나) 시험관에 생성된 산화 구리(Ⅱ)와 탄소 가루를 함께 넣고 가열하였더니 붉은색 구리로 다시 돌아왔고, 기체가 발생하였다.

이에 대한 설명으로 옳은 것만을 | 보기 | 에서 있는 대로 고른 것은?

> 보기
> ㄱ. (가)에서 구리 가루는 환원된다.
> ㄴ. (나)에서 산화 구리(Ⅱ)는 환원된다.
> ㄷ. (나)에서 생성된 기체는 산소이다.

① ㄱ ② ㄴ ③ ㄱ, ㄷ
④ ㄴ, ㄷ ⑤ ㄱ, ㄴ, ㄷ

| 구리의 산화 환원 반응 |

02 다음은 구리와 관련된 실험이다.

> (가) 구리판을 알코올램프의 겉불꽃에 넣고 가열한다.
> (나) (가)에서 가열한 부분을 알코올램프의 속불꽃에 넣고 가열한다.

(가) (나)

이에 대한 설명으로 옳지 않은 것은?

① 구리판은 겉불꽃에서 환원된다.
② (가)에서 구리판은 산소와 결합한다.
③ (가)에서 구리판은 검은색으로 변한다.
④ (나)에서 산화 구리(Ⅱ)는 환원된다.
⑤ (나)의 화학 반응식은 $2CuO + C \rightarrow 2Cu + CO_2$ 이다.

| 화학 반응과 산화 환원 | 출제예감

03 그림 (가)는 마그네슘의 연소 반응을, (나)는 나트륨과 염소의 반응을 나타낸 것이다.

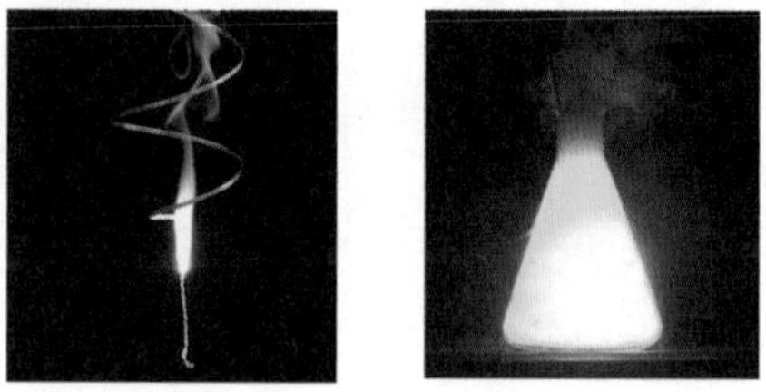

(가) (나)

(가)와 (나)의 공통점으로 옳은 것만을 | 보기 | 에서 있는 대로 고른 것은?

> 보기
> ㄱ. 금속은 산화된다.
> ㄴ. 생성된 물질은 이온 결합 물질이다.
> ㄷ. 산소의 이동으로 산화 환원 반응을 설명할 수 있다.

① ㄱ ② ㄷ ③ ㄱ, ㄴ
④ ㄴ, ㄷ ⑤ ㄱ, ㄴ, ㄷ

| 산화 환원 반응 | 출제예감

04 다음은 산화 환원 반응과 관련된 실험을 나타낸 것이다.

> (가) 질산 은 수용액에 구리판을 넣었더니 구리판 표면에 은이 석출되었다.
> (나) 황산 구리(Ⅱ) 수용액에 아연판을 넣었더니 아연판 표면에 구리가 석출되었다.

(가) (나)

이에 대한 설명으로 옳은 것만을 | 보기 | 에서 있는 대로 고른 것은?

> 보기
> ㄱ. (가)에서 수용액은 점점 푸른색으로 변한다.
> ㄴ. (나)에서 아연은 전자를 잃고 산화된다.
> ㄷ. (가)와 (나)의 반응은 산소의 이동과 관련이 있다.

① ㄱ ② ㄷ ③ ㄱ, ㄴ
④ ㄴ, ㄷ ⑤ ㄱ, ㄴ, ㄷ

| 지구와 생명의 역사를 바꾼 화학 반응과 산화 환원 |

05 다음은 지구와 생명의 역사에 영향을 준 3가지 반응의 화학 반응식이다.

(가) $6CO_2 + 6H_2O \longrightarrow C_6H_{12}O_6 + 6O_2$
(나) $CH_4 + 2O_2 \longrightarrow CO_2 + 2H_2O$
(다) $Fe_2O_3 + 3CO \longrightarrow 2Fe + 3CO_2$

이에 대한 설명으로 옳은 것만을 | 보기 | 에서 있는 대로 고른 것은?

보기
ㄱ. (가)에서 이산화 탄소는 산화된다.
ㄴ. (나)에서 열이 방출된다.
ㄷ. (다)에서 산화 철(Ⅲ)은 환원된다.

① ㄱ ② ㄴ ③ ㄱ, ㄷ
④ ㄴ, ㄷ ⑤ ㄱ, ㄴ, ㄷ

| 철의 제련 | 출제예감

06 다음은 철의 제련 과정을 나타낸 화학 반응식과 그림이다.

(가) $2C + O_2 \longrightarrow 2CO$
(나) $Fe_2O_3 + 3CO$
$\longrightarrow 2Fe + 3CO_2$

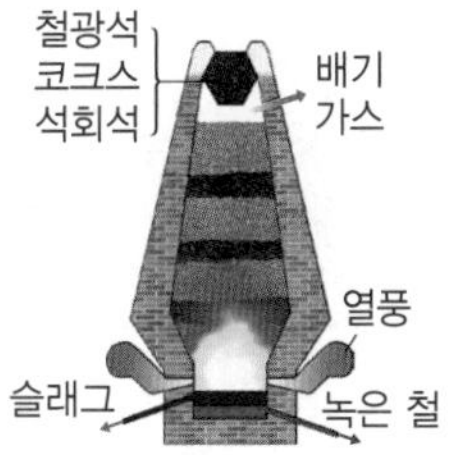

이에 대한 설명으로 옳은 것만을 | 보기 | 에서 있는 대로 고른 것은?

보기
ㄱ. (가)는 산화 환원 반응이다.
ㄴ. (나)에서 일산화 탄소는 환원된다.
ㄷ. 철의 제련 과정에서 산소가 이동한다.

① ㄱ ② ㄴ ③ ㄱ, ㄷ
④ ㄴ, ㄷ ⑤ ㄱ, ㄴ, ㄷ

| 산소의 이동과 산화 환원 반응 |

07 움푹한 구멍이 있는 드라이아이스 안에 마그네슘 가루를 넣어 불을 붙인 후 드라이아이스 뚜껑을 덮었더니 드라이아이스 안에서 밝은 불빛을 내면서 연소하였다.

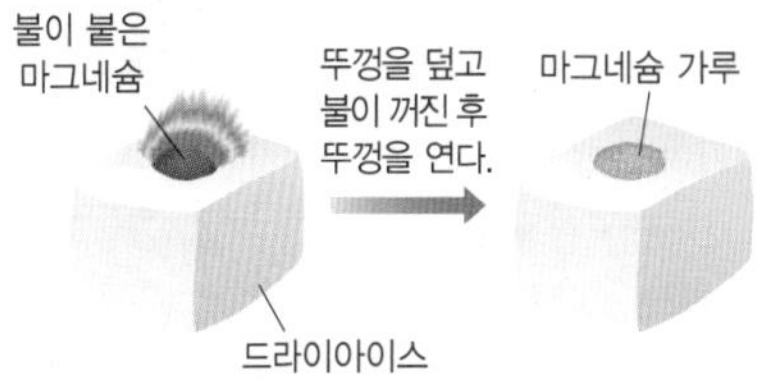

이 현상에서 일어나는 반응의 화학 반응식을 쓰고, 이 반응식의 산화 반응과 환원 반응에 대해 서술하시오.

| 전자의 이동과 산화 환원 반응 |

08 은 수저를 사용하다 보면 검은색 녹이 잘 생긴다. 은 수저의 검은색 녹은 철의 녹과는 다르게 은(Ag)이 공기 중의 황화 수소(H_2S)와 반응하여 황화 은(Ag_2S)를 생성하기 때문이다. 이 녹슨 은을 알루미늄과 반응시키면 다음과 같은 반응이 일어난다.

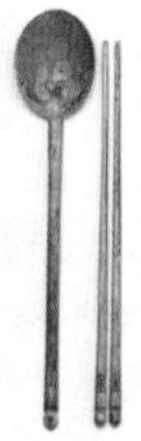

$$2Al + 3Ag_2S + 6H_2O \longrightarrow 6Ag + 2Al^{3+} + 6OH^- + 3H_2S$$

이 반응에서 산화되는 물질과 환원되는 물질을 서술하시오.

| 우리 주변의 산화 환원 반응 |

09 그림은 사과가 공기 중에서 색이 변한 것이다. 이와 같이 생활 속에서 일어나는 산화 환원 반응의 예를 2가지 서술하시오.

03 우리 주변의 산과 염기

개념 이해 산, 염기, 산성, 염기성, 지시약, pH, 산의 이온화, 수소 이온, 염기의 이온화, 수산화 이온, 산성비, 지구 온난화, 해양 산성화

A 산성과 염기성

한·줄·핵심 산의 공통적인 성질을 산성이라 하고, 염기의 공통적인 성질을 염기성이라고 해!

1. 산과 염기의 정의❶

(1) 산 물에 녹았을 때 수용액에서 수소 이온(H^+)을 내놓는 물질

㉠ 염산(HCl), 황산(H_2SO_4), 질산(HNO_3), 아세트산(CH_3COOH) 등

(2) 염기 물에 녹았을 때 수용액에서 수산화 이온(OH^-)을 내놓는 물질

㉠ 수산화 나트륨($NaOH$), 수산화 칼륨(KOH), 수산화 칼슘($Ca(OH)_2$) 등

2. 산과 염기의 공통된 성질 알쉬탐

구분	산성	염기성
의미	산의 공통적인 성질	염기의 공통적인 성질
특징	• 신맛이 난다. • 수용액에서 전류가 흐른다. 산이 물에 녹으면 수용액에 전하를 운반할 수 있는 이온이 존재 • 금속과 반응하여 수소 기체(H_2)를 발생시킨다.❷ ㉠ $Mg + 2HCl \longrightarrow MgCl_2 + H_2$ • 탄산 칼슘과 반응하여 이산화 탄소 기체를 발생시킨다. 달걀 껍데기나 석회석 ㉠ $CaCO_3 + 2HCl \rightarrow CaCl_2 + H_2O + CO_2$ • 같은 지시약에 대해 색 변화가 같다.	• 쓴맛이 난다. • 수용액에서 전류가 흐른다. 염기가 물에 녹으면 수용액에 전하를 운반할 수 있는 이온이 존재 • 대부분의 금속과 반응하지 않는다. • 피부에 묻으면 미끈거린다. 염기는 단백질을 녹이는 성질이 있다. • 탄산 칼슘과 반응하지 않는다. • 같은 지시약에 대해 색 변화가 같다.

3. 주변의 산성 물질과 염기성 물질

(1) 주변의 산성 물질 과일, 식초, 탄산음료, 김치, 해열제, 진통제 등

(2) 주변의 염기성 물질 비누, 제산제, 치약, 하수구 세정제, 제빵용 소다 등

4. 지시약과 pH

(1) 지시약❸ 색 변화로 용액의 액성이 산성인지 염기성인지를 판단할 수 있게 해주는 물질로, 액성에 따라 색이 변한다.

지시약	리트머스 종이	페놀프탈레인 용액	메틸 오렌지 용액	BTB 용액 (브로모티몰 블루)
산성	푸른색 → 붉은색	무색	붉은색	노란색
중성	변화 없음	무색	노란색	녹색
염기성	붉은색 → 푸른색	붉은색	노란색	푸른색

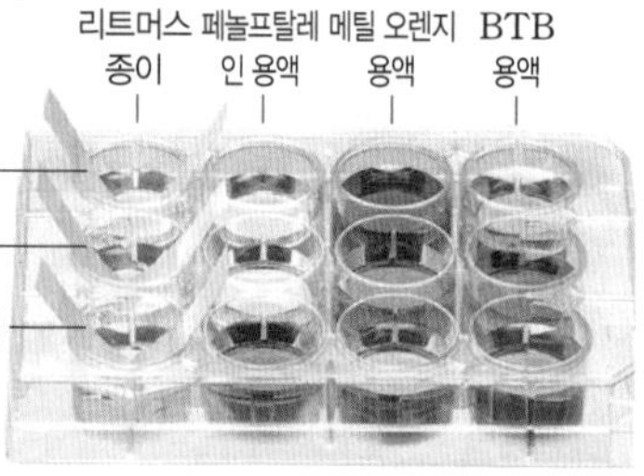

액성에 따른 지시약 색

(2) pH

① pH: 수소 이온(H^+) 농도 지수로 수용액 속의 수소 이온(H^+) 농도를 간단히 숫자로 나타낸 값이다. pH가 작을수록 산성이 강하고(수소 이온 농도가 크다), pH가 클수록 염기성이 강하다.

> 25 ℃에서, pH<7: 산성 pH=7: 중성 pH>7: 염기성

② pH 측정: pH 시험지, 만능 지시약, pH 측정기를 이용하여 측정한다.

---

❶ 산과 염기의 정의

수소(H)를 포함하는 물질이 모두 산인 것은 아니고, OH를 포함하는 물질이 모두 염기인 것은 아니다. 메테인(CH_4)은 H를 포함하고 있지만 산이 아니고, 에탄올(C_2H_5OH)은 OH를 포함하고 있지만 염기가 아니다.

❷ 산과 금속의 반응

산은 마그네슘, 철 등의 금속과는 반응하지만, 금이나 은 등의 금속과는 반응하지 않는다. 즉, 산이 모든 금속과 반응하는 것은 아니다.

❸ 지시약의 조건

좋은 지시약은 산성일 때의 색과 염기성일 때의 색이 명확하게 달라야 하고, 적은 양으로도 효과가 커야 하며, 지시약이 용액의 액성에 영향을 주어서는 안 된다.

#보충!

다양한 천연 지시약

지시약	산성	염기성
붉은 양배추	붉은색	푸른색, 녹색
검은콩	붉은색	녹색, 노란색
장미꽃	붉은색	노란색
강황(카레)	노란색	적갈색
나팔꽃	붉은색	푸른색
도라지꽃	붉은색	푸른색, 녹색

• 산 산(acid)은 '시다(acidus)'라는 뜻의 라틴어에서 유래
• 염기 염기(base)는 소금과 같은 염을 만드는데 '기초(basis)'가 된다는 뜻의 그리스어에서 유래

B 산성과 염기성이 나타나는 까닭

한·줄·핵심 산성과 염기성이 나타나는 까닭은 산과 염기는 각각 수용액에서 공통적으로 수소 이온과 수산화 이온을 내놓기 때문이야!

1. 산성이 나타나는 까닭

(1) 산의 이온화 산(HA)은 수용액에서 양이온인 수소 이온(H^+)과 음이온(A^-)으로 나누어 진다.

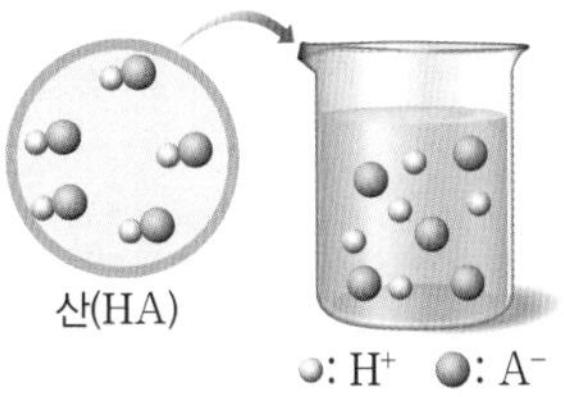

(산이 공통적인 성질을 나타내는 까닭: H^+)

HA 산	—이온화→	H^+ 수소 이온	+	A^- 음이온
HCl 염산	→	H^+ 수소 이온	+	Cl^- 염화 이온
H_2SO_4 황산	→	$2H^+$ 수소 이온	+	SO_4^{2-} 황산 이온
CH_3COOH 아세트산	→	H^+ 수소 이온	+	CH_3COO^- 아세트산 이온

(2) 산성이 나타나는 까닭 산 수용액에 공통으로 들어 있는 수소 이온(H^+) 때문에 산성이 나타난다. 산의 종류에 따라 서로 다른 성질을 나타내는 것은 음이온이 다르기 때문이다.

탐구 산 수용액에서 이온의 이동 관찰[4]

산 수용액에서 이온의 이동 관찰을 통해 산이 공통적인 성질을 나타내는 까닭을 설명할 수 있다.

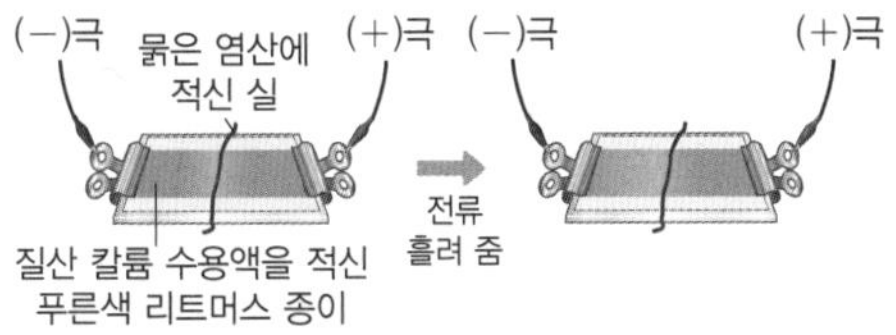

과정 (전류가 흐르게 하기 위해 전해질을 사용하며, 실험 결과에 영향을 주면 안된다.)

유리판 위에 질산 칼륨 수용액에 적신 흰 종이를 올려놓은 후, 그 위에 푸른색 리트머스[5] 종이와 묽은 염산에 적신 실을 올려놓고 전원 장치를 연결한다. (리트머스 종이의 가운데 올려놓는다.)

결과 (실을 올려놓은 부분이 붉은색으로 변한다.)

❶ **색 변화:** 묽은 염산에 적신 실을 올려놓은 푸른색 리트머스 종이가 붉은색으로 변하는데, 그 까닭은 산이 이온화되어 수소 이온(H^+)이 생성되기 때문이다. (묽은 황산이나 아세트산 수용액으로 실험해도 같은 결과가 나타난다.)

❷ **이온의 이동:** 푸른색 리트머스 종이에서 붉은색이 (−)극 쪽으로 이동하는 까닭은 생성된 수소 이온(H^+)이 (−)극 쪽으로 끌려가기 때문이다.

2. 염기성이 나타나는 까닭

(1) 염기의 이온화 염기(BOH)는 수용액에서 양이온(B^+)과 음이온인 수산화 이온(OH^-)으로 나누어 진다.

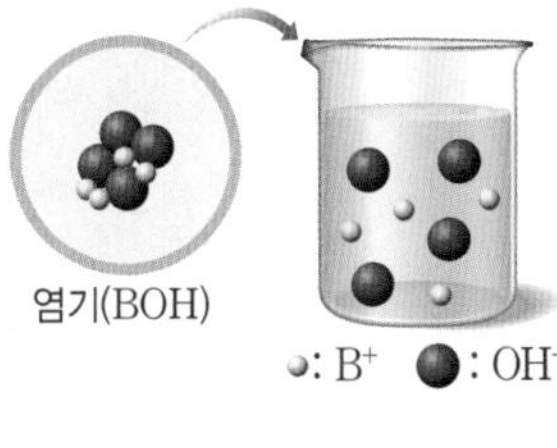

(염기가 공통적인 성질을 나타내는 까닭: OH^-)

BOH 염기	—이온화→	B^+ 양이온	+	OH^- 수산화 이온
NaOH 수산화 나트륨	→	Na^+ 나트륨 이온	+	OH^- 수산화 이온
KOH 수산화 칼륨	→	K^+ 칼륨 이온	+	OH^- 수산화 이온
$Ca(OH)_2$ 수산화 칼슘	→	Ca^{2+} 칼슘 이온	+	OH^- 수산화 이온

❹ 이온의 이동 관찰
묽은 염산(HCl)에 들어 있는 수소 이온(H^+)과 염화 이온(Cl^-), 질산 칼륨(KNO_3) 수용액에 들어 있는 칼륨 이온(K^+)과 질산 이온(NO_3^-)은 색을 나타내지 않지만, 전류를 흘려주면 H^+과 K^+은 (−)극 쪽으로 이동하고, 염화 이온(Cl^-)과 질산 이온(NO_3^-)은 (+)극 쪽으로 이동한다. 하지만 색을 나타내지 않기 때문에 눈으로 확인할 수 없다. 실험에서는 수소 이온(H^+)이 리트머스 성분과 만나면 붉은색을 나타내므로 푸른색 리트머스 종이를 사용하였다.

❺ 리트머스
지시약으로 사용되는 리트머스는 리트머스 이끼로부터 만들어진다. 리트머스 이끼는 해안의 암석 위에 군생하는 이끼의 일종으로 옛날부터 양털을 염색하는 색소로 이용되었고, 산과 염기 지시약의 제조 원료로도 사용된다.

• 이온 전하를 띤 입자로, (+)전하를 띤 입자를 양이온, (−)전하를 띤 입자를 음이온이라 함

정답과 해설 063쪽

간단 점검

1. 물에 녹았을 때 수용액에서 수소 이온(H^+)을 내놓는 물질을 (㉠)(이)라 하고, 수산화 이온(OH^-)을 내놓는 물질을 (㉡)(이)라 한다.
2. 산의 공통된 성질을 (㉠)(이)라 하고, 염기의 공통된 성질을 (㉡)(이)라 한다.
3. 색 변화로 어떤 용액의 액성이 산성인지 염기성인지를 판단해 주는 물질은?
4. 산성이 나타나는 까닭은 수용액에 공통으로 들어 있는 ( ) 때문이다.

#보충!

암모니아(NH_3)

암모니아 분자의 화학식은 NH_3로 OH를 포함하고 있지 않다. 그러나 암모니아(NH_3)가 물에 용해되면 일부가 물과 반응하여 암모늄 이온(NH_4^+)과 수산화 이온(OH^-)으로 이온화하여 수용액에서 수산화 이온(OH^-)를 생성한다. 따라서 암모니아는 염기이다.

$NH_3 + H_2O \rightarrow NH_4^+ + OH^-$

❻ 산성비

빗물의 pH가 5.6 미만인 비를 산성비라고 한다. 자연 상태에서의 빗물이 일반적인 대기의 영향으로 산성 용액이 되는 것을 고려하여 산성비의 기준을 pH 5.6 미만으로 정하였다. 일반적으로 빗물은 pH 5.6~6.5 정도의 약산성이다.

❼ 해양 산성화 과정

① 대기 중에 배출된 이산화 탄소가 바닷물에 녹는다.

② 물에 녹은 이산화 탄소가 탄산(H_2CO_3)을 생성한다.

③ 탄산은 수소 이온(H^+)과 탄산수소 이온(HCO_3^-)으로 이온화된다.

④ 수소 이온은 산호나 조개류의 석회질 성분과 반응하여 탄산수소 이온(HCO_3^-)을 생성함으로써 산호나 조개류가 석회질 껍데기를 만드는 것을 방해한다.

●황 산화물 황과 산소의 화합물을 총칭하는 것으로, 이산화 황, 아황산, 황산 등이 있으며 산성비의 원인이 됨

(2) 염기성이 나타나는 까닭 염기 수용액에 공통으로 들어 있는 수산화 이온(OH^-) 때문에 염기성이 나타난다.

탐구 염기 수용액에서 이온의 이동 관찰

염기 수용액에서 이온의 이동 관찰을 통해 염기가 공통적인 성질을 나타내는 까닭을 설명할 수 있다.

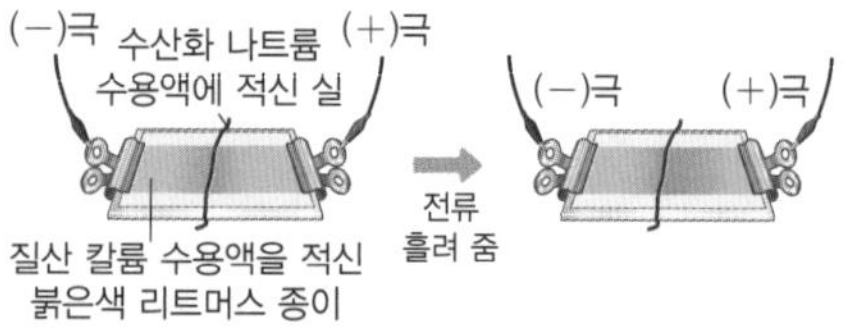

과정

유리판 위에 질산 칼륨 수용액에 적신 흰 종이를 올려놓은 후, 그 위에 붉은색 리트머스 종이와 수산화 나트륨 수용액에 적신 실을 올려놓고 전원 장치를 연결한다.

리트머스 종이의 가운데 올려놓는다. 실을 올려놓은 부분이 푸른색으로 변한다.

결과

❶ **색 변화:** 수산화 나트륨 수용액을 적신 실을 올려놓은 붉은색 리트머스 종이가 푸른색으로 변하는 까닭은 염기가 이온화되어 수산화 이온(OH^-)이 생성되기 때문이다.

수산화 칼륨 수용액이나 암모니아수로 실험해도 같은 결과가 나타난다.

❷ **이온의 이동:** 붉은색 리트머스 종이에서 푸른색이 (+)극 쪽으로 이동하는 까닭은 생성된 수산화 이온(OH^-)이 (+)극 쪽으로 끌려가기 때문이다.

이때 나트륨 이온(Na^+)은 (−)극 쪽으로 이동하지만 색을 관찰할 수 없다.

전해질로 사용한 질산 칼륨 수용액 속의 칼륨 이온(K^+)은 (−)극 쪽으로, 질산 이온(NO_3^-)은 (+)극 쪽으로 이동하지만 색을 관찰할 수 없다.

C 지구의 환경과 생명에 영향을 미친 산과 염기

한·줄·핵심 산과 염기는 지구의 환경과 생명에 영향을 주고 있어!

	산성비❻, 산성 눈, 산성 안개	지구 온난화	해양 산성화❼
형성 과정	화석 연료의 연소 생성물과 자동차 배기가스에 포함된 황● 산화물과 질소 산화물이 공기 중 산소, 물 등과 반응하여 생성된 황산(H_2SO_4)과 질산(HNO_3)이 비, 눈, 안개에 녹아 산성비, 산성 눈, 산성 안개를 형성한다.	인간 활동으로 인해 대기 중 이산화 탄소의 농도가 증가하고 있으며, 이로 인해 지구의 평균 온도가 상승한다.	대기 중 이산화 탄소의 농도가 증가하면 바닷물에 녹는 이산화 탄소의 양도 증가하여 바닷물의 pH가 낮아지는 해양 산성화가 일어나고 있다.
피해	토양과 호수, 해양이 산성화되고, 생태계가 파괴되며, 대리석, 시멘트, 철로 된 건축물 등이 손상된다.	해수의 온도가 올라 부피가 증가하고, 육지의 빙하가 녹아 해수면이 상승하고 있으며, 기후 대가 변하여 생태계 교란과 기상 이변에 의한 태풍, 홍수, 가뭄, 엘니뇨 등의 피해가 커진다.	산호의 형성이 잘 되지 않아 플랑크톤 번식이 어렵고 산성에 약한 어패류와 갑각류의 피해가 크다.(껍데기가 녹음) 이로 인해 해양 생태계가 파괴된다.
대책	화석 연료의 사용량을 줄이고, 자동차에 촉매 변환 장치를 설치하도록 하고, 석회 가루 등을 이용하여 토양, 호수를 중화시킨다.	온실 기체 방출을 줄이기 위한 노력과 대체 에너지 개발 및 사용 노력이 필요하다.	온실 기체 방출을 줄이기 위한 노력과 대체 에너지 개발 및 사용 노력이 필요하다.

정답과 해설 063쪽

간단 점검

5. 염기성이 나타나는 까닭은 염기 수용액에 공통으로 들어 있는 (　　) 때문이다.

6. 수산화 나트륨 수용액에 전극을 넣고 전류를 흘려 주었을 때 (+)극과 (−)극 쪽으로 각각 이동하는 이온은?

7. 산성비, 산성 눈, 산성 안개를 만드는 주요 원인 물질 2가지는?

8. 지구 온난화와 해양 산성화에 공통으로 관여하는 물질은?

알아두면 시험이 쉬워지는 탐구

산과 염기의 공통적인 성질 찾기

목표 산의 공통적인 성질과 염기의 공통적인 성질을 찾을 수 있다.

준비물
묽은 염산, 식초, 비눗물, 수산화 나트륨 수용액, 푸른색과 붉은색 리트머스 종이, 페놀프탈레인 용액, 간이 전기 전도계, 마그네슘 리본, 달걀 껍데기(탄산 칼슘), 24 홈판, 핀셋, 스포이트

유의점
- 간이 전기 전도계를 용액에 사용한 후에는 증류수로 씻어 말린 후 사용한다.
- 시약이 옷이나 피부에 묻지 않도록 주의한다.

과정

❶ 홈판에 용액 넣기

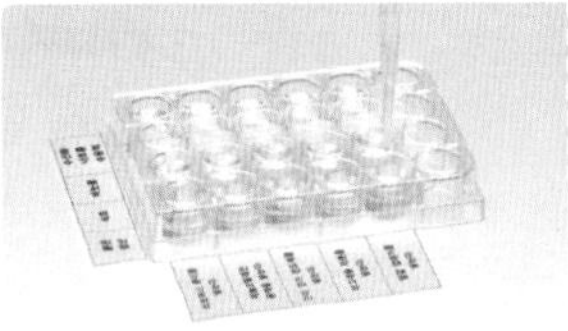

- 24 홈판의 세로줄에 순서대로 묽은 염산, 식초, 비눗물, 수산화 나트륨 수용액을 넣는다.

❷ 리트머스 종이 담그기

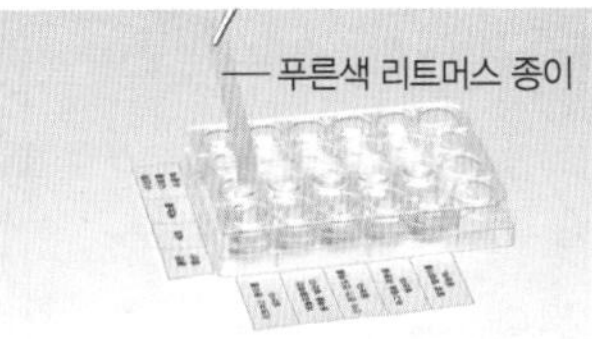

- 첫 번째 세로줄의 수용액에 붉은색 리트머스 종이와 푸른색 리트머스 종이를 각각 담그고, 색 변화를 관찰한다.

❸ 페놀프탈레인 용액 넣기

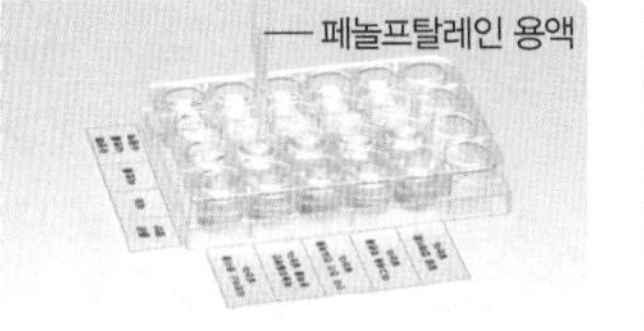

- 두 번째 세로줄의 수용액에 수용액에 페놀프탈레인 용액을 각각 떨어뜨리고, 색 변화를 관찰한다.

❹ 간이 전기 전도계 담그기

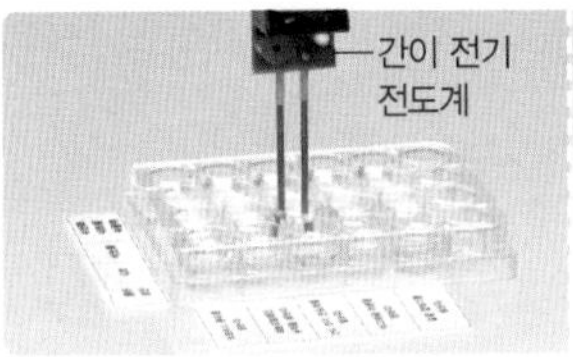

- 세 번째 세로줄의 수용액에 간이 전기 전도계를 담그고, 전류가 흐르는지 관찰한다.

❺ 마그네슘 리본 넣기

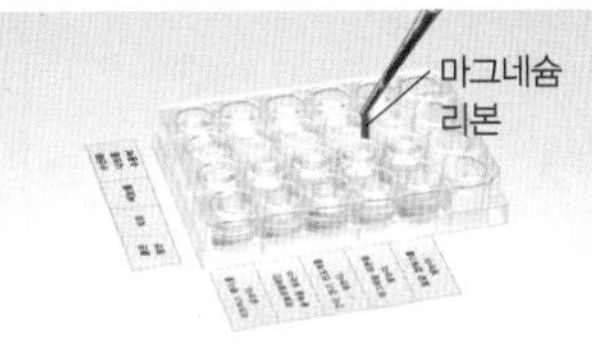

- 네 번째 세로줄의 수용액에 마그네슘 리본을 각각 잘라 넣고, 변화를 관찰한다.

❻ 달걀 껍데기 담그기

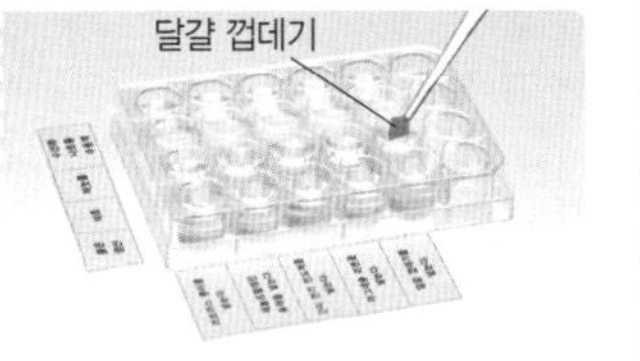

- 다섯 번째 세로줄의 수용액에 달걀 껍데기(탄산 칼슘)를 각각 담그고, 변화를 관찰한다.

결과

수용액의 종류	묽은 염산	식초	비눗물	수산화 나트륨 수용액
리트머스 종이	푸른색 → 붉은색	푸른색 → 붉은색	붉은색 → 푸른색	붉은색 → 푸른색
페놀프탈레인 용액	변화 없음	변화 없음	붉은색	붉은색
간이 전기 전도계	전류 흐름	전류 흐름	전류 흐름	전류 흐름
마그네슘 리본	기체 발생	기체 발생	변화 없음	변화 없음
달걀 껍데기	기체 발생	기체 발생	변화 없음	변화 없음

정리 및 해석

묽은 염산과 식초의 성질(산성)이 공통적으로 같고, 비눗물과 수산화 나트륨 수용액의 성질(염기성)이 공통적으로 같다.

한·줄·핵심 산과 염기의 공통적인 성질은 수용액에서 전류가 흐른다는 것이다.

정답과 해설 063쪽

확인 문제

1. 이 탐구에서 붉은색 리트머스 종이의 색 변화로 알 수 있는 염기성 물질을 쓰시오.

2. 이 탐구의 결과로 알 수 있는 산과 염기가 나타내는 공통적인 성질은 무엇인지 쓰시오.

3. 다음은 어떤 수용액을 이용하여 실험한 결과이다.

- 푸른색 리트머스 종이를 붉게 변화시킨다.
- 마그네슘 리본을 넣었을 때 기체가 발생한다.

이와 같은 실험 결과가 나타날 것으로 생각되는 물질을 모두 고르면? (정답 2개)

① KOH　② NaOH　③ HCl　④ H_2SO_4　⑤ $Ca(OH)_2$

개념 + 기본 문제

개념 문제

A 산성과 염기성

01 산과 염기에 대한 설명으로 옳은 것은 ○, 옳지 않은 것은 ×로 표시하시오.

(1) 산은 물에 녹았을 때 수용액에서 수소 이온(H^+)을 내놓은 물질이다. ( )

(2) HCl, CH_3COOH, CH_4을 물에 녹이면 공통으로 수소 이온(H^+)이 생성된다. ( )

(3) 에탄올(C_2H_5OH)은 염기이다. ( )

02 다음은 산성 또는 염기성에 대한 설명이다.

> ㉠ 쓴맛이 난다.
> ㉡ 수용액에서 전류가 흐른다.
> ㉢ 피부에 묻으면 미끈거린다.
> ㉣ 마그네슘과 반응하여 수소 기체를 발생시킨다.
> ㉤ 탄산 칼슘과 반응하여 이산화 탄소를 발생시킨다.
> ㉥ BTB 용액을 떨어뜨리면 푸른색을 띤다.

산성과 염기성에 해당하는 것을 있는 대로 골라 기호를 쓰시오.

(1) 산성: ( ) (2) 염기성: ( )

B 산성과 염기성이 나타나는 까닭

03 다음은 산성과 염기성에 대한 설명이다. ( )안에 알맞은 말을 쓰시오.

> 산성이 나타나는 까닭은 산 수용액에 공통으로 들어 있는 (㉠) 때문이고, 염기성이 나타나는 까닭은 염기 수용액에 공통으로 들어 있는 (㉡) 때문이다.

C 지구의 환경과 생명에 영향을 미친 산과 염기

04 바닷물의 pH가 낮아지는 해양 산성화를 일으키는 물질이 무엇인지 쓰시오.

A 산성과 염기성

05 다음의 성질을 갖는 물질이 아닌 것은?

> • 신맛이 난다.
> • 수용액은 전해질이다.
> • 푸른색 리트머스 종이를 붉게 변화시킨다.
> • BTB 용액을 떨어뜨리면 노란색을 나타낸다.

① 식초 ② 과일 ③ 탄산음료
④ 오렌지 주스 ⑤ 하수구 세정제

06 다음 물질들의 공통적인 성질은?

> 수산화 나트륨 수용액, 수산화 칼륨 수용액, 암모니아수

① 불꽃 반응색이 같다.
② 메틸 오렌지 용액을 붉게 변화시킨다.
③ 페놀프탈레인 용액을 붉게 변화시킨다.
④ 금속과 반응하여 수소 기체가 발생한다.
⑤ 탄산 칼슘과 반응하여 이산화 탄소가 발생한다.

07 페놀프탈레인 용액을 떨어뜨렸을 때 나타내는 용액의 색깔이 다른 것은?

① HCl ② $Ca(OH)_2$ ③ HNO_3
④ H_2SO_4 ⑤ CH_3COOH

알쉬탐

08 표는 4가지 물질을 (가)와 (나)로 분류한 것이다.

(가)	(나)
HCl, CH_3COOH	$NaOH$, $Ca(OH)_2$

(가)와 (나)를 구별할 수 있는 방법으로 옳지 않은 것은?

① 수용액의 pH를 측정한다.
② 수용액에 금속 Mg을 넣어 본다.
③ 수용액에 BTB 용액을 넣어 본다.
④ 수용액의 전기 전도성을 측정한다.
⑤ 수용액에 붉은색 리트머스 종이를 대어 본다.

정답과 해설 063쪽

단답형

09 다음 중 수용액에 BTB 용액을 가할 때 노란색으로 변하는 물질을 | 보기 | 에서 있는 대로 골라 기호를 쓰시오.

보기
ㄱ. HNO_3　　ㄴ. NaOH
ㄷ. NaCl　　ㄹ. CH_3OH
ㅁ. $Ca(OH)_2$　　ㅂ. CH_3COOH

B 산성과 염기성이 나타나는 까닭

10 산과 염기의 이온화식으로 옳지 않은 것은?

① $KOH \longrightarrow K^+ + OH^-$
② $H_2SO_4 \longrightarrow 2H^+ + SO_4^{2-}$
③ $H_2CO_3 \longrightarrow 2H^+ + CO_3^{2-}$
④ $Ba(OH)_2 \longrightarrow Ba^+ + (OH)_2^-$
⑤ $H_3PO_4 \longrightarrow 3H^+ + PO_4^{3-}$

11 그림과 같이 X 수용액에 적신 붉은색 리트머스 종이의 가운데에 수산화 나트륨 수용액에 적신 실을 올려놓고 전원을 연결하였다.

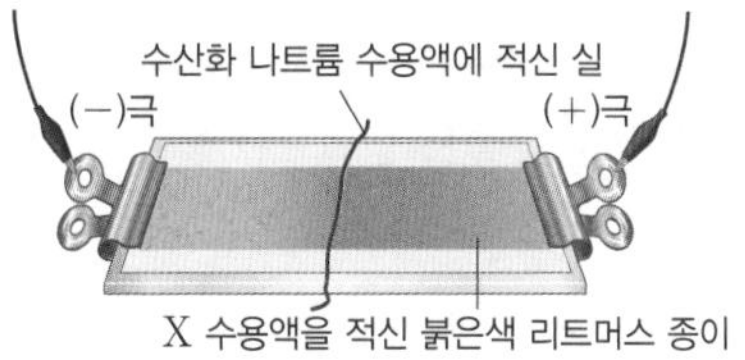

리트머스 종이의 색 변화를 같게 하기 위해 (가) 수산화 나트륨 대신 사용할 수 있는 물질과 (나) X로 사용할 수 있는 물질을 옳게 짝 지은 것은?

	(가)	(나)
①	HCl	KNO_3
②	HCl	KOH
③	KOH	KNO_3
④	KOH	HCl
⑤	NaCl	KNO_3

단답형

12 다음 물질이 물에 녹아 이온화될 때의 식을 쓰시오.

(1) CH_3COOH → (　　　　　)
(2) H_2SO_4 → (　　　　　)
(3) KOH → (　　　　　)
(4) $Ca(OH)_2$ → (　　　　　)

C 지구의 환경과 생명에 영향을 미친 산과 염기

13 다음은 산과 염기가 우리 일상생활과 지구의 환경에 미치는 영향에 대한 세 학생의 대화이다.

위 학생 중 옳게 설명한 학생만을 있는 대로 고른 것은?

① 수안　　② 상현
③ 수안, 상현　　④ 수안, 영희
⑤ 수안, 상현, 영희

단답형

14 다음은 우리의 일상생활에 커다란 영향을 미치고 있는 산성비의 생성 과정에 대한 설명이다. (　) 안에 알맞은 말을 쓰시오.

화석 연료의 연소 생성물에 포함된 (㉠) 산화물과 자동차 배기가스에 포함된 (㉡) 산화물이 공기 중 산소, 물 등과 반응하여 산성비가 형성된다.

실력 올리기 문제

| 산과 염기의 분류 | 출제예감

01 다음은 3가지 물질을 주어진 기준에 따라 분류한 것이다.

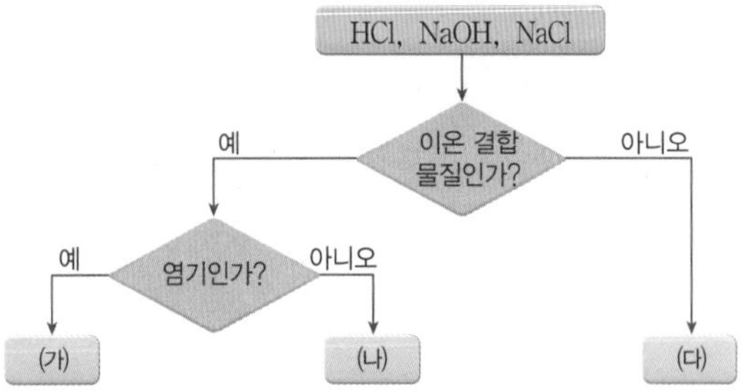

(가)~(다)를 물에 녹인 수용액에 대한 설명으로 옳은 것만을 | 보기 | 에서 있는 대로 고른 것은?

보기
ㄱ. (가) 수용액에 BTB 용액을 떨어뜨리면 푸른색이 된다.
ㄴ. (나) 수용액에 마그네슘 조각을 넣으면 기체가 발생한다.
ㄷ. 25 ℃에서 (다) 수용액의 pH는 7이다.

① ㄱ ② ㄴ ③ ㄱ, ㄷ
④ ㄴ, ㄷ ⑤ ㄱ, ㄴ, ㄷ

| 산의 공통된 성질 | 출제예감

02 그림은 묽은 염산(HCl)의 입자 모형을 나타낸 것이다.

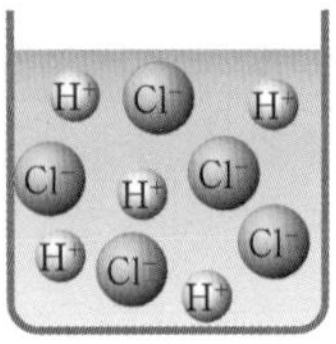

이에 대한 설명으로 옳은 것만을 | 보기 | 에서 있는 대로 고른 것은?

보기
ㄱ. pH가 7보다 작다.
ㄴ. 전극을 연결하면 수소 이온은 (−)극으로 이동한다.
ㄷ. 마그네슘 조각을 넣으면 수소 기체가 발생한다.

① ㄱ ② ㄴ ③ ㄱ, ㄷ
④ ㄴ, ㄷ ⑤ ㄱ, ㄴ, ㄷ

| 금속과 산의 반응 |

03 그림은 묽은 염산에 마그네슘을 넣었을 때 일어나는 반응을 모형으로 나타낸 것이다.

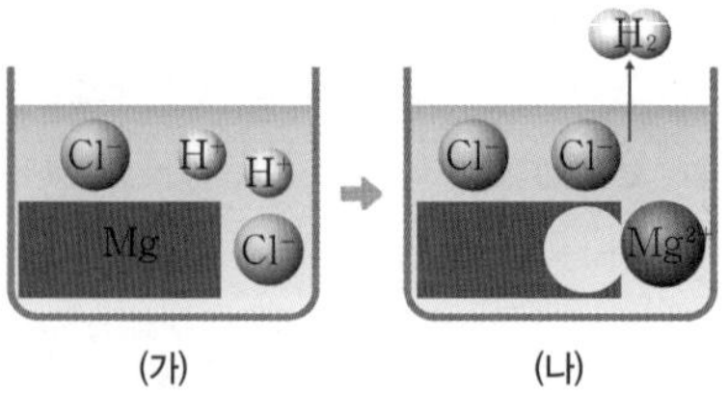

이에 대한 설명으로 옳은 것만을 | 보기 | 에서 있는 대로 고른 것은? (단, 온도는 일정하다.)

보기
ㄱ. 25 ℃에서 pH는 (가)가 (나)보다 크다.
ㄴ. 마그네슘 대신 아연을 넣어도 수소 기체가 발생한다.
ㄷ. 묽은 염산과 마그네슘의 반응은 산화 환원 반응이다.

① ㄱ ② ㄴ ③ ㄱ, ㄷ
④ ㄴ, ㄷ ⑤ ㄱ, ㄴ, ㄷ

| 산성과 염기성 |

04 그림은 묽은 염산(HCl)과 수산화 나트륨(NaOH) 수용액을 나타낸 것이다.

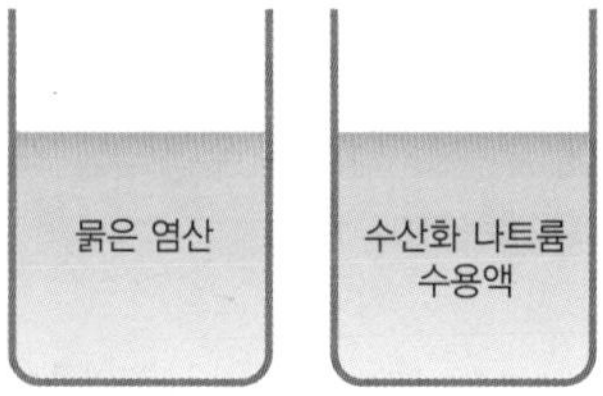

두 수용액을 구별할 방법으로 옳은 것만을 | 보기 | 에서 있는 대로 고른 것은?

보기
ㄱ. 수용액에 전류가 통하는지 알아본다.
ㄴ. 페놀프탈레인 용액을 떨어뜨린 후 용액의 색 변화를 관찰한다.
ㄷ. 탄산 칼슘 조각을 떨어뜨렸을 때 기체가 발생하는지 관찰한다.

① ㄱ ② ㄴ ③ ㄱ, ㄷ
④ ㄴ, ㄷ ⑤ ㄱ, ㄴ, ㄷ

| 산성이 나타나는 까닭 | 출제예감

05 묽은 염산(HCl)의 성질을 알아보기 위해 그림과 같이 장치하고 전원을 연결하였더니, 실이 있는 가운데 부분부터 한쪽 방향으로 리트머스 종이의 색이 서서히 변하였다.

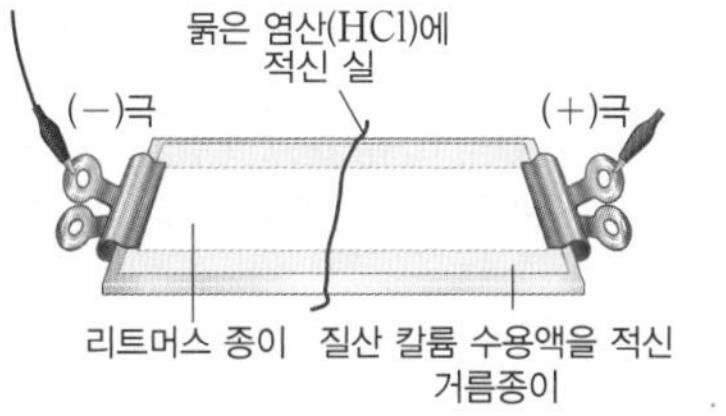

이에 대한 설명으로 옳은 것만을 | 보기 | 에서 있는 대로 고른 것은?

보기
ㄱ. 실험에 사용한 리트머스 종이는 푸른색이다.
ㄴ. 리트머스 종이의 색은 가운데 부분에서 (−)극 쪽으로 변한다.
ㄷ. 수산화 나트륨 수용액에 적신 실로 실험을 하여도 리트머스 종이의 색 변화는 같다.

① ㄱ ② ㄷ ③ ㄱ, ㄴ
④ ㄴ, ㄷ ⑤ ㄱ, ㄴ, ㄷ

| 지구 환경에서 산과 염기 | 출제예감

06 다음은 산성 물질인 X의 대기 중 농도 증가로 인해 나타나는 현상이다.

(가) 대기 중 X의 농도 증가로 인해 지구의 평균 온도가 상승하는 현상이 나타나고 있다.
(나) 대기 중 X의 농도가 증가하면서 바닷물에 녹는 X의 양도 증가하는 현상이 나타나고 있다.

이에 대한 설명으로 옳은 것만을 | 보기 | 에서 있는 대로 고른 것은?

보기
ㄱ. X는 이산화 탄소이다.
ㄴ. (가)에 대한 대책으로 대체 에너지 개발이 있다.
ㄷ. (나)에서 바닷물의 pH는 높아진다.

① ㄱ ② ㄷ ③ ㄱ, ㄴ
④ ㄴ, ㄷ ⑤ ㄱ, ㄴ, ㄷ

| 산성과 염기성이 나타나는 까닭 |

07 산과 염기의 성질을 알아보기 위해 그림과 같이 장치하고 가운데 부분에 묽은 염산과 수산화 나트륨 수용액을 각각 떨어뜨린 후 전원을 연결하였더니 두 리트머스 종이의 색이 한쪽 방향으로만 서서히 변하였다. 물음에 답하시오.

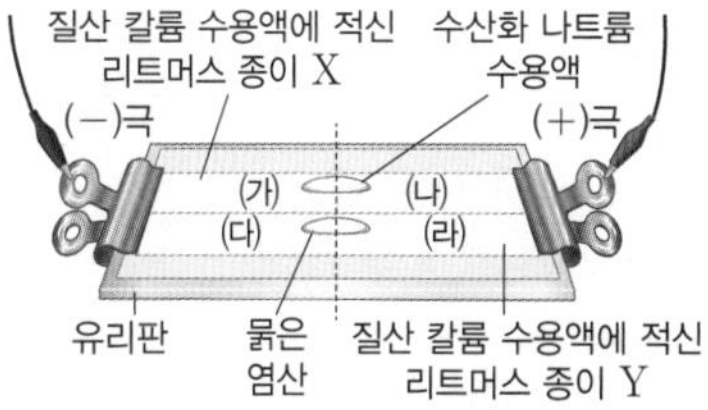

(1) X와 Y는 무슨 색 리트머스 종이인지 쓰시오.
(2) (가)~(라) 중 색 변화를 관찰할 수 있는 것을 모두 쓰고, 각각 무슨 색인지 쓰시오.
(3) 실험 결과를 이용하여 산성과 염기성에 대해 서술하시오.

| 지시약의 색 변화 |

08 그림 (가)는 순수한 물이 들어 있는 비커에 BTB 용액을 떨어뜨린 모습을, (나)는 (가)의 비커에 드라이아이스 조각을 넣었을 때 거품이 발생하는 모습을 나타낸 것이다. 물음에 답하시오.

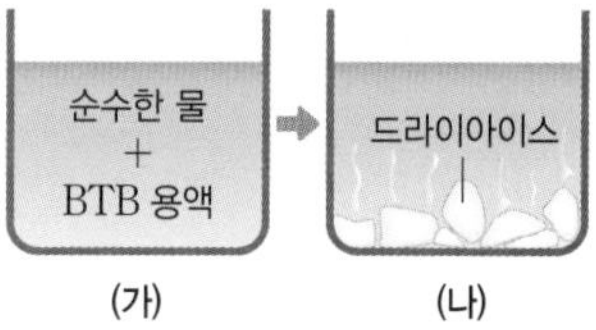

(1) (가)와 (나)의 용액의 색은 무엇인지 쓰고, 그 까닭을 서술하시오.

	용액의 색	까닭
(가)		
(나)		

(2) (나)의 용액을 충분히 가열했을 때 용액의 색과 pH의 변화에 대해 서술하시오.

04 산과 염기의 중화 반응

개념 이해 중화 반응, 물, 염, 중화열, 중화점, 중화점 확인, 일상생활에서 중화 반응의 이용

A 중화 반응

한·줄·핵심 산과 염기가 만나면 물과 염이 생성되고 열이 발생하는데 이러한 반응을 중화 반응이라고 해!

1. 산과 염기의 중화 반응

(1) 중화 반응 산과 염기가 반응하여 물과 염❶을 생성하는 반응으로 이때 중화열❷이 발생한다.

중화열이 발생하여 용액의 온도가 올라간다.

산 + 염기 ⟶ 물 + 염 + 중화열

예) 묽은 염산(HCl)과 수산화 나트륨(NaOH) 수용액의 중화 반응

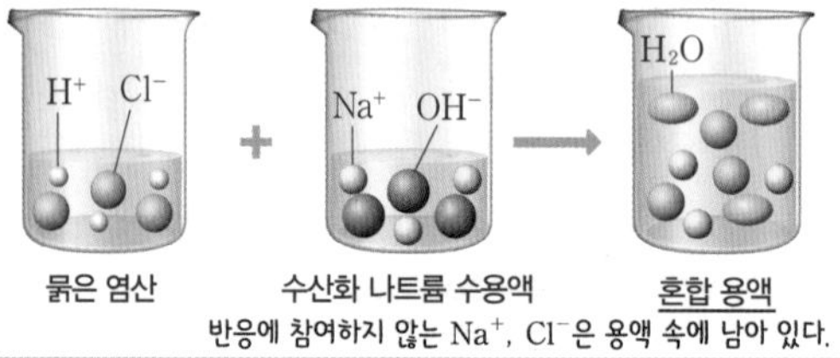

반응에 참여하지 않는 Na^+, Cl^-은 용액 속에 남아 있다.

$$HCl \longrightarrow H^+ + Cl^-$$
$$NaOH \longrightarrow Na^+ + OH^-$$
$$\underset{\text{산}}{HCl} + \underset{\text{염기}}{NaOH} \longrightarrow \underset{\text{물}}{H_2O} + \underset{\text{염}}{NaCl}$$

산의 H^+과 염기의 OH^-이 반응하여 물을 생성한다.

(2) 수소 이온(H^+)과 수산화 이온(OH^-)이 1:1의 개수비로 반응하여 물(H_2O)을 생성한다.

$$H^+ + OH^- \longrightarrow H_2O$$

(3) 염 중화 반응에 의해 생성된 물질로, 산의 음이온과 염기의 양이온으로 이루어진 물질

2. 중화 반응과 이온 수의 변화

산 수용액에 들어 있는 수소 이온(H^+)의 수와 염기 수용액에 들어 있는 수산화 이온(OH^-)의 수가 같을 때 완전히 중화가 일어나고 혼합 용액의 액성은 중성이 된다.

(1) 혼합 용액의 액성 혼합하는 산과 염기 수용액에 존재하는 수소 이온(H^+)과 수산화 이온(OH^-)의 수에 따라 중화 반응 후 혼합 용액의 액성이 달라진다.

혼합하는 산의 H^+의 수가 염기의 OH^-의 수보다 많으면 OH^-의 수만큼 중화 반응이 일어나고 혼합 용액의 액성은 산성이 된다.

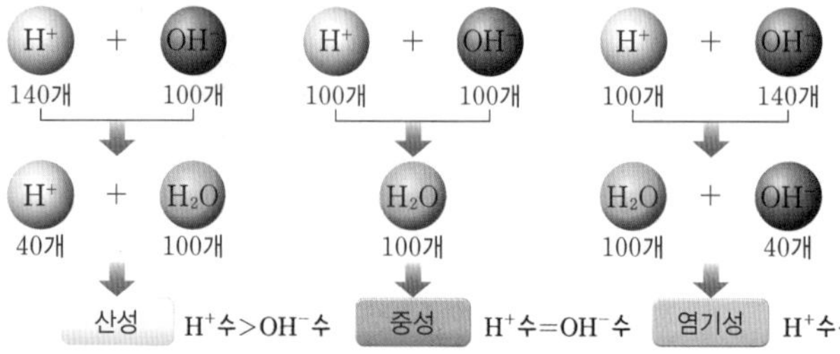

혼합하는 염기의 OH^-의 수가 산의 H^+의 수보다 많으면 H^+의 수만큼 중화 반응이 일어나고 혼합 용액의 액성은 염기성이 된다.

중화 반응 에서 용액의 액성

(2) 중화 반응에서 이온 수의 변화 일정한 양의 묽은 염산(HCl)에 수산화 나트륨(NaOH) 수용액을 조금씩 넣어 주면 혼합 용액의 액성이 달라진다. 알쉬툭

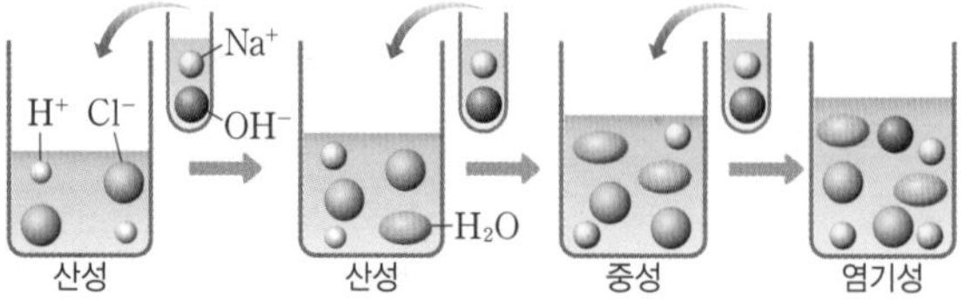

중화 반응에서 이온 수 변화

H^+(개)	2	1	0	0
Cl^-(개)	2	2	2	2
Na^+(개)	0	1	2	3
OH^-(개)	0	0	0	1
액성	산성	산성	중성	염기성

---

❶ 중화 반응과 염
묽은 염산과 수산화 나트륨 수용액의 중화 반응이 일어난 혼합 용액을 가열하거나 따뜻한 곳에 두어 생성된 물을 증발시키면 염화 이온과 나트륨 이온이 결합하여 흰색 결정으로 남게 되는데, 이것이 염화 나트륨(NaCl)이며, 이러한 물질을 염이라고 한다.

❷ 중화열
산의 H^+과 염기의 OH^-이 중화 반응하여 물이 생성될 때의 반응열이다. 중화열은 반응하는 산과 염기의 종류에 관계없이 값이 일정하다.

#보충!
염의 확인
양이온은 불꽃 반응 실험을 통한 불꽃색으로 확인할 수 있고, 음이온은 앙금 생성 반응을 통해서 확인할 수 있다.
예) NaCl
- Na^+: 불꽃색(노란색)
- Cl^-: 질산 은과 반응하여 흰색 앙금(AgCl) 생성

●중화(가운데 中, 합칠 和) 반응
산과 염기가 서로 합쳐서 중성의 성질이 되는 반응

자료 중화 반응에서 이온 수의 변화 그래프

일정량의 묽은 염산(HCl)에 수산화 나트륨(NaOH) 수용액을 조금씩 넣을 때, 이온 수 변화

그래프	이온 수 변화	
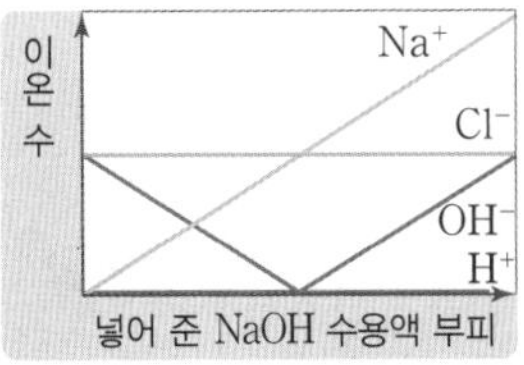	H^+	넣어 준 OH^-과 반응하여 점점 줄어들다가 완전히 중화된 이후에는 존재하지 않음
	Cl^-	반응에 참여하지 않는 이온이므로 이온 수 일정
	Na^+	반응에 참여하지 않는 이온이므로 넣어 주는 대로 이온 수 증가
	OH^-	넣어 주는 대로 H^+과 반응하므로 존재하지 않다가 완전히 중화된 이후부터 이온 수 증가

B 중화 반응이 일어날 때의 변화

한·줄·핵심 중화 반응이 일어날 때 중화열이 발생하므로 용액의 온도가 올라가고, 용액의 액성이 달라질 수 있어!

1. 중화점과 중화점 확인 산과 염기의 성질이 사라지고 용액의 액성이 중성이 되는 지점

(1) 중화점 산과 염기의 중화 반응에서 산의 수소 이온(H^+)과 염기의 수산화 이온(OH^-)이 모두 반응하여 중화되는 지점

(2) 중화점 확인

① 지시약의 색 변화: 산(염기) 수용액에 지시약을 넣은 후 염기(산) 수용액으로 중화시키면 중화점에서 색이 변하게 된다.
예) 일정량의 묽은 염산에 페놀프탈레인 용액을 떨어뜨린 후 수산화 나트륨 수용액을 조금씩 가하면 중화점에서 붉은색으로 변한다.

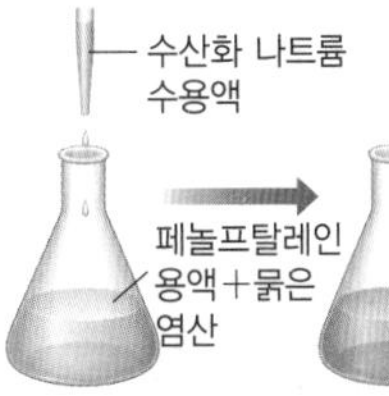

지시약의 색 변화

② 혼합 용액의 온도 변화: 산(염기) 수용액에 염기(산) 수용액을 조금씩 넣으면서 온도 변화를 측정했을 때 온도가 가장 높은 지점이 중화점이다. 예) 묽은 염산(HCl)에 수산화 나트륨(NaOH) 수용액을 조금씩 떨어뜨릴 때의 온도 변화
반응하는 수소 이온(H^+)과 수산화 이온(OH^-)의 수가 많을수록 중화열이 많이 발생하기 때문

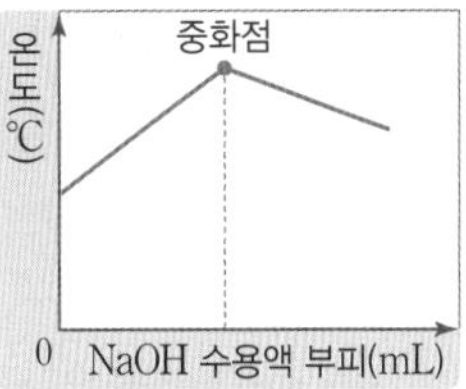

혼합 용액의 온도 변화

2. 일상생활에서 중화 반응의 이용❸

예	원리
생선 비린내 제거	생선에 레몬 즙을 뿌리면 생선의 비린내의 원인인 염기성 물질을 제거한다.
양치질	입안의 음식물이 분해되면 충치의 원인이 되는 산성 물질이 생기는데 치약에 들어 있는 염기성 물질로 중화하여 충치를 예방한다.
곤충에 물렸을 때	개미나 벌에 물렸을 때 치약이나 탄산수소 나트륨 수용액이나 암모니아수를 바르면 염기성 물질이 산성을 띠는 곤충의 독으로 생긴 붓기를 가라앉힌다.
제산제 복용	위산이 과다하게 분비되어 속이 쓰릴 때는 약염기성 물질이 들어 있는 제산제를 복용한다.
산성화된 토양의 중화	산성화된 토양에 석회를 뿌리면 중화 반응이 일어나 산성을 중화한다.

#암기!

중화점의 확인
- 지시약의 색 변화
- 온도가 가장 높은 지점

#보충!

농도가 다른 산과 염기의 반응에서 온도 변화
- 그래프는 농도가 다른 묽은 염산(HCl)과 수산화 나트륨(NaOH) 수용액의 부피를 표와 같이 달리하여 반응시켰을 때 온도 변화를 나타낸 것이다.

실험	A	B	C	D
묽은 염산 (mL)	10	20	30	40
수산화 나트륨 수용액 (mL)	50	40	30	20

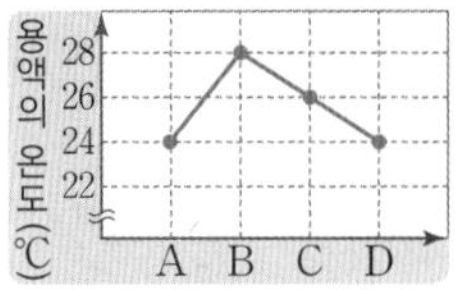

- B점은 온도가 가장 높은 지점으로 완전히 중화되었다.
- 중화점인 B에서 반응한 HCl과 NaOH의 부피 비가 1:2이므로 농도 비는 2:1이다.

❸ 생활 속 중화 반응의 이용
- 김치의 신맛은 산성 물질인 아세트산과 젖산으로 인한 것이므로 달걀 껍데기를 넣어 두면 달걀 껍데기의 주성분인 탄산 칼슘이 물과 반응하여 수산화 이온을 생성하므로 김치의 신맛이 줄어든다.
- 종이의 주성분인 셀룰로스는 공기 중에서 산화하여 점점 부서지는데, 염기의 수용액으로 중화하면 변색을 막을 수 있다.
- 물놀이 시설의 물을 염소 소독할 경우 산성을 띠므로 염기성 물질로 pH를 조절한다.
- 이산화 황은 산성비의 원인이 되므로 염기성 물질(산화 칼슘, 석회석 등)로 중화하여 제거한다.

정답과 해설 065쪽

간단 점검

1. 산과 염기가 반응하여 물과 염을 생성하는 반응은?
2. 중화 반응에 의해 생성된 물질로, 산의 음이온과 염기의 양이온으로 이루어진 물질은?
3. 수산화 나트륨 수용액에 염산을 계속해서 넣어줄 때 Cl^-의 수 변화는?
4. 산과 염기의 중화 반응이 완결되는 지점은?

알아두면 시험이 쉬워지는 탐구

산과 염기가 만날 때 나타나는 변화

목표 산과 염기가 중화 반응할 때 일어나는 변화를 온도 변화와 지시약의 색 변화로 설명할 수 있다.

과정

❶ 홈판에 용액 넣고, 온도 측정하기

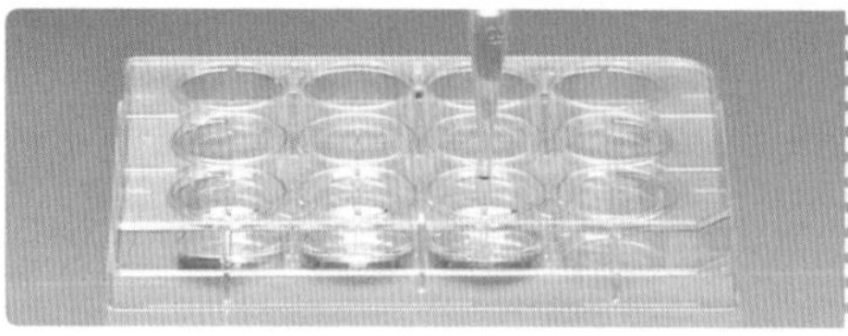

• 홈판의 5개 홈 A~E에 차례로 묽은 염산과 수산화 나트륨 수용액의 부피를 다르게 넣으면서 각각 혼합 용액의 가장 높은 온도를 측정한다.
염산과 수산화 나트륨 수용액의 처음 온도는 같게 한다.

❷ BTB 용액 넣기

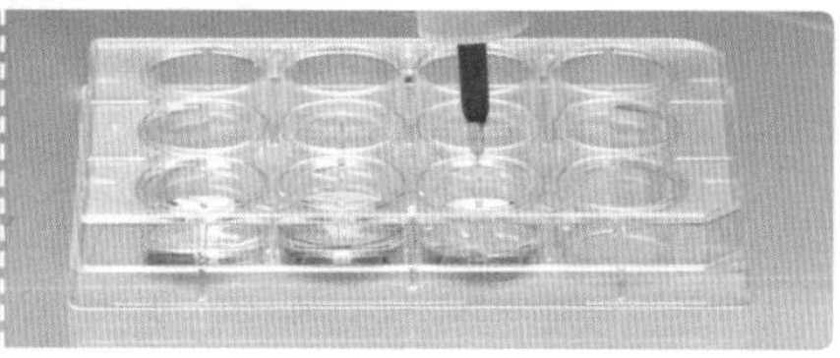

• 각 혼합 용액에 BTB 용액을 2방울~3방울 떨어뜨린 후 혼합 용액의 색 변화를 관찰한다.
BTB 용액은 산성에서 노란색, 중성에서 녹색, 염기성에서 푸른색이다.

유의점
• 같은 농도의 묽은 염산과 수산화 나트륨 수용액으로 실험한다.
• 묽은 염산과 수산화 나트륨 수용액이 피부나 옷에 묻지 않도록 한다.
• 온도계는 매번 증류수로 깨끗이 닦은 후 사용한다.
• 혼합 용액의 온도는 가장 높은 온도를 측정한다.

결과

홈판	A	B	C	D	E
묽은 염산(mL)	2	4	6	8	10
수산화 나트륨 수용액(mL)	10	8	6	4	2
가장 높은 온도(°C)	24	26	28	26	24
BTB 용액의 색	푸른색	푸른색	녹색	노란색	노란색
혼합 용액의 액성	염기성	염기성	중성	산성	산성

정리 및 해석

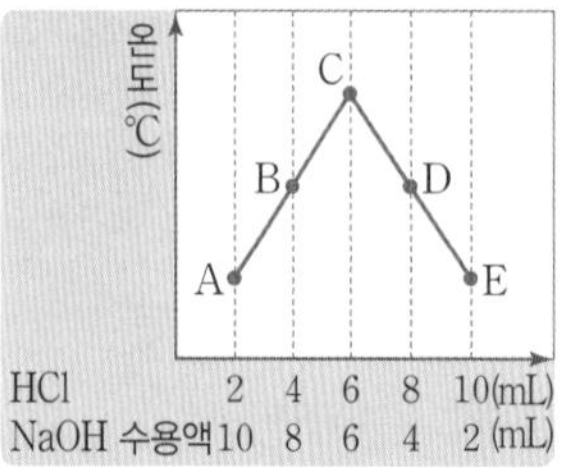

✔ **중화 반응 시 온도가 높아지는 까닭:** 수소 이온(H^+)과 수산화 이온(OH^-)이 반응할 때 중화열이 발생하기 때문이다.

✔ **C의 온도가 가장 높은 까닭:** 같은 온도와 농도의 묽은 염산과 수산화 나트륨 수용액을 부피를 달리하여 반응시키는 경우 반응하는 수소 이온(H^+)과 수산화 이온(OH^-)이 가장 많기 때문 **혼합 용액의 온도는** C>B=D>A=E

✔ **A~E 중 중화가 완전히 일어난 곳:** 혼합 용액의 온도가 가장 높은 C에서는 이온 수가 수소 이온(H^+)=수산화 이온(OH^-)이므로 중화가 완전히 일어난다.

✔ **용액 전체의 양은 같은데 온도가 서로 다른 까닭:** 수소 이온(H^+)과 수산화 이온(OH^-)이 반응하는 개수가 다르기 때문이다.

✔ **A~E에서 혼합 용액의 액성:** A와 B에서는 이온 수가 수소 이온(H^+)<수산화 이온(OH^-)이므로 혼합 용액의 액성은 염기성이고, 색은 푸른색이며, C에서는 이온 수가 수소 이온(H^+)=수산화 이온(OH^-)이므로 혼합 용액의 액성은 중성이고, 색은 녹색이다. D와 E에서는 이온 수가 수소 이온(H^+)>수산화 이온(OH^-)이므로 혼합 용액의 액성은 산성이고, 색은 노란색이다.

(염기성: 반응하지 않은 OH^-이 존재하기 때문)
(산성: 반응하지 않은 H^+이 존재하기 때문)

한·줄·핵심 온도 변화와 지시약의 색 변화로 중화 반응을 확인할 수 있다.

확인 문제

정답과 해설 065쪽

1. 이 실험에서 혼합 용액 A~E 중 중화 반응이 가장 많이 일어난 것은?

2. 이 실험에서 중화점을 확인하는 방법 2가지를 쓰시오.

3. 이 실험에 대한 설명으로 옳은 것은?
① 용액 A에는 수소 이온(H^+)이 수산화 이온(OH^-)보다 많다.
② 반응 결과 생성된 물의 양은 용액 B가 가장 많다.
③ 용액 C에는 이온이 존재하지 않는다.
④ 용액 D에 페놀프탈레인 용액을 떨어뜨리면 붉게 변한다.
⑤ 용액 E에 수산화 나트륨 수용액을 넣어 주면 용액의 온도가 높아진다.

알아두면 시험이 쉬워지는 특강

중화 반응에서 이온 수 변화

1 묽은 염산(HCl)과 수산화 나트륨(NaOH) 수용액의 반응에서 이온 수 변화

묽은 염산에 수산화 나트륨 수용액을 조금씩 넣어 주어 혼합할 때 첨가한 수산화 나트륨 수용액의 부피에 따른 용액 중 이온 수의 변화는 다음 그림과 같다.

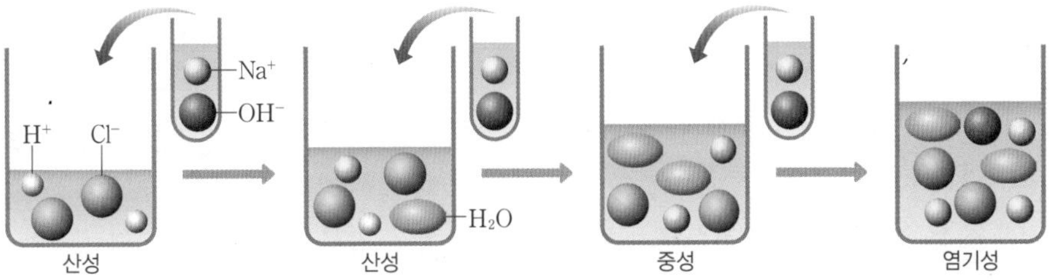

수소 이온(H^+) 수	염화 이온(Cl^-) 수	나트륨 이온(Na^+) 수
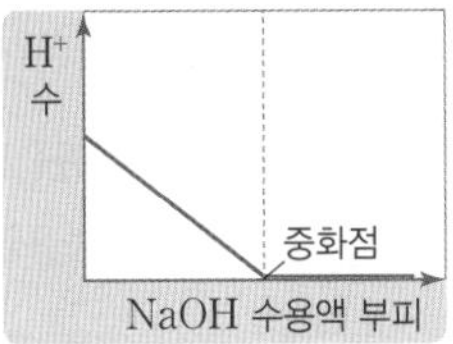	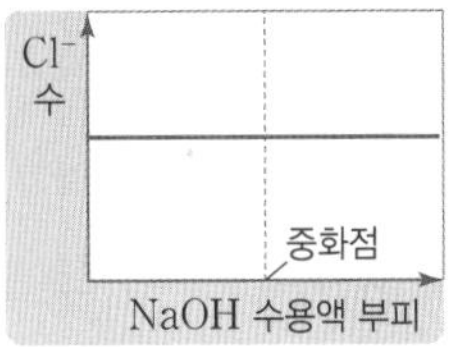	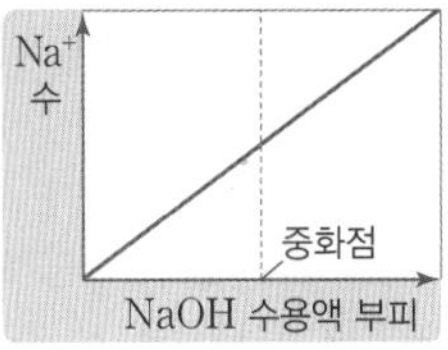
수산화 이온(OH^-)과 반응하여 물을 생성하므로 수소 이온(H^+)은 점차 감소하다가 중화점 이후에는 용액 속에 존재하지 않게 된다.	반응에 참여하지 않는 이온이므로 변하지 않는다.	반응에 참여하지 않는 이온이므로 넣어 준 수산화 나트륨 수용액의 양만큼 증가한다.

수산화 이온(OH^-) 수	총 이온 수	생성된 물의 양
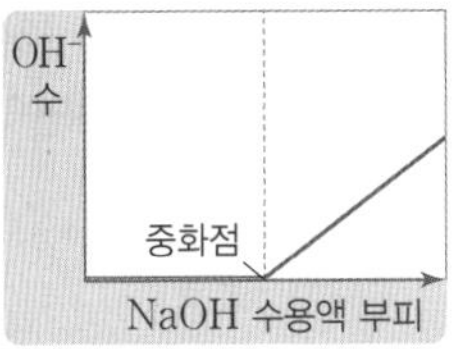	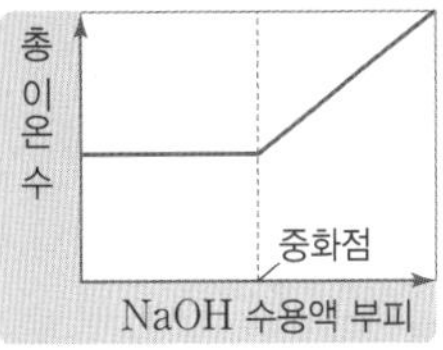	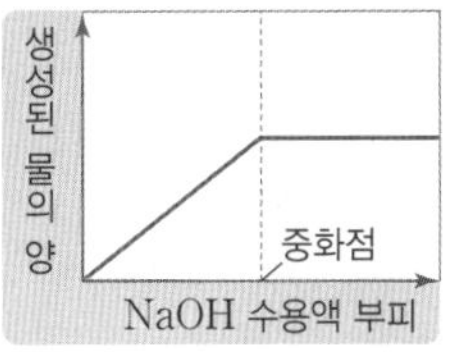
묽은 염산에 넣는 즉시 수소 이온(H^+)과 반응하여 물을 생성하므로 묽은 염산에 있던 수소 이온(H^+)이 모두 반응할 때까지 존재하지 않다가 중화점이 지나면 증가하기 시작한다.	중화점까지는 수소 이온(H^+) 1개가 수산화 이온(OH^-) 1개와 반응하여 물을 생성하여 수소 이온(H^+)이 줄어드는 대신 나트륨 이온(Na^+) 1개가 늘어나므로 총 이온 수는 변하지 않는다. 중화점 이후에는 넣어 준 수산화 나트륨 수용액의 양에 비례하여 이온 수가 증가한다.	중화점까지는 수소 이온(H^+)과 수산화 이온(OH^-)이 반응하여 물을 생성하므로 생성되는 물의 양이 증가하여 중화점에서 가장 많고, 그 이후에는 반응이 일어나지 않으므로 생성된 물의 양은 일정하다.

한·줄·핵심 중화 반응이 일어날 때 수소 이온(H^+)은 수산화 이온(OH^-)과 반응하여 물을 생성한다.

확인 문제

정답과 해설 065쪽

[1~2] 그림은 일정량의 묽은 염산(HCl)에 수산화 나트륨(NaOH) 수용액을 조금씩 넣을 때 혼합 용액에 존재하는 이온 수를 나타낸 것이다. 물음에 답하시오.

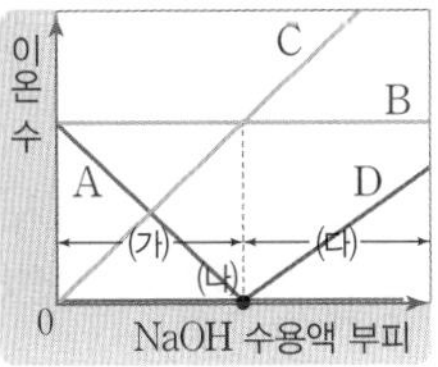

1. A~D에 해당하는 이온을 각각 쓰시오.

2. (가)~(다)에서 혼합 용액의 액성을 쓰시오.

개념 + 기본 문제

개념 문제

A 중화 반응

01 중화 반응에 대한 설명으로 옳은 것은 ○, 옳지 않은 것은 ×로 표시하시오.

(1) 산과 염기가 반응하면 물과 염이 생성된다. (　　)

(2) 중화 반응이 일어날 때 혼합 용액의 온도는 내려간다. (　　)

(3) 묽은 염산과 수산화 나트륨 수용액이 반응할 때 생성되는 염은 염화 나트륨이다. (　　)

(4) 수산화 나트륨 수용액에 묽은 염산을 조금씩 넣어 줄 때 용액의 pH는 점점 증가한다. (　　)

02 표는 3가지 중화 반응 모형을 나타낸 것이다. (　　) 안에 알맞은 내용을 쓰시오.

반응 모형	H^+ + OH^- 140개　100개	H^+ + OH^- 100개　100개	H^+ + OH^- 100개　140개
이온 수 비교	$H^+ > OH^-$	H^+ (㉠) OH^-	H^+ (㉡) OH^-
용액의 액성	(㉢)	(㉣)	(㉤)

B 중화 반응이 일어날 때의 변화

03 중화점을 확인하는 방법으로 옳은 것은 ○, 옳지 않은 것은 ×로 표시하시오.

(1) 지시약의 색 변화 (　　)

(2) 혼합 용액의 부피 변화 (　　)

(3) 혼합 용액의 온도 변화 (　　)

04 다음은 일상생활에서 일어나는 3가지 사례이다.

- 음식을 먹은 후 양치질을 한다.
- 신 김치에 달걀 껍데기를 넣는다.
- 생선회를 먹을 때 레몬 즙을 뿌린다.

3가지 사례에 공통으로 이용된 화학 반응의 종류를 쓰시오.

A 중화 반응

05 묽은 염산(HCl)과 수산화 나트륨(NaOH) 수용액의 중화 반응에 대한 설명으로 옳지 않은 것은?

① 물이 생성된다.
② 염이 생성된다.
③ 혼합 용액의 온도가 올라간다.
④ 반응이 일어날 때 전자의 이동이 있다.
⑤ 중화 반응에 참여하지 않는 이온이 있다.

단답형

06 다음은 2가지 화학 반응식이다.

- $HCl + NaOH \longrightarrow$ (가) $+ NaCl$
- $H_2SO_4 + Ba(OH)_2 \longrightarrow 2$ (나) $+ BaSO_4$

(가)와 (나)에 공통으로 들어갈 물질을 쓰시오.

07 표는 농도가 같은 묽은 염산과 수산화 나트륨 수용액을 혼합하였을 때 각 용액의 액성을 나타낸 것이다.

묽은 염산(mL)	5	10	15	20	25
수산화 나트륨 수용액(mL)	20	18	16	14	12
혼합 용액의 액성	염기성	염기성	(가)	(나)	(다)

혼합 용액 (가)~(다)의 액성을 옳게 짝 지은 것은?

	(가)	(나)	(다)
①	염기성	염기성	중성
②	염기성	중성	산성
③	염기성	산성	산성
④	중성	산성	산성
⑤	산성	산성	산성

단답형

08 같은 농도의 묽은 염산 20 mL와 수산화 나트륨 수용액 20 mL가 완전히 중화 반응을 하였을 때, 수용액 속에 존재하는 이온을 쓰시오.

정답과 해설 065쪽

B 중화 반응이 일어날 때의 변화

단답형

09 다음은 산 염기 중화 반응에 대한 설명이다. (   ) 안에 알맞은 내용을 쓰시오.

> 산과 염기의 중화 반응이 완결되는 지점을 (㉠)(이)라고 한다. (㉠)을/를 확인하는 방법에는 (㉡)의 색 변화, 혼합 용액의 (㉢) 변화 등이 있다.

알쉬탐

10 그림은 묽은 염산(HCl)과 수산화 나트륨(NaOH) 수용액의 부피를 달리하여 혼합한 용액의 가장 높은 온도를 측정하여 나타낸 것이다.

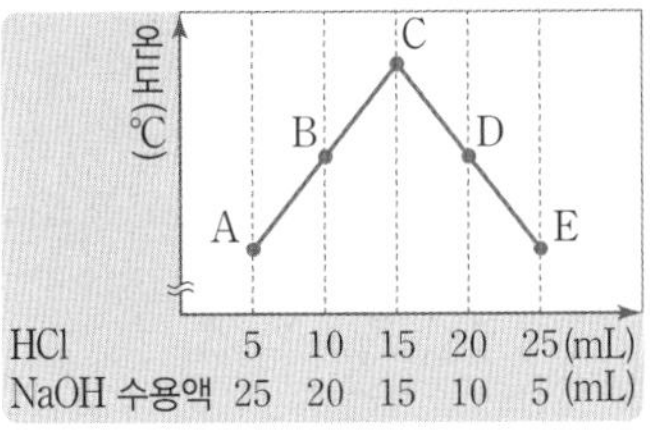

혼합 용액 A~E 중 생성된 물의 양이 가장 많은 것은?

① A ② B ③ C ④ D ⑤ E

11 그림은 묽은 염산(HCl)에 같은 농도의 수산화 나트륨(NaOH) 수용액을 조금씩 넣어 줄 때 일어나는 변화를 모형으로 나타낸 것이다.

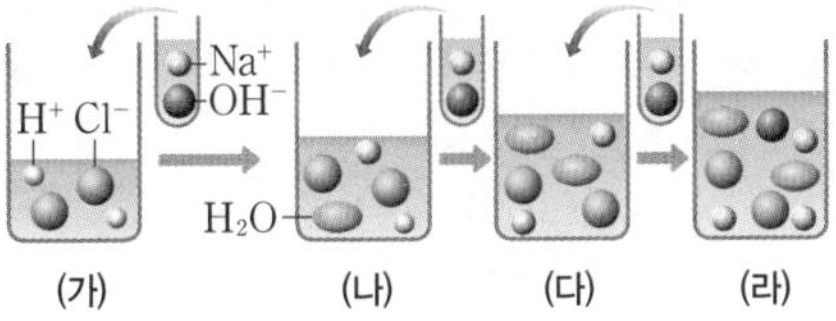

이에 대한 설명으로 옳은 것만을 | 보기 | 에서 있는 대로 고른 것은?

보기
ㄱ. (가)에 페놀프탈레인 용액을 넣으면 붉게 변한다.
ㄴ. (나)와 (다)를 혼합하면 중성 용액이 된다.
ㄷ. (가)에서 (라)로 갈수록 pH는 증가한다.

① ㄱ ② ㄷ ③ ㄱ, ㄴ
④ ㄴ, ㄷ ⑤ ㄱ, ㄴ, ㄷ

알쉬특

12 그림은 수산화 나트륨 수용액에 묽은 염산을 조금씩 떨어뜨릴 때 넣어 준 묽은 염산의 부피에 따른 혼합 용액 속의 2가지 이온의 수를 나타낸 것이다.

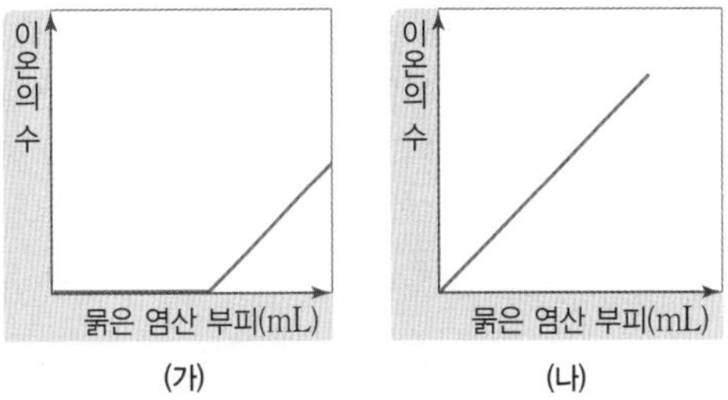

(가)와 (나)에 해당하는 이온을 옳게 짝 지은 것은?

	(가)	(나)
①	H^+	Na^+
②	H^+	Cl^-
③	OH^-	Na^+
④	OH^-	Cl^-
⑤	Na^+	Cl^-

13 속이 쓰릴 때 제산제를 먹는 것과 같은 원리를 이용한 것으로 옳은 것만을 | 보기 | 에서 있는 대로 고른 것은?

보기
ㄱ. 벌에 쏘였을 때 암모니아수를 바른다.
ㄴ. 산성화된 토양에 석회를 뿌린다.
ㄷ. 물을 전기 분해하면 수소와 산소 기체가 발생한다.
ㄹ. 식초에 미그네슘 조각을 넣으면 수소 기체가 발생한다.

① ㄱ, ㄴ ② ㄱ, ㄷ ③ ㄴ, ㄷ
④ ㄴ, ㄹ ⑤ ㄱ, ㄷ, ㄹ

실력 올리기 문제

| 중화 반응 |

01 그림은 묽은 염산 20 mL에 수산화 나트륨 수용액을 조금씩 넣었을 때, 넣어 준 수산화 나트륨 수용액의 부피에 따른 혼합 용액의 온도를 나타낸 것이다. 같은 부피의 묽은 염산과 수산화 나트륨 수용액에 들어 있는 총 이온 수는 같다.

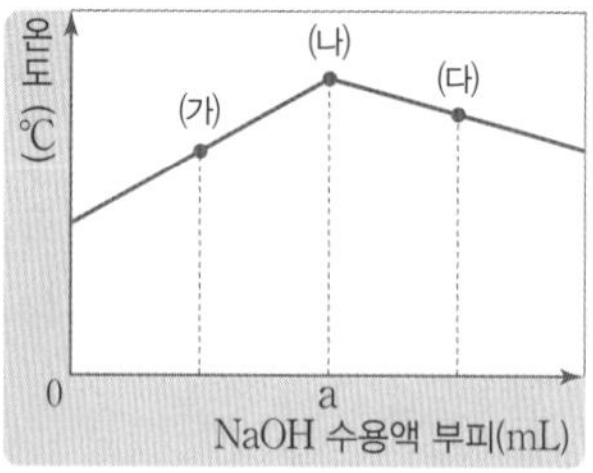

이에 대한 설명으로 옳은 것만을 | 보기 | 에서 있는 대로 고른 것은?

> 보기
> ㄱ. a=20이다.
> ㄴ. (나)의 용액에 BTB 용액을 떨어뜨리면 혼합 용액의 색은 녹색이 된다.
> ㄷ. (가)의 용액과 (다)의 용액을 혼합하면 물이 생성된다.

① ㄱ ② ㄷ ③ ㄱ, ㄴ
④ ㄴ, ㄷ ⑤ ㄱ, ㄴ, ㄷ

| 중화 반응에서 이온 수의 비 |

02 그림은 묽은 염산 x mL와 수산화 나트륨 수용액 y mL를 혼합한 용액에 들어 있는 양이온의 수를 나타낸 것이다. 단위 부피당 이온 수의 비는 묽은 염산 : 수산화 나트륨 수용액=5 : 2이다.

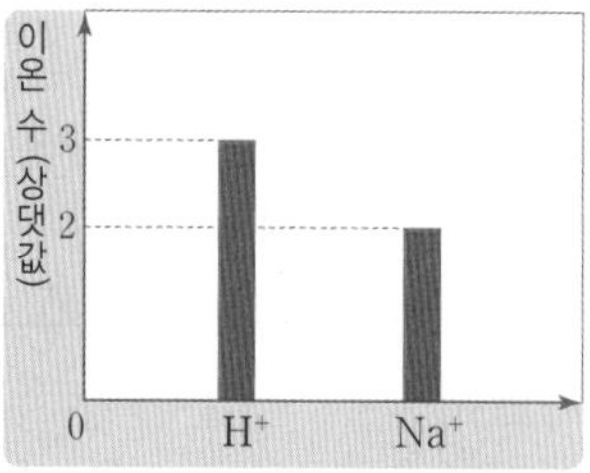

x : y는? (단, 중화 반응에 의한 물의 부피 변화는 무시한다.)

① 1 : 1 ② 1 : 2 ③ 2 : 1
④ 3 : 1 ⑤ 3 : 2

| 중화 반응에서 생성 물질 확인 | 출제예감

03 그림은 묽은 염산과 수산화 나트륨 수용액의 반응을 모형으로 나타낸 것이다.

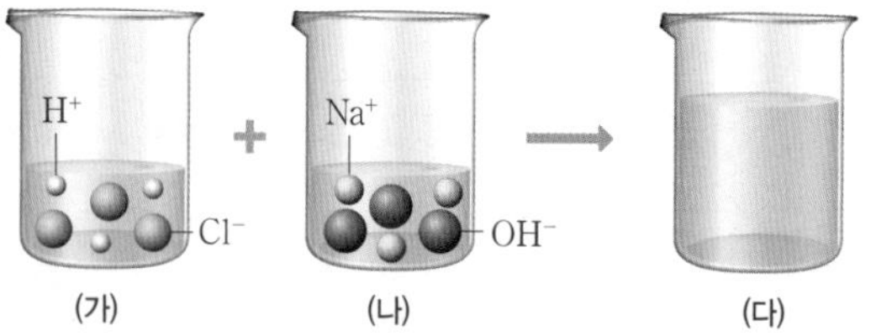

이에 대한 설명으로 옳은 것만을 | 보기 | 에서 있는 대로 고른 것은? (단, 반응 전 묽은 염산과 수산화 나트륨 수용액의 온도는 같다.)

> 보기
> ㄱ. 수용액의 온도는 (다)가 가장 높다.
> ㄴ. (다)에 마그네슘을 넣으면 기포가 발생한다.
> ㄷ. (다) 용액을 가열하여 물을 모두 증발시켜 얻은 물질을 물에 녹인 수용액의 불꽃색은 빨간색이다.

① ㄱ ② ㄴ ③ ㄷ
④ ㄱ, ㄴ ⑤ ㄱ, ㄷ

| 중화 반응에서 이온 수의 변화 | 출제예감

04 그림은 묽은 염산 20 mL와 수산화 나트륨 수용액 10 mL를 혼합한 수용액에 존재하는 이온을 모형으로 나타낸 것이다.

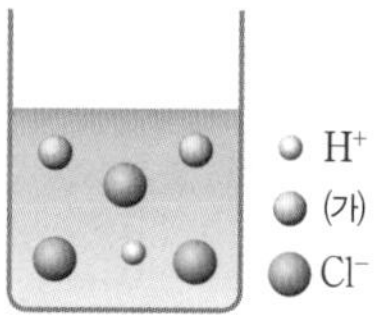

이에 대한 설명으로 옳은 것만을 | 보기 | 에서 있는 대로 고른 것은?

> 보기
> ㄱ. (가)는 Na^+이다.
> ㄴ. 혼합 전 단위 부피당 이온 수는 묽은 염산이 수산화 나트륨 수용액보다 크다.
> ㄷ. 혼합 용액에 수산화 나트륨 수용액 10 mL를 추가한 후, BTB 용액을 떨어뜨리면 녹색이 된다.

① ㄱ ② ㄴ ③ ㄱ, ㄷ
④ ㄴ, ㄷ ⑤ ㄱ, ㄴ, ㄷ

정답과 해설 066쪽

| 중화 반응 | 출제예감

05 표는 온도가 같은 묽은 염산과 수산화 나트륨 수용액의 부피를 달리하여 혼합한 것을 나타낸 것이다. 단위 부피당 이온 수는 수산화 나트륨 수용액에 들어 있는 나트륨 이온(Na^+)이 묽은 염산에 들어 있는 염화 이온(Cl^-)의 2배이다.

혼합 용액	(가)	(나)	(다)	(라)
묽은 염산의 부피 (mL)	10	20	30	30
수산화 나트륨 수용액의 부피 (mL)	10	10	20	30

이에 대한 설명으로 옳은 것만을 | 보기 | 에서 있는 대로 고른 것은?

보기
ㄱ. 모두 염기성 용액이다.
ㄴ. 생성된 물의 양은 (가)가 가장 많다.
ㄷ. 총 이온 수는 (가)와 (나)가 같다.

① ㄱ ② ㄷ ③ ㄱ, ㄴ
④ ㄴ, ㄷ ⑤ ㄱ, ㄴ, ㄷ

| 중화 반응과 온도 변화 | 출제예감

06 그림은 묽은 염산(HCl)과 수산화 칼륨(KOH) 수용액을 부피를 달리하여 혼합하였을 때 혼합 용액의 최고 온도를 나타낸 것이다.

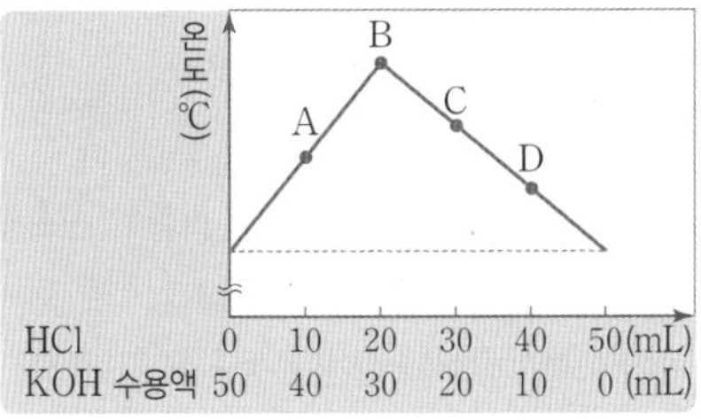

이에 대한 설명으로 옳은 것만을 | 보기 | 에서 있는 대로 고른 것은?

보기
ㄱ. 묽은 염산과 수산화 칼륨 수용액의 단위 부피당 음이온 수 비는 3 : 2이다.
ㄴ. 생성된 물 분자 수 비는 A : B=3 : 4이다.
ㄷ. 상승한 온도 비는 A : C=3 : 4이다.

① ㄱ ② ㄴ ③ ㄱ, ㄷ ④ ㄴ, ㄷ ⑤ ㄱ, ㄴ, ㄷ

| 중화 반응이 일어날 때의 변화 |

07 그림은 수산화 나트륨(NaOH) 수용액이 들어 있는 비커에 묽은 염산(HCl)을 조금씩 가하는 모습을 나타낸 것이다.

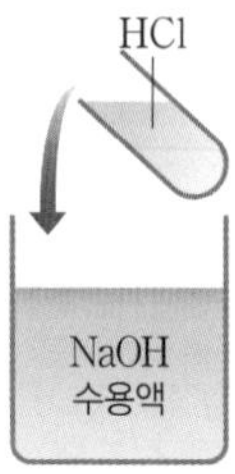

중화점까지 중화 반응이 일어날 때 (1)~(4)의 변화를 각각 서술하시오.

(1) H^+의 수

(2) OH^-의 수

(3) 온도

(4) 용액의 pH

| 중화 반응과 이온 수 |

08 그림은 묽은 염산(HCl)과 수산화 나트륨(NaOH) 수용액의 반응의 모형 일부를 나타낸 것이다. 물음에 답하시오.

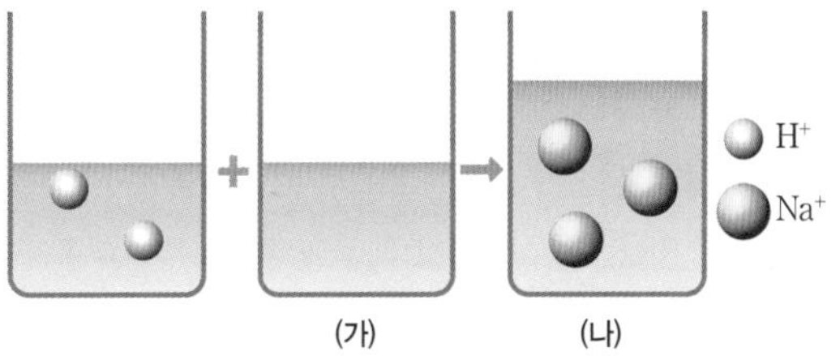

(1) (가) 수용액에 들어 있는 이온의 종류와 수를 쓰시오.

(2) (나) 수용액의 액성을 쓰고, 그 까닭을 서술하시오.

한번에 정리하는
대단원 마무리

정답과 해설 067쪽

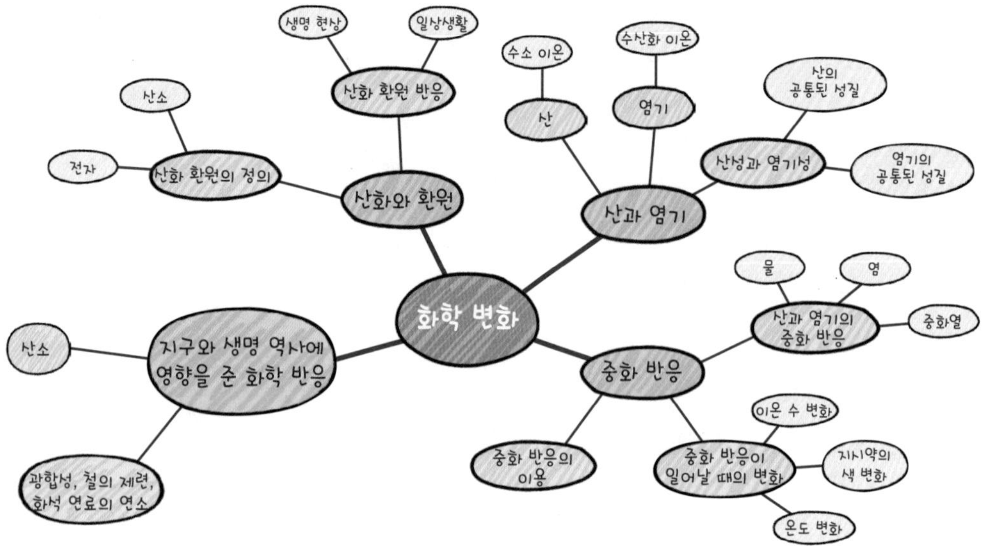

01 지구와 생명 역사를 바꾼 화학 반응

(1) ① : 식물이 빛에너지를 이용하여 이산화 탄소와 물로 포도당과 산소를 만드는 반응으로 지구와 생명 현상과 관련된 매우 중요한 화학 반응이다.

> 이산화 탄소 + 물 $\xrightarrow{\text{빛에너지}}$ 포도당 + 산소

(2) 철의 제련: 철은 자연계에서 산소와 결합한 ② 이 주성분인 철광석의 형태로 존재하므로 순수한 철을 얻기 위해서 ② 에서 산소를 떼어 내야 하는데, 이 과정을 철의 제련이라고 한다.

> 산화 철 + 일산화 탄소 ⟶ 철 + 이산화 탄소

(3) 화석 연료의 연소: 화석 연료의 주성분 원소는 ③ 와 ④ 로 산소와 반응하면 많은 열이 발생하면서 이산화 탄소와 물이 생성된다. 화석 연료의 연소 반응에서 발생하는 에너지를 이용하여 산업 혁명과 교통 혁명을 이루었다.

> 화석 연료 + 산소 ⟶ 이산화 탄소 + 물 + 열에너지

(4) 지구와 생명의 역사를 바꾼 광합성, 철의 제련, 화석 연료의 연소는 모두 ⑤ 가 관여하는 반응이다. 화학 반응에서 ⑤ 가 관여하는 반응을 ⑥ 이라고 한다.

02 산화 환원 반응과 다양한 변화

(1) 산소의 이동과 산화 환원 반응: 물질이 산소를 얻는 반응을 ⑦ 반응이라 하고, 산소를 잃는 반응을 ⑧ 반응이라 한다.

- 산화: $C + O_2 \longrightarrow CO_2$
- 환원: $2Ag_2O \longrightarrow 4Ag + O_2$

(2) 전자의 이동과 산화 환원 반응: 물질이 전자를 잃는 반응을 ⑨ 반응이라 하고, 전자를 얻는 반응을 ⑩ 반응이라 한다.

- 산화: $2Na \longrightarrow 2Na^+ + 2⊖$
- 환원: $Cl_2 + 2⊖ \longrightarrow 2Cl^-$

(3) 산화 환원 반응의 ⑪ : 한 물질이 산소를 얻거나 전자를 잃어 산화될 때 다른 물질이 그 산소를 잃거나 전자를 얻어 환원되므로 산화와 환원은 동시에 일어난다.

(4) 산소가 이동하는 산화 환원 반응에서 전자의 이동: 산소의 이동으로 설명할 수 있는 산화 환원 반응은 모두 전자의 이동으로 설명할 수 있다.

> 산화 (2Mg → 2MgO)
> $2Mg + O_2 \longrightarrow 2MgO(2Mg^{2+} + 2O^{2-})$
> 마그네슘 산소 산화 마그네슘
> 환원 (O_2 → $2O^{2-}$)

(5) 우리 주변의 산화 환원 반응

① **생명 현상에서 산화 환원 반응:** 광합성과 호흡

	광합성	세포 호흡
장소	식물 세포의 ⑫ ______	생물의 세포의 ⑬ ______
시간	빛이 있을 때 (낮)	항상 일어남 (낮과 밤 모두)
산화와 환원	이산화 탄소의 ⑭ ______	포도당의 ⑮ ______
기체 출입	이산화 탄소 흡수, 산소 방출	이산화 탄소 방출, 산소 흡수
에너지출입	(빛)에너지 흡수	에너지 방출

② **철의 제련:** 철광석과 코크스를 용광로에 넣고 가열하면 순수한 철을 얻을 수 있다.

- **코크스의 ⑯ ______:** 코크스가 ⑯ ______되어 일산화 탄소가 된다.
- **산화 철의 ⑰ ______:** 철광석에 들어 있는 산화 철이 일산화 탄소와 반응하여 철로 ⑰ ______된다.

③ **화석 연료의 연소:** 메테인 연소 반응에서 메테인은 산소를 얻어 이산화 탄소로 ⑱ ______된다.

④ **일상생활에서 산화 환원 반응**

- 깎아 놓은 사과의 색이 갈색으로 변한다.
- 물을 염소로 소독한다.
- 음식물을 발효시킨다.
- 철 가루가 들어 있는 손난로가 따뜻해진다.
- 표백제로 옷을 하얗게 만든다.

03 우리 주변의 산과 염기

(1) 산과 염기: 산은 물에 녹았을 때 수용액에서 ⑲ ______을 내놓는 물질이고, 염기는 물에 녹았을 때 수용액에서 ⑳ ______을 내놓는 물질이다.

(2) 산의 공통된 성질을 ㉑ ______이라고 하고, 염기의 공통된 성질을 ㉒ ______이라고 한다.

(3) 색 변화로 용액의 액성이 산성인지 염기성인지를 판단할 수 있게 해주는 물질을 ㉓ ______이라고 한다.

(4) ㉔ ______는 수용액 속의 수소 이온(H^+) 농도를 간단히 숫자로 나타낸 값이다.

(5) 산성이 나타나는 까닭은 산 수용액에 공통으로 들어 있는 ㉕ ______ 때문이고, 염기성이 나타나는 까닭은 염기성 수용액에 공통으로 들어 있는 ㉖ ______ 때문이다.

(6) 산성비의 원인 물질은 화석 연료의 연소 생성물과 자동차 배기가스에 포함된 황 산화물과 질소 산화물이고, 지구 온난화와 해양 산성화를 일으키는 원인 물질은 인간 활동으로 인한 대기 중 이산화 탄소이다.

04 산과 염기의 중화 반응

(1) 중화 반응: 산과 염기가 반응하여 ㉗ ______과 ㉘ ______을 생성하는 반응으로 이때 중화열이 발생한다.

예 묽은 염산(HCl)과 수산화 나트륨(NaOH) 수용액의 반응

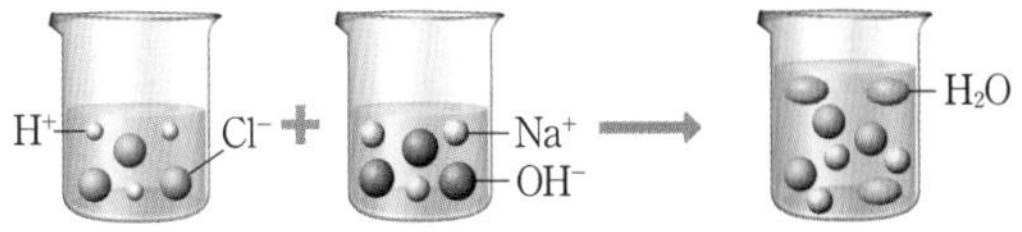

$HCl + NaOH \longrightarrow H_2O + NaCl$

(2) 묽은 염산(HCl)과 수산화 나트륨(NaOH) 수용액을 혼합하면 묽은 염산에 존재하는 수소 이온과 수산화 나트륨 수용액에 존재하는 수산화 이온이 1:1로 반응하여 물을 생성한다.

(3) 중화 반응과 이온 수 변화

① **혼합 용액의 액성:** 혼합하는 수용액 속 수소 이온(H^+)과 수산화 이온(H^+)의 수에 따라 액성이 달라진다.

- H^+의 수>OH^-의 수: 반응 후 H^+ 남음 ⇨ 산성
- H^+의 수=OH^-의 수: 완전히 중화됨 ⇨ 중성
- H^+의 수<OH^-의 수: 반응 후 OH^- 남음 ⇨ 염기성

② **이온 수 변화:** 일정한 양의 묽은 염산(HCl)에 수산화 나트륨(NaOH) 수용액을 조금씩 넣어 주면 수산화 나트륨 수용액의 양에 따라 이온 수가 달라진다.

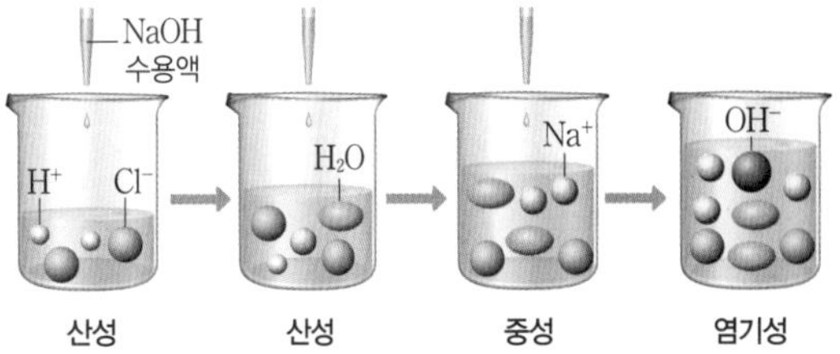

이온의 종류	이온 수 변화
H^+	넣어 준 OH^-과 반응하여 점점 줄어들다가 완전히 중화된 이후에는 존재하지 않음
Cl^-	반응에 참여하지 않는 이온이므로 이온 수 일정
Na^+	반응에 참여하지 않는 이온이므로 넣어 주는 대로 이온 수 증가
OH^-	넣어 주는 대로 H^+과 반응하므로 존재하지 않다가 완전히 중화된 이후부터 이온 수 증가
총 이온 수	중화 반응이 일어나더라도 전체 이온 수는 일정하게 유지되다가 완전히 중화된 이후부터 이온 수 증가

(4) 산에 염기를 가하거나 염기에 산을 가할 때 산과 염기 중화 반응이 완결되는 지점을 ㉙ ______이라고 한다.

(5) 중화점을 확인하는 방법에는 ㉚ ______의 색 변화, 혼합 용액의 ㉛ ______ 변화 등이 있다.

(6) 일상생활에서 벌에 쏘였을 때 암모니아수를 바르는 것, 비누로 감아 뻣뻣해진 머리카락을 식초를 떨어뜨린 물로 헹구는 것 등은 중화 반응의 원리를 이용한 것이다.

한번에 끝내는 대단원 마무리

정답과 해설 067쪽

01 다음은 지구와 생명의 역사에 영향을 준 3가지 화학 반응식이다.

(가) $6CO_2 + 6H_2O \longrightarrow C_6H_{12}O_6 + 6O_2$
(나) $CH_4 + 2O_2 \longrightarrow CO_2 + 2H_2O$
(다) $Fe_2O_3 + 3CO \longrightarrow 2Fe + 3CO_2$

이에 대한 설명으로 옳은 것만을 | 보기 | 에서 있는 대로 고른 것은?

보기
ㄱ. (가)는 광합성 반응이다.
ㄴ. (나)의 반응에서 열이 흡수된다.
ㄷ. (가)~(다)는 모두 산화 환원 반응이다.

① ㄱ ② ㄴ ③ ㄱ, ㄷ
④ ㄴ, ㄷ ⑤ ㄱ, ㄴ, ㄷ

02 그림은 철과 관련된 반응을 모식도로 나타낸 것이다.

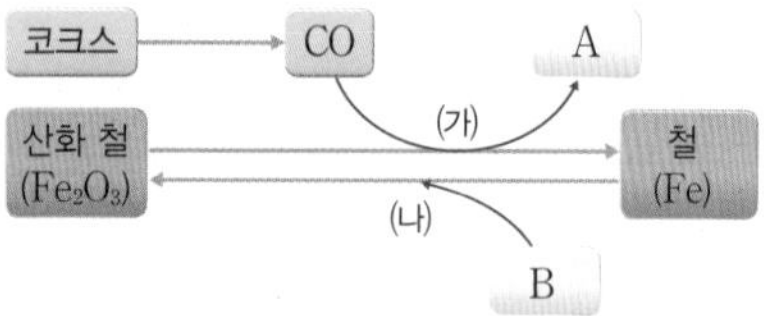

이에 대한 설명으로 옳은 것만을 | 보기 | 에서 있는 대로 고른 것은?

보기
ㄱ. (가)와 (나)는 산화 환원 반응이다.
ㄴ. A는 해양 산성화의 원인이 되는 물질이다.
ㄷ. B는 H_2O이다.

① ㄱ ② ㄷ ③ ㄱ, ㄴ
④ ㄴ, ㄷ ⑤ ㄱ, ㄴ, ㄷ

03 그림은 식물에서 일어나는 호흡 반응을 모식적으로 나타낸 것이다.

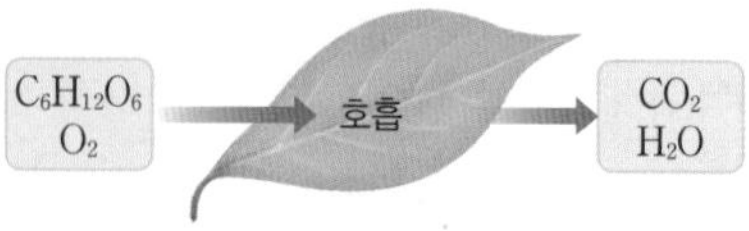

이에 대한 설명으로 옳은 것만을 | 보기 | 에서 있는 대로 고른 것은?

보기
ㄱ. O_2는 환원된다.
ㄴ. $C_6H_{12}O_6$은 산화된다.
ㄷ. 호흡 반응에서 열이 발생한다.

① ㄱ ② ㄴ ③ ㄱ, ㄷ
④ ㄴ, ㄷ ⑤ ㄱ, ㄴ, ㄷ

04 다음 중 산화 환원 반응이 아닌 것은?

① 옷에 묻은 녹물은 식초 물로 뺀다.
② 철을 가열하니 검은색이 되었다.
③ 철을 공기 중에 두니 녹이 슬었다.
④ 철을 질산 은 수용액에 넣었더니 은이 석출되었다.
⑤ 철을 묽은 염산에 넣었더니 수소 기체가 발생하였다.

05 다음은 철의 제련과 관련된 화학 반응식이다.

(가) $2C + O_2 \longrightarrow 2$ ㉠
(나) $Fe_2O_3 + 3$ ㉠ $\longrightarrow 2Fe + 3CO_2$
(다) $CaCO_3 \longrightarrow CaO + CO_2$
(라) $CaO + SiO_2 \longrightarrow CaSiO_3$

이에 대한 설명으로 옳은 것만을 | 보기 | 에서 있는 대로 고른 것은?

보기
ㄱ. ㉠은 CO이다.
ㄴ. (나)에서 Fe_2O_3은 환원된다.
ㄷ. (가)~(라) 중 산화 환원 반응은 2가지이다.

① ㄱ ② ㄷ ③ ㄱ, ㄴ
④ ㄴ, ㄷ ⑤ ㄱ, ㄴ, ㄷ

06 다음은 산화 구리(Ⅱ)에 관련된 실험이다.

[실험 과정]
(가) 그림과 같은 장치에 산화 구리(Ⅱ)와 탄소 가루를 잘 섞어 시험관에 넣고 가열한다.

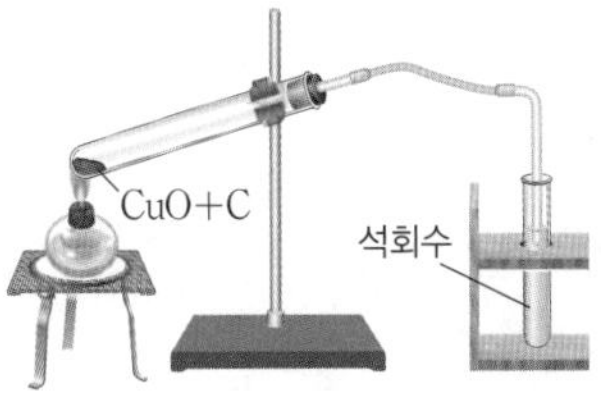

(나) 발생한 기체를 석회수에 통과시켜 변화를 관찰한다.

[실험 결과]
(가) 산화 구리(Ⅱ)의 색이 검은색에서 붉은색으로 변하였다.
(나) 석회수가 뿌옇게 흐려졌다.

이에 대한 설명으로 옳은 것만을 |보기| 에서 있는 대로 고른 것은?

보기
ㄱ. (가)에서 산화 구리(Ⅱ)는 환원된다.
ㄴ. 발생한 기체는 이산화 탄소이다.
ㄷ. (나)는 산화 환원 반응이다.

① ㄱ ② ㄷ ③ ㄱ, ㄴ
④ ㄴ, ㄷ ⑤ ㄱ, ㄴ, ㄷ

07 다음은 2가지 반응에 대한 설명이다.

(가) 마그네슘(Mg)이 드라이아이스(CO_2)와 반응하여 산화 마그네슘(MgO)과 탄소(C)가 생성되었다.
(나) 나트륨(Na)과 염소(Cl_2)가 반응하여 염화 나트륨(NaCl)이 생성되었다.

이에 대한 설명으로 옳은 것만을 |보기| 에서 있는 대로 고른 것은?

보기
ㄱ. (가)에서 마그네슘은 산화되었다.
ㄴ. (나)에서 염소는 산화되었다.
ㄷ. (가)와 (나)에서 모두 산화와 환원이 동시에 일어난다.

① ㄱ ② ㄴ ③ ㄱ, ㄷ
④ ㄴ, ㄷ ⑤ ㄱ, ㄴ, ㄷ

08 다음은 3가지 수용액을 나타낸 것이다.

KOH NaOH $Ca(OH)_2$

3가지 수용액의 공통점에 대한 설명으로 옳은 것만을 |보기| 에서 있는 대로 고른 것은?

보기
ㄱ. 전류가 통한다.
ㄴ. 25 ℃에서 pH는 7보다 크다.
ㄷ. 푸른색 리트머스 종이를 붉게 변화시킨다.

① ㄱ ② ㄷ ③ ㄱ, ㄴ
④ ㄴ, ㄷ ⑤ ㄱ, ㄴ, ㄷ

09 그림은 묽은 염산에 마그네슘 리본을 넣었을 때 기체가 발생하는 모습을 나타낸 것이다.
이에 대한 설명으로 옳은 것만을 |보기| 에서 있는 대로 고른 것은?

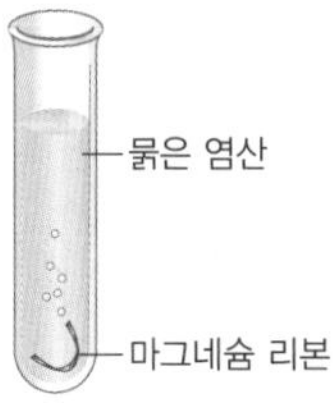

보기
ㄱ. 수소 기체가 발생한다.
ㄴ. 수용액의 pH는 증가한다.
ㄷ. 수용액 속의 염화 이온의 수는 일정하다.

① ㄱ ② ㄷ ③ ㄱ, ㄴ
④ ㄴ, ㄷ ⑤ ㄱ, ㄴ, ㄷ

고난도

10 표는 같은 온도에서 같은 농도의 수용액 A~C에 지시약을 가했을 때의 색깔을 각각 나타낸 것이다.

수용액	A	B	C
메틸 오렌지 용액	붉은색	노란색	붉은색
페놀프탈레인 용액	무색	붉은색	무색

이에 대한 설명으로 옳은 것만을 |보기| 에서 있는 대로 고른 것은?

보기
ㄱ. pH는 A가 B보다 크다.
ㄴ. C에 마그네슘 조각을 넣으면 수소 기체가 발생한다.
ㄷ. A와 B를 혼합하면 혼합 용액의 온도는 높아진다.

① ㄱ ② ㄴ ③ ㄱ, ㄷ
④ ㄴ, ㄷ ⑤ ㄱ, ㄴ, ㄷ

11 다음은 어떤 용액 X의 성질을 알아보기 위한 실험이다.

[실험 과정]
그림과 같이 질산 칼륨 수용액에 적신 붉은색 리트머스 종이 위에 용액 X를 묻힌 실을 올려놓고 전원을 연결하였다.

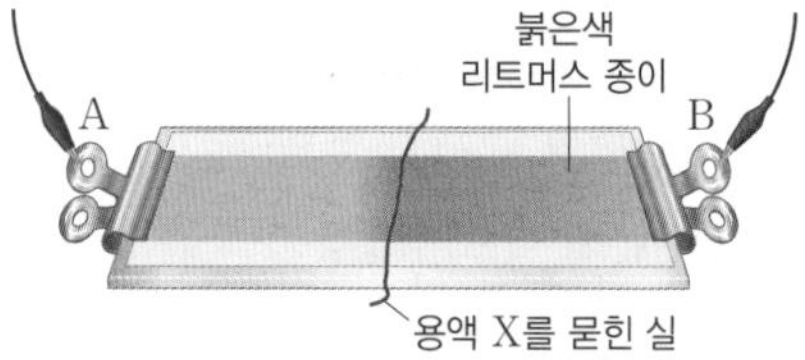

[실험 결과]
붉은색 리트머스 종이가 실에서부터 전극 B쪽으로 점점 푸르게 변했다.

이에 대한 설명으로 옳은 것만을 |보기|에서 있는 대로 고른 것은?

보기
ㄱ. X는 산이다.
ㄴ. 전극 B는 (+)극이다.
ㄷ. 전극 A쪽으로 이동하는 이온은 1가지이다.

① ㄱ ② ㄴ ③ ㄱ, ㄷ
④ ㄴ, ㄷ ⑤ ㄱ, ㄴ, ㄷ

통합 문제

12 다음은 묽은 염산과 관련된 반응의 모식도이다.

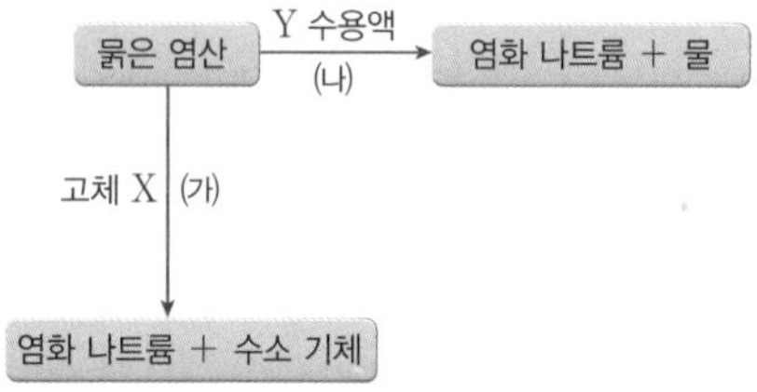

이에 대한 설명으로 옳은 것만을 |보기|에서 있는 대로 고른 것은?

보기
ㄱ. Y에는 수산화 이온이 포함되어 있다.
ㄴ. X와 Y의 불꽃색은 같다.
ㄷ. (가)와 (나)는 모두 산화 환원 반응이다.

① ㄱ ② ㄷ ③ ㄱ, ㄴ
④ ㄴ, ㄷ ⑤ ㄱ, ㄴ, ㄷ

고난도

13 그림은 수산화 나트륨 수용액 50 mL에 묽은 염산을 조금씩 가할 때, 가한 묽은 염산의 부피에 따른 이온 수를 나타낸 것이다.

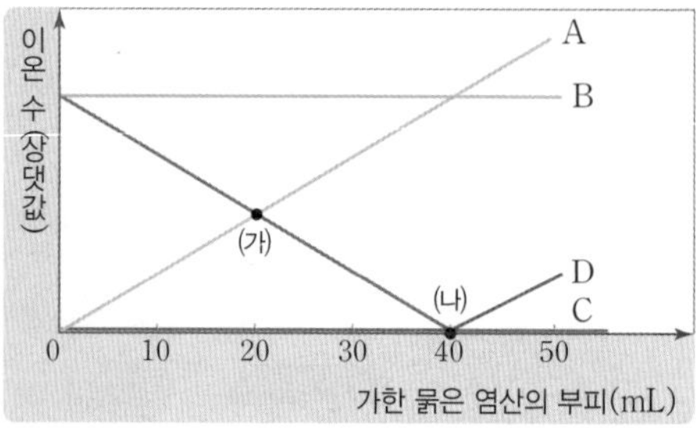

이에 대한 설명으로 옳은 것만을 |보기|에서 있는 대로 고른 것은? (단, 수산화 나트륨 수용액과 묽은 염산의 처음 온도는 같다.)

보기
ㄱ. B는 Cl^-이다.
ㄴ. 혼합 용액의 온도는 (나)가 (가)보다 높다.
ㄷ. 같은 부피 속에 들어 있는 총 이온 수는 수산화 나트륨 수용액이 묽은 염산보다 크다.

① ㄱ ② ㄴ ③ ㄱ, ㄷ
④ ㄴ, ㄷ ⑤ ㄱ, ㄴ, ㄷ

14 다음은 실생활과 관련된 3가지 반응이다.

(가) 벌에 물렸을 때 ㉠ 암모니아수를 바른다.
(나) 생선 비린내를 없애기 위해 ㉡ 레몬 즙을 뿌린다.
(다) 비누로 머리를 감은 후에 ㉢ 식초를 탄 물로 헹군다.

이에 대한 설명으로 옳은 것만을 |보기|에서 있는 대로 고른 것은?

보기
ㄱ. (가)~(다)는 중화 반응을 이용한 것이다.
ㄴ. pH는 ㉡이 ㉠보다 크다.
ㄷ. ㉠과 ㉢을 혼합하면 열이 발생한다.

① ㄱ ② ㄴ ③ ㄱ, ㄷ
④ ㄴ, ㄷ ⑤ ㄱ, ㄴ, ㄷ

15 그림은 식물에서 일어나는 광합성과 호흡 반응을 모식적으로 나타낸 것이다.

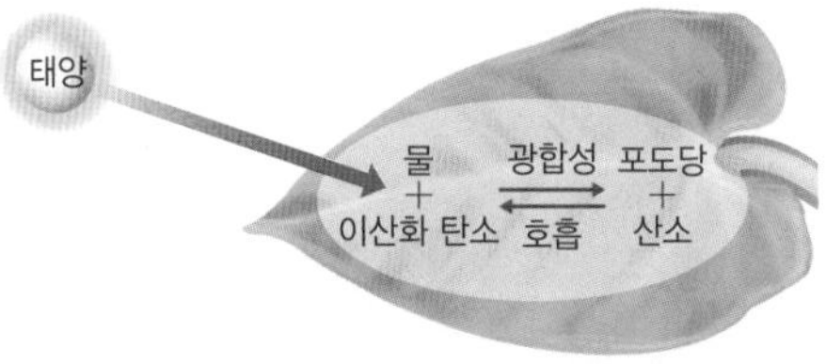

다음 용어를 포함하여 광합성과 호흡 반응을 서술하시오.

산화 환원

16 일상생활에서 흔히 볼 수 있는 그림의 현상을 산화 환원 반응으로 각각 설명하고, 이러한 산화 환원 반응이 진행되지 않게 하는 방법에 대해 각각 서술하시오.

(가)

(나)

17 다음은 산의 성질을 알아보는 실험이다. 물음에 답하시오.

> [실험 과정 및 결과]
> (가) 묽은 염산에 Mg 리본을 넣었더니 기체 X가 생성되었다.
> (나) 묽은 염산에 탄산 칼슘($CaCO_3$)을 넣었더니 기체 Y가 생성되었다.

(1) (가)와 (나)에서 생성된 기체 X, Y의 화학식을 쓰시오.

(2) 기체 Y를 석회수에 넣으면 석회수가 뿌옇게 흐려지는 까닭을 서술하시오

18 표는 묽은 염산과 수산화 나트륨 수용액의 부피를 달리하여 섞은 혼합 용액 A~E를, 그림은 혼합 전과 후의 혼합 용액의 온도 차를 나타낸 것이다. 혼합 전 묽은 염산과 수산화 나트륨 수용액의 처음 온도는 같다. 물음에 답하시오.

혼합 용액	A	B	C	D	E
묽은 염산의 부피(mL)	20	20	15	10	5
수산화 나트륨 수용액의 부피(mL)	5	10	15	20	25

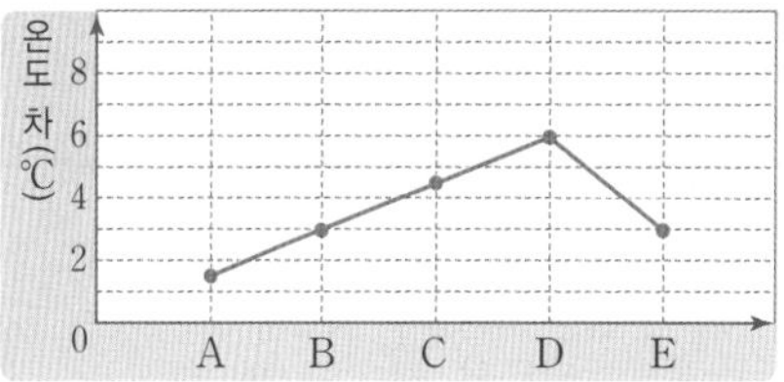

(1) 혼합 용액 A~E의 액성을 각각 쓰시오.

(2) 수산화 나트륨 수용액 10 mL에 들어 있는 수산화 이온(OH^-)의 수를 N이라고 하면, 묽은 염산 20 mL에 들어 있는 수소 이온(H^+)의 수는 얼마인지 쓰시오.

Ⅶ

생물 다양성과 유지

※ **나의 학습 일정표** : 스스로 계획하고 실천하면 실력이 올라갑니다.

단원명	내용 정리	알쉬탐 / 알쉬툭	개념+기본 문제	실력 올리기 문제	대단원 마무리 + 문제
01 지질 시대의 환경과 생물 다양성					
02 자연 선택과 생물의 진화					
03 생물의 다양성과 보전					

* 내용을 공부하기 전에 용어집을 읽어 보면 공부가 쉬워져요!!

지질 시대 동안 지구 환경과 생물은 어떻게 변하고 진화하였을까? 지질 시대 동안 발생한 생물의 대멸종은 생물 다양성에 어떤 영향을 주었을까? 화석을 연구하면 생물과 환경의 변화에 대해 알 수 있어.

배울 내용 미리보기

생물은 오랜 세월에 걸쳐 환경의 변화에 적응하여 진화하지. 이번 단원에서는 변이와 자연 선택에 의해 어떻게 진화가 일어나는지를 배우게 될거야.

01 지질 시대의 환경과 생물 다양성

용어집 33쪽

A 화석과 지질 시대
#화석 #지질 시대 #선캄브리아 시대 #고생대 #중생대 #신생대

B 대멸종과 생물 다양성 #대멸종 #생물 다양성

02 자연 선택과 생물의 진화

용어집 35쪽

A 자연 선택과 생물의 진화 #진화 #자연 선택설

B 변이와 자연 선택 #변이 #자연 선택 #내성

C 진화론이 미친 영향 #사회 진화론

D 최초 생명체 출현 가설 #화학 진화설 #심해 열수구설 #우주 기원설

03 생물의 다양성과 보전

용어집 36쪽

A 생물 다양성
#생물 다양성 #유전적 다양성 #종 다양성 #생태계 다양성

B 생물 다양성의 보전
#서식지 파괴 #서식지 단편화 #포획과 남획 #외래종 #종자 은행

생태계가 안정적으로 유지되기 위해서는 생물 다양성이 높아야 해. 생물 다양성의 개념과 유전적 다양성, 종 다양성, 생태계 다양성에 대해 알아보자.

01 지질 시대의 환경과 생물 다양성

개념 이해 화석, 지질 시대, 선캄브리아 시대, 고생대, 중생대, 신생대, 대멸종, 생물 다양성

A 화석과 지질 시대

한·줄·핵심 화석을 통해 지질 시대를 나누고 지구의 환경을 이해할 수 있어!

1. 화석 지질 시대에 살았던 동물이나 식물의 유해 또는 흔적이 퇴적암 속에 남아 있는 것 (화석화 작용의 결과이다.)

(1) 화석의 역할 산출되는 화석이 갑자기 변화하는 것은 그 시기에 환경에 큰 변화가 있었음을 나타낸다.

① 과거 생물의 구조와 특징, 진화 과정 등을 알게 해 준다.

② 생물이 살던 시기의 환경을 파악할 수 있게 한다.

③ 특정 생물의 화석을 통해 시대를 구분할 수 있다.

(2) 화석의 종류 시상 화석, 표준 화석, •생흔 화석

시상 화석❶	생물이 살았던 환경을 알려주는 화석	예 고사리, 산호
표준 화석❷	시대 구분의 기준이 되는 화석	예 공룡, 암모나이트

탐구 지질 시대 생물의 생활 환경 조사하기

화석을 통해 지질 시대에 살던 생물의 생활 환경을 설명할 수 있다.

과정

다음은 우리나라의 여러 지역에서 산출되는 화석들을 나타낸 것이다.

(가)

(나)

(다)

(라)

① 각각의 생물들이 살았던 시대와 환경을 조사하여 표를 완성한다.

② 암모나이트 화석이 히말라야 산맥의 산악 지역 지층에서 발견되는 까닭은 무엇인지 알아본다.

결과

❶

	화석의 종류	산출 장소	지질 시대	생물이 살던 환경
(가)	공룡알	전남 신안	중생대	육상 환경
(나)	스트로마 톨라이트	인천 소청도	선캄브리아 시대	해양 환경
(다)	조개	제주 서귀포	신생대	얕은 해양 환경
(라)	삼엽충	강원 태백	고생대	해양 환경

❷ 암모나이트가 해저에 퇴적되어 화석이 된 후 암모나이트를 담은 지층 자체가 해수면 바깥으로 올라온 것이다. 중생대에 형성된 해저 지층이 판 구조 활동으로 히말라야 산맥을 형성하면서 암모나이트가 발견된다.

정리

❶ **화석의 역할**: 과거 환경 혹은 환경의 변화를 알 수 있게 해주는 중요한 근거이다.

❷ 지층은 발견된 장소가 중요한 것이 아니라 지층의 생성 당시 환경이 중요하다. 암모나이트 화석은 중생대의 표준 화석이고 해양 생물의 화석이므로 히말라야 산맥에서 암모나이트 화석이 발견된 지층은 중생대의 해양 지층이었다는 사실을 알 수 있다.

#보충!

화석화 작용

화석화 작용이란 생물의 유해나 흔적이 다른 물질로 치환되거나 빈틈에 다른 광물질이 침입하여 생물이 화석으로 보존되는 작용이다.

#보충!

화석의 생성 과정

홍수나 산사태 등으로 생물의 유해가 갑자기 매몰 ⇨ 근육 등 연한 부분은 사라지고 뼈나 껍질 등 딱딱한 부분이 보존되거나 다른 광물질로 채워진다.

❶ 시상 화석

고사리와 산호 화석은 온화한 기후를 알려주는 시상 화석이다.

❷ 표준 화석

삼엽충은 고생대, 공룡과 암모나이트는 중생대, 매머드와 화폐석은 신생대를 지시하는 표준 화석이다.

#암기!

화석의 종류

화석을 '표시'해! → 화석은 표준 화석과 시상 화석으로 나뉜다.

•생흔 화석(**날 生, 흉터 痕, 되다 化, 돌 石**) 고생물의 발자국, 둥지, 먹이 섭취 등 흔적이 남아 있는 것

2. 지질 시대 약 46억 년 전 지구가 생긴 후부터 현재까지 지구의 역사

(1) 지질 시대의 구분 고생물의 급격한 변화는 지질 시대의 구분 기준이다.

대규모의 조산 운동, 부정합 등의 지각 변동, 고생물의 변화 등을 기준으로 지질 시대를 구분한다.

지질 시대	시대 구분
선캄브리아 시대❸	약 46억 년 전 ~ 약 5억 4100만 년 전
고생대	약 5억 4100만 년 전 ~ 약 2억 5200만 년 전
중생대	약 2억 5200만 년 전 ~ 약 6600만 년 전
신생대	약 6600만 년 전 ~ 현재

(2) 지질 시대별 표준 화석과 특징 알쉬톡 선캄브리아 시대에 비해 고생대, 중생대, 신생대에는 화석이 많이 산출된다.

지질 시대	표준 화석	특징
선캄브리아 시대		• 바다에 광합성(남세균) 생물이 등장해 물속의 산소량 증가 • 생물은 강한 자외선을 피해 바다 밑바닥에 붙어 있거나 기어 다님 • 다세포 생물 출현 • 스트로마톨라이트 생물이 만든 퇴적 구조이면서 남세균이 만든 흔적으로 화석으로 보기도 한다.
		(약 5억 4100만 년 전)
고생대	갑주어, 삼엽충, 필석	• 어류 출현(최초의 척추동물) • 대기 중 산소 농도가 높아져 두꺼운 오존층 형성(자외선 차단) 식물이 먼저 육지로 진출하고 이후에 양서류가 진출 └→ 생물의 육상 진출 가능 • 양치식물(고사리)과 양서류 번성(육상 생물) • 판게아 형성(고생대 말)
		(약 2억 5200만 년 전)
중생대	공룡, 암모나이트	• 활발한 화산 활동으로 대기 중 이산화 탄소 농도 증가 → 전반적으로 기후 온난 건조 온실 기체로 온난화 심화 • 파충류 번성 • 공룡, 암모나이트, 겉씨식물 번성
		(약 6600만 년 전)
신생대	화폐석, 매머드	• 초기부터 중기까지는 비교적 온난한 기후 • 후기에는 빙하기와 간빙기가 반복 • 오늘날과 비슷한 수륙 분포 • 포유류 번성 체온 유지로 생존에 유리 • 후기에는 인류의 조상 출현 • 화폐석(바다), 속씨식물 번성

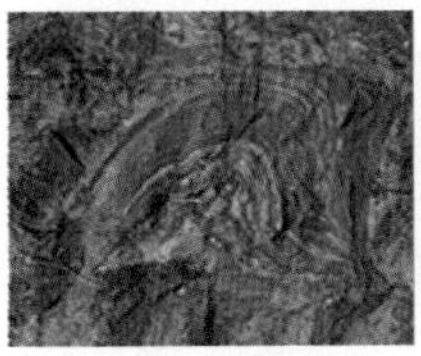
스트로마톨라이트 (선캄브리아 시대)

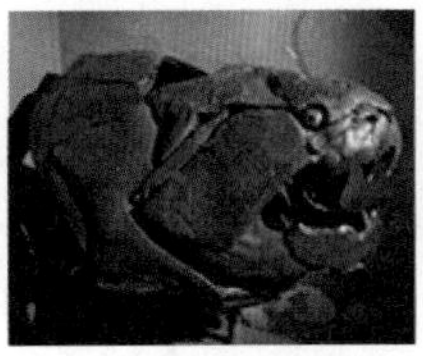
갑주어(고생대)

암모나이트(중생대)

화폐석(신생대)

❸ 선캄브리아 시대
- 지구상에 생물이 등장하지 않았거나 매우 적어서 화석이 거의 발견되지 않는 시대이다.
- 전체 지질 시대의 기간 중 약 88 %에 해당한다.
- 생물의 개체 수가 적다.
- 생물은 단단한 부분이 없어 화석으로 보존이 어렵다.
- 생성된 화석도 지각 변동과 풍화에 의해 보존이 어려워 화석이 거의 남아 있지 않다.

● 스트로마톨라이트 최초의 광합성 생물인 남세균의 집단에 의해 만들어진 퇴적 구조

● 빙하기(얼음 氷, 강 河, 기약하다 期) 지구의 기온이 오랜 시간 동안 하강하여 고위도 지역이나 산악 지대에 빙하가 발달한 시기

● 간빙기(틈 間, 얼음 氷, 기약하다 期) 빙기와 다음 빙기 사이에 있는 기간으로 전후의 빙기에 비해서 따뜻한 시기가 비교적으로 오래 계속되는 시기

정답과 해설 071쪽

간단 점검

1. 지질 시대에 살았던 동물이나 식물의 유해 또는 흔적이 퇴적암 속에 남아있는 것은?
2. 퇴적될 때의 환경을 지시하는 화석은?
3. 지질 시대의 구분 기준은?
4. 지질 시대 중 가장 긴 기간에 해당하는 시대는?
5. 오존층이 두텁게 형성되어 생물의 육상 진출이 가능해진 지질 시대는?
6. 인류의 조상이 등장한 지질 시대는?

B 대멸종과 생물 다양성

한·줄·핵심 지질 시대 동안 크고 작은 멸종이 일어나면서 생물 다양성은 증가하고 있음을 알 수 있어!

1. 대멸종

(1) 대멸종 짧은 시간 동안에 큰 규모로 일어나는 멸종으로 크게 5회의 대멸종이 있었다.

(2) 원인 대기와 해양의 산소량 급감, 대륙의 이동, 화산 폭발, 초신성에서 온 유해 우주선, 운석 충돌 등 **대멸종은 한 가지 원인으로 일어날 수도 있지만 여러 원인이 복합적으로 작용하여 일어날 수도 있다.**

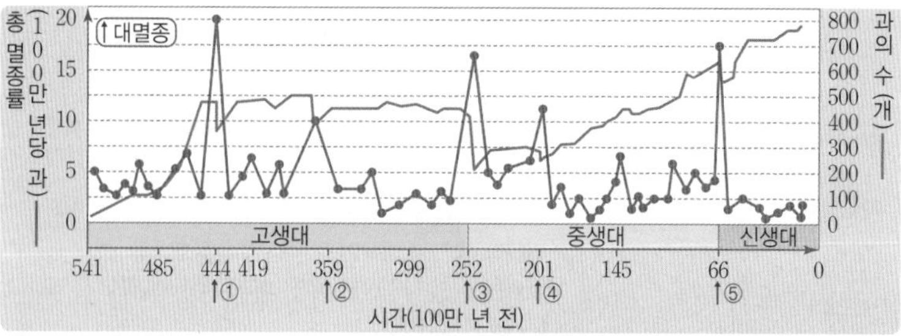

생물의 대멸종 **그래프를 보면 대멸종 이후에도 과의 수는 증가한다. 대멸종은 생물 다양성의 기회가 된다는 것을 알 수 있다.**

	원인	영향
①	빙하의 확장으로 해수면과 기온 하강	완족류, 삼엽충에 큰 피해
②	해양에 산소가 부족해지고 기후 한랭-운석 충돌로 추정	어류, 산호, 완족류, 삼엽충에 큰 피해
③	화산 폭발이 크게 증가하면서 온난화 심화, 대기 중 산소가 감소하고 강수량 감소, 운석 충돌	삼엽충을 비롯한 해양 생물군이 대부분 멸종
④	판게아가 분리되면서 화산 활동 증가, 기후 변동	암모나이트, 완족류, 해양 파충류 피해
⑤	운석 충돌 및 대규모 화산 폭발, 기온 저하	공룡, 익룡❹, 수장룡, 어룡❺ 등 멸종

2. 생물 다양성 **그래프의 과의 수 변화를 통해 생물 다양성이 증가하는 경향을 확인할 수 있다.**

(1) 멸종에 대해 생존에 유리한 생물 다양한 환경에 적응하여 넓은 지역에 서식하던 생물

(2) 멸종 후에는 새로운 환경에 적응한 생물은 다양한 종으로 진화하여 생물 다양성이 증가하는 기회가 된다. ㉠ 포유류는 포식자인 공룡이 사라진 지구에서 번성하였다.

(3) 대멸종으로 지구 생태계에서는 생물 다양성이 계속 증가해왔다.

3. 대륙 이동과 환경의 변화

고생대 말

여러 개로 나뉘어 있던 대륙이 합쳐져 판게아를 형성하였다. 화산 활동의 증가로 많은 생물이 멸종하였다.

중생대 말

판게아가 분리되기 시작하였다. 대륙과 해양의 분포가 다양해지고, 화산 활동의 증가로 기후도 온난해졌다. **다양한 생물이 번성**

신생대

대륙과 해양이 여러 조각으로 나뉘어 오늘날과 같은 수륙 분포를 이루게 되었다. → 기후가 다양해졌다.

#보충!

과

생물의 분류 체계(계-문-강-목-과-속-종)에서 목과 속 사이에 위치하는 분류군

#보충!

빙하와 기후 변화

빙하의 확장은 수권에서 지권으로 유입된 물이 수권으로 다시 돌아오지 않고 지권에 머물러 있음을 의미한다. 따라서 빙하가 확장되면 해수가 감소하여 해수면이 낮아진다.

#보충!

화산 폭발과 기후 변화

화산 폭발로 대기 중에 화산재가 유입되면 햇빛을 차단해 기온이 낮아진다. 반면 화산 기체에 들어있는 수증기, 이산화 탄소 등은 온실 기체로 온난화를 일으켜 기온을 상승하게 한다.

❹ 익룡

중생대에 살았던 대형 파충류 중 하늘을 나는 파충류

❺ 수장룡과 어룡

수장룡과 어룡은 물에서 사는 파충류이다. 수장룡은 물에서 숨을 쉬지 못하고 물 밖으로 얼굴을 내밀어 호흡하였고, 어룡은 물고기처럼 물속에서 숨을 쉴 수 있었다.

정답과 해설 071쪽

간단 점검

7. 짧은 시간 동안에 큰 규모로 일어나는 멸종은?
8. 지질 시대 동안 일어난 대멸종의 횟수는?
9. 대멸종 후 생태계에 생물 다양성은 (증가, 감소)하였다.

알아두면 시험이 쉬워지는 특강

지질 시대의 환경과 생물의 변천

선캄브리아 시대

고생대

중생대

신생대

선캄브리아 시대	• 남세균의 등장으로 대기 중에 산소량이 증가하였다. ⇨ 스트로마톨라이트 • 후기에 다양한 다세포 생물이 등장하였다. ⇨ 에디아카라 화석군 • 강한 자외선을 피해 생물들은 바다 밑바닥에 붙어 있거나 기어 다녔다. (해양 생물)
고생대	• 최초의 척추동물이 등장하였다.(어류) 단단한 껍질과 뼈를 가진 해양 생물 증가 • 육지에는 양서류와 대형 곤충이 번성하였다. 대기 중 산소 농도 증가에 따라 오존층 형성 • 말기에는 양치식물이 번성하였다. ⇨ 석탄층
중생대	• 활발한 화산 활동으로 온실 기체가 증가해 기후가 따뜻해졌다. • 대형 파충류와 겉씨식물이 번성하였다.
신생대	• 오늘날과 수륙 분포가 비슷하였다. • 전기는 온난하였으나 후기에는 빙하기와 간빙기가 반복되었다. • 히말라야 산맥이 만들어졌다. • 포유류가 크게 번성하고, 인류의 조상이 출현하였다.

한·줄·핵심 지구의 환경이 변화함에 따라 생물은 등장과 멸종을 반복하였다.

확인 문제

정답과 해설 071쪽

1. 지질 시대에 대한 설명으로 옳은 것은 ○, 옳지 않은 것은 × 로 표시하시오.

(1) 선캄브리아 시대에는 남세균의 등장으로 대기 중 산소가 증가했다. (　　)

(2) 고생대에는 파충류가 번성하였다. (　　)

(3) 인류의 조상이 등장한 지질 시대는 신생대이다. (　　)

2. 다음 | 보기 | 는 지질 시대 동안 일어난 사건을 순서 없이 나열한 것이다. 이를 오래된 것부터 순서대로 나열하시오.

보기
ㄱ. 오존층이 두껍게 형성되었다.
ㄴ. 히말라야 산맥이 형성되었다.
ㄷ. 겉씨식물이 번성하였다.

개념 문제

A 화석과 지질 시대

01 다음 설명 중 옳은 것은 ○, 옳지 않은 것은 ×로 표시하시오.

(1) 시대 구분의 기준이 되는 화석을 표준 화석이라 한다. ( )

(2) 고사리 화석은 고사리가 퇴적될 당시의 환경이 온화한 기후였음을 알려준다. ( )

(3) 공룡은 고생대의 표준 화석이다. ( )

(4) 지질 시대 중 길이가 가장 긴 것은 선캄브리아 시대로 전체 지질 시대의 약 88 %를 차지한다. ( )

02 표준 화석과 표준 화석에 맞는 지질 시대를 옳게 연결하시오.

(1) 갑주어 • • ㉠ 신생대

(2) 암모나이트 • • ㉡ 중생대

(3) 매머드 • • ㉢ 고생대

B 대멸종과 생물 다양성

03 다음에서 설명하는 것은 무엇인지 쓰시오.

> 짧은 시간 동안에 큰 규모로 일어나는 멸종으로 지질 시대 동안 지구 환경의 변화에 의해 5회가 발생하였다.

04 다음 설명 중 옳은 것은 ○, 옳지 않은 것은 ×로 표시하시오.

(1) 대멸종은 지금까지 모두 3회 일어났다. ( )

(2) 대멸종의 원인은 급격한 환경 변화이다. ( )

(3) 대멸종은 생물 다양성을 감소시키는 원인이다. ( )

(4) 지질 시대 동안 생물 다양성은 증가하는 경향을 보인다. ( )

A 화석과 지질 시대

05 다음 중 화석에 대한 설명으로 옳지 않은 것은?

① 화석은 화성암에서 발견된다.
② 동식물의 흔적은 화석이 될 수 있다.
③ 생물의 진화 과정에 대한 정보를 제공한다.
④ 생물의 생존 당시의 환경에 대한 정보를 제공한다.
⑤ 생물에 단단한 부분이 있으면 화석이 되기에 유리하다.

06 다음 중 퇴적될 당시의 환경을 알려주는 시상 화석으로 옳은 것은?

① 산호 ② 필석 ③ 삼엽충
④ 화폐석 ⑤ 암모나이트

07 다음 중 신생대에 대한 설명으로 옳지 않은 것은?

① 포유류가 번성했다.
② 겉씨식물이 번성했다.
③ 히말라야 산맥이 형성되었다.
④ 오늘날과 수륙 분포가 비슷했다.
⑤ 후기에는 인류의 조상이 출현했다.

알쉬튝

08 다음 중 중생대와 관계있는 것만을 | 보기 | 에서 있는 대로 고른 것은?

> 보기
> ㄱ. 기후는 온화했다.
> ㄴ. 공룡이 번성했다.
> ㄷ. 양서류가 번성했다.
> ㄹ. 이 시기에 대기 중 산소가 급격히 증가했다.

① ㄱ, ㄴ ② ㄱ, ㄹ ③ ㄴ, ㄷ
④ ㄷ, ㄹ ⑤ ㄴ, ㄷ, ㄹ

09 (가) 오존층이 존재할 때 생물에게 유리한 점과 (나) 오존층이 두껍게 생성된 지질 시대를 각각 옳게 짝 지은 것은?

	(가)	(나)
①	생물의 바다 진출이 가능하다.	고생대
②	생물의 육지 진출이 가능하다.	고생대
③	생물의 바다 진출이 가능하다.	중생대
④	생물의 육지 진출이 가능하다.	중생대
⑤	생물의 바다 진출이 가능하다.	신생대

단답형

10 다음에서 설명하는 화석은 무엇인지 쓰시오.

> 최초의 광합성 생물인 남세균의 집단에 의해 만들어진 퇴적 구조로 이를 통해 선캄브리아 시대에 대기 중 산소의 양이 증가함을 알게 되었다.

B 대멸종과 생물 다양성

11 다음 중 대멸종에 대한 설명으로 옳은 것만을 | 보기 | 에서 있는 대로 고른 것은?

> 보기
> ㄱ. 고생대에 대멸종이 있었다.
> ㄴ. 중생대에 공룡은 대멸종으로 사라졌다.
> ㄷ. 대멸종은 지질 시대 동안 10회 이상 발생했다.
> ㄹ. 짧은 시간 동안에 큰 규모로 일어나는 멸종이다.

① ㄱ, ㄴ ② ㄷ, ㄹ ③ ㄱ, ㄴ, ㄷ
④ ㄱ, ㄴ, ㄷ ⑤ ㄱ, ㄴ, ㄷ, ㄹ

12 다음 중 대멸종의 원인으로 옳지 않은 것은?

① 운석 충돌 ② 화산 폭발 ③ 대륙의 이동
④ 산소의 급감 ⑤ 오존층 형성

13 다음은 지질 시대 동안 일어났던 사건을 순서 없이 나열한 것이다. 오래된 사건부터 순서대로 옳게 나열한 것은?

> A. 판게아가 형성되었다.
> B. 후기에 다양한 다세포 생물이 등장했다.
> C. 후기에 빙하기와 간빙기가 반복되었다.

① A−B−C ② A−C−B
③ B−A−C ④ B−C−A
⑤ C−B−A

14 다음은 고생대 환경을 나타낸 것이다.

> 고생대에 풍부해진 산소로 두꺼운 오존층이 형성되어 다양한 생물이 육상으로 진출하였다.

이와 관련하여 선캄브리아 시대 생물의 생활 모습을 설명한 것으로 옳은 것은?

① 산소가 전혀 없어 생명체가 발생하지 않았다.
② 오존층이 생기면서 생물체들은 대기와 육지로 서식지를 넓혀갔다.
③ 강한 자외선을 피해 생물체들은 바다 밑바닥에 서식하였다.
④ 오존층이 존재해 생물체들은 지구 전역을 서식지로 하여 살아갔다.
⑤ 엷지만 희미한 오존층이 존재해 생물체들은 바다에서 가까운 육지까지는 진출하였다.

실력 올리기 문제

| 화석 |

01 다음은 화석에 대한 설명이다.

> • 생물의 개체 수가 많으면 화석이 되기에 유리하다.
> • 생물의 몸에 단단한 부분이 있으면 화석이 되기에 유리하다.
> • 지각 변동이나 풍화를 적게 받으면 화석이 보존되기에 유리하다.
> • 선캄브리아 시대의 화석은 찾기 어려운 반면 고생대의 화석은 상대적으로 많이 존재한다.

이에 대한 설명으로 옳은 것만을 | 보기 | 에서 있는 대로 고른 것은?

> 보기
> ㄱ. 선캄브리아 시대의 생물은 고생대 생물보다 개체 수가 적었을 것이다.
> ㄴ. 선캄브리아 시대의 생물은 고생대 생물보다 단단한 부분이 없거나 적었을 것이다.
> ㄷ. 고생대의 지층은 선캄브리아 시대의 지층보다 풍화나 지각 변동을 많이 받았을 것이다.

① ㄱ ② ㄴ ③ ㄱ, ㄴ
④ ㄱ, ㄷ ⑤ ㄴ, ㄷ

| 지질 시대 |

02 다음 중 중생대와 신생대에 대한 설명으로 옳은 것만을 | 보기 | 에서 있는 대로 고른 것은?

> 보기
> ㄱ. 두 시대 모두 전 기간 동안 온난하였다.
> ㄴ. 중생대에는 파충류가, 신생대에는 포유류가 번성하였다.
> ㄷ. 중생대에는 겉씨식물이, 신생대에는 속씨식물이 번성하였다.

① ㄱ ② ㄴ ③ ㄱ, ㄴ
④ ㄱ, ㄷ ⑤ ㄴ, ㄷ

| 지질 시대 |

03 그림은 지질 시대를 나타낸 것이다.

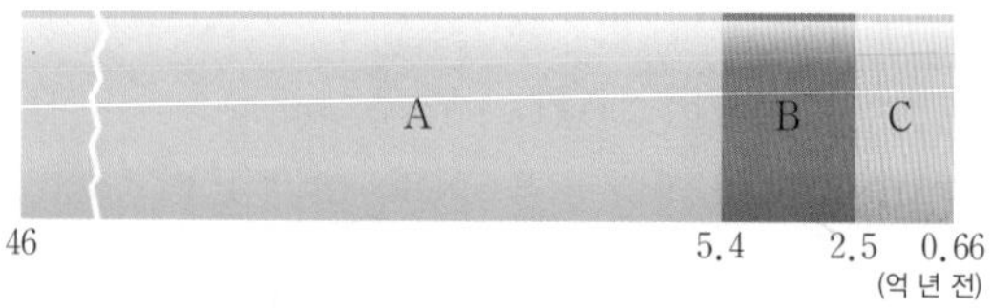

이에 대한 설명으로 옳은 것만을 | 보기 | 에서 있는 대로 고른 것은?

> 보기
> ㄱ. A 시대에 생물은 존재하지 않았다.
> ㄴ. 어류는 B 시대에 등장하였다.
> ㄷ. C 시대는 한랭하였다.

① ㄱ ② ㄴ ③ ㄱ, ㄴ
④ ㄱ, ㄷ ⑤ ㄴ, ㄷ

| 지질 시대 | 출제예감

04 다음 사건이 일어난 지질 시대의 표준 화석을 각각 옳게 짝 지은 것은?

> ㄱ. 양서류와 양치식물이 출현하였다.
> ㄴ. 겉씨식물이 번성하였다.
> ㄷ. 후기에 인류의 조상이 출현하였다.

	ㄱ	ㄴ	ㄷ
①	공룡	매머드	삼엽충
②	공룡	삼엽충	매머드
③	삼엽충	공룡	매머드
④	삼엽충	매머드	공룡
⑤	매머드	공룡	삼엽충

서술형 문제

정답과 해설 071쪽

[05~06] 그림은 지질 시대 동안 생물의 총 멸종률과 과의 수 변화를 나타낸 것이다. 물음에 답하시오.

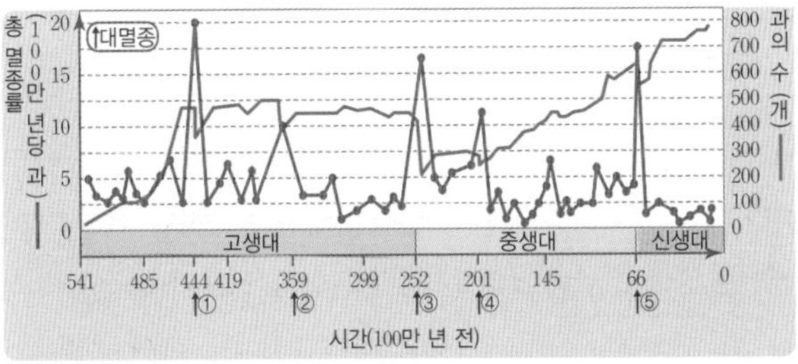

| 대멸종 | 출제예감

05 그림에 대한 설명으로 옳은 것만을 | 보기 | 에서 있는 대로 고른 것은?

보기
ㄱ. 대멸종은 규칙적으로 일어났다.
ㄴ. 대멸종으로 과의 수가 감소하였다가 다시 증가하는 경향을 보인다.
ㄷ. 지질 시대 동안의 대멸종을 통해 앞으로 언제 대멸종이 일어날지 예측할 수 있다.

① ㄱ ② ㄴ ③ ㄱ, ㄴ
④ ㄱ, ㄷ ⑤ ㄴ, ㄷ

| 대멸종과 생물 다양성 |

06 대멸종에 대한 설명으로 옳은 것만을 | 보기 | 에서 있는 대로 고른 것은?

보기
ㄱ. 대멸종으로 생물 다양성은 감소한다.
ㄴ. 대멸종은 지구의 환경 변화에 의해 일어난다.
ㄷ. 대멸종 이전과 이후를 비교하면 생물의 종류는 같다.

① ㄴ ② ㄷ ③ ㄱ, ㄴ
④ ㄴ, ㄷ ⑤ ㄱ, ㄴ, ㄷ

| 화석 |

07 다음은 어떤 지층 A, B와 지층에서 발견된 화석에 대한 설명이다. 지층 A, B가 퇴적된 당시의 환경과 지질 시대에 대해 서술하시오.

> 지층 A와 B를 관찰하였다. 지층 A에서는 고사리 화석이 관찰되었다. 지층 B에서는 암모나이트 화석이 관찰되었다.

| 지질 시대 |

08 다음에 제시된 내용을 참고하여 선캄브리아 시대와 중생대의 대기 중 산소 농도와 지표면에서 생물의 분포를 비교하여 서술하시오. (단, 서술 내용 중 바다와 육지가 포함되도록 한다.)

> 오존층은 고생대에 두껍게 형성되었다.

| 대멸종과 생물 다양성 |

09 다음 그림을 참고하여 대멸종과 생물 다양성과의 관계를 예와 함께 서술하시오.

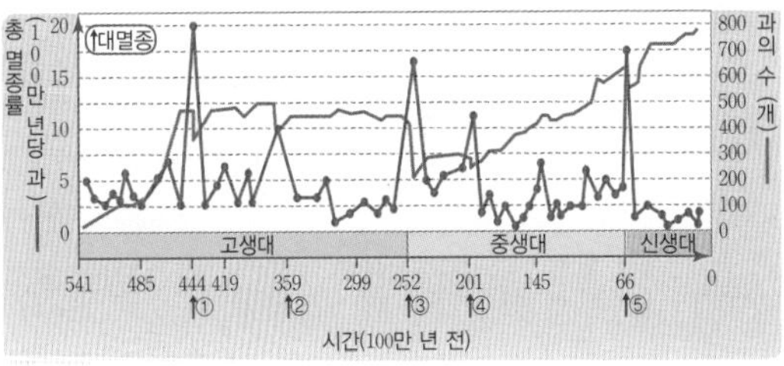

02 자연 선택과 생물의 진화

개념 이해 진화, 자연 선택설, 변이, 종, 유전자, 내성, 최초 생명체 출현 가설

A 자연 선택과 생물의 진화

한·줄·핵심 갈라파고스 군도의 핀치를 보면 생물이 진화한다는 사실을 알 수 있지!

1. 진화 생물이 오랜 세월 동안 여러 세대를 거치면서 환경에 적응하여 변화하는 현상

2. 진화론 진화를 통해 지구에 다양한 생물이 나타나게 된 원리를 설명하는 가설

(1) 다윈의 자연 선택설

① 내용

- 생물은 주어진 환경에서 살아남을 수 있는 것보다 많은 수의 자손을 낳으며(과잉 생산), 이들 사이에는 형질의 차이(개체 변이)가 있다.
- 다양한 형질의 개체들 사이에서는 생존 경쟁이 일어나며, 이 중 환경에 유리한 형질을 가진 개체들이 살아남아 자손을 더 많이 퍼뜨린다. 자연 선택
- 이러한 과정이 거듭되어 조상과는 다른 형질을 가진 새로운 종으로 진화가 일어난다.

② 과정

많은 수의 기린이 태어났고, 기린의 목 길이는 다양하였다. → 목이 짧은 기린은 생존에 불리하여 죽었고, 목이 긴 기린이 살아남았다. → 살아남은 목이 긴 기린이 자손을 남겼고, 이것이 반복되어 기린의 목이 지금처럼 길어졌다.

③ 결과: 다윈은 개체들의 형질 차이가 생기고 유전되는 원리를 구체적으로 설명하지는 못하였으나, 이후 유전학이 발달하면서 그 원리가 밝혀져 자연 선택설은 진화의 기본 이론으로 자리 잡았다.

자료 핀치의 진화

생물이 진화한다는 증거가 무엇인지 알 수 있다.

- 갈라파고스 군도❶에는 14종의 핀치가 산다.
- 남아메리카 대륙에서 건너온 조상 핀치가 각 섬의 먹이와 환경에 적응하여 부리의 모양이 서로 달라진 것이다.
- 조상 핀치가 각 섬에 서식하면서 다양한 변이를 가진 자손들을 낳았다. → 이들 사이에 먹이와 서식지를 차지하기 위해 생존 경쟁이 일어났다. → 가장 적합한 형질을 가진 개체가 각 섬에서 자연 선택되었다.

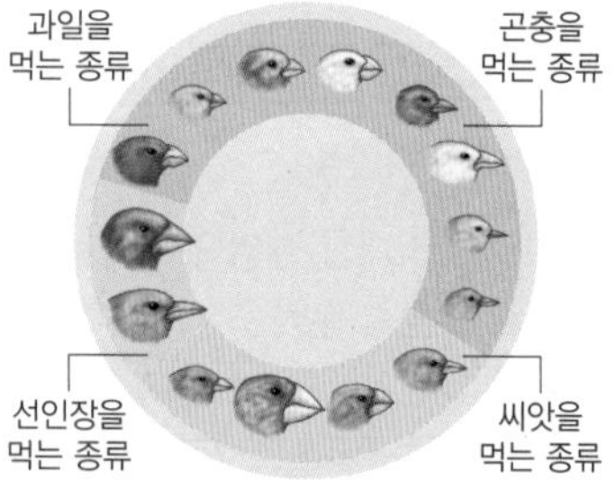

갈라파고스 군도의 핀치와 남아메리카 대륙의 핀치는 전체적인 해부학적 구조는 유사하나 부리의 모양에는 차이가 있다.

(2) 진화론의 예

① 기린의 목: 목이 긴 기린이 생존에 유리하기 때문에 살아남아 자손을 남긴 결과

② 핀치의 부리: 각각 다양한 먹이에 적합한 개체가 살아남아 자손을 남긴 결과

#보충!

다윈의 진화론

다윈은 비글호를 타고 4년여 동안 전 세계를 여행하며 생물과 자연 현상을 관찰하였다. 특히 갈라파고스 군도에서 핀치처럼 환경 조건에 적응하여 다양하게 변화한 생물들을 관찰하고 이를 토대로 「종의 기원」이라는 책에서 생물종이 여러 세대 동안 변이와 자연 선택 과정을 거듭하면서 서서히 기존의 종과는 다른 종으로 변한다는 생물 진화의 원리를 합리적으로 설명하였다.

#보충!

라마르크의 용불용설

많이 사용하는 기관은 발달하고, 사용하지 않는 기관은 퇴화한 결과 진화가 이루어졌다는 가설로서 라마르크가 주장하였으나 오늘날에는 받아들여지지 않는다.

❶ 갈라파고스 군도

남아메리카 대륙에서 1000 km 떨어진 적도 부근 19개의 크고 작은 섬 무리로, 환경이 각각 다르고 멀리 떨어져 있으며 섬 사이에 해류가 흐르는 속도가 빨라 생물의 왕래가 어렵다.

- **형질(形 모양, 質 바탕)** 모양이나 색깔 등 생물이 가지는 여러 가지 특징
- **군도(群 무리, 島 섬)** 무리를 이루고 있는 크고 작은 섬들
- **종(種 씨)** 자연 상태에서 교배하여 생식 가능한 자손을 낳을 수 있는 생물의 무리

B 변이와 자연 선택

한·줄·핵심 유전자의 차이로 변이가 생기고, 다양한 변이를 가진 개체 중에서 가장 환경에 잘 적응한 개체가 자연 선택되지!

1. 변이

(1) 변이❷ 같은 생물종의 개체들 사이에 나타나는 형질의 차이 ㉠ 사람의 피부색 차이, 앵무의 깃털 색 차이, 같은 종의 달팽이 껍데기에서의 무늬와 색 차이 등

(2) 생물에서 변이가 나타나는 까닭 각 개체마다 유전자에 차이가 있기 때문 ⇨ 개체마다 유전 정보가 조금씩 다르고 이에 따라 만들어지는 단백질의 종류나 양이 달라지므로 변이가 나타난다. 유전자의 차이에 따라 나타나는 형질의 차이를 유전적 변이라고 한다.

2. 자연 선택❸ 변이 → 생존 경쟁 → 자연 선택 → 진화

변이	개체 사이의 유전적 차이로 인해 다양한 변이가 나타난다. 유전자의 차이는 오랫동안 축적된 돌연변이와 생식 세포의 다양한 조합으로 발생한다.	
생존 경쟁	다양한 변이가 있는 개체들은 먹이, 공간, 배우자 등을 확보하기 위해 서로 경쟁한다. 환경 요인 이외에 다른 생물과의 상호 작용도 자연 선택에 의한 진화 과정에 영향을 미칠 수 있다.	
자연 선택	• 자연 환경에 가장 잘 적응한 개체가 살아남아 자연 선택된다. • 자연 선택된 개체의 변이는 자손에게 전달되며, 자연 선택이 오랜 세월에 걸쳐 반복되면 그 환경에서 살아남기에 적합한 형질을 가진 개체가 대부분을 차지한다.	
진화	그 결과 생물종의 형질은 조상과는 다르게 변화하여 새로운 종으로 분화할 수 있다. 오늘날 다양한 생물이 살아갈 수 있는 것은 오랜 시간 동안 변이와 자연 선택에 의해 환경에 적응하여 진화해 왔기 때문이다.	

❷ 변이

변이는 개체 간의 형질 차이로 모든 생물에서 나타나며, 집단을 구성하는 개체들의 형질이 다양할수록 그 집단의 생존 확률이 높아진다. 환경이 변하여도 적응 가능한 개체가 있을 확률이 높기 때문

❸ 자연 선택

자연 선택이라는 용어는 인위적인 교배와 품종 개량에 대비하여 자연적으로 일어나는 형질의 선택이라는 뜻이다.

#보충!

돌연변이

DNA 복제는 오류가 거의 없고 오류가 발생해도 바로잡는 장치가 있다. 그럼에도 불구하고 새롭게 합성된 DNA 중에는 염기 서열이 다른 돌연변이가 약 10억 분의 1의 확률로 생긴다.

●**생존 경쟁(살 生, 있을 存, 다툴 競, 다툴 爭)** 생물이 생존하기 위한 조건인 먹이 또는 서식 장소를 서로 차지하고자 하는 경쟁

●**자연 선택(스스로 自, 그러할 然, 가릴 選, 가릴 擇)** 어떤 생물에 생긴 유전적 변이 개체 중 생존에 유리한 것이 살아남는 현상

정답과 해설 073쪽

간단 점검

1. 생물이 오랜 세월 동안 환경에 적응하여 형태나 습성 등이 변화하는 현상은?
2. 지구에 다양한 생물이 나타나게 된 원리를 설명하는 가설은?
3. 같은 종의 개체들 사이에 나타나는 형질의 차이는?
4. 다양한 변이를 가진 개체 중 환경에 잘 적응한 개체만 살아남는 현상은?

❹ **자연 선택의 예**

- 치타: 치타의 경우 빨리 달려서 먹이를 사냥하기에 적합한 개체들이 많이 살아남게 된다.
- 낫 모양 적혈구 빈혈증: 헤모글로빈 유전자의 돌연변이로 나타나는 낫 모양의 적혈구는 심한 빈혈을 일으켜 생존에 불리하므로 일반적으로 드물게 발견된다. 그러나 말라리아가 자주 발생하는 아프리카 일부 지역에는 낫 모양 적혈구를 가진 사람이 다른 지역보다 많이 분포한다. 이는 낫 모양 적혈구가 말라리아에 저항성이 있기 때문이다.

자료 자연 선택❹에 의한 내성 세균의 출현

항생제 내성 세균이 출현하게 된 원리를 알 수 있다. **알쉬탐**

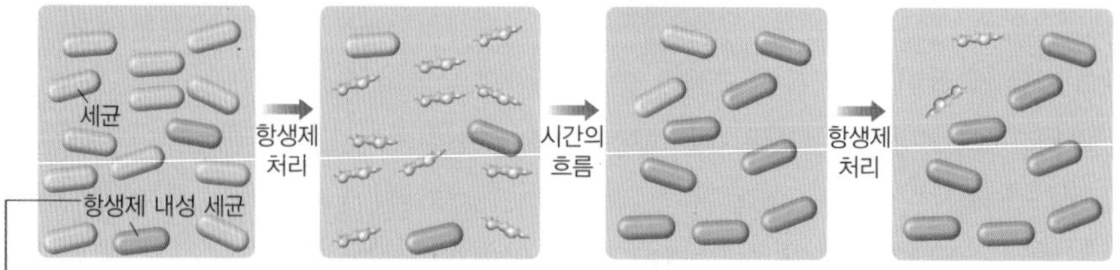

많은 세균 중에서 항생제에 내성이 있는 세균이 일부 존재	항생제를 처리하면 항생제에 내성이 없는 세균은 대부분 사멸	항생제에 내성이 있는 세균이 살아남아 자손을 남기므로 항생제에 내성이 있는 세균이 점점 증가	항생제 처리를 해도 대부분의 세균이 항생제에 내성을 가지므로 세균이 줄어들지 않는다.

자연 상태에서 항생제 내성은 세균의 생존에 필수적인 형질이 아니므로 항생제 내성 세균은 낮은 비율로 존재한다.

- **슈퍼 박테리아가 출현한 까닭:** 항생제 개발 이후 많은 세균성 질병이 퇴치되었으나 잦은 항생제 사용 때문에 항생제 내성 세균이 자연 선택되어 더 강력한 항생제가 필요하게 되었다. 결국 어떤 항생제에도 내성이 있는 슈퍼 박테리아가 생기고, 슈퍼 박테리아에 감염된 환자는 치료가 어렵게 되었다. 이는 항생제 남용으로 인한 자연 선택의 결과이다.

C 진화론이 미친 영향

한·줄·핵심 다윈의 진화론은 사회, 문화, 과학 등 전반적인 부분에 큰 영향을 미쳤어!

1. 과학에 미친 영향

(1) 생물은 영원하지 않고 변한다는 인식과 환경에 적응한 결과 진화가 일어나며 진화는 특정한 방향으로 일어나는 것이 아니라는 생각을 하게 되었다. 중세까지 기독교의 창조론을 토대로 지구와 지구상의 모든 생물종은 고정되어 있고 완벽한 상태라 믿었다.

(2) 종 사이의 가깝고 먼 관계를 따져 생물을 분류하게 되었다.

(3) 생명 과학의 이론적 기반을 제시하였고, 생명 과학의 발전에 기여하였다.

2. 사회에 미친 영향

(1) 사회진화론❺ 도입으로 경쟁을 바탕으로 한 자본주의 발달을 옹호하고 인간의 불평등이 자연스러운 일이라고 주장

(2) 제국주의 출현과 식민 지배를 정당화하는 데에도 영향을 미쳤다.

(3) 진화론은 철학, 정치, 경제, 문학 등에도 많은 영향을 미쳤다.

❺ **사회진화론**

사회진화론은 1870년대 이후 우월한 인종이 열등한 인종을 지배하는 것을 자연의 법칙으로 주장함으로써 제국주의의 정당화에 기여한 이론이다.

- **내성(耐 견디다, 性 성품)** 약물을 반복 사용하여 약물의 효과가 감소하는 현상
- **항생제(抗 막다, 生 태어나다, 劑 베다)** 세균에 감염되었을 때 세균을 죽이거나 증식을 억제하는 약물

D 최초 생명체 출현 가설

한·줄·핵심 지구에 존재하는 생물은 모두 최초 생명체에서 진화했어!

화학 진화설	심해 열수구설	우주 기원설
생명체를 구성하는 유기물이 원시 대기(환원성 대기)로부터 만들어지고, 이렇게 만들어진 유기물의 화학 반응에 의해 생명체가 탄생했다는 가설	물에 잠긴 화산이나 열수구 주변에서 유기물이 만들어지고, 이렇게 만들어진 유기물에서 생명체가 출현했다는 가설	우주에서 운석을 통해 지구로 유입된 유기물에서 최초 생명체가 만들어졌다는 가설

정답과 해설 073쪽

간단 점검

5. 자본주의 발달과 인간의 불평등을 자연스러운 일이라고 주장한 것은 진화론이 (　　)에 미친 영향이다.
6. 원시 대기로부터 만들어진 유기물의 화학 반응에 의해 생명체가 탄생했다는 가설은?
7. 물에 잠긴 화산이나 열수구 주변에서 최초 생명체가 탄생했다는 가설은?

알아두면 시험이 쉬워지는 탐구

항생제 내성 세균의 자연 선택

목표 항생제를 사용하는 환경에서 항생제 내성 세균이 자연 선택되는 과정을 설명할 수 있다.

과정

유의점
벨크로 테이프는 갈고리가 있는 면을 사용해야 한다.

❶ 접시에 털실 조각과 노끈 조각 넣기

❷ 접시에 벨크로 테이프 갖다 대기

❸ 접시에 남은 털실 조각과 노끈 조각 점검하기

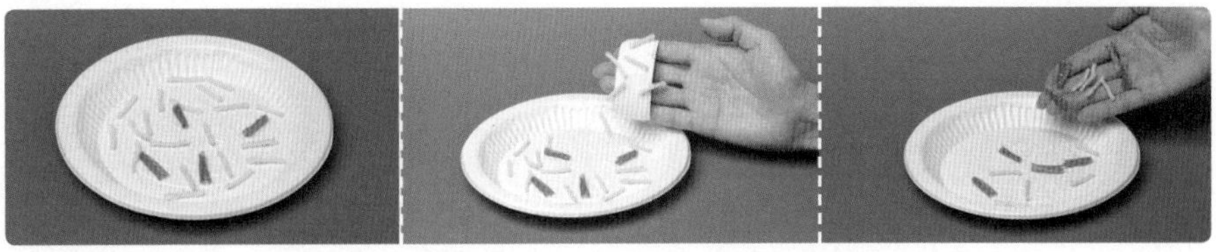

- 접시에 같은 길이의 털실 조각 25개와 노끈 조각 4개를 넣고 무작위로 흩어 놓는다.

털실 조각은 항생제 비내성 세균, 노끈 조각은 항생제 내성 세균을 의미한다.

- 눈을 감고 접시 위로 벨크로 테이프를 갖다 대었다가 테이프에 묻은 것을 접시 밖으로 꺼낸다.
- 접시에 남은 털실 조각과 노끈 조각의 수를 각각 세어 그 만큼의 털실 조각과 노끈 조각을 추가한다.

벨크로 테이프 고리는 항생제를 뜻하며 접시 밖으로 나온 것들은 항생제에 의해 제거된 세균을 의미한다.
털실 조각과 노끈 조각의 추가는 생존한 세균들의 증식을 뜻한다.

- ❷ 과정을 3회 반복한다.
- 접시에 남은 털실 조각과 노끈 조각의 수를 센다.

결과 및 해석

남은 털실 조각의 수(개)	6
남은 노끈 조각의 수(개)	16

✓ **벨크로 테이프:** 항생제를 의미
✓ **털실 조각과 노끈 조각의 비율 변화:** 환경 변화에 적응한 자연 선택의 결과이다.

한·줄·핵심 항생제의 반복적인 사용으로 인해 항생제 내성 세균이 자연 선택된다.

확인 문제

정답과 해설 073쪽

1. 이 탐구에서 의미하는 것으로 옳은 것만을 | 보기 | 에서 있는 대로 고른 것은?

보기
ㄱ. 털실 조각은 항생제 내성 세균을 의미한다.
ㄴ. 노끈 조각은 항생제 비내성 세균을 의미한다.
ㄷ. 벨크로 테이프는 항생제를 의미한다.

① ㄱ ② ㄴ ③ ㄷ
④ ㄱ, ㄴ ⑤ ㄱ, ㄷ

2. 탐구 과정에서 접시에 남은 털실 조각과 노끈 조각의 수를 각각 세어 그 만큼의 털실과 노끈을 추가한 것이 어떤 의미인지 설명하시오.

3. 이 탐구에 대한 설명으로 옳은 것은 ○, 옳지 않은 것은 ×로 표시하시오.

(1) 항생제를 반복하여 사용하면 항생제 내성이 없는 세균이 항생제 내성이 있는 세균으로 변하게 된다. ( )
(2) 벨크로 테이프를 계속하여 사용하면 털실 조각의 수보다 노끈 조각의 수가 더 적어진다. ( )
(3) 이 탐구에서 벨크로 테이프에 의해 더 많이 제거되는 것은 털실 조각이므로 털실 조각이 생존에 더 불리하다고 말할 수 있다. ( )
(4) 이 탐구 결과를 통해 항생제를 지속적으로 사용하면 항생제 내성 세균이 자연 선택된다는 것을 알 수 있다. ( )
(5) 이 탐구로 진화론이 사회에 미친 영향을 확인할 수 있다. ( )

개념 + 기본 문제

개념 문제

A 자연 선택과 생물의 진화

01 다음 중 진화에 대한 설명으로 옳은 것은 ○, 옳지 않은 것은 ×로 표시하시오.

(1) 다윈은 살아가는 동안 많이 사용하는 기관은 더 발달하여 다음 세대로 유전된다고 주장하였다. ( )

(2) 다윈은 생물이 주어진 환경에서 살아남을 수 있는 것보다 많은 수의 자손을 낳으며, 이들 사이에는 형질의 차이가 없다고 주장하였다. ( )

(3) 갈라파고스 군도에 사는 핀치의 부리 모양이 서로 다른 이유는 각 섬의 먹이와 환경이 다르기 때문이다. ( )

B 변이와 자연 선택

02 다음에서 설명하는 것이 무엇인지 쓰시오.

> 유전적 차이로 인해 다양한 변이가 있는 개체들 중에서 자연 환경에 가장 잘 적응한 개체가 살아남아 그 형질을 자손에게 전달한다.

C 진화론이 미친 영향

03 다음 중 진화론이 미친 영향에 대한 설명으로 옳은 것은 ○, 옳지 않은 것은 ×로 표시하시오.

(1) 생명 과학의 이론적 기반을 제시하였고, 생명 과학의 발전에 기여하였다. ( )

(2) 생물은 신에 의해 창조되어 영원히 변하지 않는다는 인식이 생겨났다. ( )

(3) 제국주의 출현과 식민 지배를 정당화하는 데에도 영향을 미친 것은 진화론이 사회에 미친 영향에 해당한다. ( )

D 최초 생명체 출현 가설

04 다음에서 설명하는 것이 무엇인지 쓰시오.

> 우주에서 운석을 통해 지구로 유입된 유기물에서 최초 생명체가 만들어졌다는 가설

A 자연 선택과 생물의 진화

05 생물의 진화에 대한 설명으로 옳지 않은 것은?

① 생물이 환경의 변화에 지속적으로 적응하기 때문에 진화가 일어난다.
② 갈라파고스 군도에 사는 핀치의 부리가 다양한 것은 진화의 사례이다.
③ 진화가 일어나기 위해서는 개체들 사이에 다양한 형질의 차이가 있어야 한다.
④ 특정 기관을 반복 사용하여 발달시키면 발달된 특정 기관의 형질은 자손에게 유전된다.
⑤ 다윈은 환경에 가장 잘 적응한 개체가 살아남아 자손을 더 많이 낳게 된다는 내용의 진화설을 주장하였다.

06 그림은 다윈의 진화론에서 기린의 목이 길어진 까닭을 간단히 나타낸 것이다.

이에 대한 설명으로 옳은 것은?

① 많은 수의 기린이 목의 길이가 다른 것은 종이 다르기 때문이다.
② 목이 긴 기린이 목이 짧은 기린보다 더 강하기 때문에 살아남을 수 있었다.
③ 목이 긴 기린과 목이 짧은 기린의 형질은 후천적으로 얻은 형질이므로 유전되지 않는다.
④ 기린의 수가 너무 많아지면 목이 긴 기린에 비해 목이 짧은 기린이 환경에 더 잘 적응할 수 있다.
⑤ 목이 긴 기린이 살아남아 자손을 낳을 수 있게 된 것은 자연 선택의 결과이다.

07 다음은 다윈의 진화론의 내용을 순서에 따라 간단히 정리한 것이다.

> 과잉 생산 → 개체 변이 → 생존 경쟁 → (가) → 진화(종 분화)

(가)에 해당하는 용어로 옳은 것은?

① 형질 전환 ② 환경 적응 ③ 용불용설
④ 자연 선택 ⑤ 돌연변이

B 변이와 자연 선택

08 변이에 대한 설명으로 옳은 것은?

① 같은 부모 사이에서 태어난 자손들은 변이가 존재하지 않는다.
② 집단 내 개체들의 변이가 다양할수록 그 집단의 생존 확률이 낮아진다.
③ 개체들 간에 나타나는 변이는 진화를 일으키는 요인으로 작용한다.
④ 변이는 다른 종에 속하는 개체들 사이에서 나타나는 형질의 차이를 의미한다.
⑤ 변이가 나타난 생물들의 경우 유전자를 구성하는 물질의 성분이 모두 다르다.

단답형 알쉬탐

09 다음은 항생제인 페니실린 사용과 관련된 내용이다. ( ) 안에 알맞은 말을 쓰시오.

> 최초의 항생제인 페니실린을 발견한 이후에 사람들은 세균의 감염으로부터 자유로워질 것으로 생각하였다. 그러나 페니실린을 계속 사용하는 과정에서 페니실린에 ( )을/를 가진 세균의 비율도 점차 증가하였다.

C 진화론이 미친 영향

10 다윈이 진화론을 발표한 이후에 일어났던 변화에 대한 설명으로 옳지 않은 것은?

① 생물은 영원하며 변하지 않는다는 인식을 강화시켰다.
② 진화론은 정치, 경제, 사회, 문화에 많은 영향을 미쳤다.
③ 종 사이의 가깝고 먼 관계를 따져 생물을 분류하게 되었다.
④ 경쟁을 바탕으로 한 자본주의 발달을 옹호하는 분위기가 형성되었다.
⑤ 다윈의 진화론은 제국주의 출현과 식민 지배를 정당화하는 데에 이용되었다.

D 최초 생명체 출현 가설

11 최초 생명체 출현에 대한 가설로 옳은 것만을 | 보기 | 에서 있는 대로 고른 것은?

> 보기
> ㄱ. 물에 잠긴 화산이나 열수구 주변에서 최초 생명체가 탄생했다는 가설은 화학 진화설이다.
> ㄴ. 우주에서 운석을 통해 지구로 유입된 유기물에서 최초 생명체가 만들어졌다는 가설은 우주 기원설이다.
> ㄷ. 원시 대기로부터 만들어진 유기물의 화학 반응에 의해 생명체가 탄생했다는 가설은 심해 열수구설이다.

① ㄱ ② ㄴ ③ ㄷ
④ ㄱ, ㄴ ⑤ ㄱ, ㄷ

실력 올리기 문제

| 진화 |

01 다음은 갈라파고스 군도에 서식하는 서로 다른 핀치 (가)~(라) 4종과 이들의 먹이를 나타낸 것이다.

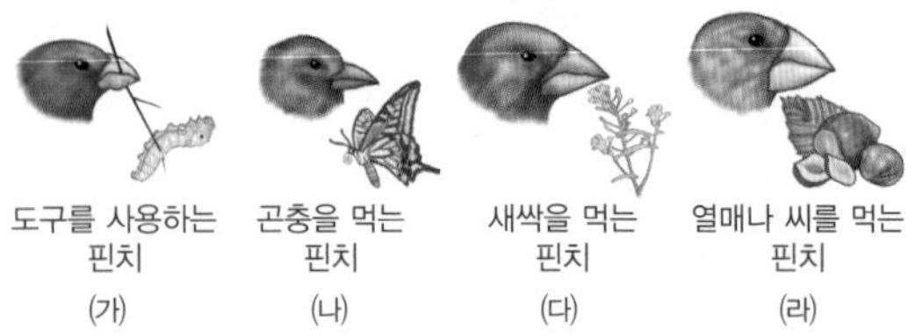

이에 대한 설명으로 옳은 것만을 | 보기 | 에서 있는 대로 고른 것은?

보기
ㄱ. 자연 상태에서 (가)~(라)는 서로 교배하여 생식 능력이 있는 자손을 낳을 수 있다.
ㄴ. (가)~(라)는 서로 다른 먹이를 먹기 위해 적응하면서 부리의 모양이 달라진 것이다.
ㄷ. 핀치의 경우를 통해 생물이 진화한다는 사실을 알 수 있다.

① ㄱ ② ㄴ ③ ㄷ
④ ㄱ, ㄴ ⑤ ㄴ, ㄷ

[02~03] 그림은 남아메리카 대륙에서 크고 단단한 씨앗이 많은 섬으로 날아온 핀치가 새로운 종으로 진화하는 과정을 진화설에 따라 나타낸 것이다. 물음에 답하시오.

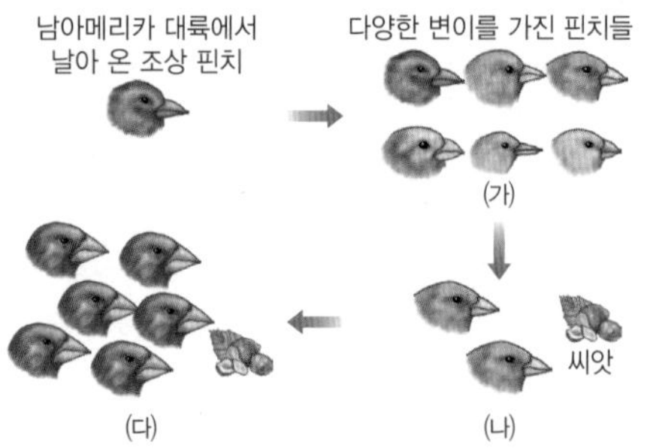

| 자연 선택설 |

02 핀치가 (가)~(다) 과정을 거쳐 진화하게 한 환경 요인은?

① 온도 ② 먹이 ③ 습도
④ 계절 ⑤ 포식자

| 자연 선택설 |

03 이에 대한 설명으로 옳은 것만을 | 보기 | 에서 있는 대로 고른 것은?

보기
ㄱ. (가)는 다양한 변이를 가진 자손들이 태어나 이들 사이에 생존 경쟁이 일어나는 과정이다.
ㄴ. (나)는 핀치가 크고 단단한 씨앗을 먹기 위해 부리를 많이 사용한 결과 부리 모양이 변하였고 그 형질을 이어받은 핀치가 태어나는 단계이다.
ㄷ. 위 자료는 라마르크의 용불용설에 따라 핀치가 진화하는 내용을 설명한 것이다.

① ㄱ ② ㄴ ③ ㄷ
④ ㄱ, ㄴ ⑤ ㄱ, ㄷ

| 변이와 자연 선택 | 출제예감

04 다음은 A 종에서 B 종으로 분화되는 과정을 순서 없이 설명한 것이다.

(가) A 종의 집단 내에 다양한 변이를 가진 개체들이 태어난다.
(나) 그 환경에서 살아남기에 적합한 형질을 가진 개체가 대부분을 차지한다.
(다) 다양한 변이가 있는 개체들 중에서 자연 환경에 가장 잘 적응한 개체가 살아남는다.
(라) 오랜 시간이 흐른 뒤에 새롭게 B 종으로 분화되었다.

이에 대한 설명으로 옳은 것만을 | 보기 | 에서 있는 대로 고른 것은?

보기
ㄱ. (가)는 유전자 차이 때문이다.
ㄴ. (다)는 획득 형질의 유전을 의미한다.
ㄷ. 위 과정을 순서대로 나열하면 (가) → (다) → (나) → (라)이다.

① ㄱ ② ㄴ ③ ㄷ
④ ㄱ, ㄷ ⑤ ㄴ, ㄷ

| 자연 선택 |

05 그림은 세균 집단에 지속적으로 항생제를 사용한 결과를 나타낸 것이다.

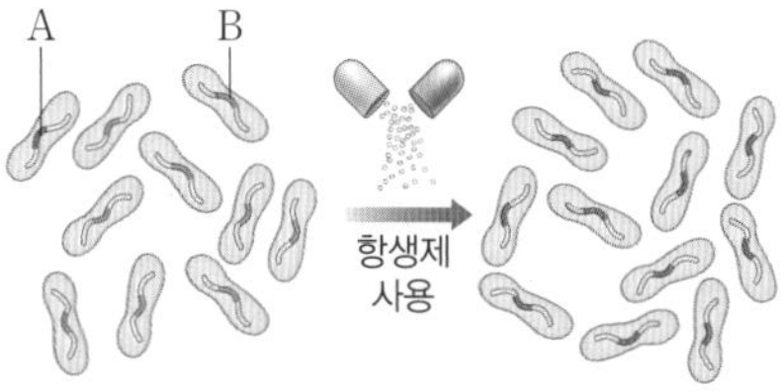

이에 대한 설명으로 옳은 것만을 | 보기 | 에서 있는 대로 고른 것은?

보기
ㄱ. A는 항생제 내성 세균이다.
ㄴ. A 세균이 B 세균으로 전환되었다.
ㄷ. 항생제 사용 환경에서 A가 자연 선택되었다.

① ㄱ ② ㄴ ③ ㄷ
④ ㄱ, ㄷ ⑤ ㄱ, ㄴ, ㄷ

| 자연 선택 |

06 다음은 강에서 서식하는 거피와 거피의 포식자를 설명한 것이다.

- 강의 하류에 서식하는 거피는 상류에 서식하는 거피보다 평균적으로 몸집이 작다.
- 거피의 포식자는 폭포나 좁은 바위틈을 거슬러 강의 상류로 올라가기 어렵다.

이에 대한 설명으로 옳은 것만을 | 보기 | 에서 있는 대로 고른 것은?

보기
ㄱ. 강의 상류와 하류에 사는 거피의 형질이 다른 것은 자연 선택의 결과이다.
ㄴ. 강의 상류에 서식하던 거피를 하류에 방류하면 그 개체는 몸집이 작아진다.
ㄷ. 강의 하류에 서식하는 거피의 형질은 자손에게 유전되지 않는다.

① ㄱ ② ㄴ ③ ㄷ
④ ㄱ, ㄴ ⑤ ㄴ, ㄷ

| 진화론 |

07 그림은 기린이 어떻게 긴 목을 갖게 되었는지를 진화론으로 나타낸 것이다.

목의 길이가 다양한 기린들의 생존 경쟁에서 목이 짧은 기린이 도태되는 까닭을 서술하시오.

| 변이와 자연 선택 |

08 다음은 자연 선택 과정을 알아보는 실험이다.

[실험]
(가) 접시에 털실 조각 25개와 노끈 조각 5개를 넣고 무작위로 흩어 놓는다.
(나) 눈을 감고 접시 위로 벨크로 테이프를 갖다 대었다가 테이프에 묻은 것을 접시 밖으로 꺼낸다.
(다) 접시에 남은 털실 조각과 노끈 조각의 수를 세어 그 만큼의 털실 조각과 노끈 조각을 추가한다.
(라) (나)~(다)의 과정을 3번 반복한다.
(마) 접시에 남은 털실 조각과 노끈 조각의 수를 세어본다.

실험 결과 접시에 남은 털실 조각과 노끈 조각의 비율이 처음 상태와 비교하였을 때 어떻게 변화하는지 자연 선택과 관련지어 간단히 서술하시오.

03 생물의 다양성과 보전

개념 이해 생물 다양성, 유전적 다양성, 종 다양성, 생태계 다양성, 서식지 단편화, 서식지 파괴, 포획과 남획, 외래종, 종자 은행

A 생물 다양성❶

한·줄·핵심 생물 다양성은 유전적 다양성, 종 다양성, 생태계 다양성을 모두 포함하고 있어!

1. 생물 다양성이란

(1) 생물 다양성은 유전적 다양성, 종 다양성, 생태계 다양성을 모두 포함한 개념

(2) 생물 다양성은 생태계가 안정적으로 유지되기 위한 필수 조건

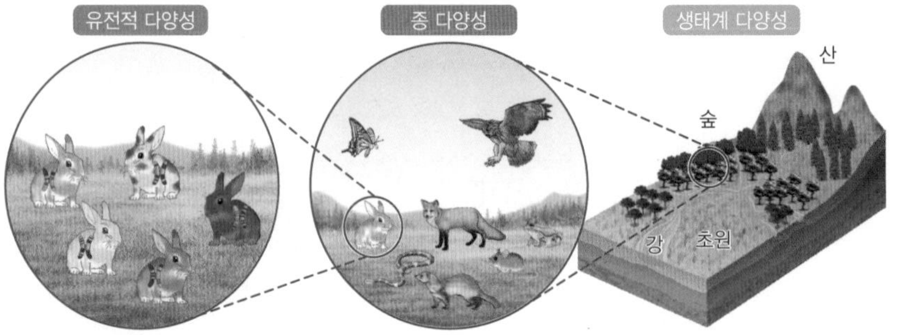

2. 유전적 다양성❷

(1) 동일한 생물종의 개체들 사이에서 색, 크기, 모양 등이 다르게 나타나는 형질의 다양한 정도 유전적 다양성이 높을수록 같은 생물종 내에서 변이가 많아진다.

(2) 형질을 결정하는 유전자의 종류가 다양할수록 유전적 다양성이 높다.

(3) 유전적 다양성이 높은 집단은 환경이 급격히 변하여도 적응하여 살아남는 개체가 존재할 확률이 높다.

3. 종• 다양성

(1) 일정한 지역에 사는 생물종의 다양한 정도

(2) 일정 지역에 서식하는 생물종이 많고, 각 종의 분포 비율이 균등할수록 종 다양성이 높다. 종 다양성은 생물종의 수와 분포 비율을 모두 포함한다.

(3) 생태계에서 다양한 생물종은 서로 먹고 먹히는 먹이 사슬을 형성하므로 어느 한 종이 멸종되면 다른 생물종에게도 연쇄적으로 영향을 미친다. 생태계 평형은 먹이 사슬을 기초로 하므로 종 다양성이 높을수록 생태계가 안정적으로 잘 유지된다.

4. 생태계• 다양성❸

(1) 숲, 초원, 사막, 갯벌, 강, 해양, 농경지 등과 같은 생태계 종류의 다양한 정도

(2) 생태계 다양성이 높을수록 종 다양성도 높게 나타난다. 각 생태계마다 적응하여 사는 생물종의 구성이 다르기 때문이다.

B 생물 다양성의 보전

한·줄·핵심 생물 다양성이 낮아지면 사람을 비롯한 모든 생물의 생존에 위협이 될 수 있어!

1. 생물 다양성의 중요성

(1) 유전적 다양성이 높을수록 그 종은 멸종 위험이 줄고, 종 다양성이 높을수록 생태계가 안정적으로 평형을 유지한다. 생태계 평형이 깨지면 사람을 비롯한 모든 생물들의 생존에 위협을 받는다.

(2) 생물 다양성이 높을수록 많은 식량 자원, 의복, 의약품 등의 생물 자원을 얻을 수 있다. — 질병에 저항성이 있는 생물의 유전자는 농작물 개발에 활용되기도 한다.

(3) 생태계는 자연 정화 기능, 휴식 장소 및 생태 체험장의 제공과 같은 혜택을 준다. — 생물 자원의 간접적인 이용

---

❶ 생물 다양성
오늘날 지구에는 약 1천만에서 3천만 종 이상의 생물이 생태계에서 상호 작용을 하며 살고 있을 것으로 추정된다. 수많은 종의 생물과 그들이 가진 유전자, 그리고 생태계를 통틀어 생물 다양성이라고 한다.

❷ 유전적 다양성
인간에게 상품적 가치가 있어 단일 품종으로 작물이나 가축을 대규모로 키우면 특정 유전자의 비율이 높아져 집단 내 전염병 발생과 같은 급격한 환경의 변화에 적응하지 못해 멸종될 가능성이 크다.

❸ 생태계 다양성
생태계는 생물과 더불어 강수량, 기온, 토양과 같은 비생물적 환경 요인도 포함한다. 비생물적 요인들에 의해 환경이 달라지면 그에 따라 생태계가 다양해진다.

- **종(種 씨)** 자연 상태에서 교배하여 생식 가능한 자손을 낳을 수 있는 생물의 무리
- **생태계(生 나다, 態 모양, 系 잇다)** 어느 지역에 사는 모든 생물과 그 지역의 환경 요인을 모두 합한 것

2. 생물 다양성의 감소 원인 포획과 남획으로 인해 생물은 원래의 상태로 되돌아갈 수 있는 능력을 상실하게 된다.

(1) 서식지 파괴와 단편화

① 서식지 파괴: 생물 서식지의 면적이 줄어드는 현상

② 서식지 단편화❹: 도로나 철도 등에 의해 서식지가 분리되는 현상

(2) 포획과 남획 야생 동물 포획 및 남획으로 멸종 위험이 높아진다.

(3) 외래종 도입❺ 외래종은 천적이 없어 급격히 번식하여 고유종을 몰아내므로 종 다양성을 감소시킨다. 예 베스, 블루길, 뉴트리아, 꽃매미, 붉은귀거북, 가시박, 황소개구리 등

(4) 환경 오염 유해 폐기물과 농약 등의 사용으로 서식지 오염

3. 생물 다양성의 보전 노력

(1) 개인적 노력

① 에너지 절약

② 자원 재활용

(2) 사회적, 국가적 노력

① 생물의 서식지 보호 및 생태 통로 설치 야생 동물의 이동 통로인 생태 통로를 설치하면 야생 동물이 도로나 철도를 건너다 자동차나 기차에 치어 죽는 사고를 줄일 수 있다.

② 야생 동물의 불법 포획과 남획 방지

③ 외래종 도입 시 생태계에 미치는 영향 평가를 철저히 점검

④ 멸종 위기의 동식물을 보호하고 자생지에 방사하는 복원 사업 실시

⑤ 생물 다양성이 높은 지역은 국립공원으로 지정하여 관리

⑥ 여러 식물의 유전자를 보존하기 위한 종자 은행 운영 (종자 은행: 식물의 유전자원을 전문적으로 저장, 보존하는 연구 시설)

(3) 국제적 노력 생물 다양성을 지키기 위한 국제 협약

협약	내용 및 특징
생물 다양성 협약	• 생물종 보전과 생물 자원의 지속 가능한 이용을 목적으로 한 협약 • 국가 차원의 멸종 위기 동물 감시와 보호 지역 설정, 법적 규제 마련, 종자 은행 설치 등을 권고
람사르 협약	• 물새 서식지로 중요한 습지 보호에 관한 협약 • 습지 자원의 이용과 보전의 기본 방향을 제시하고 있으며, 이 협약에 가입한 국가는 1개 이상의 습지를 람사르 습지로 지정하여 지속적으로 관리해야 한다.
런던 협약	• 산업화 과정에서 선진 공업국들이 막대한 양의 폐기물을 바다에 버려 해양 오염 문제가 발생함에 따라 이를 방지하기 위한 협약
이동성 야생 동물 종의 보전에 관한 협약	• 철새나 고릴라처럼 여러 나라를 이동하거나 여러 나라에 걸쳐 서식하는 야생 동물의 보호를 목적으로 한 협약 • 가입국은 협약에 등록된 종의 보호를 위한 관련 법안의 채택, 포획과 남획 금지, 서식지 보전, 안전한 이동 경로 확보 등을 실천해야 한다.
멸종 위기에 처한 야생 동식물의 국제 거래에 관한 협약	• 남획 및 국제적인 거래로 위협 받는 멸종 위기 야생 동식물을 보호하기 위한 협약 • 생물을 세 부류로 나누어 동식물의 수출입을 규제하는 기준 제시

❹ 서식지 단편화

철도나 도로 등의 건설로 인해 대규모 서식지가 여러 개의 소규모로 나뉘는 현상을 말한다. 서식지가 단편화되면 서식지의 가장자리에는 생물들이 살기 어렵기 때문에 깊은 숲속에서 살아가는 생물의 경우 서식지가 더 많이 줄게 된다. 또한 서식지 단편화로 인해 생물들의 이동이 제한되고 시간이 지나면 개체 수가 크게 감소한다.

❺ 외래종 도입

외래종은 원래 서식지에서 새로운 지역으로 옮긴 생물종이다. 새로운 서식지에는 경쟁자, 천적, 질병 등이 없기 때문에 대량 번식하게 되며 이로 인해 그 지역의 고유종은 대부분 밀려나게 된다.

외래종이 새로운 서식지에 성공적으로 정착하면 고유종과 공존함으로써 생물 다양성이 증가되는 경우도 있다.

• 남획(넘치다 濫, 얻다 獲) 짐승이나 물고기를 마구 잡음

• 자생지(스스로 自, 나다 生, 땅 地) 생물이 예전부터 스스로 퍼져 살고 있던 지역

정답과 해설 075쪽

간단 점검

1. 같은 생물종에서 나타나는 여러 가지 형질의 다양한 정도는?
2. 일정한 지역에 사는 생물종의 다양한 정도는?
3. 숲, 초원, 농경지 등과 같은 생태계 종류의 다양한 정도는?
4. 유전적 다양성, 종 다양성, 생태계 다양성을 모두 포함한 것은?
5. 대규모 서식지가 여러 개의 소규모로 나뉘는 현상은?
6. 원래 서식지에서 새로운 지역으로 옮긴 생물종은?

개념 + 기본 문제

개념 문제

A 생물 다양성

01 다음 생물 다양성에 대한 설명 중 옳은 것은 ○, 옳지 않은 것은 ×로 표시하시오.

(1) 단일 품종으로 작물이나 가축을 대규모로 키우는 경우 유전적 다양성이 높아진다. ( )

(2) 어떤 생태계에 특정 종의 분포 비율이 높을수록 종 다양성도 높아진다. ( )

(3) 생태계가 다르면 각각의 생태계에서 적응하여 살아가는 생물종의 구성도 달라진다. ( )

02 각각에 제시된 예와 그에 해당되는 생물 다양성의 범주를 옳게 연결하시오.

(1) 흰토끼, 얼룩 무늬 토끼, 갈색 토끼 •   • ㉠ 생태계 다양성

(2) 사막, 습지, 열대 우림, 바다, 초원 •   • ㉡ 종 다양성

(3) 사자, 여우, 늑대, 토끼, 소나무 •   • ㉢ 유전적 다양성

B 생물 다양성의 보전

03 다음 생물 다양성 보전 노력에 대한 설명 중 옳은 것은 ○, 옳지 않은 것은 ×로 표시하시오.

(1) 야생 동식물의 불법 포획과 남획을 방지한다. ( )

(2) 외래종 도입의 활성화로 종 다양성을 높여야 한다. ( )

(3) 생물 다양성이 높은 지역은 국립공원으로 지정하여 관리한다. ( )

(4) 생물의 서식지를 보호하고, 도로나 철도 등을 건설할 때 생태 통로를 설치한다. ( )

A 생물 다양성

04 유전적 다양성에 대한 설명으로 옳지 않은 것은?

① 유전적 다양성이 높을수록 그 집단의 생존 확률이 높다.
② 유전적 다양성이 나타나는 까닭은 유전자 차이 때문이다.
③ 같은 종의 개체들 사이에서 형질의 다양한 정도를 의미한다.
④ 무당벌레의 무늬가 다양할수록 유전적 다양성이 높다고 할 수 있다.
⑤ 기린과 얼룩말의 형태가 다른 것은 유전자 차이로 인한 유전적 다양성에 해당한다.

05 우수한 단일 품종의 작물 A를 대규모로 재배하는 농경지에 대한 설명으로 옳은 것은?

① 대규모로 작물을 재배하기 때문에 유전적 다양성이 매우 높은 편이다.
② 전염병이 갑작스럽게 발생할 경우 농경지에서 A가 살아남을 가능성이 낮다.
③ 농경지는 숲이나 초원에 비해 많은 종류의 생물들이 살고 있다.
④ 농경지는 특정 유전자가 차지하는 비율이 매우 낮은 생태계에 해당한다.
⑤ 농경지에서 재배되는 A의 변이는 자연에서 서식하는 A의 변이에 비해 매우 다양하게 나타난다.

06 어느 한 지역의 종 다양성의 높고 낮음을 판단할 때 고려해야 할 사항을 | 보기 | 에서 있는 대로 고른 것은?

보기
ㄱ. 그 지역에 서식하는 생물종의 수
ㄴ. 한 생물종이 갖는 형질의 다양한 정도
ㄷ. 그 지역에 서식하는 생물종의 분포 비율
ㄹ. 그 지역에 사는 생물들과 생물들을 둘러 싼 환경과의 상호 작용

① ㄱ, ㄴ ② ㄱ, ㄷ ③ ㄴ, ㄹ
④ ㄷ, ㄹ ⑤ ㄴ, ㄷ, ㄹ

07 생태계 다양성이 높을수록 종 다양성이 높게 나타난다. 그 까닭을 옳게 설명한 것은?

① 모든 생물들은 생태계 내에서 고유의 기능을 수행하고 있기 때문이다.
② 생태계가 다르면 각각의 생태계에서 발견되는 생물종의 구성도 달라지기 때문이다.
③ 생태계마다 서식하는 생물의 종 수는 달라도 전체 생물의 개체 수는 동일하기 때문이다.
④ 생태계가 다양할수록 특정 종의 생존에 유리하여 특정 종의 분포 비율이 증가하기 때문이다.
⑤ 생태계 다양성이 높으면 같은 종의 개체들 사이에서 유전적 다양성이 낮아지기 때문이다.

단답형

08 그림은 생물 다양성의 세 범주들을 나타낸 것이다.

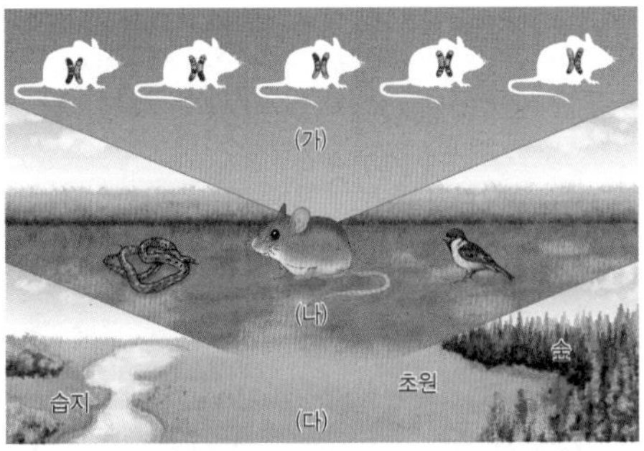

(가)~(다)는 각각 생물 다양성의 어느 범주를 나타낸 것인지 쓰시오.

B 생물 다양성의 보전

09 생물 자원의 간접적인 이용 사례에 해당하는 것은?

① 쌀, 옥수수, 콩 등의 식량 자원을 얻는다.
② 목화, 누에고치는 천연 섬유의 원료이다.
③ 버드나무 껍질에서 아스피린의 주성분을 얻는다.
④ 질병에 저항성이 있는 유전자를 농작물 개발에 활용한다.
⑤ 잘 보전된 생태계를 휴식 장소나 생태 체험장, 관광 산업에 이용한다.

10 생태계의 특징 및 생물 다양성에 관계된 설명으로 옳지 않은 것은?

① 생태계 평형이 깨지면 모든 생물들이 생존에 위협을 받는다.
② 열대 우림의 생태계는 공기 중의 이산화 탄소와 산소의 균형을 유지한다.
③ 산란율이 높은 어느 한 품종의 닭만 대량 사육하면 알을 많이 낳아 생물 다양성이 증가한다.
④ 숲이나 산에 있는 식물은 비가 많이 올 때 뿌리에서 물을 흡수하여 홍수를 막는다.
⑤ 갯벌은 오염 물질을 분해하는 자연 정화 기능이 있어 환경이 심하게 오염되는 정도를 줄인다.

11 다음은 우리나라에 서식하는 여러 생물을 나타낸 것이다.

• 황소개구리	• 뉴트리아
• 꽃매미	• 붉은귀거북
• 가시박	• 블루길

이 생물들에 대한 설명으로 옳은 것은?

① 생태계 평형을 유지하는 데 큰 역할을 한 생물들이다.
② 불법 포획하거나 남획으로 인해 멸종 위기종이 된 생물들이다.
③ 우리나라 고유종으로 우리나라의 환경에 맞게 적응하여 온 생물들이다.
④ 천적이나 질병이 없는 새로운 서식지에 정착하여 생물 다양성을 감소시킨 생물들이다.
⑤ 도시화 및 산업화로 서식지가 파괴되어 개체 수가 크게 감소한 생물들이다.

실력 올리기 문제

| 종 다양성 | 출제예감

01 그림은 (가)와 (나) 두 지역에 서식하는 생물종과 그 개체 수를 나타낸 것이다.

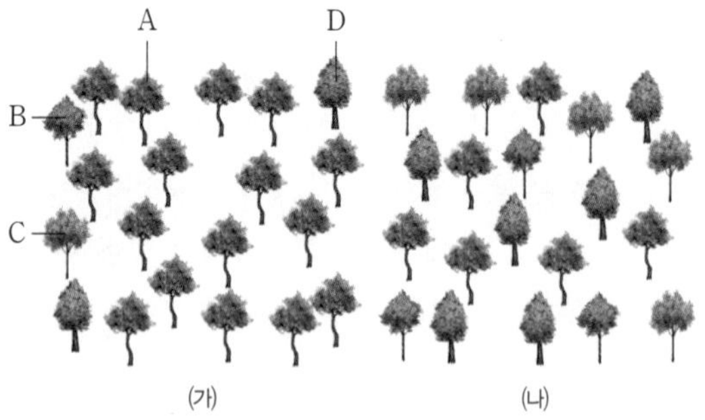

이에 대한 설명으로 옳은 것만을 | 보기 | 에서 있는 대로 고른 것은?

보기
ㄱ. (가)와 (나) 중 종 다양성이 더 높은 지역은 (나)이다.
ㄴ. 동일한 종의 개체들 사이에서 나타나는 형질의 다양한 정도는 (가)가 (나)보다 높다.
ㄷ. B 종의 경우 환경이 급격히 변하여도 살아남는 개체가 존재할 확률이 높은 지역은 (가)이다.

① ㄱ ② ㄴ ③ ㄷ
④ ㄱ, ㄴ ⑤ ㄴ, ㄷ

[02~03] 다음은 씨가 없는 바나나에 대한 내용이다. 물음에 답하시오.

씨가 있는 야생 바나나와 달리 우리가 흔히 먹는 바나나는 씨가 없어서 뿌리를 잘라 옮겨 심어서 키운다. 씨가 없는 바나나는 씨를 얻어 심는 과정을 거쳐 키우지 않기 때문에 품종이 단 하나뿐이며, 이 바나나 품종은 현재 곰팡이가 일으키는 질병 때문에 멸종될 위기에 처해 있다.

| 유전적 다양성 |

02 씨가 없는 바나나가 대규모로 재배되는 경우 증가하는 것은?

① 생물 다양성 ② 유전적 다양성
③ 바나나 개체 수 ④ 바나나 품종의 종류
⑤ 환경 변화에 따른 바나나의 생존 확률

| 유전적 다양성 |

03 앞의 내용에 대한 설명으로 옳은 것만을 | 보기 | 에서 있는 대로 고른 것은?

보기
ㄱ. 유전적 다양성이 낮으면 환경 변화에 불리하다는 것을 의미한다.
ㄴ. 씨가 있는 바나나는 씨가 없는 바나나에 비해 유전적 다양성이 낮다.
ㄷ. 뿌리를 잘라 옮겨 심으면 뿌리를 제공한 식물과 동일한 유전자를 가진 개체가 자라난다.

① ㄱ ② ㄴ ③ ㄷ
④ ㄱ, ㄴ ⑤ ㄱ, ㄷ

| 유전적 다양성과 종 다양성 |

04 다음은 생물 다양성의 의의를 설명한 것이다.

(가) 한 종 내에서 형질이 다양하지 않으면 불리한 환경 변화가 닥쳤을 때 이에 적응하는 개체가 없어 생물종 전체가 사라질 수 있다.
(나) 생태계에서 다양한 생물종은 서로 먹고 먹히는 관계로 얽혀 있다. 한 종이 사라지면 다른 생물종에게도 연쇄적으로 영향을 준다.

이에 대한 설명으로 옳은 것만을 | 보기 | 에서 있는 대로 고른 것은?

보기
ㄱ. (가)는 유전적 다양성에 관계된 내용이다.
ㄴ. (나)는 생태계가 다양할수록 종 다양성도 높아진다는 의미이다.
ㄷ. (나)를 통해 종 다양성이 낮아지면 생태계의 파괴로 이어질 수도 있다는 점을 알 수 있다.

① ㄱ ② ㄴ ③ ㄷ
④ ㄱ, ㄴ ⑤ ㄱ, ㄷ

| 종 다양성과 생태계 다양성 |

05 다음은 강가에 사는 비버에 대한 내용이다.

> 비버는 작은 하천 등에 서식하며 나무를 물어다 집을 짓는 습성이 있는데, 나무로 집을 만들면 습지가 형성되어 다양한 새와 물고기가 모여들고 생물 다양성이 증가하여 새로운 생태계가 만들어진다.

위 자료를 통해 알 수 있는 사실로 옳은 것만을 | 보기 | 에서 있는 대로 고른 것은?

보기

ㄱ. 생태계에 서식하는 생물의 활동으로 생태계 다양성이 높아진다.

ㄴ. 생태계 다양성이 높을수록 유전적 다양성도 더불어 높아진다.

ㄷ. 생물종이 많고 각 종의 분포 비율이 균등할수록 종 다양성이 높다.

① ㄱ ② ㄴ ③ ㄷ
④ ㄱ, ㄴ ⑤ ㄱ, ㄴ, ㄷ

| 생태계 다양성 | 출제예감

06 다음은 여러 가지 생태계이다.

> (가) 열대 우림 (나) 사막 (다) 갯벌

이에 대한 설명 중 옳은 것만을 | 보기 | 에서 있는 대로 고른 것은?

보기

ㄱ. 각 생태계의 종 다양성에는 식물 종과 동물 종만 포함된다.

ㄴ. (가), (나), (다) 모두 환경이 다르기 때문에 서식하는 생물 종과 개체 수가 다르다.

ㄷ. (가)에 비해 (나)는 종 다양성이 높은 편이고, (다)는 다양한 생태계가 어우러져 독특한 생물종들이 서식한다.

① ㄱ ② ㄴ ③ ㄷ
④ ㄱ, ㄴ ⑤ ㄴ, ㄷ

| 유전자 다양성과 종 다양성 |

07 다음은 생물 다양성과 관련된 두 가지 사례를 나타낸 것이다.

> (가) 1950년대 말 우리나라에서는 모자이크바이러스에 강하다는 이유로 '광교'라는 콩 품종이 정부 추진하에 전국에 보급되었다. 그러나 3년 만에 이 품종에 치명적인 질병이 번져 콩의 수확량이 급감하였다.
>
> (나) 1970년대 우리나라에서는 해외에서 들여온 벼와 토종 벼를 교배하여 개발한 다수확 품종인 통일벼가 전국에 보급되면서 쌀 생산량이 비약적으로 늘어났다. 그러나 메밀이나 조와 같은 다른 잡곡의 경작이 줄어들면서 일부 토종 잡곡 종자들이 사라졌다.

(가)에서 질병으로 인해 콩의 수확량이 급감한 까닭과 (나)에서 일부 토종 잡곡 종자들이 사라진 까닭을 생물 다양성 측면에서 서술하시오.

| 서식지 단편화 |

08 다음은 바위에 덮인 이끼층을 그림과 같이 나눈 다음 6개월 후에 이끼 밑에 서식하는 소형 동물의 종 수 변화를 조사한 결과이다. 물음에 답하시오.

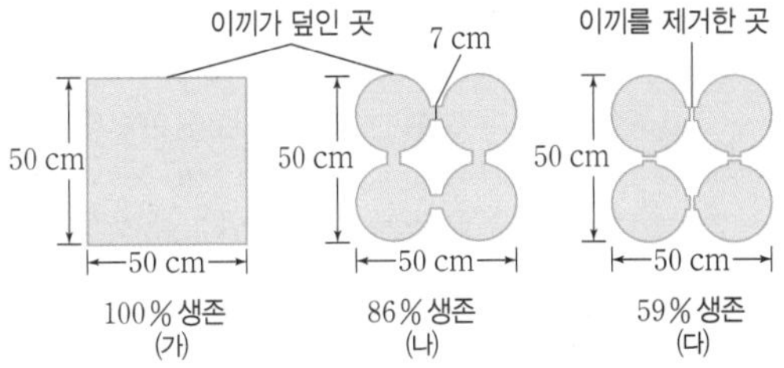

(1) (가)~(다) 중 가장 서식지가 단편화된 곳의 기호를 쓰시오.

(2) 위 결과를 토대로 도로나 철도를 건설할 때, 생물종 수의 감소를 줄일 수 있는 방안을 서술하시오.

정답과 해설 077쪽

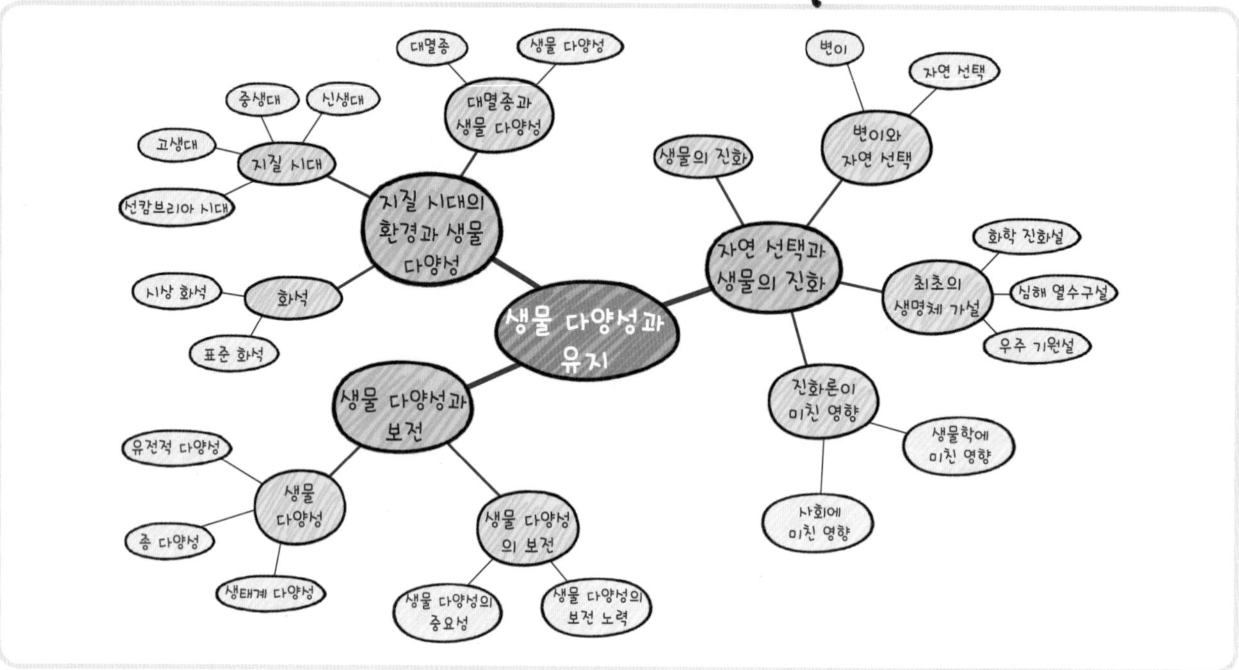

01 지질 시대의 환경과 생물 다양성

(1) 화석: 지질 시대에 살았던 동식물의 유해나 흔적

① **시상 화석**: 생물이 살던 시기의 환경을 알려주는 화석

② ① : 시대 구분의 기준이 되는 화석

(2) 지질 시대

지질 시대	표준 화석	환경
②		• 광합성 생물이 등장 – 산소 발생 • 다세포 생물 출현 • 스트로마톨라이트
		(약 5억 4100만 년 전)
③	갑주어, 삼엽충, 필석	• 어류 출현 • 두터운 오존층 → 생물의 육상 진출 가능 • 양서류와 양치식물 번성
		(약 2억 5200만 년 전)
④	공룡, 암모나이트	• 전반적으로 기후 온난 • 파충류 번성 • 공룡, 암모나이트, 겉씨식물 번성
		(약 6600만 년 전)
⑤	화폐석, 매머드	• 중기까지는 비교적 온난한 기후, 후기에는 빙하기와 간빙기 • 오늘날과 비슷한 수륙 분포 • 포유류 번성, 후기에는 인류의 조상 출현 • 화폐석, 속씨식물 번성

(3) 대멸종과 생물 다양성

① ⑥ : 짧은 시간에 큰 규모로 일어나는 멸종

• 원인: 화산 폭발, 대륙 이동, 운석 충돌 등 급격한 환경 변화

② **생물 다양성**

• 멸종 후 새로운 환경에 적응한 생물이 다양한 종으로 진화하여 생물 다양성 증가

• 대멸종으로 생물 다양성이 증가해왔다.

③ **대륙 이동과 환경의 변화**

• 고생대 말(판게아 형성) → 중생대 중기(판게아 분리 시작) → 신생대(현재와 같은 수륙 분포)

• 판의 이동으로 수륙 분포가 변하면 생물이 살아가는 환경이 변하여 생물 다양성에 영향을 준다.

02 자연 선택과 생물의 진화

(1) 생물의 진화

① **진화론**

• ⑦ : 생물이 오랜 세월 동안 여러 세대를 거치면서 환경에 적응하여 변하는 현상

• ⑧ : 사람의 피부색 차이, 앵무의 깃털 색 차이 등과 같이 동일한 생물종의 개체들 사이에 나타나는 형질의 차이

• 각 개체마다 유전자가 조금씩 달라 다양한 형질이 나타난다.

(2) 변이와 자연 선택

① **진화의 과정**

개체들의 다양한 변이

↓

생존 경쟁

↓

⑨ ______

↓

진화

② **자연 선택**: 다양한 변이가 있는 개체들 중에서 ⑩ ______ 에 가장 잘 적응한 개체가 살아남아 자손을 남기므로 이러한 과정이 오랜 기간 지속되어 생물이 진화한다.

(3) 진화론이 미친 영향

① **과학에 미친 영향**

- 생명 과학의 이론적 기반 제시
- 생물은 영원하지 않고 환경에 따라 변한다는 인식 수립

② **사회에 미친 영향**

- 제국주의 출현과 식민 지배 정당화
- 능력에 따라 돈을 버는 ⑪ ______ 발달

(4) 최초 생명체 출현 가설

① ⑫ ______: 생명체를 구성하는 유기물이 원시 대기로부터 만들어지고, 이렇게 만들어진 유기물의 화학 반응에 의해 생명체가 탄생했다는 가설

② **심해 열수구설**: 물에 잠긴 화산이나 열수구 주변에서 유기물이 만들어지고, 이렇게 만들어진 유기물에서 생명체가 출현했다는 가설

③ **우주 기원설**: 우주에서 운석을 통해 지구로 유입된 유기물에서 최초 생명체가 만들어졌다는 가설

03 생물의 다양성과 보전

(1) 생물 다양성

① ⑬ ______

- 동일한 생물종의 개체들 사이에서 색, 크기, 모양 등이 다르게 나타나는 형질의 다양한 정도
- 다양성이 높은 집단일수록 환경이 급격히 변하였을 때 적응하여 살아남는 개체가 존재할 확률이 높다.

② ⑭ ______

- 일정한 지역에 서식하는 생물종의 다양한 정도
- 생물종의 수가 많고, 각 종의 분포 비율이 균등할수록 높다.

③ ⑮ ______

- 초원, 사막, 갯벌, 강, 해양, 농경지 등과 같은 생태계 종류의 다양한 정도
- 생태계 다양성이 높을수록 종 다양성도 높게 나타난다.

④ ⑯ ______ 은 유전적 다양성, 종 다양성, 생태계 다양성을 모두 포함한다.

(2) 생물 다양성의 보전

① **생물 다양성의 중요성**

- ⑰ ______ 다양성이 높을수록 그 종은 멸종 위험이 줄고, 종 다양성이 높을수록 생태계가 안정적으로 평형을 유지한다.
- 생물 다양성이 높을수록 많은 식량 자원, 의복, 의약품 등의 생활 자원과 유전자 자원을 얻을 수 있다.
- 생태계는 자연 정화 기능, 휴식 장소 및 생태 체험장 등의 제공과 같은 혜택을 준다.

② **생물 다양성의 감소 원인**

- 서식지 파괴 및 서식지 단편화
- 동식물의 포획과 남획
- ⑱ ______ **도입**: 원래 서식지에서 새로운 지역으로 옮긴 생물종으로 새로운 서식지에는 경쟁자, 천적, 질병 등이 없기 때문에 대량 번식
- 환경 오염

③ **생물 다양성의 보전 노력**

- 생물의 서식지 보호
- 생태 통로 설치
- 야생 동식물의 불법 포획과 남획 방지
- 외래종 유입 차단
- 종자 은행 운영
- 생물 다양성 보전에 관한 국제적인 협약 체결

한번에 끝내는
대단원 마무리

정답과 해설 077쪽

01 다음 중 고사리 화석이 있는 지층과 관련된 설명으로 옳은 것은?

① 고생대의 지층이다.
② 중생대의 지층이다.
③ 신생대의 지층이다.
④ 지층은 해양에서 퇴적되었다.
⑤ 지층이 퇴적될 당시 따뜻했다.

02 다음은 선캄브리아 시대에 대한 설명이다.

> 선캄브리아 시대 지층에서는 화석이 거의 발견되지 않는다. 그러나 남세균에 의한 스트로마톨라이트가 발견되며, 에디아카라 구릉 지대에서 딱딱한 부분이 없는 다세포 생물의 화석이 발견되기도 하였다.

이에 대한 설명으로 옳은 것만을 |보기| 에서 있는 대로 고른 것은?

보기
ㄱ. 선캄브리아 시대에 산소는 없었을 것이다.
ㄴ. 선캄브리아 시대에는 다세포 생물이 등장하였다.
ㄷ. 선캄브리아 시대의 생물은 딱딱한 부분이 없었을 것이다.

① ㄱ ② ㄴ ③ ㄱ, ㄷ
④ ㄴ, ㄷ ⑤ ㄱ, ㄴ, ㄷ

03 다음 제시된 사건들을 시간적으로 오래된 사건부터 순서대로 옳게 배열한 것은?

> ㄱ. 겉씨식물이 번성하였다.
> ㄴ. 속씨식물이 번성하였다.
> ㄷ. 양치식물이 번성하였다.

① ㄱ－ㄴ－ㄷ ② ㄱ－ㄷ－ㄴ
③ ㄴ－ㄱ－ㄷ ④ ㄴ－ㄷ－ㄱ
⑤ ㄷ－ㄱ－ㄴ

04 히말라야 산맥이 형성되었던 지질 시대에 대한 설명으로 옳은 것만을 |보기| 에서 있는 대로 고른 것은?

보기
ㄱ. 매머드가 번성하였다.
ㄴ. 파충류가 번성하였다.
ㄷ. 화폐석이 번성하였다.

① ㄱ ② ㄷ ③ ㄱ, ㄴ
④ ㄱ, ㄷ ⑤ ㄴ, ㄷ

05 판게아가 분리되어 이동하기 시작한 지질 시대에 대한 설명으로 옳은 것만을 |보기| 에서 있는 대로 고른 것은?

보기
ㄱ. 기후는 한랭하였다.
ㄴ. 필석이 번성하였다.
ㄷ. 파충류가 번성하였다.

① ㄱ ② ㄷ ③ ㄱ, ㄴ
④ ㄱ, ㄷ ⑤ ㄴ, ㄷ

고난도

06 그림은 지질 시대 동안 생물의 총 멸종률과 과의 수 변화를 나타낸 것이다.

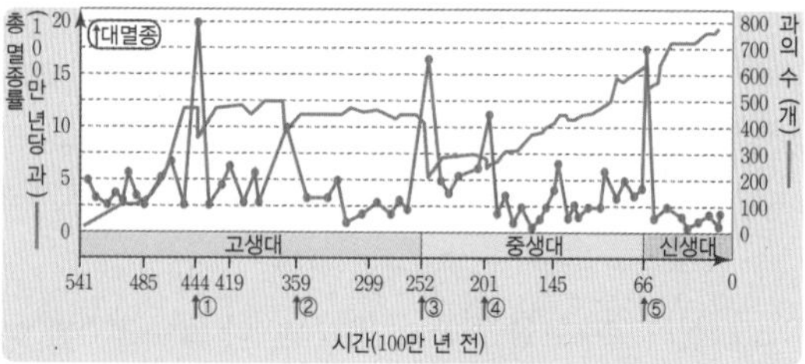

이에 대한 설명으로 옳은 것만을 |보기| 에서 있는 대로 고른 것은?

보기
ㄱ. 첫 번째 대멸종 이전인 고생대 초기보다 이후인 고생대 중기에 과의 수가 급격히 증가하였다.
ㄴ. 세 번째 대멸종 이전까지 삼엽충이 번성하였다.
ㄷ. 다섯 번째 대멸종은 빙하기와 관련이 있다.

① ㄱ ② ㄴ ③ ㄱ, ㄷ
④ ㄴ, ㄷ ⑤ ㄱ, ㄴ, ㄷ

07 다음은 기린의 목이 늘어난 까닭을 설명하는 2가지 가설을 나타낸 것이다.

(가) 원래 기린의 목 길이는 짧았으나 높은 가지의 잎을 따먹기 위해 노력했고, 그 결과 형질이 후손에게 전달되었다.
(나) 원래 기린의 목 길이는 다양했으나 높은 가지의 잎까지 먹을 수 있는 목이 긴 기린은 살아남았고, 높은 가지의 잎을 먹을 수 없는 목이 짧은 기린은 도태되었다.

이에 대한 설명으로 옳은 것은?

① (가)는 생물이 진화한다는 주장이고, (나)는 생물이 진화하지 않는다는 주장이다.
② (가)는 선천적인 형질의 유전, (나)는 후천적인 형질의 유전에 대한 내용이다.
③ (가)에서 기린 목의 길이가 늘어난 이유는 돌연변이에 의해 유전자가 변했기 때문이다.
④ (나)에서 목이 짧은 기린이 도태된 이유는 획득 형질이 유전되었기 때문이다.
⑤ (가)와 (나) 중에서 자연 선택이 적용된 가설은 (나)이다.

08 다음은 어느 지역의 강에 살고 있는 물고기 A와 그 포식자 B에 대한 실험이다.

야생에 사는 A의 다 자란 수컷은 화려한 몸 색으로 암컷을 유인하여 짝짓기를 한다. 그러나 B가 있는 곳에 사는 A의 수컷은 대체로 단조로운 색을 띤다.
[실험]
(가) 화려한 몸 색을 띤 A의 수컷을 B가 있는 곳으로 이주시키고, 10세대가 지났더니 A의 수컷은 몸 색이 단조로워졌다.
(나) 단조로운 몸 색을 띤 A의 수컷을 B가 없는 곳으로 이주시키고, 10세대가 지나면 A의 수컷은 몸 색이 화려해졌다

이에 대한 설명으로 옳은 것만을 |보기| 에서 있는 대로 고른 것은?

보기
ㄱ. (가)와 (나) 중 자연 선택이 적용된 결과는 (가)뿐이다.
ㄴ. 10세대가 지난 후 (가)에서 A의 수컷은 포식자의 눈에 띄지 않기 위해 화려한 몸 색을 바꿀 수 있는 능력을 지니게 되었다.
ㄷ. (나)는 A의 수컷 중 화려한 몸 색을 지닌 개체가 암컷에게 더 많이 선택받은 결과이다.

① ㄱ ② ㄴ ③ ㄷ
④ ㄱ, ㄷ ⑤ ㄴ, ㄷ

09 다음은 생물 다양성의 세 범주에 관계된 설명이다.

(가) 흔히 보는 무당벌레는 개체마다 무늬와 색이 조금씩 다르다.
(나) 순천만 갯벌은 바다와 육지, 그리고 하천의 환경이 모두 존재한다.
(다) 베스와 가시박은 천적이 없어 대량으로 번식할 수 있었으며, 그 결과 토종 생물의 생존을 위협하고 있다.

이에 대한 설명으로 옳은 것만을 |보기| 에서 있는 대로 고른 것은?

보기
ㄱ. (가)는 유전적 다양성에 관계된 것으로 유전적 다양성이 높은 집단일수록 그 집단의 생존 확률이 높아진다.
ㄴ. (나)는 생태계 다양성을 의미하며, 생태계 다양성이 높을수록 종 다양성도 높게 나타난다.
ㄷ. (다)는 외래종으로 인해 종 다양성이 증가되는 현상을 설명한 것이다.

① ㄱ ② ㄴ ③ ㄷ
④ ㄱ, ㄴ ⑤ ㄴ, ㄷ

10 다음은 생물의 특징에 대한 설명이다.

> 같은 종의 생물끼리는 생김새와 특성이 유사하지만, 서로 완전히 일치하는 개체는 찾기 어렵다. 예를 들어 유럽정원달팽이의 껍데기는 무늬, 색깔, 나선의 방향 등에 차이가 있고, 사람의 피부색과 앵무의 깃털 색도 개체마다 차이가 있다.

이에 대한 설명으로 옳지 않은 것은?

① 같은 종의 생물끼리는 교배가 가능하다.
② 생물의 생김새나 특성을 형질이라고 한다.
③ 같은 종의 생물에서 개체마다 생김새와 특성에 차이가 나는 것을 변이라 한다.
④ 같은 종의 생물에서 개체마다 생김새와 특성에 차이가 나는 것은 종 다양성에 해당한다.
⑤ 같은 종의 생물에서 개체마다 생김새와 특성의 차이가 다양할수록 그 집단은 생존에 유리하다.

고난도

11 그림은 어떤 생태계에 서식하는 생물 종 A의 개체 수에 따른 유전자 변이의 수를 나타낸 것이다.

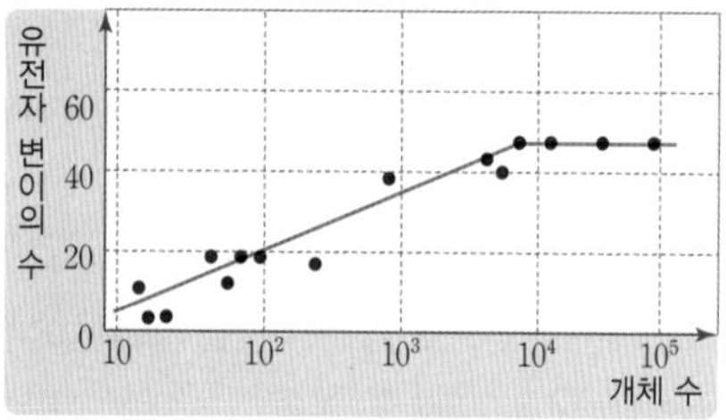

이에 대한 설명으로 옳은 것만을 | 보기 | 에서 있는 대로 고른 것은?

보기

ㄱ. 유전자 변이는 생물 다양성 중 종 다양성에 해당된다.
ㄴ. 서식지가 단편화되면 A의 개체 수가 증가하므로 유전자 변이의 수가 증가한다.
ㄷ. A의 개체 수가 10^3보다 10^5일 때 급격한 환경 변화에 대한 적응력이 높다.

① ㄱ ② ㄷ ③ ㄱ, ㄴ
④ ㄴ, ㄷ ⑤ ㄱ, ㄴ, ㄷ

12 다음은 어떤 생태계에서 식물 종 A, B, C와 A의 꽃 색깔에 대한 자료이다.

- 도로 건설로 인해 서식지 면적이 절반으로 감소하였다.
- 표는 도로 건설 전과 후에 A, B, C의 개체수를 나타낸 것이다.

구분	A			B	C
	보라색 꽃	붉은색 꽃	흰색 꽃		
건설 전	20	20	20	60	60
건설 후	0	0	40	50	10

이 식물 집단에서 도로 건설 전에 비해 도로 건설 후에 나타난 변화로 옳은 것만을 | 보기 | 에서 있는 대로 고른 것은?

보기

ㄱ. 생물종의 수가 크게 감소하여 종 다양성이 낮아졌다.
ㄴ. 전체 생물의 개체 수가 감소하였기에 생태계 평형 유지에 더 유리하다.
ㄷ. A의 경우 흰색 꽃만 남게 되었으므로 유전적 다양성이 감소되었다.

① ㄱ ② ㄴ ③ ㄷ
④ ㄱ, ㄷ ⑤ ㄴ, ㄷ

통합 문제

13 다음은 어떤 학생들의 의견이다.

- 철수: 선캄브리아 시대 지층에서는 화석이 신생대에 비해 많이 발견되지 않는다.
- 영희: 생물은 진화를 통해 꾸준히 변화하고 있다.
- 명희: 생물 다양성이란 종 다양성만을 의미하는 것이다.

옳은 의견만을 있는 대로 고른 것은?

① 철수 ② 영희 ③ 명희
④ 철수, 영희 ⑤ 영희, 명희

14 다음 글을 읽고 물음에 답하시오.

> 고생대에는 생물이 급격히 증가하였다. 전기에는 삼엽충, 완족류, 필석 등 무척추동물이 번성하였고 최초의 척추동물이 출현하였다. 중기에는 최초로 식물이 육지로 진출하였다. 처음으로 육지로 진출한 동물은 양서류로 식물보다 늦게 진출하였다.

고생대에 등장한 최초의 척추동물을 쓰고, 양서류가 육지로 진출할 수 있었던 이유를 서술하시오.

15 다음 글을 읽고 제시된 지층의 지질 시대를 쓰고 글에 나타난 과학적 오류에 대해 서술하시오.

> 어떤 지층에서 공룡과 암모나이트의 화석이 발견되었다.

16 생물 다양성의 개념에 관해 서술하시오.

17 표는 A와 B 지역에 서식하는 생물종 (가)~(마)의 개체 수 비율을 나타낸 것이다.

생물종	개체 수 비율(%)	
	A	B
(가)	28	57
(나)	19	21
(다)	22	0
(라)	17	16
(마)	15	6

(1) A와 B 중 종 다양성이 더 큰 지역을 서술하시오.

(2) (1)의 답과 같이 생각한 까닭을 2가지만 서술하시오.

18 다음은 생물 다양성 보전 방안에 대하여 학생들이 나누는 대화이다.

> • 진훈: 음식을 적정량만 먹고, 음식물 쓰레기를 최대한 줄여야 해.
> • 유경: 다른 나라의 다양한 생물을 우리나라로 들여와 생물 종의 수를 늘려야 해.
> • 미희: 여러 식물의 유전자를 보존하기 위한 종자 은행을 운영하는 것도 필요해.

학생들이 제시한 의견 중 생물 다양성 보전 방안으로 적절하지 않은 의견을 제시한 학생은 누구인가? 또 그 까닭은 무엇인지 서술하시오.

Ⅷ 생태계와 환경

※ **나의 학습 일정표** : 스스로 계획하고 실천하면 실력이 올라갑니다.

단원명	내용 정리	알쉬탐 / 알쉬특	개념+기본 문제	실력 올리기 문제	대단원 마무리 + 문제
01 생태계 평형					
02 지구 환경 변화와 인간 생활					
03 에너지의 전환과 효율적 이용					

* 내용을 공부하기 전에 용어집을 읽어 보면 공부가 쉬워져요!!

배울 내용 미리보기

생태계는 생물적 요인과 비생물적 요인으로 이루어져 있어. 이 단원에서는 생태계를 구성하는 요소들이 어떻게 생태계의 평형을 유지하고 있는지 그 원리를 배우게 될거야.

용어집 38쪽

01 생태계 평형

A 생태계 구성 요소
#생태계 #개체 #개체군 #군집 #생산자 #소비자 #분해자 #생물과 환경

B 생태계의 평형
#먹이 사슬 #먹이 그물 #생태 피라미드 #영양 단계 #생태계 평형

대기와 해수는 전 지구를 순환하면서 에너지의 평형을 이루지. 대기와 해수의 순환 변화는 엘니뇨, 사막화의 원인이야. 또 인간 활동의 영향으로 지구의 평균 기온이 상승하는 지구 온난화가 나타나고 있어. 이와 같은 환경의 변화가 지구와 인간에게 어떤 영향을 주는지 알아보자.

용어집 40쪽

02 지구 환경 변화와 인간 생활

A 대기와 해수의 순환 #대기 대순환 #해수의 표층 순환

B 엘니뇨와 사막화 #엘니뇨 #사막화

C 지구 온난화와 기후 변화 #온실 효과 #지구 온난화 #기후 변화

용어집 42쪽

03 에너지의 전환과 효율적 이용

A 에너지의 전환 #에너지 #에너지의 전환

B 열효율과 에너지의 효율적 이용의 중요성
#에너지 보존 법칙 #열기관 #열효율

C 에너지 사용에 따른 문제점을 줄이기 위한 방안
#에너지 제로 하우스 #LED #하이브리드 자동차 #폐열의 활용

우리 주변의 여러 가지 에너지는 다른 형태로 에너지 전환이 가능해. 그 과정에서 에너지 형태가 변하더라도 에너지의 총량은 보존되지. 열기관의 열효율을 높여서 같은 에너지로 많은 일을 하는 데 에너지를 절약하게 할 수 있어.

생태계 평형

개념 이해 생태계, 개체, 개체군, 군집, 생산자, 소비자, 분해자, 먹이 사슬, 먹이 그물, 영양 단계, 생태 피라미드, 생태계 평형

A 생태계 구성 요소

한·줄·핵심 생태계는 생물적 요인과 비생물적 요인으로 구성되고 생물적 요인은 생산자, 소비자, 분해자로 구분되지!

1. 생태계 일정한 지역에 서식하는 생물들 및 이들과 서로 영향을 주고받는 환경까지 모두 포함한 하나의 시스템 숲, 바다, 사막, 하천, 논, 어항 등이 모두 각각 생태계이다.

개체		개체군		군집		생태계
사슴 한 마리, 사철나무 한 그루와 같이 독립된 하나하나의 생명체	›	일정한 지역에 함께 무리지어 모여 사는 같은 종으로 이루어진 개체들의 집단	›	같은 서식지에 모여 사는 개체군들의 무리 같은 종의 개체가 모여 개체군을 형성하고, 여러 개체군이 모여 군집을 형성한다.	›	생물과 환경이 서로 영향을 주고받는 복합적인 계

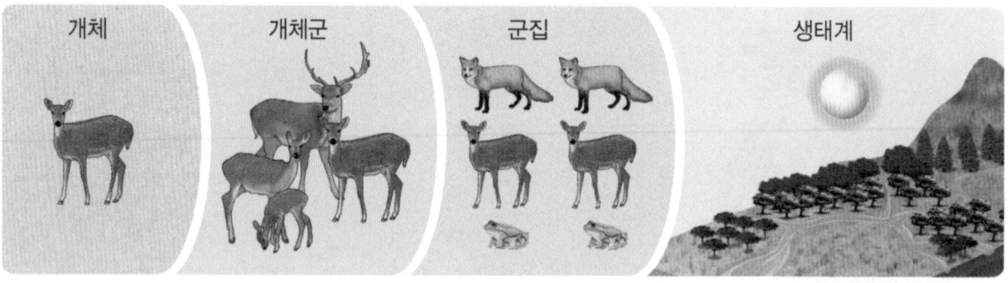

(1) 생태계의 구성 요소

① 생물적 요인❶ 역할 또는 영양분을 얻는 방법에 따라 생산자, 소비자, 분해자로 구분된다.

구분	역할 및 특징	예
생산자	• 빛, 이산화 탄소, 물을 이용하여 광합성을 하는 생물 • 스스로 양분을 합성하여 살아가는 생물	식물, •조류, 식물 플랑크톤❷ 등
소비자❸	• 스스로 양분을 합성하지 못해 다른 생물을 먹이로 하여 양분을 얻는 생물 • 먹이에 따라 1차 소비자, 2차 소비자, 3차 소비자 등으로 구분된다.	꿀벌, 토끼, 여우, 뱀, 호랑이 등
분해자	• 다른 생물의 배설물이나 죽은 생물을 분해하여 양분을 얻는 생물 • 분해자에 의해 분해된 물질들은 환경으로 되돌아가 다른 생물들이 이용하게 된다.	세균, 곰팡이, 버섯 등

② 비생물적 요인

• 빛, 온도, 물, 공기, 토양 등의 환경 요인

• 생물에게 필요한 물질과 생활 터전을 제공한다.

(2) 생물과 환경의 상호 영향❹

상호 영향	해당 예시
비생물적 요인 → 생물적 요인	• 봄에 기온이 올라가 새싹이 돋아난다. • 가을에 기온이 내려가 단풍이 든다.
생물적 요인 → 비생물적 요인	• 숲이 우거진 곳은 어둡고 습해진다. • 식물의 광합성으로 대기의 산소 농도가 증가한다.
생물적 요인 → 생물적 요인	• 도토리를 먹으며 살아가는 다람쥐는 도토리를 땅에 묻어 발아 기회를 제공한다. • 꿀벌은 꽃에서 꿀을 얻으며 식물의 꽃가루받이를 돕는다.

❶ 생태계의 생물적 요인
생태계를 구성하는 생물적 요인은 모두 에너지를 얻는 방법에 따라 생산자, 소비자, 분해자로 구분할 수 있다.

❷ 플랑크톤
물속에 사는 생물 중에서 스스로 운동할 수 있는 능력이 없거나 약해서 물에서 떠돌며 생활하는 생물 무리로 부유 생물이라고도 한다. 광합성을 할 수 있는 식물 플랑크톤과 광합성은 하지 못하나 운동 능력이 있는 동물 플랑크톤으로 크게 나눈다.

❸ 소비자
1차 소비자는 초식 동물로 생산자를 먹이로 하고, 2차 소비자는 1차 소비자를, 3차 소비자는 2차 소비자를 먹이로 한다.

❹ 생물과 환경의 상호 영향

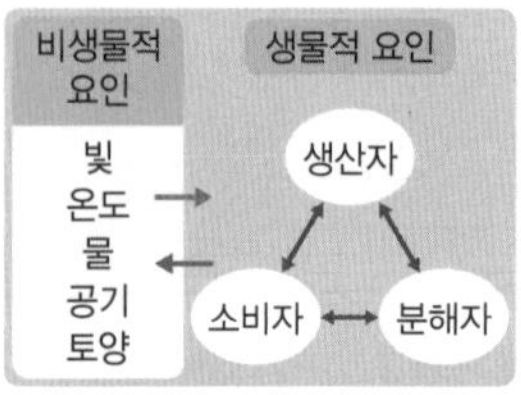

• 조류(바닷말 藻, 무리 類, algae) 광합성을 하는 원생생물로 녹조류, 갈조류, 홍조류, 규조류 등이 있음

2. 생물과 환경

(1) 빛과 생물

빛의 세기	강한 빛에서는 양지 식물, 약한 빛에서는 음지 식물이 잘 자란다.
빛의 파장	• 바다의 깊이에 따라 도달하는 빛의 파장이 달라 이를 이용하는 해조류❺의 분포가 달라진다. • 얕은 바다에는 적색광을 주로 이용하는 녹조류가 많이 분포 • 깊은 바다에는 청색광을 주로 이용하는 홍조류가 많이 분포
일조 시간	• 일조 시간은 동물과 식물의 삶에 많은 영향을 미친다. • 꾀꼬리와 종달새는 일조 시간이 길어지는 봄에 번식하고, 송어와 노루는 일조 시간이 짧아지는 가을에 번식한다. • 온대 지역의 곤충은 늦여름과 가을에 일조 시간이 짧아지면 겨울잠을 자고, 이른 봄 일조 시간이 길어지면 활동을 시작하고 번식한다. • 붓꽃은 일조 시간이 길어지는 봄과 초여름에 꽃이 피고, 코스모스는 일조 시간이 짧아지는 가을에 꽃이 핀다.

(2) 온도와 생물❻

① 외부 온도에 따라 체온이 변하는 변온 동물은 추운 겨울에 겨울잠을 자거나 햇빛을 받는 양을 조절한다.

② 추운 지역에 사는 북극여우는 몸의 말단 부위가 작아지고 몸집은 커지며, 더운 지역에 사는 사막여우는 몸의 말단 부위가 커지고 몸집은 작아지는 경향이 있다.

사막여우는 몸의 부피는 작지만 체표면적이 넓어지므로 효율적으로 열을 방출할 수 있다.

북극여우

온대여우

사막여우

③ 겨울에 동백나무, 사철나무와 같은 상록수는 잎의 큐티클층이 더 두꺼워진다.

(3) 물과 생물

① 곤충류나 갑각류의 몸을 감싸는 외골격은 내부의 연한 살을 보호하고 수분 증발을 방지한다.

② 육상 식물은 땅 속의 물을 흡수하여 식물체 전체로 운반하기 위해 관다발이 발달하였으나 수련, 생이가래와 같이 물에서 사는 식물은 관다발이나 뿌리가 잘 발달하지 않는다.

(4) 토양과 생물

① 식물은 토양 속의 물과 무기염류를 이용하여 살아가고, 토양 속에 서식하는 미생물은 토양의 공기 함량 등의 특성에 따라 분포가 달라진다.

② 토양 속 미생물은 생물의 사체를 분해하여 토양에 유기물을 공급하고, 낙엽이 지속적으로 쌓이면 토양의 성분이 변한다.

(5) 공기와 생물 공기가 희박한 고산 지대에 사는 사람의 혈액 속에는 산소를 충분히 얻기 위해 평지에 사는 사람들에 비해 더 많은 적혈구가 존재한다.

❺ 해조류의 구분

• 녹조류: 엽록소가 많이 있어 녹색을 나타내는 조류
  예 파래, 청각, 청태, 해캄 등
• 갈조류: 엽록소와 갈조소가 있어 갈색을 띠는 조류
  예 미역, 다시마, 모자반, 톳 등
• 홍조류: 엽록소와 홍조소가 있어 붉은색을 띠는 조류
  예 김, 우뭇가사리 등

❻ 온도에 따른 생물의 적응 사례

• 추운 곳에 사는 동물은 피하 지방을 축적하거나 몸이 털로 덮여 있다.
• 툰드라에 사는 털송이풀은 잎이나 꽃에 털이 있어 체온이 낮아지는 것을 막는다.
• 느티나무, 신갈나무와 같은 낙엽수는 겨울의 추위를 견디기 위해 잎을 떨어뜨린다.

#보충!

정온 동물의 겨울잠

정온 동물인 곰, 박쥐 등의 포유류는 먹이가 부족한 겨울에 에너지 소모를 줄이기 위해 겨울잠을 잔다.

• 일조 시간(해 日, 비추다 照, 때 時, 틈 間) 구름이나 안개 등에 가리지 않고 햇빛이 실제로 내리쬐는 시간
• 큐티클층(cuticula 층 層) 식물의 표피 세포 바깥쪽을 싸고 있는 얇은 막

정답과 해설 080쪽

간단 점검

1. 일정 지역에 사는 생물들과 이들을 둘러싼 환경을 모두 포함한 시스템은?
2. 사슴 한 마리, 사철나무 한 그루와 같이 독립된 하나하나의 생명체는?
3. 같은 서식지에 모여 사는 개체군들의 무리는?
4. 생태계에서 광합성을 하는 생물들은?
5. 생태계에서 다른 생물의 배설물이나 죽은 생물을 분해하여 양분을 얻는 생물은?
6. 빛, 온도, 물, 공기, 토양 등 생태계를 구성하는 (　　　) 요인은 생물에게 필요한 물질과 생활 터전을 제공한다.

B 생태계의 평형

한·줄·핵심 먹이 그물이 복잡할수록 생태계가 더 안정적으로 유지되지!

1. 먹이 사슬과 먹이 그물

(1) 먹이 사슬

① 먹고 먹히는 관계가 연쇄적으로 사슬처럼 연결된 것을 먹이 사슬이라고 한다. 알쉬탐

② 생산자 → 1차 소비자 → 2차 소비자 → 3차 소비자 …

(2) 먹이 그물

① 먹이 사슬이 복잡하게 얽혀 먹이 그물을 이룬다.

② 먹이 그물이 복잡하면, 어느 한 종의 생물이 사라지더라도 다른 생물이 대신할 수 있으므로, 먹이 그물이 복잡할수록 안정된 생태계이다.

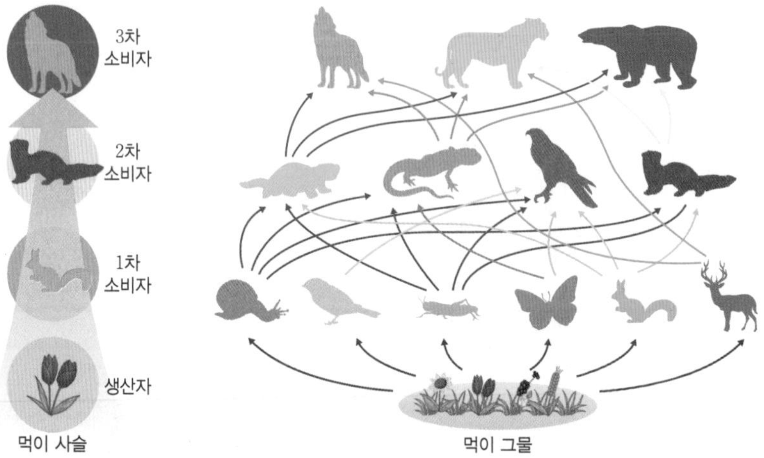

(3) 생태계에서 물질과 에너지는 먹이 관계를 따라 상위 영양 단계의 생물에게 전달된다.

2. 생태 피라미드⑦

(1) 영양 단계 생태계 내에서 생물체가 먹이 사슬에서 차지하는 위치

(2) 생태 피라미드

① 생태계를 구성하는 생물 군집의 개체 수, •생물량, 에너지양을 영양 단계에 따라 차례로 쌓아 올려 피라미드 형태로 나타낸 것으로 개체 수 피라미드, 생물량 피라미드, 에너지 피라미드⑧ 등이 있다.

② 안정된 생태계에서 개체 수, 생물량, 에너지양는 상위 영양 단계로 갈수록 감소하는 피라미드 모양을 나타낸다.
(에너지양: 각 영양 단계에서 생명 활동에 쓰이므로 상위 영양 단계로 갈수록 감소한다.)

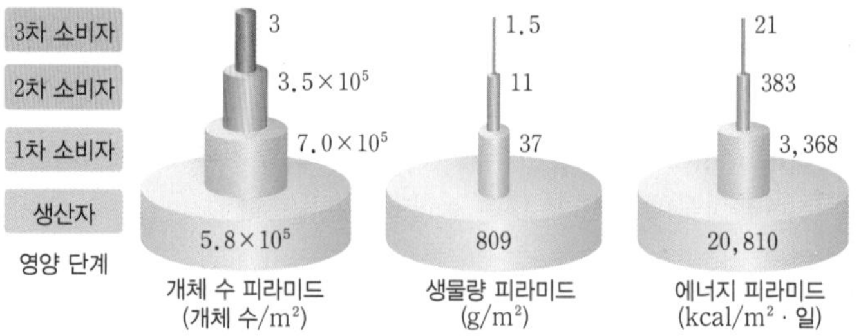

3. 생태계 평형⑨

(1) 생태계를 구성하는 생물의 종류와 개체 수가 안정적으로 유지되는 상태를 생태계 평형이라고 한다. 먹이 그물이 복잡하게 얽힌 생태계일수록 평형이 잘 유지된다.

(2) 생태계는 어떤 요인에 의해 일시적으로 생태계의 평형이 깨져 특정 영양 단계에 있는 개체군의 개체 수가 변하더라도 먹이 관계에 의해 다시 개체 수가 안정된 상태로 되돌아가게 하는 조절 능력이 있다. 단순한 먹이 사슬을 유지하는 생태계보다 먹이 그물이 복잡하게 얽힌 생태계일수록 회복 능력이 뛰어나다.

---

⑦ 생태 피라미드

- 개체 수 피라미드: 각 영양 단계의 개체 수를 그림으로 나타낸 것
- 생물량 피라미드: 각 영양 단계의 질량을 그림으로 나타낸 것
- 에너지 피라미드: 각 영양 단계의 에너지양을 그림으로 나타낸 것

⑧ 에너지 피라미드

- 식물이 광합성을 통해 만든 양분 중 절반 정도는 자신의 생명 활동과 몸을 구성하는 데 사용하고, 나머지가 1차 소비자에게로 전달된다.
- 1차 소비자가 섭취한 양분의 일부는 자신의 생명 활동과 몸을 구성하는 데 쓰이고, 나머지는 다른 생물의 먹이가 되거나 죽는다.
- 먹이 사슬의 하위 단계가 가지고 있는 에너지 중 일부만이 상위 단계로 전달되므로, 먹이 사슬의 위로 올라갈수록 전달되는 에너지양은 점점 줄어든다.
- 먹이 사슬은 계속하여 늘어날 수 없고 3단계~5단계로 제한된다.

⑨ 생태계 평형

- 생태계의 평형을 유지하는 데에는 먹이 관계 외에도 빛, 물, 공기, 온도, 공간 등의 비생물적 요인도 작용한다.
- 어느 개체군의 개체 수가 증가하여 생활 공간이 좁아지면 개체군 내에서 경쟁이 심해지고 질병이 증가하여 다시 개체 수가 감소한다.
- 남극 펭귄의 경우에는 먹이가 충분하더라도 극심한 추위 때문에 개체 수가 계속 증가하지 않고 일정한 수준을 유지한다.

•**생물량(태어나다 生, 만물 物, 헤아리다 量)** 일정한 공간에 서식하는 생물 전체의 무게로 생체량이라고도 함

(3) 생태계의 회복 과정

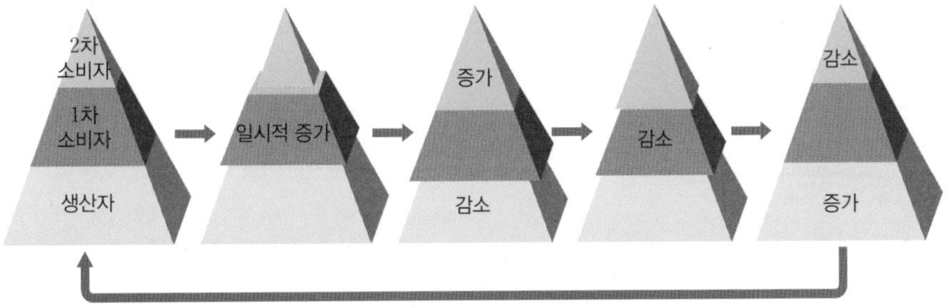

4. 생태계 평형의 파괴

(1) 생태계 평형의 파괴

① 자연 상태에서 생태계 평형을 유지하는 데에는 한계가 있으며, 이 한계를 넘는 환경 변화가 일어나면 생태계 평형이 파괴될 수 있다.

② 파괴된 생태계가 회복되기 위해서는 오랜 시간과 많은 노력이 필요하다.

(2) 생태계 평형의 파괴 원인

① 자연 재해: 홍수, 산사태, 화산 폭발,[10] 지진 등으로 생태계 평형이 파괴될 수 있다.

② 인간의 활동

활동 내용	결과
숲의 파괴	과도한 벌목 등으로 숲의 생태계 파괴 및 토양 침식
댐 건설	●용수 확보를 위한 댐 건설은 물에 잠기는 곳의 생태계뿐만 아니라 하천 하류의 생태계를 변화시킨다.
농경지, 목축지 개발 가축을 놓아 기르는 곳	• 생물 다양성이 크게 감소하며 비료와 농약, 축산 폐수 등으로 토양과 하천이 오염된다. • 숲이나 평원에는 다양한 종류의 개체군이 살고 있는 반면 농경지는 단일 품종만 재배하고, 목축지는 토종 식물들을 가축이 잘 먹는 식물로 대체하므로 종 다양성과 유전적 다양성이 크게 감소한다.
환경 오염	대기의 질 저하와 여러 유기 물질과 중금속 등에 의해 토양 및 하천의 오염
도시 집중과 산업화 가속	공기가 순환하지 못하여 오염 물질이 쌓이고 기온이 높아지는 ●열섬 현상 발생과 대기 중의 이산화 탄소의 농도 증가로 지구 온난화가 더 심해진다.

5. 생태계 평형 유지를 위한 노력

(1) 습지 및 삼림 등을 보전하고, 보호해야 할 동물과 숲을 천연 기념물과 국립공원으로 지정

(2) 무분별한 개발과 환경 파괴를 막고, 도로 등을 건설할 때 생태 통로를 확보하며, 생태 하천 복원 사업 실시

도로나 댐 등의 건설로 인해서 서식지가 절단되는 것을 막기 위해, 야생동물이 지나는 길을 인공적으로 만든 것을 생태 통로라고 한다.

(3) 생물들의 파괴된 서식 공간을 복원하여 생태계가 회복될 수 있도록 한다.

(4) 열섬 현상 완화를 위해 옥상 정원 가꾸기, 도시 중심부에 숲과 공원을 조성하여 바람길 확보

⑩ 화산 폭발

• 대규모의 화산 분출은 생태계의 복원력을 넘어서는 변화를 가져온다.

• 1883년 인도네시아의 크라카타우에서 화산 폭발이 일어나 섬의 $\frac{2}{3}$가 사라졌으며, 화산재와 40 m가 넘는 해일이 발생하였다.

• 1980년 세인트헬렌스 화산 분출로 화산재와 화산 가스가 지면을 휩쓸면서 삼림의 대부분이 초토화되었다.

#보충!

지구 온난화

• 지구 온난화에 따른 북극해의 변화가 나타나고 있다. 온난화로 저위도의 해양 생물이 북극 지방까지 이동하는 빈도가 높아지면서 북극해에 서식하는 생물과 먹이 경쟁이 심화되고 있다.

• 북극의 빙하가 녹으면서 염분이 낮은 물이 유입되는데, 이는 식물 플랑크톤의 번식을 방해한다. 이러한 현상이 계속되면 상위 단계의 포식자들에게 공급되는 영양분이 줄어들 수 있다.

●용수(쓰다 用, 물 水) 관개·공업·발전 등을 위하여 먼 곳에서 끌어온 물

●열섬(heat island) 도시화가 진행되면서 냉난방 시설과 자동차 열 등의 발생으로 도심 지역이 주변보다 온도가 3 ℃~4 ℃ 높은 현상

정답과 해설 080쪽

간단 점검

7. 생태계 내에서 먹고 먹히는 관계가 사슬처럼 연결된 것은?

8. 먹이 사슬이 복잡하게 그물처럼 연결된 것은?

9. 생태계 내에서 생물체가 먹이 사슬에서 차지하는 위치를 이르는 말은?

10. 생태계를 구성하는 생물 군집의 개체 수, 생물량, 에너지양을 영양 단계에 따라 차례로 쌓아 올려 피라미드 형태로 나타낸 것은?

11. 생태계를 구성하는 생물의 종류와 개체 수가 안정적으로 유지되는 상태는?

알아두면 시험이 쉬워지는 탐구

멸치 해부를 통한 해양 생태계의 먹이 관계

목표 멸치 위 속의 플랑크톤을 관찰하여 해양 생물의 먹이 관계를 추론하고 생태계 평형이 유지되는 원리를 설명할 수 있다.

유의점
살아 있는 채로 즉시 쪄서 말린 죽방렴 멸치를 사용하여야 멸치 위 속에서 소화되지 않은 먹이를 관찰할 수 있다.

과정

❶ 마른 멸치 불리기 ❷ 멸치의 위 분리하기 ❸ 위 속 내용물 꺼내기 ❹ 현미경으로 관찰하기

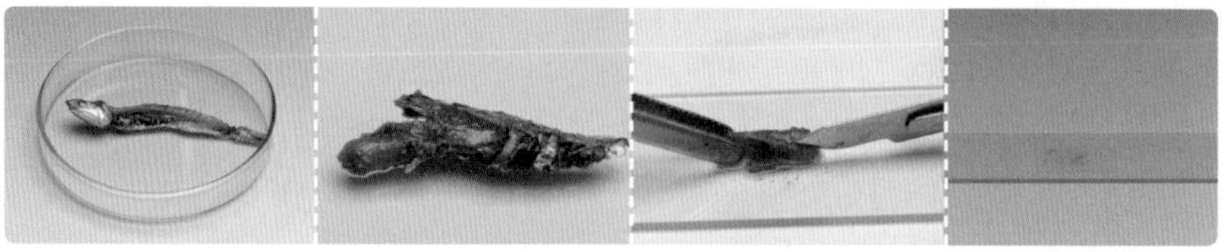

❶
- 마른 멸치를 뜨거운 물에 5분~10분 정도 담가 두었다가 꺼내어 반으로 가른다.

마른 멸치를 물에 불려 원래의 상태 가까이 회복시킨다.

❷
- 멸치의 내장 부분을 꺼낸 후 위를 찾아 분리한다.

멸치의 위는 살짝 투명한 막에 싸여 있으며, 검게 보이는 간 아래쪽에 있다.

❸
- 받침 유리에 멸치의 위를 올려놓고 반으로 자른 후 물을 한 방울 떨어뜨리고, 위 속 내용물을 꺼낸다.

❹
- 덮개 유리를 덮고 거름종이를 얹은 후에 지긋이 누르고 현미경으로 관찰한다.

멸치가 주로 먹는 동물 플랑크톤을 관찰할 수 있다.

결과 및 해석

- 멸치 위에서 발견되는 동물 플랑크톤

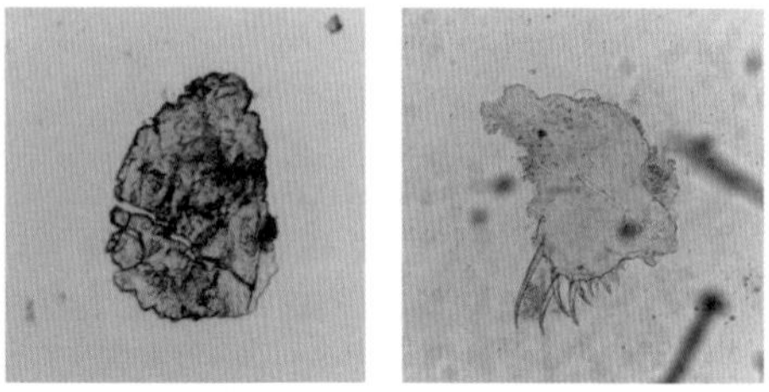

✔ 멸치는 주로 동물 플랑크톤을 먹는 2차 소비자이다.
✔ **멸치를 포함한 먹이 사슬**: 식물 플랑크톤 → 동물 플랑크톤 → 멸치 → 큰 물고기
✔ 만약 멸치의 개체 수가 갑자기 감소한다면, 동물 플랑크톤의 개체 수는 증가하고 큰 물고기의 개체 수는 감소할 것이다. 그러다가 시간이 지나면 다시 생태계 평형을 유지하게 된다.

한·줄·핵심 생태계 평형은 주로 먹이 관계에 의해 유지된다.

확인 문제

정답과 해설 080쪽

1. 멸치의 주요 먹이는 무엇인지 쓰시오.

2. 멸치의 위를 해부한 결과 동물 플랑크톤이 발견되었다. 멸치를 포함한 바닷속 먹이 사슬을 옳게 나타낸 것은?

① 고등어 → 멸치 → 동물 플랑크톤 → 식물 플랑크톤
② 고등어 → 멸치 → 식물 플랑크톤 → 동물 플랑크톤
③ 멸치 → 고등어 → 동물 플랑크톤 → 식물 플랑크톤
④ 식물 플랑크톤 → 동물 플랑크톤 → 고등어 → 멸치
⑤ 식물 플랑크톤 → 동물 플랑크톤 → 멸치 → 고등어

3. 다음 중 멸치의 먹이 관계에 대한 설명으로 옳은 것은 ○, 옳지 않은 것은 ×로 표시하시오.

(1) 멸치는 생태계에서 생산자에 해당한다. ( )
(2) 멸치의 개체 수가 갑자기 감소한다면 멸치의 먹이가 되는 플랑크톤의 개체 수는 증가한다. ( )
(3) 멸치는 하위 영양 단계에 속하는 생물이므로 갑자기 개체 수가 급격히 증가하여도 생태계 평형에는 큰 영향을 미치지 않는다. ( )
(4) 멸치가 서식하고 있는 해양 생태계가 평형 상태에 있을 때 멸치의 개체 수와 멸치를 먹이로 하는 포식자의 개체 수를 비교하면 멸치의 개체 수가 포식자의 개체 수보다 더 적다. ( )

정답과 해설 080쪽

개념 문제

A 생태계 구성 요소

01 다음의 설명 중 (   ) 안에 알맞은 용어를 쓰시오.

(1) 하나의 독립된 생물을 (   )(이)라고 한다.

(2) 같은 종의 생물로 구성된 집단을 (   )(이)라고 한다.

(3) 같은 지역에서 살아가는 개체군들의 집단을 (   )(이)라고 한다.

(4) 생물과 환경이 서로 영향을 주고받는 복합적인 계를 (   )(이)라고 한다.

02 다음 설명 중 옳은 것은 ○, 옳지 않은 것은 ×로 표시하시오.

(1) 생태계는 식물과 동물, 그리고 미생물들로만 이루어져 있다. (   )

(2) 숲이나 바다뿐만 아니라 논이나 어항 등도 하나의 생태계라고 할 수 있다. (   )

(3) 생산자는 스스로 양분을 합성할 수 있으나, 분해자는 스스로 양분을 합성할 수 없다. (   )

(4) 토끼, 늑대, 코끼리, 호랑이 등은 모두 소비자에 해당한다. (   )

B 생태계의 평형

03 다음 설명 중 옳은 것은 ○, 옳지 않은 것은 ×로 표시하시오.

(1) 먹이 사슬이 복잡하게 얽힐수록 불안정한 생태계이다. (   )

(2) 안정된 생태계에서 에너지양, 생물량, 개체 수는 상위 영양 단계로 갈수록 감소하는 피라미드 모양을 나타낸다. (   )

(3) 생태계의 평형이 한번 깨지면 다시는 회복될 수 없다. (   )

(4) 무분별한 개발을 막는 것은 생태계 파괴를 막는 길이다. (   )

A 생태계 구성 요소

04 다음은 생태계에 서식하는 생물들을 3개 그룹으로 구분한 것이다.

> (가) 늑대, 여우, 코끼리, 소
> (나) 식물, 조류, 식물 플랑크톤
> (다) 세균, 곰팡이, 버섯 등

이에 대한 설명으로 옳은 것은?

① 서식지에 따라 생물들을 구분한 것이다.
② (가)는 개체군, (나)는 군집에 해당한다.
③ (가)와 (다)는 스스로 양분을 합성하지 못한다.
④ (나)는 다른 생물의 배설물이나 죽은 생물을 분해한다.
⑤ 생태계에서 (다)의 생물들이 사라진다 해도 생태계는 안정적으로 유지될 수 있다.

05 생태계를 구성하는 요인에 대한 설명으로 옳지 않은 것은?

① 생태계는 생물적 요인과 비생물적 요인으로 구성된다.
② 생태계를 구성하는 비생물적 요인에는 빛, 온도, 물, 공기, 토양 등이 있다.
③ 생태계에 서식하는 생물들 중에서 스스로 양분을 합성하는 생물은 생산자뿐이다.
④ 생태계에서 비생물적 요인은 생물에게 영향을 미치지만 생물은 비생물적 요인에 영향을 미치지 않는다.
⑤ 생태계를 구성하는 생물적 요인은 영양분을 얻는 방법에 따라 생산자, 소비자, 분해자로 구분된다.

06 다음은 여러 생물들에 관한 자료이다.

> • 뻐꾸기와 종달새는 봄에 번식하고, 송어와 노루는 가을에 번식한다.
> • 온대 지역의 곤충은 늦여름과 가을에 겨울잠을 자고, 이른 봄 활동을 시작하고 번식한다.
> • 붓꽃은 봄과 초여름에 꽃이 피고, 코스모스는 가을에 꽃이 핀다.

생물들의 위와 같은 적응 현상에 가장 큰 영향을 주는 환경 요인은?

① 물　② 토양　③ 온도
④ 빛의 파장　⑤ 일조 시간

07 다음은 여러 식물들의 적응 현상에 대한 설명이다.

> (가) 툰드라에 사는 털송이풀은 잎이나 꽃에 털이 있어 체온이 낮아지는 것을 막는다.
> (나) 느티나무, 신갈나무와 같은 낙엽수는 겨울의 추위를 견디기 위해 잎을 떨어뜨린다.

이에 대한 설명으로 옳은 것은?

① (가)와 (나)는 생물이 다른 생물에 영향을 주는 예이다.
② (가)에 영향을 미치는 비생물적 요인은 일조 시간, (나)에 영향을 미치는 비생물적 요인은 빛의 세기이다.
③ 변온 동물이 겨울잠을 자는 현상도 위와 같은 비생물적 요인에 적응한 사례이다.
④ (가)는 생산자, (나)는 분해자가 각각 환경에 영향을 끼친 결과이다.
⑤ (가)와 (나)에 영향을 미치는 비생물적 요인은 식물의 개화나 동물의 생식에 영향을 주기도 한다.

08 다음 중 공기에 대한 생물의 적응 현상의 예로 가장 적절한 것은?

① 고사리, 소나무 등의 육상 식물은 관다발이 발달하였다.
② 겨울에 동백나무, 사철나무와 같은 상록수는 잎의 큐티클층이 더 두꺼워진다.
③ 곤충의 몸 표면은 외골격으로 되어 있고, 육상 식물은 뿌리가 발달되어 있다.
④ 고산 지대에 사는 사람들은 낮은 지대에 사는 사람들보다 혈액 속에 적혈구 수가 더 많다.
⑤ 정온 동물은 몸이 털로 덮여 있거나 피하 지방을 축적하여 열이 빠져나가는 것을 막는다.

B 생태계의 평형

09 다음은 생태계 평형을 설명한 것이다.

> 안정된 생태계에서 한 개체군의 수가 변하면 먹이 관계로 연결된 다른 개체군의 수도 변하게 되므로 생태계 평형은 주로 (　　　　)에 의해 유지된다.

(　) 안에 들어갈 알맞은 말은?

① 먹이 관계　② 빛의 세기
③ 환경 요인　④ 일조 시간
⑤ 자연 재해

10 생태계 평형이 일시적으로 깨져 1차 소비자의 개체 수가 갑자기 증가하였다. 이 일이 일어난 직후에 나타나는 생태계의 변화로 옳은 것은?

① 2차 소비자의 개체 수가 급격히 감소한다.
② 생산자의 개체 수가 급격히 감소한다.
③ 분해자의 개체 수가 급격히 증가한다.
④ 1차 소비자의 개체 수가 증가된 상태를 계속 유지한다.
⑤ 1차 소비자를 제외한 모든 생물들의 개체 수가 서서히 증가한다.

11 그림은 안정된 상태를 유지하는 어떤 생태계 내에서의 먹이 관계를 나타낸 것이다.

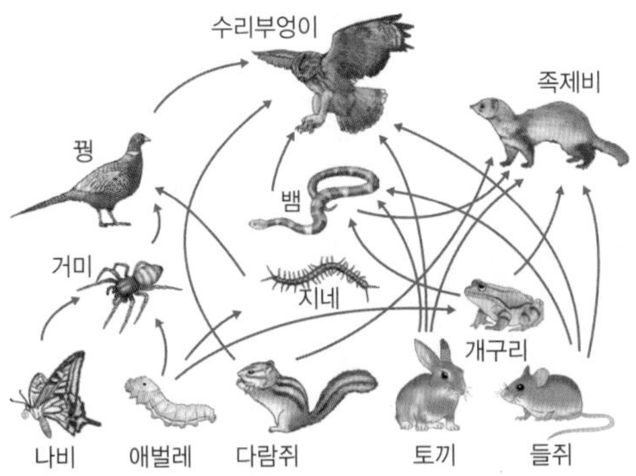

이에 대한 설명으로 옳은 것은?

① 나비와 애벌레는 생산자이다.
② 수리부엉이는 최종 소비자로 스스로 양분을 만들지 못한다.
③ 족제비는 1차 소비자이면서 동시에 2차 소비자이기도 하다.
④ 이 생태계에 서식하는 뱀의 개체 수에 비해 개구리의 개체 수가 더 적다.
⑤ 먹이 관계에 포함된 생물들 중에서 가장 생물량이 많은 개체군은 수리부엉이이다.

알쉬탐

12 마른 멸치를 물에 불린 후 위를 분리하고 위 속의 내용물을 꺼내어 현미경으로 관찰하였더니 여러 종류의 동물 플랑크톤을 찾을 수 있었다. 이 관찰 결과에 대한 설명으로 옳은 것은?

① 멸치는 다른 생물을 먹이로 하는 1차 소비자이다.
② 멸치의 개체 수는 멸치를 먹이로 하는 생물의 개체 수보다 항상 적다.
③ 일반적으로 멸치 개체군이 가진 에너지양은 동물 플랑크톤 개체군이 가진 에너지양보다 적다.
④ 멸치 개체군에 포함된 에너지는 모두 멸치를 먹이로 하는 오징어 개체군으로 전달된다.
⑤ 멸치의 개체 수가 갑자기 감소하면 동물 플랑크톤의 개체 수도 따라서 감소한다.

13 그림은 어떤 생태계에서 1차 소비자의 개체 수가 급증한 것을 나타낸 것이다.

이 이후 단계에서 일어나는 현상을 다음에 있는 생태 피라미드를 이용하여 순서대로 옳게 나열한 것은?

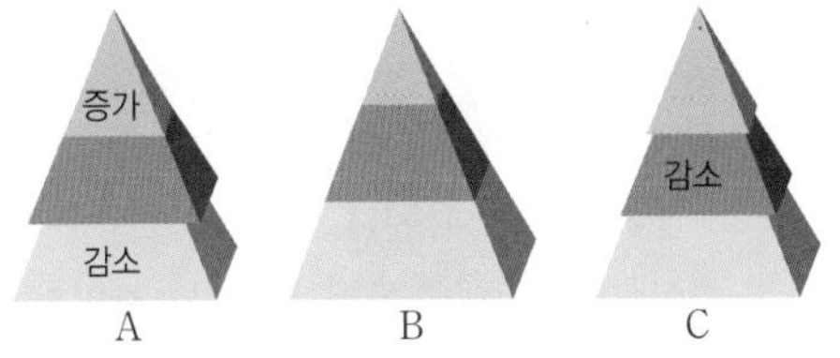

① A → C → B　② B → A → C
③ B → C → A　④ C → A → B
⑤ C → B → A

14 다음 중 생태계 평형 유지를 위한 노력에 대한 설명으로 옳지 않은 것은?

① 생물들의 파괴된 서식 공간을 복원하여 생태계가 회복될 수 있도록 한다.
② 습지 및 삼림 등을 보전하고, 보호해야 할 동물과 숲을 천연 기념물로 지정한다.
③ 도시 면적을 더 늘리고, 도시 건물 옥상에 정원과 공원을 조성해야 한다.
④ 무분별한 개발과 환경 파괴를 막고, 도로 등을 건설할 때 생태 통로를 확보하며, 생태 하천 복원 사업을 실시한다.
⑤ 도로나 댐 등의 건설로 인해서 서식지가 절단되는 것을 막기 위해, 야생 동물이 지나는 길을 인공적으로 만든 것을 생태 통로라고 한다.

실력 올리기 문제

| 생태계 | 출제예감

01 그림은 생태계를 구성하는 요소를 나타낸 것이다.

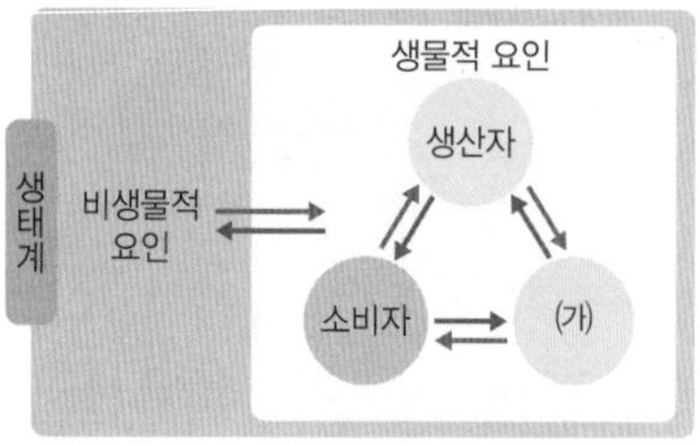

이에 대한 설명으로 옳은 것만을 | 보기 | 에서 있는 대로 고른 것은?

> 보기
> ㄱ. 빛, 토양, 공기, 물 등은 비생물적 요인으로 생태계에 포함된다.
> ㄴ. 이 생태계에 포함된 생산자, 소비자, (가)는 모두 하나의 개체군에 속한다.
> ㄷ. (가)에는 세균, 곰팡이, 버섯 등이 속하며 다른 생물의 배설물이나 죽은 생물을 분해하여 양분을 얻는다.

① ㄱ ② ㄴ ③ ㄷ
④ ㄱ, ㄴ ⑤ ㄱ, ㄷ

| 생물 군집의 구성 |

02 그림은 생태계를 구성하는 요인들을 나타낸 것이다.

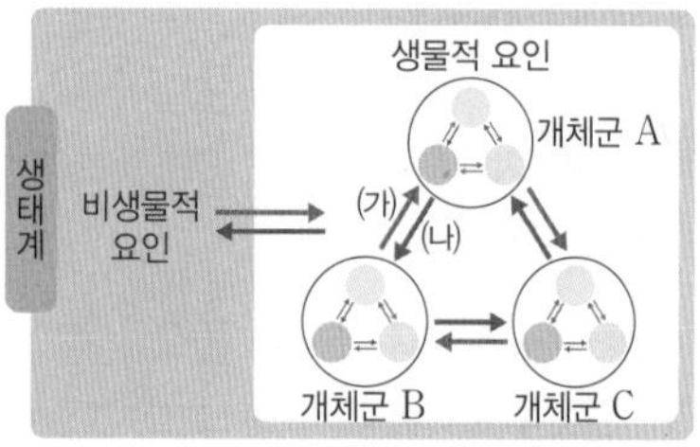

이에 대한 설명으로 옳은 것만을 | 보기 | 에서 있는 대로 고른 것은?

> 보기
> ㄱ. 개체군 A는 최소 2종 이상의 생물종으로 이루어진다.
> ㄴ. 개체군 A, B, C는 이 생태계에서 군집을 형성한다.
> ㄷ. (가)와 (나)는 생물과 환경 사이의 관계이다.

① ㄱ ② ㄴ ③ ㄷ
④ ㄱ, ㄷ ⑤ ㄱ, ㄴ, ㄷ

| 영양 단계와 먹이 사슬 |

03 그림 (가)은 어떤 생태계의 영양 단계에 따른 개체군의 생물량을 나타낸 생태 피라미드를, (나)는 이 생태계에서 시간에 따른 개체군 A와 B의 개체 수 변화를 나타낸 것이다. (단 ㉠과 ㉡은 A와 B 중 하나이다.)

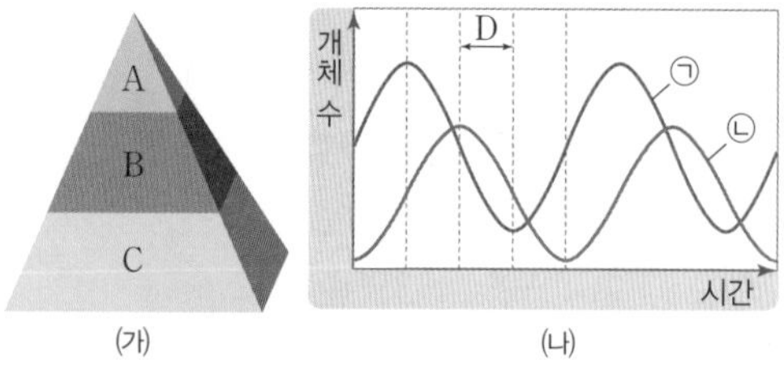

(가) (나)

이에 대한 설명으로 옳은 것만을 | 보기 | 에서 있는 대로 고른 것은?

> 보기
> ㄱ. ㉠은 A, ㉡은 B이다.
> ㄴ. C는 분해자에 해당하며, 세균, 곰팡이, 버섯 등이 속한다.
> ㄷ. D시기에는 ㉠의 개체 수가 감소하기 때문에 ㉡의 개체 수도 따라서 감소한 것이다.

① ㄱ ② ㄴ ③ ㄷ
④ ㄱ, ㄴ ⑤ ㄱ, ㄷ

| 생태 피라미드 |

04 그림은 안정된 생태계를 구성하는 생물 군집의 영양 단계에 따른 에너지양을 나타낸 것이다.

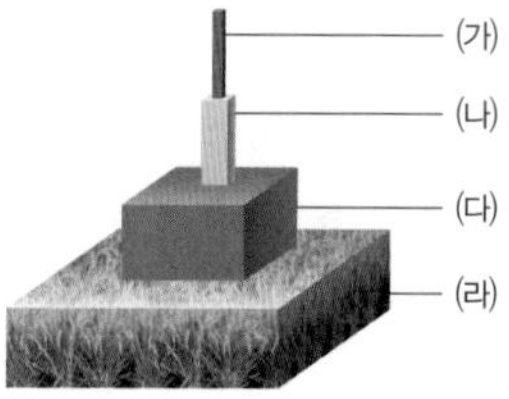

이에 대한 설명으로 옳은 것만을 | 보기 | 에서 있는 대로 고른 것은?

> 보기
> ㄱ. (가)는 3차 소비자로 (가)~(라) 중 에너지양이 가장 적다.
> ㄴ. (나)는 (다)를 먹이로 하며, (나)의 개체 수는 (다)의 개체 수에 비해 많다.
> ㄷ. (가)~(라) 중 유일하게 스스로 양분을 합성할 수 있는 것은 1차 소비자인 (라)이다.

① ㄱ ② ㄴ ③ ㄷ
④ ㄱ, ㄴ ⑤ ㄴ, ㄷ

정답과 해설 081쪽

| 생태계 평형 | 출제예감

05 다음은 어떤 해안의 안정된 생태계에 포함된 생물의 개체 수를 생태 피라미드와 이 해안에서 일어날 수 있는 상황을 설명한 것이다. (단, (가), (나), (다)는 해달, 해초, 성게 중 하나이다.)

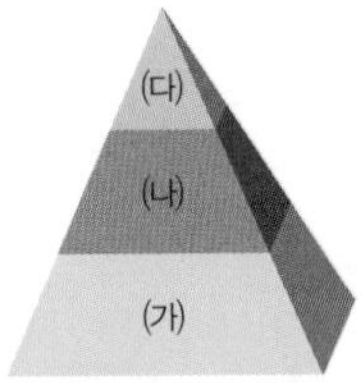

이 해안에서는 모피를 얻기 위한 남획으로 해달의 개체 수가 급격히 줄어들었다.

이에 대한 설명으로 옳은 것만을 | 보기 | 에서 있는 대로 고른 것은?

보기
ㄱ. (가)는 해달, (나)는 성게, (다)는 해초이다.
ㄴ. 해달의 개체 수가 감소하면 뒤이어 (나)의 개체 수는 증가한다.
ㄷ. 해달은 최종 소비자이므로, 해달의 개체 수가 감소하면 생태계는 평형을 회복할 수 없다.

① ㄱ ② ㄴ ③ ㄷ
④ ㄱ, ㄴ ⑤ ㄱ, ㄷ

| 생태계 평형의 예 |

06 다음 생태계 평형에 대한 설명으로 옳은 것만을 | 보기 | 에서 있는 대로 고른 것은?

보기
ㄱ. 생태계는 한번 파괴되면 회복되지 않는다.
ㄴ. 지진, 화산 폭발은 인간의 활동에 의한 생태계 파괴에 해당한다.
ㄷ. 생태계 보호를 위해 도로를 건설할 때는 생태 통로를 설치해야 한다.

① ㄱ ② ㄴ ③ ㄷ
④ ㄱ, ㄴ ⑤ ㄱ, ㄷ

| 온도와 생물 |

07 그림은 서식지에 따른 여우의 모습을 나타낸 것이다.

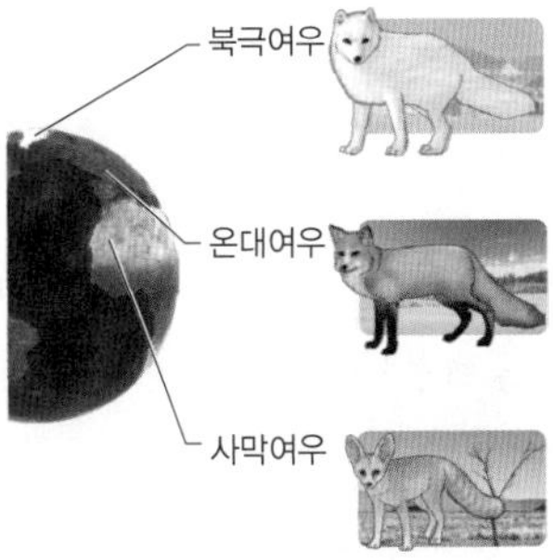

(1) 서식지에 따라 여우가 다른 모습을 보이게 된 비생물적 요인은 무엇인지 쓰시오.

(2) 북극여우는 몸집은 크고 몸의 말단 부위는 작은데 비해 더운 지역에 사는 사막여우는 몸집은 작고 몸의 말단 부위는 크다. 사막여우가 이러한 모습을 나타내는 까닭을 서술하시오.

| 먹이 그물과 생태계 평형 |

08 그림은 서로 다른 먹이 그물로 구성된 2종류의 생태계를 나타낸 것이다.

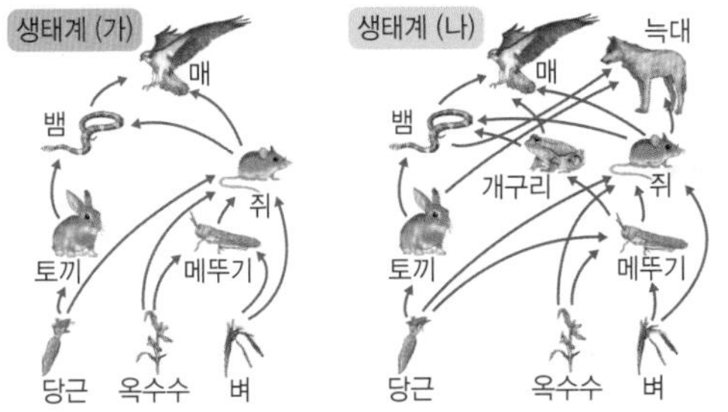

생태계 (가)와 (나)에서 쥐가 사라졌을 경우 생태계 평형이 잘 유지될 수 있는 생태계를 쓰고, 그 까닭을 서술하시오.

02 지구 환경 변화와 인간 생활

개념 이해 대기 대순환, 표층 순환, 엘니뇨, 사막화, 온실 효과, 지구 온난화, 기후 변화

A 대기와 해수의 순환

한·줄·핵심 위도별 복사 에너지 불균형 때문에 대기 대순환과 해수의 표층 순환이 생겼으며 이들 순환으로 에너지가 평형을 이루지.

1. 대기 대순환

(1) 발생 원인 위도별 복사 에너지 불균형[1] 때문에 순환이 발생

(2) 역할 위도별 에너지 불균형 해소
저위도의 과잉된 에너지를 고위도로 운반

(3) 대기 대순환 모형(페렐 모형) 지구 자전에 의한 전향력에 의해 3개의 순환 세포가 생긴다.

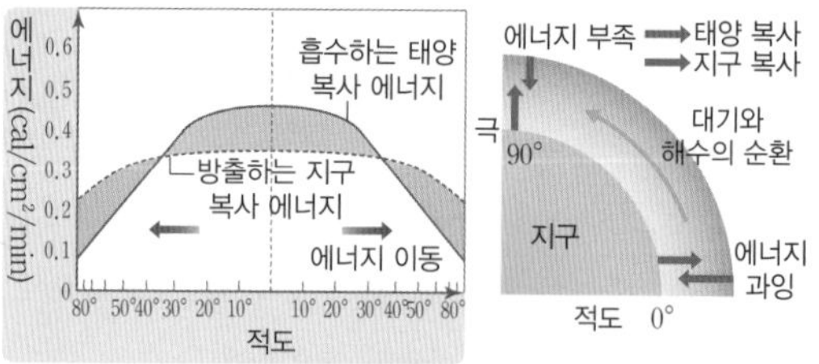

위도별 복사 에너지 불균형

극 순환과 해들리 순환은 저위도에서 공기가 상승하고 고위도 쪽에서 차가워진 공기가 하강한다. 그러나 페렐 순환은 이와 반대로 순환하는 데 위도 30°에서 해들리 순환과 같이 상승하고 위도 60°에서 극 순환과 같이 상승하는 간접 순환이기 때문이다.

위도 60° 지역
상승 기류, 지표에서 찬 공기와 따뜻한 공기가 만나 전선 형성

위도 30° 지역
하강 기류, 고기압 발달, 강수량이 적다. → 중위도 고압대, 사막 발달

적도 지역
상승 기류, 저기압이 발달, 구름과 강수 많다. → 열대 수렴대(저압대)

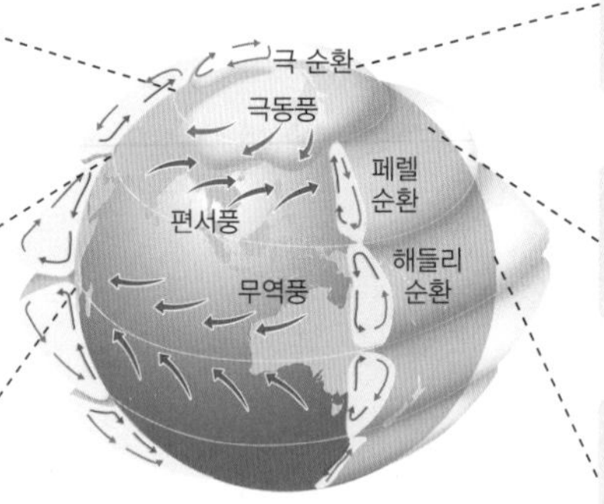

대기 대순환

극 순환(위도 60°~극)
극에서 하강하고 위도 60°에서 상승 → 극동풍

페렐 순환(위도 30°~60°)
위도 30°에서 하강하고 위도 60°에서 상승 → 편서풍

해들리 순환(적도~위도 30°)
적도에서 상승하고 위도 30°에서 하강 → 무역풍

2. 해수의 표층 순환 일정한 방향으로 지속적으로 흐르는 표층 해수의 흐름

(1) 원인 연중 일정한 방향으로 불고 있는 바람과 해수 표층 사이의 마찰로 일정한 흐름이 생긴다.

(2) 역할 위도별 에너지 불균형 해소
저위도의 과잉된 에너지를 고위도로 운반

(3) 난류와 한류

① 난류: 저위도 → 고위도, 수온 높음, 염분 높음 예 쿠로시오 해류, 멕시코 만류

② 한류: 고위도 → 저위도, 수온 낮음, 염분 낮음 예 캘리포니아 해류, 페루 해류

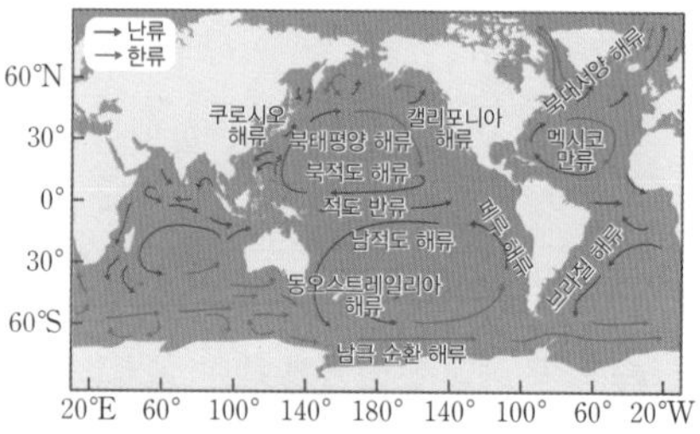

해수의 표층 순환

[1] 위도별 복사 에너지 불균형
저위도 지역이 고위도 지역보다 지표면에 도달하는 태양 복사 에너지의 양이 많다. 따라서 저위도는 에너지 과잉이 되고 고위도는 에너지 부족이 되어 대기와 해수가 저위도에서 고위도로 에너지를 이동시킨다.

#보충!
단일 세포 순환 모형(해들리 모형)

- 가정: 지표면이 균질하고 자전을 하지 않는다.
- 적도 지방의 따뜻한 공기는 상승하고, 극지방의 찬 공기는 하강하여 형성된 순환에 의해 1개의 순환 세포를 형성한다.
- 실제 순환과 다르다.

#보충!
대기 대순환 모형(페렐 모형)
페렐 모형은 '지구 표면이 균질하고 자전한다.'고 가정을 하였다. 실제 지구 표면은 균질하지 않기 때문에 페렐 모형과 실제 대기 대순환은 차이가 발생한다.

- 표층 순환(겉 表, 층 層, 돌다 循, 고리 環) 해양 표층에 나타나는 지속적이고 일정한 방향성을 갖는 해수의 순환

B 엘니뇨와 사막화

한·줄·핵심 엘니뇨는 무역풍의 약화로 발생하며 기상 이변을 일으켜. 사막화는 여러 원인으로 토양이 황폐화되어 사막으로 변해가는 현상이지.

1. 엘니뇨와 라니냐

(1) 엘니뇨 동태평양(남아메리카의 페루, 에콰도르 연안) 적도 부근 해역의 표층 수온이 평년보다 0.5 ℃ 이상 높아져 일정 기간 지속되는 현상 대기 대순환의 변화에 의한 무역풍 약화 또는 무역풍이 불지 않아 발생

	평상시	엘니뇨[2]
모식도	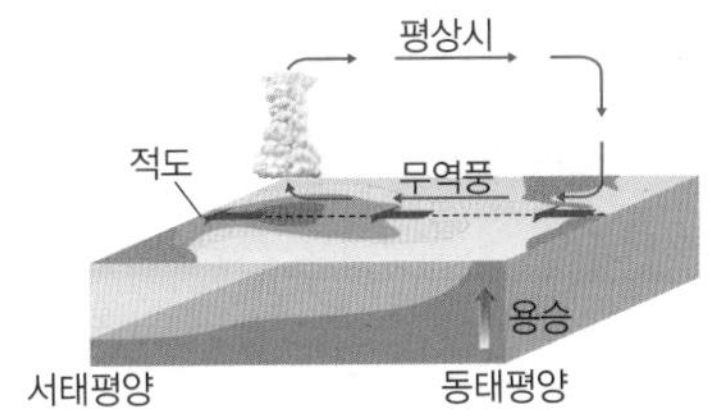	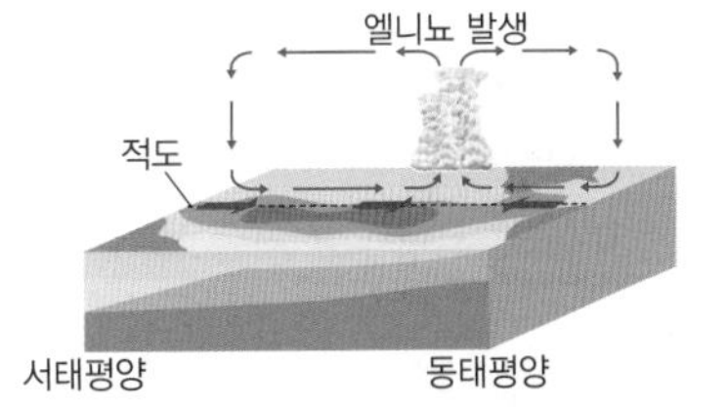
원인	• 평상시의 무역풍	• 무역풍 약화
과정	• 무역풍 → 적도 표층 해수(따뜻한 해수) 서쪽으로 이동 → 차가운 심해 바닷물이 용승[3] → 적도 부근 동태평양 표층 수온 낮아짐	• 무역풍 약화 → 적도 표층 해수 서쪽으로 이동 약화(따뜻한 해수가 동태평양에 머무르게 됨) → 용승 억제 → 적도 부근 동태평양 표층 수온 높아짐
기후 양상	• 서태평양(호주, 인도네시아 지역): 상승 기류(저기압 발달), 강수 현상 • 동태평양: 수온 낮음 → 고기압 발달 → 강수량 적음	• 서태평양(호주, 인도네시아 지역): 하강 기류(고기압 발달), 가뭄 → 건조, 산불 발생 • 동태평양: 수온 상승 → 저기압 발달, 강수량 증가, 홍수 규모에 따라 세계적인 기상 이변이 발생하기도 한다.

(2) **라니냐** 엘니뇨와 반대되는 현상으로 강하고 지속적인 무역풍에 의해 용승이 강화되어 동태평양(페루 연안)의 표층 수온이 매우 낮아지는 현상

2. 사막화

사막의 확장으로 주변 지역의 농업, 목축업 등이 큰 피해를 입고 심각한 식량 및 용수 부족이 나타나기도 한다.

(1) **사막화** 사막 주변 지역의 토지가 황폐해져 점차 사막으로 변하는 현상

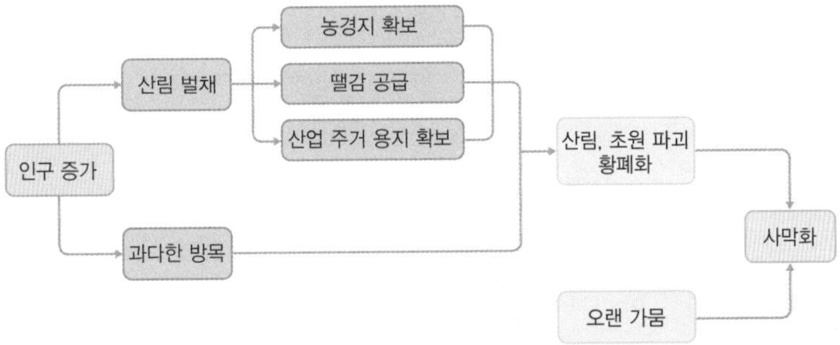

사막화 과정

(2) **원인** 자연적 요인과 인위적 요인에 의해 복합적으로 작용하여 발생

① 자연적 요인: 강수량이 감소하고 증발량이 증가

② 인위적 요인: 과다 방목, 산림 벌채, 과잉 경작 등

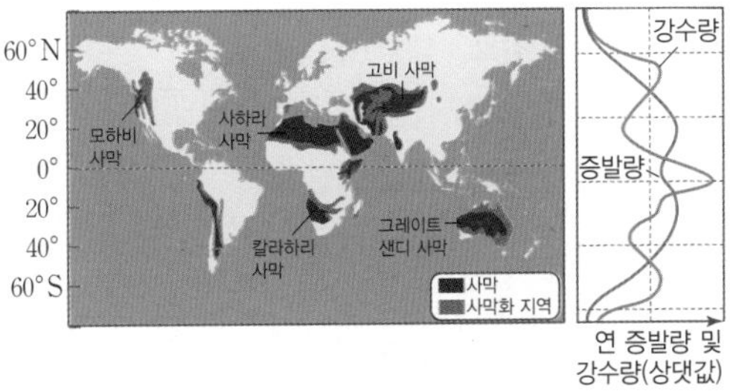

사막화 지역의 분포

(3) **피해와 대책**

① 피해: 식생 파괴, 토양 침식, 식량과 식수 부족 현상, 황사나 모래폭풍 증가

② 대책: 가축의 방목과 과잉 경작 줄이기, 벌채 줄이기, 숲을 가꾸기, 식재 활성화 등

사막화 방지 협약과 같은 국제 협약을 통해 사막화를 줄이기 위해 노력하고 있다.

❷ 엘니뇨

페루 앞바다에서 크리스마스 즈음에 해수의 온도가 높아지는 현상을 신의 아들이란 의미의 엘니뇨라고 불렀다.

❸ 용승

차가운 바닷물이 아래에서 표층으로 올라오는 현상

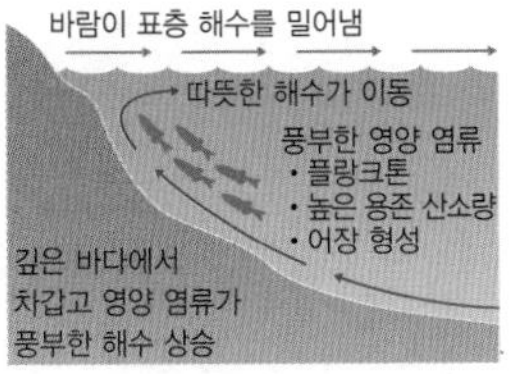

연안 용승

#보충!

고기압과 저기압(북반구 기준)

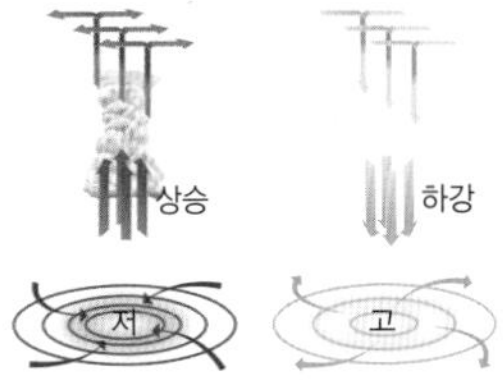

• 저기압에서 상승 기류
─ 상승 기류에서 구름 발생
• 고기압에서 하강 기류

• 사막화(모래 沙, 넓다 漠, 되다 化) 사막이 아닌 지역이 황폐화되어 사막으로 변해가는 현상

• 황사(노란색 黃, 모래 砂) 중국이나 몽골 등에 있는 사막이나 황토 지역의 먼지가 바람을 타고 멀리 날아가 떨어지는 현상

정답과 해설 082쪽

간단 점검

1. 지구에서 일어나는 가장 큰 규모의 대기 순환은?

2. 대기 대순환은 몇 개의 순환 세포로 되어있는가?

3. 북태평양 해류에 영향을 주는 바람은?

4. 무역풍이 약화되어 적도 부근 동태평양 수온이 상승하는 현상은?

❹ 온실 기체

수증기(H_2O), 이산화 탄소(CO_2), 메테인(CH_4), 산화 이질소(N_2O), 염화 플루오린화 탄소(CFC), 오존(O_3) 등

C 지구 온난화와 기후 변화

한·줄·핵심 온실 기체의 증가로 온실 효과가 가속화되고 있고, 최근 지구 평균 기온이 상승하는 지구 온난화가 발생하고 있어.

1. 온실 효과

(1) 복사 평형 지구는 가시광선 영역에 집중된 태양 복사 에너지를 흡수하고, 흡수한 에너지만큼 적외선 형태의 지구 복사 에너지 방출하여 복사 평형을 이룬다.

- 지구가 흡수하는 태양 복사 에너지=지구가 방출하는 지구 복사 에너지

(2) 온실 효과•

① 온실 효과: 온실 기체❹가 방출되는 지구 복사 에너지를 흡수하였다가 그 일부를 지표로 방출하여 대기가 없을 때보다 지구 평균 기온이 높게 유지되는 효과

② 현재 온실 기체의 양은 계속 증가하고 있는 추세

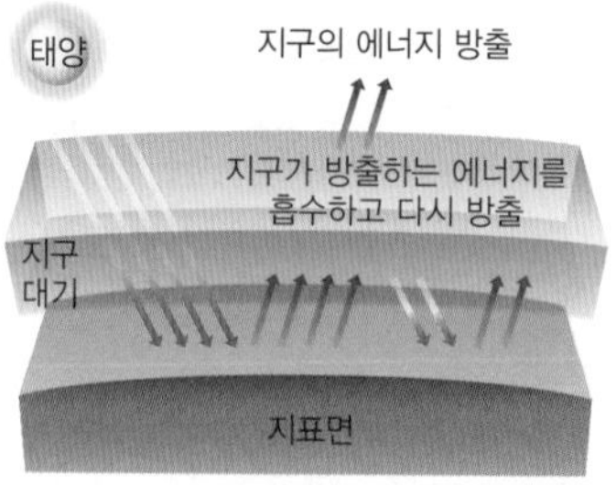

대기에 의한 온실 효과

#보충!

온실 효과는 지구의 온도를 일정하게 유지하는 역할을 한다. 만약 지구에 온실 효과가 없다면 평균 기온은 −20 ℃ 정도로 매우 추웠을 것이다.

2. 지구 온난화

온실 기체 양의 증가로 온실 효과가 강화되어 지구 평균 기온이 상승하는 현상 화석 연료의 사용, 산림 파괴 등 인간의 활동으로 온난화가 빠르게 진행되고 있다.

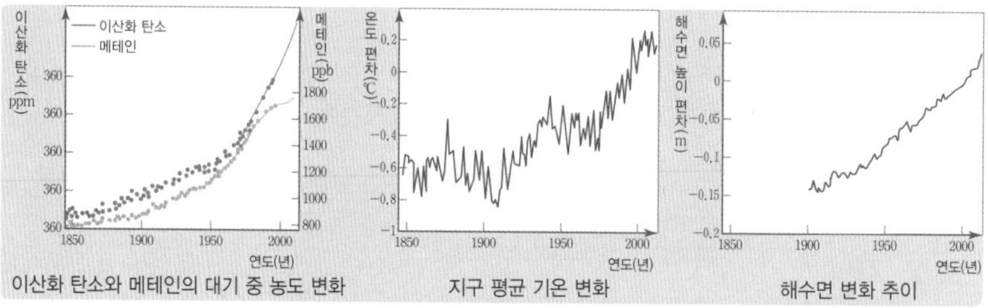

온실 기체 농도 변화와 지구 기온 및 해수면 변화

❺ 해수의 열팽창

바닷물의 온도가 상승하게 되면 바닷물의 부피가 팽창한다. 이로 인해 해수면이 상승하는 효과가 나타난다.

(1) 원인 화석 연료의 사용량 증가, 지나친 산림 벌채 등으로 대기 중 온실 기체의 양이 증가하는 것이 중요한 원인 중 하나이다.

(2) 영향 대기와 해수의 전지구적 순환에 영향을 준다.

① 해수 열팽창,❺ 빙하의 융해 → 해수면 상승 → 해안 저지대 침수 → 육지 면적 감소 → 서식지 감소, 식량 생산 감소

② 생태계 교란, 질병 증가

③ 기후대 변화, 기상 이변

(3) 대책

① 온실 기체 배출 억제

- 화석 연료 사용 줄이기: 실내 적정 온도 유지, 대중 교통 이용, 에너지 소비 효율 높은 제품 사용, 재활용 실천 등
- 기술 개발: 신재생 에너지 사용, 대체 에너지 개발과 개선
- 국가의 정책과 지원 필요

② 국제적 공조와 협약 등 국제적인 노력 필요

•온실 효과(**따뜻할 溫, 집 室, 나타나다 效, 결과 果**) 따뜻한 온실(비닐하우스) 같은 효과가 발생하는 것을 의미하며, 방출되는 지구 복사 에너지를 흡수했다 다시 지표로 방출하여 온도가 상승하는 효과

1988년	1992년 6월	1997년 12월	2005년 2월	2009년 12월	2010년 12월	2015년 11월
유엔 환경 계획·세계기상기구, 기후 변화 과학 자문 기구 기후변화정부간 협의체(IPCC) 출범	**브라질 리우 환경회의** 기후 변화 대응을 목표로 한 유엔기후 변화협약(UNFCCC) 출범	**일본 교토 기후회의** 선진국들에만 온실 기체 감축 의무 부여한 교토 의정서 채택	교토의정서 발효	**덴마크 코펜하겐 기후회의** 교토의정서 후속 기후 체제에 대한 합의 시도 실패	**멕시코 칸쿤 기후회의** 산업화 이전 대비 기온 상승폭을 2 ℃ 아래로 유지하는 장기목표 첫 설정	**프랑스 파리 기후회의** 교토의정서 체제 후속 새 기후 체제 기본틀인 파리협정 채택

국제 사회의 기후 변화 대응을 위한 협약 체결 과정

3. 기후 변화❻

(1) 과거의 기후 변화

① 과거 기후의 연구 방법

극지방의 빙하 코어 연구	• 수십만 년 단위의 과거 기후를 알 수 있다. • 빙하 시추물의 줄무늬와 빙하 속의 공기를 이용한 대기 조성 연구
나무 나이테 연구	• 나이테 간격을 보고 생장 속도를 예측 → 기온, 강수량 파악
퇴적암과 화석 연구	• 수억 년 단위의 과거 기후를 알 수 있다. • 지층 퇴적물 연구: 퇴적물 내의 꽃가루나 미생물 등을 통해 과거 기후 추정 • 화석 연구: 화석의 종류와 분포 연구를 통해 과거 기후 추정

② 과거 기후 변화 과거에도 기온이 상승과 하강을 반복하였다.

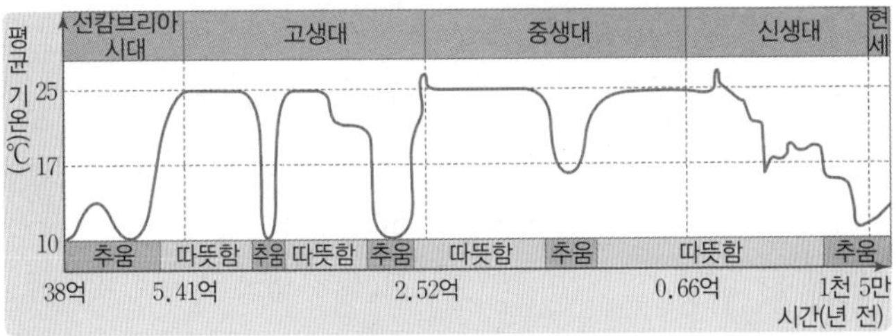

지질 시대의 기후 변화

(2) 기후 변화 원인

지구 외적 요인 (천문학적 요인)	• 지구 자전축의 방향 변화❼ • 지구 자전축의 경사각 변화 • 지구 공전 궤도 모양의 변화 • 태양 활동 변화 등
지구 내적 요인	• 수륙 분포의 변화(판의 운동에 따른 기후 변화) • 화산 활동(화산재에 의해 태양 복사 에너지 차단 → 기온 하강) • 지표면의 상태 변화(반사율 변화) 예 빙하 감소 반사율 감소 • 온실 기체의 증가(인간 활동에 의한 온실 기체 증가) 등

(3) 한반도의 기후 변화 알쉬특

기후 변화를 극복하는 방법에는 지구 온난화를 줄이기 위한 노력과 변화한 기후에 적응할 수 있는 기술 개발을 들 수 있다.

① 한반도에서 측정되는 이산화 탄소의 농도가 증가하고 있다.

② 과거에 비해 최근의 연평균 기온의 상승 정도가 증가한다.

③ 최근 한반도의 연평균 기온 상승폭이 전 세계 평균값 보다 크다.

④ 해수면이 꾸준히 증가하고 있는 추세이다.

⑤ 한반도에서 아열대 기후대가 점차 북상하고 있다.

- 식생의 변화가 생긴다.
- 아열대성 식물의 서식지가 북상하고 있다.
- 개화(꽃이 피는) 시기가 빨라지고 있다.

❻ 기후 변화

일정 지역에서 오랜 기간에 걸쳐서 평균적인 대기 상태인 기후가 변하는 현상

#보충!

지구 자전축이 경사져 있기 때문에 계절 변화가 나타난다. 경사각이 커지면 계절 변화가 심해진다.(연교차가 커진다)

❼ 지구 자전축의 방향 변화

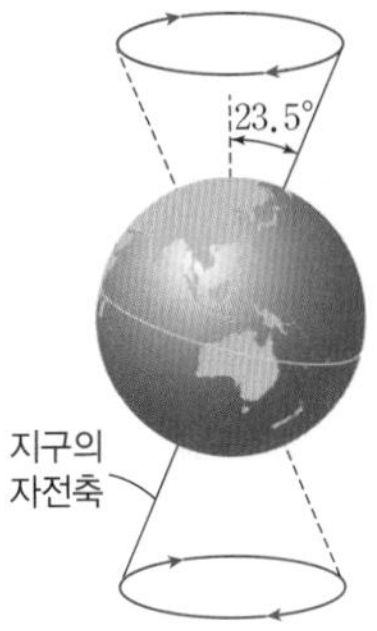

#보충!

파리 기후 변화 협약

전 세계 온실 가스 감축을 위해 2015년 12월 12일 프랑스 파리에서 맺은 국제 협약을 말한다. 이 협약에는 미국과 중국을 포함해 총 195개 국가가 서명했다(2017년 미국 탈퇴). 산업화 이전 시기 대비 지구 평균 기온 상승폭을 2℃보다 상당히 낮은 수준으로 유지하는 게 목표이다.

정답과 해설 082쪽

간단 점검

5. 방출되는 지구 복사 에너지를 특정 기체가 흡수하였다가 그 일부를 지표로 방출하면서 지구 평균 기온이 높게 유지되는 효과는?

6. 화석 연료의 사용으로 방출되는 대표적인 온실 기체는?

7. 최근 인간 활동으로 지구의 평균 기온이 급격히 상승하는 현상은?

8. 수십만 년 단위의 과거 기후를 알 수 있는 방법은?

9. 퇴적암과 화석을 통해서 알 수 있는 것은?

10. 지구 온난화에 의한 기후 변화로 한반도에서 아열대 지대가 점차 (　　)하고 있다.

알아두면 시험이 쉬워지는 특강

한반도 기후 변화와 미래 시나리오

1 한반도의 이산화 탄소 농도 변화

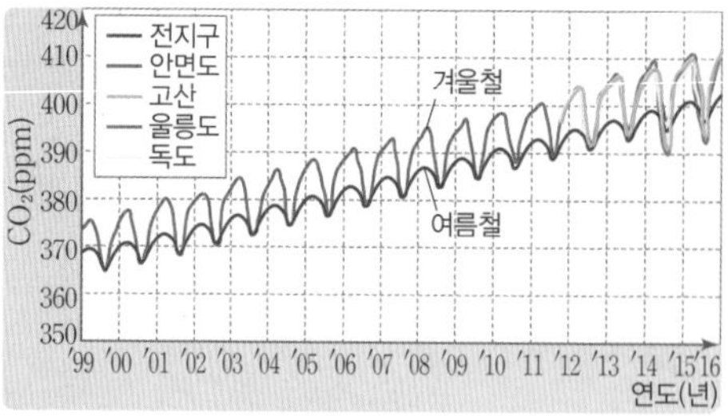

1. 전 세계 및 한반도의 이산화 탄소 농도가 증가하고 있다.
2. 겨울철이 여름철보다 이산화 탄소의 농도가 높다. → 난방을 위한 화석 연료 사용 증가
3. 이산화 탄소는 대표적인 온실 기체로 주로 인간 활동에 의해 증가하며 이로 인해 온실 효과의 가속화를 가져온다.

2 한반도의 연평균 기온 변화

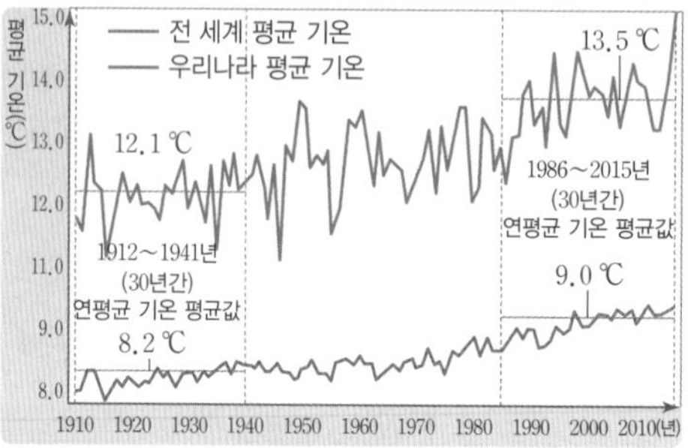

1. 한반도의 연평균 기온은 변동은 있지만 꾸준히 상승하는 추세이다.
2. 전 세계 평균 기온에 비해 우리나라의 평균 기온이 더 크게 상승하고 있다.
3. IPCC 2014 보고서에 의하면 기온의 상승폭이 점점 증가하는 경향을 보이고 있다.
   1954년~1999년 → 0.23 ℃/10년
   1981년~2010년 → 0.41 ℃/10년
   2001년~2010년 → 0.5 ℃/10년

3 한반도 기후 변화 전망과 미래 시나리오 (참고: IPCC 2014 한국 기후변화 평가보고서)

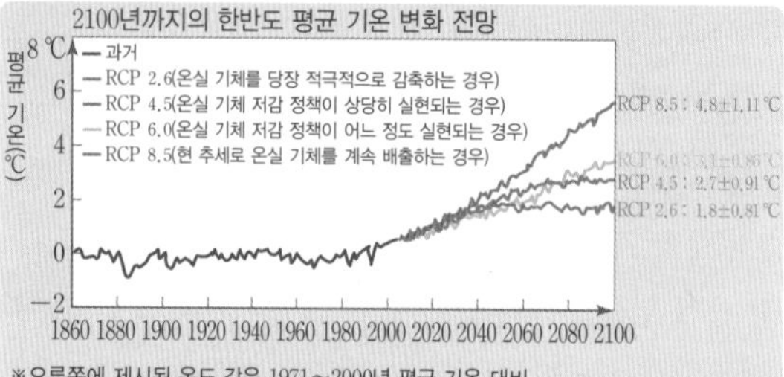

※오른쪽에 제시된 온도 값은 1971~2000년 평균 기온 대비 2071~2100년 평균 기온 상승폭임

1. 한반도의 기후 변화 전망

① 한반도의 평균 기온 상승은 전 세계 평균보다 다소 높을 것으로 예상된다.

② 한반도 평균 강수량도 전 세계 평균보다 클 것으로 예상된다.

2. 기후 변화 피해

- 꽃가루 발생량 증가로 알레르기 질환자 증가
- 해양 산성화: 바다에 이산화 탄소가 녹아 탄산 이온이 형성되면서 산성화가 진행된다.
- 여름이 길어지고 겨울이 짧아진다. → 폭염 피해자 증가
- 아열대성 병해충 확산
- 우리나라 연안 해역의 해수면이 상승할 것으로 예상
- 해수 온도 상승에 따른 아열대성 어류 유입량 증가

한·줄·핵심 한반도 지역은 전 세계 평균보다 높은 이산화 탄소 농도와 기온 상승을 보이고 있으며 이로 인한 많은 피해가 예상된다.

확인 문제

정답과 해설082쪽

1. 다음 설명 중 옳은 것은 ○, 옳지 않은 것은 ×로 표시하시오.

(1) 한반도의 평균 이산화 탄소 농도는 전 세계 값보다 낮다. ( )

(2) 우리나라 해역의 해수면은 낮아질 것이다. ( )

(3) 한반도의 평균 이산화 탄소 농도는 증가하고 있다. ( )

(4) 한반도의 연평균 기온의 상승폭은 점점 증가하는 경향을 보인다. ( )

개념 + 기본 문제

정답과 해설 082쪽

개념 문제

A 대기와 해수의 순환

01 다음 설명 중 옳은 것은 ○, 옳지 않은 것은 ×로 표시하시오.

(1) 대기 대순환의 발생 원인은 위도별 복사 에너지의 불균형 때문이다. (   )

(2) 해수의 표층 순환은 밀도 차이에 의해 발생하는 순환이다. (   )

(3) 고위도의 과잉된 에너지는 해수와 대기의 순환에 의해 저위도로 이동된다. (   )

B 엘니뇨와 사막화

02 다음은 엘니뇨가 발생하는 과정을 나타낸 것이다. 빈칸에 알맞은 말을 쓰시오.

(   ) 약화 → 적도 표층 해수의 서쪽으로 이동 약화 → (   ) 억제 → 적도 부근 동태평양 표층 수온 (   )

03 다음 설명 중 옳은 것은 ○, 옳지 않은 것은 ×로 표시하시오.

(1) 사막화는 사막의 주변 지역이 황폐화되어 사막으로 변하는 현상이다. (   )

(2) 사막화가 가속화되면 식생이 파괴되고 토양이 침식된다. (   )

(3) 황사 현상은 사막화가 진행될수록 증가한다. (   )

C 지구 온난화와 기후 변화

04 다음 설명 중 옳은 것은 ○, 옳지 않은 것은 ×로 표시하시오.

(1) 기온이 높으면 나이테 간격이 넓어진다. (   )

(2) 과거에는 지구의 기온 변화가 없었으나 최근 인간 활동에 의해 지구의 기온이 상승하고 있다. (   )

(3) 한반도의 연평균 기온의 상승 폭은 전 세계 평균 보다 높다. (   )

A 대기와 해수의 순환

05 그림은 위도별로 흡수하는 태양 복사 에너지와 방출하는 지구 복사 에너지를 나타낸 그래프이다.

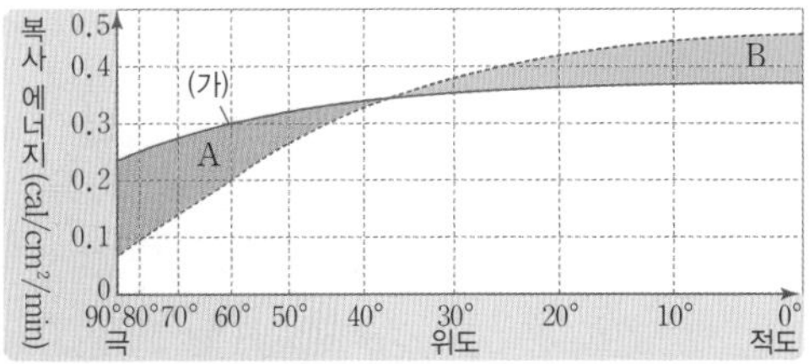

이에 대한 설명으로 옳은 것만을 | 보기 | 에서 있는 대로 고른 것은?(단, 지구는 복사 평형을 이루고 있다고 가정한다.)

보기
ㄱ. A와 B의 넓이는 같다.
ㄴ. (가)의 에너지는 조력 에너지이다.
ㄷ. 저위도의 과잉된 에너지는 해수와 대기에 의해 고위도로 이동한다.

① ㄱ ② ㄴ ③ ㄱ, ㄷ
④ ㄴ, ㄷ ⑤ ㄱ, ㄴ, ㄷ

06 그림은 지구 대기의 순환 모형을 순서에 관계없이 나타낸 것이다.

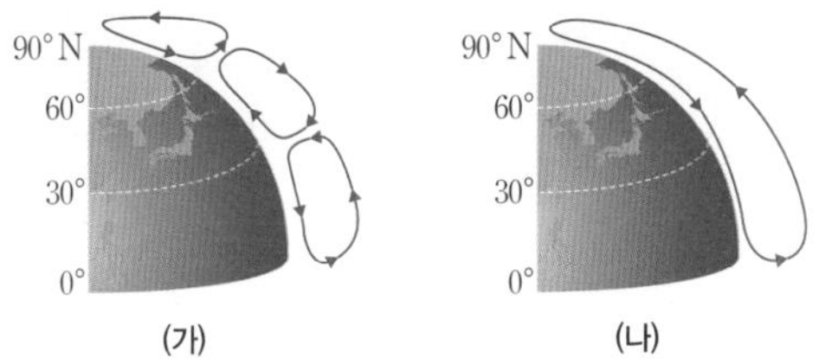

이에 대한 설명으로 옳지 않은 것은?

① (가)는 지구 자전을 고려하였다.

② 실제 지구 대기의 순환은 (나)에 가깝다.

③ (가)와 (나) 모두 지표가 균질하다고 가정한다.

④ (가)는 위도 30° 부근에서 사막이 나타나기 쉽다.

⑤ (가)와 (나) 모두 위도별 복사 에너지 불균형 때문에 순환이 일어난다.

07 그림은 북태평양 표층 해수의 흐름을 화살표로 나타낸 것이다.

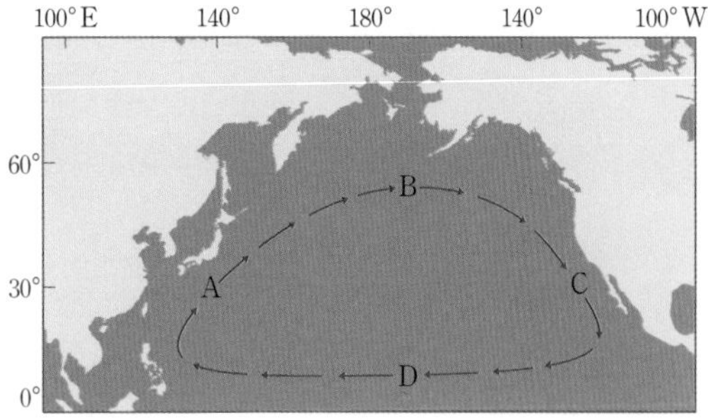

이에 대한 설명으로 옳은 것만을 | 보기 | 에서 있는 대로 고른 것은?

> 보기
> ㄱ. A보다 C의 수온이 높다.
> ㄴ. B는 편서풍에 의해서 형성된 흐름이다.
> ㄷ. D는 무역풍에 의해서 형성된 흐름이다.

① ㄱ, ② ㄴ ③ ㄱ, ㄷ
④ ㄴ, ㄷ ⑤ ㄱ, ㄴ, ㄷ

B 엘니뇨와 사막화

08 그림은 태평양의 모습을 나타낸 것으로 평상시의 상태와 엘니뇨 때의 상태를 순서와 상관없이 나타낸 것이다.

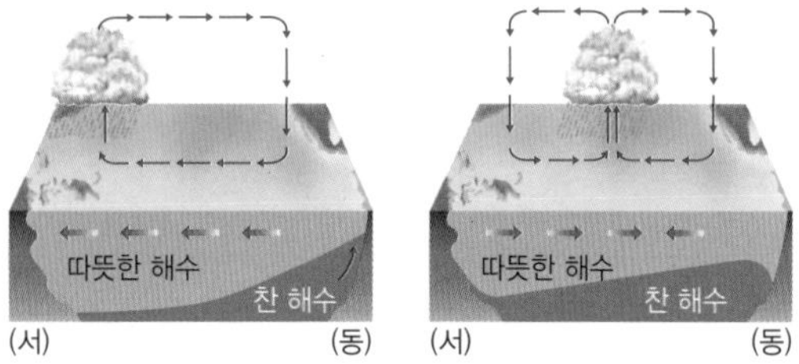

(가) (나)

이에 대한 설명으로 옳은 것만을 | 보기 | 에서 있는 대로 고른 것은?

> 보기
> ㄱ. (가)는 엘니뇨에 해당한다.
> ㄴ. (나) 시기에 호주에 강수량이 줄어든다.
> ㄷ. 동태평양의 수온은 (가)보다 (나)일 때 높다.

① ㄱ, ② ㄷ ③ ㄱ, ㄴ
④ ㄴ, ㄷ ⑤ ㄱ, ㄴ, ㄷ

09 다음은 엘니뇨가 발생하여 진행되는 과정을 순서와 상관없이 나타낸 것이다.

> (가) 용승 억제
> (나) 무역풍 약화
> (다) 동태평양 표층 수온 상승
> (라) 적도 표층 해수 서쪽으로 이동 약화

엘니뇨가 발생하여 진행하는 과정을 순서대로 옳게 나열한 것은?

① (가) → (나) → (다) → (라)
② (나) → (가) → (다) → (라)
③ (나) → (라) → (가) → (다)
④ (다) → (나) → (가) → (라)
⑤ (라) → (나) → (다) → (가)

10 사막화에 대한 설명으로 옳은 것만을 | 보기 | 에서 있는 대로 고른 것은?

> 보기
> ㄱ. 중국과 몽골 지역에서의 사막화와 황사는 관련이 없다.
> ㄴ. 자연적 요인과 인위적 요인이 복합적으로 작용하여 발생한다.
> ㄷ. (강수량–증발량)이 큰 지역은 사막화가 일어나기에 더 유리하다.

① ㄴ ② ㄷ ③ ㄱ, ㄴ
④ ㄴ, ㄷ ⑤ ㄱ, ㄴ, ㄷ

C 지구 온난화와 기후 변화

11 다음 중 온실 기체에 해당하지 않는 것은?

① 오존 ② 질소 ③ 메테인
④ 수증기 ⑤ 이산화 탄소

12 다음 중 지구 온난화로 나타나는 현상이 아닌 것은?

① 화산 활동 증가 ② 빙하의 융해
③ 육지 면적 감소 ④ 해양 산성화
⑤ 해안 저지대 침수

13 다음 중 지구 온난화를 줄이기 위한 방안으로 옳지 않은 것은?

① 온실 기체의 배출을 줄인다.
② 실내 적정 온도를 유지한다.
③ 항상 1회용 컵으로 음료수를 마신다.
④ 산림을 보존하고 나무를 많이 심는다.
⑤ 에너지 소비 효율이 높은 제품을 사용한다.

14 그림은 과거 지구의 이산화 탄소(CO_2) 농도와 지구의 기온 변화를 나타낸 것이다.

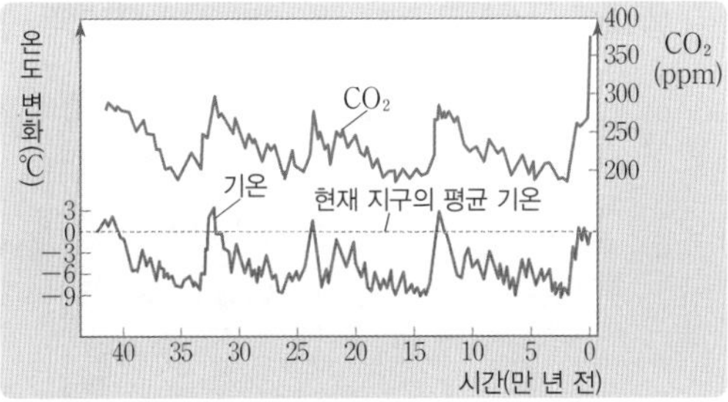

이에 대한 설명으로 옳은 것만을 | 보기 | 에서 있는 대로 고른 것은?

보기
ㄱ. 이산화 탄소는 온실 기체이다.
ㄴ. 최근 이산화 탄소 농도가 급격히 증가하고 있다.
ㄷ. 이산화 탄소 농도가 증가하면 온도가 상승하는 경향을 보인다.

① ㄱ ② ㄴ ③ ㄱ, ㄷ
④ ㄴ, ㄷ ⑤ ㄱ, ㄴ, ㄷ

단답형

15 지구 온난화에 의해 해수면이 상승하는 이유 2가지를 쓰시오.

알쉬특

16 한반도의 기후 변화와 이로 인한 환경의 변화에 대한 설명으로 옳은 것만을 | 보기 | 에서 있는 대로 고른 것은?

보기
ㄱ. 최근 기온의 상승폭은 변화가 없다.
ㄴ. 꽃이 피는 시기가 점차 빨라지고 있다.
ㄷ. 아열대성 식물의 서식지가 점차 북상하고 있다.

① ㄱ ② ㄴ ③ ㄱ, ㄷ
④ ㄴ, ㄷ ⑤ ㄱ, ㄴ, ㄷ

17 다음은 한반도의 환경 변화와 관련된 한국 기후 변화 평가 보고서(2014)의 글이다.

> 우리나라 주변 바다에서 수온과 해수면은 지속적으로 상승하고 있으며, 동해에는 해양 산성화가 진행되고 있다.

이 글에 대한 설명으로 옳은 것만을 | 보기 | 에서 있는 대로 고른 것은?

보기
ㄱ. 바다의 수온 상승으로 해수면은 높아진다.
ㄴ. 동해 표층에 이산화 탄소의 양이 감소했을 것이다.
ㄷ. 공기 중에 이산화 탄소의 농도가 증가했을 것이다.

① ㄱ, ② ㄴ ③ ㄱ, ㄷ
④ ㄴ, ㄷ ⑤ ㄱ, ㄴ, ㄷ

실력 올리기 문제

| 대기 대순환 |

01 그림 (가)는 지구 대기 대순환의 모습을, (나)는 연평균 증발량과 강수량을 나타낸 것이다.

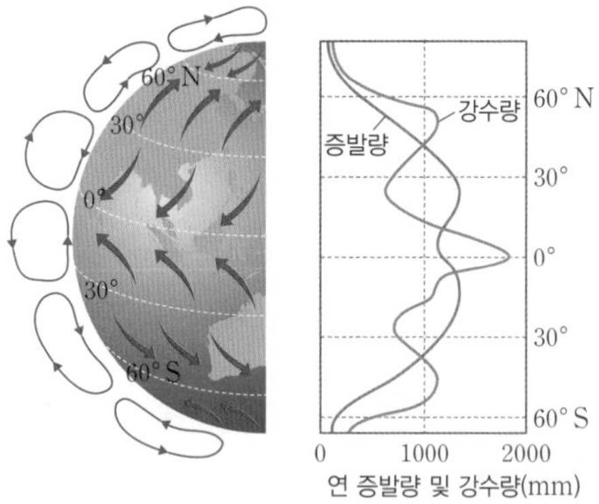

(가) (나)

이에 대한 설명으로 옳은 것만을 | 보기 | 에서 있는 대로 고른 것은?

보기
ㄱ. 위도 30° 지역에는 고기압이 발달한다.
ㄴ. 적도 지역은 증발량보다 강수량이 많다.
ㄷ. 위도 30°~60°에서의 순환은 열적 순환이다.

① ㄱ ② ㄷ ③ ㄱ, ㄴ
④ ㄴ, ㄷ ⑤ ㄱ, ㄴ, ㄷ

| 표층 순환 |

02 그림은 북태평양 부근을 순환하는 해류 A~D를 나타낸 것이다.

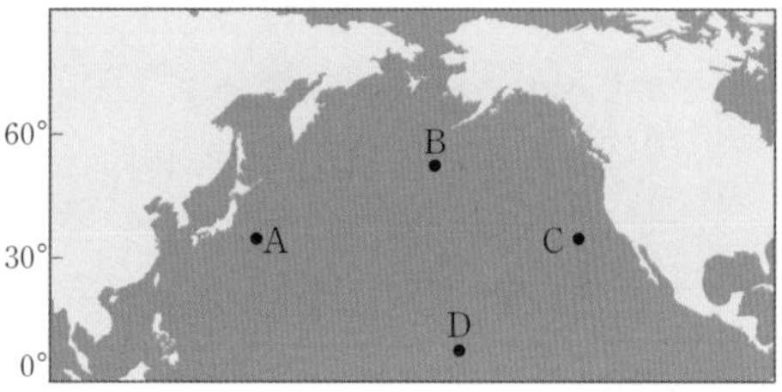

이에 대한 설명으로 옳은 것만을 | 보기 | 에서 있는 대로 고른 것은?

보기
ㄱ. 고위도로 수송하는 에너지의 양은 A가 C보다 많다.
ㄴ. B는 무역풍에 의한 북태평양 해류이다.
ㄷ. D는 서쪽에서 동쪽 방향으로 흐른다.

① ㄱ ② ㄴ ③ ㄱ, ㄷ
④ ㄴ, ㄷ ⑤ ㄱ, ㄴ, ㄷ

| 엘니뇨 | 출제예감

03 그림은 평상시의 상태와 엘니뇨 때의 태평양 표층 수온을 순서에 관계없이 나타낸 것이다.

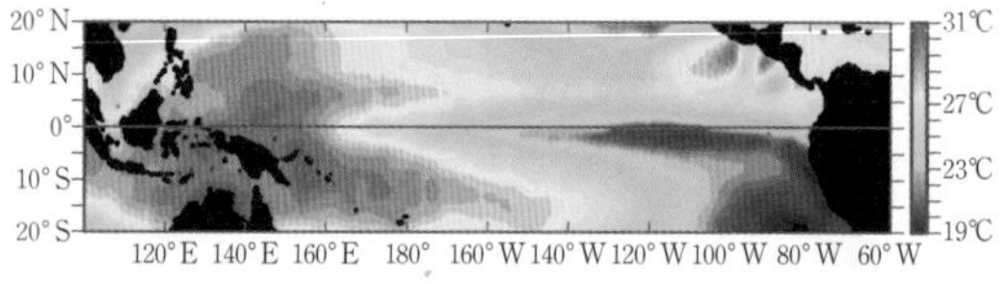

(가)

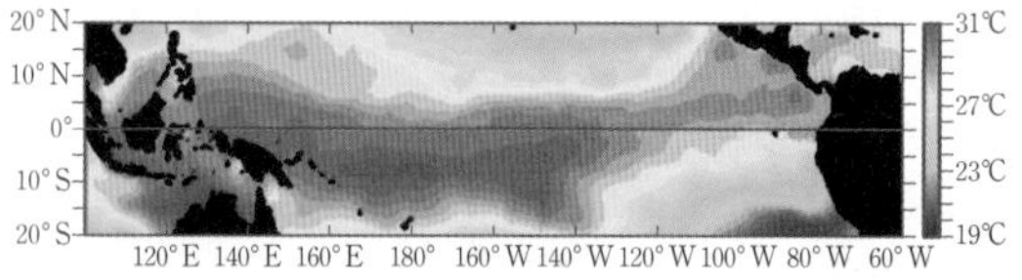

(나)

이에 대한 설명으로 옳은 것만을 | 보기 | 에서 있는 대로 고른 것은?

보기
ㄱ. (가)는 엘니뇨 때의 모습이다.
ㄴ. (나) 시기일 때 인도네시아에 강수량이 많다.
ㄷ. 무역풍의 세기는 (나)보다 (가) 시기에 강했다.

① ㄱ ② ㄷ ③ ㄱ, ㄴ
④ ㄴ, ㄷ ⑤ ㄱ, ㄴ, ㄷ

| 사막화 |

04 그림은 사막 지역과 사막화 지역을 표시한 지도와 위도에 따른 강수량과 증발량을 나타낸 그래프이다.

사막화에 대한 설명으로 옳은 것만을 | 보기 | 에서 있는 대로 고른 것은?

보기
ㄱ. 사막화는 적도를 중심으로 발생한다.
ㄴ. 과도한 경작은 사막화의 한 요인이다.
ㄷ. (강수량 − 증발량)값이 작은 곳에서 일어나기 쉽다.

① ㄱ ② ㄴ ③ ㄱ, ㄷ
④ ㄴ, ㄷ ⑤ ㄱ, ㄴ, ㄷ

| 기후 변화 |

05 표는 지표에 따른 태양 복사 에너지의 반사율을 나타낸 것이다.

구분	반사율(%)
새 아스팔트	4
녹색 잔디	25
빙하	50～70
눈	80～90

이에 대한 설명으로 옳은 것만을 | 보기 | 에서 있는 대로 고른 것은?

보기
ㄱ. 흡수율이 가장 높은 것은 새 아스팔트이다.
ㄴ. 눈이 녹으면 태양 복사 에너지를 많이 흡수한다.
ㄷ. 빙하나 눈의 면적이 줄어들면 기온이 상승하게 된다.

① ㄱ ② ㄷ ③ ㄱ, ㄴ
④ ㄴ, ㄷ ⑤ ㄱ, ㄴ, ㄷ

| 기후 변화와 지구 온난화 | 출제예감

06 그림은 연도별 해수면의 높이 변화를 나타낸 그래프이다.

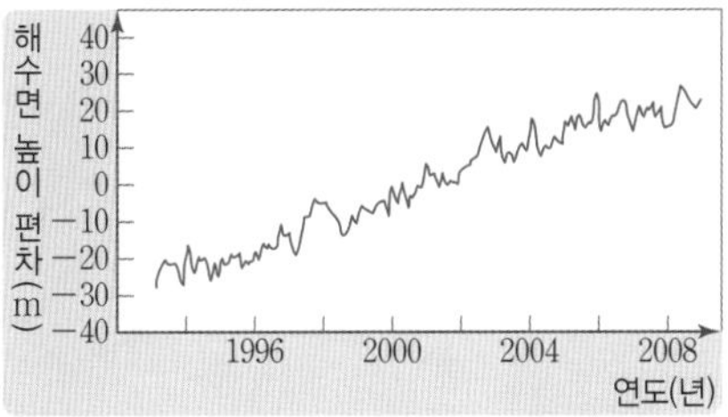

이에 대한 설명으로 옳은 것만을 | 보기 | 에서 있는 대로 고른 것은?

보기
ㄱ. 최근 지구의 기온이 점차 상승했다.
ㄴ. 이산화 탄소 농도의 증가가 원인이다.
ㄷ. 해수의 열팽창으로 해수면이 상승한다.

① ㄱ ② ㄷ ③ ㄱ, ㄴ
④ ㄴ, ㄷ ⑤ ㄱ, ㄴ, ㄷ

| 엘니뇨 |

07 그림은 엘니뇨 시기와 라니냐 시기에서 태평양 표층 수온의 편차를 나타낸 것이다.

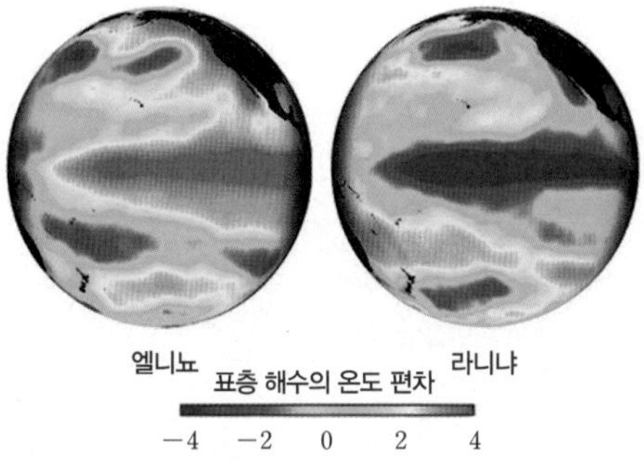

적도 근처에서 동태평양의 표층 수온이 어느 때 높았는지 쓰고, 그 이유를 대기 대순환에 의해 생긴 바람의 종류와 해수의 수직적 움직임을 포함하여 서술하시오.

| 사막화 |

08 그림은 사막과 사막화가 진행되는 지역을 나타낸 것이다.

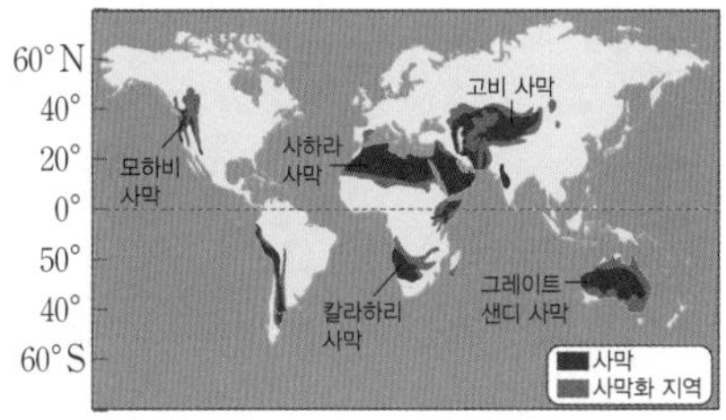

이처럼 사막화가 진행되는 이유를 자연적 요인과 인위적 요인으로 구분하여 서술하시오. (단, 자연적 요인은 1가지, 인위적 요인은 2가지 이상 쓰시오.)

- 자연적 요인:
- 인위적 요인:

| 온실 효과 |

09 이산화 탄소 농도가 높아질 때 나타나는 기온 변화와 그 이유에 대해 서술하시오. (단, 이산화 탄소와 지구 복사 에너지의 관계를 포함하여 서술하시오.)

03 에너지의 전환과 효율적 이용

개념 이해 에너지, 에너지의 전환, 에너지 보존 법칙, 열기관, 열효율, 에너지 제로 하우스

A 에너지의 전환

한·줄·핵심 우리 주변에는 다양한 에너지가 있고, 이 에너지들은 서로 전환이 가능해!

1. 여러 가지 에너지

(1) 에너지 일❶을 할 수 있는 능력 일의 단위로 줄(J)을 사용한다.

(2) 에너지의 종류

중력에 의한 위치 에너지를 퍼텐셜 에너지라고 한다.

운동 에너지	중력 퍼텐셜 에너지❷	열에너지	화학 에너지

속력을 가진 물체의 에너지	물체가 높이에 따라 잠재적으로 가지는 에너지	물체 사이에서 이동하여 온도와 상태를 변하게 하는 에너지	화학 결합에 의해 물질 속에 저장되어 있는 에너지
전기 에너지	**빛에너지**	**소리❸ 에너지**	**핵에너지**

전류에 의해 발생하는 에너지	빛이 가지는 에너지	공기와 같은 매질의 진동에 의해 전달되는 에너지	원자핵이 분열하거나 융합할 때 발생하는 에너지

2. 에너지의 전환 한 형태의 에너지가 다른 형태의 에너지로 바뀌는 것

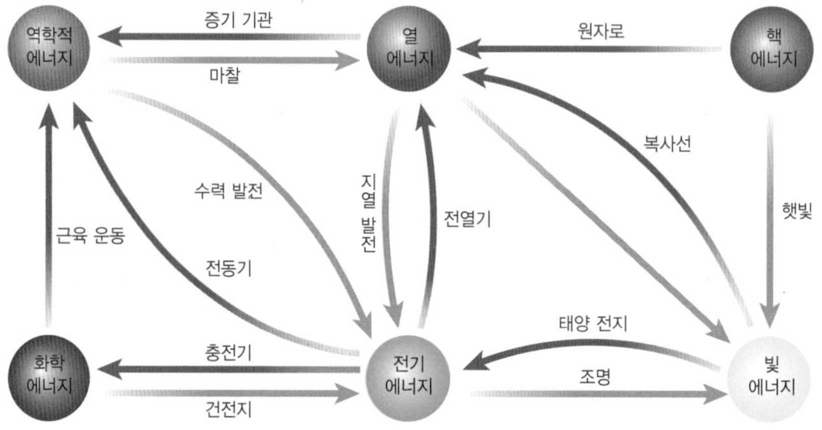

여러 가지 에너지의 전환

예 휴대 전화에서 일어나는 에너지의 전환

① 스피커: 전기 에너지 → 소리 에너지
② 마이크❹: 소리 에너지 → 전기 에너지
③ 전지 충전: 전기 에너지 → 화학 에너지
④ 사용 중 발열: 전기 에너지 → 열에너지
⑤ 진동: 전기 에너지 → 운동 에너지
⑥ 액정 화면: 전기 에너지 → 빛에너지

---

❶ 일
과학에서서는 물체에 힘을 가해 힘 방향으로 변위가 있을 때 일을 해 주었다고 말한다.

❷ 중력 퍼텐셜 에너지
중력 퍼텐셜 에너지의 값은 기준점에 따라 달라진다. 예를 들어 해수면을 기준으로 할 때와 해발 100 m인 지점을 기준으로 할 때 중력 퍼텐셜 에너지의 값은 달라진다.

❸ 소리
소리는 공기의 진동과 파동의 전달 방향이 나란한 종파이다.

❹ 마이크
마이크는 전자기 유도 현상에 의해 공기의 진동을 전기 신호로 전환한다.

• 에너지(energy) 일을 할 수 있는 능력

B 열효율과 에너지의 효율적 이용의 중요성

한·줄·핵·심 에너지의 형태가 전환되더라도 총에너지의 양은 일정하게 보존돼!

1. 에너지 보존 법칙 에너지가 전환되는 과정에서 총량은 항상 일정하게 보존된다.

㉮ 청소기에서의 에너지 보존, 자동차에서의 에너지 보존

청소기에서의 에너지 보존	자동차에서의 에너지 보존❺
① 청소기에 공급되는 전기 에너지 ② 청소기 모터의 운동 에너지 ③ 소음 발생에 의한 소리 에너지 ④ 청소기에서 따뜻한 바람의 형태로 나오는 열에너지	① 연료의 화학 에너지 ② 자동차의 운동 에너지 ③ 마찰, 공기 저항 등으로 손실되는 에너지 ④ 배기가스로 방출되는 에너지 ⑤ 대기를 만나 냉각되며 손실되는 열에너지 ⑥ 전기, 난방 등에 사용되는 에너지
①=②+③+④	①=②+③+④+⑤+⑥

2. 열기관과 열효율 알쉬툭

(1) 에너지 효율 공급된 에너지 중에서 유용하게 사용된 에너지의 비율(%)

(2) 열기관과 열효율

① 열기관: 주로 화석 연료를 연소시켜 얻은 열에너지를 일로 바꾸는 장치 ㉮ 가솔린 기관❻, 디젤 기관❼, 증기 기관 등

② 열기관에서의 에너지 보존

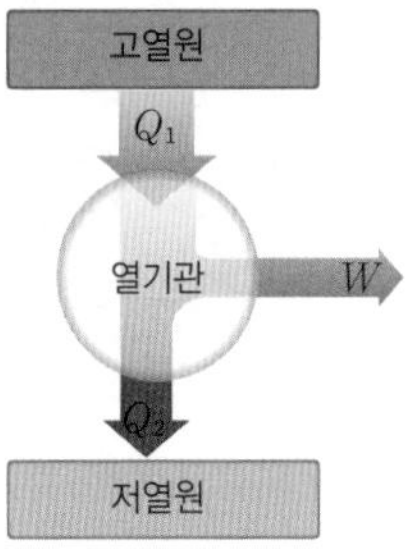

열기관의 효율

열기관에 공급된 열에너지(Q_1)=열기관이 외부에 한 일(W)+버려지는 열에너지(Q_2)

③ 열효율: 열기관에 공급된 열에너지 중에서 열기관이 외부에 한 일의 비율(%)

$$\text{열효율}(\%)=\frac{\text{외부에 한 일}}{\text{공급된 열에너지}}\times 100$$
$$=\frac{\text{공급된 열에너지}-\text{버려지는 열에너지}}{\text{공급된 열에너지}}\times 100$$

④ 열기관의 특성: 버려지는 열에너지는 항상 존재하므로 열기관의 열효율이 100 %가 되는 것은 불가능하다. 버려지는 열에너지는 다시 사용하기 어려운 형태의 에너지이다.

3. 에너지의 효율적 이용의 중요성

(1) 화석 연료의 문제점 주 에너지원인 화석 연료는 연소 과정에서 다량의 황산화물, 질소 산화물, 이산화 탄소 등이 발생한다. 생물의 유해가 땅속에 오래 묻혀 생긴 것으로 석유, 석탄, 천연 가스 등이 있다.

① 황산화물과 질소 산화물: 호흡기 질환 유발, 산성비의 원인, 미세 먼지 발생

② 이산화 탄소: 지구 온난화❽를 유발하는 주요 원인

(2) 에너지의 효율적 이용의 중요성 에너지 사용에 따른 환경 오염과 기후 변화 등을 부정적인 영향을 줄이기 위해서는 에너지 이용 효율을 높이는 노력이 필요하다.

❺ 자동차에서의 에너지 보존

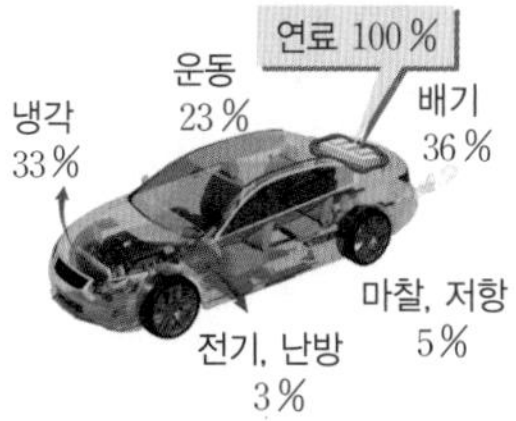

❻ 가솔린 기관

원유를 분별 증류할 때 끓는점의 범위가 약 30~200 ℃ 정도인 액체 상태의 석유를 가솔린이라고 하고 이 가솔린을 연료로 이용하는 기관을 가솔린 기관이라고 한다.

❼ 디젤 기관

독일의 기술자 R. 디젤에 의해 개발된 기관으로 초반에는 중유를 연료로 사용하였으나 개량 과정을 거쳐 현재는 경유를 사용한다.

❽ 지구 온난화의 영향

- 알래스카의 시시마레프 섬: 지구 온난화로 인해 해안이 침식되어 20년 후 섬 전체가 바다에 잠길 것으로 예상된다.
- 북극 생태계 파괴: 얼음 위에서 생활하는 북극곰은 북극의 얼음이 녹게 되면 삶의 터전을 잃는다.
- 한반도의 아열대 기후 확장: 지구 온난화가 현재 추세로 진행되면 2100년에 한반도는 아열대 기후가 될 것이다.

●온난화(따뜻하다 溫, 따뜻하다 暖, 되다 化) 에너지 출입량이 변하여 평균 온도가 상승하는 현상

정답과 해설 085쪽

간단 점검

1. 에너지가 전환되는 과정에서 총량이 항상 일정하다는 법칙은?
2. 화석 연료를 연소시켜 얻은 열에너지를 일로 바꾸는 장치는?
3. 공급한 에너지 중에서 유용하게 사용되는 에너지의 비율을 나타낸 물리량은?
4. 열기관의 효율이 100 %가 되는 것은 (가능하다/불가능하다).

#보충!

에너지 소비 효율 등급

우리나라에서는 27개 제품의 에너지 효율을 1등급~5등급으로 구분하고, 소비 전력을 줄인 제품에 높은 등급을 주어 소비자들이 에너지를 절약하는 제품을 쉽게 알 수 있도록 한다.

❽ 열병합 발전

화석 연료 등을 태울 때 나오는 열을 이용해서 전기를 생산하고 남은 열을 난방 등에 이용하는 장치로 열병합 발전을 하면 연소 시 발생하는 열의 80 % 이상을 사용할 수 있게 된다.

❾ LED(Light Emitting Diode; 발광 다이오드)

전류를 한쪽 방향으로만 흐르게 하는 다이오드의 특성을 갖고 있으면서 전류를 흐르게 하면 빛을 발하는 반도체

• **에너지 효율**(energy 본받다 效 비율 率) 공급된 에너지에 대한 유용하게 사용된 에너지의 비율

한·줄·핵·심 에너지 사용을 줄이고, 효율을 높이면 에너지 부족 현상을 막을 수 있어!

C 에너지 사용에 따른 문제점을 줄이기 위한 방안

1. 에너지 사용량 자체를 줄이기

㉮ 에너지 제로 하우스: 단열을 통해 외부와의 열 출입을 차단하고 태양, 지열, 풍력 등 재생 에너지를 사용하는 미래형 주택

└ 화석 연료와 원자력을 대체할 수 있는 무공해 에너지

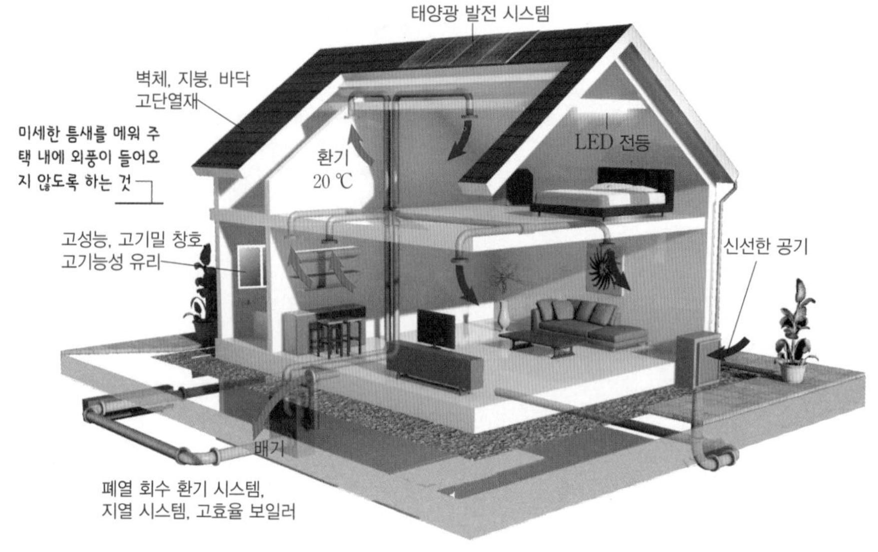

에너지 제로 하우스

2. 에너지 효율을 높이기

효율이 높은 제품을 개발하여 최소한의 에너지만을 사용한다.

㉮ 효율이 높은 조명의 사용, 하이브리드 자동차, 폐열의 활용❽

효율이 높은 조명의 사용	하이브리드 자동차	폐열의 활용
	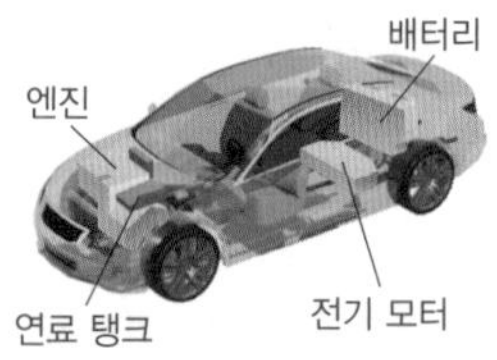	
• 백열등은 필라멘트에서 열에너지가 많이 발생하기 때문에 에너지 효율이 낮다. • 형광등은 백열등에 비해 에너지 효율이 높아 가정용 조명으로 널리 사용한다. • 최근에는 에너지 효율이 더 높은 백색 LED❾ 등이 개발되어 사용된다.	• 일반 자동차에 전기 자동차의 기능을 추가하여 효율을 높인다. • 화석 연료를 이용하는 엔진과 전지, 전동기를 함께 사용한다. • 일반 자동차에 비해 버려지는 열에너지의 양이 적어 에너지 효율이 높다. • 가속 시에는 전동기가 엔진을 보조하고 감속 시에는 운동 에너지가 전기 에너지로 전환된다.	• 석유를 태워 발전하는 경우에도 에너지 효율은 약 50 % 이하이므로 적어도 50 % 이상의 폐열이 발생한다. • 버려지는 폐열을 열 교환기를 통해 난방이나 온수에 이용한다. • 온수를 이용한 발전에도 활용 가능하다.

정답과 해설 085쪽

간단 점검

5. 자체적으로 에너지를 생산하거나 낭비되는 에너지를 줄여서 에너지를 자급하는 미래형 주택은?

6. 에너지 효율을 높여 형광등을 대체하는 조명 장치는?

7. 일반 자동차에 전기 자동차의 기능을 추가하여 효율을 높인 자동차는?

열기관의 효율

1 열기관의 효율

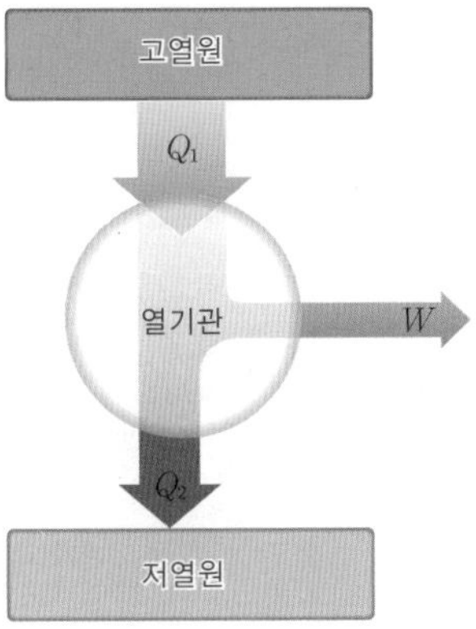

열기관에서의 에너지 보존

열기관에 Q_1의 열에너지가 가해졌을 때 일부는 일 W를 하고, 나머지 Q_2는 열에너지 형태로 방출된다.

$$Q_1 = W + Q_2$$

㉩ 자동차에서 휘발유나 경유가 연소할 때 발생한 열에너지(Q_1)로 피스톤이 움직일 수 있는 동력(W)을 얻고, 나머지는 열에너지(Q_2) 형태로 방출되어 엔진이 뜨거워진다.

열기관의 열효율 e(%)

열기관의 효율 e는 가해진 열에너지로 많은 일을 할수록 높다.

$$e = \frac{W}{Q_1} \times 100 = \frac{Q_1 - Q_2}{Q_1} \times 100$$

- 높은 온도의 고열원(연료)에서 열기관에 공급하는 열에너지$=Q_1$
- 열기관이 하는 일$=W$
- 온도가 낮은 저열원으로 빠져나가는 열에너지$=Q_2$

한·줄·핵심 열기관에 같은 열에너지가 가해질 때 일의 크기가 클수록 효율이 높다.

2 열기관의 효율의 한계

- 버려지는 열에너지는 항상 존재하므로 공급된 열에너지를 모두 일로 바꾸는 것은 불가능하다.
- 효율이 100 %인 열기관은 존재하지 않는다.
- 기차나 선박에 사용된 증기 기관의 열효율은 약 10 %정도이고, 화력이나 원자력 발전에 사용되는 증기 터빈의 열효율은 약 30~40 %, 가솔린 기관은 20~30 %, 디젤 기관은 30~40 %정도이다.

한·줄·핵심 열효율이 100 %인 열기관은 존재하지 않는다.

확인 문제

정답과 해설 085쪽

1. 열기관의 효율에 대한 설명으로 옳은 것은 ○, 옳지 않은 것은 ×로 표시하시오.

(1) 열기관에 공급된 열에너지는 모두 일로 전환될 수 있다. (　　)

(2) 효율이 100 %인 열기관은 존재하지 않는다. (　　)

(3) 저열원으로 방출되는 에너지가 클수록 효율이 높다. (　　)

2. 어떤 열기관에 10000 J의 에너지를 공급했을 때 3500 J의 일을 한다. 이 열기관의 열효율(e)은 얼마인지 구하시오.

3. 어떤 열기관에 5000 J의 에너지를 공급했을 때 방출되는 열에너지가 3500 J이라면 이 열기관의 열효율(e)은 얼마인지 구하시오.

4. 다음 표는 가솔린 기관과 디젤 기관에 가해 준 열 Q와 기관이 외부에 한 일 W를 나타낸 것이다.

구분	가솔린 기관	디젤 기관
Q	800 J	400 J
W	200 J	160 J

이에 대한 설명으로 옳은 것만을 | 보기 | 에서 있는 대로 골라 기호를 쓰시오.

보기

ㄱ. 가솔린 기관에서 버려지는 에너지는 600 J이다.
ㄴ. 디젤 기관의 열효율은 40 %이다.
ㄷ. 같은 양의 에너지를 공급해 줄 때 외부에 한 일은 가솔린 기관이 디젤 기관보다 적다.
ㄹ. 가솔린 기관과 디젤 기관에서는 에너지 보존 법칙이 성립하지 않는다.
ㅁ. 디젤 기관을 개량하면 열효율 100 %인 기관을 만들 수 있다.

개념 + 기본 문제

개념 문제

A 에너지의 전환

01 다음 사례에서 어떻게 에너지 전환이 일어나는지 쓰시오.

(1) 스피커에서 소리가 나온다.

( ) ⇨ ( )

(2) 원자로에서 핵반응이 일어난다.

( ) ⇨ ( )

(3) 수력 발전을 한다.

( ) ⇨ ( )

(4) 충전기를 이용해 배터리를 충전한다.

( ) ⇨ ( )

B 열효율과 에너지의 효율적 이용의 중요성

02 다음 설명 중 옳은 것은 ○, 옳지 않은 것은 ×로 표시하시오.

(1) 에너지가 전환되는 과정에서 총량은 항상 일정하게 보존된다. ( )

(2) 자동차의 연료가 연소되어 생긴 화학 에너지는 모두 운동 에너지로 전환된다. ( )

(3) 열효율이 높을수록 같은 일을 할 때 필요한 열에너지가 작다. ( )

(4) 현재 사용되는 열기관 중 가장 효율이 높은 기관의 효율은 100 %이다. ( )

C 에너지 사용에 따른 문제점을 줄이기 위한 방안

03 다음은 백열등과 LED 조명에 대한 자료이다.

> 백열등은 필라멘트에서 열에너지가 많이 발생하기 때문에 (　　　)이/가 낮다. LED 조명을 사용하면 열의 발생을 줄여 (　　　)을/를 높일 수 있다.

( ) 안에 공통적으로 들어갈 말로 적절한 것을 쓰시오.

A 에너지의 전환

04 다음 중 휴대 전화에서 전기 에너지가 다른 에너지로 전환된 사례가 아닌 것은?

① 전지가 충전된다.
② 마이크에 대고 이야기를 한다.
③ 휴대 전화를 오래 사용하여 뜨거워진다.
④ 휴대 전화가 진동한다.
⑤ 화면에서 사진을 본다.

05 전기 에너지를 열에너지 형태로 전환하여 사용하는 전기 기구가 아닌 것은?

① 전기 난로
② 헤어드라이어
③ 전기 프라이팬
④ 세탁기
⑤ 전기 다리미

06 그림은 에너지 전환의 사례를 나타낸 것이다.

빛에너지	태양 전지 ➡	(가)

(가)에 들어갈 말로 가장 적절한 것은?

① 소리 에너지
② 열에너지
③ 화학 에너지
④ 핵에너지
⑤ 전기 에너지

정답과 해설 085쪽

B 열효율과 에너지의 효율적 이용의 중요성

07 다음 중 에너지에 대한 설명으로 옳지 않은 것은?

① 에너지가 전환되면서 총량은 점차 감소한다.
② 열기관은 화석 연료를 연소시켜 얻은 열에너지를 일로 바꾼다.
③ 열에너지의 전부가 일로 전환될 수 없다.
④ 열효율이 높은 기관은 같은 열에너지로 더 많은 일을 한다.
⑤ 열기관에서 열에너지가 공급되는 곳은 열에너지가 버려지는 곳보다 온도가 높다.

단답형

08 가솔린 기관에 10000 J의 열에너지를 공급하였더니 2000 J의 일을 하였다. 저온으로 빠져나가는 열에너지는 몇 J인지 쓰시오.

단답형 알쉬툭

09 그림과 같이 열기관에 열에너지를 공급해 주었더니 외부에 50 kJ의 일을 하고, 150 kJ의 열에너지가 빠져나갔다.

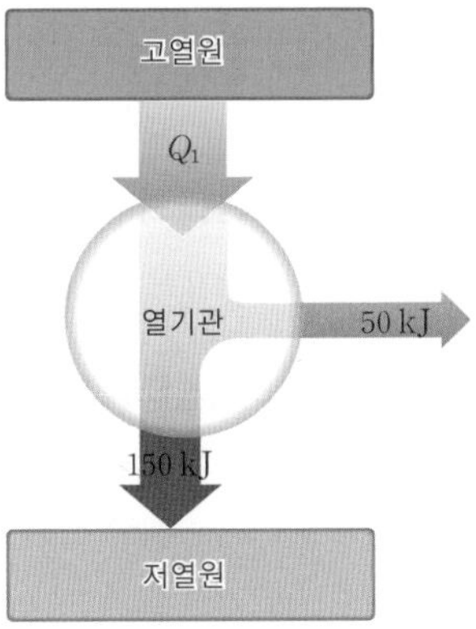

이 열기관의 열효율(e)은 몇 %인지 구하시오.

단답형

10 다음은 알래스카 시시마레프 섬의 상황을 나타낸 것이다. (   ) 안에 알맞은 말을 쓰시오.

> (   )로 인해 해안의 동토가 녹아 바닷물의 침식 작용이 활발해져 약 20년 후 섬 전체가 바다에 잠길 것으로 예상된다.

C 에너지 사용에 따른 문제점을 줄이기 위한 방안

11 다음 중 에너지 제로 하우스에 활용할 수 있는 기술로 가장 적절하지 않은 것은?

① 단열재를 사용하여 외부와의 열출입을 차단한다.
② 태양 에너지를 활용하여 전력을 생산한다.
③ 지열을 이용한 난방 시스템을 구축한다.
④ 열 손실을 차단하는 창문을 사용한다.
⑤ LED 조명을 형광등으로 교체한다.

12 다음은 하이브리드 자동차를 나타낸 것이다.

이에 대한 설명으로 옳은 것만을 | 보기 | 에서 있는 대로 고른 것은?

> 보기
> ㄱ. 화석 연료를 이용하는 엔진과 전지, 전동기를 함께 사용한다.
> ㄴ. 일반 자동차에 비하여 에너지 효율이 높다.
> ㄷ. 감속하는 동안에는 전기 에너지가 운동 에너지로 전환된다.

① ㄱ ② ㄴ ③ ㄷ
④ ㄱ, ㄴ ⑤ ㄴ, ㄷ

실력 올리기 문제

| 에너지의 전환 | 출제예감

01 그림은 에너지 전환 과정을 나타낸 것이다.

열에너지 → 전기 에너지

위 에너지 전환의 사례로 옳은 것만을 | 보기 | 에서 있는 대로 고른 것은?

보기
ㄱ. 전기밥솥으로 밥을 짓는다.
ㄴ. 물을 끓여서 발생한 수증기로 터빈을 돌려 전기를 생산한다.
ㄷ. 자동차 엔진에서 연료가 연소하여 피스톤이 운동한다.

① ㄱ ② ㄴ ③ ㄷ
④ ㄱ, ㄴ ⑤ ㄴ, ㄷ

| 에너지 보존 법칙 |

02 자연계에서 에너지 전환이 일어날 때 에너지의 일부가 다시 이용할 수 없는 형태로 전환된 사례로 옳지 않은 것은?

① 수평면에서 미끄러지던 물체가 마찰에 의해 멈춘다.
② 선풍기를 오랫동안 작동시키면 모터 부분이 따뜻해진다.
③ 실에 추를 매달아 들었다 놓으면 점차 진폭이 줄면서 멈춘다.
④ 열기관의 고온부에 1000 J의 열에너지를 주었을 때 800 J의 열이 외부로 방출되었다.
⑤ 일정한 높이에서 떨어뜨린 공이 바닥에 충돌한 뒤 처음 높이까지 올라왔다.

| 에너지 전환 |

03 다음은 에너지 전환 사례와 에너지 전환 과정을 나타낸 것이다. 옳게 연결된 것을 고르면?

	전환 사례	전환 전	전환 후
①	증기 기관	역학적 에너지	운동 에너지
②	충전기	전기 에너지	화학 에너지
③	태양 전지	화학 에너지	전기 에너지
④	수력 발전	역학적 에너지	소리 에너지
⑤	전열기	운동 에너지	전기 에너지

| 열효율 | 출제예감

04 그림은 온도가 높은 고열원으로부터 열에너지 Q_1을 공급받아 일 W를 하고 온도가 낮은 저열원으로 열에너지 Q_2를 방출하는 열기관을 모식적으로 나타낸 것이다.

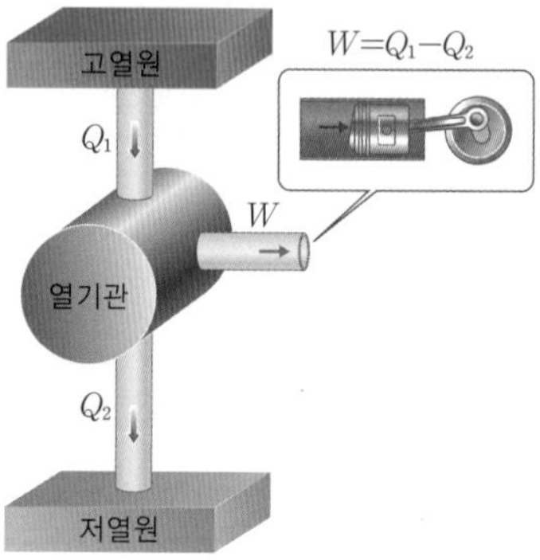

이에 대한 설명으로 옳은 것만을 | 보기 | 에서 있는 대로 고른 것은?

보기
ㄱ. $Q_1=W$인 열기관을 만들 수 없다.
ㄴ. 열기관의 효율은 $\frac{Q_2}{Q_1}$가 클수록 크다.
ㄷ. 열효율이 높을수록 같은 에너지로 더 많은 일을 할 수 있다.

① ㄱ ② ㄷ ③ ㄱ, ㄴ
④ ㄱ, ㄷ ⑤ ㄴ, ㄷ

| 에너지 효율 |

05 다음 표는 전구 A, B와 열기관 C, D의 에너지 효율을 나타낸 것이다.

전구	효율(%)	열기관	효율(%)
A	10	C	20
B	22	D	30

이에 대한 설명으로 옳은 것만을 | 보기 | 에서 있는 대로 고른 것은?

보기
ㄱ. 같은 전기 에너지를 소모할 때 A가 B보다 버려지는 에너지가 더 많다.
ㄴ. 같은 양의 일을 한다면 C가 D보다 연료를 더 소비한다.
ㄷ. 같은 열에너지를 공급했을 때 하는 일은 C가 D의 $\frac{1}{2}$이다.

① ㄱ ② ㄴ ③ ㄱ, ㄴ
④ ㄱ, ㄷ ⑤ ㄴ, ㄷ

| 에너지 절약 |

06 다음은 효율을 높여 에너지를 절약하는 방법에 대한 학생들의 대화 내용이다.

옳게 말한 학생만을 있는 대로 고른 것은?

① 철수 ② 철수, 영희 ③ 철수, 민수
④ 영희, 민수 ⑤ 철수, 영희, 민수

| 에너지 전환 |

07 다음은 컴퓨터의 중앙 처리 장치에 달린 냉각팬을 나타낸 것이다. 이 선풍기의 역할을 에너지 전환을 이용해 서술하시오.

| 에너지 보존 법칙 |

08 열기관의 에너지 전환 과정에서 총량이 보존되지만 에너지를 절약해야 하는 까닭을 서술하시오.

| 열효율 |

09 다음은 에너지 소비 효율 등급을 나타낸 것이다.

에너지 소비 효율 등급이 의미하는 것이 무엇인지 서술하시오.

Ⅷ. 생태계와 환경

정답과 해설 086쪽

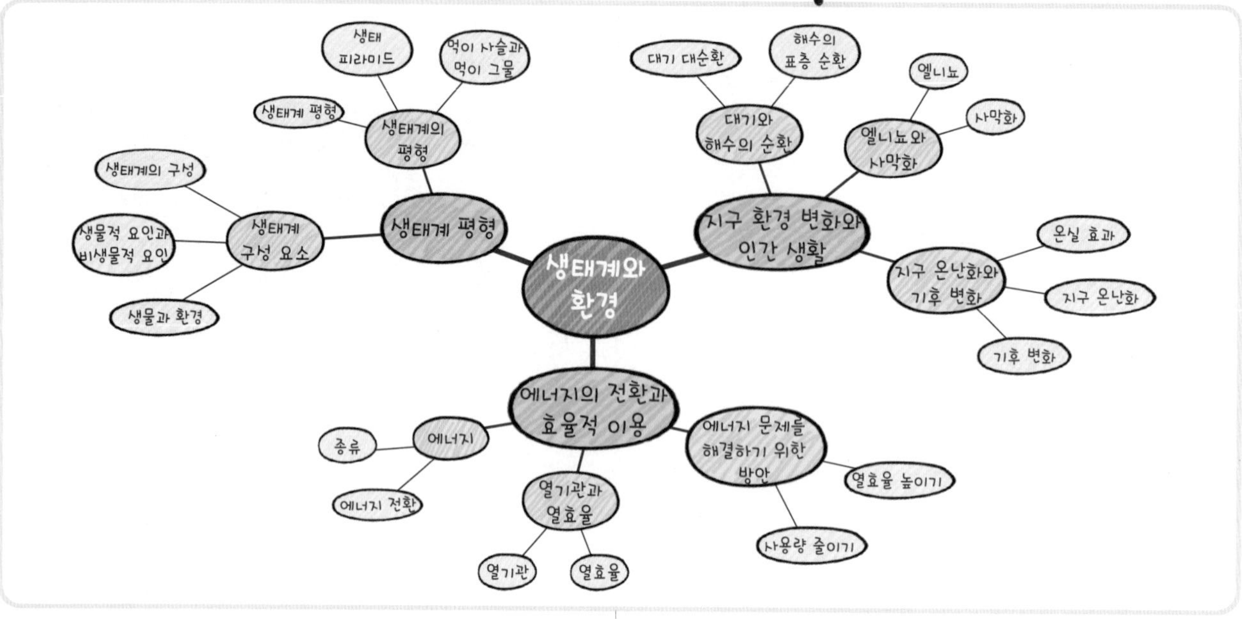

01 생태계 평형

(1) 생태계 구성 요소

① 생태계

| ① | : 독립된 하나하나의 생명체

↓

| ② | : 일정한 지역에 무리지어 모여 사는 같은 종으로 이루어진 개체들의 집단

↓

| ③ | : 같은 서식지에 모여 사는 개체군들의 무리

↓

| ④ | : 생물과 환경이 서로 영향을 주고받는 복합적인 계

② 생태계의 구성 요소

- | ⑤ | : 광합성을 하여 스스로 양분을 합성하여 살아가는 생물
- | ⑥ | : 스스로 양분을 합성하지 못해 다른 생물을 먹이로 하여 양분을 얻는 생물
- | ⑦ | : 다른 생물의 배설물이나 죽은 생물을 분해하여 양분을 얻는 생물

(2) 생물과 환경의 상호 영향

① | ⑧ | 과 생물

- 빛의 세기: 양지 식물과 음지 식물
- 빛의 파장: 바다의 깊이에 따른 해조류 분포
- 일조 시간: 번식, 겨울잠 등에 영향

② **온도와 생물**: 북극여우, 온대여우, 사막여우의 형태 차이

③ **물과 생물**: 육상 생물과 수생 생물의 차이

④ **토양과 생물**: 토양과 생물의 상호 작용

(3) 생태계의 평형

① 먹이 관계

- | ⑨ | : 먹고 먹히는 관계의 나열(생산자 → 1차 소비자 → 2차 소비자 → 3차 소비자)
- | ⑩ | : 먹이 사슬이 복잡하게 얽힌 형태

② 생태 피라미드

- | ⑪ | : 생태계 내에서 생물체가 먹이 사슬에서 차지하는 위치
- | ⑫ | : 생태계를 구성하는 생물 군집의 개체 수, 생물량, 에너지양을 영양 단계에 따라 차례로 쌓아 올려 피라미드 형태로 나타낸 것

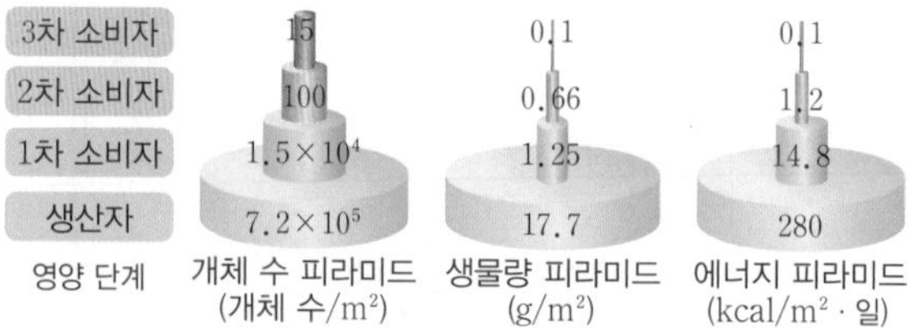

③ | ⑬ |

- 생태계를 구성하는 생물의 종류와 개체 수가 안정적으로 유지되는 상태

- 생태계의 평형이 깨져도 먹이 관계에 의해 다시 개체 수가 안정된 상태로 되돌아가게 하는 조절 능력이 있다.

④ **생태계 평형의 파괴**

- 자연 재해: 홍수, 산사태, 화산 폭발, 지진 등으로 생태계 평형이 파괴됨

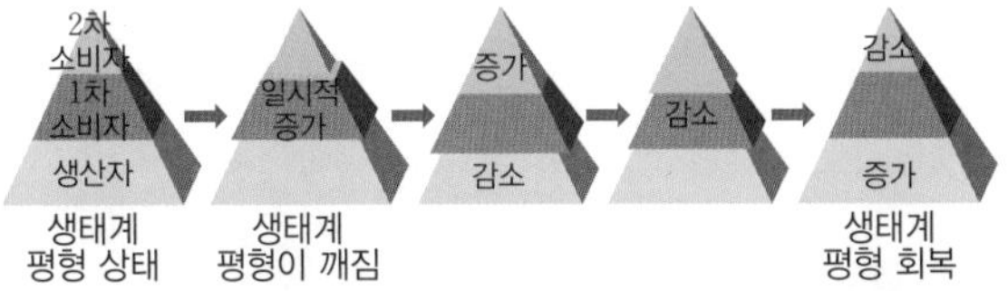

- ⑭ 의 활동: 숲의 파괴, 댐 건설, 농경기와 목축지 개발, 환경 오염, 도시 집중과 산업화

⑤ **생태계 평형 유지를 위한 노력**: 천연 기념물 지정, 서식지 보호, 생태계 복원 등

02 지구 환경 변화와 인간 생활

(1) 대기 대순환과 해수의 표층 순환

① ⑮ : 위도별 ⑯ 의 불균형과 지구 자전에 의해 3개의 순환 세포로 되어 있는 지구에서 가장 큰 규모의 대기 순환

② **해수의 표층 순환**: 일정한 방향으로 부는 바람에 의해 만들어지는 표층 해수의 일정한 흐름

(2) ⑰ : 적도 근처 남아메리카 페루 앞바다의 동태평양의 수온이 평년보다 일정 기간 높은 상태가 지속되는 현상. ↔ 라니냐

① 무역풍 약화 → 적도 표층 해수 서쪽으로 이동 약화 → ⑱ 억제 → 동태평양 표층 수온 상승

② **영향**: 서태평양 고기압 발달 → 강수량 ⑲

(3) 사막화: 자연적 요인과 인위적 요인에 의해 사막이 아닌 지역이 사막 지역으로 변하면서 급격히 황폐화되는 현상

(4) 온실 효과와 지구 온난화

① ⑳ : 온실 기체가 방출되는 지구 복사 에너지를 흡수하였다가 그 일부를 지표로 방출하여 지구의 평균 기온이 높게 유지되는 현상

- 온실 기체: H_2O, CO_2, CH_4, CFC, N_2O 등

② **지구 온난화**: 온실 기체 양의 증가로 온실 효과가 강화되어 지구의 평균 기온이 상승하는 현상

(5) 과거 기후 연구 방법: 퇴적암과 화석 연구, 극지방의 ㉑ 연구, 나무 나이테 연구

(6) 기후 변화 원인

① 지구 외적 요인: 자전축의 방향 변화, 자전축의 경사각 변화, 공전 궤도 이심률의 변화 등

② 지구 내적 요인: 수륙 분포의 변화, 화산 활동, 지표면의 상태 변화, 온실 기체의 증가 등

(7) 한반도 기후 변화

① 이산화 탄소의 농도가 증가하고 있다.

② 과거에 비해 최근의 연평균 기온의 상승폭이 크다.

③ 한반도의 연평균 기온 상승폭이 전 세계 평균보다 크다.

④ 해수면이 꾸준히 증가하고 있다.

⑤ 한반도에서 아열대 기후대가 점차 북상하고 있다.

⑥ 개화(꽃이 피는) 시기가 빨라지고 있다.

03 에너지의 전환과 효율적 이용

(1) 에너지: ㉒ 을 할 수 있는 능력

(2) 에너지의 종류: 운동 에너지, 퍼텐셜 에너지, 열에너지, 화학 에너지, 전기 에너지, 빛에너지, 소리 에너지, 핵에너지 등이 있다.

(3) ㉓ : 한 형태의 에너지가 다른 형태의 에너지로 바뀌는 것

예) 광합성은 ㉔ 에너지가 ㉕ 에너지로 전환되는 것이다.

(4) ㉖ **법칙**: 에너지가 한 형태에서 다른 형태로 전환되는 과정에서 에너지의 총량은 일정하게 보존된다.

(5) ㉗ : 공급한 에너지 중에서 유용하게 사용된 에너지의 비율

(6) ㉘ : 주로 화석 연료를 연소시켜 얻은 열에너지를 일로 바꾸는 장치

(7) ㉙ : 열기관의 효율로 열기관에 공급된 열에너지 중에서 열기관이 외부에 한 일의 비율(%)

$$\text{열효율}(\%) = \frac{\text{공급된 열에너지} - \text{버려지는 열에너지}}{\text{공급된 열에너지}} \times 100$$

⇨ 버려지는 열에너지가 항상 존재하므로 열효율은 항상 ㉚ 보다 작다.

(8) ㉛ : 화석 연료가 연소될 때 발생하는 이산화 탄소와 열에너지, 온난화 물질에 의해 평균 기온이 높아지는 현상

(9) ㉜ : 자체적으로 에너지를 생산하거나 낭비되는 에너지를 줄여 외부의 에너지 공급 없이 에너지를 자급하는 미래형 주택

(10) 열효율을 높이는 기술: 버려지는 열에너지를 감소시켜 열효율을 높일 수 있다.

(11) 백열등, 형광등, LED조명 중에서 에너지 효율이 가장 높은 조명인 ㉝ 은 가정에서 많이 사용되고 있다.

(12) ㉞ : 일반 자동차에 비하여 버려지는 열에너지의 양이 적고, 브레이크를 밟아 멈추는 동안 자동차의 운동 에너지를 전기 에너지로 전환하여 사용하는 자동차

정답과 해설 086쪽

01 다음 그림은 생태계를 구성하는 요소 사이의 상호 관계를 나타낸 것이다.

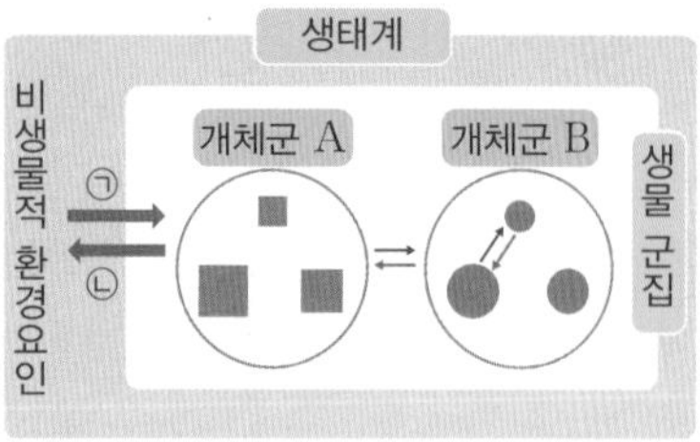

이에 대한 설명으로 옳은 것은?

① 생물 군집은 같은 종의 개체들로 구성된다.
② 사슴의 개체 수가 급증하자 식물의 생산량이 감소하는 것은 ㉠의 예이다.
③ 종달새가 봄에 번식하는 것은 ㉡의 예이다.
④ 분해자는 비생물적 환경 요인에 속한다.
⑤ 개체군 A와 개체군 B는 자연 상태에서 교배하여 생식 능력이 있는 자손을 낳을 수 없다.

02 다음은 생태계 내에서 일어나는 여러 가지 현상을 설명한 것이다.

> (가) 붓꽃은 봄과 초여름에 꽃이 피고, 코스모스는 가을에 꽃이 핀다.
> (나) 낙엽이 지속적으로 쌓이면 토양의 성분이 변한다.
> (다) 녹조류가 이용하는 적색광은 수심이 얕은 곳까지 투과하므로 녹조류는 얕은 바다에 주로 분포한다.

이에 대한 설명으로 옳은 것만을 |보기|에서 있는 대로 고른 것은?

> 보기
> ㄱ. (가)는 빛의 세기, (다)는 빛의 파장에 따른 생물의 적응 현상이다.
> ㄴ. (나)는 생물로 인해 환경 요인이 영향을 받는 예이다.
> ㄷ. (다)에서 녹조류의 영양 단계는 분해자에 해당한다.

① ㄱ ② ㄴ ③ ㄷ
④ ㄴ, ㄷ ⑤ ㄱ, ㄴ, ㄷ

03 그림은 각각 서로 다른 생태계 (가)와 (나)에서의 먹이 관계를 나타낸 것이다.

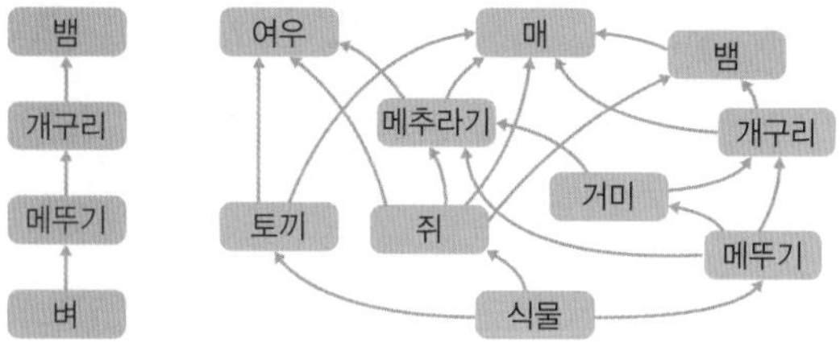

(가) (나)

이에 대한 설명으로 옳은 것은?

① (가)는 먹이 그물, (나)는 먹이 사슬이다.
② (가)는 먹이 관계가 단순하므로 (나)에 비해 생태계 평형이 잘 유지될 수 있다.
③ (가)에서는 벼가 가진 모든 에너지가 메뚜기에게로 전달된다.
④ 개구리는 (가)에서는 2차 소비자, (나)에서는 2차 소비자이면서 동시에 3차 소비자이다.
⑤ (나)에서 메뚜기가 모두 사라진다 해도 메뚜기를 제외한 모든 생물의 개체 수는 변함이 없다.

고난도

04 다음은 채식주의자 A가 속한 생태계 (가)와 육식을 주로 하는 사람 B가 속한 생태계 (나)의 영양 단계에 따른 에너지 피라미드를 나타낸 것이다.

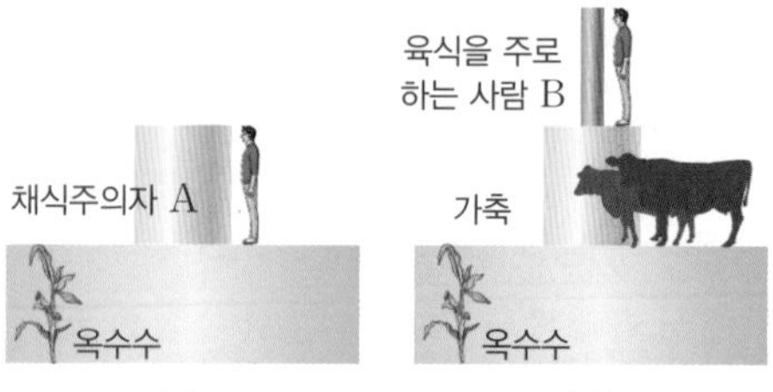

(가) (나)

이에 대한 설명으로 옳은 것은?

① A와 B는 모두 동일한 영양 단계에 해당한다.
② (나)의 생태계만 평형을 유지할 수 있다.
③ 고기 소비가 증가할수록 (나)는 옥수수를 재배하는 경작지가 (가)보다 더 많이 필요하다.
④ A에 비해 B가 더 많은 에너지를 전달받는다.
⑤ (가)보다 (나)의 생태계가 더 많은 사람들에게 식량을 공급할 수 있다.

05 그림은 대기 대순환 모형을 나타낸 것이다.

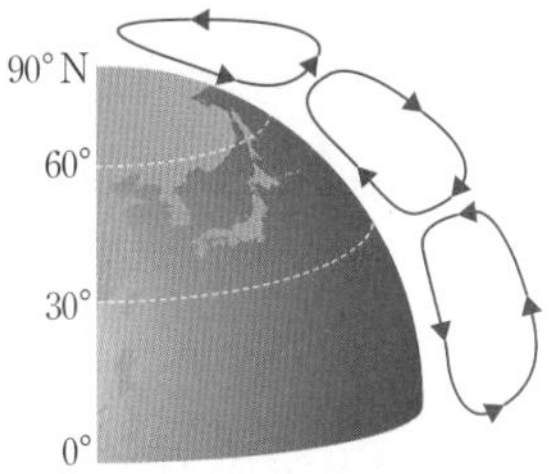

이에 대한 설명으로 옳은 것만을 | 보기 | 에서 있는 대로 고른 것은?

보기
ㄱ. 지구 자전을 고려한 모형이다.
ㄴ. 위도 30°에서는 강수량이 적다.
ㄷ. 저위도의 에너지가 고위도로 이동한다.

① ㄱ ② ㄴ ③ ㄱ, ㄴ
④ ㄴ, ㄷ ⑤ ㄱ, ㄴ, ㄷ

06 그림은 전 세계의 사막과 사막화 지역을 표시한 지도이다.

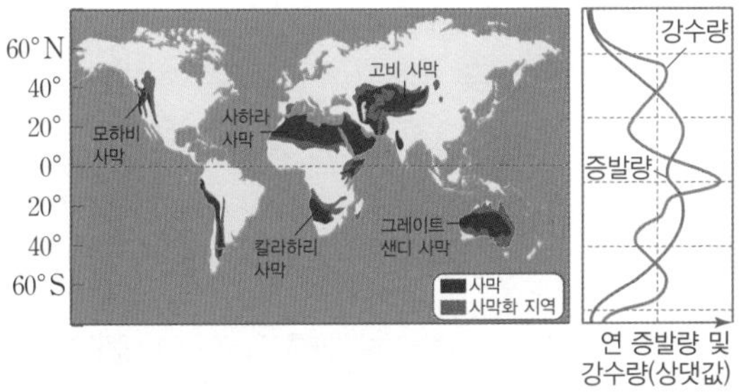

이에 대한 설명으로 옳은 것만을 | 보기 | 에서 있는 대로 고른 것은?

보기
ㄱ. 사막 지역은 대기 대순환과 밀접한 관련이 있다.
ㄴ. 과잉 경작이나 과잉 방목 등이 사막화를 촉진시킨다.
ㄷ. 사막화는 강수량이 적은 곳에 발생할 가능성이 높다.

① ㄱ ② ㄷ ③ ㄱ, ㄴ
④ ㄴ, ㄷ ⑤ ㄱ, ㄴ, ㄷ

07 그림 (가)는 이산화 탄소의 농도 변화, (나)는 평균 기온 변화를 나타낸 그래프이다.

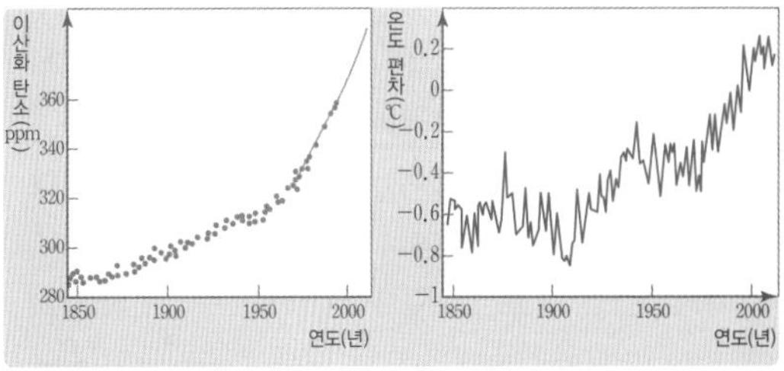

(가) (나)

이에 대한 설명으로 옳은 것만을 | 보기 | 에서 있는 대로 고른 것은?

보기
ㄱ. (가)의 농도 변화에 화석 연료의 사용이 중요한 역할을 했다.
ㄴ. (나)와 같은 온도 변화의 원인 중 하나는 이산화 탄소 농도의 증가이다.
ㄷ. 1900년 이후에 극지방의 반사율이 계속 증가했을 것으로 예상된다.

① ㄱ ② ㄴ ③ ㄱ, ㄴ
④ ㄴ, ㄷ ⑤ ㄱ, ㄴ, ㄷ

08 그림은 어느 시기 동안 관측한 태평양의 해수면 높이의 편차(관측 높이 − 평년 평균 높이)를 나타낸 것이다.

이에 대한 설명으로 옳은 것은? (단, 수온이 높아질수록 해수면도 상승한다.)

① 무역풍이 강하게 불었다.
② 이 시기에는 엘니뇨가 나타났다.
③ 호주 지역의 강수량이 많이 증가했다.
④ 동태평양 연안에서는 용승이 잘 나타났다.
⑤ 적도 해역의 표층 수온은 서태평양에 비해 동태평양에서 더 낮아졌다.

09 다음은 에너지 전환이 이루어지는 사례들을 나타낸 것이다.

> (가) 형광등 불을 켜서 방을 환하게 한다.
> (나) 휴대전화 화면에 사진이 표시된다.
> (다) 식물이 광합성을 통해 영양분을 만든다.
> (라) 어두운 밤 반딧불이가 빛을 낸다.

같은 에너지 전환 과정을 거치는 것끼리 바르게 짝지은 것은?

① (가), (나)　② (가), (라)　③ (나), (다)
④ (나), (라)　⑤ (다), (라)

10 그림은 온도가 높은 고열원으로부터 열에너지 Q_1을 공급받아 일 W를 하고 온도가 낮은 저열원으로 열에너지 (가)를 방출하는 증기 기관을 모식적으로 나타낸 것이다.

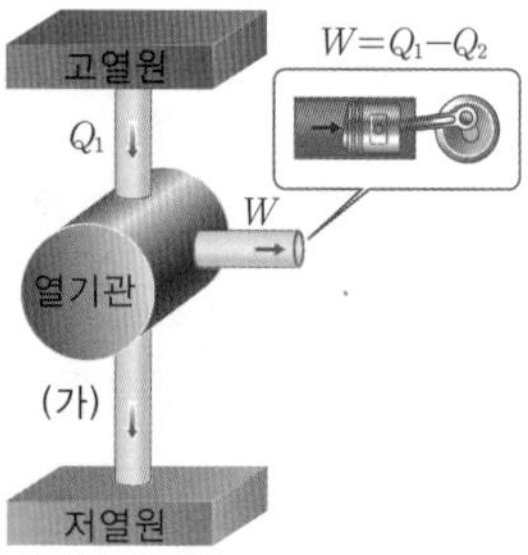

다른 것은 그대로 두고 한 가지만 변화시킨다고 할 때, (가)를 줄이기 위한 방법으로 적절한 것을 |보기| 에서 있는 대로 고른 것은?

> 보기
> ㄱ. Q_1을 증가시킨다.
> ㄴ. $\frac{W}{Q_1}$를 증가시킨다.
> ㄷ. 증기 기관에서 디젤 기관으로 교체한다.

① ㄱ　② ㄷ　③ ㄱ, ㄴ
④ ㄴ, ㄷ　⑤ ㄱ, ㄴ, ㄷ

11 표는 자동차 A, B가 같은 속력으로 운동할 때, 단위 시간당 엔진에 공급되는 에너지와 엔진이 하는 일을 나타낸 것이다.

자동차	A	B
엔진에 공급되는 에너지(kJ)	120	100
엔진이 하는 일(kJ)	20	20

A와 B의 열효율이 각각 e_A, e_B라 할 때 $e_A : e_B$는?

① 1:2　② 2:3　③ 3:2
④ 4:3　⑤ 5:6

12 그림은 하이브리드 자동차의 주행 상태를 나타낸 것이다.

이에 대한 설명으로 옳은 것만을 |보기| 에서 있는 대로 고른 것은?

> 보기
> ㄱ. 하이브리드 자동차는 전기 에너지만을 사용하여 주행한다.
> ㄴ. 가속할 때 자동차의 운동 에너지가 전기 에너지로 전환된다.
> ㄷ. 기존의 자동차에 비해 에너지를 효율적으로 사용한다.

① ㄱ　② ㄷ　③ ㄱ, ㄴ
④ ㄴ, ㄷ　⑤ ㄱ, ㄴ, ㄷ

통합 문제

13 다음은 생태계와 환경에 대한 학생들의 대화이다.

옳게 설명한 학생만을 있는 대로 고른 것은?

① 철수　② 영희　③ 민수
④ 철수, 영희　⑤ 영희, 민수

14 다음은 2가지 종류의 잎의 특징을 나타낸 것이다.

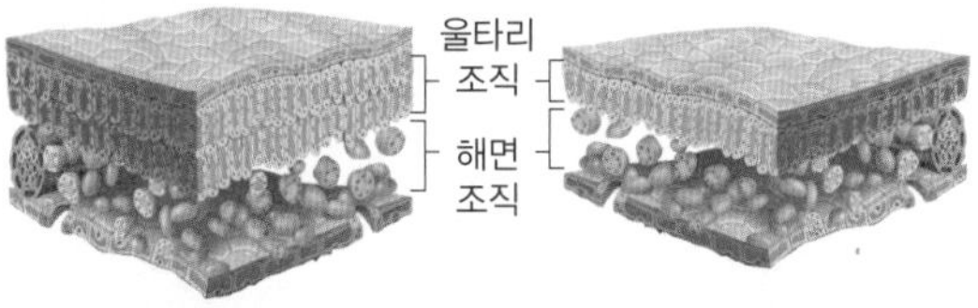

(1) 강한 빛을 받는 잎과 약한 빛을 받는 잎 중 어떤 쪽이 더 두꺼운지 서술하시오.

(2) 그늘진 환경에서는 두꺼운 잎을 가진 식물과 얇은 잎을 가진 식물 중 어느 쪽이 더 생존에 유리할지 서술하시오.

15 그림은 어떤 해양 생태계의 먹이 그물을 나타낸 것이다.

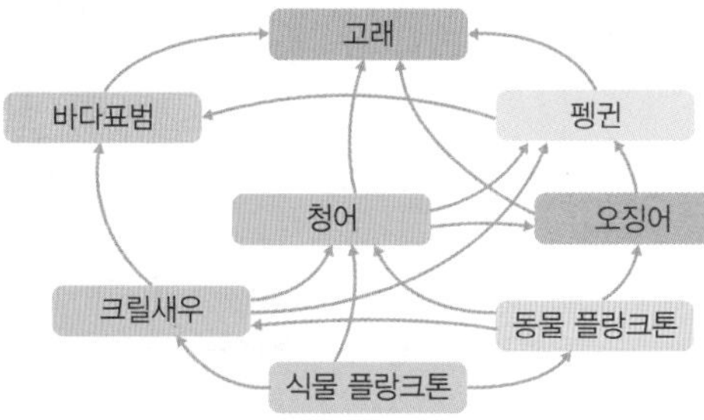

가장 많은 영양 단계로 이루어진 먹이 사슬을 찾아 생산자부터 최종 소비자까지 순서대로 서술하시오.

16 그림은 연도별 해수면의 높이 변화를 나타낸 것이다.

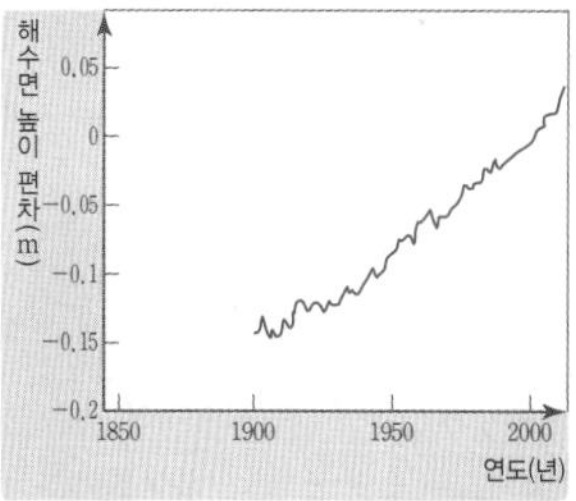

(1) 연도별 해수면의 높이 변화 경향에 대해서 서술하시오.

(2) 위 그림에서와 같이 해수면의 높이에 변화가 생기는 직접적인 까닭을 2가지 서술하시오.

17 가정용 조명으로 쓰이는 전구는 백열등에서 형광등, LED로 점차 변해가고 있다. 그 까닭을 다음에 제시된 두 단어를 포함하여 서술하시오.

열에너지, 에너지 효율

Ⅸ

발전과 신재생 에너지

※ **나의 학습 일정표** : 스스로 계획하고 실천하면 실력이 올라갑니다.

단원명	내용 정리	알쉬탐 / 알쉬특	개념+기본 문제	실력 올리기 문제	대단원 마무리 + 문제
01 전기 에너지의 생산					
02 전기 에너지의 수송					
03 태양 에너지의 생성과 전환					
04 환경 문제를 해결하는 여러 가지 발전					

* 내용을 공부하기 전에 용어집을 읽어보면 공부가 쉬워져요!!

배울 내용 미리보기

발전소에서는 전자기 유도 현상을 이용하여 터빈의 운동 에너지로부터 전기 에너지를 얻어 내지.

용어집 43쪽

01 전기 에너지의 생산

A **자기장** #자기장 #전류가 흐르는 코일에 의한 자기장

B **전자기 유도와 발전** #전자기 유도 현상 #발전 #발전기

C **여러 가지 발전 방식** #화력 발전 #수력 발전 #핵발전

발전소에서 생산된 전기 에너지를 소비지로 송전할 때에는 변압기로 전압을 높여야 손실 전력을 줄일 수 있지.

용어집 44쪽

02 전기 에너지의 수송

A **전력 수송** #송전 #전력 #손실 전력

B **변압기의 구조와 원리** #변압기의 원리

C **안전하고 효율적인 전력 수송 방법**
#송전선 지중화 사업 #초전도 케이블 #지능형 전력망

태양은 수소 핵융합 반응을 통해 태양 에너지를 생산하고 지구에 도달한 태양 에너지는 다양한 형태의 에너지로 전환되지.

용어집 46쪽

03 태양 에너지의 생성과 전환

A **태양 에너지의 생성** #핵반응 #수소 핵융합 반응

B **태양 에너지 전환** #에너지 순환 #에너지 전환

용어집 47쪽

04 환경 문제를 해결하는 여러 가지 발전

A **핵발전, 태양광 발전, 풍력 발전** #핵발전 #태양광 발전 #풍력 발전

B **신재생 에너지와 에너지 문제를 해결하기 위한 노력**
#신재생 에너지 #친환경 에너지 도시

친환경적이거나 연료 고갈의 염려가 없는 발전 방식으로는 핵발전, 태양광 발전, 풍력 발전 등이 있어.

01 전기 에너지의 생산

개념 이해 자기장, 자기력선, 전류가 흐르는 코일에 의한 자기장, 전자기 유도, 발전기, 화력 발전, 수력 발전, 핵발전

A 자기장

한·줄·핵심 전류가 흐르면 주변에 자기장이 만들어져!

1. 자기장 자석이나 전류가 흐르는 도선(전류가 흐를 수 있는 금속 줄) 주위[1]에 자기력(자석과 자석, 자석과 쇠붙이 따위 사이에 작용하는 힘)이 영향을 미치는 공간

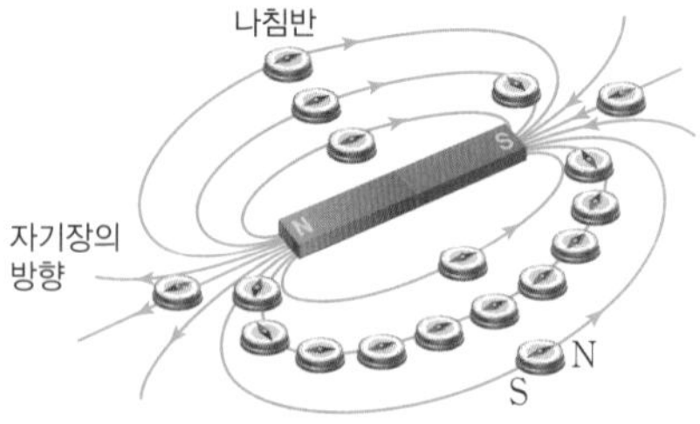

자석 주위의 자기장

(1) 자기력선 자기장 안에서 자침의 N극이 가리키는 방향을 연속적으로 연결하여 생긴 가상적인 선

① 자기력선의 특징

- 자석 외부에서 자기력선은 N극에서 나와 S극으로 들어간다.
- 자석 내부에서 자기력선의 방향은 S극에서 N극을 향한다.
- 자기력선은 도중에 끊어지거나 교차하지 않는다.
- 자기력선이 조밀할수록 자기장이 강하다.
- 자기력선의 접선 방향이 그 지점에서의 자기장의 방향이다.

② 자기 선속(자속) : 자기장 안에 있는 어떤 면적을 수직으로 통과하는 자기력선의 총수를 의미하며, 단위로는 Wb(웨버)를 사용한다.

(2) 자기장의 방향 자기장 안에 나침반을 놓았을 때 자침의 N극이 가리키는 방향

(3) 자기장의 세기 단위 면적을 수직으로 통과하는 자기 선속으로 나타낸다.

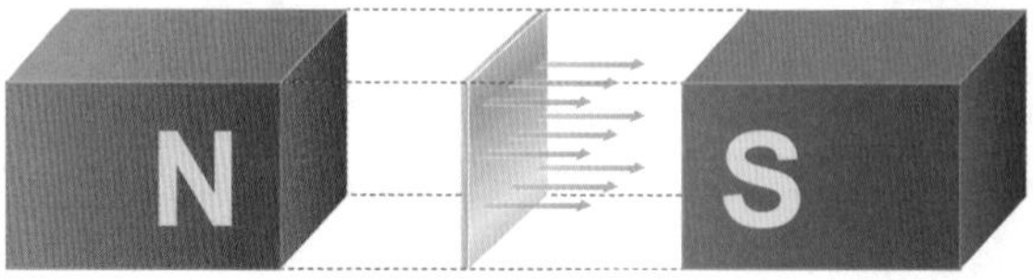

자기장의 세기

2. 전류가 흐르는 코일에 의한 자기장[2] 전류가 흐르는 코일 주변에 나침반을 놓으면 자침이 자기력을 받아 움직인다.

(1) 자기장의 방향

① 오른손 네 손가락을 전류의 방향으로 감아쥘 때 엄지손가락이 가리키는 방향이다.

② 전류의 방향이 바뀌면 자기장의 방향도 바뀐다.

(2) 자기장의 세기 코일 내부에서 자기장의 세기는 단위 길이당 감은 수(n)와 전류의 세기(I)에 비례한다.

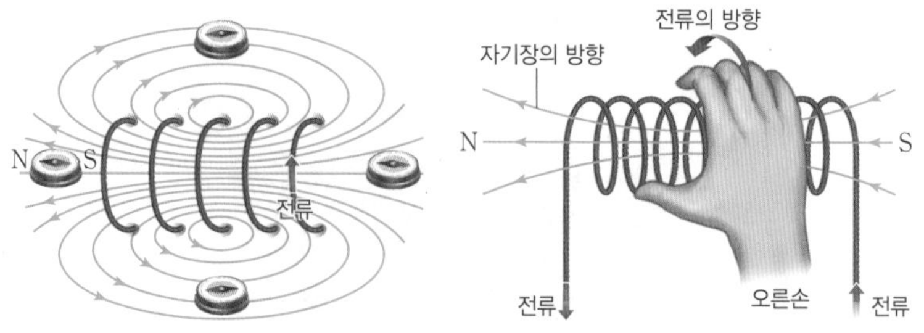

전류가 흐르는 코일에 의한 자기장

❶ 전류에 의한 자기장

전류가 흐르는 도선 주위에도 자기장이 형성될 수 있다는 사실이 처음 발견된 것은 1820년 외르스테드의 실험을 통해서였다.

❷ 직선 도선과 원형 도선 주위의 자기장

직선 도선 주위에는 동심원 모양의 자기장이, 원형 도선 주위에는 오른손의 엄지손가락을 전류의 방향과 일치시켰을 때 나머지 네 손가락이 가리키는 방향으로 자기장이 형성된다.

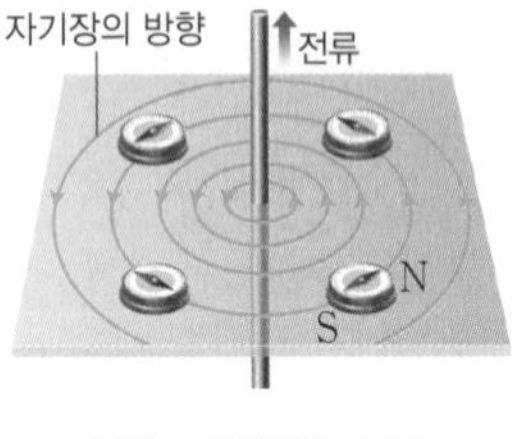

직선 도선 주위의 자기장

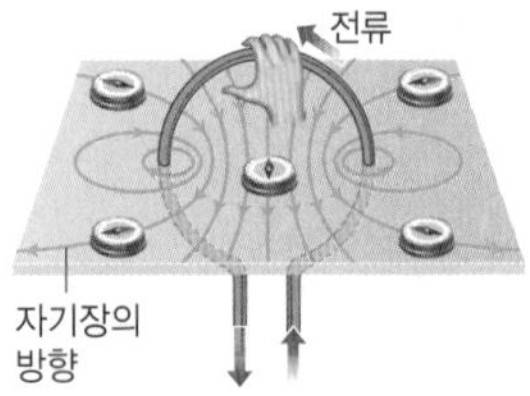

원형 도선 주위의 자기장

- **전류(전기 電, 흐를 流)** 전기를 띤 전하의 흐름
- **자기력(자석 磁 기운 氣 힘 力)** 자석끼리, 전류끼리, 또는 자석과 전류가 서로 당기거나 밀어내도록 작용하는 힘

B 전자기 유도와 발전

한·줄·핵심 발전소에서는 전자기 유도를 이용해 전기 에너지를 만들어!

1. 전자기 유도 현상 코일 근처에서 자석이 움직이거나 자석 근처에서 코일이 움직일 때 코일에 전류가 발생하는 현상

(1) 유도 기전력과 유도 전류

① 유도 기전력: 전자기 유도 현상에 의해 발생하는 전압

② 유도 전류: 전자기 유도 현상에 의해 코일에 흐르는 전류

(2) 코일에 흐르는 유도 전류의 방향 코일에 흐르는 자기 선속의 변화를 방해하는 방향으로 코일에 유도 전류가 흐른다.

유도 전류에 의한 자기장의 방향은 증가하는 자기장과 반대 방향이거나 감소하는 자기장과 같은 방향이다.

자석의 운동	N극 가까이	N극 멀리	S극 가까이	S극 멀리
유도 전류	B → Ⓖ → A	A → Ⓖ → B	A → Ⓖ → B	B → Ⓖ → A
코일의 자기장	위쪽에 N극 → 자석 밀어냄	위쪽에 N극 → 자석 당김	위쪽에 S극 → 자석 밀어냄	위쪽에 S극 → 자석 당김
	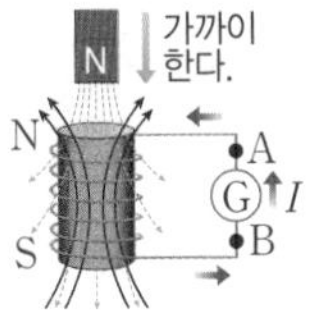	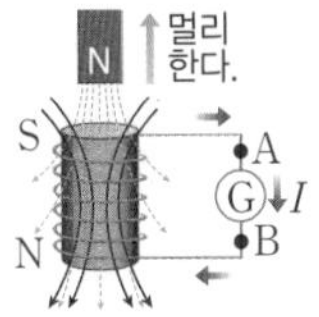	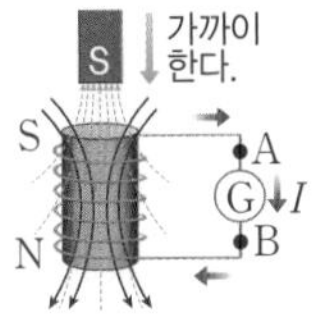	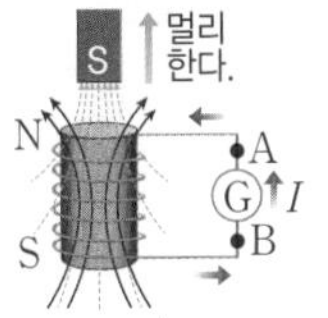
	(→: 자석에 의한 자기장, →: 유도 전류에 의한 자기장)			

(3) 패러데이[3]의 발견 코일을 통과하는 자기 선속이 변할 때 자기 선속의 시간적인 변화율에 비례하고, 코일의 감은 수에 비례하는 유도 기전력이 발생한다.

(4) 코일에 흐르는 유도 전류의 세기 코일의 단면적이 크고, 코일의 감은 수가 많으며, 센 자석이 빨리 운동할수록 유도 전류의 세기는 증가한다.

탐구 전지 없이 전류 발생시키기

전지 없이 전류를 발생시키는 방법을 예상하고, 유도된 전류를 관찰한 후 그 까닭을 설명할 수 있다.

과정

① 자석의 N극을 코일에 가까이 또는 멀리한다.

② 자석의 N극을 코일 속에서 빠르게 또는 느리게 움직이거나, 코일 속에 넣고 움직이지 않는다.

전자기 유도

결과

① **전류가 흐르는 경우**: 코일에 자석이 가까워지거나 멀어지는 경우

② **코일에 흐르는 전류의 방향**: 코일에 자석이 가까워질 때와 멀어질 때 서로 반대 방향이다. → 코일을 통과하는 자기 선속의 변화가 반대이므로 유도 전류가 반대로 흐른다.

③ **자석을 빠르게 움직일 때와 느리게 움직일 때**: 자석을 빠르게 움직일 때 더 센 전류가 흐른다. → 단위 시간당 자기 선속의 변화가 클수록 더 센 유도 전류가 흐른다.

#암기!

유도 전류 방향

자석이 오면 → 밀어내라!

자석이 가면 → 당겨라!

❸ 패러데이

속이 빈 관에 도선을 감은 뒤 막대자석을 넣고 빼기를 반복할 때 전류가 흐르는 것을 발견하였다. 물리학과 화학에서 많은 업적을 남겨 현대 자연 과학의 기초를 닦았다.

#보충!

네오디뮴(Nd) 자석

희토류 광물인 네오디뮴 원소를 주재료로 하여 철과 붕소를 합금시켜 만든 자석으로 무게가 가볍고, 자기장이 강하며 여러 제품을 제작하는 데 사용한다.

• 기전력(일어날 起 전기 電 힘 力)
전류를 흐르게 하는 원동력

정답과 해설 090쪽

간단 점검

1. 자기장의 방향은 어떻게 정하는가?

2. 전류에 의한 자기장의 세기는 전류의 세기에 반비례한다. (○, ×)

3. 코일 근처에서 자석이 운동하거나 자석 근처에서 코일이 운동할 때 코일에 전류가 발생하는 현상은?

4. 코일을 통과하는 자기 선속의 변화가 없을 때 코일에 흐르는 전류는 최대가 된다. (○, ×)

❹ 역학적 에너지
물체의 운동이나 그 위치 등의 역학적인 양에 의해 정해지는 에너지(운동 에너지와 퍼텐셜 에너지의 합)

❺ 교류와 직류
발전 과정에서는 전류의 방향이 계속해서 변하는 교류가 만들어진다. 이와 반대로 건전지에 의해 흐르는 전류와 같이 일정한 방향으로만 흐르는 전류를 직류라고 한다.

❻ 발전기와 전동기
- 발전기: 발전기에서는 코일이나 자석을 회전시키면 코일을 통과하는 자기 선속이 변하고 전자기 유도 현상에 의해 코일에 유도 전류가 흐른다. 즉, 운동 에너지가 전기 에너지로 전환된다.

- 전동기: 전동기에서는 코일에 전류가 흐르면 코일 주변에 자기장이 생기고 이 때문에 코일이 주위의 자석으로부터 힘을 받아 회전한다. 즉, 전기 에너지가 운동 에너지로 전환된다.

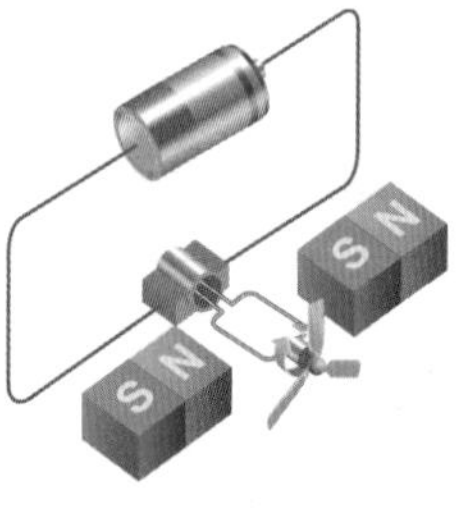

• 터빈(turbine) 수많은 날개가 달린 모양의 회전체

2. 발전 발전소에서 역학적 에너지,❹ 열에너지, 화학 에너지 등을 전기 에너지로 전환시키는 것

(1) 발전의 원리 전자기 유도 현상을 이용한다.

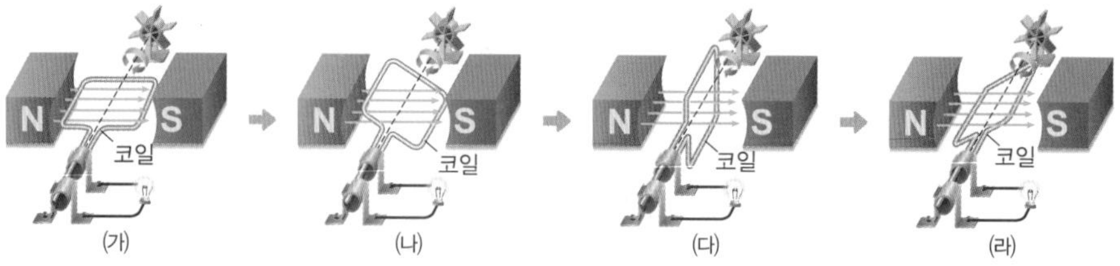

발전의 원리

① 코일이 자석과 이루는 각도가 0°에서 90°까지 변할 때: 자기장이 수직으로 통과하는 코일 면의 면적이 증가 → 자기 선속의 증가를 방해하는 방향으로 유도 전류가 흐름❺

② 코일이 자석과 이루는 각도가 90°에서 180°까지 변할 때: 자기장이 수직으로 통과하는 코일 면의 면적이 감소 → 자기 선속의 감소를 방해하는 방향으로 유도 전류가 흐름 (유도 전류: 코일이 한 바퀴 도는 동안 전류의 방향은 두 번 바뀜)

(2) 실제 발전기❻

① 증기나 물, 바람에 의해 프로펠러 모양의 •터빈이 회전한다.

② 터빈에 연결된 회전자(자석)가 회전한다.

③ 자기 선속의 변화로 인해 주변에 둘러싸고 있는 고정자(코일)에 유도 전류가 흐른다.

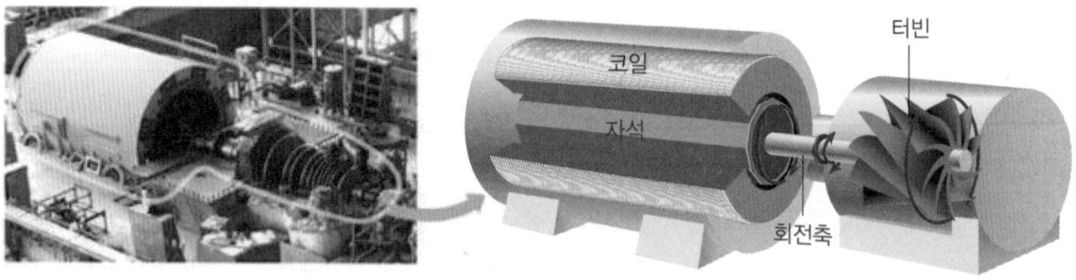

발전기의 구조

탐구 간이 발전기 만들기

간이 발전기를 만들어 작동시키고, 전기 에너지가 만들어지는 과정을 토의할 수 있다.

과정

① 길이가 8 cm 정도인 플라스틱 관의 중간 정도에 고무 링 하나를 끼우고 에나멜선을 플라스틱 관과 고무 링 사이로 통과시켜 10 cm 정도 빼낸 후, 다른 고무 링을 1 cm 간격으로 관에 끼운다.

② 두 고무 링 사이에 에나멜선을 한 방향으로 500회 정도 균일하게 감은 후, 플라스틱 관과 고무 링 사이로 에나멜선을 통과시켜 10 cm 정도 빼낸다.

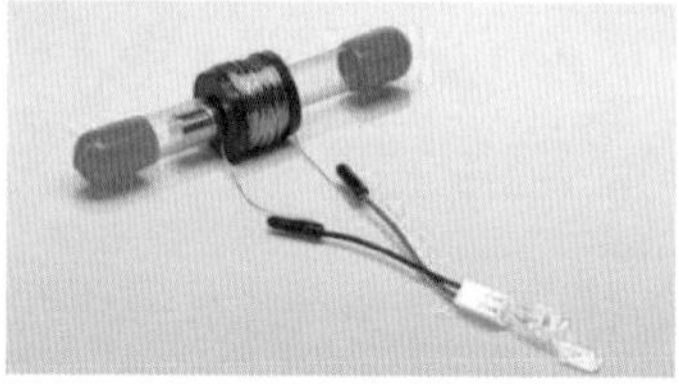

간이 발전기

③ 에나멜선의 양 끝을 모두 사포로 문질러 에나멜 코팅을 벗겨낸다. (에나멜은 전기가 통하지 않는 부도체)

④ 연결 단자의 전선을 에나멜선의 양 끝과 각각 연결한 후, 연결 단자에 빨간색과 파란색 발광 다이오드의 긴 다리와 짧은 다리가 서로 반대가 되도록 꽂는다.

⑤ 플라스틱 관에 네오디뮴 자석을 넣고, 플라스틱 관의 양 끝에 관 마개를 씌워 완성한다.

⑥ 플라스틱 관을 잡고 흔들면서 발광 다이오드에 불이 켜지는지 관찰한다.

⑦ 자석을 흔드는 속력, 자석의 개수 등을 변화시켜 발광 다이오드의 밝기를 관찰한다.

결과

① 플라스틱 관을 흔들면 발광 다이오드에 불이 켜진다. → 자석을 흔들어 주는 역학적 에너지가 전기 에너지로 전환되었다.

② 자석을 빨리 흔들수록, 자석의 개수가 많을수록 발광 다이오드의 밝기가 밝다. → 센 자석이 빨리 운동할수록 전류의 세기는 증가한다.

C 여러 가지 발전 방식

한·줄·핵심 현재 우리가 사용하는 대부분의 전기 에너지는 화력 발전, 수력 발전, 핵발전 등을 통해 생산돼!

1. 화력 발전
●화석 연료를 태울 때 발생하는 열에너지[7]를 이용하여 발전하는 방식
(화석 연료: 석탄, 석유, 천연가스 등등)

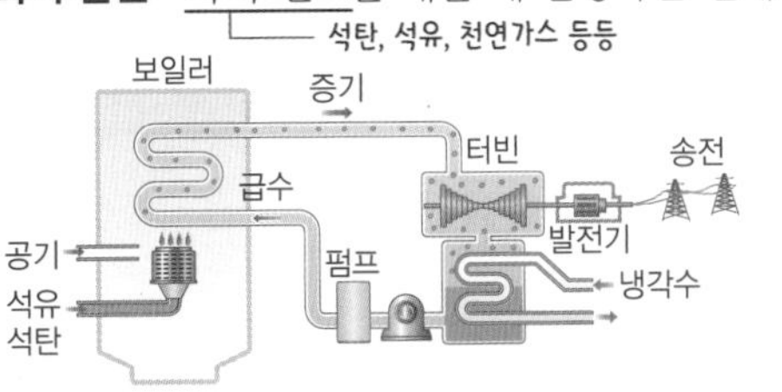

화력 발전

(1) 화력 발전에서의 에너지 전환 화학 에너지 → 열에너지 → 운동 에너지 → 전기 에너지
(화학 에너지: 원자나 분자 간의 결합에 의하여 물질 내에 저장된 에너지)

(2) 화력 발전의 장단점

① 장점: 연료를 구하기 쉽고 비교적 소비지 가까이 발전소를 건설할 수 있다.

② 단점: 화석 연료의 매장량에 한계가 있고 오염 물질이 많이 발생한다.

2. 수력 발전
높은 곳에 위치한 물의 퍼텐셜 에너지를 이용하여 발전하는 방식

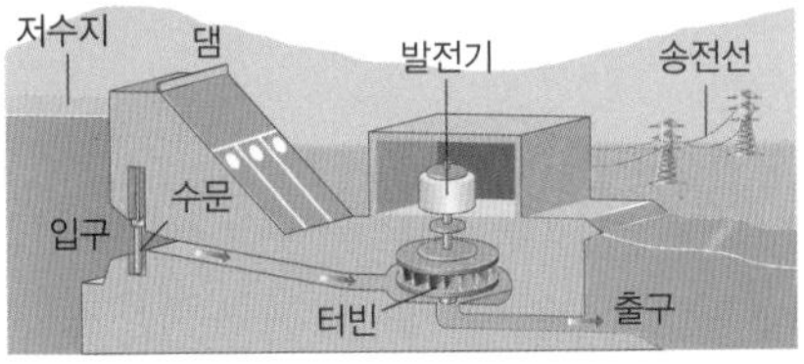

수력 발전

(1) 수력 발전에서의 에너지 전환 퍼텐셜 에너지 → 운동 에너지 → 전기 에너지
(퍼텐셜 에너지: 중력에 의한 위치 에너지를 중력 퍼텐셜 에너지라고 한다.)

(2) 수력 발전의 장단점

① 장점: 비교적 연료의 공급이 무한한 편이고 오염 물질이 적게 발생한다.

② 단점: 발전소를 건설하는 데 비용이 많이 들고 주변 환경에 큰 영향을 미친다.

3. 핵발전
원자로에서 우라늄[8]을 주원료로 하는 핵분열[9] 과정에서 발생하는 열에너지를 이용하여 발전하는 방식

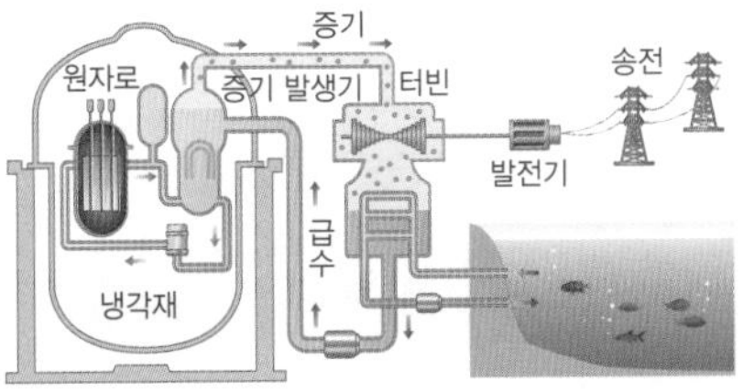

핵발전

(1) 핵발전에서의 에너지 전환 핵에너지 → 열에너지 → 운동 에너지 → 전기 에너지

(2) 핵발전의 장단점

① 장점: 적은 양의 원료로 많은 양의 에너지를 얻을 수 있다.

② 단점: 폐기물 처리가 쉽지 않다.

---

❼ 열에너지
온도가 높은 물체와 낮은 물체 사이에서 전도, 대류, 복사 등에 의해서 전달되는 에너지의 형태

#보충!
화력 발전의 종류
- 증기 터빈 방식: 고온 고압의 수증기로 터빈을 돌리는 방식
- 가스 터빈 방식: 기체 연료 가스로 터빈을 돌리는 방식
- 복합 방식: 가스 터빈 방식의 가스를 재활용하여 물을 끓여 터빈을 돌리는 방식

#암기!
수력 발전은 물이 있어서 차가운 발전이다. → 열에너지로 터빈을 돌리는 과정이 없다.

❽ 우라늄
원자 기호는 U, 원자 번호 92인 은회색의 방사성 금속 원소

❾ 핵분열
우라늄 같이 무거운 원자핵이 중성자와 충돌하여 가벼운 원자핵 2개로 쪼개지는 반응. 1938년 독일 과학자 프리츠 슈트라스만과 오토 한의 실험으로 확인되었다.

●화석 연료(**바뀔 化 암석 石 사를 燃 재료 料**) 오래전 지구상에 서식했던 유기체의 잔존물로 인하여 생성된 에너지 자원

정답과 해설 090쪽

간단 점검

5. 발전소에서 역학적 에너지, 열에너지, 화학 에너지 등은 최종적으로 무슨 에너지로 전환되는가?

6. 실제 발전기에서는 코일 대신에 자석이 회전한다. (○, ×)

7. 수력 발전, 화력 발전, 핵발전은 모두 전자기 유도 현상을 이용하여 발전한다. (○, ×)

8. 수력 발전, 화력 발전, 핵발전 중 열에너지로의 전환 과정을 필요로 하지 않는 발전 방식은?

개념 + 기본 문제

개념 문제

A 자기장

01 다음 설명 중 옳은 것은 ○, 옳지 않은 것은 ×로 표시하시오.

(1) 자기력선은 도중에 끊어지거나 교차하지 않는다. (　　)

(2) 자기력선의 한 점에 그은 접선 방향이 그 점에서의 자기장의 방향이다. (　　)

(3) 자기력선이 조밀할수록 자기장의 세기는 약하다. (　　)

B 전자기 유도와 발전

02 다음 용어와 관련 있는 내용을 옳게 연결하시오.

(1) 전자기 유도 현상 •		• ㉠ 코일과 자석이 상대적으로 움직일 때 코일에 전류가 발생하는 현상
(2) 유도 기전력 •		• ㉡ 코일에는 자기 선속의 시간적 변화율에 비례하고 코일의 감은 수에 비례하는 유도 기전력이 발생
(3) 패러데이의 발견 •		• ㉢ 전자기 유도 현상에 의해 코일에 전류가 흐르기 위한 전압

C 여러 가지 발전 방식

03 다음은 어느 발전 방식에 대한 내용이다.

- 건설 비용이 많이 들며 주변 환경에 큰 영향을 미친다.
- 물이 높은 곳에서 낮은 곳으로 흐를 때 이를 이용하여 전기 에너지를 생산한다.

이 발전 방식을 무엇이라고 하는지 쓰시오.

A 자기장

04 자기장과 자기력선에 대한 설명으로 옳은 것은?

① 막대자석의 외부에서 자기력선은 S극에서 나와 N극으로 들어간다.
② 자기장의 방향은 자석 주위에 나침반을 놓았을 때 자침의 S극이 가리키는 방향으로 정의한다.
③ 전류가 흐르는 도선이 자기장을 만들 수 있다는 것을 최초로 발견한 사람은 패러데이이다.
④ 코일 내부에서 자기장의 방향은 왼손 네 손가락을 전류의 방향으로 감아쥘 때 엄지손가락이 가리키는 방향이다.
⑤ 코일 내부에서 자기장의 세기는 전류의 세기에 비례한다.

05 그림과 같이 코일에 화살표 방향으로 전류가 흐른다. P, Q는 코일의 중심축을 잇는 직선상의 점이다.

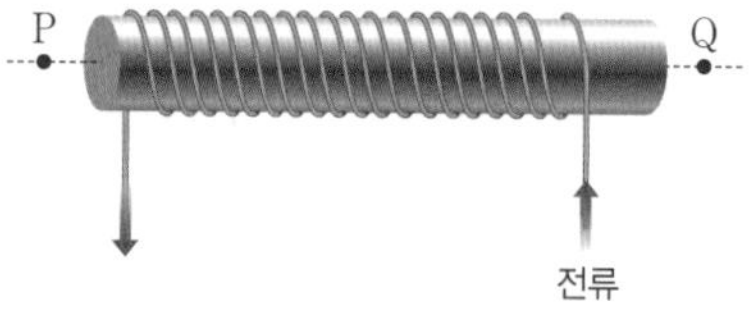

이에 대한 설명으로 옳은 것만을 | 보기 | 에서 있는 대로 고른 것은?

보기
ㄱ. 코일 내부에서 자기장의 방향은 P에서 Q를 향하는 방향이다.
ㄴ. 코일의 왼쪽은 자석의 N극에 해당한다.
ㄷ. 전류의 세기가 커지면 코일 내부의 자기력선의 간격은 조밀해진다.

① ㄱ　② ㄴ　③ ㄱ, ㄴ
④ ㄴ, ㄷ　⑤ ㄱ, ㄴ, ㄷ

B 전자기 유도와 발전

06 그림과 같이 검류계가 연결된 코일 근처에서 자석을 가만히 잡고 있다.

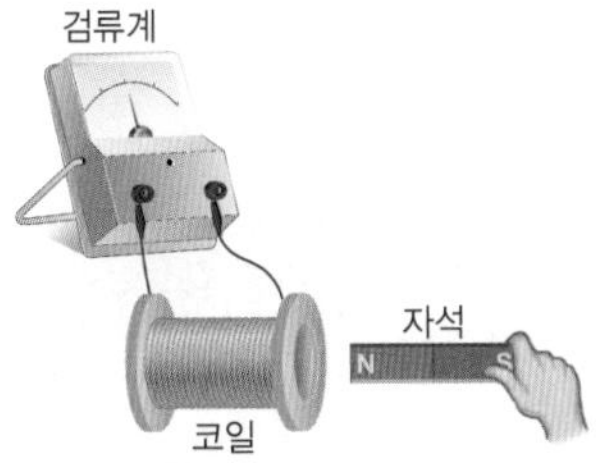

이에 대한 설명으로 옳지 않은 것은?

① 자석이 코일로 접근할 때 코일을 통과하는 자기 선속은 증가한다.
② 자석이 코일로 접근하는 속력이 빠를수록 코일에 흐르는 유도 전류의 세기는 커진다.
③ 자석이 코일 내부에 정지해 있을 때 코일에 흐르는 유도 전류의 세기는 최대가 된다.
④ 자석이 코일에 접근할 때와 멀어질 때 검류계의 바늘은 반대 방향으로 움직인다.
⑤ 코일이 자석에 접근할 때와 자석이 코일에 접근할 때 검류계의 바늘은 같은 방향으로 움직인다.

단답형

07 다음은 코일에 흐르는 유도 전류에 대한 설명이다.

그림과 같이 코일과 검류계를 이용하여 회로를 구성하고 자석의 N극을 아래로 향하도록 한 후, 자석을 코일에 가까이 가져갈 때 유도 전류의 방향은 (㉠) → 검류계 → (㉡)이다.

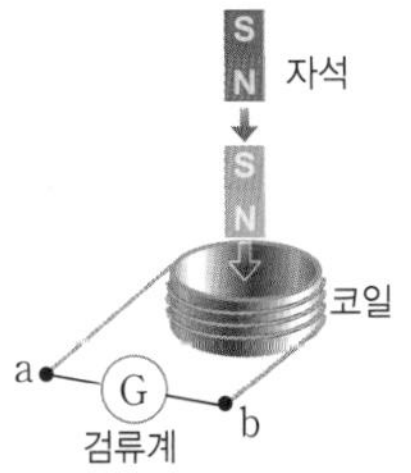

(   ) 안에 일맞은 말을 쓰시오.

C 여러 가지 발전 방식

08 그림은 화력 발전, 수력 발전을 나타낸 것이다.

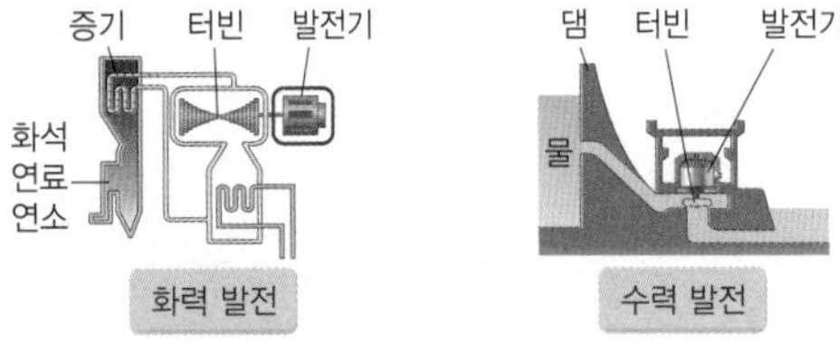

이에 대한 설명으로 옳은 것은?

① 화력 발전은 비교적 연료 공급이 무한하다.
② 수력 발전의 주연료는 우라늄이다.
③ 화력 발전은 오염 물질이 거의 발생하지 않는다.
④ 수력 발전은 건설 비용이 화력 발전보다 적게 든다.
⑤ 두 발전은 모두 전자기 유도 현상을 이용하여 전기 에너지를 생산한다.

09 그림은 여러 가지 에너지원을 이용하여 전기 에너지로 전환하는 과정을 나타낸 것이다.

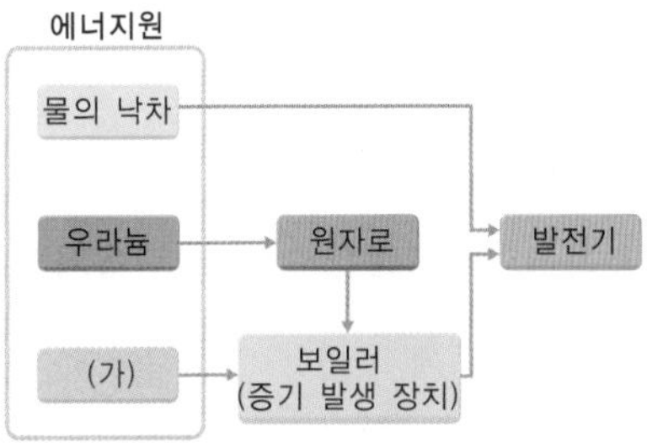

이에 대한 설명으로 옳지 않은 것은?

① 물의 낙차를 이용한 발전에는 수력 발전이 있다.
② 원자로에서는 핵반응에 의해 열에너지가 발생한다.
③ 우라늄을 이용하여 발전할 때 폐기물이 거의 발생하지 않는다.
④ 화석 연료(석탄, 석유)는 (가)에 해당한다.
⑤ 발전기에서는 운동 에너지가 전기 에너지로 전환된다.

실력 올리기 문제

| 전류가 흐르는 코일에 의한 자기장 |

01 다음은 전류에 의한 자기장을 알아보기 위한 실험이다.

[실험 과정]

(가) 그림과 같이 솔레노이드를 전원 장치에 연결한다.

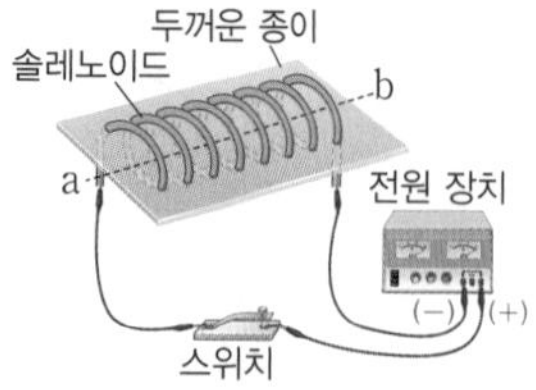

(나) 스위치를 닫아 전류를 흐르게 한다.

(다) 전원 장치의 전압을 높인다.

(라) 전원 장치의 (+), (−) 단자에 연결된 집게 도선을 과정 (가)와 반대로 연결한다.

이에 대한 설명으로 옳은 것만을 | 보기 | 에서 있는 대로 고른 것은?

보기

ㄱ. (나)에서 솔레노이드 내부에 나침반을 놓으면 자침의 N극은 b를 향한다.

ㄴ. 솔레노이드 내부에서 자기장의 세기는 (나)에서가 (다)에서보다 크다.

ㄷ. 솔레노이드 내부에서 자기장의 방향은 (나)와 (라)에서 같다.

① ㄱ ② ㄴ ③ ㄷ
④ ㄱ, ㄴ ⑤ ㄱ, ㄷ

| 전자기 유도 현상 |

02 전자기 유도 현상에 대한 설명으로 옳지 않은 것은?

① 코일 근처에서 자석이 움직이거나 자석 근처에서 코일이 움직일 때 코일에 전류가 발생한다.

② 전자기 유도 현상에 의해 코일에 흐르는 전류를 유도 전류라고 한다.

③ 코일을 통과하는 자기 선속의 변화를 방해하는 방향으로 코일에 전류가 흐른다.

④ 코일에 발생하는 유도 기전력은 자기 선속의 시간적인 변화율에 반비례하고 코일의 감은 수에 비례한다.

⑤ 코일의 단면적이 클수록 전자기 유도에 의해 흐르는 전류의 세기가 증가한다.

| 전자기 유도 현상 | 출제예감

03 그림과 같이 자석 A를 수평면에 고정된 솔레노이드에서 멀어지는 방향으로 움직였더니, 정지해 있던 자석 B가 솔레노이드에서 멀어지는 방향으로 움직인다. B의 ㉠은 N극과 S극 중 하나이다.

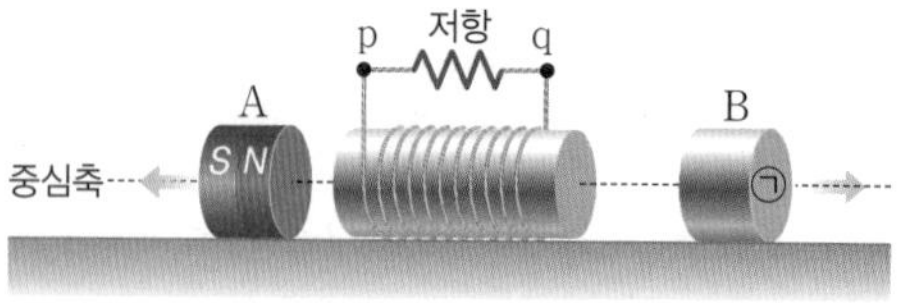

이에 대한 설명으로 옳지 않은 것은?

① 솔레노이드를 통과하는 A에 의한 자기 선속은 감소한다.

② 솔레노이드에 흐르는 전류의 방향은 q → 저항 → p이다.

③ 솔레노이드에 흐르는 전류에 의한 솔레노이드 내부에 형성된 자기장의 방향은 B의 운동 방향과 반대이다.

④ ㉠은 S극이다.

⑤ A와 B 사이에 작용하는 자기력은 척력이다.

| 발전 |

04 그림 (가)는 균일한 자기장 속에 놓인 코일이 자기장의 방향에 수직인 회전축을 중심으로 회전하는 것을, (나)는 코일 부분을 나타낸 것이다. 자기장의 세기가 B, 코일의 면적이 A, 회전 주기가 T일 때 코일에 유도되는 기전력의 최댓값은 V이다.

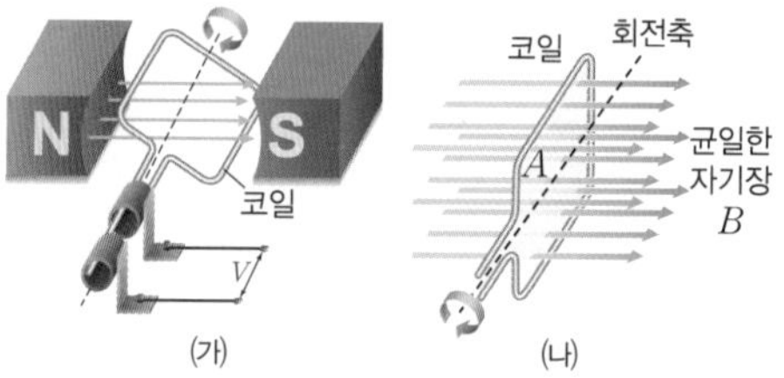

표와 같이 조건을 변화시킬 때 코일에 유도되는 기전력의 최댓값이 V보다 큰 경우만을 있는 대로 고른 것은?

	자기장의 세기	코일의 면적	회전 주기
ㄱ	B	A	$2T$
ㄴ	B	$\frac{1}{2}A$	T
ㄷ	$2B$	A	T

① ㄱ ② ㄴ ③ ㄷ
④ ㄱ, ㄴ ⑤ ㄱ, ㄷ

정답과 해설 090쪽

| 여러 가지 발전 방식 | 출제예감

05 그림은 에너지원에 따른 발전 과정을 나타낸 것이다. 이에 대한 설명으로 옳은 것만을 | 보기 | 에서 있는 대로 고른 것은?

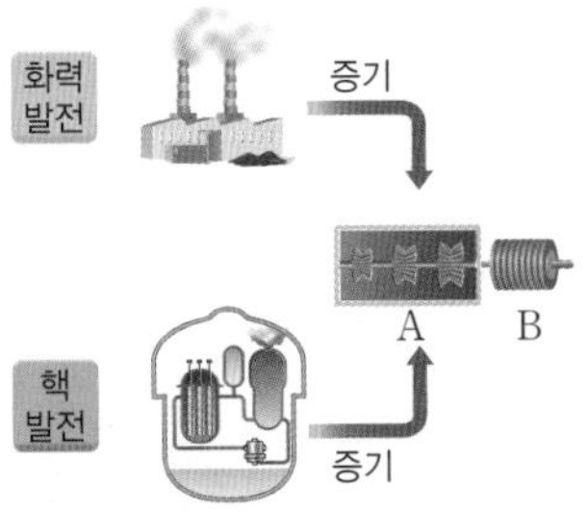

보기
ㄱ. 발전기에서의 에너지 전환은 전자기 유도 현상에 따라 이루어진다.
ㄴ. 화력 발전과 핵발전 과정에서는 수증기의 열에너지를 전기 에너지로 전환시킨다.
ㄷ. A에서는 열에너지가 운동 에너지로, B에서는 운동 에너지가 전기 에너지로 전환된다.

① ㄱ ② ㄴ ③ ㄷ
④ ㄱ, ㄴ ⑤ ㄱ, ㄴ, ㄷ

| 여러 가지 발전 방식 |

06 그림은 화력 발전, 수력 발전을 나타낸 것이다.

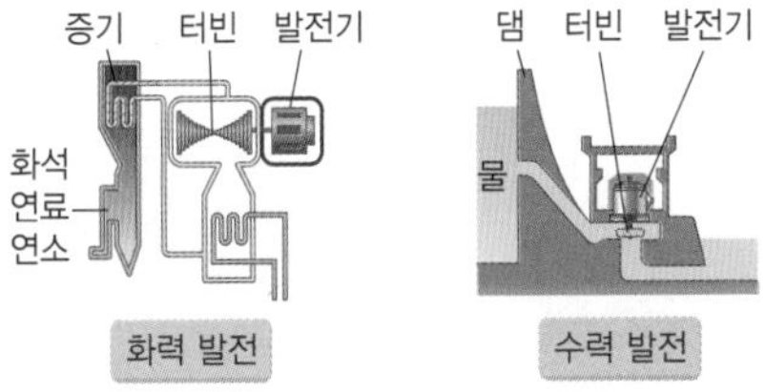

이에 대한 설명으로 옳은 것만을 | 보기 | 에서 있는 대로 고른 것은?

보기
ㄱ. 화력 발전에는 열에너지가 운동 에너지로 전환되는 과정이 있다.
ㄴ. 수력 발전에서는 물의 역학적 에너지를 전기 에너지로 전환시킨다.
ㄷ. 수력 발전 과정에는 전자기 유도 현상이 적용되지 않는다.

① ㄱ ② ㄴ ③ ㄷ
④ ㄱ, ㄴ ⑤ ㄱ, ㄴ, ㄷ

| 전자기 유도 현상 |

07 그림과 같이 길이가 같은 구리 관과 플라스틱 관에 동일한 자석을 동시에 가만히 놓아 관을 통과시킨다.

관을 먼저 통과하는 자석을 쓰고, 까닭을 서술하시오.

| 발전 |

08 그림은 발전기의 구조를 나타낸 것이다.

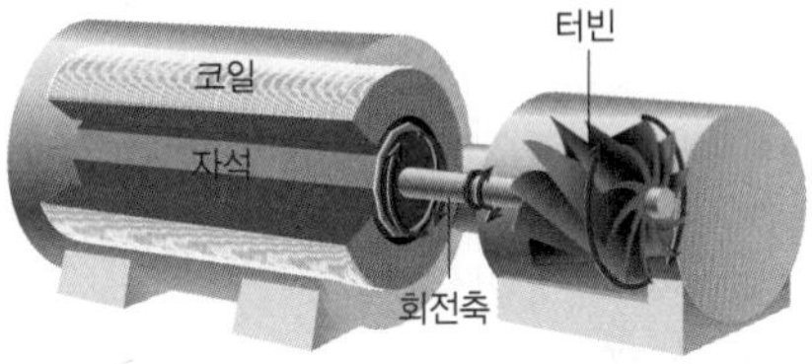

발전기에서 전기를 생산하는 과정을 서술하시오.

| 핵발전의 원리 |

09 그림은 핵발전하는 과정을 나타낸 것이다.

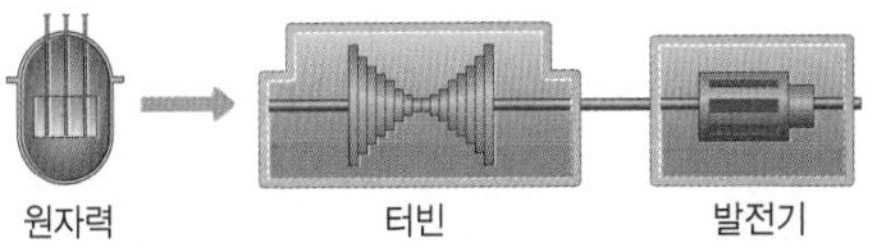

핵발전에서의 에너지 전환과 발전기에서 터빈의 회전에 의해 전기 에너지가 발생될 때 이용되는 물리 현상을 서술하시오.

02 전기 에너지의 수송

개념 이해 변전소, 변압기, 전력, 손실 전력, 전기 저항, 송전 전압, 교류, 초전도 케이블, 지중화 사업

A 전력 수송

한·줄·핵심 송전선에서는 손실 전력을 감소시키기 위해 고전압으로 전력을 수송해!

1. 전력 수송 과정

(1) 전력 수송 발전기에서 생산한 전기 에너지를 변전소[1]의 변압기[2]에서 고전압으로 송전[3]하고 소비지 근처에서 전압을 낮춰 소비지에 공급하는 과정

(2) 송전과 배전

① 송전: 발전소에서 생산한 전기 에너지를 변전소로 보내는 과정

② 배전: 발전소에서 보내온 전기 에너지를 가정이나 공장 등 필요한 곳으로 나누어 보내는 과정

(3) 전력 수송 과정

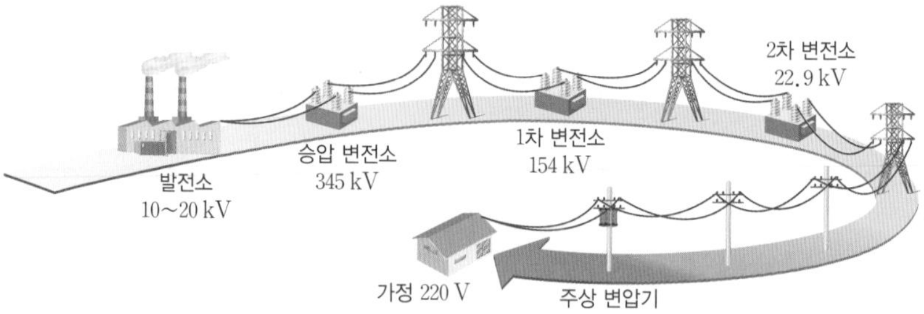

전력 수송 과정

① 발전소에서 생산된 전력은 승압 변전소로 보내져 높은 전압으로 바꾼다. (└ 우리나라는 주로 145 kV, 345 kV, 765 kV로 바꿔줌)

② 송전탑과 송전선을 통해 1차 변전소로 전력을 보낸다.

③ 1차 변전소에서 전압을 조금 낮추어 2차 변전소나 대규모 공장 등으로 전력을 보낸다.

④ 2차 변전소에서 전압을 낮추어 주상 변압기, 전철, 대형 빌딩 등으로 전력을 보낸다.

⑤ 주상 변압기에서 전압을 220 V로 낮추어 가정, 소규모 공장, 상가 등으로 보낸다.

2. 전력

(1) 전력 단위 시간 동안 생산되거나 소모되는 전기 에너지의 양

$$P=VI=I^2R\,[\mathrm{W}(\text{와트})]$$ [4]

(P: 전력, V: 전압, I: 전류, R: 저항)

(2) 손실 전력 전기 저항이 R인 도선에 흐르는 전류의 세기가 I일 때 도선에서 손실되는 전력으로 전류의 세기의 제곱에 비례하고 저항에 비례한다. → 전류의 세기가 셀수록 많은 양의 전력이 열로 손실된다.

$$P_{\text{손실}}=I^2R$$

열이 발생하여 붉게 변한 도선

(3) 손실 전력이 생기는 까닭 도선의 저항 때문에 전기 에너지가 열에너지 형태로 손실

---

❶ 변전소
발전소에서 보내오는 교류의 전압을 낮추거나 높이는 곳

❷ 변압기
전자기 유도 현상을 이용하여 교류의 전압이나 전류의 값을 바꾸는 장치

변전소의 변압기

❸ 송전
발전소에서 소비지까지 전력을 보내는 과정이다.

❹ W(와트)
1 W만큼의 전력은 전기 에너지가 1초에 1 J의 일을 해 줄 수 있음을 뜻한다.

#암기!
손실 전력: 이제 알아(I^2R)

• 전력(전기 電, 힘 力) 단위 시간당 전류가 할 수 있는 일의 양

3. 손실 전력을 줄이는 방법

(1) 도선의 저항 R[5]**을 줄이기**

① 도선의 길이를 줄인다.

② 굵은 도선을 사용하여 도선의 단면적을 크게 한다.

<도선의 길이와 저항의 관계>

<도선의 굵기와 저항의 관계>

③ 도선 자체가 가지고 있는 저항이 작은 물질[6]을 사용한다.

(2) 도선에 흐르는 전류의 세기 I를 감소시키기

① 발전소에서 송전 전압을 높이기

- 발전소에서 일정한 전력 P_0를 생산하여 송전할 경우, 송전 전압 V_0를 n배 높여 송전하면 $P_0=V_0I$이므로 I가 $\frac{1}{n}$배가 된다.
- 저항 R에서 소모되는 전력 $P(=I^2R)$는 $\frac{1}{n^2}$배가 된다.

② 송전 전압, 전류의 세기, 손실 전력의 관계

공급 전력	송전 전압	전류의 세기	손실 전력
P_0	V_0	I	P
	$10V_0$ (n배)	$\frac{1}{10}I$ ($\frac{1}{n}$배)	$\frac{1}{100}P$ ($\frac{1}{n^2}$배)

(3) 도선의 저항을 무한히 줄일 수는 없기 때문에 발전소에서 생산된 전력을 공급할 때는 변전소에서 변압기를 이용하여 고전압으로 전력을 송전한다.

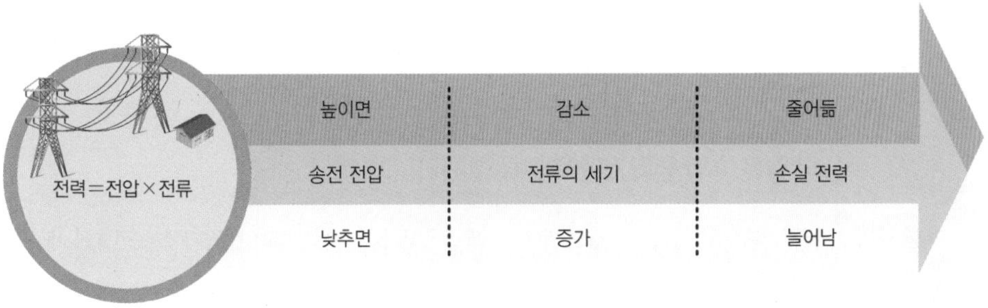

송전 전압과 손실 전력의 관계

5 도선의 저항 R

도선의 저항은 도선의 길이에 비례하고 도선의 단면적에 반비례한다.

6 저항이 작은 물질

전기를 잘 통하는 정도는 은>구리>알루미늄이나 은은 가격이 비싸므로 일반적인 도선은 구리로 만든다. 고압 송전선의 경우 두께가 굵어 무겁기 때문에 밀도가 작은 알루미늄으로 만든다.

- **저항**(거스를 抵 막을 抗) 도선에 전류가 흐르는 것을 방해하는 정도

정답과 해설 092쪽

간단 점검

1. 발전기에서 생산한 전기 에너지를 소비지에 공급하는 과정은?
2. 송전선의 저항에서 손실되는 전력을 줄이기 위해서는 송전 전압을 어떻게 하여야 하는가?
3. 열에 의한 손실 전력을 막기 위해서는 단면적이 작은 도선을 사용해야 한다. (○, ×)
4. 송전 전압을 10배로 높이면 전류는 $\left(\frac{1}{10}, \frac{1}{100}\right)$배로 감소하고 손실 전력은 $\left(\frac{1}{10}, \frac{1}{100}\right)$배로 감소한다.

B 변압기의 구조와 원리

한·줄·핵심 변압기에서는 전자기 유도 현상을 이용하여 전압을 높이거나 낮출 수 있어!

1. 변압기 전자기 유도 현상을 이용하여 교류❼ 전압을 높이거나 낮추는 기기

2. 변압기의 구조 철심을 기본 구조❽로 교류 전원이 연결된 1차 코일과, 저항과 연결된 2차 코일이 감겨 져 있다.

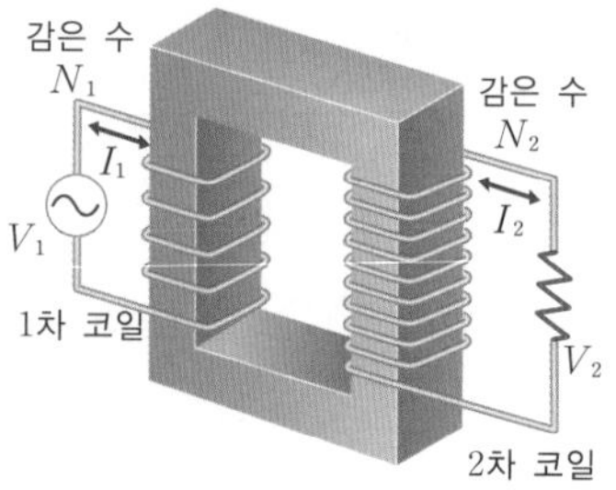

변압기의 구조

3. 변압기의 원리

(1) 2차 코일에 전류가 흐르는 과정

① 1차 코일에 교류가 입력된다.

② 전류의 세기와 방향이 주기적으로 바뀌어 1차 코일을 통과하는 자기 선속이 변한다.

③ 변하는 자기 선속이 철심을 따라 이동하여 2차 코일을 통과한다.

④ 2차 코일을 통과하는 자기 선속에 의해 2차 코일에 유도 기전력❾이 발생하여 유도 전류가 흐른다. (2차 코일에도 교류가 생성됨)

(2) 1차 코일과 2차 코일의 감은 수의 비에 따른 전압의 비 패러데이의 발견에 따르면 감은 수와 유도 기전력(전압)은 비례하므로 감은 수의 비를 조절하여 전압을 높이거나 낮출 수 있다.

$$\frac{V_1}{V_2}=\frac{N_1}{N_2}$$

(3) 1차 코일과 2차 코일의 전력 변압기에서 전력(전력은 전압과 전류의 곱)의 손실이 없다면(효율 100 %) 출력 전력과 입력 전력은 같다.

$$V_1I_1=V_2I_2$$

(4) 1차 코일과 2차 코일의 감은 수의 비에 따른 전류의 비 전류는 감은 수에 반비례한다.

$$\frac{I_2}{I_1}=\frac{V_1}{V_2}=\frac{N_1}{N_2}$$

자료 코일의 감은 수와 변압기에서 전류의 세기의 변화

저항이 같고, 변압기에서의 에너지 손실을 무시할 때 코일의 감은 수에 따라 변압기에서 전류의 세기가 어떻게 변하는지 알 수 있다.

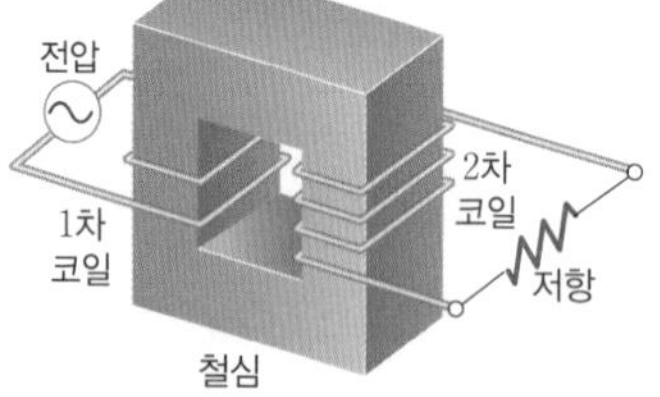

• **전류의 세기 감소:** 2차 코일의 감은 수가 1차 코일의 감은 수보다 많으므로 전압은 높아지고 전류의 세기는 작아진다.

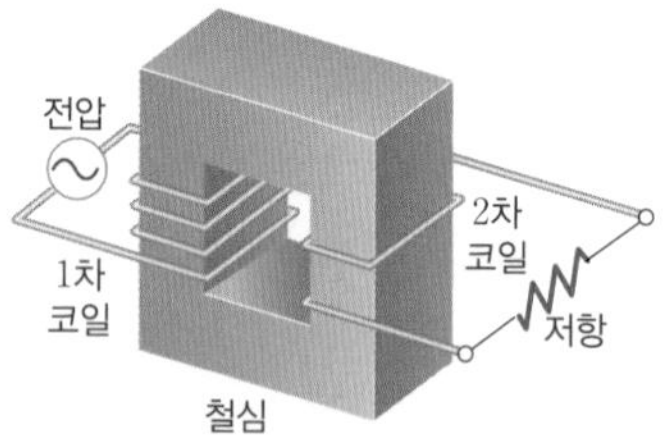

• **전류의 세기 증가:** 2차 코일의 감은 수가 1차 코일의 감은 수보다 적으므로 전압은 낮아지고 전류의 세기는 커진다.

❼ **교류**
발전소에서는 전자기 유도를 이용해 전기 에너지를 만든다. 터빈이 돌아가면 자기장의 방향이 계속 바뀌므로 발생하는 유도 전류의 방향도 계속 변한다. 이렇게 전류의 방향이 계속 바뀌는 전류를 교류라고 한다.

❽ **변압기에서 철심을 사용하는 이유**
변압기에서는 1차 코일에서 생성된 자기 선속을 모두 2차 코일에 전달하기 위해서 철심을 사용한다.

얇은 철판을 여러 장 겹쳐 만든 변압기의 철심

❾ **유도 기전력**
전자기 유도 현상에 의해 생기는 기전력으로, 단위는 전압과 같은 V(볼트)를 사용한다.

• **변압기(변할 變 누를 壓 그릇 器)** 전자기 유도 현상을 이용하여 전압을 변화시켜주는 기기

C 안전하고 효율적인 전력 수송 방법

한·줄·핵심 전력을 수송할 때는 안전하고 효율적으로 하는 것이 중요해!

1. 안전한 전력 수송 방법

(1) 송전선을 지하에 매설(송전선 지중화 사업)

(2) 고압 송전선 주변에 사람의 접근을 막을 수 있는 구조물을 설치 └ 송전탑의 높이가 높은 것도 이것 때문임

(3) 선로를 점검하고 수리할 때 로봇을 이용⑩

2. 효율적인 전력 수송 방법

(1) 송전 전압을 높여 수송한다.

(2) **거미줄 같은 송전 전력망을 구축** 선로에 이상이 발생할 경우 그 부분을 차단하고 우회하여 송전할 수 있다.

(3) 각 선로의 송전 용량과 지리적 여건을 계산하여 송전 경로를 최소화한다.

(4) 사용 데이터를 분석하여 소비자에게 필요한 전력량을 예측하고 발전소에서 공급하는 전력량을 조절한다.

(5) 소비자의 수요량과 전력 회사의 공급량에 대한 정보를 실시간으로 주고받을 수 있는 전력망(지능형 전력망⑪)을 구축한다.

탐구 효율적이고 안전한 전력 수송 방법 찾아보기

효율적이고 안전한 전력 수송 방안을 알 수 있다.

과정

① 제시된 새로운 송전 방식에 대해 조사한다.

초전도 케이블	송전선 지중화 사업
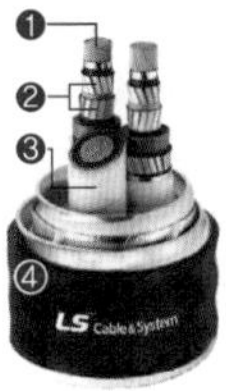 초전도 케이블의 내부 모습 ❶ 구리로 초전도 케이블을 지지하는 역할 ❷ 전기가 흐르는 초전도체 ❸ 영하 196 ℃로 냉각할 수 있는 액체 질소가 흐름 ❹ 진공병으로 보온병과 같은 역할	

② 초전도 케이블을 이용하였을 때 전력 수송의 효율성과 안전성에 대해 알아본다.

③ 송전선 지중화 사업의 장단점에 대해 알아본다.

결과

① **초전도 케이블의 효율성과 안전성**

- 효율성: 초전도 케이블을 이용하면 전기 저항이 거의 없어 손실 전력이 거의 없으므로 대용량의 전력 수송이 가능하나 초전도 케이블의 가격이 비싸다는 단점이 있다.
- 안전성: 손실 전력이 거의 없으므로 전압을 높일 필요가 없어 안전성이 높다.

② **송전선 지중화 사업의 시행 전과 후**: 지중화 사업으로 국립공원의 원래 모습을 유지할 수 있으며, 고전압 송전선이 생태계에 미치는 영향을 줄일 수 있다. 그러나 송전선이 끊어졌을 때 끊어진 위치 파악이 느리고 정비하는 데 오랜 시간이 걸린다.

⑩ 고압 송전선 점검 로봇 익스플라이너

⑪ 지능형 전력망(Smart Grid)

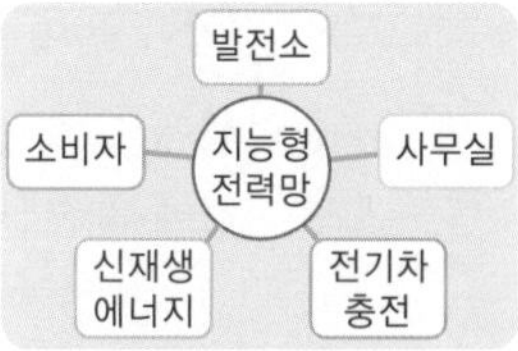

전력을 공급하는 시설과 소비자 사이에 전선을 통한 양방향 통신으로 소비자의 수요를 파악하고 그에 맞춰 전력을 적절하게 공급하는 것을 지능형 전력망이라고 한다.

#보충!

초고압 직류 송전(HVDC)

전력용 반도체를 이용하여 교류를 직류로 바꿔서 송전하는 방식. 기존 교류 송전 방식보다 전력 손실이나 전자파 위험이 적으며 해저 케이블과 대용량 장거리 송전 등 다양하게 활용할 수 있다.

초고압 직류 송전에 쓰이는 케이블

● **전력망**(전기 電 힘 力 그물 網)
발전소에서 배전소를 거쳐 여러 수요자에게 전력을 공급하는 그물처럼 얽힌 체계

정답과 해설 092쪽

간단 점검

5. 변압기에서 전압을 낮춰줄 때는 1차 코일보다 2차 코일의 감은 수를 (많게, 적게) 해야 하고, 전압을 높여줄 때는 1차 코일보다 2차 코일의 감은 수를 (많게, 적게) 해야 한다.

6. 소비자의 수요량과 전력 회사의 공급량에 대한 정보를 실시간으로 파악하여 효율적인 전력 수송을 가능하게 하는 전력망은?

개념 + 기본 문제

개념 문제

A 전력 수송

01 다음 설명 중 옳은 것은 ○, 옳지 않은 것은 ×로 표시하시오.

(1) 발전소에서 생산된 전력의 손실을 줄이려면 송전 전압을 높여서 송전한다. ( )

(2) 송전선에 흐르는 전류의 세기가 2배 증가하면 송전선에서 손실되는 전력은 2배 증가한다. ( )

(3) 도선의 길이가 길어질수록 도선의 전기 저항은 감소한다. ( )

(4) 변압기에서 전압을 쉽게 높이거나 낮추기 위해서는 교류로 송전한다. ( )

B 변압기의 구조와 원리

02 그림은 변압기의 구조를 나타낸 것으로, 2차 코일의 감은 수가 더 많다.

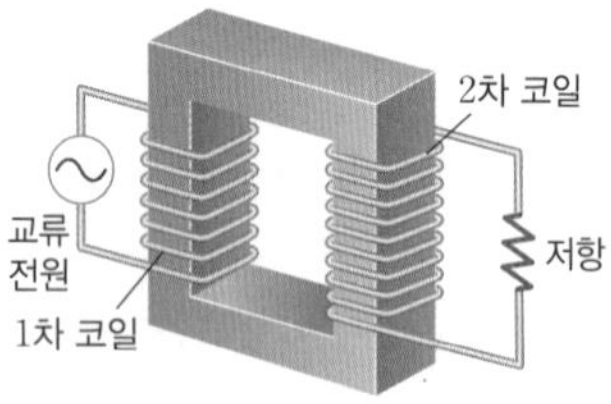

1차 코일과 2차 코일에 걸리는 전압을 비교하시오.

C 안전하고 효율적인 전력 수송 방법

03 다음 설명 중 옳은 것은 ○, 옳지 않은 것은 ×로 표시하시오.

(1) 전력 수송 거리를 줄이면 손실 전력을 줄일 수 있다. ( )

(2) 송전선을 지하에 매설하면 고전압에 대한 위험성이 높아진다. ( )

(3) 초전도 케이블을 이용하면 기존보다 더 많은 변전소가 필요하다. ( )

(4) 송전탑의 높이를 낮추면 고전압에 대한 위험성이 증가한다. ( )

A 전력 수송

04 발전소에서 생산된 전기 에너지를 송전하는 과정에서 손실 전력을 감소시키기 위한 방법으로 옳지 않은 것은?

① 송전 전류를 감소시킨다.
② 송전선의 단면적을 증가시킨다.
③ 저항이 작은 송전선을 사용한다.
④ 송전 전압을 감소시킨다.
⑤ 송전선의 길이를 감소시킨다.

단답형

05 그림은 변전소 A에서 변전소 B로 P_0의 전력을 V_0의 전압으로 송전하는 것을 나타낸 것이다. 이때 송전선에서 소모되는 전력은 P였다.

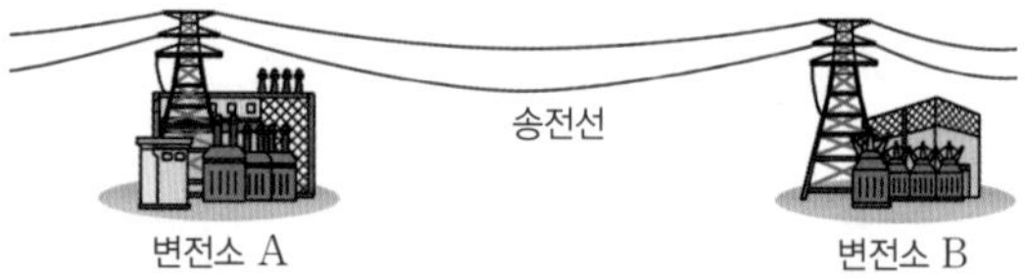

A에서 $2P_0$의 전력을 $2V_0$의 전압으로 송전할 때 송전선에서 소모되는 전력을 구하시오.

06 표는 같은 공급 전력에 대한 송전 전압, 전류의 세기, 손실 전력을 나타낸 것이다.

공급 전력	송전 전압	전류의 세기	손실 전력
P_0	V_0	I	P
	$10V_0$	(가)	(나)

(가), (나)로 옳은 것은?

	(가)	(나)
①	$\frac{1}{100}I$	$\frac{1}{10}P$
②	$\frac{1}{100}I$	$\frac{1}{100}P$
③	$\frac{1}{10}I$	P
④	$\frac{1}{10}I$	$\frac{1}{10}P$
⑤	$\frac{1}{10}I$	$\frac{1}{100}P$

정답과 해설 092쪽

B 변압기의 구조와 원리

07 그림은 변압기의 구조를 나타낸 것이다.

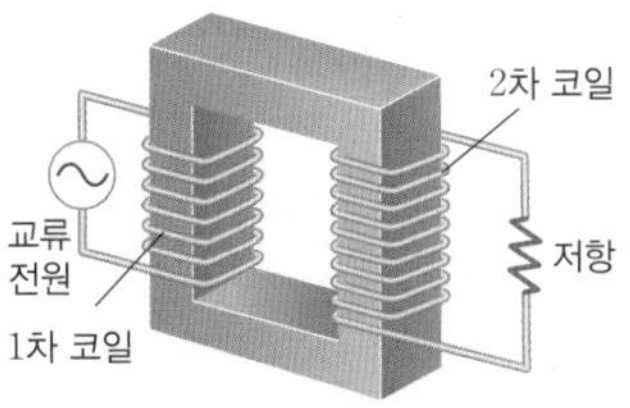

이에 대한 설명으로 옳지 <u>않은</u> 것은?

① 전자기 유도 현상을 이용하여 전압을 변화시킨다.
② 1차 코일에 흐르는 전류에 의해 변하는 자기 선속이 만들어진다.
③ 2차 코일을 통과하는 자기 선속은 일정하다.
④ 코일의 감은 수가 많은 쪽의 전압이 더 크다.
⑤ 코일의 감은 수가 많은 쪽에 흐르는 전류의 세기가 더 작다.

08 그림은 일정한 전력을 생산하는 발전소에서 전력을 승압 변전소, 1차 변전소를 거쳐 송전선을 통해 수송하는 것을 나타낸 것이다. 승압 변전소에서는 전압을 높이고, 1차 변전소에서는 전압을 낮춘다.

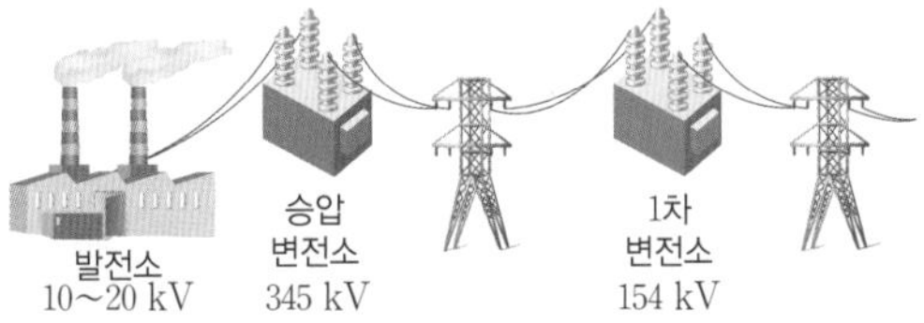

이에 대한 설명으로 옳은 것만을 | 보기 | 에서 있는 대로 고른 것은? (단, 변전소에 있는 변압기에서 에너지 손실은 무시한다.)

보기
ㄱ. 승압 변전소에 있는 변압기의 1차 코일의 감은 수는 2차 코일의 감은 수보다 많다.
ㄴ. 1차 변전소에 있는 변압기의 1차 코일에 흐르는 전류의 세기는 2차 코일의 전류의 세기보다 크다.
ㄷ. 승압 변전소에 공급된 전력은 1차 변전소에 공급된 전력보다 크다.

① ㄴ　② ㄷ　③ ㄱ, ㄴ
④ ㄱ, ㄷ　⑤ ㄴ, ㄷ

C 안전하고 효율적인 전력 수송 방법

09 그림은 안전하고 효율적인 전력 수송을 위한 방법을 나타낸 것이다.

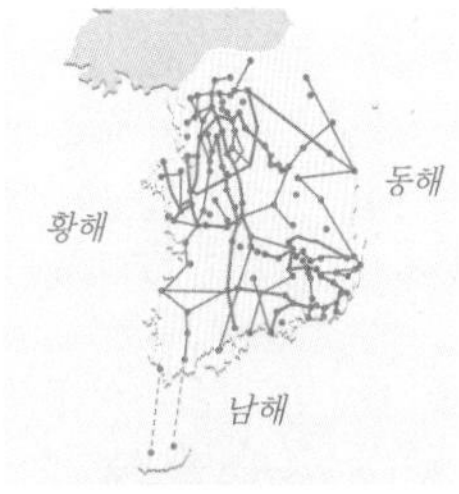

거미줄 같은 전력망 구축

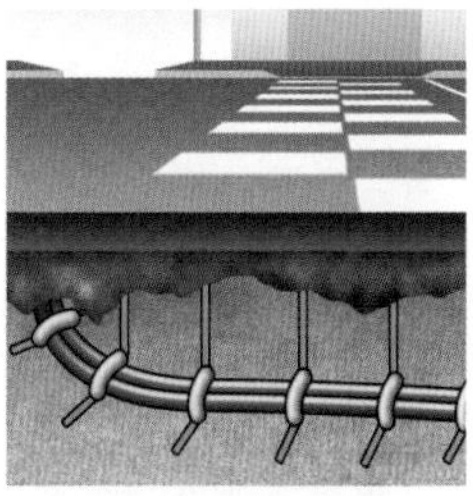
송전선 지중화 사업

로봇을 이용한 송전선 점검

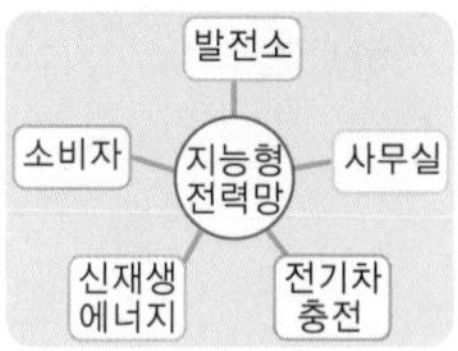

지능형 전력망 모식도

이에 대한 설명으로 옳지 <u>않은</u> 것은?

① 거미줄 같은 전력망을 구축하면 선로에 이상이 발생할 경우 우회하여 송전할 수 있다.
② 송전선을 지하에 매설할 경우 주변 환경에 미치는 영향을 줄일 수 있다.
③ 송전선 지중화 사업의 경우 정비하기 쉽다는 장점이 있다.
④ 로봇을 이용하여 선로를 점검할 경우 사람이 정비할 때보다 안전하다.
⑤ 지능형 전력망을 구축하면 소비자의 수요량과 전력 회사의 공급량 사이에서 균형을 맞출 수 있다.

단답형

10 다음은 새로운 송전 방식에 대한 설명이다.

(　　) 케이블을 사용하면 전기 저항이 거의 없어 송전선에서의 손실 전력이 없기 때문에 송전 과정에서 전압을 높일 필요가 없어 대용량의 전력을 효율적으로 수송할 수 있다.

(　　) 안에 알맞은 말을 쓰시오.

실력 올리기 문제

| 전력 손실 |

01 그림은 송전 전력이 P일 때 송전선 A, B에 흐르는 전류의 세기와 송전 전압을 나타낸 것이다. 송전선의 저항값은 B가 A의 2배이다.

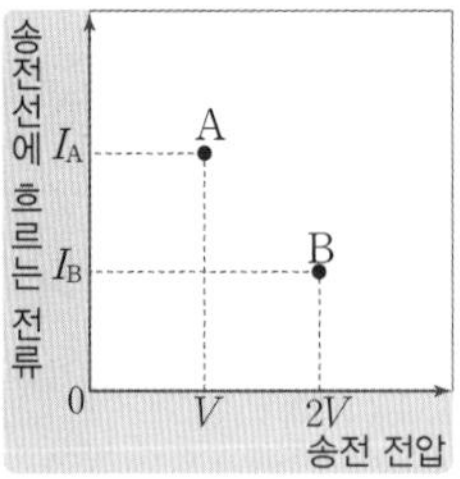

A에서의 손실 전력이 P_0일 때 B에서의 손실 전력을 구하시오.

| 전력 수송과 손실 전력 | 출제예감

02 그림은 원자력 발전소에서 핵발전에 의해 생산된 일정한 전력을 송전선을 통해 송전하는 것을 나타낸 것이다.

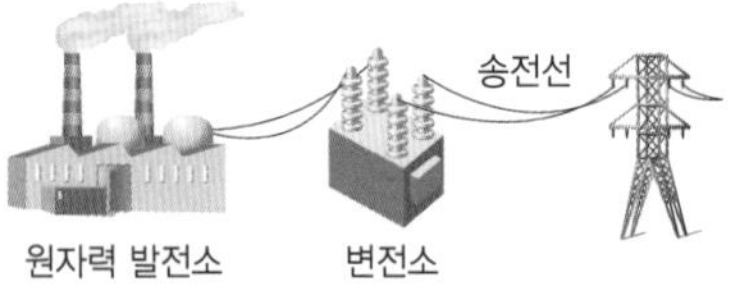

이에 대한 설명으로 옳은 것만을 | 보기 | 에서 있는 대로 고른 것은? (단, 변전소에 있는 변압기에서 에너지 손실은 무시한다.)

보기
ㄱ. 송전선에는 교류 전류가 흐른다.
ㄴ. 송전선의 전기 저항이 클수록 송전선에 흐르는 전류의 세기는 감소한다.
ㄷ. 변전소의 변압기에서 전압을 높여 송전할수록 송전선에서 손실 전력은 감소한다.

① ㄱ ② ㄴ ③ ㄱ, ㄴ
④ ㄱ, ㄷ ⑤ ㄴ, ㄷ

| 전력 수송과 변압기의 역할 |

03 그림은 가정으로 전력을 공급하는 전력 수송 과정의 일부를 나타낸 것이다. 주상 변압기에서는 1차 코일에 걸리는 전압을 가정용 전압으로 낮춘다.

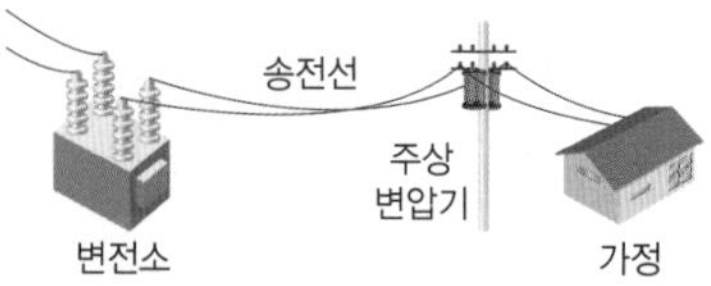

이에 대한 설명으로 옳은 것만을 | 보기 | 에서 있는 대로 고른 것은? (단, 변전소에 있는 변압기에서 에너지 손실은 무시한다.)

보기
ㄱ. 변전소의 변압기는 교류를 직류로 변환시킨다.
ㄴ. 주상 변압기의 1차 코일의 감은 수는 2차 코일의 감은 수보다 많다.
ㄷ. 주상 변압기에서 가정까지의 거리가 멀수록 손실 전력은 감소한다.

① ㄴ ② ㄷ ③ ㄱ, ㄴ
④ ㄱ, ㄷ ⑤ ㄴ, ㄷ

| 변압기의 원리 |

04 그림과 같이 변압기의 1차 코일과 2차 코일에 교류 전원과 저항이 연결되어 있다. 1차와 2차 코일의 감은 수는 N_1, N_2이고, N_2는 N_1의 2배이다.

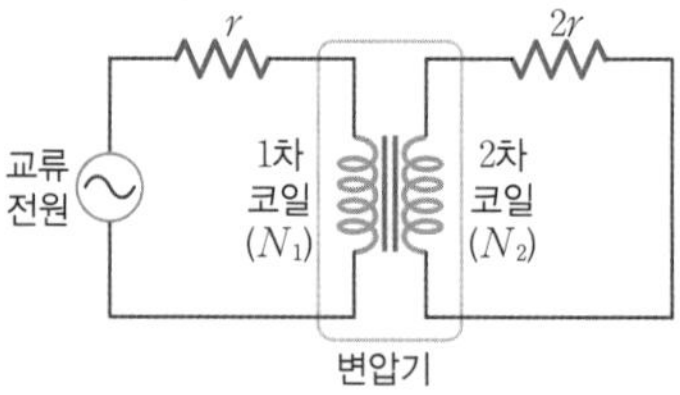

저항값이 r, $2r$인 저항에서 소비되는 전력을 각각 P_1, P_2라고 할 때, $P_1 : P_2$는? (단, 변압기에서 에너지 손실은 무시한다.)

① 1 : 1 ② 1 : 2 ③ 1 : 4
④ 2 : 1 ⑤ 4 : 1

서술형 문제

정답과 해설 092쪽

| 변압기의 원리 | 출제예감

05 그림은 주상 변압기의 1차 코일과 2차 코일에 걸린 전압이 각각 22 kV, 220 V인 것을 나타낸 것이다.
이에 대한 설명으로 옳은 것만을 | 보기 | 에서 있는 대로 고른 것은? (단, 주상 변압기에서 에너지 손실은 무시한다.)

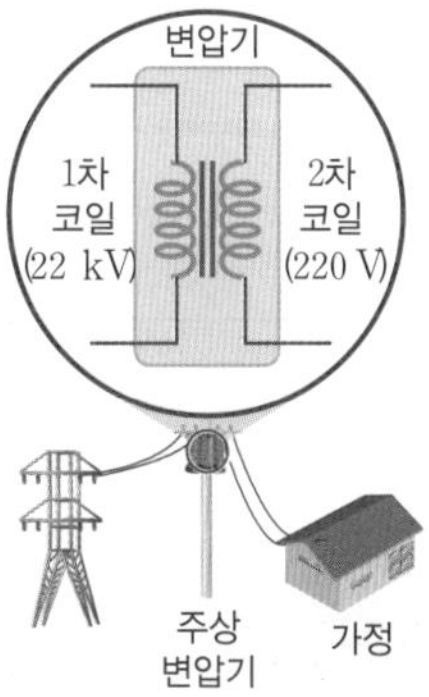

보기
ㄱ. 주상 변압기는 전자기 유도 현상을 이용하여 전압을 변화시킨다.
ㄴ. 코일의 감은 수는 1차 코일이 2차 코일의 100배이다.
ㄷ. 코일에 흐르는 전류의 세기는 1차 코일에서가 2차 코일에서의 100배이다.

① ㄴ ② ㄷ ③ ㄱ, ㄴ
④ ㄱ, ㄷ ⑤ ㄱ, ㄴ, ㄷ

| 안전하고 효율적인 전력 수송 |

06 그림은 안전하고 효율적인 전력 수송 방법에 대해 세 학생이 대화하는 것을 나타낸 것이다.

제시한 내용이 옳은 학생만을 있는 대로 고른 것은?

① 철수 ② 영희 ③ 민수
④ 철수, 영희 ⑤ 영희, 민수

| 손실 전력과 변압기 |

07 그림은 1차, 2차 변전소를 통해 공장에 전력을 수송하는 것을 나타낸 것이다.

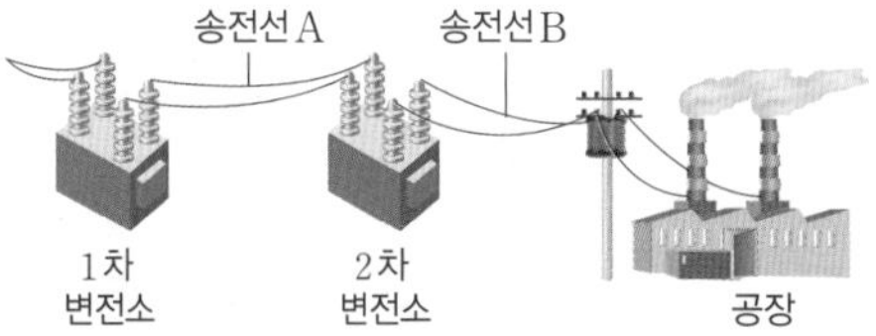

송전선 A에서는 손실 전력을 낮추고, 송전선 B에 흐르는 전류의 세기를 증가시킬 수 있는 1차, 2차 변전소에서의 전압 변화를 각각 서술하시오.

| 변압기 |

08 그림은 송전 과정을 나타낸 것이다.

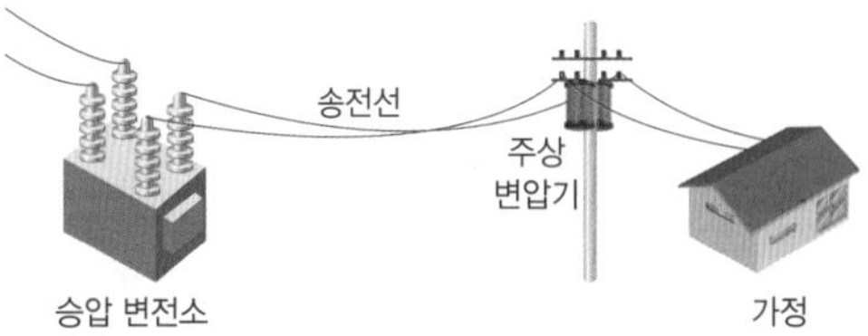

전압을 높이는 승압 변전소와 전압을 낮추는 주상 변압기에서 사용되는 변압기의 차이를 코일의 감은 수의 차이와 전압의 관점에서 서술하시오.

| 안전한 전력 수송 |

09 다음은 최근에 제시되고 있는 전력 수송 방법에 대한 설명이다.

> 전력 수송 과정에서 안전하면서도 손실 전력을 최소화하기 위한 다양한 대책이 제시되고 있다. 그 중에서 (가) 초전도 케이블을 이용한 전력 수송과 (나) 송전선 지중화 사업이 있다.

(가)와 (나)의 장점을 각각 1가지씩만 서술하시오.

03 태양 에너지의 생성과 전환

개념 이해 원자핵, 핵반응, 수소 핵융합 반응, 태양 에너지, 질량 결손, 에너지 전환

A 태양 에너지의 생성

한·줄·핵심 태양 내부에서는 4개의 수소 원자핵이 융합하여 헬륨 원자핵을 만드는 핵반응이 일어나고 있어!

1. 핵반응 원자핵❶이 변환되어 다른 원자핵으로 바뀌게 되는 반응

(1) 핵반응의 종류

핵반응의 종류	•핵융합 반응 대표적으로 수소의 핵융합 반응 등이 있음	•핵분열 반응 대표적으로 우라늄의 핵분열 반응 등이 있음
특징	• 두 개 이상의 가벼운 원자핵이 결합하여 보다 무거운 원자핵이 되는 핵반응이다. • 양(+)전하를 띠는 원자핵이 융합하기 위해서는 온도, 밀도, 압력이 아주 높은 상태여야 한다. 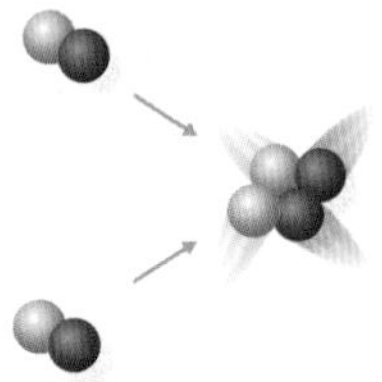	• 무거운 원자핵이 몇 개의 가벼운 원자핵으로 변환되는 핵반응이다. • 불안정한 무거운 원자핵이 붕괴되어 가벼운 원자핵으로 변환되며 방사성 폐기물❷이 발생한다. 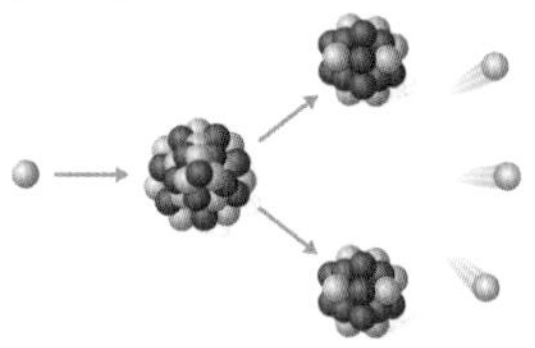
발생 장소	태양 등 별의 내부	원자력 발전소의 원자로

(2) 핵반응과 에너지

① 핵반응이 일어나면 막대한 에너지가 방출된다.

② 핵반응 전의 원자핵의 질량의 합은 핵반응 후의 원자핵의 질량의 합보다 크다.

③ 핵반응 전과 후의 결손된 질량이 에너지로 전환되어 방출된다.

④ 결손된 질량을 m, 빛의 속력을 c, 변환된 에너지를 E라고 하면 $E=mc^2$❸이다.

2. 태양 에너지의 생성 태양 내부에서는 수소 핵융합 반응에 의해 에너지가 생성된다.

(1) 태양 중심부 엄청난 중력으로 인해 수소 원자핵이 융합할 정도로 초고온, 초고압 상태 (태양 중심의 온도는 약 1500만 ℃, 압력은 약 30억 atm임)

(2) 태양 내부에서의 수소 핵융합 반응 4개의 수소(H) 원자핵이 융합하여 1개의 헬륨(He) 원자핵이 만들어지면서 질량 결손에 의한 막대한 에너지를 방출한다.
$4H \longrightarrow He +$ 에너지

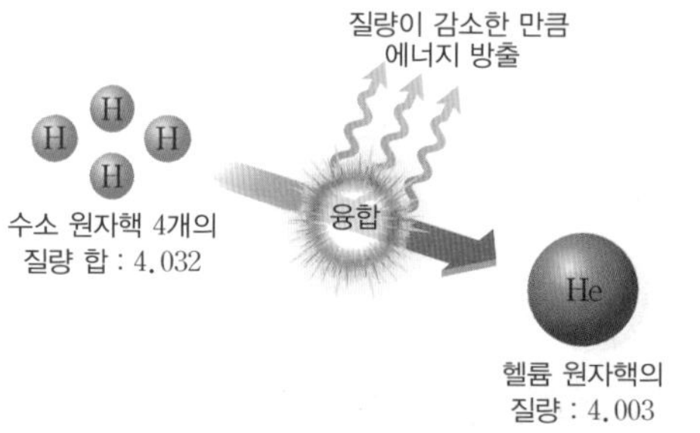

수소 핵융합 반응

(3) 태양 에너지의 양

① 수소 핵융합 반응의 질량 결손❹에 의해 생성되어 1초당 태양에서 방출되는 에너지는 10^{26} J로, 지구에서 약 1000만 년 동안 전기 에너지로 사용할 수 있는 양에 해당한다.

② 태양에서 방출되는 에너지 중 약 $\frac{1}{20억}$ 정도가 지구에 도달하여 지구에서 일어나는 대부분의 변화를 일으킨다.

---

❶ 원자핵
원자의 중심에 있는 부분으로 양(+)전하를 띠는 양성자와 전하를 띠지 않는 중성자로 이루어져 있다.

❷ 방사성 폐기물
인체에 매우 유해한 방사선을 방출하는 방사성 물질이 들어 있는 갖가지 폐기물

❸ $E=mc^2$
아인슈타인의 특수 상대성 이론을 통해 얻을 수 있는 질량과 에너지 등가 관계식이다.

❹ 질량 결손
핵반응 과정에서 질량이 감소하는 것을 질량 결손이라고 한다.

• 핵융합(중심 核 화합할 融 합할 合) 두 개 이상의 핵이 합쳐지는 현상
• 핵분열(중심 核 나눌 分 나눌 裂) 하나의 핵이 두 개 이상의 핵으로 나누어지는 현상

B 태양 에너지 전환

한·줄·핵심 지구에서 일어나는 대부분의 에너지 전환의 근본은 태양 에너지야!

1. 태양 에너지의 전환과 에너지 순환

(1) 태양 에너지의 전환 지구상에서 태양 에너지는 다양한 다른 에너지로 전환된다.

(2) 지구에서의 에너지 순환

대기와 해수의 순환

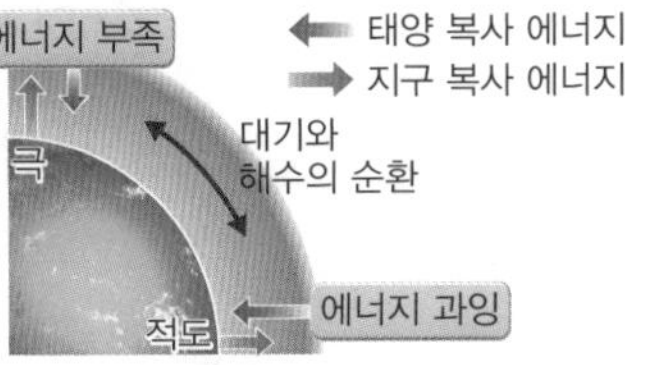

- 지구는 위도별로 입사되는 태양 복사 에너지와 방출하는 지구 복사 에너지에 차이가 있다.
- 대기와 해수가 순환하여 저위도의 남는 에너지를 에너지가 부족한 고위도로 전달한다.

탄소의 순환

- 식물은 광합성⑤ 과정에서 이산화 탄소를 흡수하여 에너지를 저장하고 생물이 죽으면 생물 내의 탄소가 화석 연료로 저장되기도 한다.
- 화석 연료⑥가 연소되면 이산화 탄소가 대기로 배출된다.
  (화석 연료: 석유, 석탄, 천연가스 등)

2. 태양 에너지의 전환과 이용

(1) 수력 발전 태양 에너지를 흡수하여 대기 중으로 증발해 구름을 형성(퍼텐셜 에너지) → 비나 눈이 되어 내려와 강물을 형성하고 침식 작용을 일으킴(운동 에너지), 퍼텐셜 에너지를 이용해 수력 발전을 함(전기 에너지⑦)

(2) 풍력 발전과 파력 발전 태양 에너지를 흡수하여 상승 기류를 만들고 바람이 불게 됨(운동 에너지), 바람이 해수면의 파도를 일으킴(운동 에너지) → 바람을 이용해 풍력 발전을 함(전기 에너지), 파도의 에너지를 이용해 파력 발전을 함(전기 에너지)

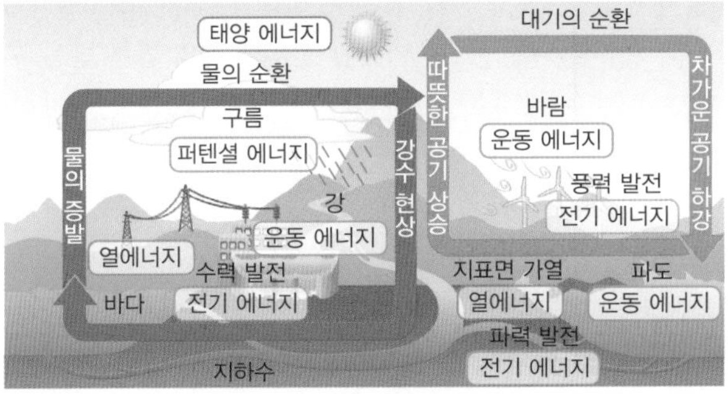

태양 에너지에 의한 물과 대기의 순환

(3) 광합성 식물은 광합성 과정에서 태양 에너지를 양분으로 저장하고 동물은 식물이 만든 영양분을 섭취함(화학 에너지) → 생물의 사체는 화석 연료로 변함(화학 에너지) → 화석 연료를 이용한 발전(전기 에너지)

(4) 태양열 발전과 태양광 발전 태양 에너지(열에너지, 빛에너지) → 태양열 집열판을 통해 태양열 발전을 함(전기 에너지), 태양 전지로 태양광 발전을 함(전기 에너지)

⑤ 광합성
녹색 식물의 엽록체가 빛에너지를 이용하여 공기 중에서 빨아들인 이산화 탄소와 뿌리에서 흡수한 물을 이용하여 포도당과 산소를 생성하는 작용

#보충!
- 저위도: 태양 복사 에너지 > 지구 복사 에너지(에너지 과잉)
- 고위도: 태양 복사 에너지 < 지구 복사 에너지(에너지 부족)

⑥ 화석 연료의 생성 과정
생물의 유해가 가라앉음 → 점토 등이 섞여 퇴적됨 → 높은 열과 압력을 받아 석유가 생성됨

⑦ 전기 에너지의 사용
- 전기난로, 온수 샤워기 등: 전기 에너지 → 열에너지
- 로봇 청소기, 선풍기 등: 전기 에너지 → 운동 에너지
- 전등: 전기 에너지 → 빛에너지

- **침식(침노할 侵 좀먹을 蝕)** 지표가 비, 하천, 빙하, 바람 따위의 자연 현상으로 깎이는 일
- **기류(공기 氣 흐를 流)** 온도나 지형의 차이로 일어나는 공기의 흐름

정답과 해설 094쪽

간단 점검

1. 원자핵이 변환되어 다른 원자핵으로 바뀌게 되는 반응은?
2. 핵반응에서 에너지로 전환되는 것은?
3. 태양의 중심부에서 헬륨 원자핵이 생성되는 핵반응은?
4. 지표면의 물이 태양 에너지를 흡수하여 높은 곳으로 올라가면 어떤 에너지로 전환되는가?
5. 식물이 태양 에너지를 이용하여 영양분을 합성하는 작용은?

개념 + 기본 문제

개념 문제

A 태양 에너지의 생성

01 다음 설명 중 옳은 것은 ○, 옳지 않은 것은 ×로 표시하시오.

(1) 원자핵은 중성자로 인해 양(+)전하를 띤다. ( )

(2) 핵반응 전의 원자핵의 질량의 합은 핵반응 후의 원자핵의 질량의 합보다 크다. ( )

(3) 2개의 수소 원자핵이 융합하여 1개의 헬륨 원자핵으로 변환된다. ( )

(4) 지구 대부분의 에너지 근원은 지구 내부 에너지이다. ( )

B 태양 에너지 전환

02 지구에서의 다양한 현상과 관련이 있는 에너지를 옳게 연결하시오.

(1) 물이 증발하여 높은 곳에 위치할 때 증가한 에너지 •   • ㉠ 운동 에너지

(2) 식물의 광합성 작용에 의해 영양분으로 저장된 에너지 •   • ㉡ 퍼텐셜 에너지

(3) 대기의 순환으로 바람이 불 때의 에너지 •   • ㉢ 화학 에너지

03 다음 설명 중 옳은 것은 ○, 옳지 않은 것은 ×로 표시하시오.

(1) 화력 발전은 수소 핵융합에서 발생하는 에너지를 이용한다. ( )

(2) 파력 발전은 바람의 순환에 의한 에너지를 이용한다. ( )

(3) 풍력 발전은 물의 퍼텐셜 에너지를 이용한다. ( )

(4) 태양열 발전은 태양의 열에너지를 이용한다. ( )

A 태양 에너지의 생성

04 핵반응에 대한 설명으로 옳은 것은?

① 원자핵이 무거워졌다가 가벼워지는 반응이다.
② 가벼운 원자핵은 핵반응을 하지 않는다.
③ 무거운 원자핵이 붕괴되는 과정은 핵분열이다.
④ 핵반응 과정에서 질량은 보존된다.
⑤ 원자력 발전소의 원자로에서는 핵융합 반응이 일어난다.

05 수소 핵융합 반응에 대한 설명으로 옳지 않은 것은?

① 태양의 중심부에서 일어나는 핵반응이다.
② 수소 핵융합 후 헬륨 원자핵이 생성된다.
③ 핵융합 전후 질량의 합은 반응 후가 전보다 크다.
④ 핵융합 과정에서 에너지가 방출된다.
⑤ 초고온, 초고압 상태에서 반응이 일어난다.

단답형

06 다음은 태양의 중심부에서 일어나는 핵반응에 대한 설명이다.

> 4개의 (㉠) 원자핵이 융합하여 1개의 (㉡) 원자핵이 만들어지면서 (㉢)에 의한 막대한 에너지를 방출한다.

( ) 안에 알맞은 말을 쓰시오.

정답과 해설 094쪽

단답형

07 다음은 태양의 중심부에서 일어나는 핵융합 반응을 나타낸 것이다. 수소(H) 원자핵 1개의 질량은 M_1, 헬륨(He) 원자핵의 질량은 M_2이다.

$$4H \longrightarrow He + \text{에너지}$$

핵융합 과정에서 결손된 질량을 구하시오.

B 태양 에너지 전환

08 다음은 에너지 전환에 대한 설명이다.

> 지구상의 대부분의 에너지의 근원은 (A)이고 다양한 에너지로 전환되며 에너지 순환을 일으킨다. 이러한 전환 과정의 예로는 태양 에너지가 (B)로 전환되는 광합성 작용 등이 있다.

A, B로 옳은 것은?

	A	B
①	지구 에너지	빛에너지
②	지구 에너지	열에너지
③	태양 에너지	화학 에너지
④	태양 에너지	빛에너지
⑤	태양 에너지	열에너지

09 태양 에너지의 순환에 대한 설명으로 옳지 않은 것은?

① 태양 에너지의 순환은 대기와 해수의 순환, 탄소의 순환 등을 일으킨다.
② 대기와 해수는 순환하며 고위도의 남는 에너지를 저위도로 수송한다.
③ 식물은 광합성 과정 중에 이산화 탄소를 흡수한다.
④ 광합성 과정 중에 태양 에너지가 화학 에너지로 저장된다.
⑤ 화석 연료를 연소시키면 이산화 탄소가 대기로 배출된다.

10 태양 에너지가 다른 에너지로 전환되는 과정에 대한 설명으로 옳은 것은?

① 물이 증발하여 구름이 될 때는 태양 에너지가 운동 에너지로 전환된다.
② 바람의 운동 에너지는 풍력 발전을 통해 전기 에너지로 전환된다.
③ 대기가 태양 에너지를 흡수하면 하강 기류가 생성되어 바람이 분다.
④ 생물의 사체가 화석 연료로 변할 때 화학 에너지가 운동 에너지로 전환된다.
⑤ 태양열 발전은 빛에너지를 전기 에너지로 전환한다.

11 그림은 태양 에너지가 전환되어 여러 가지 발전에 이용되는 과정을 나타낸 것이다.

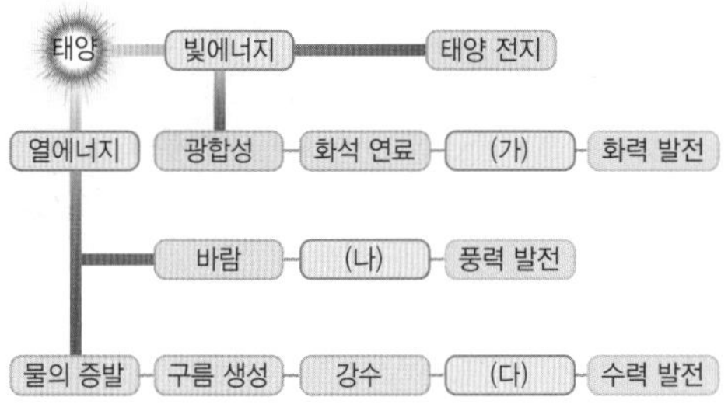

전기 에너지로 전환되기 전 에너지 (가), (나), (다)로 옳은 것은?

	(가)	(나)	(다)
①	빛에너지	화학 에너지	열에너지
②	빛에너지	운동 에너지	퍼텐셜 에너지
③	화학 에너지	운동 에너지	열에너지
④	화학 에너지	운동 에너지	퍼텐셜 에너지
⑤	화학 에너지	빛에너지	열에너지

실력 올리기 문제

| 핵반응 |

01 그림 (가), (나)는 핵반응을 나타낸 것이다.

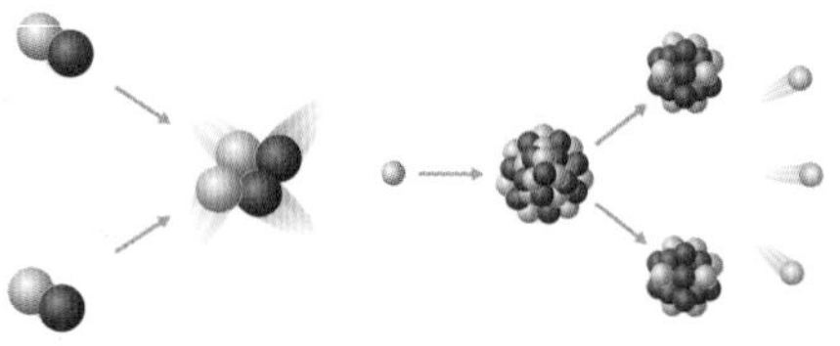

(가) (나)

(가), (나)에서 공통점만을 | 보기 | 에서 있는 대로 고른 것은?

보기
ㄱ. 두 개 이상의 가벼운 원자핵이 결합하여 보다 무거운 원자핵이 되는 반응이다.
ㄴ. 반응이 일어나면 막대한 에너지가 방출된다.
ㄷ. 반응 전 물질의 질량의 합이 반응 후 물질의 질량의 합보다 크다.

① ㄱ ② ㄷ ③ ㄱ, ㄴ
④ ㄴ, ㄷ ⑤ ㄱ, ㄴ, ㄷ

| 수소 핵융합 반응 | 출제예감

02 그림은 태양에서 일어나는 핵반응을 나타낸 것이다.

이에 대한 설명으로 옳은 것만을 | 보기 | 에서 있는 대로 고른 것은?

보기
ㄱ. 헬륨 핵융합 반응이다.
ㄴ. 대부분의 핵반응은 태양의 표면에서 일어난다.
ㄷ. 핵융합 과정에서 질량 결손에 의한 에너지가 방출된다.

① ㄱ ② ㄷ ③ ㄱ, ㄴ
④ ㄱ, ㄷ ⑤ ㄴ, ㄷ

| 핵반응과 태양 에너지 |

03 핵반응과 태양 에너지에 대한 설명으로 옳은 것은?

① 핵반응은 원자핵이 다른 원자핵으로 바뀌지 않는 반응이다.
② 태양에서는 무거운 원자핵이 몇 개의 가벼운 원자핵으로 변환되는 반응이 일어난다.
③ 수소 원자핵 1개의 질량을 M_1, 헬륨 원자핵의 질량을 M_2라고 할 때 태양에서 일어난 핵반응에서 결손된 질량은 M_1-M_2이다.
④ 두 개 이상의 가벼운 원자핵이 결합하여 무거운 원자핵이 되기 위해서는 온도, 밀도, 압력이 매우 높아야 한다.
⑤ 태양에서 핵반응에 의해 생성된 에너지는 거의 대부분이 지구에 도달한다.

| 태양 에너지 전환 | 출제예감

04 그림 (가)~(다)는 지구에서 일어나는 여러 가지 현상을 나타낸 것이다.

(가) 광합성

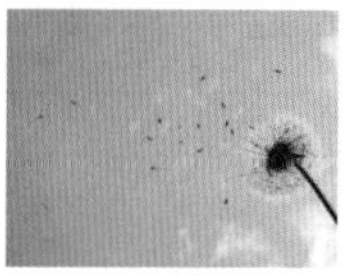

(나) 바람

(다) 파도

(가)~(다)에서 태양 에너지가 어떤 에너지로 전환되었는지를 옳게 짝 지은 것은?

	(가)	(나)	(다)
①	열에너지	퍼텐셜 에너지	운동 에너지
②	열에너지	운동 에너지	퍼텐셜 에너지
③	열에너지	퍼텐셜 에너지	화학 에너지
④	화학 에너지	퍼텐셜 에너지	열에너지
⑤	화학 에너지	운동 에너지	운동 에너지

| 화석 연료에 저장된 에너지 |

05 그림은 화석 연료인 석유가 생성되는 과정을 나타낸 것이다.

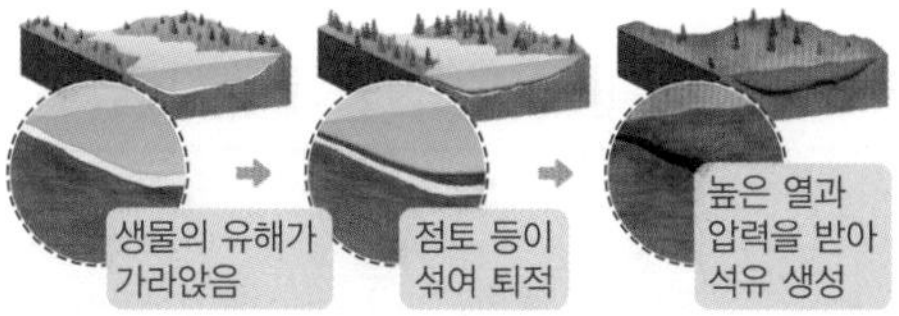

이에 대한 설명으로 옳은 것만을 | 보기 | 에서 있는 대로 고른 것은?

보기
ㄱ. 화석 연료에 저장된 에너지의 근원은 태양 에너지이다.
ㄴ. 석유에 저장된 화학 에너지를 전기 에너지로 전환할 수 있다.
ㄷ. 화석 연료의 양은 거의 무한하다.

① ㄱ ② ㄷ ③ ㄱ, ㄴ
④ ㄱ, ㄷ ⑤ ㄴ, ㄷ

| 태양 에너지 전환 |

06 그림은 태양 전지에서 태양 에너지를 전기 에너지로 전환하여 전동기를 회전시켜 움직이는 장난감 자동차를 나타낸 것이다.

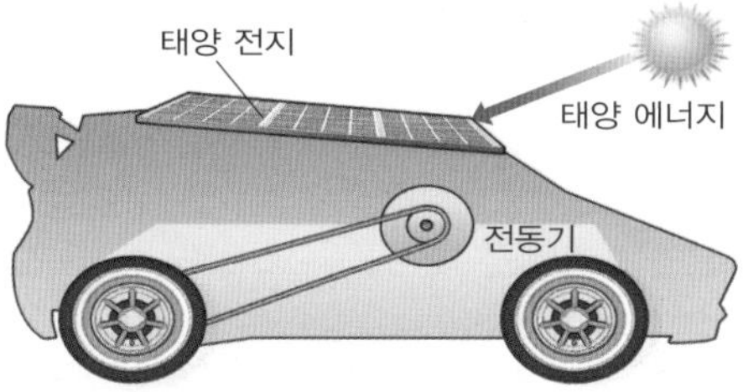

이에 대한 설명으로 옳은 것만을 | 보기 | 에서 있는 대로 고른 것은?

보기
ㄱ. 태양 에너지는 태양 내부에서의 핵분열 반응에 의해 생성된다.
ㄴ. 전동기에서는 전기 에너지가 운동 에너지로 전환된다.
ㄷ. 장난감 자동차가 움직일 때 에너지의 근원은 태양 에너지이다.

① ㄱ ② ㄴ ③ ㄱ, ㄴ
④ ㄱ, ㄷ ⑤ ㄴ, ㄷ

| 핵반응 |

07 그림 (가), (나)는 핵반응을 나타낸 것이다.

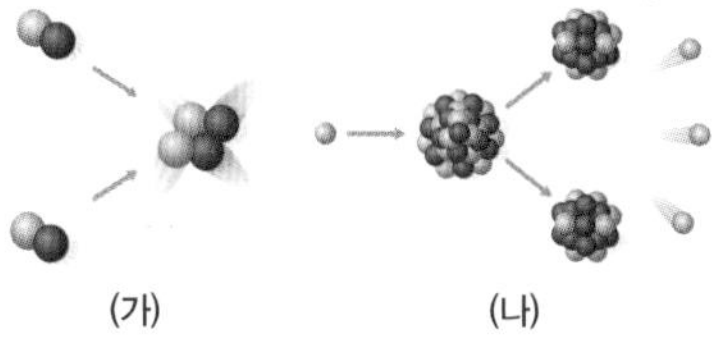

(가), (나)에서 핵반응의 종류와 대표적인 발생 장소를 서술하시오.

| 수소 핵융합 반응 |

08 그림은 수소 핵융합 반응에서 반응 전과 후의 질량을 비교하는 것을 나타낸 것이다.

반응 전후의 질량 차이가 발생하는 까닭 및 에너지와 질량의 관계식을 서술하시오.

| 광합성에서의 에너지 전환 |

09 그림은 식물의 엽록체에서 광합성하는 것을 나타낸 것이다.

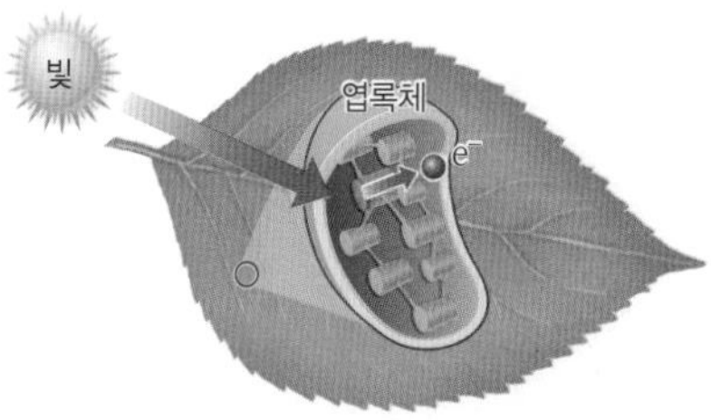

엽록체에서의 에너지 전환을 서술하시오.

04 환경 문제를 해결하는 여러 가지 발전

개념 이해 핵발전, 태양광 발전, 풍력 발전, 신재생 에너지, 연료 전지, 파력 발전, 조력 발전

A 핵발전, 태양광 발전, 풍력 발전

한·줄·핵심 핵발전, 태양광 발전, 풍력 발전의 원리를 알아야 해!

1. 핵발전(원자력 발전) 무거운 원자핵의 핵분열을 이용하여 전기 에너지를 생산하는 방식

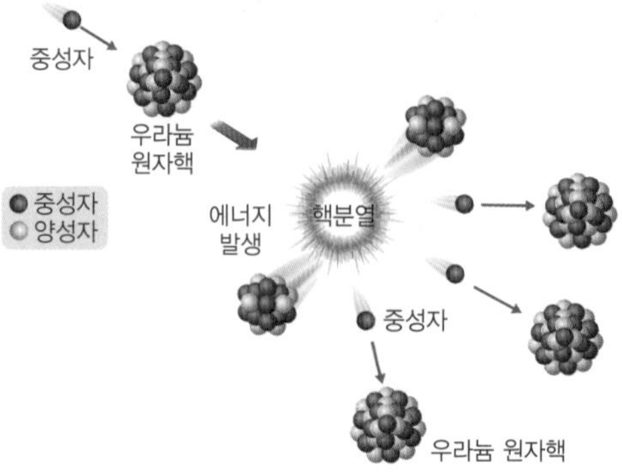

우라늄의 핵분열과 연쇄 반응

(1) 핵발전의 원리

① 우라늄의 핵분열 과정: 우라늄(U) 원자핵에 중성자가 충돌하면 우라늄 원자핵이 불안정해져 쪼개지면서 붕괴할 때 에너지를 방출하게 된다.

② 연쇄 반응: 우라늄 원자핵 1개가 붕괴할 때 2~3개의 중성자❶가 방출되고 이 중성자가 인접한 다른 우라늄 원자핵에 충돌하여 연쇄적으로 계속하여 핵분열이 일어나므로 짧은 시간에 막대한 에너지가 방출된다.

(2) 핵발전 과정과 에너지 전환

핵발전 과정	에너지 전환
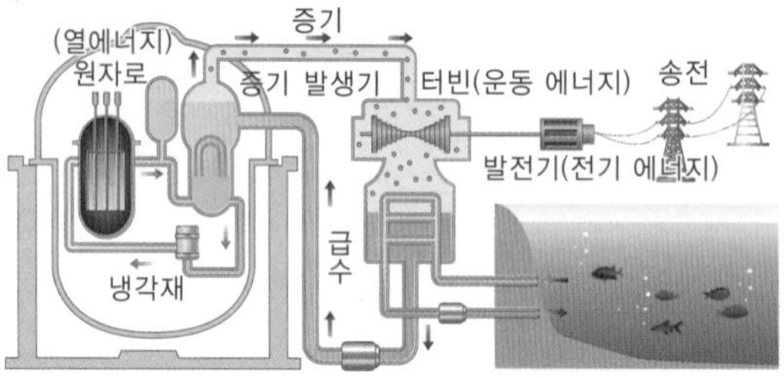	원자로의 핵분열 과정에서 질량 결손에 의한 열에너지 발생 ⇨ 증기 발생 ⇨ 터빈의 운동 에너지 ⇨ 발전기에서 전기 에너지 생산

(3) 핵발전의 장점과 단점

장점	단점
• 화석 연료보다 이산화 탄소 배출이 적어 기후 변화에 영향을 적게 준다. • 연료 비용이 저렴하여 발전 효율이 높다. • 원료가 전 세계적으로 고루 분포되어 있어 다른 에너지원보다 공급이 안정적이다.	• 우라늄의 매장량이 한정되어 있다. • 발전에 필요한 냉각수❷가 바다로 배출되면 해수의 온도를 높일 수 있다. • 사고 발생 시 방사선❸이 누출될 위험성 있다. • 발전 과정에서 발생하는 방사성 폐기물의 처리에 대한 문제가 있다.

2. 태양광 발전 태양 전지를 이용하여 태양의 빛에너지를 전기 에너지로 직접 전환하는 방식

(1) 태양광 발전 과정 반도체로 된 태양 전지에서 태양광을 흡수 → 자유 전자 발생 → 자유 전자가 전극으로 이동 → 기전력이 발생하고 전기 장치가 연결되면 전류가 흐름

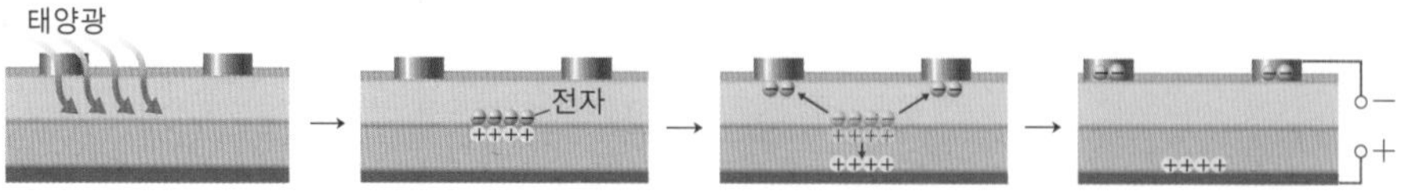

태양광 발전 과정

❶ **중성자**
원자핵을 구성하고 있는 입자의 한 종류로 전하를 띠지 않으며 양성자보다 약간 무겁다.

❷ **냉각수**
핵분열에 의해 발생한 열에너지로 데워진 증기를 다시 식히기 위해서 냉각수가 필요하다.

❸ **방사선**
불안정한 원자핵이 붕괴할 때 방출하는 에너지가 매우 큰 입자 또는 전자기파로 인체에 해롭다.

• **연쇄 반응(연꽃 蓮 쇠사슬 鎖 뒤엎을 反 응할 應)** 외부로부터 에너지를 가하지 않아도 계속적으로 반복하여 진행하는 반응

(2) 태양광 발전의 장점과 단점

장점	단점
• 이산화 탄소와 환경오염 물질을 배출하지 않으므로 무공해, 무제한 청정 에너지원이다. • 단기간에 건설할 수 있다. • 에너지원이 태양이므로 무한정 사용할 수 있다.	• 태양 전지 판❹이 커야 하기 때문에 설치 장소가 넓어야 한다. • 봄, 여름은 일사량 조건이 좋으나 겨울철에는 조건이 불리하다. • 초기 설치 비용이 많이 들고 에너지 효율이 낮다.

(3) 태양광 발전의 활용

태양광 충전 가방

태양 전지 가로등

태양광 자동차

인공위성의 태양 전지

탐구 태양 전지로 전동기 작동시키기

태양 전지를 이용하여 빛에너지를 전기 에너지로 전환시킬 수 있다는 것을 알 수 있다.

과정

그림과 같이 태양 전지와 전동기를 연결하여 회로를 구성하고 태양 전지에 빛을 비춘다.

결과

태양 전지에 빛을 비추면 전동기가 회전한다.

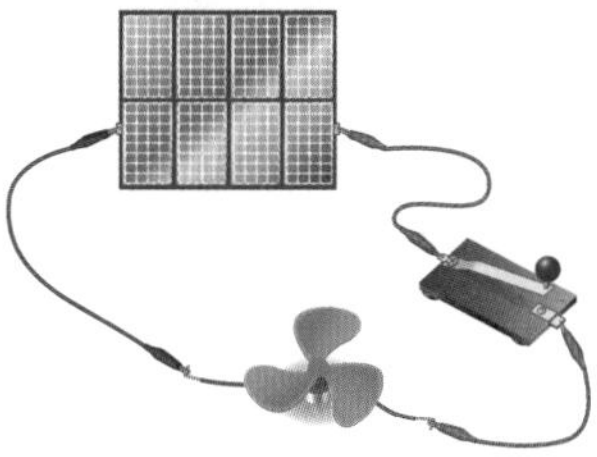
태양 전지에 연결된 전동기

정리

❶ 전동기가 작동하기까지 에너지 전환에 대해 알아본다.

• 태양 전지에서 빛에너지가 전기 에너지로 전환된 후 전동기에서 전기 에너지가 운동 에너지로 전환된다.

❷ 우리 주변에서 태양 전지를 이용하는 장치에 대해 조사하고 알아본다.

• 태양 전지 가로등과 태양광 자동차, 태양광 충전 가방 등 소규모 장치부터 대규모 태양광 발전소까지 많은 곳에서 활발하게 이용되고 있다.

3. 풍력 발전 바람의 운동 에너지를 이용하여 발전기에서 전기 에너지를 생산하는 방식

(1) 풍력 발전 과정 바람의 운동 에너지로 날개가 회전 → 날개축에 연결된 발전기가 회전 → 전자기 유도 현상❺에 의해 전기가 생성

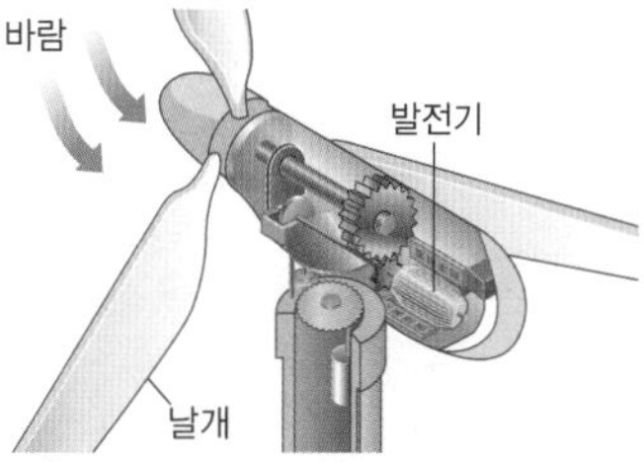

풍력 발전 과정

(2) 풍력 발전의 장점과 단점

장점	단점
• 환경오염 물질을 거의 배출하지 않는다. • 설치 기간이 짧고 발전 효율이 높다.	• 초기 비용이 많이 들어가고 소음 등의 문제가 있다. • 설치 장소가 제한적이고 발전량 예측이 어렵다.

❹ 태양 전지 판의 구성

태양광 발전에서 최소 단위를 셀(cell), 셀을 몇 개에서 몇십 개 이상 묶어 준 것을 모듈(module), 모듈을 수천 장에서 수만 장 이어붙인 것을 어레이(array)라고 한다.

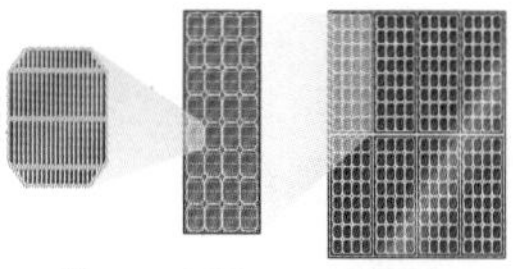

❺ 전자기 유도 현상

코일과 자석의 상대적인 운동에 의해 코일을 통하는 자기 선속이 변할 때 코일에 유도 전류가 흐르는 현상이다.

• 태양 전지(클 太 볕 陽 전기 電 모인 물 池) 태양 에너지를 전기 에너지로 전환하는 장치

정답과 해설 096쪽

간단 점검

1. 무거운 원자핵의 핵분열을 이용하여 전기 에너지를 생산하는 방식은?
2. 태양광 발전은 (   )을/를 이용하여 빛에너지를 전기 에너지로 직접 전환한다.
3. 풍력 발전은 바람의 (   )을/를 이용하여 발전기에서 전기 에너지를 생산한다.
4. 핵발전, 태양광 발전, 풍력 발전 중 전자기 유도 현상이 적용되지 않는 발전 방식은?

B 신재생 에너지와 에너지 문제를 해결하기 위한 노력

한·줄·핵심 에너지 문제를 해결하기 위해 인류는 다양한 노력을 하고 있어!

1. 화석 연료와 그 한계

(1) 화석 연료 과거 지구에 살았던 동식물의 유해가 지층 속에서 오랜 시간 동안 열과 압력 등으로 인해 만들어진 연료

㉠ 석유, 석탄, 천연가스 등

(2) 화석 연료의 한계 소비량은 계속 증가하고 있으나 매장량은 한계가 있어서 멀지 않은 미래에 고갈될 것으로 예측된다.

(출처 : BP pic, 2016년)

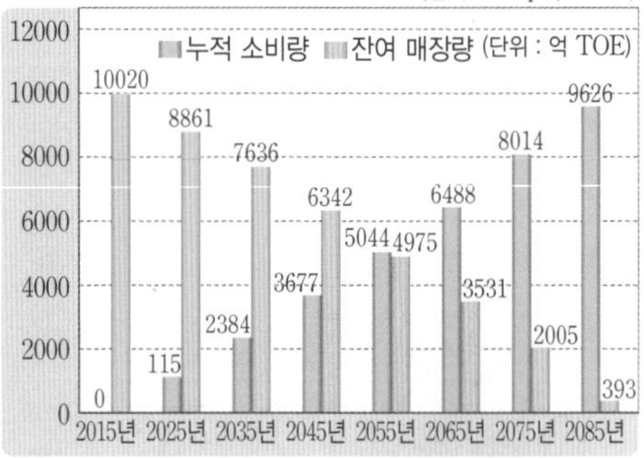

화석 연료의 누적 소비량과 잔여 매장량❻

2. 신재생 에너지

(1) 신재생 에너지 기존의 화석 연료를 변환시켜 이용하거나 재생 가능한 에너지를 변환시켜 이용하는 친환경적이며, 고갈되지 않는 에너지

① 신에너지: 기존의 화석 연료를 변환시켜 이용하거나 수소, 산소 등의 화학 반응을 통해 전기 또는 열을 이용하는 에너지

㉠ 수소, 연료 전지, 석탄의 액화 및 가스화

② 재생 에너지: 햇빛, 물, 지열, 강수, 생물 유기체 등을 포함하는 재생 가능한 에너지를 변환시켜 이용하는 에너지

㉠ 태양광, 태양열, 풍력, 수력, 해양, 지열❼, 바이오, 폐기물❽

(2) 신재생 에너지의 종류 연료 전지, 파력 발전, 조력 발전, 태양광 발전, 풍력 발전 등

3. 다양한 신재생 에너지 알쉬탐

(1) 연료 전지 수소와 산소의 화학 반응으로 전기 에너지를 생산하는 장치

구분	연료 전지
원리	• 음(−)극에서는 수소가 이온화❾ 되며 전자를 내놓는다. • 수소 이온은 중간의 전해질❾을 통해 양(+)극으로 이동하고 그곳에서 산소와 반응해 물을 만든다. • 수소가 내놓은 전자가 도선을 따라 양(+)극으로 이동하면서 전기 에너지가 발생한다. • 수소 + 산소 ⟶ 물 + 전기 에너지 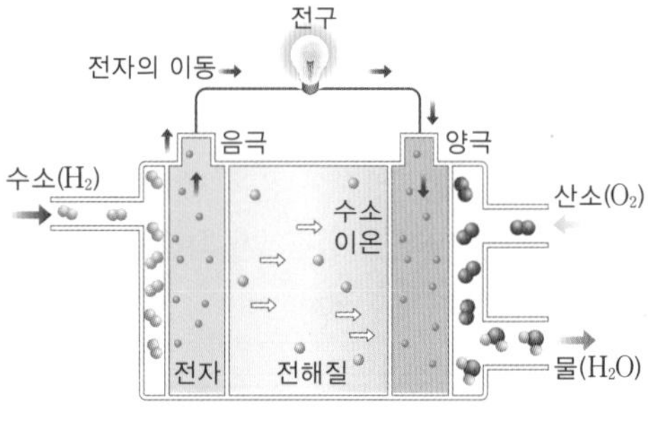
장점	• 에너지 효율이 높아 미래의 에너지원으로 주목 받고 있다. • 공해 물질을 배출하지 않는다.
단점	• 수소의 저장과 운반이 어렵다. • 수소를 값싸게 생산하기가 어렵다.
이용	 연료 전지 버스  연료 전지 비행기  연료 전지 발전

❻ **TOE (Tonne of Oil Equivalent)**
화석 연료의 양을 표준화할 때 사용하는 단위로 석유환산톤이라고 한다. 1 TOE는 발열량 1000만 kcal을 내는 원유 1 t을 기준으로 하며, 석탄은 1.55 t, 천연가스는 1150 m^3에 해당된다.

❼ **지열 에너지**
땅속 깊은 곳의 뜨거운 물이나 수증기가 가진 열에너지

❽ **폐기물 에너지**
산업이나 가정에서 발생하는 각종 가연성 폐기물을 변환시켜 연료로 사용하는 에너지

❾ **이온화와 전해질**
중성의 분자 또는 원자가 전자를 잃거나 얻어서 전하를 띠게 되는 반응을 이온화라 하고 물 등의 용매에 녹아 이온화되어 전류를 흐르게 하는 물질을 전해질이라고 한다.

• 화학 반응(변할 化 학문 學 뒤엎을 反 응할 應) 화학 변화를 거쳐 한 물질이 다른 물질로 변하는 반응

(2) 파력 발전[10] 바람의 순환에 의한 파도의 운동을 이용하여 전기 에너지를 생산하는 발전 방식

구분	파력 발전
원리	파도가 밀려와서 수면이 높아지면 발전기 안의 공기가 압축되면서 발전기를 돌린다.
장점	• 파도가 항상 존재하므로 영구적으로 사용할 수 있다. • 부산물이 없고 유지 비용이 적게 든다.
단점	• 파도가 약해지면 발전량이 적다. • 적절한 장소를 찾기 어렵다.

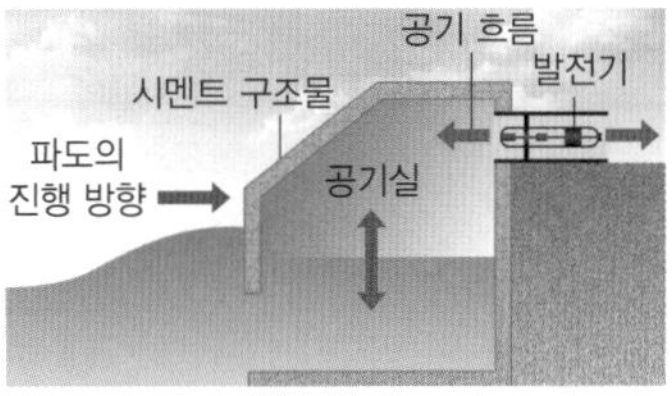

(3) 조력 발전[11] 하루에 두 차례 반복되는 밀물과 썰물로 인한 해수면의 높이 차이를 이용하여 전기를 생산하는 방식

구분	조력 발전	
원리	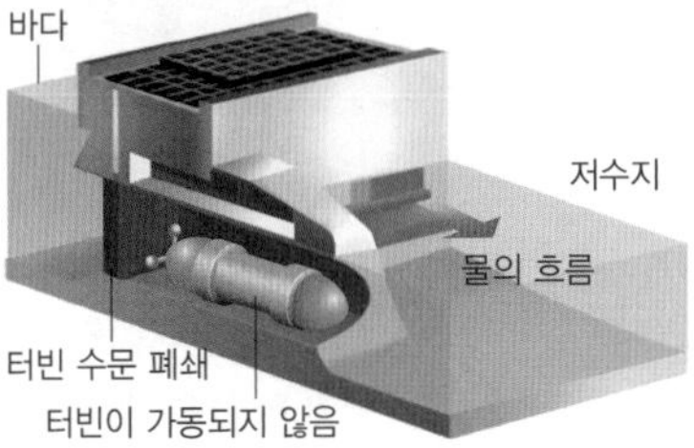 밀물 때 수문을 열어 저수지에 물을 채운 후 수문을 닫는다.	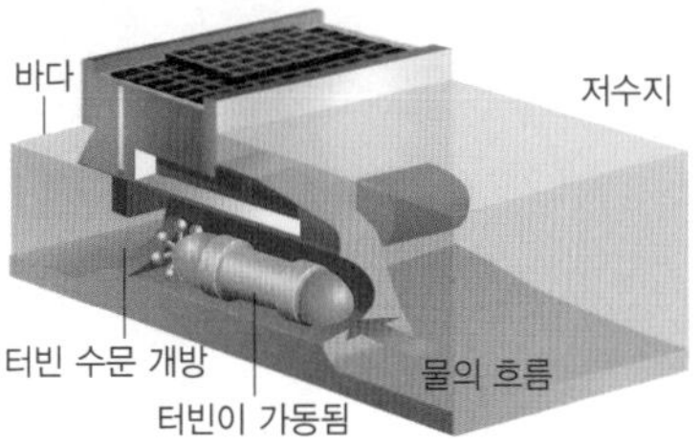 썰물 때 수문을 열고 바다와 저수지 사이의 수위 차이에 의해 터빈을 가동시킨다.
장점	• 조석 현상이 매일 약 2번씩 일어나므로 지속적이고 예측 가능한 발전이 가능하다. • 발전 비용이 적게 들고 오염 물질이 발생하지 않다.	
단점	• 조수 간만의 차이가 큰 지역에만 설치할 수 있다. • 건설하는 데 큰 비용이 들며, 주변 환경에 변화를 가져온다.	

4. 에너지 문제를 해결하기 위한 노력

(1) 친환경 에너지 도시 신재생 에너지를 생산하고 판매함으로써 환경 문제와 에너지 문제를 함께 해결할 수 있는 도시

㉠ 독일의 융데 마을, 오스트리아 비엔나, 한국 강원도 홍천

(2) 적정 기술 과학 기술의 혜택에서 소외된 사람들을 위해 화석 연료를 사용하지 않고 삶의 질을 개선할 수 있도록 하는 기술

① 적정 기술의 조건
- 해당 지역에서 지속적인 생산과 소비가 가능해야 한다.
- 지역 사람들의 삶의 질을 향상시킬 수 있어야 한다.
- 대규모 사회 기반 시설 없이 친환경적이어야 한다.

② 적정 기술의 예: 항아리 냉장고,[12] 페트병 전구 등

독일의 융데 마을

강원도 홍천

페트병 전구

⑩ 파력 발전소

제주도 용수리 용수 파력 발전소

⑪ 조력 발전소

경기도 안산시 시화방조제에 지어진 시화호 조력 발전소

⑫ 항아리 냉장고

모래의 물이 증발하면서 주위의 열을 빼앗아 가므로 항아리 안의 온도가 낮아진다.

• 적정 기술(알맞을 適 바를 正 재주 技 꾀 術) 기술이 적용되는 사회 공동체의 여러 요소를 고려하여 만들어진 기술

정답과 해설 096쪽

간단 점검

5. ( )란, 기존의 화석 연료를 변환시켜 이용하는 에너지를 말한다.
6. ( )란, 햇빛, 물, 지열, 강수, 생물 유기체 등의 에너지를 변환시켜 이용하는 에너지를 말한다.
7. 수소와 산소의 화학 반응으로 전기 에너지를 생산하는 장치는?
8. 과학 기술의 혜택에서 소외된 지역의 사람들의 삶의 질을 개선할 수 있는 기술은?

알아두면 시험이 쉬워지는 탐구

연료 전지 만들기

목표 물의 전기 분해를 이용하여 연료 전지를 만들어 연료 전지의 원리를 이해할 수 있다.

과정

❶ 백탄 전극 만들기 ❷ 물 전기 분해 하기 ❸ 연료 전지에 발광 다이오드 연결하기

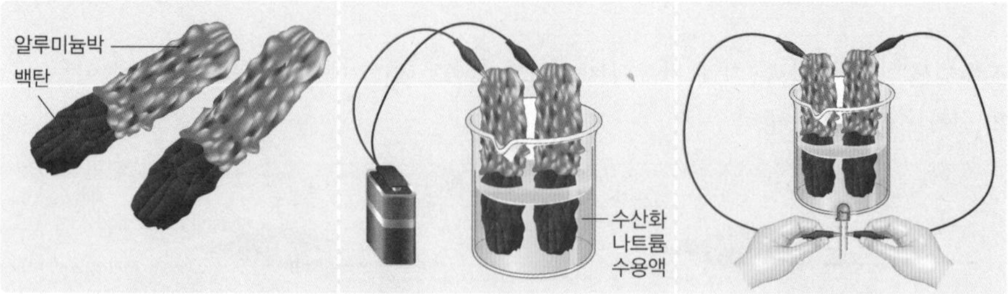

❶ 백탄 전극 만들기
- 백탄 2개의 위쪽을 알루미늄박으로 감싼다.

백탄은 도체로 전류가 통한다.

❷ 물 전기 분해 하기
- 수산화 나트륨 수용액에 백탄을 담근 후 건전지에 각각 연결하여 물을 전기 분해한다.

물은 전류가 잘 통하지 않기 때문에 전해질인 수산화 나트륨을 섞어 전류를 통하게 해 준다.

❸ 연료 전지에 발광 다이오드 연결하기
- 10분 정도 지난 후 건전지를 떼어 내고 발광 다이오드를 연결하여 불이 켜지는지 관찰한다.

전기 분해된 수소와 산소가 전자를 주고받으며 전류가 흐른다.

유의점
발광 다이오드를 연결할 때 다리가 긴 쪽이 (+)극, 짧은 쪽이 (−)극이다

실험 안전
- 수산화 나트륨 수용액이 피부에 묻으면 즉시 흐르는 물에 씻는다.
- 실험 후 남은 재료는 지정된 곳에 모아둔다.

결과 및 해석

✔ 실험 과정 ❷에서 물은 산소와 수소로 전기 분해 된다.
(−)극: 물이 전기 분해 되어 수소 발생
(+)극: 물이 전기 분해 되어 산소 발생

✔ 실험 과정 ❸에서 발광 다이오드에 불이 켜진다.
(−)극: 수소가 이온화되며 전자를 내놓음
(+)극: 전해질을 통해 이동한 수소 이온이 산소와 반응해 물로 변함 발광 다이오드의 방향을 제대로 연결하지 않으면 전류가 흐르지 않는다.

백탄
장작을 1000 ℃ 이상의 열로 가열하여 하얀 재로 급히 식혀 만든 숯

한·줄·핵심 수소는 (−)전극에서 이온화되어 전자는 외부 회로를 통하여 이동하고, 수소 이온은 전해질을 통해 (+)전극으로 이동하여 산소와 반응해 물이 발생하여 외부 회로에는 전류가 흐르게 된다.

확인 문제

정답과 해설 096쪽

1. 물을 전기 분해할 때 건전지의 (+)극과 (−)극에서 발생하는 기체는 각각 무엇인지 설명하시오.

2. 실험 과정 ❸에서 발광 다이오드에 불이 켜지게 되는 과정을 설명하시오.

3. 이 실험에 대한 설명으로 옳은 것은 ○, 옳지 않은 것은 ×로 표시하시오.
(1) 물은 건전지의 (+)극에서는 산소로, (−)극에서는 수소로 전기 분해 된다. ( )
(2) 발광 다이오드는 긴 다리가 전지의 (+)단자에, 짧은 다리가 전지의 (−)단자에 연결될 때 불이 켜진다. ( )
(3) 불이 켜진 발광 다이오드에서는 빛에너지가 전기 에너지로 전환된다. ( )
(4) 연료 전지를 이용하여 전기 에너지를 생산할 때 오염 물질이 많이 배출된다. ( )

개념 + 기본 문제

정답과 해설 096쪽

개념 문제

A 핵발전, 태양광 발전, 풍력 발전

01 다음 설명 중 옳은 것은 ○, 옳지 않은 것은 ×로 표시하시오.

(1) 핵발전은 가벼운 원자핵이 융합할 때 방출되는 에너지를 이용한다. (　　)

(2) 태양광 발전은 태양의 빛에너지를 전기 에너지로 전환한다. (　　)

(3) 풍력 발전은 발전 효율이 낮다는 단점이 있다. (　　)

B 신재생 에너지와 에너지 문제를 해결하기 위한 노력

02 다음은 전기 에너지를 생산하는 장치에 대한 내용이다.

- 에너지 효율이 높아 미래의 에너지원으로 주목받고 있다.
- 수소와 산소의 화학 반응으로 전기 에너지를 생산하는 장치이다.

이 전기 생산 장치를 쓰시오.

03 신재생 에너지에 대한 내용을 옳게 연결하시오.

(1) 바이오 에너지 •　　• ㉠ 파도의 운동을 이용한 발전 방식

(2) 파력 발전 •　　• ㉡ 하루에 두 차례 반복되는 밀물과 썰물을 이용한 발전 방식

(3) 조력 발전 •　　• ㉢ 유기성 폐기물 등에서 나오는 가스를 이용

A 핵발전, 태양광 발전, 풍력 발전

04 그림은 우라늄(U) 원자핵에 중성자가 충돌하여 에너지를 방출하는 핵반응을 나타낸 것이다.

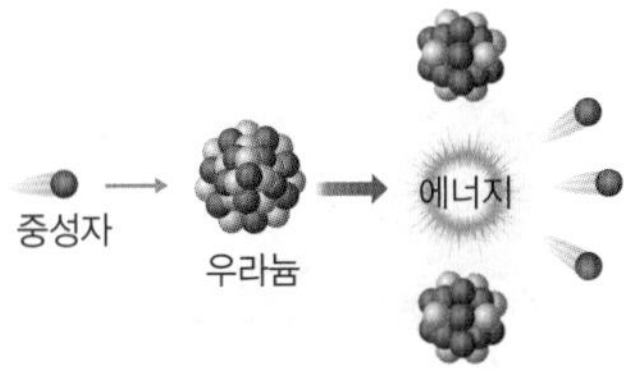

이에 대한 설명으로 옳은 것만을 | 보기 | 에서 있는 대로 고른 것은?

보기
ㄱ. 핵분열 반응이다.
ㄴ. 핵반응에서 에너지는 질량 결손에 의해 방출된다.
ㄷ. 핵반응에서 생성된 중성자는 또 다른 우라늄 원자핵의 핵반응을 일으킨다.

① ㄱ　② ㄴ　③ ㄱ, ㄴ　④ ㄴ, ㄷ　⑤ ㄱ, ㄴ, ㄷ

05 그림은 원자력 발전소에서 전기 에너지를 생산하는 과정을 나타낸 것이다.

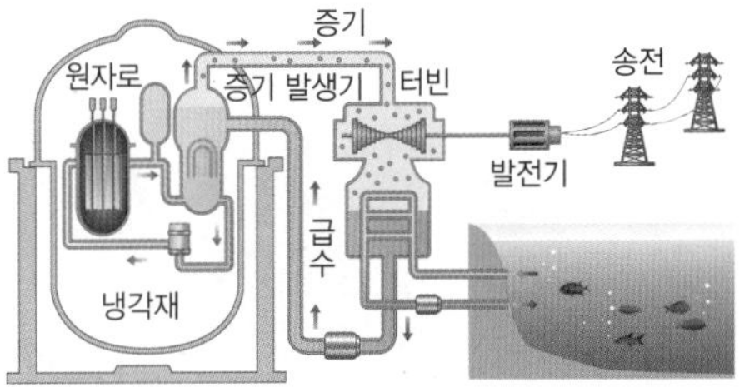

이에 대한 설명으로 옳지 않은 것은?

① 원자로에서는 질량 결손에 의해 열에너지가 발생한다.
② 터빈의 운동 에너지가 발전기에서 전기 에너지로 전환된다.
③ 연료 비용이 저렴하며 발전 효율이 낮다.
④ 방사성 폐기물의 처리 문제가 발생한다.
⑤ 발전기에서 생산되는 전기 에너지는 전자기 유도 현상으로 설명할 수 있다.

06 그림은 태양 빛을 이용하여 전기를 생산하는 것을 나타낸 것이다.

이에 대한 설명으로 옳은 것만을 |보기|에서 있는 대로 고른 것은?

보기
ㄱ. 태양열 발전이다.
ㄴ. 발전 과정에서 환경 오염 물질을 많이 배출한다.
ㄷ. 태양 전지를 이용하여 빛에너지를 전기 에너지로 전환한다.

① ㄱ ② ㄴ ③ ㄷ
④ ㄱ, ㄷ ⑤ ㄴ, ㄷ

07 그림은 태양 전지에 빛을 비추었을 때 전구에 불이 켜지는 것을 나타낸 것이다.

이에 대한 설명으로 옳지 않은 것은?

① 태양 전지에서는 빛에너지가 전기 에너지로 전환된다.
② 전구에서는 전기 에너지가 빛에너지로 전환된다.
③ 태양 전지는 인공위성에 필요한 에너지를 공급하는 장치로 이용된다.
④ 태양 전지에 빛이 비춰지면 전류가 흐른다.
⑤ 태양 전지 판으로는 도체가 사용된다.

08 다음은 태양광 발전의 과정을 순서 없이 나타낸 것이다.

ㄱ. 반도체로 된 태양 전지가 태양광을 흡수한다.
ㄴ. 자유 전자가 발생한다.
ㄷ. 자유 전자가 전극으로 이동한다.
ㄹ. 회로에 기전력이 발생한다.

태양광 발전의 과정을 순서대로 배열한 것으로 옳은 것은?

① ㄱ → ㄴ → ㄷ → ㄹ
② ㄱ → ㄴ → ㄹ → ㄷ
③ ㄱ → ㄷ → ㄴ → ㄹ
④ ㄱ → ㄷ → ㄹ → ㄴ
⑤ ㄱ → ㄹ → ㄷ → ㄴ

단답형

09 다음은 풍력 발전의 과정에 대한 내용이다.

바람의 [(가)]로 날개가 회전 → 날개축에 연결된 발전기가 회전 → [(나)]에 의해 전기가 생성

(가), (나)에 알맞은 말을 쓰시오.

10 풍력 발전의 장점만을 |보기|에서 있는 대로 고른 것은?

보기
ㄱ. 환경 오염 물질이 거의 배출되지 않는다.
ㄴ. 발전기의 설치 기간이 비교적 짧다.
ㄷ. 설치 장소가 제한적이지 않다.
ㄹ. 소음 등의 문제가 발생하지 않는다.

① ㄱ, ㄴ ② ㄱ, ㄷ ③ ㄴ, ㄹ
④ ㄱ, ㄷ, ㄹ ⑤ ㄱ, ㄴ, ㄷ, ㄹ

B 신재생 에너지와 에너지 문제를 해결하기 위한 노력

단답형

11 다음은 신재생 에너지에 대한 내용이다.

> 신재생 에너지는 화석 연료를 대신하는 친환경적이면서도 고갈되지 않는 에너지로 기존의 화석 연료를 변환시켜 이용하는 (가) 와 햇빛, 물, 지열 등의 에너지를 변환시켜 이용하는 (나) 가 있다.

(가), (나)에 알맞은 말을 쓰시오.

알쉬탐

12 그림은 연료 전지에서 흐르는 전류에 의해 전구에 불이 켜진 모습을 나타낸 것이다.
이에 대한 설명으로 옳지 않은 것은?

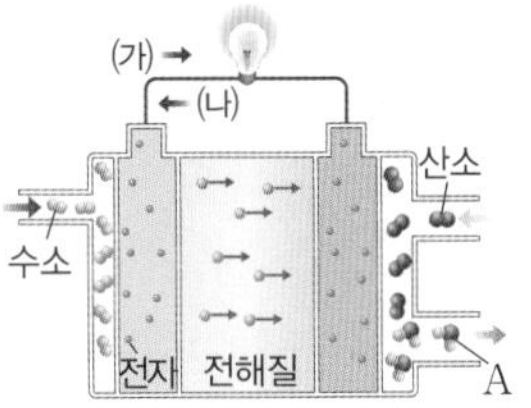

① 전자의 이동 방향은 (가)이다.
② 전류의 방향은 (나)이다.
③ 화학 반응에 의해 생성되는 물질 A는 이산화탄소이다.
④ 전구에서는 전기 에너지가 빛에너지로 전환된다.
⑤ 연료 전지는 화학 에너지를 이용하여 전기 에너지를 생산한다.

단답형

13 다음은 어느 발전 방식에 대한 내용이다.

> 그림과 같이 파도가 밀려오면 공기실의 공기가 압축되어 터빈이 회전하여 발전기에서 전기 에너지가 생산된다.

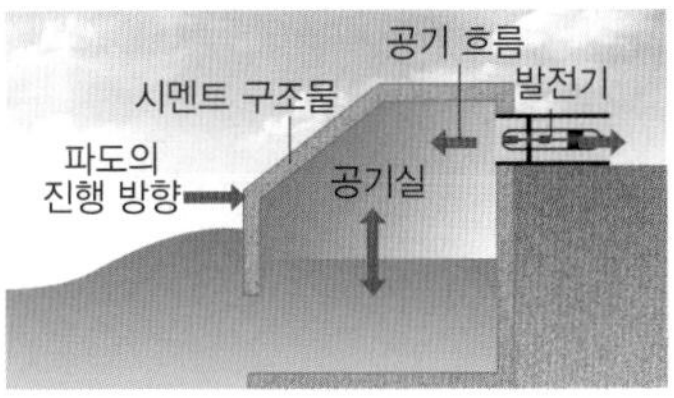

이 발전 방식을 쓰시오.

14 그림은 조력 발전의 과정을 나타낸 것이다.

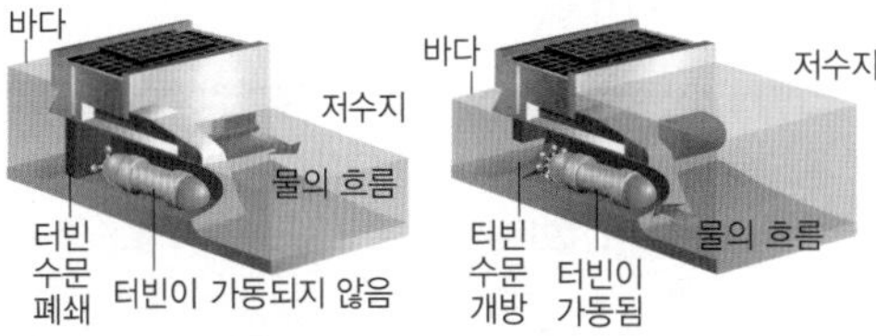

이에 대한 설명으로 옳지 않은 것은?

① 조력 발전은 하루에 두 차례 반복되는 밀물과 썰물로 인한 해수면의 높이 차이를 이용한다.
② 조력 발전에서는 터빈을 회전시켜 전기 에너지를 생산한다.
③ 조력 발전은 지속적인 발전이 가능하나 예측이 어렵다는 단점이 있다.
④ 조력 발전은 조수 간만의 차이가 큰 지역에서만 설치할 수 있다는 단점이 있다.
⑤ 조력 발전의 장점으로는 유지 비용이 적게 들고 오염이 적게 발생한다.

15 다음은 적정 기술에 대한 내용이다.

> 과학 기술의 혜택에서 소외된 사람들에게 그 지역에서 지속적으로 생산하고 소비가 가능하여 삶의 질을 개선시킬 수 있는 기술이다.

적정 기술이 적용된 것만을 | 보기 | 에서 있는 대로 고른 것은?

보기
ㄱ. 냉장고를 대신할 수 있는 항아리 냉장고
ㄴ. 낮에도 어두운 방 안을 밝힐 수 있는 페트병 전구
ㄷ. 해수면의 높이차가 큰 지역에 건설된 발전소

① ㄱ ② ㄴ ③ ㄱ, ㄴ
④ ㄴ, ㄷ ⑤ ㄱ, ㄴ, ㄷ

실력 올리기 문제

| 핵발전에서의 에너지원 | 출제예감

01 그림 (가)는 원자력 발전소의 원자로에서 일어나는 핵반응으로 증기를 발생시키는 것을, (나)는 원자로에서 일어나는 우라늄(U)의 핵반응을 나타낸 것이다.

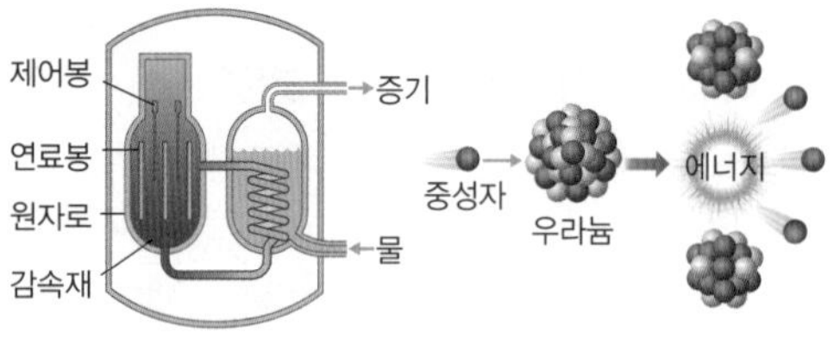

(가) (나)

이에 대한 설명으로 옳은 것만을 | 보기 | 에서 있는 대로 고른 것은?

보기
ㄱ. 원자로에서는 핵반응에 의해 열에너지가 발생한다.
ㄴ. (나)에서 에너지는 질량 결손에 의해 발생한다.
ㄷ. 원자로에서는 연쇄 반응이 일어난다.

① ㄱ ② ㄷ ③ ㄱ, ㄴ
④ ㄴ, ㄷ ⑤ ㄱ, ㄴ, ㄷ

| 태양광 발전과 핵발전의 원리 |

02 그림 (가)는 태양광 발전소를, (나)는 핵발전소를 나타낸 것이다.

(가) (나)

이에 대한 설명으로 옳은 것만을 | 보기 | 에서 있는 대로 고른 것은?

보기
ㄱ. (가)는 전자기 유도 현상을 이용하여 전기 에너지를 생산한다.
ㄴ. (나)는 터빈을 돌려 전기 에너지를 생산한다.
ㄷ. 질량 결손에 의한 에너지를 전기 에너지로 전환하는 것은 (나)이다.

① ㄱ ② ㄴ ③ ㄱ, ㄴ
④ ㄱ, ㄷ ⑤ ㄴ, ㄷ

| 핵발전, 태양광 발전, 풍력 발전 |

03 그림은 핵발전, 태양광 발전, 풍력 발전에 대해 학생들이 대화하는 것을 나타낸 것이다.

제시된 내용이 옳은 학생만을 있는 대로 고른 것은?

① 영희 ② 민수 ③ 철수, 민수
④ 영희, 민수 ⑤ 철수, 영희, 민수

| 다양한 발전 방식의 원리 | 출제예감

04 표는 발전 방식 A~D를 3가지 분류 기준에 따라 구분한 것을 나타낸 것이다. A~D는 각각 풍력, 조력, 파력, 지열 발전 중 하나이다.

분류 기준	예	아니오
해양 에너지를 이용하는가?	A, B	C, D
열에너지를 운동 에너지로 바꾸는 과정이 있는가?	C	A, B, D
해수면의 높이차에 의한 바닷물의 이동에 의해 터빈이 회전하는가?	A	B, C, D

이에 대한 설명으로 옳은 것만을 | 보기 | 에서 있는 대로 고른 것은?

보기
ㄱ. A는 파력 발전이다.
ㄴ. D는 바람의 운동 에너지를 이용한 발전 방식이다.
ㄷ. 전자기 유도 현상을 이용하여 전기 에너지를 생산하는 방식은 A, C, D뿐이다.

① ㄱ ② ㄴ ③ ㄱ, ㄴ
④ ㄱ, ㄷ ⑤ ㄴ, ㄷ

| 수소 연료 전지 자동차 |

05 그림은 수소 연료 전지를 이용하여 모터(전동기)를 회전시켜 작동하는 자동차의 구조를 나타낸 것이다.

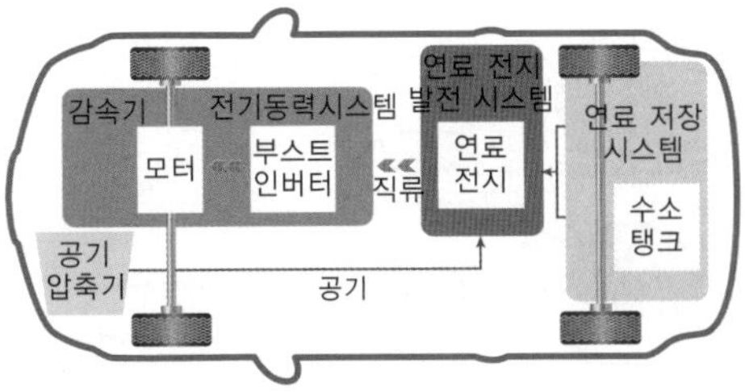

이에 대한 설명으로 옳은 것만을 | 보기 | 에서 있는 대로 고른 것은?

보기
ㄱ. 연료 전지는 수소와 산소의 화학 반응을 이용하여 전기 에너지를 생산한다.
ㄴ. 모터에서는 전기 에너지가 운동 에너지로 전환된다.
ㄷ. 연료 전지에 의해 발생한 이산화 탄소가 외부로 배출된다.

① ㄱ ② ㄷ ③ ㄱ, ㄴ
④ ㄴ, ㄷ ⑤ ㄱ, ㄴ, ㄷ

| 적정 기술의 예 |

06 다음은 항아리 냉장고에 대한 내용이다.

그림과 같이 큰 항아리와 작은 항아리 사이의 모래에 물을 부으면 작은 (가) 항아리 안의 온도가 낮아져 음식물을 오래 보관할 수 있다. 이처럼 과학 기술의 혜택을 받기 어려운 지역의 사람들에게 도움을 줄 수 있는 기술을 ((나))이라고 한다.

이에 대한 설명으로 옳은 것만을 | 보기 | 에서 있는 대로 고른 것은?

보기
ㄱ. 물이 증발하기 때문에 (가)와 같은 현상이 일어난다.
ㄴ. (나)는 적정 기술이다.
ㄷ. (나)는 대규모 사회 기반 시설이 필요하다.

① ㄴ ② ㄷ ③ ㄱ, ㄴ
④ ㄱ, ㄷ ⑤ ㄱ, ㄴ, ㄷ

| 태양 전지에서의 에너지 전환 |

07 그림은 태양 전지에 빛을 비추었을 때 태양 전지에 연결된 전동기가 작동하여 날개가 회전하는 것을 나타낸 것이다.

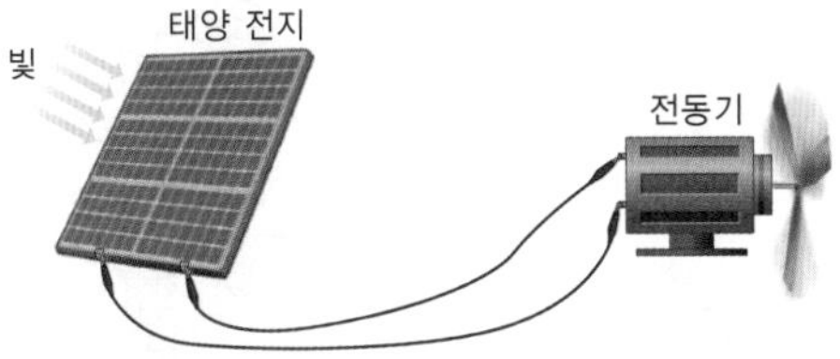

태양 전지에서의 에너지 전환과 전동기에서의 에너지 전환에 대해 서술하시오.

| 풍력 발전의 원리 |

08 그림은 전기 에너지를 생산하는 풍력 발전을 나타낸 것이다.
풍력 발전의 장점과 단점을 각각 1가지만 서술하시오.

풍력 발전

| 연료 전지 |

09 그림은 신에너지 중 하나인 연료 전지를 나타낸 것이다.

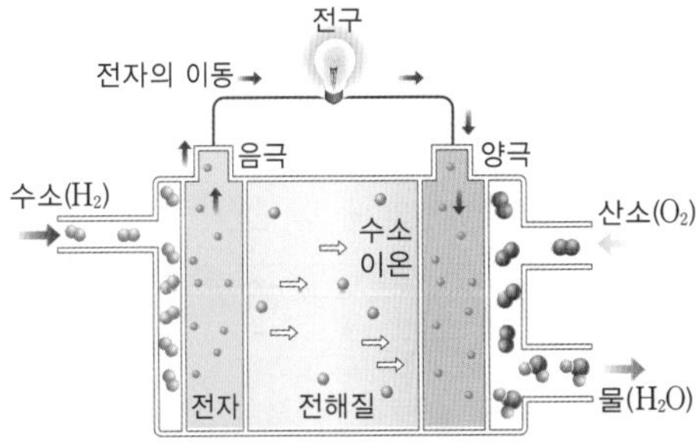

연료 전지의 양극과 음극에서 일어나는 반응을 통해 연료 전지의 원리를 서술하시오.

한번에 정리하는

대단원 마무리

정답과 해설 098쪽

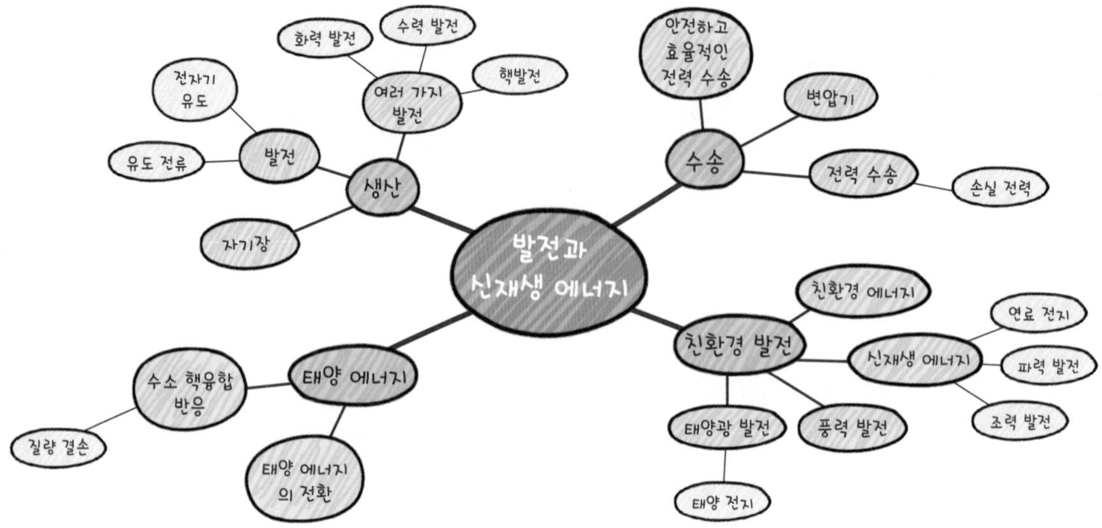

01 전기 에너지의 생산

(1) 전류가 흐르는 코일에 의한 자기장: 전류가 흐르는 코일은 주변에 막대자석과 유사한 자기장을 만든다. 자기장의 방향은 나침반 자침의 ① ____ 이 가리키는 방향이다.

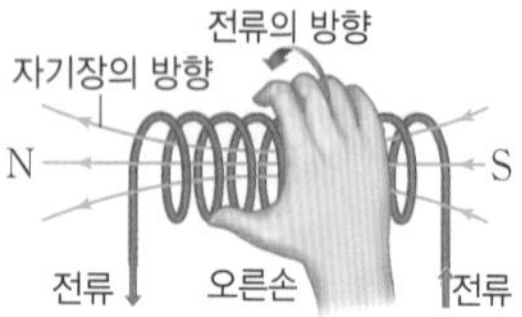

(2) 전자기 유도 현상: 코일 근처에서 자석을 움직이거나 자석 근처에서 코일이 움직일 때 코일을 통과하는 자기 선속의 변화를 방해하는 방향으로 코일에 ② ____ 가 흐르는 현상이다.

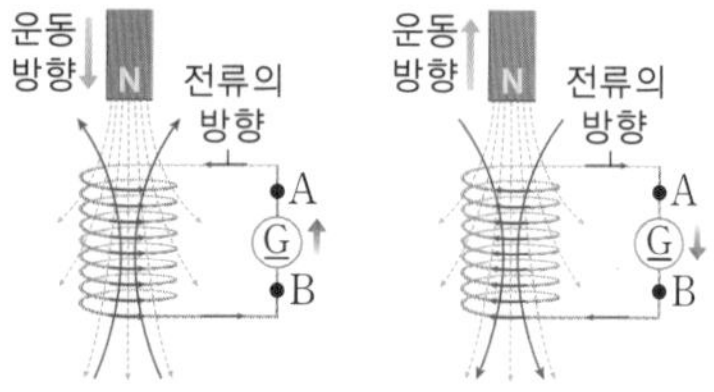

(3) ③ ____ : 발전소에서 다양한 에너지를 전기 에너지로 전환시키는 것

(4) 여러 가지 발전소에서의 에너지 전환

화력 발전	수력 발전	핵발전
④ ____ ⇨ 열에너지 ⇨ 운동 에너지 ⇨ 전기 에너지	⑤ ____ ⇨ 운동 에너지 ⇨ 전기 에너지	⑥ ____ ⇨ 열에너지 ⇨ 운동 에너지 ⇨ 전기 에너지

02 전기 에너지의 수송

(1) 전기 에너지 수송 과정: 발전소에서 생산한 전기 에너지는 송전선에서 손실되는 전력을 줄이기 위해서 변전소에서 전압을 ⑦ ____ 송전하고 가정으로 공급될 때는 변압기를 이용하여 전압을 낮추게 된다.

(2) 송전 과정에서 손실되는 전력: 송전선에서 손실 전력은 송전선에 흐르는 ⑧ ____ 의 제곱과 송전선의 ⑨ ____ 의 곱이다.

$$P_{손실}=I^2R$$

(3) 송전선에서 손실 전력을 줄이는 방법

공급 전압 n배 증가 ⇨ 전류 $\frac{1}{n}$배 감소
⇨ 손실 전력 ⑩ ____ 배 감소

(4) ⑪ ____ : 전자기 유도 현상을 이용하여 전압을 변화시키는 장치로, 코일의 감은 수가 많을수록 전압은 높아지고 전류는 감소한다.

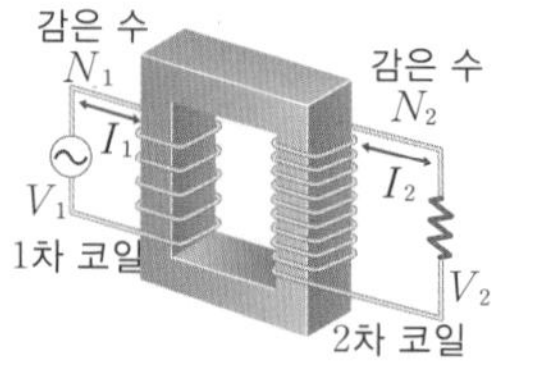

• $V_1I_1=V_2I_2$

• $\frac{V_1}{V_2}=\frac{N_1}{N_2}$

03 태양 에너지의 생성과 전환

(1) 핵반응

① **핵융합:** 두 개 이상의 가벼운 원자핵이 결합하여 보다 무거운 원자핵이 되는 핵반응이다.

② **핵분열:** 무거운 원자핵이 몇 개의 가벼운 원자핵으로 변환되는 핵반응이다.

(2) 수소 핵융합 반응: 태양의 중심부에서 ⑫ ＿＿ 의 수소 원자핵이 융합하여 1개의 ⑬ ＿＿ 이 만들어지는 반응으로 반응 과정에서 감소하는 질량만큼 에너지가 생성된다.

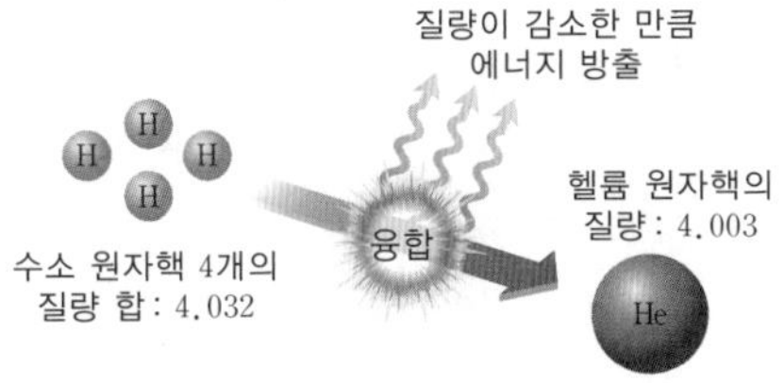

(3) ⑭ ＿＿ 전환: ⑭ ＿＿ 는 지구상의 대부분의 에너지의 근원으로, 지구에서 다양한 형태의 에너지로 전환된다.

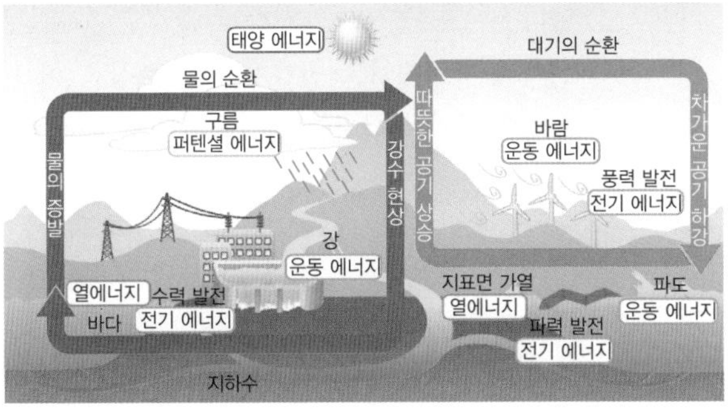

04 환경 문제를 해결하는 여러 가지 발전

(1) 핵발전(원자력 발전): 우라늄(U)과 같이 무거운 원자핵의 ⑮ ＿＿ 에 의해 발생하는 에너지를 이용하여 전기 에너지를 생산하는 발전 방식이다.

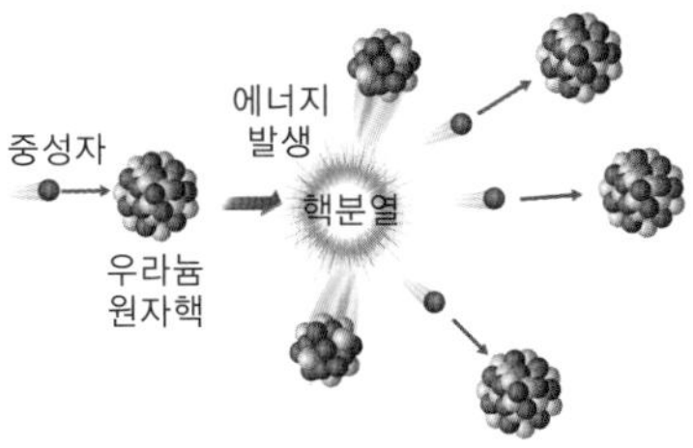

장점	단점
• 기후 변화에 영향을 적게 준다. • 연료 비용이 저렴하여 발전 효율이 높다. • 원료의 공급이 안정적이다.	• 우라늄의 매장량이 한정되어 있다. • 해수의 온도를 높일 수 있다. • 사고 발생 시 방사선이 누출될 위험성과 방사성 폐기물의 처리 문제가 있다.

(2) 태양광 발전: ⑯ ＿＿ 를 이용하여 태양의 빛에너지를 전기 에너지로 직접 전환하는 발전 방식이다.

장점	단점
• 무공해, 무제한 청정 에너지원 • 건설 기간이 짧다. • 에너지원이 태양이므로 무한정 사용할 수 있다.	• 설치 장소가 넓어야 한다. • 겨울철에는 조건이 불리하다. • 초기 설치 비용이 많이 들고 에너지 효율이 낮다.

(3) 풍력 발전: 바람의 ⑰ ＿＿ 를 전기 에너지로 전환하여 발전하는 방식이다.

장점	단점
• 환경 오염 물질을 거의 배출하지 않는다. • 설치 기간이 짧다. • 발전 효율이 높다.	• 초기 비용이 많이 들어간다. • 설치 장소가 제한적이고 정확한 발전량을 예측하기가 어렵다. • 소음 문제가 발생한다.

(4) ⑱ ＿＿ : 화석 연료를 대신하는 친환경적이면서도 고갈되지 않는 에너지이다.

① ⑲ ＿＿ : 수소와 산소의 화학 반응으로 전기 에너지를 생산하는 장치이다.

장점	단점
• 에너지 효율이 높아 미래의 에너지원으로 주목받고 있다. • 공해 물질을 배출하지 않는다.	• 수소의 저장과 운반이 어렵다. • 수소를 값싸게 생산하기가 어렵다.

② ⑳ ＿＿ : 파도로 압축되는 공기에 의해 발전기를 작동시켜 전기 에너지를 생산하는 발전 방식이다.

장점	단점
• 영구적 사용이 가능하다. • 유지 비용이 적게 든다.	• 파도가 약해지면 발전량이 적다. • 적절한 장소를 찾기 어렵다.

③ ㉑ ＿＿ : 바닷물의 높이차에 의한 해수의 흐름을 이용하여 전기 에너지를 생산하는 발전 방식이다.

장점	단점
• 지속적이고 예측 가능하다. • 비용이 적게 들고 오염 물질이 발생하지 않는다.	• 입지 조건이 까다롭다. • 비용이 많이 들며 주변 환경에 변화를 가져온다.

(5) ㉒ ＿＿ : 과학 기술의 혜택에서 소외된 사람들의 삶의 질을 개선할 수 있는 기술이다.

> ㉒ ＿＿ 의 조건
> • 해당 지역에서 지속적인 생산과 소비가 가능해야 한다.
> • 지역 사람들의 삶의 질을 향상시킬 수 있어야 한다.
> • 대규모 사회 기반 시설 없이 친환경적이어야 한다.

정답과 해설 098쪽

01 그림과 같이 단위 길이당 감은 수가 N인 코일과 저항값이 R인 저항이 전압이 V인 전원 장치에 연결되어 있다.

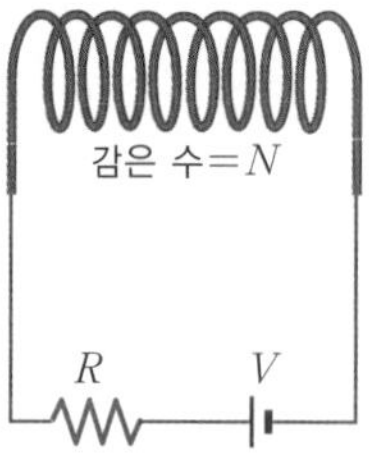

코일 내부에서 전류에 의한 자기장의 세기를 증가시킬 수 있는 방법만을 |보기|에서 있는 대로 고른 것은?

> 보기
> ㄱ. 단위 길이당 감은 수를 $2N$으로 증가시킨다.
> ㄴ. 전원 장치의 전압을 $2V$로 증가시킨다.
> ㄷ. 저항의 저항값을 $2R$로 증가시킨다.

① ㄴ ② ㄷ ③ ㄱ, ㄴ
④ ㄱ, ㄷ ⑤ ㄱ, ㄴ, ㄷ

고난도

02 그림은 저항이 연결된 코일의 중심축을 따라 자석을 운동시키는 것을 나타낸 것이다. a와 b는 자석이 코일에서 각각 멀어질 때와 가까워질 때의 방향을 나타낸다.

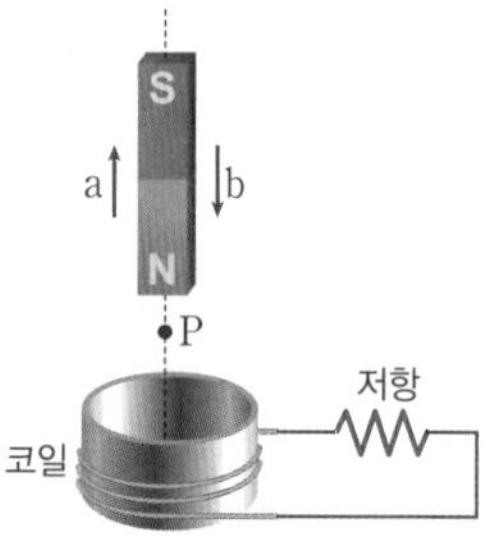

이에 대한 설명으로 옳은 것만을 |보기|에서 있는 대로 고른 것은?

> 보기
> ㄱ. a일 때 P를 지나는 자석의 속력이 클수록 저항에 흐르는 전류의 세기는 크다.
> ㄴ. 저항에 흐르는 전류의 방향은 a일 때와 b일 때가 서로 반대이다.
> ㄷ. 코일이 자석에 작용하는 자기력의 방향은 a일 때와 b일 때가 같다.

① ㄱ ② ㄴ ③ ㄱ, ㄴ
④ ㄴ, ㄷ ⑤ ㄱ, ㄴ, ㄷ

03 그림은 에너지원에 따른 발전 과정을 나타낸 것이다.

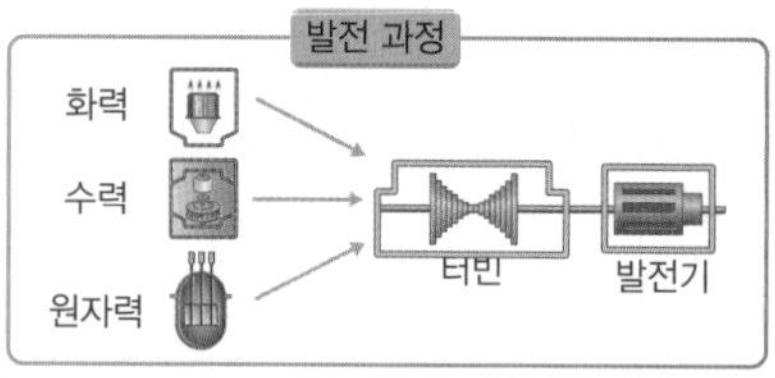

이에 대한 설명으로 옳은 것만을 |보기|에서 있는 대로 고른 것은?

> 보기
> ㄱ. 화력 발전에서는 화학 에너지를 이용하여 전기 에너지를 생산한다.
> ㄴ. 수력 발전에서는 질량 결손에 의해 발생하는 에너지를 이용하여 전기 에너지를 생산한다.
> ㄷ. 원자력 발전에서는 전자기 유도 현상을 이용하여 전기 에너지를 생산한다.

① ㄱ ② ㄷ ③ ㄱ, ㄴ
④ ㄱ, ㄷ ⑤ ㄴ, ㄷ

04 그림은 전압이 V로 일정한 전원 장치에 저항값이 R인 저항을 연결한 회로를 나타낸 것이다.

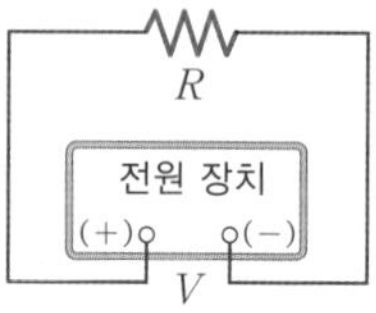

저항에서 소비되는 전력은?

① VR ② V^2R ③ $\frac{R}{V}$
④ $\frac{V}{R}$ ⑤ $\frac{V^2}{R}$

05 발전소에서 전력 P_0를 송전 전압 V_0로 저항값이 R인 송전선을 통해 송전할 때, 송전선에서 손실되는 전력은?

① $\left(\frac{P_0}{V_0}\right)R$ ② $\left(\frac{V_0}{P_0}\right)R$ ③ $\left(\frac{V_0}{R}\right)P_0$
④ $\left(\frac{P_0}{V_0}\right)^2R$ ⑤ $\left(\frac{V_0}{P_0}\right)^2R$

고난도

06 그림은 교류 전원에 연결된 1차 코일의 감은 수가 2차 코일의 감은 수의 $\frac{1}{3}$배인 변압기를 나타낸 것이다.

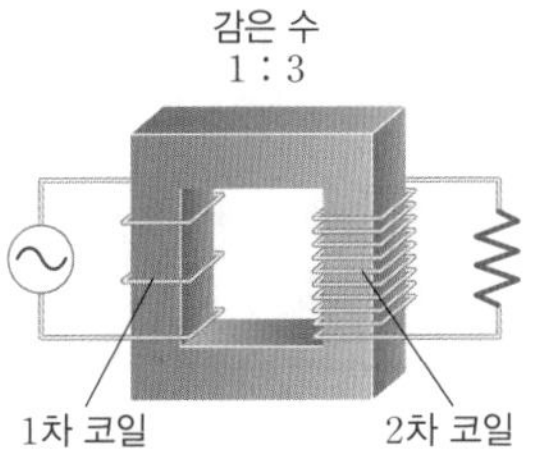

이에 대한 설명으로 옳은 것만을 | 보기 | 에서 있는 대로 고른 것은? (단, 변압기에서의 에너지 손실은 무시한다.)

> 보기
> ㄱ. 1차 코일에 흐르는 전류의 방향은 일정하다.
> ㄴ. 1차 코일에 걸린 전압은 2차 코일에 걸린 전압의 3배이다.
> ㄷ. 1차 코일에 흐르는 전류의 세기는 2차 코일에 흐르는 전류의 세기의 3배이다.

① ㄱ ② ㄷ ③ ㄱ, ㄴ
④ ㄱ, ㄷ ⑤ ㄴ, ㄷ

07 그림은 발전소에서 생산한 전력을 변전소에서 전압을 높여 송전선을 통해 공급한 후 주상 변압기에서 전압을 낮추어 가정에 공급하는 것을 나타낸 것이다.

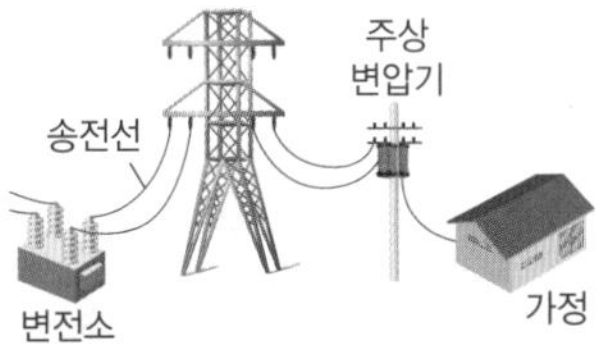

이에 대한 설명으로 옳은 것만을 | 보기 | 에서 있는 대로 고른 것은? (단, 변전소와 변압기에서의 에너지 손실은 무시한다.)

> 보기
> ㄱ. 변전소에서 전압을 높이면 송전선에서 손실되는 전력은 감소한다.
> ㄴ. 주상 변압기의 1차 코일은 2차 코일보다 감은 수가 많다.
> ㄷ. 주상 변압기는 전자기 유도 현상을 이용하여 전압을 낮춘다.

① ㄱ ② ㄷ ③ ㄱ, ㄴ
④ ㄱ, ㄷ ⑤ ㄱ, ㄴ, ㄷ

08 그림은 태양의 중심부에서 4개의 수소 원자핵이 (가) 원자핵으로 변환되면서 에너지를 방출하는 것을 나타낸 것이다.

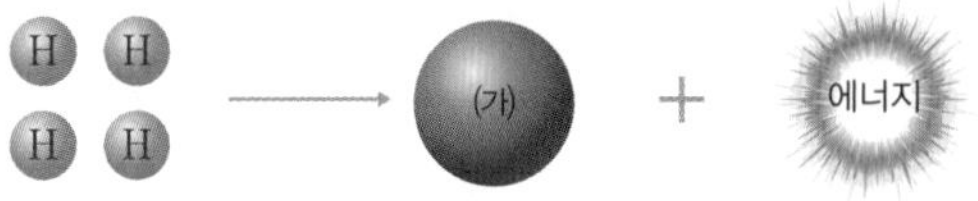

이에 대한 설명으로 옳은 것만을 | 보기 | 에서 있는 대로 고른 것은?

> 보기
> ㄱ. 핵융합 반응이다.
> ㄴ. (가)는 헬륨 원자핵이다.
> ㄷ. (가) 1개의 질량은 수소 원자핵 4개의 질량의 합과 같다.

① ㄱ ② ㄷ ③ ㄱ, ㄴ
④ ㄴ, ㄷ ⑤ ㄱ, ㄴ, ㄷ

09 그림은 태양 에너지에 의해 일어나는 대기의 순환과 바람을 이용하여 전기 에너지를 생산하는 풍력 발전을 나타낸 것이다.

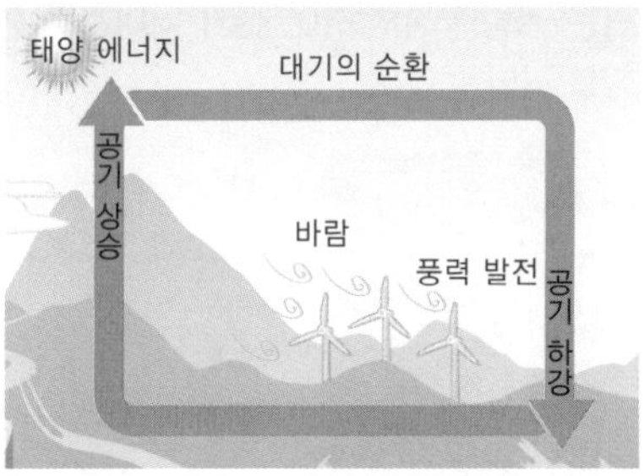

이에 대한 설명으로 옳은 것만을 | 보기 | 에서 있는 대로 고른 것은?

> 보기
> ㄱ. 태양 에너지에 의해 뜨거워진 공기는 하강하게 된다.
> ㄴ. 상승하는 공기는 퍼텐셜 에너지가 증가한다.
> ㄷ. 풍력 발전은 바람의 운동 에너지를 이용하여 전기 에너지를 생산한다.

① ㄱ ② ㄴ ③ ㄱ, ㄷ
④ ㄴ, ㄷ ⑤ ㄱ, ㄴ, ㄷ

10 그림은 우라늄(U) 원자핵이 중성자와 충돌하여 두 개의 다른 원자핵으로 분열하며 3개의 중성자를 방출하는 핵반응을 나타낸 것이다.

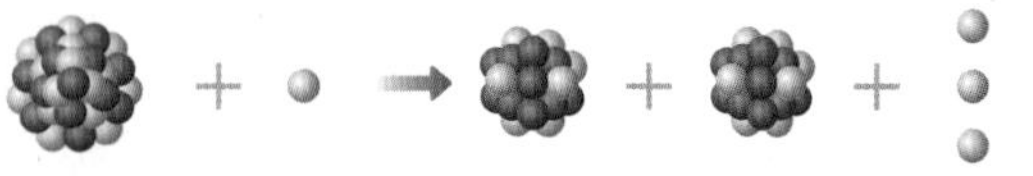

이에 대한 설명으로 옳은 것만을 | 보기 | 에서 있는 대로 고른 것은?

> 보기
> ㄱ. 태양의 중심부에서 일어나는 핵반응이다.
> ㄴ. 핵반응 과정에서 에너지가 방출된다.
> ㄷ. 핵반응 전 질량의 총합은 핵반응 후 질량의 총합과 같다.

① ㄱ ② ㄴ ③ ㄱ, ㄴ
④ ㄱ, ㄷ ⑤ ㄴ, ㄷ

11 그림은 가방에 부착하여 전기 에너지를 생산하는 태양 전지를 나타낸 것이다.

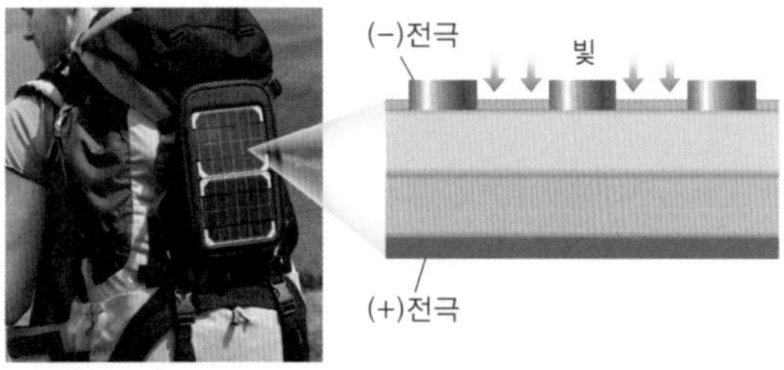

이에 대한 설명으로 옳은 것만을 | 보기 | 에서 있는 대로 고른 것은?

> 보기
> ㄱ. 태양 전지는 열에너지를 이용하여 전기 에너지를 생산한다.
> ㄴ. 반도체에 빛을 비추면 자유 전자가 발생한다.
> ㄷ. 시간과 장소에 상관없이 발전량이 동일하다.

① ㄱ ② ㄴ ③ ㄱ, ㄷ
④ ㄴ, ㄷ ⑤ ㄱ, ㄴ, ㄷ

12 그림 (가)는 조력 발전을, (나)는 수소 연료 전지를 이용하는 자동차를 나타낸 것이다.

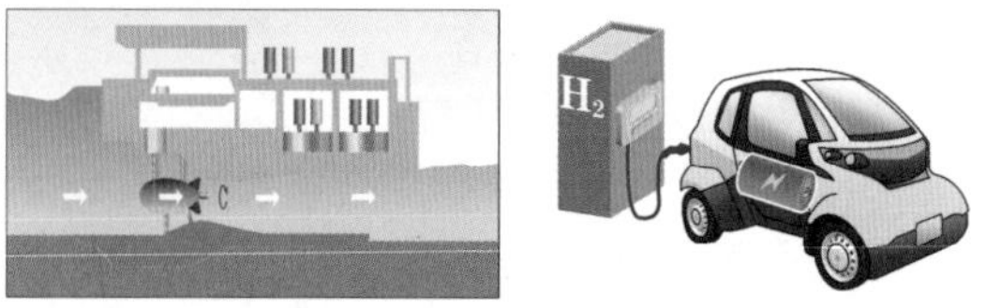

(가) (나)

이에 대한 설명으로 옳은 것만을 | 보기 | 에서 있는 대로 고른 것은?

> 보기
> ㄱ. (가)는 적정 기술에 해당한다.
> ㄴ. (나)에서는 화학 에너지를 전기 에너지로 전환시킨다.
> ㄷ. 전자기 유도 현상을 이용하여 전기 에너지를 생산하는 것은 (가)이다.

① ㄱ ② ㄴ ③ ㄱ, ㄷ
④ ㄴ, ㄷ ⑤ ㄱ, ㄴ, ㄷ

통합 문제

13 다음은 에너지 문제와 환경 문제를 해결하기 위해 시도되고 있는 어떤 도시 (가), (나)에 대한 내용이다.

> (가) 바이오 에너지를 이용하여 전기 에너지를 생산하는 독일 윤데 마을
> (나) 기피 시설물인 소각장을 리모델링하여 관광과 지역난방 에너지로 이용한 오스트리아 비엔나

이에 대한 설명으로 옳은 것만을 | 보기 | 에서 있는 대로 고른 것은?

> 보기
> ㄱ. 친환경 에너지 도시이다.
> ㄴ. (가)에서 바이오 에너지는 해양 에너지에 해당한다.
> ㄷ. 이 도시들은 재생 가능한 에너지를 이용하여 주로 전기 에너지를 생산한다.

① ㄱ ② ㄷ ③ ㄱ, ㄴ
④ ㄱ, ㄷ ⑤ ㄴ, ㄷ

14 그림은 자석의 N극을 아래로 하고 코일에 가까이 가져갔을 때 코일에 흐르는 유도 전류에 의해 검류계의 바늘이 a방향으로 움직이는 것을 나타낸 것이다.

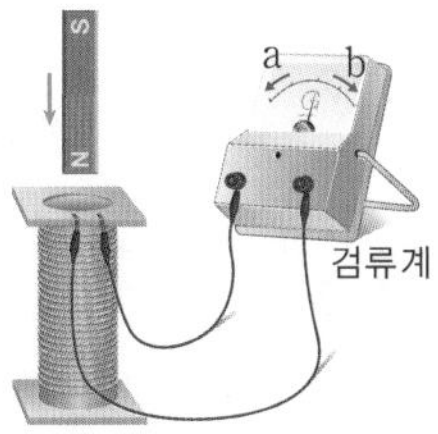

코일에 유도 전류가 흐르게 되는 까닭을 설명할 수 있는 물리 현상과 검류계의 바늘이 b방향으로 움직이게 하는 방법을 2가지만 서술하시오.

15 그림은 태양 전지와 풍력 발전기로 생산한 전기 에너지로 빛을 내는 가로등을 나타낸 것이다.

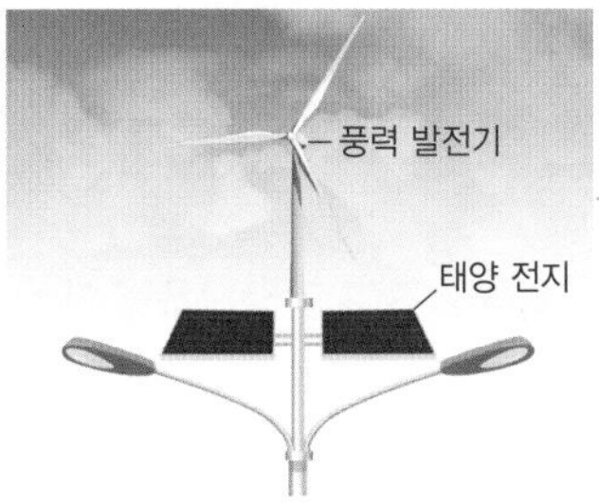

풍력 발전기, 태양 전지, 가로등에서의 에너지 전환을 각각 서술하시오.

16 그림은 원자력 발전소의 핵분열 과정에서 발생한 에너지로 전기 에너지를 생산하고 송전선을 통해 송전하는 것을 나타낸 것이다.

핵분열 과정에서 에너지는 어떻게 발생되며, 송전선에서 손실 전력을 줄이는 방법을 1가지만 서술하시오.

17 그림은 물을 전기 분해하여 수소와 산소가 각각 발생한 곳에 전선을 이용하여 발광 다이오드를 연결할 때 불이 켜진 것을 나타낸 것이다.

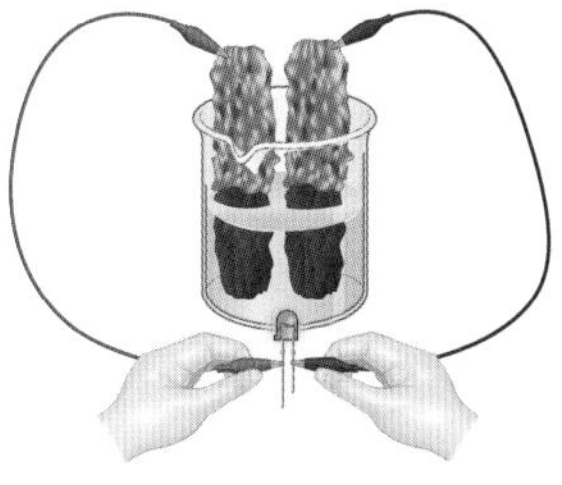

전자의 이동 방향과 발광 다이오드가 켜지는 까닭을 서술하시오.

18 그림은 적정 기술을 적용한 항아리 냉장고, 페트병 전구를 나타낸 것이다.

항아리 냉장고

페트병 전구

적정 기술이 갖추어야 할 조건을 2가지 이상 서술하시오.

고양이에게 생선을 맡긴 격

이 속담은
어떤 일이나 사물을 믿지 못할 사람에게 맡겨 놓고
마음이 놓이지 않아 걱정한다는 뜻이에요.
고양이가 생선을 그만큼 좋아해서
생긴 속담이겠죠?ㅋㅋㅋ

그렇다면
고양이는 정말 생선을 좋아할까요?

현재까지 연구에 따르면,
고양이는 개와 다르게
음식을 통해서만 타우린이라는 영양소를 얻을 수 있어요.
생선에는 타우린이 많은데 고양이가 평소에 충분한 타우린을
섭취하지 못하면 시력을 잃을 수도 있대요.
그래서 고양이들은 본능적으로 생선냄새에 반응할 만큼
생선을 좋아한다고 해요.

고양이가
생존을 위해 본능적으로 생선을 좋아하는 것처럼,
여러분들도 평소에
본능적으로 찾게 되는 음식이 있나요?

지학사

개념 학습과 정리가 한번에 끝나는 기본서

개념풀

통합과학

정답과 해설

개념 학습과 정리가 한번에 끝나는 기본서

개념풀

통합과학

의구심이 남지 않는 완벽한

정답과 해설

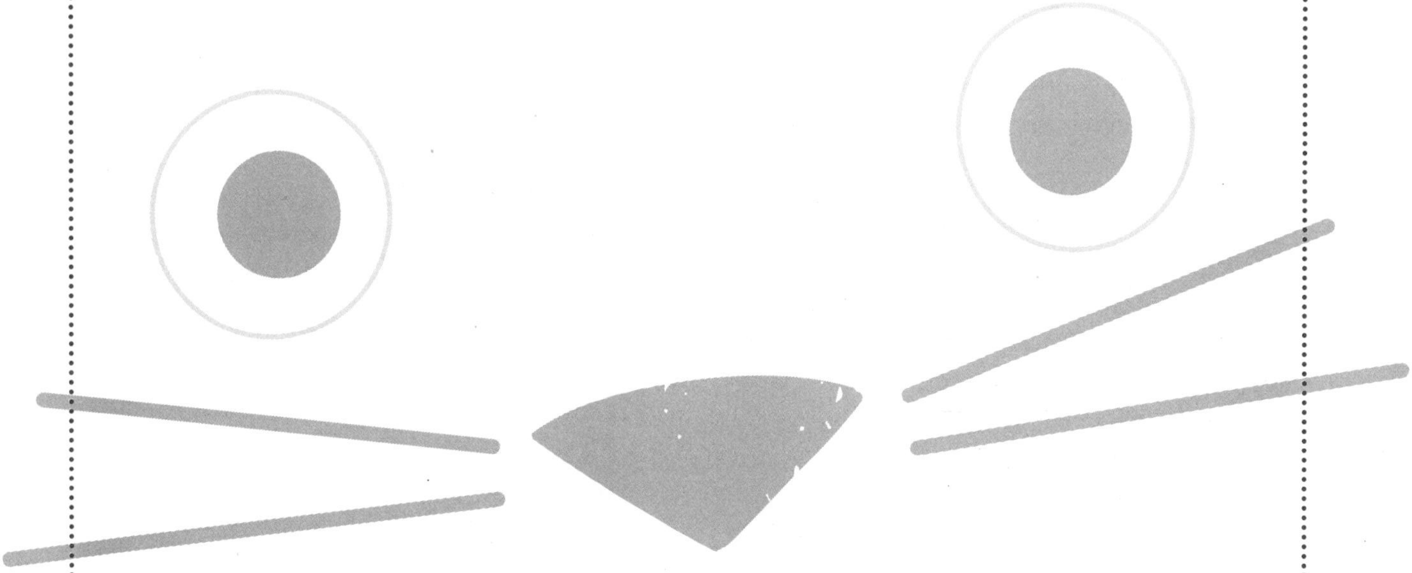

I 물질의 규칙성과 결합

01 우주 초기에 만들어진 원소

간단 점검 011쪽, 013쪽

1 전자 **2** 쿼크(위 쿼크 2개, 아래 쿼크 1개) **3** 아인슈타인 **4** 양전하(+전하) **5** 7 : 1 **6** 수소, 헬륨 **7** 수소와 헬륨의 질량비, 우주 배경 복사 **8** 연속 스펙트럼 **9** 흡수 스펙트럼 **10** 3 : 1

알쉬툭 014쪽

1 (1) ○ (2) ○ (3) × (4) ○ (5) ×

1 (1) 수소와 헬륨의 질량비가 3 : 1이었기 때문에 헬륨이 22 %에서 최대 25 % 정도까지 차지한다.
(3) 양성자는 위 쿼크 2개, 아래 쿼크 1개로 이루어져 있다.
(5) 전자는 빅뱅이 일어난 직후 쿼크와 함께 만들어졌으며 원자핵과 결합하게 된 것이 빅뱅 후 약 38만 년경이다.

개념 + 기본 문제 015쪽~017쪽

개념 문제

01 (1) ○ (2) ○ **02** (1) ○ (2) ○ (3) × (4) ×
03 (1) ㉡ (2) ㉠ (3) ㉢ **04** 수소

기본 문제

05 ③ **06** ③ **07** ⑤ **08** ③ **09** ② **10** ③ **11** ④
12 ③ **13** ⑤ **14** ④ **15** ⑤ **16** ① **17** ④

02 (3) 양성자와 중성자의 개수비가 ~~3 : 1~~(7 : 1)이었기 때문에 수소와 헬륨의 질량비가 ~~7 : 1~~(3 : 1)이 되었다.
(4) 수소 원자핵은 ~~양성자 1개와 중성자 1개가 결합하여 만들어졌다~~(양성자 1개로 이루어져 있다.).

03 (1) 연속 스펙트럼은 모든 파장의 빛이 연속적으로 나타난다.
(2) 흡수 스펙트럼은 저온의 기체에 의해 특정 파장의 빛이 흡수된 까만색의 흡수선이 나타난다.
(3) 방전관등에서는 고온의 특정 기체의 방출선이 나타나는 방출 스펙트럼을 보인다.

04 같은 종류의 원소는 스펙트럼에서 방출선과 흡수선의 파장 위치가 같다.

05 쿼크 3개가 모여 양성자와 중성자가 된다. 양성자와 중성자가 결합하여 원자핵이 되며 원자핵에 전자가 결합하여 원자가 된다.

06 쿼크와 전자는 기본 입자이다. 원자핵은 전기적으로 양(+)전하를 띠며 전자와 결합해 원자가 되면 중성이 된다.

| 선택지 분석 |

㉠ 쿼크는 더 이상 쪼갤 수 없는 물질의 기본 단위 입자 중 하나이다.
✕ 원자핵은 전기적으로 ~~중성이다~~(양전하를 갖는다.).
㉢ 원자는 원자핵과 전자로 구성된다.

07 | 선택지 분석 |

✕① 허블 → 우주 팽창 발견
✕② 호일 → 정상 우주론
✕③ 가모프 → 빅뱅 우주론
✕④ 프리드만 → 팽창 우주론
⑤ 아인슈타인 → 정적 우주론

➡ 아인슈타인은 정적 우주론을 주장했다. 허블이 우주의 팽창을 발표하자, 결국 자신이 도입한 우주 상수를 없앴다.

08 가모프는 빅뱅 우주론을 주장하였다. 호일은 정상 우주론을 주장하면서 우주가 팽창하지만 밀도가 일정하여 우주의 질량이 증가한다고 하였다. 현재는 가모프의 주장이 받아들여지고 있다.

09 빅뱅 후 입자는 쿼크, 전자 → 양성자(수소 원자핵), 중성자 → 헬륨 원자핵 → 수소, 헬륨의 순으로 생성되었다.

10 | 선택지 분석 |

㉠ A는 헬륨 원자핵이다.
✕ 양성자와 중성자의 개수비는 ~~12 : 1~~(7 : 1)이다.
㉢ 나중에 수소와 헬륨의 질량비가 3 : 1이 된다.

11 | 선택지 분석 |

✕ 수소 원자핵은 ~~중성자~~(양성자) 1개로 구성되어 있다.
㉡ 중성자와 양성자 모두 쿼크로 구성되어 있다.
㉢ 빅뱅 후 약 38만 년에 헬륨 원자가 형성되었다.

12 | 선택지 분석 |

㉠ 우주 배경 복사는 우주의 전 영역에서 관측된다.
✕ 우주 배경 복사의 파장은 A 시기 ~~이후에도 일정하다~~(이후에 우주 팽창으로 길어졌다.).
㉢ 현재는 약 3 K의 복사 곡선에 해당하는 파장으로 관측된다.

13 빅뱅 후 우주의 온도가 약 3000 K 정도로 낮아졌을 때가 약 38만 년 정도 지난 후였으며, 이때 빛이 물질에서 분리되어 방출되었다. 현재 우주가 팽창하여 약 3 K의 흑체에

서 방출하는 빛의 파장이 전파의 형태로 관측되며 이것을 우주 배경 복사라고 한다.

14 별빛, 외부 은하, 태양광은 흡수 스펙트럼으로, 백열등은 연속 스펙트럼으로 관측된다. 방전관등은 특정 원소에 해당하는 방출선을 보이는 방출 스펙트럼이 나타난다.

15 별의 스펙트럼은 흡수 스펙트럼으로 나타나므로 흡수선을 분석해 별의 대기를 구성하는 원소의 종류를 알 수 있다.

16 | 선택지 분석 |

ㄱ (가)에는 흡수선이 있다.

✕ (나)는 ~~백열등~~(별빛)에서 볼 수 있다.

ㄷ (가)와 (나)의 원소 종류는 ~~같다.~~(다르다.)

17 | 선택지 분석 |

✕ (나)에는 ~~흡수선~~(방출선)이 있다.

ㄴ (나)의 원소는 수소이다.

➡ (가)는 수소의 흡수 스펙트럼이고, (나)는 수소의 방출 스펙트럼이다.

ㄷ (나)는 고온의 기체에서 관측된 스펙트럼이다.

실력 올리기 문제

018쪽~019쪽

01 ③ **02** ⑤ **03** ② **04** ④ **05** ② **06** ③
07 해설 참조 **08** 해설 참조 **09** 해설 참조

01 | 선택지 분석 |

ㄱ 원자는 원자핵과 전자로 구성된다.

✕ ~~전자는~~(원자핵은) 양성자와 중성자로 만들어진다.

ㄷ A는 3개의 쿼크로 이루어진 중성자이다.

02 | 선택지 분석 |

ㄱ (가)는 빅뱅 우주론이다.

ㄴ (나)는 우주의 밀도가 일정하다.

ㄷ (가)와 (나) 모두 우주가 팽창하고 있다.

더 알아보기 **정상 우주론 vs 빅뱅 우주론**

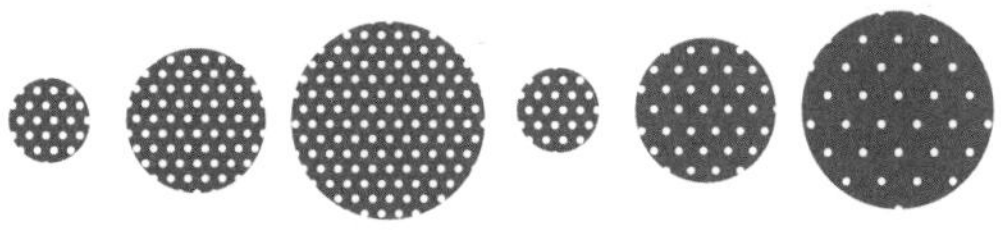

정상 우주론 빅뱅 우주론

- 정상 우주론: 우주가 팽창할 때 총 질량은 증가한다. 따라서 우주의 우주 밀도가 일정하다.(호일)
- 빅뱅 우주론: 우주가 팽창할 때 우주의 총 질량은 일정하다 따라서 우주의 밀도가 감소한다.(가모프)

03 (가) 빅뱅 직후 쿼크와 전자가 형성되었다. (다) 쿼크 3개가 결합하여 양성자와 중성자를 형성하였는데 초기에 양성자와 중성자의 개수비가 1:1이었으나 3분경에는 7:1이 되었다. (나) 중성자 2개와 양성자 2개가 결합된 헬륨 원자핵이 형성되고, 빅뱅 후 38만 년 정도에 양성자(수소 원자핵)와 헬륨 원자핵에 전자가 결합하여 수소와 헬륨 원자가 되었다. (라) 이때 빛은 물질에서 분리되어 자유로워졌고 이 빛이 우주 배경 복사가 되었다.

04 | 자료 분석 |

(가) (나)

(가) 빅뱅 후 38만 년에 수소와 헬륨 원자가 형성된 시기로 불투명한 우주에서 투명한 우주가 되었다. 즉 빛이 물질에서 분리되어 자유롭게 움직일 수 있었다.
(나) 빅뱅 후 3분 무렵 헬륨 원자핵이 형성된 그림이다.

| 선택지 분석 |

ㄱ (가)보다 (나)가 먼저 발생했다.

ㄴ (가) 시기 이후에 빛이 자유롭게 이동했다.

✕ (나) 시기에 ~~수소와 헬륨 원자가~~(헬륨 원자핵이) 만들어졌다.

05 | 선택지 분석 |

✕ (가)의 양성자는 ~~모두 수소의 원자핵~~(헬륨 원자핵과 수소 원자핵)이 된다.

✕ (가) 시기에 양성자와 중성자 개수비는 ~~3:1~~(7:1)이다.

ㄷ (나)는 빅뱅 후 3분 정도에 형성된 헬륨 원자핵이다.

06 ㄴ. 선의 위치가 ~~온도~~(원소)에 따라 달라진다.

그림 (가), (나)는 방출선을 나타내는 방출 스펙트럼이다. 방출선의 위치는 원소의 고유한 특징으로 같은 원소라면 항상 방출선의 파장이 같은 영역에서 나타난다.

07 | 모범 답안 |

가모프는 빅뱅(대폭발) 우주론을 주장하였는데 우주가 팽창하면서 우주의 총 질량이 일정하기 때문에 우주의 밀도는 감소할 것이라고 하였다. 호일은 정상 우주론을 주장하였는데 우주가 팽창하면서 총 질량도 증가하여 우주의 밀도가 일정하다고 하였다.

| 풀이 |

두 이론 모두 우주가 팽창한다는 조건은 같았으나 우주의 밀도 변화에 대해서 서로 다른 차이점이 있다. 우주의

밀도에 변화가 없을 것이라는 정상 우주론과 우주의 밀도가 감소할 것이라는 빅뱅(대폭발) 우주론이 바로 그 차이점이다.

| 채점 기준 |

채점 기준	배점
두 이론을 모두 옳게 서술한 경우	100 %
한 이론만 옳게 서술한 경우	50 %

08 | 모범 답안 |

빅뱅 초기 질량이 거의 같은 양성자와 중성자의 개수비는 7 : 1이었다. 헬륨 원자핵은 양성자 2개와 중성자 2개가 결합하여 형성되기 때문에 수소와 헬륨의 질량비는 3 : 1이 된다.

| 풀이 |

양성자와 중성자의 질량은 거의 같다. 빅뱅 초기 양성자와 중성자의 개수비는 7 : 1이었다. 즉, 양성자가 14개일 때 중성자는 2개가 존재하는 것이다. 헬륨 원자핵은 양성자 2개와 중성자 2개가 결합하여 형성되기 때문에 양성자(수소 원자핵) 12개와 헬륨 원자핵 1개가 된다. 따라서 수소와 헬륨의 질량비는 3 : 1이 된다.

더 알아보기 **수소와 헬륨의 질량비**

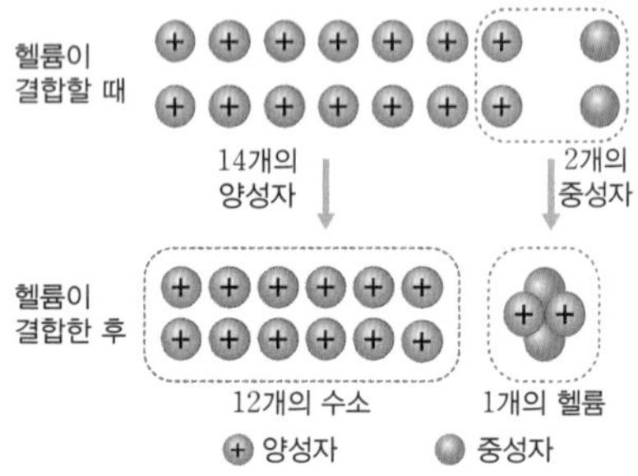

수소와 헬륨의 질량비는 12 : 4이므로 3 : 1이 된다.

| 채점 기준 |

채점 기준	배점
양성자와 중성자의 개수비와 헬륨을 구성하는 양성자와 중성자의 수가 옳은 경우	100 %
양성자와 중성자의 개수비만 옳은 경우	50 %

09 | 모범 답안 |

공통점은 (가)의 방출선과 (나)의 흡수선의 위치가 동일하다는 것이다.

차이점은 (가)는 높은 온도의 수소 기체에서 나타나는 방출 스펙트럼이며, (나)는 낮은 온도의 수소 기체가 백색광을 흡수하여 생긴 흡수 스펙트럼이다.

| 풀이 |

같은 원소는 방출선의 위치와 흡수선의 위치가 동일하다. 하지만 방출선이 만들어지는 조건과 흡수선이 만들어지는 조건은 다르다. 방출선은 수소 기체의 온도가 고온일 때 특정 파장에 해당하는 빛이 방출되어 생긴 선이고, 흡수선은 저온의 수소 기체가 연속 스펙트럼과 같은 상태의 전자기파의 빛 중에서 특정 파장의 빛을 흡수하여 생긴 선이다.

| 채점 기준 |

채점 기준	배점
공통점과 차이점을 모두 옳게 서술한 경우	100 %
공통점과 차이점을 1가지만 옳게 서술한 경우	50 %

02 별의 진화와 무거운 원소의 생성

간단 점검 021쪽, 023쪽

1 성간 물질 **2** 1000만 K **3** 수소 핵융합 반응
4 적색 거성 **5** 팽창하려는 내부 압력과 수축하려는 중력의 힘이 평형을 이루어서 **6** 철(Fe) **7** 초신성 폭발
8 초거성 단계 **9** 지구형 행성, 목성형 행성

알쉬특 024쪽

1 (1) ○ (2) × (3) × (4) ○

1 (1) 질량이 큰 별의 경우 별의 내부에서 초거성 단계에 철까지 형성된다. 철보다 무거운 원소는 초신성 폭발로 만들어진다.
(2) 주계열성의 바깥층에 있는 수소에서는 핵융합 반응이 일어나지 않는다.
(3) 태양 정도 질량의 별은 적색 거성이 된다.
(4) 태양 정도 질량의 별은 적색 거성을 거쳐 행성상 성운과 백색 왜성으로 일생을 마치게 된다.

개념 + 기본 문제 025쪽~027쪽

개념 **문제**

01 (1) × (2) ○ (3) ○ (4) × **02** A: 수소(H), B: 철(Fe)
03 (1) ○ (2) × (3) ○ **04** ㉠ 지구형, ㉡ 목성형

기본 **문제**

05 ④ **06** 성간 물질 **07** ② **08** ⑤ **09** ④ **10** ②
11 ① **12** 초거성 **13** ③ **14** ② **15** ④
16 ㉠ 태양, ㉡ 초거성 **17** ⑤ **18** ③

01 (1) 성간 물질에는 ~~티끌(먼지)이~~ 가장 많다.
성간 기체인 수소가
(4) 주계열성의 별의 크기는 ~~주기적으로 변한다.~~
일정하다.

02 초거성의 마지막 단계에서 중심에는 철까지 만들어지고 바깥층에는 수소가 존재한다.

03 (2) 태양계 행성은 모두 같은 방향으로 ~~자전~~한다.
공전

04 지구형 행성은 암석으로 구성되었으며 크기와 질량이 작고 밀도가 크다. 목성형 행성은 주로 기체로 이루어졌으며 크기와 질량이 크고, 밀도가 작으며 자전 속도가 빠르다.

05 | **선택지 분석** |

ㄱ 우주의 약 74 %를 차지하는 원소는 대부분 빅뱅으로 만들어졌다.
➡ 우주를 구성하는 원소 중 74 %를 차지하는 것은 수소이다.
✕ 지구를 구성하는 원소와 사람을 구성하는 원소의 종류는 거의 같다.
➡ 지구는 철, 산소, 규소, 마그네슘 등으로 이루어져 있고 사람은 산소, 탄소, 수소 등으로 이루어져 있다.
ㄷ 지구에는 우주를 구성하는 원소보다 무거운 원소가 많이 포함되어 있다.

06 별 사이의 기체(수소, 헬륨 등)와 먼지를 성간 물질이라고 한다

07 | **선택지 분석** |

ㄱ 적색 거성 단계에서 볼 수 있다.
ㄴ 이 반응은 에너지가 방출되는 과정이다.
✕ 4개의 수소 원자핵보다 1개의 헬륨 원자핵의 질량이 ~~크다.~~
작다.

08 수소 핵융합 반응으로 헬륨이 형성된다.

09 | **선택지 분석** |

✕ 크기가 ~~주기적으로 변한다.~~
일정하다.
ㄴ 별의 일생 중 기간이 가장 길다.
ㄷ 내부 압력과 중력이 평형을 이룬다.

10 | **선택지 분석** |

✕ ~~별이 수축하고 있다.~~
별의 크기는 일정하다.
➡ 주계열성 단계에서는 팽창하려는 내부 압력(내부 에너지)과 수축하려는 힘(중력)이 평형을 이루기 때문에 별의 크기는 변하지 않는다.
✕ ~~원시별~~ 단계에 해당한다.
주계열성
ㄷ 수소 원자핵 4개의 질량은 헬륨 원자핵 1개보다 크다.

11 백색 왜성은 핵융합 반응을 멈추고 서서히 식어가는 천체이다.

12 태양보다 많이 무거운 별은 주계열성 이후에는 초거성 단계를 보낸다.

13 | **선택지 분석** |

ㄱ 질량이 태양보다 큰 별이다.
✕ 철 핵융합 반응이 ~~일어난다.~~
일어나지 않는다.
ㄷ 현재의 단계는 초거성 단계이다.
➡ 중심에 철까지 형성되는 것으로 보아 초거성이다.

14 | **선택지 분석** |

✕ ~~초거성이 폭발하여 형성된다.~~
적색 거성의 다음 단계에 형성된다.
✕ 백색 왜성은 핵융합 반응을 ~~하고 있다.~~
하지 않는다.
ㄷ 태양과 비슷한 질량인 별의 진화 과정에서 볼 수 있다.

15 | **선택지 분석** |

ㄱ 초신성 폭발의 잔해이다.
✕ ~~백색 왜성이 중심에서 형성되었다.~~
초신성 폭발로 백색 왜성은 형성되지 않는다.
ㄷ 방출된 물질은 새로운 별의 재료가 될 수 있다.

16 태양 정도 질량의 별은 주계열성 → 적색 거성 → 행성상 성운, 백색 왜성 단계를 거치고, 태양보다 질량이 아주 큰 별은 주계열성 → 초거성 → 초신성 → 블랙홀 또는 중성자별의 단계를 거친다.

17 | **선택지 분석** |

ㄱ 공전 궤도면이 거의 일치한다.
ㄴ 모두 같은 방향으로 공전하고 있다.
ㄷ 암석으로 구성된 행성은 기체로 구성된 행성보다 태양과 거리가 가깝다.
➡ 회전하고 있는 원반 형태에서 형성되었기 때문에 공전 방향과 공전 궤도면이 거의 일치하며 태양에 가까운 곳에는 지구형 행성, 먼 곳은 목성형 행성이 위치한다.

18 | **선택지 분석** |

ㄱ A는 지구형 행성이다.
ㄴ B는 지구보다 공전 궤도 반지름이 크다.
✕ A보다 B의 주요 구성 ~~원소가 무겁다.~~
가벼운 원소이다.

실력 올리기 문제 028쪽~029쪽

01 ② **02** ① **03** ⑤ **04** ④ **05** ① **06** ③
07 해설 참조 **08** 해설 참조 **09** 해설 참조

01 성간 물질이 중력 수축하여 성운이 되고 회전하며 더 수

축하여 원시별이 되며, 원시별이 계속 중력 수축을 하여 1000만 K 이상 중심 온도가 높아지면 수소 핵융합 반응이 시작되며 주계열성이 된다. 성간 물질의 밀도가 높은 곳을 중심으로 중력 수축을 한다.

02 | **선택지 분석** |

ㄱ. A보다 B의 표면 온도가 낮다.

✕ C에서 우라늄이 ~~만들어진다.~~ 만들어질 수 없다.

✕ D에서 핵융합 반응이 ~~일어나고 있다.~~ 일어나지 않는다.

➡ 적색 거성은 표면 온도가 낮아 붉은색을 띤다. 적색 거성 단계에서는 중심에 탄소(C)를 형성하고 핵융합 반응이 멈춘다. 백색 왜성 단계에서는 핵융합 반응이 일어나지 않으며, 우라늄은 초신성 폭발에 의해 만들어진다.

03 | **자료 분석** |

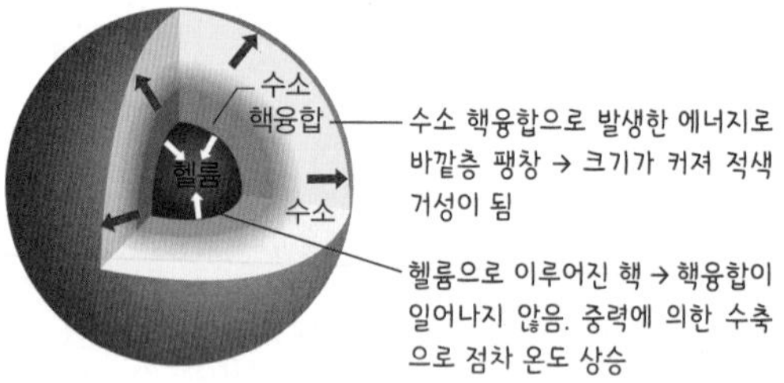

태양 정도 질량인 별의 적색 거성 초기 단계이다. 헬륨으로 이루어진 중심핵은 중력 수축이 일어나고, 중심핵 바깥의 수소층에서는 수소 핵융합 반응이 일어나면서 바깥층이 팽창한다. 중심핵은 계속된 수축으로 온도가 약 1억 K 이상 되면 헬륨 핵융합 반응이 일어난다.

04 | **선택지 분석** |

✕ ~~행성상 성운~~ 초신성이 될 것이다.

ㄴ. 중심핵의 철은 가장 안정한 원소이다.

ㄷ. 이 별은 폭발을 통해 철보다 무거운 원소를 만든다.

➡ 초거성 단계의 마지막 상태이다. 중심핵의 철은 매우 안정한 원소이다. 따라서 철보다 무거운 원소가 핵융합에 의해 만들어질 수 없다. 이후 계속된 중력 수축으로 초신성 폭발이 발생하고 이때 철보다 더 무거운 원소가 형성될 것이다.

05 | **선택지 분석** |

ㄱ. A보다 B의 질량이 크다.

✕ B 내부에서 ~~헬륨 핵융합 반응~~ 수소 핵융합 반응이 일어난다.

✕ C에서 ~~폭발로 퍼져나간~~ 폭발 후 남은 중심부가 수축하여 잔해가 중성자별이나 블랙홀이 된다.

06 | **선택지 분석** |

ㄱ. 성운이 회전하여 납작한 원반 모양이 되었다.

ㄴ. 멀리 있는 행성일수록 공전 주기가 길다.

ㄷ. 금성과 지구의 ~~자전 방향~~ 공전 방향은 같다.

➡ 금성과 지구의 자전 방향은 반대이다.

07 | **모범 답안** |

금은 철보다 무거운 원소이기 때문에 초신성 폭발에 의해 생성되었고, 탄소는 적색 거성 또는 초거성 단계에서 헬륨 핵융합 반응에 의해 생성되었다.

| **풀이** |

주계열성 단계에서는 수소 핵융합 반응에 의해 헬륨이 만들어지고, 탄소는 적색 거성 또는 초거성에서 핵융합에 의해 형성된다. 무거운 별은 초거성 이후 초신성 폭발에 의해 철보다 무거운 원소를 만든다.

| **채점 기준** |

채점 기준	배점
금과 탄소의 생성에 대해 모두 옳게 서술한 경우	100 %
금과 탄소의 생성 중 1가지만 옳게 서술한 경우	50 %

08 | **모범 답안** |

- 중력 수축 에너지: 중력에 의한 수축으로 퍼텐셜 에너지가 열에너지로 전환될 때의 에너지이다.
- 핵융합 에너지: 원자핵이 융합되어 더 무거운 핵으로 될 때 질량의 감소로 발생하는 에너지이다.

| **풀이** |

중력 수축 에너지는 퍼텐셜 에너지에서 열에너지로 전환되는 에너지로 핵융합 반응이 끝나고 나서 별의 수축이 일어날 때 별의 온도를 올리는 역할을 한다. 핵융합 에너지는 특정 온도 이상이 되면 핵이 융합하고 이때 감소한 질량에 해당하는 큰 에너지가 나오는데 이 에너지를 핵융합 에너지라고 한다.

| **채점 기준** |

채점 기준	배점
2가지 모두 옳게 서술한 경우	100 %
1가지만 옳게 서술한 경우	50 %

09 | **모범 답안** |

지구형 행성은 목성형 행성에 비해 공전 궤도 반지름이 작아 안쪽 궤도를 공전하고 있으며, 크기와 질량이 작고, 밀도가 크다.

| **풀이** |

지구형 행성은 생성될 당시 태양과 가까웠기 때문에 암석으로 이루어지게 되었다.

| **채점 기준** |

채점 기준	배점
4가지 물리량을 모두 옳게 서술한 경우	100 %
4가지 물리량 중 3가지만 옳게 서술한 경우	70 %
4가지 물리량 중 2가지만 옳게 서술한 경우	50 %

03 원소들의 주기성

간단 점검 031쪽, 033쪽

1 원소 **2** 비금속 원소 **3** 주기율 **4** 주기율표
5 원자 번호(양성자수) **6** 주기, 족
7 원자가 전자 **8** 7 **9** 3 **10** 1 **11** 염기성
12 17족 **13** 원자가 전자 수가 같기 때문이다.

알쉬특 034쪽

1 (1) ○ (2) ○ (3) × (4) ○ **2** ㄱ, ㄴ, ㄷ

1 (1) 원자 모형에서 전자는 에너지가 낮은 안쪽 전자 껍질부터 채워진다.
(2) 첫 번째 전자 껍질에 최대로 채워지는 전자 수는 2, 두 번째 전자 껍질에 최대로 채워지는 전자 수는 8이다.
(3) 3주기 2족 원소는 첫 번째 전자 껍질에 2개, 두 번째 전자 껍질에 8개, 세 번째 전자 껍질에 2개의 전자가 채워져 있다.
(4) 산소는 원자 번호가 8이므로 첫 번째 전자 껍질에 2개, 두 번째 전자 껍질에 6개의 전자가 채워진다.

2 | 선택지 분석 |
ⓞㄱ 2주기 원소이다. 전자 껍질 수가 2이다.
ⓞㄴ 17족 원소이다.
➡ 가장 바깥 전자 껍질에 7개의 전자가 채워져 있으므로 17족 원소이다.
ⓞㄷ 원자가 전자 수는 7이다.

개념 + 기본 문제 035쪽~037쪽

개념 문제
01 (1) ○ (2) ○ (3) ○ **02** ㄱ, ㄴ **03** (1) × (2) ○ (3) × (4) ×
04 원자가 전자 **05** (1) 할 (2) 알 (3) 알
기본 문제
06 ②, ④ **07** ② **08** ② **09** ③ **10** ④ **11** ③
12 B, D **13** 11 **14** ⑤ **15** ③ **16** ④ **17** ②
18 ② **19** ① **20** A, D **21** ③

01 (1), (2) 원소는 물질을 이루는 가장 기본적인 성분으로 더 이상 다른 성분으로 분해되지 않는다.
(3) 최근에 4개의 원소가 주기율표에 등재되어 현재까지 알려진 원소는 모두 118개이다.

02 | 선택지 분석 |
ⓞㄱ 전자를 잃고 양이온이 되기 쉬운 원소이다.
ⓞㄴ 열과 전기 전도성이 큰 원소이다.
Xㄷ 실온에서 주로 고체나 기체로 존재한다.
➡ 수은(Hg)을 제외한 금속은 모두 실온에서 고체이다.

03 | 선택지 분석 |
X① 멘델레예프는 ~~양성자수~~(원자량)를 기준으로 주기율표를 만들었다.
ⓞ② 같은 족 원소들은 원자가 전자 수가 같다.
X③ 1족에 속한 원소는 ~~모두~~ 금속 원소이다. (수소(H)는 비금속 원소)
X④ 주기율표에서 세로줄을 ~~주기~~(족)라고 하며, 같은 ~~주기~~(족)의 원소는 화학적 성질이 비슷하다.

05 (1) 17족 원소를 할로젠 원소라고 하며 원자가 전자 수가 7이다.
(2) 1족의 알칼리 금속은 공기 중에서 쉽게 산소와 반응한다.
(3) 1족의 알칼리 금속은 물과 격렬하게 반응하며, 반응 후 수용액은 염기성을 띤다.

06 | 선택지 분석 |
X① 전류가 잘 ~~통한다.~~(통하지 않는다.)
ⓞ② 음이온이 되기 쉽다.
X③ 반짝거리는 ~~광택이 난다.~~
➡ 광택이 나는 것은 금속 원소의 특징이다.
ⓞ④ 열을 잘 전달하지 않아서 절연체로 사용할 수 있다.
➡ 대부분의 비금속은 열과 전기 전도성이 없다.
X⑤ 힘을 가하면 부러지거나 부스러지는 대신 늘어나는 성질이 있다.
➡ 힘을 가하면 부서지거나 잘라진다.

07 구리는 열 전도성이 좋아 난방 배관에 사용된다.

08 | 선택지 분석 |
X① 탄소(C)는 ~~A~~(B)에 속한다.
➡ 탄소(C)는 비금속이므로 B에 속한다.
ⓞ② B는 비금속 원소이다.
X③ A에 속한 원소에 힘을 가하면 ~~잘 부서진다.~~
➡ 금속은 넓게 펴지는 성질과 가늘게 뽑히는 성질이 있어 모양이 변형된다.
X④ B에 속한 원소는 열과 전기 전도성이 ~~있다.~~ 없다
➡ 대부분의 비금속은 열과 전기 전도성이 없다.
X⑤ A에 속한 원소는 실온에서 ~~모두~~(대부분) 고체로 존재한다.
➡ 실온에서 수은(Hg)은 액체로 존재하며, 수은을 제외한 나머지 원소는 고체로 존재한다.

09 원소의 주기적 성질은 양성자수와 관련이 있으므로 현대의 주기율표는 원소를 양성자수인 원자 번호 순으로 나열하여 나타내었다.

10 현재 사용하는 주기율표는 ~~멘델레예프~~(모즐리)가 만든 것이다.

➡ 현재 사용하는 주기율표는 원자 번호 순으로 원소를 나열한 것으로 모즐리가 만든 것을 기본으로 하고 있다.

11 ③ ~~전자 껍질~~(두 번째 전자 껍질)에 배치될 수 있는 전자 수는 항상 최대 8개이다.

➡ 각 전자 껍질에 배치되는 전자 수는 정해져 있는데, 첫 번째 전자 껍질에 최대 2개, 두 번째 전자 껍질에 최대 8개가 배치된다.

12 원자가 전자 수가 같은 원소는 화학적 성질이 비슷하다. A는 가장 바깥 전자 껍질의 전자 수가 2이지만 원자가 전자 수가 0인 18족 원소에 속하므로 2족 원소인 B, D와는 다른 화학적 성질을 갖는다.

13 원자 번호는 양성자수와 같다. (가) 전자 껍질 수가 가장 작은 원소는 A이므로 원자 번호는 1이다. (나) 원자가 전자 수가 가장 작은 원소는 C이므로 원자 번호는 10이다.

14 | 선택지 분석 |

✕ ~~8족~~(18족) 원소이다.

✕ 전자 껍질 수는 ~~8~~(2)이다.

✕ 원자가 전자 수는 ~~2~~(0)이다.

➡ 가장 바깥 전자 껍질에 전자 8개가 채워져 있으므로 A는 18족 원소이며, 원자가 전자 수는 0이다.

✕ 전자를 얻어 음이온이 되기 ~~쉽다~~.(어렵다.)

➡ 18족 원소인 네온은 비금속이지만 화학적으로 안정하여 전자를 얻기가 어렵다.

⑤ 화학적으로 안정하여 반응성이 작다.

15 | 선택지 분석 |

ㄱ. 원자가 전자 수 → (가) 1 또는 2, (나) 7

ㄴ. 원자 번호 → (가) 11 또는 12, (나) 17 또는 35

✕ 고체 상태에서 전기 전도성 → (가)>(나)

16 전자 껍질 수가 2개인 원소는 2주기 원소이므로 B, C의 2가지이다. 원자가 전자 수가 7인 원소는 17족 원소로 C, F의 2가지이다. 금속 원소는 B, D로 2가지이다. 따라서 $x=2$, $y=2$, $z=2$이므로 $x+y+z$는 6이다.

17 1족 원소인 Li, Na, K을 알칼리 금속이라고 하며, 알칼리 금속은 전기가 잘 통한다. 알칼리 금속은 반응성이 커 공기 중 산소와 쉽게 반응하므로 벤젠이나 석유 속에 넣어 보관한다.

18 X는 할로젠 원소인 염소이다. 염소는 실온에서 기체로 존재하며, 3주기 1족 원소인 나트륨과 반응하여 염인 염화 나트륨을 생성하고, 수소와 반응하여 할로젠화 수소인 염화 수소를 생성한다. 또한, 염소는 반응성이 커 대부분은 다른 원소와 결합한 상태로 존재한다. 물과 반응하여 염기성 물질을 생성하는 물질은 알칼리 금속이다.

19 ✕ Na은 물보다 밀도가 ~~크다~~(작다).

➡ Na은 물의 표면에서 반응하였으므로 물보다 밀도가 작다.

20 물과 공기의 접촉을 막기 위해 벤젠이나 석유 속에 넣어 보관하는 것으로부터 공기 중 산소, 물과 잘 반응함을 알 수 있다. 따라서 알칼리 금속인 A와 D가 해당한다.

21 B와 D는 알칼리 금속으로 원자가 전자 수가 1이고, A, C, E는 할로젠 원소로 원자가 전자 수가 7이다. 공기 중 산소와 잘 반응하는 원소는 알칼리 금속인 B와 D이고, Li<Na<K 순으로 물과 반응을 더 잘한다.

| 선택지 분석 |

✕ 금속 원소는 ~~3가지~~(2가지)이다.

✕ 원자 번호는 D가 E보다 ~~크다~~(작다).

③ 원자가 전자 수는 A가 B보다 크다.

✕ ~~C와 E~~(B와 D)는 공기 중 산소와 잘 반응한다.

✕ D보다는 B가 물과 더 격렬히 반응한다.

➡ B는 나트륨, D는 칼륨으로 나트륨보다 칼륨이 물과 더 격렬히 반응한다.

실력 올리기 문제

038쪽~039쪽

01 ② 02 ② 03 ④ 04 ③ 05 ⑤ 06 ⑤
07 해설 참조 08 해설 참조 09 해설 참조

01 멘델레예프는 원자량 순으로 원소가 배열된 최초의 주기율표를 만들었다. 주기율표에서 세로줄에는 화학적 성질이 비슷한 원소가 배열되며, 같은 족 원소들은 원자가 전자 수가 같다.

| 선택지 분석 |

- ~~번호 1~~: 최초의 주기율표는 원소들을 ~~원자 번호~~(원자량) 순으로 배열하였다.
- 번호 2: 화학적 성질이 비슷한 원소는 같은 세로줄에 오도록 배열한다.
- 번호 3: 같은 족 원소들은 원자가 전자 수가 같다.
- 번호 4: 현대의 주기율표에서 3주기에 속하는 원소는 8개이다. → Na, Mg, Al, Si, S, P, Cl, Ar

따라서 번호 3 문항만 맞았으므로 점수는 1점이다.

02 A는 1주기 18족 원소인 He, B는 2주기 17족 원소인 플루오린, C는 3주기 2족 원소인 Mg이다. 주기는 주기율표에서 가로줄에 해당되며 전자가 들어 있는 전자 껍질 수와 같다. 또한, 원자가 전자 수가 같은 원소는 화학적 성질이 비슷하지만, 예외적으로 1주기 1족 원소인 H는 같은 족의 알칼리 금속과 다른 성질을 가진다. 원자는 양성자수와 전자 수가 같다.

| 선택지 분석 |

✕ 2주기 원소는 ~~2가지~~(1가지)이다.

✕ A와 C는 화학적 성질이 ~~비슷하다~~(다르다).

ㄷ. 양성자수는 C가 B보다 많다.

03 | 자료 분석 |

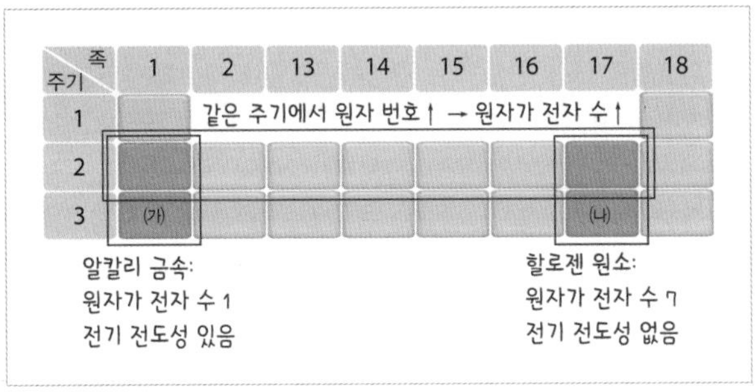

| 선택지 분석 |

ㄱ. 원자가 전자 수는 (가) 원소보다 (나) 원소가 많다.

➡ 원자가 전자 수가 (가)는 1이고, (나)는 7이므로 (가)보다 (나)에 해당하는 원소가 많다.

✕ 같은 주기에서 원자 번호는 ~~(나) 원소보다 (가) 원소~~((가) 원소보다 (나) 원소)가 크다.

➡ 같은 주기에서 원자 번호는 할로젠 원소가 알칼리 금속보다 크다.

ㄷ. 고체 상태에서 전기 전도성은 (나) 원소보다 (가) 원소가 크다.

04 | 자료 분석 |

- (가)~(다)는 알칼리 금속(Li, Na), 할로젠 원소(F, Cl) 중 하나이다.
- 원자가 전자 수는 (가)와 (나)가 (다)보다 많다.
  ➡ (가)와 (나)는 F, Cl 중 하나이고 (다)는 Li, Na 중 하나이다.
- 원자의 전자 껍질 수는 (다)가 (나)보다 많다.
  ➡ (다)는 3주기 원소인 Na, Cl 중 하나이고, (나)는 2주기 원소인 Li, F 중 하나이다.
  따라서 (나)는 F, (다)는 Na이므로 (가)는 Cl이다.

| 선택지 분석 |

ㄱ. 원자 번호는 (가)가 가장 크다.

ㄴ. (가)와 (다)는 같은 주기 원소이다.

✕ ~~(나)~~와 (다)는 모두 알칼리 금속이다. ((가)와 (나)는 할로젠 원소)

05 원자가 전자 수는 Li 1, F 7, Cl 7이므로 A는 원자가 전자 수가 7인 F 또는 Cl이고, B는 원자가 전자 수가 1인 Li이다.

| 선택지 분석 |

ㄱ. A와 C는 같은 족 원소이다.

➡ B는 원자가 전자 수가 7이 아니므로 Li이다. 따라서 A와 C는 각각 F 또는 Cl이므로 같은 족 원소이다.

ㄴ. (가)에 '2주기 원소인가'를 적용할 수 있다.

➡ Li과 F은 2주기 원소, Cl는 3주기 원소이므로 (가)에 '2주기 원소인가'를 적용하면 Li, F과 Cl로 분류된다.

ㄷ. B를 물에 넣고 반응시킨 후 수용액은 염기성이다.

➡ B인 Li은 물과 반응하여 염기성 물질을 생성하므로 Li을 물에 넣고 반응시킨 후, 수용액은 염기성이다.

06 | 자료 분석 |

[규칙]
(가) 같은 주기 원소는 서로 이웃하지 않도록 둔다.
2주기 원소: Li, F, Ne
3주기 원소: Na, Cl, Ar
(나) 원자 번호가 가장 작은 원소(Li)와 가장 큰 원소(Ar)를 맞은편에 둔다.
(다) 할로젠 원소(F, Cl)는 서로 이웃하게 둔다.

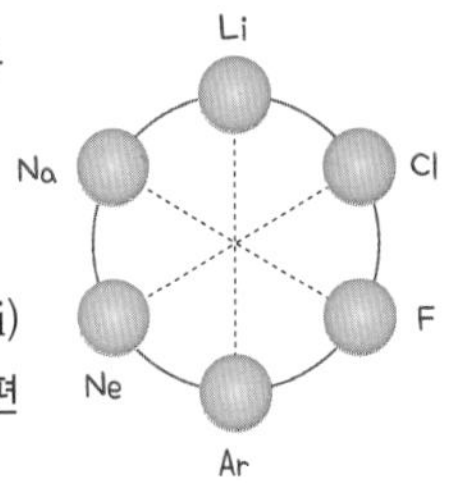

| 선택지 분석 |

ㄱ. Ne의 맞은편에는 Cl가 있다.

ㄴ. 고체 상태에서 전기 전도성이 있는 원소는 서로 이웃하고 있다. → 금속 원소인 Li과 Na이다.

ㄷ. Na과 맞은편에 있는 원소의 양성자수의 합은 20이다.

➡ 원자 번호 11인 Na의 맞은편에는 원자 번호 9인 F이 있으므로 양성자수의 합은 20이다.

07 | 모범 답안 |

고체 상태에서 전기 전도성이 있는가, 철, 구리, 알루미늄은 금속 원소로 고체 상태에서 전기 전도성이 있고, 황, 염소, 다이아몬드는 비금속 원소로 고체 상태에서 전기 전도성이 없다. 따라서 분류 기준 (가)로 '고체 상태에서 전기 전도성이 있는가'를 적용하여 철, 구리, 알루미늄과 황, 염소, 다이아몬드를 분류할 수 있다.

| 풀이 |

금속 원소는 자유롭게 움직일 수 있는 전자가 있어 고체 상태에서도 전기 전도성이 있다. 그러나 비금속 원소는 자유롭게 움직일 수 있는 전자나 이온이 없으므로 고체 상태에서 전기 전도성이 없다.

| 채점 기준 |

채점 기준	배점
분류 기준 (가)를 옳게 제시하고, (가)를 분류 기준으로 선택한 까닭을 옳게 서술한 경우	100 %
분류 기준 (가)만 옳게 제시한 경우	50 %

08~09 | 자료 분석 |

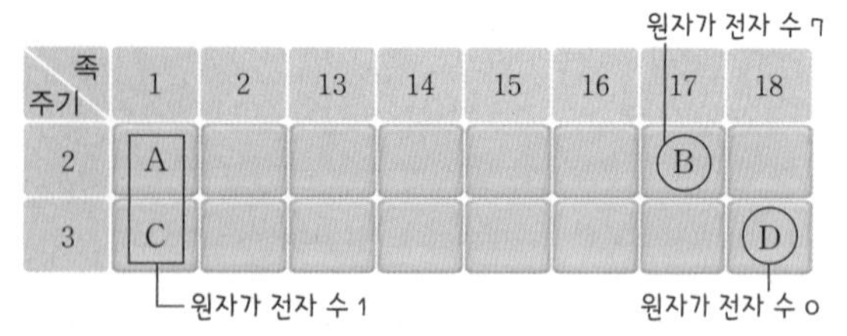

08 | 모범 답안 |

A와 C, A와 C는 모두 1족 원소인 알칼리 금속으로 원자가 전자 수가 1로 같으므로 화학적 성질이 비슷하다.

| 풀이 |

원자가 전자 수가 같은 원소들은 화학적 성질이 비슷하다.

| 채점 기준 |

채점 기준	배점
A, C를 옳게 고르고, 원자가 전자 수를 언급하여 옳게 서술한 경우	100 %
A, C만 옳게 고른 경우	50 %

09 | 모범 답안 |

D, D는 18족 원소로 가장 바깥 전자 껍질에 8개의 전자가 모두 채워져 있어 화학적으로 매우 안정하기 때문에 다른 원소와 반응하지 않는다.

| 풀이 |

원자가 전자 수가 0인 원소들은 전자를 잃거나 얻을 수 없으므로 다른 원소와 반응하지 않고 화학적으로 안정하다.

| 채점 기준 |

채점 기준	배점
D를 옳게 고르고, 전자 배치를 언급하여 화학적으로 안정된 원소임을 옳게 서술한 경우	100 %
D를 옳게 고르고, 전자 배치만을 옳게 언급한 경우	60 %
D만 옳게 고른 경우	30 %

04 원소들의 결합

간단 점검 041쪽, 043쪽

1 비활성 기체 **2** 8 **3** 화학 결합 **4** 양이온 **5** 이온 결합 **6** 1 **7** 공유 결합 **8** 2중 결합 **9** 1쌍 **10** 네온(Ne)

알쉬탐 044쪽

1 원자핵, 전자 **2** H: 헬륨, O: 네온, Na: 네온, Cl: 아르곤 **3** ㄴ

1 원자는 양성자와 중성자로 구성된 원자핵과 전자로 이루어져 있으며, 원자핵의 전하량과 전자의 총 전하량이 같다. 탐구에서 원자핵은 빨간색 큰 원으로, 전자는 파란색 작은 원으로 나타낸다.

2 물에서 수소 원자는 2개의 전자를, 산소는 10개의 전자를 갖게 되므로 각각 헬륨과 네온의 전자 배치와 같고, 염화 나트륨에서 나트륨 이온은 10개의 전자를, 염화 이온은 18개의 전자를 갖게 되므로 각각 네온과 아르곤의 전자 배치와 같다.

3 | 선택지 분석 |

ㄱ. 염화 수소의 결합 방식은 염화 나트륨과 ~~같다~~. 다르다.
➡ 수소와 염소는 비금속 원소이므로 전자를 공유하여 공유 결합을 형성한다. 따라서 염화 수소의 결합 방식은 물과 같다.

ㄴ. 염화 수소에서 염소의 전자 배치는 아르곤과 같다.
➡ 염소는 전자 1개를 내놓아 수소와 공유하므로 18개의 전자를 갖게 되어 전자 배치가 아르곤과 같아진다.

ㄷ. 산화 나트륨을 구성하는 이온 수비는 산화 이온 : 나트륨 이온 = ~~2 : 1~~ 1 : 2이다.
➡ 산화 이온은 −2의 전하를, 나트륨 이온은 +1의 전하를 가지므로 산화 나트륨을 구성하는 이온 수비는 산화 이온 : 나트륨 이온 = 1 : 2이다.

개념 + 기본 문제 045쪽~047쪽

개념 문제

01 (1) ○ (2) × (3) ○

02 (1) 1개 잃음 (2) 2개 얻음 (3) 3개 잃음 (4) 1개 얻음

03 (1) 이온 결합 (2) ㉠ 양이온, ㉡ 음이온

04 (1) KCl (2) CaO (3) Al_2O_3

05 (1) × (2) ○ (3) ○ (4) ○

기본 문제

06 ④ **07** ① **08** ⑤ **09** ② **10** ③ **11** Na^+, Cl^-
12 ④ **13** ③ **14** ① **15** ⑤ **16** ⑤ **17** ④ **18** ③
19 ㉠ 2, ㉡ A_2B, ㉢ 네온 **20** ④ **21** ③ **22** ①

01 주기율표의 18족에 속하는 원소는 비활성 기체로 비금속이며, 헬륨(He), 네온(Ne), 아르곤(Ar) 등이 있다.

02 (1) Na의 원자가 전자 수는 1이므로 전자 1개를 잃고 네온과 같은 전자 배치를 갖는다.
(2) O의 원자가 전자 수는 6이므로 전자 2개를 얻어서 네온과 같은 전자 배치를 갖는다.
(3) Al의 원자가 전자 수는 3이므로 전자 3개를 잃고 네온과 같은 전자 배치를 갖는다.
(4) F의 원자가 전자 수는 7이므로 전자 1개를 얻어서 네온과 같은 전자 배치를 갖는다.

03 (1) 이온 결합은 양이온과 음이온이 정전기적 인력에 의해 결합하여 형성되는 결합이다.
(2) 양이온은 원자가 전자를 잃어 양전하를 띠는 입자이고, 음이온은 원자가 전자를 얻어 음전하를 띠는 입자이다.

04 (양이온의 전하×양이온 수)+(음이온의 전하×음이온 수)=0이 되도록 한다.
(1) K^+과 Cl^-은 1 : 1로 결합한다.
(2) Ca^{2+}과 O^{2-}은 1 : 1로 결합한다.
(3) Al^{3+}과 O^{2-}은 2 : 3으로 결합한다.

05 (1) 공유 결합은 비금속 원소와 비금속 원소가 전자를 공유하여 이루는 결합이다.
(4) Cl는 17족 원소이므로 가장 바깥 전자 껍질의 전자 수가 7이다. Cl가 가장 바깥 전자 껍질에 전자 8개를 채우려면 다른 원자와 1개의 전자쌍을 공유하여 결합하여야 한다.

06 비활성 기체는 18족 비금속 원소로 헬륨, 네온, 아르곤 등이 해당하며, 반응성이 없어 산소와 반응하지 않는다. 헬륨은 가장 바깥 전자 껍질의 전자 수가 2이고, 헬륨을 제외한 나머지 원소들은 가장 바깥 전자 껍질의 전자 수가 모두 8이다.
ㄷ. 가장 바깥 전자 껍질의 전자 수가 모두 8이다.
➡ 헬륨은 2이고, 헬륨을 제외한 나머지 원소들은 8이다.

07 원소가 화학 결합을 형성하는 까닭은 18족 원소와 같이 안정한 전자 배치를 이루려는 성질이 있기 때문이며, 결합을 통해 안정한 화합물을 형성한다.

08 H는 전자 1개를 얻고, Li은 전자 1개를 잃어 He과 같은 전자 배치를 갖게 된다. O는 전자 2개를 얻고, Mg은 전자 2개를 잃고, Al은 전자 3개를 잃어 네온과 같은 전자 배치를 갖게 된다.

09 18족 원소 이외의 원소는 18족 원소와 같은 전자 배치를 갖기 위해 전자를 잃거나 얻어서 또는 전자를 공유하여 화학 결합을 형성한다.

| 선택지 분석 |

ㄱ. S과 Cl는 가장 바깥 전자 껍질의 전자가 8개가 되도록 결합한다.
ㄴ. Al은 결합을 형성할 때 전자 5개를 얻는다.
➡ 전자 3개를 잃는 것이 전자 5개를 얻기보다 쉬우므로 Al은 결합을 형성할 때 전자 3개를 잃는다.
ㄷ. Na과 F이 결합할 때 F은 전자를 잃는다.
➡ Na과 F이 결합할 때 Na은 전자 1개를 잃고, F은 전자 1개를 얻는다.
ㄹ. O와 O가 결합할 때 전자를 공유하여 결합한다.

10 금속 원자와 비금속 원자가 만나면 금속 원자는 전자를 잃어 양이온이 되고, 비금속 원자는 전자를 얻어 음이온이 된다. 이때 전자는 금속 원자에서 비금속 원자로 이동한다.

11 나트륨(Na) 원자는 전자 1개를 잃어 나트륨 이온(Na^+)이 되고, 염소(Cl) 원자는 전자 1개를 얻어 염화 이온(Cl^-)이 된다.

12 나트륨 원자에서 염소 원자로 전자 1개가 이동한다. 따라서 나트륨 원자가 전자 1개를 잃어서 생성된 나트륨 이온은 10개의 전자를 가지고, 염소 원자가 전자 1개를 얻어서 생성된 염화 이온은 18개의 전자를 가진다.

13 각 화합물에서 Li^+은 헬륨, O^{2-}, F^-, Na^+, Mg^{2+}은 네온, Cl^-, K^+, Ca^{2+}은 아르곤과 전자 배치가 같다.

14 1족 원소 중 A는 수소로 비금속 원소이다. 따라서 A와 F는 공유 결합을 형성하여 화합물을 생성한다.

15 | 선택지 분석 |

① A와 B는 이온 결합을 한다.
➡ A는 금속 원소, B는 비금속 원소이므로 A와 B는 이온 결합을 한다.
② A 이온의 전하는 +1이다.
➡ AB 화합물에서 A 이온은 양성자수가 전자 수보다 많으므로 +1의 전하를 갖는다.
③ 원자가 전자 수는 A가 B보다 작다.
➡ A 이온은 A가 전자 1개를 잃어서 형성된 이온이고 B 이온은 B가 전자 1개를 얻어서 형성된 이온이므로 A, B의 원자가 전자 수는 각각 1, 7이다
④ AB에서 A 이온의 전자 배치는 네온과 같다.
➡ AB에서 A의 가장 바깥 전자 껍질의 전자 수가 8이므로 네온과 전자 배치가 같다.
⑤ AB가 형성될 때 전자는 B에서 A로 이동한다.

16 | 선택지 분석 |

① A와 B는 공유 결합을 한다.

➡ A는 16족 비금속 원소, B는 1족 금속 원소이므로 A와 B는 이온 결합을 한다.

② 원자 번호는 A가 B보다 크다.

➡ 원자의 원자 번호는 양성자수와 같다.

③ A 이온과 B 이온의 전하량의 크기는 서로 같다.

➡ A 이온은 A^{2-}, B 이온은 B^{+}이므로 전하량의 크기는 A 이온이 B 이온보다 크다.

④ A와 B로 이루어진 화합물의 화학식은 A_2B이다.

⑤ A와 B로 이루어진 화합물에서 A 이온과 B 이온의 전자 배치는 서로 같다.

➡ A 이온과 B 이온의 전자 배치는 모두 네온과 같다.

17 | 선택지 분석 |

ㄱ. 금속 원소와 비금속 원소 사이에 형성된다.

ㄴ. 두 원자가 내놓은 전자쌍을 공유하여 결합이 형성된다.

ㄷ. 단일 결합은 두 원자 사이에 1개의 전자쌍을 공유한 결합이다.

18 수소 분자에서 수소는 헬륨과 같은 전자 배치를 갖는다.

19 A의 원자가 전자 수는 1이고, B의 원자가 전자 수는 6이므로 B 원자 1개는 A 원자 2개와 각각 공유 결합하여 화합물 A_2B를 형성한다. A_2B에서 B는 10개의 전자를 가지므로 B의 전자 배치는 네온과 같다.

20 | 선택지 분석 |

① A와 B는 모두 비금속 원소이다.

② A는 2주기, B는 3주기 원소이다.

➡ A는 2주기 14족, B는 3주기 17족 원소이므로 모두 비금속 원소이다.

③ 원자가 전자 수는 B가 A보다 크다.

➡ A가 4, B가 7이므로 B가 A보다 크다.

④ A와 B로 이루어진 화합물에서 A와 B의 전자 배치는 같다.

➡ A와 B로 이루어진 화합물에서 A는 전자 4개를 공유하여 네온과 같은 전자 배치가 되고, B는 전자 1개를 공유하여 아르곤과 같은 전자 배치가 된다.

⑤ A는 최대 4개의 B와 공유 결합을 형성한다.

➡ A는 4개의 전자를 공유해야 하고 B는 1개의 전자를 공유해야 하므로 A는 최대 4개의 B와 공유 결합을 형성한다.

21 | 선택지 분석 |

① x는 4이다.

➡ O는 원자가 전자 수가 6이므로 C 원자 1개와 O 원자 2개가 결합하여 화합물을 형성한다.

② 원자가 전자 수는 H가 C보다 크다.

➡ C 원자 1개와 H 원자 4개가 결합하였으므로 원자가 전자는 H 1개, C 4개이다.

③ (가)에는 단일 결합만 있다.

④ (나)의 구성 원자의 전자 배치는 모두 아르곤과 같다.

⑤ 공유 전자쌍의 총 수는 (나)가 (가)보다 크다.

➡ (가)와 (나)는 모두 4개의 공유 전자쌍이 있다.

22 | 선택지 분석 |

① 공유 전자쌍은 E_2가 A_2보다 많다.

➡ A와 E는 모두 1개의 전자를 공유하여 결합할 수 있으므로 A_2와 E_2에는 공유 전자쌍이 모두 1개씩 있다.

② CE_4에는 공유 전자쌍이 4개 있다.

➡ C는 4개의 공유 결합을 할 수 있으므로 CE_4에는 4개의 공유 전자쌍이 있다.

③ 분자 AE에서 A의 전자 배치는 B와 같다.

➡ AE에서 A의 전자 배치는 헬륨과 같고 E의 전자 배치는 네온과 같다.

④ 분자 D_2와 CD_2에는 모두 2중 결합이 있다.

➡ D는 2개의 전자를 공유하여 결합할 수 있으므로 D_2와 CD_2에는 모두 2중 결합이 있다.

⑤ D 원자 1개는 A 원자 2개와 각각 공유 결합을 한다.

➡ D 원자 1개는 A 원자 2개와 각각 공유 결합하여 A_2D의 화합물을 생성한다.

실력 올리기 문제

048쪽~049쪽

01 ④ **02** ④ **03** ② **04** ② **05** ④ **06** ⑤
07 해설 참조 **08** 해설 참조 **09** 해설 참조

01 A 이온은 전하가 +1인 양이온이고, B 이온은 전하가 −2인 음이온이므로, A 이온과 B 이온은 2 : 1의 개수비로 결합하여 전기적으로 중성이 된다.

02 A는 2주기 16족 원소, B는 2주기 18족 원소, C는 3주기 1족 원소이다.

| 선택지 분석 |

ㄱ. A_2에는 2중 결합이 있다.

➡ A는 원자가 전자 수가 6이므로 A 원자끼리 2개의 전자쌍을 공유하여 결합한다.

ㄴ. B 원자끼리 전자를 공유하여 결합한다.

➡ B는 18족 원소인 네온이므로 공유 결합을 하지 않는다.

ㄷ. C_2A에서 구성 입자의 전자 배치는 서로 같다.

➡ C_2A에서 A 이온과 C 이온의 전자 수는 모두 10이므로 18족 원소인 B와 같다.

03 A 원자는 산소, B 원자는 탄소이다. 탄소 원자 1개는 2개의 산소 원자와 각각 2개의 전자쌍을 공유하여 결합을 형성한다.

04 | 선택지 분석 |

ㄱ. X~Z 중 원자가 전자 수가 가장 많은 원자는 Y이다.

➡ Y는 가장 바깥 전자 껍질에 8개의 전자가 채워져 있지만, 2주기 18족 원소이므로 원자가 전자 수는 0이다.

ㄴ. Z 원자와 Z 원자가 결합할 때 공유하는 전자쌍 수는 1이다.

➡ Z는 원자가 전자 수가 7이므로 전자 1개를 얻으면 18족 원소와 전자 배치가 같아진다. 따라서 Z 원자끼리 결합할 때 전자쌍 1개를 공유한다.

ㄷ. 화합물 XZ에서 구성 입자의 전자 배치는 ~~모두 Y와 같다~~.

➡ X는 He, Z는 Ar과 같은 전자 배치가 된다.

더 알아보기 **X~Z의 전자 배치**

원자 모형에 의해 X~Z의 전자를 배치하면 다음과 같다.

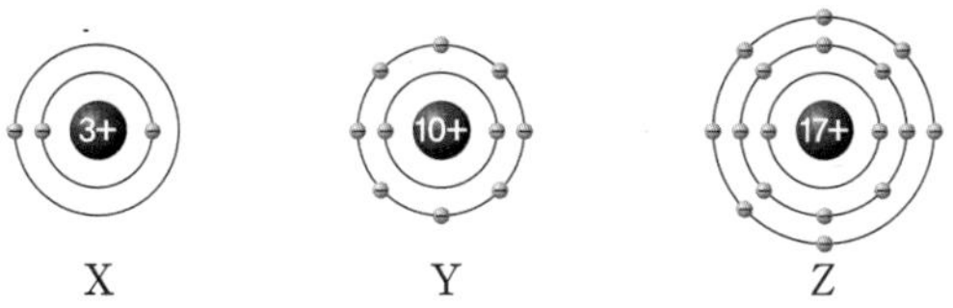

- 첫 번째 전자 껍질은 최대 2개, 두 번째 전자 껍질은 최대 8개의 전자를 채울 수 있다.
- X는 2주기 1족 원소, Y는 2주기 18족 원소, Z는 3주기 17족 원소이다.

➡ 원자가 전자 수는 X 1, Y 0, Z 7이다.

05 | 선택지 분석 |

ㄱ. AE는 이온 결합으로 이루어진 화합물이다.

➡ A와 E는 모두 비금속 원소이므로 AE는 전자쌍을 공유하여 결합을 형성한다.

ㄴ. B와 C가 결합할 때 이동하는 전자 수는 2개이다.

➡ 원자가 전자 수가 B는 2, C는 6이므로 B는 전자 2개를 잃고, C는 전자 2개를 얻는다.

ㄷ. D와 E가 결합하여 안정한 화합물을 형성할 때 D는 전자를 잃고, E는 전자를 얻는다.

➡ 원자가 전자 수가 D는 1, E는 7이므로 D는 전자 1개를 잃고, E는 전자 1개를 얻어 화합물을 형성한다.

06 | 자료 분석 |

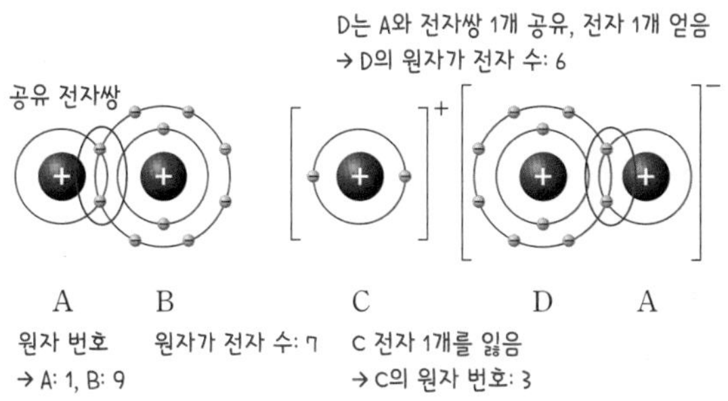

AB에서 A와 B는 1개의 전자쌍을 공유했으므로 A의 원자가 전자 수는 1, B의 원자가 전자 수는 7이다. CDA에서 C는 +1의 전하를 띠는 양이온이고, DA^-에서 A와 D는 1개의 전자쌍을 공유했으므로 A의 원자가 전자 수는 1, D의 원자가 전자 수는 6이다.

| 선택지 분석 |

ㄱ. A와 C는 같은 족 원소이다.

➡ A와 C의 원자가 전자 수가 모두 1로 같으므로 A와 C는 같은 족 원소이다.

ㄴ. 원자가 전자 수는 B가 D보다 많다.

➡ 원자가 전자 수는 B가 7, D가 6이므로 B가 D보다 많다.

ㄷ. B와 C는 이온 결합으로 화합물을 생성한다.

➡ B는 비금속 원소, C는 금속 원소이므로 B와 C는 이온 결합으로 화합물을 생성한다.

07 | 모범 답안 |

MgF_2, Mg은 전자 2개를 잃어 Mg^{2+}이 되고, F은 전자 1개를 얻어 F^-이 되어 정전기적인 인력에 의해 이온 결합을 형성한다. 이때 생성되는 화합물은 전기적으로 중성이어야 하므로 Mg^{2+}과 F^-은 1 : 2의 개수비로 결합한다.

| 채점 기준 |

채점 기준	배점
MgF_2을 옳게 제시하고, 양이온과 음이온이 정전기적 인력에 의해 결합하여 화합물은 전기적으로 중성이어야 한다는 것을 포함하여 결합 과정을 옳게 서술한 경우	100 %
MgF_2만 옳게 쓴 경우	30 %

08 | 자료 분석 |

전자 껍질	전자 수		
	X	Y	Z
첫 번째 전자 껍질	1	2	2
두 번째 전자 껍질	0	6	8
세 번째 전자 껍질	0	0	7

| 모범 답안 |

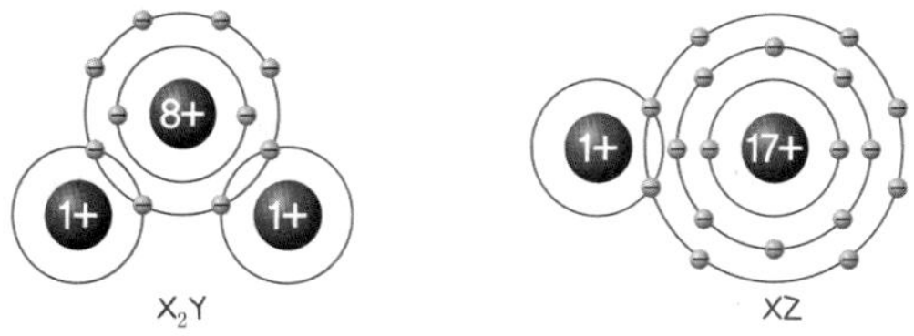

| 채점 기준 |

채점 기준	배점
2가지 모두 옳게 그린 경우	100 %
1가지만 옳게 그린 경우	50 %

09 | 모범 답안 |

Na은 금속 원소이고, Cl는 비금속 원소이므로 전자를 주고받아 이온 결합을 형성하고, H와 Cl는 모두 비금속 원소이므로 전자를 공유하여 공유 결합을 형성하므로 화학 결합의 종류가 다르다.

| 풀이 |

금속 원소는 전자를 잃으려는 성질이 강한 원소이고, 비금속 원소는 전자를 얻으려는 성질이 강한 원소이다. 따라서 금속 원소와 비금속 원소는 서로 전자를 주고받아 이온 결합을 형성하고, 비금속 원소끼리는 전자쌍을 공유하여 공유 결합을 형성한다.

| 채점 기준 |

채점 기준	배점
원소의 종류를 금속과 비금속으로 구분하여 결합의 종류가 다른 까닭을 옳게 설명한 경우	100 %
결합의 종류가 다른 까닭에 대한 설명이 부족한 경우	30 %

05 원소들의 결합과 물질의 성질

간단 점검 051쪽

1 이온들이 자유롭게 이동할 수 있기 때문이다.
2 대부분 녹는점, 끓는점이 낮다. 고체와 액체 상태에서 전기 전도성이 없다.
3 전기 전도성을 측정한다.
4 차량 부식, 식물 생장 방해, 도로 파손 등

개념 + 기본 문제 052쪽~053쪽

개념 문제

01 (1) ○ (2) × (3) ○ (4) × **02** (1) ㉠ (2) ㉢ (3) ㉡
03 양이온, 음이온
04 (1) 설탕 (2) 없다 (3) 염화 나트륨, 염화 칼슘
05 ㉠ 공유, ㉡ 헬륨, ㉢ 네온

기본 문제

06 ④ **07** 이온 **08** ④ **09** ㄴ, ㄹ **10** ③
11 반발력 **12** ⑤ **13** H_2, O_2, Cl_2, H_2O, HCl 등 **14** ⑤
15 ④ **16** X_2, Z_2, XZ_2

1 | 선택지 분석 |

✗ 고체, 액체 상태에서 전기 전도성이 없다.
➡ 액체 상태에서는 전기 전도성이 있다.

✗ 외부에서 힘을 ~~가해도 부스러지지 않는다.~~ 가하면 잘 부스러진다.

2 (1) 염화 칼슘은 공기 중 수분을 흡수하는 성질이 있어 습기 제거제로 사용된다.
(2) 비누는 유지와 수산화 나트륨을 반응시켜 합성한다.
(3) 베이킹 파우더의 주성분은 탄산수소 나트륨이다.

03 이온 결합 물질을 녹인 수용액이 전기 전도성이 있는 까닭은 이온 결합 물질이 물에 녹아 양이온과 음이온으로 각각 나누어져 자유롭게 움직일 수 있기 때문이다.

04 (1) 비금속 원소로 구성된 설탕이 공유 결합 물질이다.
(2) 제시된 3가지 물질은 모두 고체 상태에서 전기 전도성이 없다.
(3) 염화 나트륨과 염화 칼슘은 이온 결합 물질이므로 수용액 상태에서 전기 전도성이 있다.

05 물 분자에서 수소와 산소는 공유 결합을 이루며 수소 원자 주위에는 2개의 전자가 있으므로 헬륨과 같은 전자 배치를 갖게 되고, 산소 원자 주위에는 8개의 전자가 있으므로 네온과 같은 전자 배치를 갖게 된다.

06 | 자료 분석 |

✗ 실온에서 ~~분자로 존재한다.~~ 분자로 존재하지 않는다.
➡ 이온 결합 물질은 양이온과 음이온이 연속적으로 결합하고 있으므로 분자가 아니다.

✗ 녹는점이 높고 ~~매우 단단하다.~~ 잘 부스러진다.

✗ 실온에서 기체로 존재하는 물질이 ~~있다.~~ 없다.
➡ 결합력이 강하여 녹는점이 높으므로 실온에서 고체 상태로 존재한다.

④ 수용액 상태에서 전기 전도성이 있다.

✗ 고체와 액체 상태에서 전기 전도성이 없다.
➡ 액체 상태에서는 전기 전도성이 있다.

07 염화 나트륨(NaCl)은 나트륨 이온과 염화 이온 사이의 정전기적 인력에 의해 결합하여 생성된 이온 결합 물질이다. NaCl은 고체 상태에서는 이온들이 결합되어 움직이지 못하고, 액체 상태에서는 이온들이 자유롭게 움직일 수 있기 때문에 액체 상태에서만 전기 전도성이 있다.

08 실온에서 고체 상태이며, 액체와 수용액 상태에서는 전기를 통하는 물질은 이온 결합 물질이다.

| 선택지 분석 |

✗ ~~금속이다.~~ 이온 결합 물질이다.

✗ ~~공유~~ 이온 결합 물질이다.

✗ 넓게 펴지는 성질이 ~~있다.~~ 없다.

④ 물에 녹으면 이온이 자유롭게 움직일 수 있다.

✗ ~~고체~~ 액체, 수용액 상태에서 전기를 잘 통한다.

09 설탕과 드라이아이스는 공유 결합 물질이고, 소금과 염화 칼슘은 이온 결합 물질이다.

10 3가지 물질은 모두 이온 결합 물질이며, 실온에서 고체 상태로 존재한다. 이온 결합 물질은 녹는점이 매우 높으며, 물에 용해되어 이온이 나뉘어지고, 고체 상태에서는 전기 전도성이 없지만, 액체 상태에서는 전기 전도성이 있다. 또한, 외부에서 힘을 가하면 같은 전하의 이온이 맞닿게 되어 반발력에 의해 잘 부스러진다.

Ⓧ 실온에서 ~~기체~~로 존재한다.
고체

11 이온 결합 물질에 힘을 가하면 같은 전하의 이온끼리 맞닿아 반발력이 작용하기 때문이다.

12 공유 결합으로 형성된 물질을 공유 결합 물질이라고 하며, 대부분 고체나 액체 상태에서 전기 전도성이 없고, 대부분 물에 잘 녹지 않지만, 염화 수소, 설탕 등은 물에 잘 녹는다.

13 공유 결합 물질은 비금속 원소 사이의 공유 결합에 의해 생성되는 물질이다. H, O, Cl가 비금속 원소이므로 이 원소끼리 공유 결합하여 이루어진 물질이 공유 결합 물질이다. 따라서 H_2, O_2, Cl_2, H_2O, HCl 등이 있다.

14 공유 결합 물질은 비금속 원소끼리 공유 결합을 하여 생성된 물질이고, 이온 결합 물질은 금속 원소와 비금속 원소가 이온 결합하여 생성된 물질이다. A는 2주기 1족의 금속 원소이고, B와 C는 각각 2주기 16족, 17족의 비금속 원소이다. 따라서 B_2, C_2, BC_2가 공유 결합 물질이다.

15 Y의 원자가 전자 수는 6이므로 Y와 Y가 결합할 때 2개의 전자쌍을 공유한다. 또한, X는 원자가 전자 수가 4이므로 X 1개는 Y 2개와 각각 2개의 전자쌍을 공유한다.

Ⓧ 액체 상태에서 전기 전도성이 있다.

➡ Y_2와 XY_2는 모두 공유 결합 물질이므로 고체와 액체 상태에서 전기 전도성이 없다.

16 X와 Z는 비금속 원소이고, Y는 금속 원소이다. 공유 결합 물질은 비금속 원소 사이의 공유 결합으로 이루어진 물질이므로 X와 Z로 구성된 물질이 공유 결합 물질이다.

실력 올리기 문제

054쪽~055쪽

01 ② **02** ③ **03** ⑤ **04** ⑤ **05** ④ **06** ④
07 해설 참조 **08** 해설 참조 **09** 해설 참조

01 고체와 액체 상태에서 전기 전도성이 없으므로 화합물 X는 공유 결합 물질이다.

| 선택지 분석 |

Ⓧ 구성 원소에 금속 원소가 ~~포함되어 있다~~.
포함되어 있지 않다.

ㄴ. 원소들이 전자쌍을 공유하여 이루어진 물질이다.

Ⓧ 넓게 펴지거나 가늘게 뽑히는 성질이 있다.

➡ 넓게 펴지거나 가늘게 뽑히는 성질을 갖는 물질은 금속이다.

02 설탕, 염화 나트륨, 산소 중 실온에서 고체인 물질은 설탕과 염화 나트륨이고, 액체 상태에서 전기 전도성이 있는 물질은 염화 나트륨이다.

| 선택지 분석 |

ㄱ. A는 염화 나트륨이다.

Ⓧ C는 구성 원자 간 ~~단일~~ 결합으로 이루어져 있다.
2중

➡ 산소는 원자가 전자 수가 6이므로 산소 원자 간 2중 결합을 이루어 산소 분자를 형성한다.

ㄷ. 수용액 상태에서 전기 전도성은 A가 B보다 크다.

➡ 염화 나트륨을 물에 녹이면 이온이 자유롭게 움직일 수 있으므로 전류가 흐르지만, 설탕은 물에 녹여도 분자 상태로 존재하므로 전류가 흐르지 않는다.

03 (나)와 (라)는 수용액 상태에서 전기 전도성이 있으므로 염화 나트륨과 염화 칼슘 중 하나이고, (가)와 (다)는 설탕과 포도당 중 하나이다.

| 선택지 분석 |

ㄱ. (가)와 (다)는 모두 공유 결합 물질이다.

ㄴ. (나)와 (다)는 모두 고체 상태에서 전기 전도성이 없다.

➡ (가)~(라)는 모두 고체 상태에서 전기 전도성이 없다.

ㄷ. (나)와 (라)의 수용액 속에는 같은 종류의 음이온이 들어 있다.

➡ 염화 나트륨(NaCl)을 물에 녹이면 나트륨 이온(Na^+)과 염화 이온(Cl^-)으로 나뉘어지고, 염화 칼슘($CaCl_2$)을 물에 녹이면 칼슘 이온(Ca^{2+})과 염화 이온(Cl^-)으로 나뉘어진다. 따라서 (나)와 (라)의 수용액 속에는 모두 Cl^-이 들어 있다.

> **더 알아보기 공유 결합 물질의 전기 전도성**
>
> - 제시된 공유 결합 물질인 설탕, 포도당은 물에 녹아 이온이 생성되지 않으므로 수용액 상태에서 전기 전도성이 없다.
> - 염화 수소, 암모니아, 아세트산과 같은 물질은 공유 결합 물질이지만 물에 녹아 이온을 생성하므로 수용액 상태에서 전기 전도성이 있다.
> - 공유 결합 물질 중 수용액 상태에서 전기 전도성이 있는 물질이 있으므로 이온 결합 물질과 공유 결합 물질을 분류할 때에는 액체 상태의 전기 전도성을 비교해야 한다.

04 | 선택지 분석 |

ㄱ. X는 이온 결합 물질이다.
염화 나트륨

ㄴ. 액체 상태에서의 전기 전도성은 X가 Y보다 크다.

➡ 이온 결합 물질은 액체 상태에서 전기 전도성이 있지만, 설탕과 같은 공유 결합 물질은 액체 상태에서 전기 전도성이 없다.

ㄷ. 고체 상태에서 X와 Y는 외부 힘에 의해 잘 부스러진다.

더 알아보기 **물질의 단단한 정도**

1. 이온 결합 물질

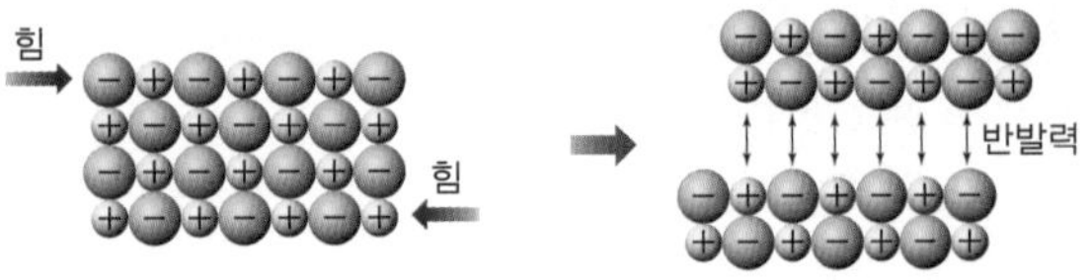

- 이온 결합 물질은 양이온과 음이온이 반복적으로 결합되어 있다.
- 외부에서 힘을 가하면 이온 층이 밀리면서 같은 전하를 띠는 이온이 만나 서로 반발하여 부서진다.

2. 공유 결합 물질

- 설탕이나 드라이아이스와 같이 분자로 되어 있는 물질은 분자 사이의 힘이 약하여 쉽게 부서진다.
- 다이아몬드와 같이 원자가 공유 결합을 하여 연속적으로 결합한 물질은 원자 사이의 힘이 매우 강하여 매우 단단하다.

05 | 선택지 분석 |

고체 X는 고체 상태에서 전류가 흐르지 않았지만 수용액 상태에서 전류가 흐르므로 이온 결합 물질이다.

ㄱ. X는 금속 원소들이 전자를 공유하여 결합한 물질이다.
➡ X는 금속 양이온과 비금속 음이온 사이의 정전기적 인력에 의해 생성된 물질이다.

ㄴ. X에 힘을 가하면 잘 부스러진다.
➡ X에 힘을 가하면 같은 이온끼리 맞닿게 되어 반발하므로 잘 부서진다.

ㄷ. X 수용액에는 이온이 들어 있다.
➡ X 수용액은 전류가 흐르므로 X 수용액 속에는 이온이 들어 있다.

06 질소 기체는 실온에서 다른 물질과 잘 반응하지 않으므로 식품을 포장하는 충전 기체로 쓰인다. 또한, 이산화 탄소는 공기보다 무겁고 불에 타지 않는 성질을 가지므로 소화기의 원료로 이용되며, 물에 녹아 탄산을 생성하므로 탄산음료를 만드는 데도 쓰인다.

07 | 모범 답안 |

B, 까닭: A와 C는 액체 상태에서 전기 전도성이 없으므로 이온으로 구성된 물질이 아니고, B는 액체 상태에서 전기 전도성이 있으므로 이온으로 구성된 물질이다. 따라서 B가 이온 결합 물질이다.

| 풀이 |

이온 결합 물질은 고체 상태에서 이온들이 결합되어 있어 움직일 수 없으므로 전류가 흐르지 않지만 액체 상태에서는 이온들이 자유롭게 움직일 수 있어 전류가 흐른다. 공유 결합 물질은 자유롭게 움직일 수 있는 전자나 이온이 없으므로 액체 상태에서 전류가 흐르지 않는다.

| 채점 기준 |

채점 기준	배점
B를 쓰고, 이온의 존재 유무를 이용하여 옳게 서술한 경우	100 %
B를 쓰고, 'B는 액체 상태에서 전기 전도성이 있기 때문이다'라고만 쓴 경우	60 %
B만 옳게 쓴 경우	30 %

08 | 모범 답안 |

B는 이온으로 구성된 물질로, 고체 상태에서는 양이온과 음이온들이 결합되어 있어 움직일 수 없으므로 전류가 흐르지 않지만, 액체 상태에서는 양이온과 음이온들이 자유롭게 움직일 수 있으므로 전기 전도성이 있다.

| 채점 기준 |

채점 기준	배점
양이온과 음이온의 움직임을 비교하여 옳게 서술한 경우	100 %
'B는 액체 상태에서 이온들이 자유롭게 움직이기 때문이다'라고만 쓴 경우	50 %

09 | 모범 답안 |

액체 상태의 전기 전도성, 까닭: 설탕, 아스피린은 공유 결합 물질로 고체와 액체 상태에서 전기 전도성이 없고, 염화 나트륨, 산화 철은 이온 결합 물질로 고체 상태에서 전기 전도성이 없지만 액체 상태에서 전기 전도성이 있기 때문이다.

| 채점 기준 |

채점 기준	배점
액체 상태의 전기 전도성을 쓰고, 그 까닭을 옳게 설명한 경우	100 %
액체 상태의 전기 전도성만을 옳게 쓴 경우	30 %

대단원 마무리 056쪽~061쪽

한번에 정리하는 대단원 마무리

① 쿼크 ② 팽창 ③ 일정 ④ 38만 년 ⑤ 3:1 ⑥ 성간 물질 ⑦ 수소 ⑧ 적색 거성 ⑨ 초신성 ⑩ 원소 ⑪ 음이온 ⑫ 좋음 ⑬ 원자 번호 ⑭ 전자 껍질 ⑮ 원자가 전자 수 ⑯ 전자 껍질 ⑰ 1 ⑱ 7 ⑲ 18족 원소 ⑳ 8 ㉑ 이온 결합 ㉒ 공유 결합 ㉓ 단일 결합 ㉔ 있다 ㉕ 없다

한번에 끝내는 대단원 마무리

01 ⑤ **02** ③ **03** ③ **04** ④ **05** ④ **06** ④ **07** ② **08** ③ **09** ④ **10** ⑤ **11** ⑤ **12** ③ **13** 해설 참조 **14** 해설 참조 **15** 해설 참조 **16** 해설 참조

01 | 자료 분석 |

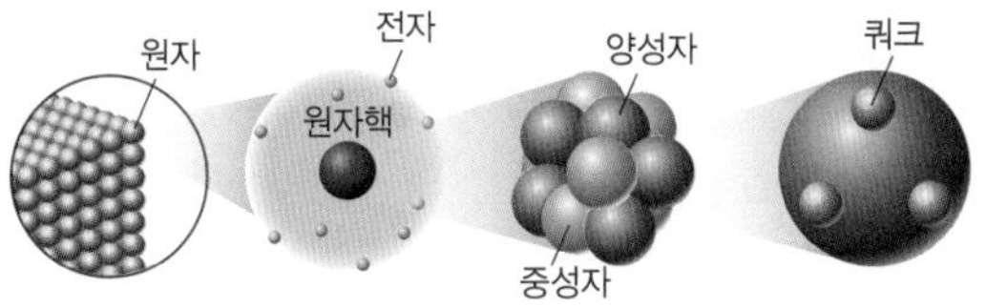

쿼크와 전자는 기본 입자이며 빅뱅 직후에 아주 짧은 순간의 같은 시기에 형성되었다.

그림의 A는 전자, B는 쿼크이며 A, B의 생성 시기는 같다.

02 | 선택지 분석 |

㉠ 헬륨 원자에 전자는 2개가 들어있다.

㉡ 빅뱅 후 약 38만 년에 헬륨 원자가 형성되었다.

➡ 헬륨 원자는 빅뱅 후 38만 년에 형성되었다.

✕ 헬륨 원자핵은 양성자 ~~1개~~(2개)와 중성자 ~~1개~~(2개)로 이루어져 있다.

➡ 헬륨 원자는 양성자 2개, 중성자 2개, 전자 2개로 구성되어 있다.

03 | 자료 분석 |

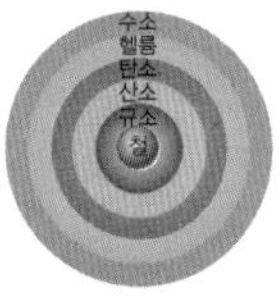

이 구조는 초거성 단계의 마지막 시기를 나타낸다. 초거성은 태양보다 질량이 큰 별의 진화 단계에 해당하며, 철까지 형성될 수 있다. 별 내부에서는 철이 핵융합 반응을 하지 못하므로 철보다 무거운 원소를 만들 수 없다. 철보다 무거운 원소는 초신성 폭발로 만들어지게 된다.

| 선택지 분석 |

㉠ 질량이 태양보다 큰 별이다.

✕ 주계열성 단계보다 크기가 ~~작다.~~ (크다.)

㉢ 나중에 초신성 폭발을 할 것이다.

04 | 선택지 분석 |

㉠ (가)에서 철보다 무거운 원소가 만들어진다.

➡ 초거성 내부에서 철까지 만들어지고, 초신성 폭발로 철보다 무거운 원소가 만들어진다.

✕ 주계열성일 때의 질량은 (가)보다 (나)가 ~~컸다.~~ (작았다.)

➡ (가)는 초신성, (나)는 행성상 성운이다. 주계열성에서 태양 정도의 질량의 별은 적색 거성을 거쳐 (나)의 행성상 성운으로 진화하고, 태양보다 무거운 별은 (가)의 초신성 폭발을 하게 된다. 따라서 주계열성일 때의 질량은 (가)가 컸다.

㉢ 태양은 적색 거성 단계를 거쳐 (나)로 진화한다.

05 H는 1주기 1족 원소, F은 2주기 17족 원소, Ne은 2주기 18족 원소, Mg은 3주기 2족 원소이다.

| 선택지 분석 |

✕ 금속 원소를 모두 쓰시오. (~~H~~, Mg)

➡ Mg은 2주기 금속 원소이다.

(나) 전자가 들어 있는 전자 껍질 수가 짝수인 원소를 쓰시오. (F, Ne)

➡ 전자 껍질 수는 주기와 같다. 따라서 전자가 들어 있는 전자 껍질 수가 짝수인 원소는 F, Ne이다.

(다) 가장 바깥 전자 껍질의 전자 수가 가장 작은 원소와 가장 큰 원소의 원자 번호를 더한 값을 쓰시오. (11)

➡ 가장 바깥 전자 껍질의 전자 수는 족 번호의 끝자리 수와 같다. 가장 바깥 전자 껍질의 전자 수가 가장 작은 원소는 H, 가장 큰 원소는 Ne이다. 따라서 H의 원자 번호는 1, Ne의 원자 번호는 10이므로 원자 번호를 더한 값은 11이다.

06 | 자료 분석 |

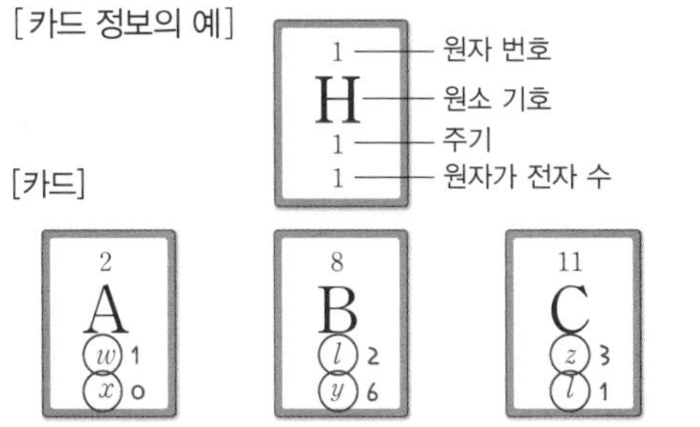

A의 원자 번호는 2이므로 A는 1주기 18족 원소이고, 원자가 전자 수는 0이다.

B는 원자 번호가 8이므로 2주기 16족 원소이고, 원자가 전자 수는 6이다.

C는 원자 번호가 11이므로 3주기 1족 원소이고, 원자가 전자 수는 1이다.

| 선택지 분석 |

✕ A는 ~~2족~~ (18족) 원소이다.

➡ A는 원자 번호가 2인 헬륨이므로 비활성 기체이다. 따라서 A는 18족 원소이다.

㉡ $y>w+x+z$이다.

➡ $w+x+z=1+0+3=4$이고, $y=6$이므로 $y>w+x+z$이다.

㉢ B와 C는 이온 결합으로 화합물을 생성한다.

➡ B는 비금속 원소, C는 금속 원소이므로 B와 C는 전자를 주고 받아 각각 B^{2-}과 C^{+}이 되고 정전기적 인력에 의해 이온 결합을 형성하여 화합물 C_2B를 생성한다.

07 | 선택지 분석 |

✕ ~~음이온~~(양이온)이 되기 쉬운가?

➡ 알칼리 금속은 양이온이 되기 쉽고, 할로젠 원소는 음이온이 되기 쉬우므로 '음이온이 되기 쉬운가?'는 분류 기준으로 적용할 수 없다.

✕ 원자가 전자 수가 ~~7~~(1)인가?

➡ 원자가 전자 수가 알칼리 금속은 1, 할로젠 원소는 7이므로 '원자가 전자 수가 7인가?'는 분류 기준으로 적용할 수 없다.

㉢ 고체 상태에서 전기 전도성이 있는가?

➡ Li, Na, K은 알칼리 금속으로 고체 상태에서 전기 전도성이 있고, F, Cl, Br은 할로젠 원소로 고체 상태에서 전기 전도성이

없다. 따라서 '고체 상태에서 전기 전도성이 있는가?'는 분류 기준으로 적용할 수 있다.

08 | 선택지 분석 |

ㄱ. A~C 중 A의 원자 번호가 가장 크다.

➡ 알칼리 금속은 원자 번호가 클수록 반응성이 크므로 반응성이 가장 큰 A는 원자 번호가 20 이하인 알칼리 금속 중 원자 번호가 가장 큰 칼륨(K)이다.

ㄴ. (가)에는 '빠르게 기체 발생'이 들어갈 수 있다.

➡ 공기 중 자른 면의 반응성 순서가 A > B > C이므로 (가)는 '빠르게 기체 발생'에 해당한다고 볼 수 있다.

ㄷ. (나)는 '산성'이고, (다)는 '중성'이다.

➡ 알칼리 금속이 물과 반응하면 염기성 용액이 되므로 (나)와 (다)는 모두 '염기성'이다.

09 | 선택지 분석 |

ㄱ. 이온 결합으로 생성된 물질은 2가지이다.

➡ 이온 결합 물질은 Na_2O, KCl의 2가지이다.

ㄴ. 공유 결합으로 생성된 물질은 3가지이다.

➡ 공유 결합 물질은 HCl, NH_3의 2가지이다.

ㄷ. 화합물에서 구성 입자의 전자 배치가 모두 같은 물질은 2가지이다.

➡ 화합물에서 H는 헬륨, O, N, Na은 네온; K과 Cl는 아르곤의 전자 배치와 같다. 따라서 Na_2O을 구성하는 입자는 모두 네온과 전자 배치가 같고, KCl을 구성하는 입자는 모두 아르곤과 전자 배치가 같다.

더 알아보기 전해질과 비전해질

1. 전해질과 비전해질

전해질	물에 녹아 전류를 흐르게 하는 물질 예 NaCl, KNO_3, HCl, NH_3 등
비전해질	물에 녹아도 전류를 흐르게 하지 않는 물질 예 설탕, 포도당 등

2. 이온 결합 물질과 공유 결합 물질의 전기 전도성

이온 결합 물질	• 이온 결합 물질은 양이온과 음이온이 반복적으로 결합되어 생성된 물질이다. • 물에 용해되면 양이온과 음이온으로 나누어져 자유롭게 이동할 수 있으므로 수용액은 전기 전도성이 있다.
공유 결합 물질	• 분자로 구성된 공유 결합 물질은 대부분 물에 용해되어도 분자 상태로 존재하므로 전기 전도성이 없다. • 공유 결합 물질 중 산과 염기는 물에 녹아 수소 이온(H^+)이나 수산화 이온(OH^-)을 생성하므로 산 수용액과 염기 수용액은 전기 전도성이 있다. → 6단원에서 자세히 배운다.

10 | 선택지 분석 |

ㄱ. 원자가 전자 수는 C가 B보다 크다.

➡ AB에서 A는 전자 2개를 잃고 양이온이 되었고, B는 전자 2개를 얻어 음이온이 되었으므로 원자가 전자 수는 A는 2, B는 6이다. 또한, C_2에서 C는 전자 1개를 공유하였으므로 C의 원자가 전자 수는 7이다.

ㄴ. A와 C는 이온 결합으로 화합물을 형성한다.

➡ A는 금속 원소, C는 비금속 원소이므로 A와 C는 이온 결합을 형성한다.

ㄷ. B_2와 BC_2에 있는 공유 전자쌍 수는 서로 같다.

➡ B는 원자가 전자 수가 6이므로 B 원자끼리 2개의 전자쌍을 공유하여 결합을 이룬다. 또한, B 1개는 C 원자 2개와 각각 1개의 전자쌍을 공유하여 결합을 이룬다. 따라서 B_2와 BC_2에 있는 공유 전자쌍 수는 2로 같다.

11 | 선택지 분석 |

ㄱ. A와 B의 안정한 화합물의 화학식은 A_2B이다.

➡ A는 전자 1개를 잃어 양이온이 되고, B는 전자 2개를 얻어 음이온이 되므로 A와 B의 안정한 화합물의 화학식은 A_2B이다.

ㄴ. BD_2는 액체 상태에서 전기 전도성이 없다.

➡ BD_2는 공유 결합 물질이므로 액체 상태에서 전기 전도성이 없다.

ㄷ. 고체 CD에 외부에서 힘을 가하면 잘 부스러진다.

➡ CD는 이온 결합 물질이므로 고체 CD에 외부에서 힘을 가하면 같은 전하를 띤 이온끼리 맞닿게 되어 서로 반발하므로 잘 부스러진다.

12 | 선택지 분석 |

ㄱ. y는 x의 6배이다.

➡ 화합물 AD, BC는 모두 양이온과 음이온이 1 : 1의 개수 비로 결합하므로 이온 결합을 할 때 원자 1개가 주고받은 전자 수가 서로 같다. D의 원자가 전자 수가 7이므로 D는 전자 1개를 얻어 18족 원소와 같은 전자 배치가 되므로 A는 전자 1개를 잃어야 한다. 따라서 x는 1이다. B의 원자가 전자 수가 2이므로 B는 전자 2개를 잃어 18족 원소와 같은 전자 배치가 되므로 C는 전자 2개를 얻어야 한다. 따라서 y는 6이다.

ㄴ. A~D 중 원자 번호는 B가 가장 크다.

➡ 원자는 전기적으로 중성이므로 양성자수는 전자 수와 같다. 또한, 원자 번호는 양성자수와 같으므로 원자 번호는 A는 11, B는 12, C는 8, D는 9이다.

ㄷ. C와 D는 공유 결합하여 화합물 C_2D를 생성한다.

➡ C와 D는 모두 비금속 원소이므로 C와 D는 공유 결합하는데, C는 전자 2개를, D는 전자 1개를 얻어야 하므로 C 원자 1개는 D 원자 2개와 각각 공유 결합을 하여 화합물 CD_2를 생성한다.

13 | 모범 답안 |

(1) 태양(주계열성)은 적색 거성을 거쳐 행성상 성운과 백색 왜성으로 진화해 갈 것이다.

(2) 태양계의 구성원에 속하는 지구에 철보다 무거운 금, 우라늄 등의 원소들이 존재하고 있다. 철보다 무거운

원소는 초신성 폭발로 형성되기 때문에 태양계는 초신성 폭발의 잔해로 형성되었다고 할 수 있다.

| 풀이 |

(1) 태양의 현재 상태는 중심에서 수소 핵융합 반응을 하고 있는 주계열성이다.

(2) 지구에는 초신성 폭발로 만들어진 철보다 무거운 원소(우라늄, 금 등)가 존재한다.

| 채점 기준 |

문항	채점 기준	배점
(1)	적색 거성, 행성상 성운, 백색 왜성을 포함하여 옳게 서술한 경우	50 %
	적색 거성, 행성상 성운, 백색 왜성 중 2가지를 포함하여 옳게 서술한 경우	30 %
	적색 거성, 행성상 성운, 백색 왜성 중 1가지를 포함하여 옳게 서술한 경우	10 %
(2)	1. 초신성 폭발로 철보다 무거운 원소가 형성된다. 2. 지구(또는 태양계 천체)에 철보다 무거운 원소가 있다. • 위 2가지 개념을 모두 옳게 서술한 경우	50 %
	1. 초신성 폭발로 철보다 무거운 원소가 형성된다. 2. 지구(또는 태양계 천체)에 철보다 무거운 원소가 있다. • 위 2가지 개념 중 1가지만 서술한 경우	30 %

14 | 모범 답안 |

(1) 산소 > 칼슘 > 리튬

(2) 리튬 : 칼슘 = 2 : 1, 3가지 원자가 18족 원소와 같은 전자 배치가 되기 위해서 리튬은 전자 1개를 잃고, 칼슘은 전자 2개를 잃고, 산소는 전자 2개를 얻어야 한다. 따라서 산소 원자 1개와 결합하는 리튬의 원자 수는 2개이고 칼슘의 원자 수는 1개이다.

| 채점 기준 |

채점 기준	배점
산소 원자 1개와 결합하는 리튬과 칼슘의 원자 수비를 옳게 구하고, 그 까닭을 옳게 서술한 경우	100 %
산소 원자 1개와 결합하는 리튬과 칼슘의 원자 수비를 옳게 구하고, '18족 원소와 같은 전자 배치가 되기 위해서'라는 표현이 없이 옳게 서술한 경우	60 %
산소 원자 1개와 결합하는 리튬과 칼슘의 원자 수비만 옳게 구한 경우	30 %

15 | 모범 답안 |

무르다. 공기 중 산소와 반응을 잘 한다. 물과 반응을 잘 한다. 물과 반응 후 수용액은 염기성이다. 등

| 풀이 |

알칼리 금속은 1족 원소로 전자 1개를 잃고 양이온이 되기 쉬운 금속이다. 공기, 물과의 반응성이 큰 금속이며, 칼로 자를 수 있을만큼 무른 금속이다.

| 채점 기준 |

채점 기준	배점
공통적인 성질 3가지를 옳게 서술한 경우	100 %
공통적인 성질 2가지를 옳게 서술한 경우	60 %
공통적인 성질 1가지를 옳게 서술한 경우	30 %

16 | 모범 답안 |

ㄴ, ㄹ, ㅂ, 주기율표의 원소 중 A, B, D는 비금속 원소이고, C, E는 금속 원소인데, 이온 결합은 금속 원소와 비금속 원소 사이에 잘 형성되기 때문이다.

채점 기준	배점
이온 결합을 형성하는 것의 기호를 모두 옳게 고르고, 그 까닭을 옳게 서술한 경우	100 %
이온 결합을 형성하는 까닭만 옳게 서술한 경우	60 %
이온 결합을 형성하는 것의 기호만 모두 옳게 고른 경우	30 %

II »» 자연의 구성 물질

01 지각과 생명체의 구성 물질

간단 점검 065쪽, 066쪽

1 산소 **2** 4개 **3** 산소, 규소 **4** 규산염 사면체
5 흑운모 **6** 탄소 **7** 탄소 화합물

알쉬탐 067쪽

1 산소, 규소 **2** 별 내부에서 핵융합 반응에 의해 만들어졌다.
3 (1) ○ (2) × (3) ○

1 지각에는 산소, 규소, 알루미늄, 철 등의 원소가 많은 질량을 차지하고 있다.

2 지구의 지각에서 40 % 이상의 질량비를 차지하는 원소는 산소이다. 이 원소는 별의 내부에서 핵융합 반응에 의해 형성되었다.

3 (2) 대기에서 가장 많은 부피를 차지하는 원소는 질소이다.

개념 + 기본 문제 068쪽~069쪽

개념 문제

01 ㉠ 규소, ㉡ 탄소 **02** (1) ○ (2) ○ (3) × (4) ×
03 (1) 규산염 사면체 (2) 4 **04** (1) ○ (2) ○ (3) × (4) ○ (5) ×

기본 문제

05 ③ **06** ④ **07** ④ **08** ④ **09** ① **10** ③

01 규소는 규산염 광물을 이루고 있는 규산염 사면체를 구성하고 있고, 탄소는 생명체의 필수 구성 물질인 탄소 화합물을 이루고 있는 골격이 된다.

02 (3) 석영은 ~~독립 사면체 구조~~(망상 구조)이다.
(4) 흑운모는 ~~깨지는~~(쪼개지는) 성질을 갖고 있다.
➡ 판상 구조인 흑운모는 판 구조와 다른 판 구조의 결합 부분을 따라 잘 쪼개진다.

03 산소 원자 4개가 중심의 규소와 결합하여 사면체를 이루고 있다.
➡ 규산염 사면체(Si−O 사면체) 구조

04 (3) 탄소는 다양한 결합을 ~~이루기 힘들다.~~(한다.)
(5) 탄소와 탄소 사이에 단일 결합만 형성되고, ~~2중 결합과 3중 결합은 형성되지 않는다.~~(2중 결합과 3중 결합도 잘 형성한다.)

05 | 자료 분석 |

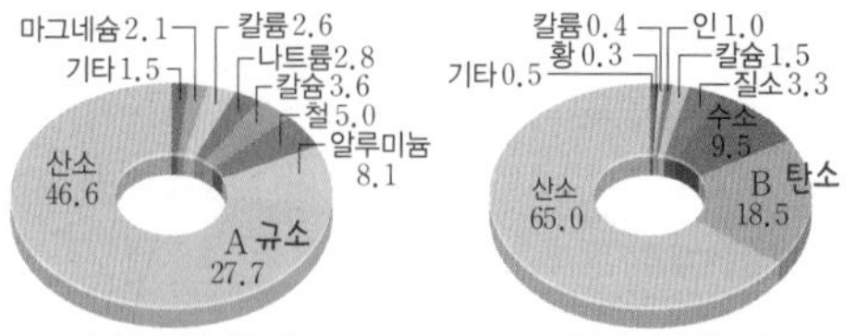

지각의 구성 원소의 질량비(단위: %) 사람의 구성 원소의 질량비(단위: %)

- 지각: 산소 > 규소 > 알루미늄 > 철 …
- 사람: 산소 > 탄소 > 수소 > 질소 …

지각과 사람을 구성하는 원소 중 산소가 가장 많고, 그 다음으로 지각에는 규소, 사람에서는 탄소가 많다. 암석을 이루는 광물 중 규산염 광물의 비율은 약 92 %이다. 사람을 이루는 유기물은 탄소를 뼈대로 하고 여기에 여러 원소가 결합한 탄소 화합물이다

06 | 선택지 분석 |

✗ (가)는 탄소, (나)는 ~~산소~~(규소)이다.
ㄴ (가)보다 (나)의 전자 껍질의 수가 더 많다.
ㄷ (가)와 (나) 모두 원자가 전자 수는 4개이다.
➡ 탄소는 6개의 전자가 있고, 규소는 14개의 전자가 있다. 따라서 탄소와 규소 모두 4개의 원자가 전자를 가지고 있으며, 전자 껍질의 수는 규소가 더 많다.

07 | 선택지 분석 |

✗ A는 ~~철~~(산소)이다.
ㄴ A는 별에서 핵융합 반응에 의해 형성됐다.
ㄷ B 원자 1개와 산소 원자 4개가 결합하여 규산염 사면체를 형성한다.

08 그림은 규소 원자 1개와 산소 원자 4개가 결합하여 만들어진 규산염 사면체(Si−O 사면체)를 나타낸 것이다. 규산염 사면체는 −4의 음전하를 띠고 있다.

09 (가)는 판상 구조, (나)는 망상 구조이다. 판상 구조의 대표적인 광물은 흑운모이고, 망상 구조의 대표적인 광물은 석영, 장석이다. 판상 구조인 흑운모는 판 모양의 쪼개짐이 나타나고, 모든 산소가 공유 결합을 하고 있는 석영은 깨짐이 나타나며 풍화에 매우 강하다.

10 | 선택지 분석 |

ㄱ A는 가지 모양이다.
ㄴ B는 고리 모양이다.
✕ 탄소는 공유 전자쌍을 ~~2쌍~~까지 가질 수 있다.
최대 4쌍

실력 올리기 문제 70쪽~71쪽

01 ② **02** ④ **03** ③ **04** ⑤ **05** ③ **06** ⑤
07 해설 참조 **08** 해설 참조 **09** 해설 참조

01 | 선택지 분석 |

✕ (가)는 ~~사람~~, (나)는 ~~지각~~이다.
지각 사람
ㄴ (가)에서 규소와 산소는 규산염 사면체를 이룬다.
✕ 사람에 ~~탄소 화합물~~이 가장 많아 (나)에서 산소의 질량 비가 높다.
물(H_2O)

02 규소는 전자 수가 14개이며, 원자가 전자 수가 4개이다. 규소 원자 1개는 산소 원자 4개와 결합하여 규산염 사면체를 만든다. 이러한 사면체에 의해 다양한 규산염 광물을 형성한다. 지각에는 산소가 가장 많이 포함되어 있고, 두 번째가 규소이다.

03 | 자료 분석 |

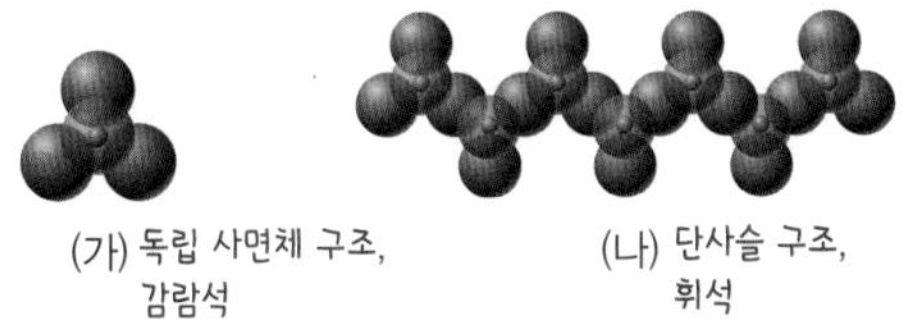

| 선택지 분석 |

ㄱ (가)는 독립 사면체 구조이다.
✕ (나)의 대표적인 광물은 ~~감람석~~이다.
휘석
ㄷ (나)는 규산염 사면체가 다른 규산염 사면체와 산소를 공유하고 있다.

04 석영은 규산염 사면체가 산소 4개를 모두 공유하여 3차원으로 결합한 망상 구조에 해당하는 광물이다. 석영과 장석이 대표적이며, 석영은 깨지는 성질이 있다.

05 | 선택지 분석 |

ㄱ 다양한 화합물을 형성한다.
✕ ~~6개~~의 원자가 전자를 갖고 있다.
4개
ㄷ 다양한 결합 구조를 가질 수 있다.

06 | 선택지 분석 |

탄소는 원자가 전자가 4개인 물질로 다양한 결합을 할 수 있고, 고분자 화합물의 생성이 가능하다. (가)는 가지 모양의 결합 구조이며, (나)는 고리 모양의 결합 구조로 생명체 구성 물질인 포도당의 구조가 고리 모양이다.

07 | 모범 답안 |

원자가 전자의 수가 4개로 같은 족에 위치한다. 공유 결합을 할 때 최대 4개의 원자와 결합이 가능하다.

| 풀이 |

탄소와 규소는 전자의 수는 다르지만 원자가 전자의 수가 4개이며 같은 족에 속한다.

| 채점 기준 |

채점 기준	배점
공통점 2가지 모두 옳게 서술한 경우	100 %
공통점을 1가지만 옳게 서술한 경우	50 %

08 | 모범 답안 |

(1) 독립 사면체 구조
(2) 1 : 4
(3) 감람석

| 풀이 |

규소 원자 1개에 산소 원자가 4개 결합한 독립상 구조이다. 대표적은 광물은 감람석이 있다.

| 채점 기준 |

채점 기준	배점
3가지를 모두 옳게 서술한 경우	100 %
2가지만 옳게 서술한 경우	60 %
1가지만 옳게 서술한 경우	30 %

09 | 모범 답안 |

그림의 원소 중 탄소와 산소는 초거성이나 적색 거성에서, 질소와 규소는 초거성에서 핵융합 반응으로 만들어진 것이다. 초거성 다음 단계는 초신성 폭발이므로 지구 구성 물질은 초신성 폭발의 잔해로부터 왔을 것이다.

| 풀이 |

초거성에서 핵융합 반응으로 만들어진 원소는 초신성 폭발로 우주로 방출되어 성운을 형성하고 새로운 별의 재료가 된다.

| 채점 기준 |

채점 기준	배점
원소의 기원과 별의 진화 단계를 모두 옳게 서술한 경우	100 %
원소의 기원과 별의 진화 단계 중 1가지만 옳게 서술한 경우	50 %

02 생명체의 주요 구성 물질

간단 점검 073쪽, 074쪽

1 탄수화물, 단백질, 지질, 핵산 2 탄수화물 3 단위체
4 아미노산 5 펩타이드 결합 6 입체 구조
7 뉴클레오타이드 8 DNA: 디옥시리보스, RNA: 리보스
9 타이민(T) 10 유라실(U)

알쉬탐 075쪽

1 ③ 2 (1) × (2) ○ (3) ×

1 DNA 이중 나선 구조의 바깥쪽부터 인산-당-염기의 순으로 위치하고 있으며, 두 폴리뉴클레오타이드는 안쪽의 염기 간 결합으로 일정한 간격을 유지하고 있다.

2 (1) DNA의 구조는 이중 나선 구조이다.
(2) DNA의 마주 보는 염기는 A과 T, C과 G이 상보적으로 결합하고 있다.
(3) DNA의 유전 정보는 염기 서열에 저장되어 있다.

개념 + 기본 문제 076쪽~077쪽

개념 문제
01 (1) ㉢ (2) ㉠ (3) ㉡ 02 ④ 03 ⑤
기본 문제
04 ④ 05 ① 06 ③ 07 ⑤ 08 ① 09 ④ 10 ③
11 ① 12 ③ 13 폴리뉴클레오타이드

01 (1) 생명체 구성 물질 중 가장 많은 비율을 차지하며, 체온 유지나 물질 운반에 유리한 것은 물이다.
(2) 중성 지방, 인지질, 스테로이드는 지질에 포함된다.
(3) 단백질은 탄소 화합물이며 효소나 항체의 주성분이다.

02 단백질의 단위체는 아미노산이고, 아미노산은 물 분자가 빠져나오면서 서로 결합하는 펩타이드 결합으로 연결된다.

03 DNA 뉴클레오타이드를 구성하는 염기에는 아데닌, 타이민, 구아닌, 사이토신이 있다. 유라실은 RNA 뉴클레오타이드를 구성하는 염기이다.

04 생물체를 구성하는 물질은 광물과 공통적인 것도 있지만, 종류와 비율이 동일하지 않다.

05 | 선택지 분석 |
① 탄소 화합물이다.
➡ 단백질, 지질, 포도당, 탄수화물, 핵산은 모두 탄소 화합물이다.
② 유전 정보를 저장하고 있다.
➡ 유전 정보를 저장하는 것은 핵산이다.
③ 미량으로 생리 기능을 조절한다.
➡ 단백질이나 지질은 인체 구성 비율이 상당히 높은 물질이다.
④ 하나의 단위체가 여러 개 결합하여 형성된다.
➡ 지질이나 탄수화물 중 포도당은 하나의 단위체가 여러 개 결합하여 구성된 물질이 아니다.
⑤ 체내에서 합성되지 않아 음식물로 섭취해야 한다.
➡ 단백질이나 핵산, 지질 등은 필요에 따라 체내에서 단위체의 결합으로 합성된다.

06 | 선택지 분석 |
① 물-주요 에너지원
➡ 물-체온 유지, 물질 운반
② 탄수화물-몸의 구성 성분
➡ 탄수화물-주요 에너지원
③ 중성 지방-에너지 저장
➡ 중성 지방은 질량 당 에너지 발생량이 높아 에너지 저장 물질로 작용한다.
④ 핵산-체온 유지
➡ 핵산-유전 정보의 저장과 전달
⑤ 무기염류-유전 정보 전달
➡ 무기염류-체구성 성분이며 생리 기능 조절

07 | 선택지 분석 |
㉠ 다양한 화합물 형성이 가능하다.
㉡ 비열이 높아 체온 유지에 유리하다.
➡ 탄소 화합물이 아닌 물의 특성이다.
㉢ 복잡한 고분자 유기물 형성이 가능하다.
㉣ 단위체들의 결합에 의해 이루어진 물질을 포함한다.
➡ 단백질, 핵산, 탄수화물(다당류) 등의 탄소 화합물은 단위체들의 결합에 의해 이루어진다.

08 효소, 항체, 손톱, 피부, 머리카락, 헤모글로빈, 근육은 모두 주성분이 단백질이다.
② DNA, RNA
➡ DNA와 RNA는 인산, 당, 염기로 된 뉴클레오타이드를 단위체로 한 핵산으로, 단백질이 포함되어 있지 않다.

09 | 선택지 분석 |
㉠ 단백질의 단위체로서 4가지 종류가 있다.
➡ 아미노산은 20가지 종류가 있다.
㉡ 모든 단백질은 공통적인 아미노산 서열을 갖는다.
➡ 단백질은 아미노산 서열에 따라 다양한 종류가 있다.
㉢ 탄소를 중심으로, 수소, 질소, 산소가 포함된 탄소 화합물이다.
㉣ 두 아미노산 사이에서 물 한 분자가 빠져나오면서 결합하는 것을 펩타이드 결합이라고 한다.

10 ✗ 단백질의 입체 구조가 ~~변형되어도 기능에는 영향을 주지 않는다.~~ 변형되었을 경우 본래의 기능을 하지 못한다.

11 DNA를 구성하는 뉴클레오타이드의 당은 디옥시리보스이고, RNA를 구성하는 뉴클레오타이드의 당은 리보스이다. DNA를 구성하는 염기는 A, T, G, C이고, RNA를 구성하는 염기는 A, U, G, C이다.

12 100쌍의 뉴클레오타이드로 구성된 DNA에는 염기가 총 200개 있다. 이 중 아데닌이 40개 포함되어 있다면 타이민도 40개 포함되어 있다. 따라서 200개 중 나머지 120개의 염기는 사이토신과 구아닌으로 구성되어 있을 것이며, 사이토신과 구아닌의 개수가 같으므로 사이토신은 60개 포함되어 있다.

13 여러 개의 뉴클레오타이드가 연결된 긴 사슬을 폴리뉴클레오타이드라고 한다.

실력 올리기 문제

078쪽~079쪽

01 ② **02** ③ **03** ⑤ **04** ③ **05** ⑤ **06** ④
07 해설 참조 **08** 해설 참조 **09** 해설 참조

01 | 선택지 분석 |

✗ 무기염류와 물은 생명체의 주요 에너지원이다.
➡ 주요 에너지원은 탄수화물이다.

✗ 생명체를 구성하는 물질은 모두 탄소 화합물이다.
➡ 무기염류와 물은 탄소 화합물이 아니다.

ㄷ 단백질과 핵산은 각각 단위체가 여러 개 결합하여 형성된 탄소 화합물이다.

02 | 선택지 분석 |

ㄱ A는 단백질이다.
➡ A는 단백질이며, 단위체인 아미노산의 펩타이드 결합으로 이루어진다.

ㄴ B는 우리 몸의 에너지원이다.
➡ B는 탄수화물이며, 우리 몸의 주요 에너지원이다.

✗ C의 단위체는 아미노산이다.
➡ C는 물이며, 아미노산은 단백질의 단위체이다.

03 | 자료 분석 |

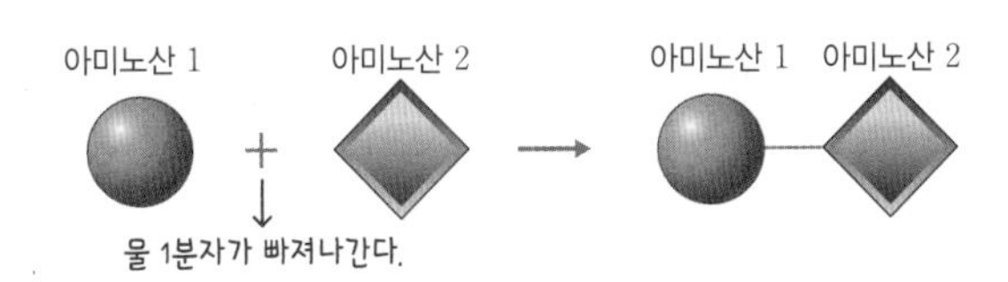

단위체인 아미노산이 탄소 화합물이므로 반응물과 생성물 모두 탄소 화합물이다.

더 알아보기 펩타이드 결합

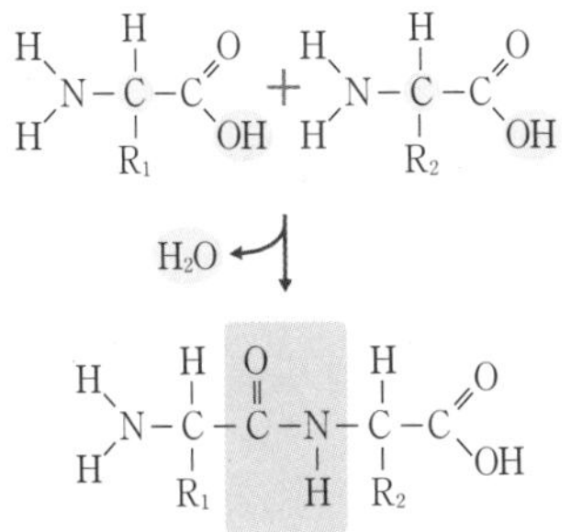

- 모든 아미노산은 아미노기($-NH_2$)와 카복실기($-COOH$)를 가지며, 곁사슬(R)에 의해 아미노산의 종류가 결정된다.
- 2개의 아미노산이 펩타이드 결합으로 연결될 때 물이 생성된다.

04 (가)는 핵산인 DNA이고, (나)는 단백질이다. 사람의 몸을 구성하는 비율은 핵산보다 단백질이 높다.

| 선택지 분석 |

ㄱ (가)를 구성하는 단위체는 뉴클레오타이드이다.
➡ DNA는 뉴클레오타이드로 구성된다.

ㄴ (나)에는 펩타이드 결합이 있다.
➡ 단백질은 아미노산의 펩타이드 결합으로 구성된다.

✗ 사람의 몸을 구성하는 비율은 (가)가 (나)보다 높다.
➡ 사람 몸에는 단백질의 비율이 더 높다.

05 (가)는 DNA를 구성하는 뉴클레오타이드이고, (나)는 RNA를 구성하는 뉴클레오타이드이다. DNA 뉴클레오타이드의 당은 디옥시리보스이고, RNA 뉴클레오타이드의 당은 리보스이다. DNA 뉴클레오타이드의 염기 종류는 아데닌, 구아닌, 사이토신, 타이민이고, RNA 뉴클레오타이드의 염기 종류는 아데닌, 구아닌, 사이토신, 유라실이다.

06 | 선택지 분석 |

A: 두 폴리뉴클레오타이드 간의 간격은 일정하게 유지되어 있어.

✗ B: 뉴클레오타이드는 DNA를 구성하는 단위체이며, 모든 DNA는 한 가지 뉴클레오타이드가 여러 개 연결되어 형성되지.
➡ DNA를 구성하는 뉴클레오타이드는 염기의 종류가 아데닌, 타이민, 구아닌, 사이토신 4종류이므로 DNA는 최대 4종류의 뉴클레오타이드로 구성되어 있다.

C: DNA 폴리뉴클레오타이드 두 가닥 사이에는 상보적인 염기의 결합이 있어.

07 | 모범 답안 |

탄소 화합물이다. 여러 개의 단위체가 결합하여 형성된다. 유기물이다. 생명체의 구성 성분이다. 단위체의 서열과 수에 따라 종류가 다양하다. 등

| 풀이 |

단백질과 핵산은 생명체의 주요 구성 물질이며, 단백질은 아미노산, 핵산은 뉴클레오타이드라는 단위체가 여러 개 결합하여 형성된 탄소 화합물이다. 단백질은 구성하는 아미노산의 순서에 따라 다양한 종류의 단백질이 될 수 있으며, 핵산은 염기 서열에 따라 다양한 유전 정보를 저장할 수 있다.

| 채점 기준 |

채점 기준	배점
공통점 중 2가지를 옳게 서술한 경우	100 %
공통점 중 1가지만 옳게 서술한 경우	50 %

08 | 모범 답안 |

단백질은 구성하는 아미노산의 종류와 연결 순서에 의해 다양한 입체 구조를 갖기 때문이다.

| 풀이 |

단백질을 구성하는 단위체는 아미노산이다. 아미노산은 20가지 종류가 있는데, 아미노산의 종류와 연결된 순서에 따라서 단백질의 종류와 특징이 결정된다. 단백질은 종류와 형태가 다양하므로 여러 가지 다양한 기능을 수행할 수 있는 특징이 있다.

| 채점 기준 |

채점 기준	배점
단백질을 구성하는 아미노산의 종류와 연결 순서에 따라 다양한 입체 구조를 가지기 때문이라고 옳게 서술한 경우	100 %
단백질의 입체 구조가 다르기 때문이라고 서술한 경우	50 %

09 | 모범 답안 |

DNA는 이중 나선 구조이고 RNA는 단일 가닥 구조이다. DNA의 단위체인 뉴클레오타이드의 당은 디옥시리보스이고, RNA의 단위체인 뉴클레오타이드의 당은 리보스이다. DNA를 구성하는 뉴클레오타이드 염기의 종류는 아데닌, 타이민, 구아닌, 사이토신이고 RNA를 구성하는 뉴클레오타이드 염기의 종류는 아데닌, 유라실, 구아닌, 사이토신이다. 등

| 풀이 |

DNA와 RNA는 각각 이중 나선 구조, 단일 가닥이라는 구조적 차이가 있다.

| 채점 기준 |

채점 기준	배점
차이점 중 2가지를 옳게 서술한 경우	100 %
차이점 중 1가지만 옳게 서술한 경우	50 %

03 신소재

간단 점검 081쪽, 082쪽

1 신소재 2 반도체 3 트랜지스터 4 초전도체
5 탄소 6 그래핀 7 풀러렌 8 생체 모방

알쉬특 083쪽

1 (1) × (2) ○ 2 ㄱ, ㄴ, ㄷ

1 신소재 중에는 자연의 특성을 모방하여 인위적으로 가공한 것들도 많다.

2 ㄱ. 홍합이 분비하는 단백질은 수중에서도 접착성이 좋다.
ㄴ. 연잎의 표면에는 돌기가 많아서 물이 잘 스며들지 못한다.
ㄷ. 모르포 나비의 날개는 염료에 의한 빛의 반사 때문이 아니라 표면 구조에 의한 빛의 간섭 때문에 파란색으로 보인다.

개념 + 기본 문제 084쪽~085쪽

개념 문제

01 (1) ○ (2) ○ (3) ○ 02 액정
03 (1) ㉡ (2) ㉠ (3) ㉢ 04 자연을 모방한 신소재

기본 문제

05 ⑤ 06 반도체 07 ④ 08 트랜지스터 09 ⑤
10 탄소 나노 튜브 11 ④ 12 ①

04 자연을 모방한 신소재에는 도꼬마리 열매를 모방한 벨크로 테이프, 도마뱀 붙이, 홍합을 모방한 수중 접착제, 모르포 나비를 모방한 모르포텍스 섬유 등이 있다.

05 물질의 물리적 성질은 강도, 밀도, 전도성, 자성 등이 있으며 이를 변화시켜 신소재를 만든다.

06 반도체는 극저온에서는 전기 저항이 매우 크지만 실온에서는 온도가 높아질수록 전기 저항이 작아진다.

07 | 선택지 분석 |

㉠ 전선은 도체로 만든다.
✕ 피복은 전선보다 전기 저항이 ~~작은~~ 큰 물질로 만든다.
㉢ 전기 전도도가 큰 물질일수록 전선에 적합하다.

08 트랜지스터는 컴퓨터, 휴대폰 등에 필요한 집적 회로를 구성한다.

09 순수 반도체에 불순물을 첨가하여 만든 것은 반도체 소자이다. 네오디뮴 자석은 철 원자 사이에 네오디뮴과 붕소를 첨가하여 만든다.

ㄱ ✕ ~~네오디뮴 자석은~~ (반도체 소자는) 순수 반도체에 불순물을 첨가하여 만든다.

10 탄소 나노 튜브는 원통형 구조로 나노 핀셋 등에 활용된다.

11 | 선택지 분석 |

ㄱ 전기 전도성이 좋다.

✕ 내부에 빈 공간이 있어 작은 입자를 운반하는 역할을 한다. → 풀러렌

ㄷ 면적을 늘리거나 휘어지더라도 전기적 성질이 변하지 않는다.

12 불순물 반도체를 만드는 과정은 생체 모방 연구가 아니다.

실력 올리기 문제 086쪽~087쪽

01 ③ **02** ③ **03** ⑤ **04** ① **05** ④ **06** ②
07 해설 참조 **08** 해설 참조 **09** 해설 참조

01 형상 기억 합금은 모양을 변형해도 가열하면 변형 전의 형태로 되돌아온다.

| 선택지 분석 |

- 철수: 신소재는 물질의 물리적 성질을 변화시켜서 만들어.
- ✕ 영희: 형상 기억 합금은 ~~강도가 커서 온도가 변해도 형태가 변하지 않지.~~ (모양을 변형해도 가열하면 원래 형태로 돌아와.)
- 민수: 네오디뮴 자석은 물리적 성질 중에서 자성을 매우 크게 한 거야.

02 (가)는 전류가 직접 흐르기 때문에 전기 전도성이 큰 도체로 만들지만, (나)와 (다)는 전류가 외부로 흐르지 않도록 절연체로 만든다.

| 선택지 분석 |

ㄱ (가)는 전기 전도성이 큰 소재로 만든다.

ㄴ (나)는 (다)보다 신축성이 큰 소재이다.

✕ (다)를 이루는 물질은 ~~도체~~(절연체)이다.

03 LED는 순수 반도체에 불순물을 첨가하여 만든 불순물 반도체를 이용하여 만든다.

| 선택지 분석 |

✕ ~~순수 반도체~~(불순물 반도체)를 사용하여 만든다.

ㄴ 전류가 흐를 때 전자가 가시광선을 방출한다.

ㄷ 빛의 3원색에 해당하는 LED를 이용하여 텔레비전의 광원으로 활용한다.

04 | 자료 분석 |

A는 70 K 근처에서 갑자기 전기 저항이 0이 되었으므로 초전도체이다.

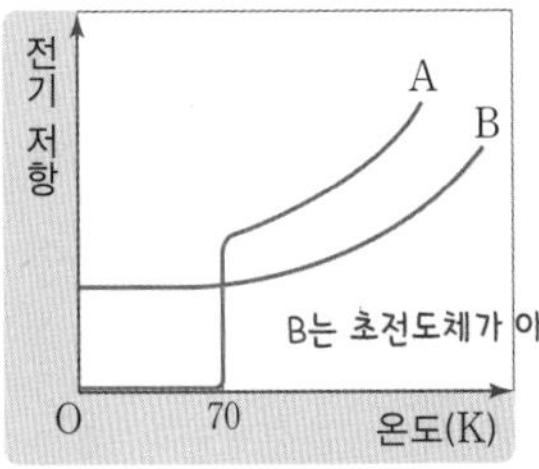

| 선택지 분석 |

ㄱ A의 임계 온도는 70 K이다.

✕ ~~B~~(A)는 초전도체이다.

✕ ~~A, B 모두~~ (A는) 60 K에서 외부 자기장을 밀어내는 성질이 나타난다.

05 그래핀은 강도가 크지만 구부러지거나 휘어질 수 있어 휘어지는 디스플레이를 만들 수 있다.

| 선택지 분석 |

ㄱ 이 신소재는 그래핀이다.

✕ 강도가 ~~커서 구부러지거나 휘어지지 않는다.~~ (크지만 구부러지거나 휘어질 수 있다.)

ㄷ 빛이 투과할 수 있어 투명한 디스플레이를 만들 수 있다.

06 물을 밀어내는 연잎의 성질을 활용하여 유리 코팅제를 만들 수 있다.

더 알아보기 자연을 모방한 신소재

(1) 도꼬마리 열매를 모방한 벨크로 테이프
(2) 도마뱀붙이, 홍합을 모방한 수중 접착제
(3) 모르포 나비를 모방한 모르포텍스 섬유
(4) 사람의 눈을 모방한 전자 카메라
(5) 새의 비행을 모방한 모핑 항공기
(6) 연잎을 모방한 유리 코팅제

07 | 모범 답안 |

반도체는 온도나 압력 등 조건에 따라서 전기 저항이 변하여 도체처럼 활용할 수 있는 물질을 말한다. 반도체로 소자를 만들기 위해서는 불순물을 첨가하여 전기가 흐르는 성질을 증가시켜 주어야 한다.

| 풀이 |

발광 다이오드와 트랜지스터는 모두 순수 반도체에 불순물을 첨가하여 만든 반도체 소자이다.

| 채점 기준 |

채점 기준	배점
반도체의 전기적 특성과 불순물을 첨가하는 과정에 대해 옳게 서술한 경우	100 %
반도체의 전기적 특성과 불순물을 첨가하는 과정에 대한 서술이 미흡한 경우	50 %

08 | 모범 답안 |

(가)는 전기 저항이 0이 되어서 큰 전류를 흘려 강한 자기장을 만들 수 있는 성질, (나)는 자석이 만든 자기장을 밀어내는 성질을 이용한 것이다.

| 풀이 |

초전도체는 임계 온도 이하에서 전기 저항이 0이 되는 초전도성을 나타내는 물질을 말한다. 초전도체는 외부 자기장을 밀어내는 마이스너 효과를 나타낸다.

| 채점 기준 |

채점 기준	배점
각각 활용한 특징을 옳게 서술한 경우	100 %
2가지 중 1가지만 옳게 서술한 경우	50 %

09 | 모범 답안 |

도마뱀붙이의 발바닥 미세 섬모와 홍합의 수염에서 분비되는 단백질이 물속에서도 강한 접착이 가능하게 한다. 섬모와 단백질을 활용하여 수중 접착제를 개발할 수 있다.

| 풀이 |

물속에서도 잘 붙는 도마뱀붙이와 홍합의 성질을 이용하여 수중 접착제를 만들 수 있다.

| 채점 기준 |

채점 기준	배점
두 생물의 성질을 모두 옳게 서술한 경우	100 %
두 생물의 성질 중 하나만 옳게 서술한 경우	50 %

대단원 마무리 088쪽~093쪽

한번에 정리하는 대단원 마무리

① 규소 ② 4 ③ 규산염 사면체 ④ 흑운모 ⑤ 물 ⑥ 탄수화물 ⑦ 탄소 화합물 ⑧ 단위체 ⑨ 아미노산 ⑩펩타이드 ⑪ 폴리펩타이드 ⑫ DNA ⑬ 뉴클레오타이드 ⑭ 디옥시리보스 ⑮ DNA ⑯ 유전 정보 ⑰ 신소재 ⑱ 도체 ⑲ 절연체 ⑳ 반도체 ㉑ 액정 ㉒ 발광 다이오드(LED) ㉓ 트랜지스터 ㉔ 초전도체 ㉕임계 온도 ㉖ 네오디뮴 자석 ㉗ 그래핀 ㉘ 탄소 나노 튜브 ㉙ 풀러렌

한번에 끝내는 대단원 마무리

01 ⑤ **02** ④ **03** ① **04** ③ **05** ③ **06** ② **07** ③
08 ⑤ **09** ① **10** ③ **11** ⑤ **12** ④ **13** ③
14 해설 참조 **15** 해설 참조 **15** 해설 참조 **17** 해설 참조

01 규소(Si)는 4개의 원자가 전자를 갖고 있으며, 규소 원자 1개에 산소 원자 4개가 결합되어 있는 규산염 사면체를 이룬다. 주요 조암 광물의 대부분은 이러한 규산염 광물로 이루어져 있다.

02 | 선택지 분석 |

ㄱ. (가)는 판상 구조이다.
➡ 판상 구조는 규산염 광물의 구조 중 한 가지이다.
ㄴ. (나)는 가지 모양의 구조이다.
ㄷ. 탄소는 4개의 원자와 결합할 수 있다.
➡ 탄소는 원자가 전자 수가 4개로 최대 4개의 원자와 결합할 수 있다.

03 | 선택지 분석 |

ㄱ. 탄소는 규소보다 전자 껍질 수가 적다.
ㄴ. 탄소는 규소보다 원자가 전자의 수가 많다.
ㄷ. 탄소는 규소보다 결합할 수 있는 원자의 개수가 많다.
➡ 탄소와 규소는 같은 족의 원소이다. 이들 두 원소는 원자가 전자의 수가 4개이며 결합할 수 있는 원자의 수는 최대 4개로 같다.

04 ㄷ. 생명체를 이루는 원소 중에서 탄소가 가장 많은 질량을 차지하고 있지.
➡ 생명체를 이루는 물질 중 가장 많은 질량을 차지하고 있는 것은 물(H_2O)이다. 따라서 가장 질량비가 높은 원소는 산소이다.

05 핵산은 탄소 화합물이지만, 물은 탄소 화합물이 아니다.

| 선택지 분석 |

ㄱ. 물은 사람의 체온 유지에 도움이 된다.
➡ 물은 비열이 높아 체온 유지에 유리하다.
ㄴ. 핵산의 단위체는 뉴클레오타이드이다.
➡ 핵산의 단위체는 인산, 당, 염기로 구성된 뉴클레오타이드이다.
ㄷ. 물과 핵산은 모두 탄소 화합물이다.
➡ 핵산은 탄소 화합물이지만, 물은 탄소 화합물이 아니다.

06 A는 단백질, B는 핵산, C는 탄수화물이다. 핵산(B)은 유전 물질로 작용하며, 주요 에너지원으로 이용되는 것은 탄수화물(C)이다.

07 | 자료 분석 |

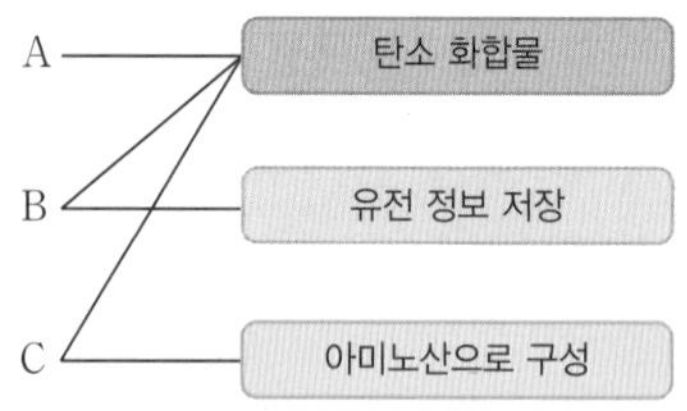

A는 탄수화물, B는 핵산, C는 단백질이다.

단백질, 탄수화물, 핵산은 모두 탄소 화합물이다. 유전 정보를 저장하는 것은 핵산이고, 아미노산으로 구성되어 있는 것은 단백질이다. 따라서, A는 탄수화물, B는 핵산, C는 단백질이다. 녹말, 포도당은 탄수화물이고 DNA, RNA는 핵산이며, 항체, 헤모글로빈은 단백질에 해당하는 물질이다.

08 | 자료 분석 |

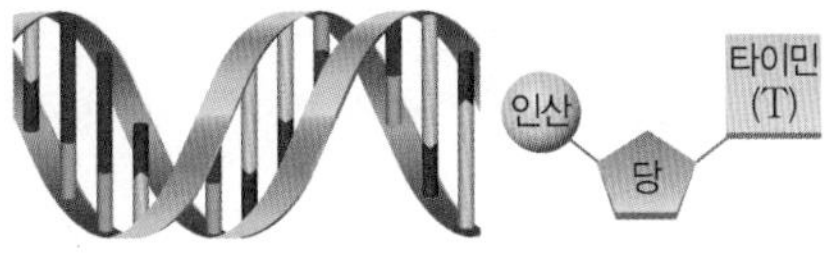

(가)는 DNA, (나)는 뉴클레오타이드이다.

| 선택지 분석 |

ㄱ. (나)의 당은 디옥시리보스이다.
➡ (가)는 DNA이며, DNA 뉴클레오타이드의 당은 디옥시리보스이다.

ㄴ. (가)는 사람의 염색체를 구성하는 물질이다.
➡ DNA는 핵 속의 염색체를 구성하는 주성분이다.

ㄷ. (가)에서는 (나)의 타이민과 아데닌(A)의 결합이 존재한다.
➡ DNA 이중 나선 구조의 폴리뉴클레오타이드 가닥 안쪽에서 아데닌은 타이민과, 구아닌은 사이토신과 상보적인 결합을 이루고 있다.

09 액정 디스플레이를 구성하는 액정과 집적 회로를 구성하는 트랜지스터는 물질의 전기적 성질을 활용한 신소재이며 휘어지는 디스플레이는 탄소로 이루어진 신소재이다.

| 선택지 분석 |

ㄱ. (가), (나), (다) 모두 탄소로 이루어진 신소재를 이용한 것이다.
➡ (가)는 액정, (나)는 트랜지스터이므로 탄소로 이루어진 신소재가 아니다.

ㄴ. (가)는 고체 결정의 성질과 액체처럼 흐르는 성질을 가진 신소재를 이용한 것이다.
➡ 고체 결정의 성질과 액체처럼 흐르는 성질을 가진 신소재를 액정이라고 한다.

ㄷ. (나)는 자기적 성질을 이용한 신소재로 만든다.
➡ (나)는 전기적 성질을 이용한 신소재로 만든다.

10 초전도체는 임계 온도 이하에서 전기 저항이 0이 되는 물질을 말하며 자석이 만든 자기장을 밀어내는 마이스너 효과에 의해 자석 위에 떠 있을 수 있다.

| 선택지 분석 |

ㄱ. 초전도체가 자석 위에 떠 있는 현상은 자석이 만든 자기장을 밀어내는 성질과 관련이 있다.
➡ 자석이 만든 자기장을 밀어내는 효과를 마이스너 효과라고 부른다.

ㄴ. 0 ℃에서 전기 저항이 0이다.
➡ 초전도체의 임계 온도는 영하 140 ℃보다 낮으며, 임계 온도 이하의 온도에서 전기 저항이 0에 가까워진다.

ㄷ. 자기 부상 열차, 자기 공명 영상 장치에 이용된다.
➡ 이외에도 초전도 송전선, 초전도 슈퍼컴퓨터, 핵융합 발전 등에 사용된다.

11 과학 기술이 발달함에 따라 나노 단위 수준도 다룰 수 있게 되면서 탄소의 결합 구조나 배열을 변화시킨 그래핀, 탄소 나노 튜브, 풀러렌과 같은 신소재를 개발하고 있다.

| 선택지 분석 |

• 철수: 그래핀은 잘 휘어지지만 전기적 성질이 쉽게 변해.
➡ 그래핀은 빛을 잘 투과시키고, 잘 휘어지더라도 전기적 성질이 변하지 않는 성질을 이용해 휘어지는 디스플레이 제작에 사용된다.

• 영희: 탄소 나노 튜브는 그래핀을 둥글게 만 것과 같은 구조를 가져.
➡ 탄소 나노 튜브는 탄소 원자가 한 층으로 펼쳐진 그래핀을 둥글게 만 것과 같은 원통형 구조를 갖는다.

• 민수: 풀러렌은 내부 빈 공간이 있어 의약품 운반 등에 활용할 수 있어.
➡ 구 형태의 풀러렌 내부 공간을 이용하여 인체 내 약물을 운반하는 운반체로 활용한다.

12 풀러렌은 탄소가 구 형태를 이룬 구조로, 생체 모방 기술에 해당하지 않는다.

13 탄소 원자는 원자가 전자가 4개라서 여러 원소와 다양한 구조의 공유 결합을 안정하게 이룰 수 있고 여러 가지 신소재에도 활용된다.

| 선택지 분석 |

ㄱ. 탄소 화합물은 여러 원소와 다양한 구조의 공유 결합을 안정하게 이루어 탄소 화합물을 형성한다.
➡ 탄소 원자가 결합해 골격을 이루고 여기에 다양한 원소가 결합해 형성한 화합물을 탄소 화합물이라고 한다.

ㄴ. 단백질과 DNA에는 탄소 원자가 포함되어 있다.
➡ 단백질과 DNA는 탄소 화합물이다.

ㄷ. 탄소 나노 튜브는 내부에 빈 공간이 있어 의약품 등을 운반하는 데 활용할 수 있다.
➡ 풀러렌은 탄소가 구 형태를 이룬 구조로, 내부에 빈 공간이 있어 의약품 등을 운반하는 데 활용할 수 있다.

14 | 모범 답안 |

(1) (가) 명칭: 판상 구조, 대표 광물: 흑운모

(나) 명칭: 망상 구조, 대표 광물: 석영, 장석

(2) 풍화에 강한 것은 (나)이다. (가)는 판상 구조로 규산염 사면체가 면을 이루면서 결합되어 있는 구조이기 때문에 판 모양으로 잘 쪼개진다. 하지만 (나)는 망상 구조로 규산염 사면체가 모든 방향으로 결합이 되어 있어서 결합의 강도가 (가)보다 강하기 때문에 풍화에 강하다.

| 풀이 |

판상 구조는 판과 판 사이에 이온 결합이 있어 공유 결합에 비해 결합력이 약하므로 판 모양으로 잘 쪼개진다. 그러나 망상 구조는 모든 방향이 결합력이 같은 공유 결합을 하고 있어서 깨짐이 나타나고 풍화에 더 강하다.

| 채점 기준 |

문항	채점 기준	배점
(1)	(가)와 (나)의 결합 구조 명칭과 대표 광물 모두 옳게 쓴 경우	40 %
	(가)와 (나)의 결합 구조 명칭과 대표 광물 중 3가지를 옳게 쓴 경우	30 %
	(가)와 (나)의 결합 구조 명칭과 대표 광물 중 2가지를 옳게 쓴 경우	20 %
	(가)와 (나)의 결합 구조 명칭과 대표 광물 중 1가지를 옳게 쓴 경우	10 %
(2)	풍화에 강한 모형과 이유를 모두 옳게 서술한 경우	60 %
	풍화에 강한 모형만 옳게 서술한 경우	20 %

15 | 모범 답안 |

DNA 이중 나선 구조에서 아데닌은 타이민과 상보적으로 결합하기 때문이다.

| 풀이 |

DNA 이중 나선의 구조에서 아데닌은 타이민과 구아닌은 사이토신과 상보적으로 결합하므로 아데닌의 숫자와 타이민의 숫자는 같을 수밖에 없다.

| 채점 기준 |

채점 기준	배점
아데닌은 타이민과 상보적으로 결합하기 때문이라고 옳게 서술한 경우	100 %
상보적으로 결합한다고 서술하지 못한 경우	0 %

16 | 모범 답안 |

펩타이드 결합의 수는 9이다.

| 풀이 |

펩타이드 결합은 아미노산과 아미노산 사이의 결합이므로 10개의 아미노산으로 이루어진 단백질에는 9개의 펩타이드 결합이 존재한다.

| 채점 기준 |

채점 기준	배점
펩타이드 결합의 수를 옳게 서술한 경우	100 %
펩타이드 결합의 수를 잘못 서술한 경우	0 %

17 | 모범 답안 |

이 신소재는 초전도체이다. 초전도체는 임계 온도 이하에서 저항이 0에 가까우므로 에너지의 소모가 작고 매우 강한 자석을 만들 수 있다. 하지만 임계 온도가 매우 낮아 초전도 현상을 이용하기 위해 많은 비용이 든다.

| 풀이 |

그래프는 초전도체의 저항이 0이 되는 조건을 알려준다. 임계 온도 이하에서 초전도 현상이 나타난다.

| 채점 기준 |

채점 기준	배점
초전도체임을 서술하고 장점과 단점을 모두 설명한 경우	100 %
3가지 중 2개만 서술한 경우	70 %
3가지 중 1개만 서술한 경우	30 %

Ⅲ »» 역학적 시스템

01 ~ 역학적 시스템과 중력

간단 점검 097쪽, 098쪽

1 역학적 시스템 **2** 탄성력 **3** 중력 **4** 자유 낙하 운동
5 커서, 작아서 **6** 전정 기관 **7** 세포벽

알쉬탐 099쪽

1 해설 참조 **2** 해설 참조
3 (1) ○ (2) × (3) ○ **4** ㄱ, ㄴ, ㄷ

1 B는 수평 방향으로 작용하는 힘이 없기 때문에 수평 방향으로 속도의 변화가 없다. 따라서 시간에 따른 속도가 일정한 등속 직선 운동을 한다.

2 A, B에 작용하는 중력에 의한 중력 가속도의 크기는 같다. 따라서 A, B의 연직 방향의 속력은 항상 같다.

3 A, B는 질량이 같고 항상 중력 가속도가 작용하므로 가속도의 크기와 방향, 힘의 크기와 방향이 같다. 하지만 B는 수평 방향의 속도도 가지고 있어 속도의 크기와 방향은 같지 않다.

4 A, B 모두 연직 방향으로는 중력 가속도의 크기로 등가속도 운동을 한다. 수평 방향으로 B의 운동은 등속 직선 운동이고, 연직 방향의 운동과 관계없다. 낙하 시간은 중력 가속도의 크기에만 관계있고 물체의 질량에는 관계없다.

개념 + 기본 문제 100쪽~101쪽

개념 문제

01 (1) ○ (2) ○ (3) × (4) ○ **02** (1) × (2) ○ (3) × (4) ○
03 ⑤

기본 문제

04 ④ **05** ④ **06** 6배 **07** ③ **08** ⑤ **09** ④ **10** ②
11 전정 기관 **12** ⑤

01 (3) 물체의 질량이 일정할 때 가속도의 크기는 힘의 크기에 비례한다.

02 (1) A가 B를 당기는 중력과 B가 A를 당기는 중력의 방향은 서로 반대 방향이다.

(3) 자유 낙하 하는 물체의 가속도는 중력 가속도로 일정하다.

03 번개는 전기 방전 현상으로 중력이 지구 시스템에 미치는 영향으로 적절하지 않다.

04 늘어난 용수철에는 원래대로 돌아가려는 탄성력이 작용하고, 못이 자석에 붙는 것은 자기력 때문이다.

05 물체에 작용하는 힘이 일정할 때 가속도의 크기는 물체의 질량에 반비례한다.

✕ 작용하는 힘이 일정할 때 가속도의 크기는 질량에 ~~비례~~ 반비례 한다.

06 가속도의 크기는 힘의 크기에 비례하고 질량에 반비례하므로 가속도의 크기는 6배로 증가한다.

더 알아보기 **힘과 가속도의 관계(가속도 법칙)**

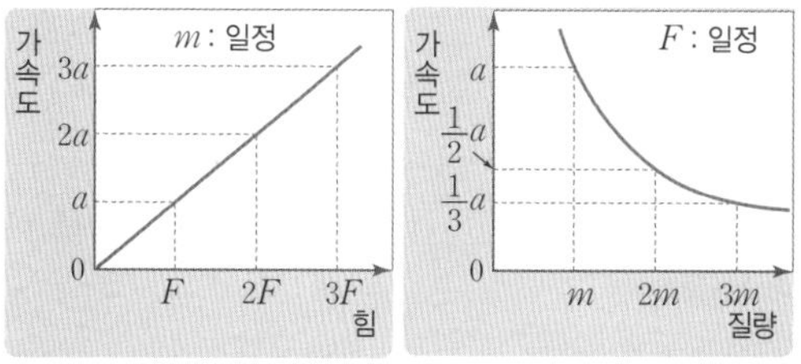

- 질량이 일정할 때 가속도의 크기는 힘의 크기에 비례한다.
- 힘의 크기가 일정할 때 가속도의 크기는 질량에 반비례한다.

07 두 물체가 서로에게 작용하는 중력의 크기는 같고 방향은 반대이다.

✕ 두 물체가 서로 끌어당기는 힘의 크기~~의 비는 각각의 질량의 비와 같다.~~ 는 같고 방향은 반대이다.

08 자유 낙하 운동은 질량에 관계없이 속도의 변화가 일정하므로 동시에 도달한다.

✕ 같은 높이에서 가만히 놓았을 때 ~~질량이 클수록 빨리 떨어진다.~~ 낙하 속도는 질량에 관계없다.

09 | 선택지 분석 |

✕ 두 물체의 ~~속력~~은 항상 같다. 연직 방향의 속력

ㄴ 두 물체는 바닥에 동시에 도달한다.

ㄷ 두 물체에 작용하는 힘의 크기와 방향은 같다.

10 | 선택지 분석 |

ㄱ 차가운 공기는 따뜻한 공기보다 밀도가 크다.

ㄴ 중력에 의해 차가운 공기가 아래로 내려온다.

ㄹ. (×) 따뜻해진 공기는 모두 중력의 영향에서 ~~벗어나 우주로 날아간다.~~ 벗어나지 못한다.

11 귀 속의 전정 기관은 중력을 감지하여 몸의 평형을 유지할 수 있도록 한다.

12 | **선택지 분석** |

ㄱ. (○) 식물은 중력이 작용하는 방향으로 뿌리를 내린다.

ㄴ. (○) 큰 포유류는 중력을 견디기 위해 근육과 골격이 발달하였다.

ㄷ. (○) 민들레 씨는 깃털 구조를 가지고 있어 중력을 받아도 바닥으로 떨어지지 않고 퍼져나간다.

실력 올리기 문제 102쪽~103쪽

01 ① **02** ③ **03** ③ **04** ② **05** ④ **06** ①
07 해설 참조 **08** 해설 참조 **09** 해설 참조

01 가속도와 힘의 관계를 알아보기 위해서는 질량이 같고, 힘이 다른 경우를 비교하여야 한다. 가속도와 질량의 관계를 알아보기 위해서는 힘이 같고 질량이 다른 경우를 비교하여야 한다.

02 등가속도 운동은 속도의 변화가 일정한 운동으로 가속도는 $\frac{\text{속도 변화량}}{\text{시간}}$으로 주어진다.

| **선택지 분석** |

ㄱ. (○) 속력이 일정하게 증가하는 운동이다.

ㄴ. (×) 3초일 때 속력은 ~~5 m/s~~ 6 m/s이다.

ㄷ. (○) 가속도의 크기는 2 m/s^2이다.

03 공기 중에서는 공기 저항이 작용하지만 진공 상태에서는 공기 저항이 작용하지 않아 두 물체 모두 중력만 작용하는 자유 낙하 운동을 한다.

| **선택지 분석** |

ㄱ. (○) 진공 상태에서 깃털과 구슬의 속력은 항상 같다.

ㄴ. (○) 공기 중에서 깃털은 구슬보다 공기 저항을 크게 받는다.

ㄷ. (×) 진공 상태에서 깃털과 구슬에 작용하는 힘의 ~~크기와~~ 크기는 다르고 방향은 같다.

04 수평으로 던진 물체는 연직 방향으로는 자유 낙하 하기 때문에 낙하 시간은 높이에만 관련 있다. 수평 방향으로 이동한 거리는 낙하 시간이 길수록, 수평 방향 속력 v가 클수록 크다. 한편, 중력 가속도를 9.8 m/s^2보다 작게 하면 천천히 떨어지기 때문에 낙하 시간이 길어지는 효과가 있다.

| **자료 분석** |

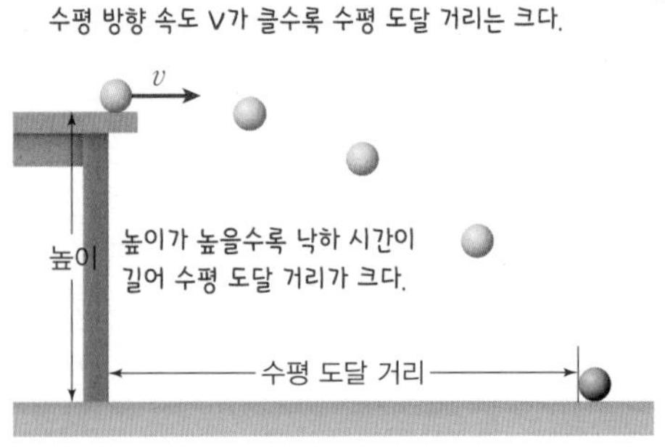

| **선택지 분석** |

ㄱ. (○) 물체의 위치를 더 높게 한다.

ㄴ. (○) 수평 방향으로 던지는 속력을 v보다 크게 한다.

ㄷ. (×) 중력 가속도가 9.8 m/s^2보다 ~~큰~~ 작은 곳에서 던진다.

05 중력의 방향은 항상 지구의 중심을 향하지만, 중력의 크기는 질량 분포와 시간에 따라 다르다. GPS 위성은 지구 중심 방향으로는 자유 낙하 운동을, 지구 표면에 수평 방향으로는 등속 직선 운동을 한다.

| **선택지 분석** |

ㄱ. (×) 중력 가속도의 크기는 지구상에서 위치와 시간에 ~~상관없이 항상 9.8 m/s^2이다.~~ 따라 달라진다.

ㄴ. (○) 중력의 방향은 지구상에서 항상 지구 중심 방향이다.

ㄷ. (○) GPS 위성은 지구 중심 방향으로는 중력 가속도로 자유 낙하 하는 운동을 한다.

06 대류 현상은 중력에 의해 차가운 공기가 아래로 이동하고, 따뜻한 공기가 위로 이동하는 현상이다. 기린의 심장은 다른 동물에 비해 크고 혈압이 높다.

| **선택지 분석** |

- 철수 (○): 지구의 중력에 의해 달은 지구 주변을 공전해.
- 영희 (×): ~~차가운~~ 따뜻한 공기는 밀도가 작아 위로 이동하고, ~~따뜻한~~ 차가운 공기는 밀도가 커서 아래로 이동해.
- 민수 (×): 기린은 다른 동물에 비해 심장이 ~~작아서~~ 커서 중력을 이기고 머리로 혈액을 보낼 수 있어.

07 | **모범 답안** |

물체의 가속도의 크기는 m일 때의 $\frac{1}{2}$배가 된다. 힘의 크기가 일정할 때 가속도의 크기는 질량에 반비례하기 때문이다.

| **풀이** |

질량이 일정할 때 가속도의 크기는 힘의 크기에 비례하고 힘의 크기가 일정할 때 가속도의 크기는 질량에 반비례한다.

| **채점 기준** |

채점 기준	배점
가속도가 $\frac{1}{2}$배가 되는 결과와 그 까닭을 옳게 서술한 경우	100 %
가속도가 $\frac{1}{2}$배가 되는 결과와 그 까닭에 대한 서술이 미흡한 경우	50 %

08 | 모범 답안 |

달은 접선 방향으로 등속 직선 운동 하려 하지만 중력에 의해 지구 쪽으로 당겨진다. 이때 지구가 구 모양이기 때문에 달은 땅에 떨어지지 않고 원궤도를 유지한다.

| 풀이 |

수평 방향으로 빠른 속력으로 던진 물체는 지구가 구 모양이기 때문에 지구를 돌아 제자리로 돌아오는 원운동을 할 수 있다.

| 채점 기준 |

채점 기준	배점
등속 직선 운동과 중력을 모두 옳게 서술한 경우	100 %
중력만으로 공전의 까닭을 서술한 경우	50 %

09 | 모범 답안 |

지구상의 모든 동물에게는 지구 중심 방향으로 중력이 작용하며 물체에 작용하는 중력을 무게라고 한다. 무거운 동물에는 큰 중력이 작용하기 때문에 이를 이겨내기 위해 강한 근육과 단단한 골격을 지녔다.

| 풀이 |

코끼리나 하마처럼 육상에서 살아가는 무거운 동물은 중력을 이겨내기 위해 강한 근육과 단단한 골격을 가지고 있다.

| 채점 기준 |

채점 기준	배점
지구상의 모든 동물에게 중력이 작용하고 무거운 동물에 큰 중력이 작용한다고 옳게 서술한 경우	100 %
무게를 이겨내기 위해서라고만 서술한 경우	50 %

02 운동과 충돌, 그리고 안전

간단 점검 105쪽, 107쪽

1 크다 **2** 크다 **3** 충격량 **4** 충격량 **5** 비례한다 **6** 크다 **7** 반비례한다 **8** 충돌 시간을 길게 하여 평균 힘을 줄여주기 위해서 **9** 에어백, 자동차의 범퍼, 도로의 가드레일

개념 + 기본 문제 108쪽~109쪽

개념 문제

01 (1) ○ (2) × (3) × (4) ○ **02** ㉠ 충격량, ㉡ 반비례
03 (가), (다)

기본 문제

04 관성 **05** ⑤ **06** ① **07** ⑤ **08** ③ **09** ① **10** ④ **11** ②

01 (2) 관성의 크기는 질량에 비례한다.
(3) 운동량의 크기가 같을 때 질량은 속력에 반비례한다.

02 충격량은 운동량의 변화량과 같고, 충격량의 방향은 운동량 변화량의 방향과 같다. 운동량의 변화량이 같을 때 물체가 받는 평균 힘은 충돌 시간에 반비례한다.

03 골프채를 휘둘러 공과의 접촉 시간을 길게 하는 것은 힘이 일정할 때 시간을 길게 해서 충격량을 크게 하는 사례이다.

04 질량이 큰 물체일수록 관성이 커서 갑자기 움직이거나 멈추기 위해 큰 힘이 필요하다.

05 | 선택지 분석 |

㉠ 사람이 땅을 뒤로 밀면서 앞으로 나아간다. → 작용 반작용
㉡ 앞으로 달리던 사람이 돌부리에 걸려 앞으로 넘어진다.
㉢ 버스가 갑자기 앞으로 출발하면 승객들은 뒤로 쏠린다.

06 두 면봉이 받는 힘의 크기는 같지만 힘의 크기를 받는 시간이 다르기 때문에 두 면봉이 받는 충격량의 크기가 다르다.
㉢ 두 면봉이 받는 충격량의 크기는 ~~(가), (나)에서 같다.~~ (나)에서가 (가)에서보다 크다.

07 | 선택지 분석 |

㉠ 정지한 물체의 운동량은 0이다.
㉡ 운동량의 단위는 충격량의 단위와 같다.
㉢ 질량이 일정할 때 물체의 속력이 클수록 물체의 운동량의 크기가 크다.

08 힘－시간 그래프에서 면적은 충격량에 해당하고, 충격량은 운동량의 변화량이므로 4초일 때 운동량의 크기는 12 N·s이다. 따라서 6 m/s이다.

09 | 선택지 분석 |

㉠ A가 B에 작용하는 힘의 크기와 B가 A에 작용하는 힘의 크기는 같다.
㉡ 충격량의 크기는 ~~B가 A의 2배이다.~~ A와 B가 같다.
㉢ A와 B의 손이 떨어진 순간 ~~A와 B의 속력은 같다.~~ B의 속력이 A의 속력의 2배이다.

10 평균 힘의 크기는 충돌 시간이 긴 B가 A보다 작다.
㉢ 평균 힘의 크기는 ~~B가 A보다 크다.~~ A가 B보다 크다.

11 | 선택지 분석 |

㉠ 공이 야구 장갑으로부터 받는 충격량의 크기는 ~~(가)에서가 (나)에서보다 작다.~~ (가), (나)에서 같다.
㉡ 야구 장갑이 공으로부터 받는 평균 힘의 크기는 (가)에서가 (나)에서보다 ~~크다.~~ 작다.

ㄷ. 공의 운동량이 0이 되는 데 걸리는 시간은 (가)에서가 (나)에서보다 크다.

더 알아보기 충격량과 평균 힘

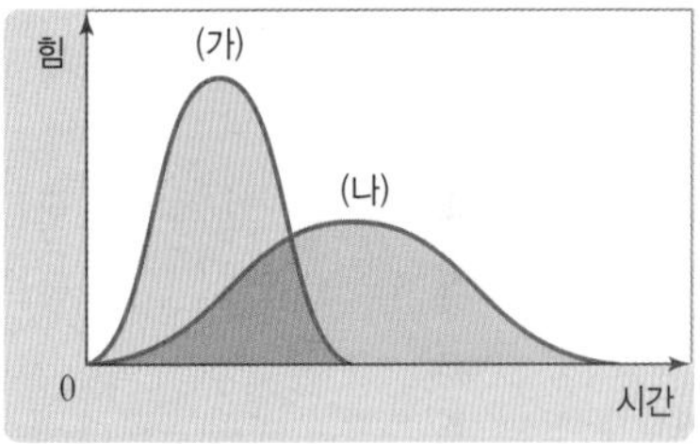

- 힘－시간 그래프의 넓이가 같다는 것은 충격량이 같다는 것이다.
- 평균 힘은 단위 시간당 충격량에 해당하므로 평균 힘은 (가)의 경우가 (나)보다 크다.
- 충돌 상황에서 (가)의 경우가 (나)보다 더 큰 피해를 입을 수 있다.

실력 올리기 문제 110쪽~111쪽

01 ② **02** ② **03** ③ **04** ① **05** ⑤ **06** ③
07 해설 참조 **08** 해설 참조 **09** 해설 참조

01 종이만 날아가고 동전이 컵 속으로 떨어지는 현상은 관성으로 설명할 수 있다.

| 선택지 분석 |

ㄱ. 로켓이 가스를 내뿜으며 올라간다. → 작용 반작용 법칙

ㄴ. 달리기 선수가 받침대를 이용하여 출발한다. → 작용 반작용 법칙

ㄷ. 망치 자루를 바닥에 치면 머리 부분이 단단히 박힌다.

02 힘－시간 그래프에서 면적은 충격량을 의미하고, 그 크기는 5 N·s이다. 충격량은 운동량의 변화량이므로 화살의 질량 0.2 kg으로 나누면 속도의 크기 25 m/s를 구할 수 있다.

03 작용 반작용에 의해 어른과 어린이가 받는 힘의 크기와 충격량의 크기는 같다. 1초 후 어른은 오른쪽으로, 어린이는 왼쪽으로 각각 1.5 m/s, 3 m/s로 이동한다.

| 선택지 분석 |

ㄱ. 어른은 ~~계속 정지해 있고~~, 어린이는 어른 쪽으로 끌려간다. (어린이 쪽으로 끌려가고)

ㄴ. 어린이가 받는 충격량의 크기는 어른이 받는 충격량의 크기~~의 2배이다~~. (와 같다.)

ㄷ. 1초 후 어린이의 속력은 3 m/s이다.

04 | 자료 분석 |

힘-시간 그래프에서는 그래프 아래의 면적이 충격량을 나타낸다.

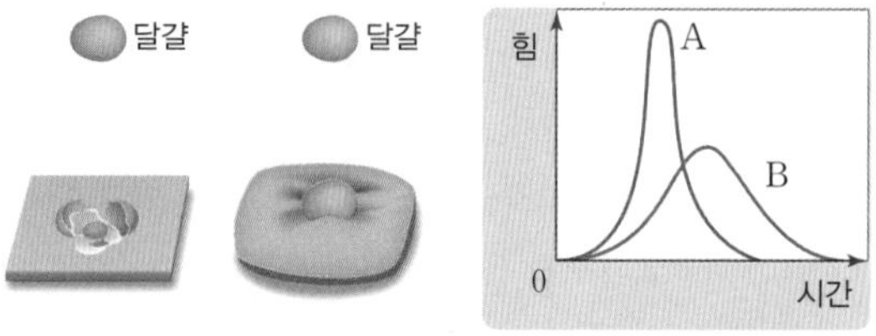

시간이 짧은 A의 평균 힘이 B보다 크다.

| 선택지 분석 |

ㄱ. ~~B~~가 쟁반에 떨어진 달걀의 경우이다. (A)

ㄴ. A, B에서 충격량의 크기는 같다.

ㄷ. A, B에서 평균 힘의 크기는 ~~같다~~. (다르다.)

05 | 자료 분석 |

속도-시간 그래프이므로 운동량의 변화량, 즉 충격량에 대한 정보를 얻을 수 있다.

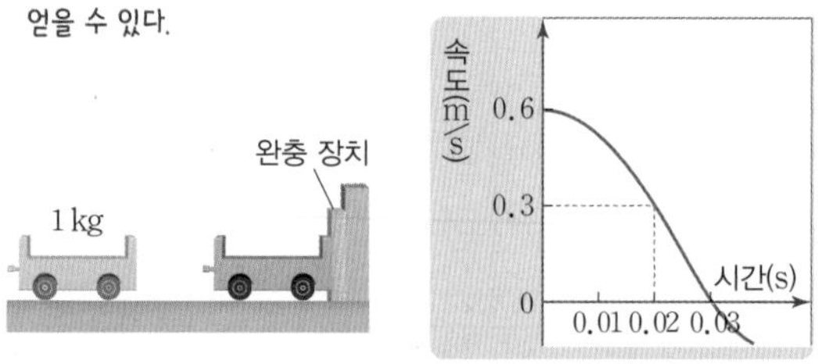

완충 장치가 없으면 멈추는 데 걸리는 시간이 짧아져 평균 힘의 크기가 커진다.

| 선택지 분석 |

ㄱ. 처음 속도~~가 0.6 m/s보다 커진다~~. (는 변하지 않는다.)

ㄴ. 수레가 멈출 때까지 받는 평균 힘의 크기가 커진다.

ㄷ. 속도가 0이 될 때까지 걸리는 시간이 0.03초보다 짧아진다.

06 매트는 바닥에 충돌하는 시간을 길게 해서 평균 힘을 줄여 준다.

| 선택지 분석 |

- 철수: 에어백은 충돌 시간을 길게 해서 평균 힘을 줄여 줘.
- 영희: 안전띠는 관성에 의해 몸이 튕겨나가는 것을 막아 주지.
- 민수: 운동 경기 중 매트는 몸이 충돌하는 시간을 ~~짧게~~ (길게) 해서 안전하게 경기를 지속할 수 있도록 해.

07 | 모범 답안 |

방망이를 끝까지 휘두르면 힘이 작용하는 시간이 길어져 충격량이 커진다. 충격량은 운동량의 변화량이므로 방망이를 벗어나는 공의 속력이 크기 때문에 멀리 날아갈 수 있다.

| 풀이 |

일정한 힘이 작용할 때 힘을 받는 시간을 길게 하면 충격량이 커져서 빠른 속도를 얻을 수 있다.

| 채점 기준 |

채점 기준	배점
힘이 작용하는 시간과 충격량을 옳게 서술한 경우	100 %
힘이 작용하는 시간과 충격량에 대한 서술이 미흡한 경우	50 %

08 | 모범 답안 |

물풍선을 받을 때 손을 아래로 내리면서 받으면 물풍선이 멈추는 시간이 길어져서 평균 힘이 작아진다.

| 풀이 |

물풍선을 받을 때 평균 힘을 줄이면 풍선을 터뜨리지 않을 수 있다. 이를 위해 멈추는 데 걸리는 시간을 길게 해야 한다.

| 채점 기준 |

채점 기준	배점
멈추는 데 걸리는 시간과 평균 힘을 옳게 서술한 경우	100 %
멈추는 데 걸리는 시간과 평균 힘에 대한 서술이 미흡한 경우	50 %

09 | 모범 답안 |

번지 점프에서 강철 줄을 사용하면 낙하하면서 멈추는 시간이 짧아져서 평균 힘을 크게 받아 다칠 수 있다.

| 풀이 |

번지 점프 줄은 탄성이 있어서 줄이 늘어나며 멈추기 때문에 평균 힘이 줄어든다.

| 채점 기준 |

채점 기준	배점
강철 줄을 사용했을 때 문제점을 옳게 서술한 경우	100 %
강철 줄을 사용했을 때 문제점에 대한 서술이 미흡한 경우	50 %

대단원 마무리 112쪽~117쪽

한번에 정리하는 대단원 마무리

① 힘 ② 가속도 ③ 2배 ④ $\frac{1}{2}$배 ⑤ 등가속도 운동 ⑥ 중력 ⑦ 무게 ⑧ 지구 중심 방향 ⑨ 중력 가속도 ⑩ 등속 직선 운동 ⑪ 중력 가속도 ⑫ 대류 ⑬ 지표의 침식 ⑭ 공전 ⑮ 이석 ⑯ 관성 ⑰ 운동량 ⑱ 충격량 ⑲ 평균 힘 ⑳ 길게

한번에 끝내는 대단원 마무리

01 ③ **02** ② **03** ④ **04** ① **05** ④ **06** ② **07** ⑤
08 ⑤ **09** ② **10** ① **11** ⑤ **12** ④ **13** ③
14 해설 참조 **15** 해설 참조 **16** 해설 참조
17 해설 참조 **18** 해설 참조 **19** 해설 참조

01 | 선택지 분석 |

ㄱ. 두 그래프에서 기울기는 가속도를 의미한다.
➡ 속력-시간 그래프에서 기울기는 가속도를 의미한다.

ㄴ. 질량이 일정할 때 그래프는 힘의 크기가 가속도의 크기에 비례함을 보여준다.
➡ 질량이 일정할 때 힘의 크기는 가속도의 크기에 비례한다.

✕ 힘의 크기가 일정할 때 질량이 2배 증가하면 가속도~~도~~는 ~~2배 증가~~한다. ($\frac{1}{2}$배 감소)
➡ 힘의 크기가 일정할 때 가속도의 크기는 질량에 반비례한다.

02 각각의 구간을 A~E라고 한다면 속력은 $\frac{\text{이동 거리}}{\text{시간}}$이므로 A 구간에서는 0.25 m/s, B 구간에서는 0.75 m/s, C 구간에서는 1.25 m/s, D 구간에서는 1.75 m/s, E 구간에서는 2.25 m/s의 평균 속력으로 운동한다.

가속도$=\frac{\text{속도 변화량}}{\text{시간}}$으로 구할 수 있고, 장난감 자동차의 가속도는 2.5 m/s^2이므로 1초 후 속력은 2.5 m/s이다.

03 | 자료 분석 |

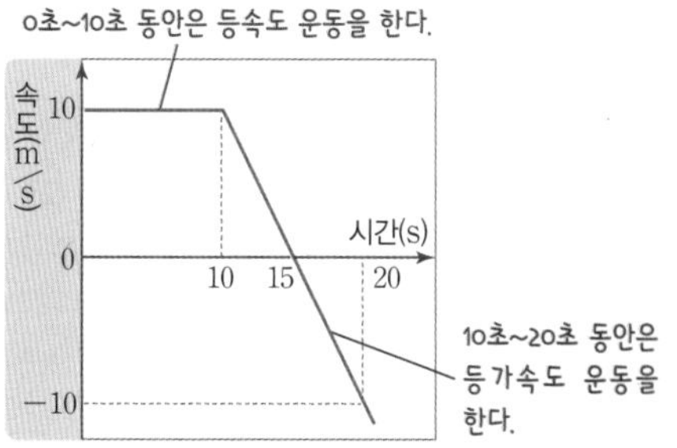

| 선택지 분석 |

ㄱ. 0초~10초 동안 물체는 등속도 운동을 한다.
➡ 속도-시간 그래프에서 x축에 수평인 직선이므로 등속도 운동을 하는 구간이다.

✕ 15초일 때 ~~물체에 작용하는 힘의 크기는 0이다.~~ (물체에는 일정한 크기의 힘이 작용한다.)
➡ 10초~20초 동안 등가속도 운동을 하므로 물체에 일정한 크기의 힘이 작용한다.

ㄷ. 15초~20초 동안 물체에 작용하는 힘의 크기는 변하지 않는다.
➡ 등가속도 운동하는 구간이므로 물체에 작용하는 힘의 크기는 변하지 않는다.

04 | 선택지 분석 |

ㄱ. 포유류는 몸이 큰 동물일수록 혈압이 높다.
➡ 중력을 이겨내고 혈액을 보내기 위해 혈압이 높다.

✕ 민들레 씨는 깃털 구조에 의해 ~~중력을 받아 근처에서만 번식한다.~~ (중력을 이기고 멀리 날아간다.)
➡ 깃털 구조는 중력을 이기고 민들레 씨가 멀리 퍼져나갈 수 있도록 한다.

× 중력에 의해 흐르는 물과 빙하는 오랜 기간에 걸쳐 지표를 변화시킨다.

➡ 중력이 지구 시스템에 미치는 영향에 해당된다.

05 | 선택지 분석 |

㉠ A와 B의 가속도 크기는 같다.

➡ 두 물체의 가속도는 중력 가속도로 같다.

× 더 높은 곳에서 실험하면 A가 바닥에 도달하는 시간과 B가 바닥에 도달하는 시간의 차이가 커진다.

➡ 더 높은 곳에서 실험해도 공기 저항이 없으면 두 물체는 바닥에 동시에 도달한다.

× A가 B를 보면 등속도 운동 하는 것처럼 보인다.

➡ A가 B를 볼 때는 B의 수평 방향 속도만 중요하다.

06 경사면에 부딪치기 전에는 등가속도 운동을 하고 경사면에 부딪친 후에는 수평으로 던진 물체와 같은 운동을 한다.

07 | 선택지 분석 |

× 달려가던 사람이 돌부리에 걸려 넘어지는 것은 관성 때문이다.

➡ 달려가던 사람이 돌부리에 걸리면 몸에 계속 앞으로 움직이려는 관성이 작용하여 앞으로 넘어진다.

× 자동차에서 관성에 의한 사고를 방지하기 위해 안전띠를 꼭 착용해야 한다.

➡ 안전띠는 자동차가 급정거할 시 몸이 관성 때문에 앞으로 쏠리는 것을 방지해 준다.

× 질량이 큰 화물선은 질량이 작은 예인선보다 갑자기 움직이거나 멈추기 힘들다.

➡ 관성의 크기는 질량에 비례하므로 화물선에 예인선보다 큰 관성이 작용한다.

× 버스가 갑자기 출발할 때와 종이 위에 얹힌 동전에는 같은 종류의 관성이 작용한다.

➡ 버스가 갑자기 출발할 때와 종이 위에 얹힌 동전에는 모두 정지 상태를 유지하려는 관성이 작용한다.

⑤ 속력이 같을 때 축구공보다 볼링공이 더 많은 볼링핀을 쓰러뜨리는 것은 ~~관성~~ 운동량과 관련이 있다.

➡ 축구공보다 볼링공이 더 많은 볼링핀을 쓰러뜨리는 것은 질량과 운동량의 관계 때문이다.

08 | 선택지 분석 |

㉠ 철수의 가속도는 0이다.

➡ 철수는 가만히 정지해 있으므로 철수의 가속도는 0이다.

× 철수가 철봉을 당기는 힘의 크기는 철봉이 철수를 당기는 힘의 크기~~보다 작다~~ 와 같다.

➡ 두 힘은 작용 반작용 관계에 있으므로 크기는 같고 방향은 반대이다.

㉢ 철수가 손을 놓으면 철수는 중력을 받아 아래로 떨어진다.

➡ 손을 놓으면 철수에게는 중력만 작용하므로 아래 방향으로 자유 낙하 운동을 한다.

09 (나)에서 운동량의 변화량은 충격량과 같고 힘은 충격량을 시간으로 나누어 주면 구할 수 있다. 물체가 받은 충격량은 9 N·s이므로 힘의 크기는 3 N이다.

10 운동량은 물체가 가진 운동의 정도를 나타내는 물리량으로 질량과 속도의 곱으로 주어진다. (가)에서는 속력이 일정하므로 질량이 큰 물체의 운동량이 큰 것을 알 수 있고, (나)에서는 질량이 일정하므로 속력이 빠른 물체의 운동량이 큰 것을 알 수 있다. 따라서 운동량은 질량, 속력에 비례한다.

11 | 자료 분석 |

$S_1=S_2$이므로 충격량의 크기 즉, 운동량의 변화량은 같다.

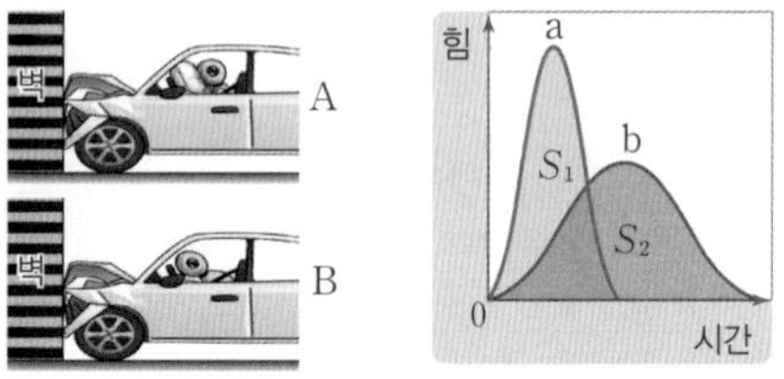

A에서는 에어백이 작용하고 있으므로 충돌 시간이 더 긴 b가 A의 경우를 나타낸다.

| 선택지 분석 |

× A에서 인형이 받는 힘을 나타낸 그래프는 ~~a~~ b이다.

➡ A에서는 에어백이 작동하였으므로 작동하지 않은 B에 비해 충돌 시간이 길다. 따라서 A에서 인형이 받는 힘을 나타낸 그래프는 b이다.

㉡ 두 인형의 운동량 변화량의 크기는 같다.

➡ 자동차가 벽에 충돌하는 순간 A, B의 속도가 같고 동일한 자동차와 인형이라 질량이 같으므로 충돌 전 운동량이 서로 같다. 충돌 후 정지하여 운동량이 0으로 같으므로 운동량 변화량의 크기는 같다.

㉢ 인형이 받는 평균 힘은 A에서가 B에서보다 작다.

➡ A에서 인형은 b, B에서 인형은 a에 해당하므로 B에서 인형이 받는 평균 힘이 더 크다.

12 | 선택지 분석 |

• 철수: 물체에 힘이 작용하면 물체의 모양이나 운동 상태가 변해.

➡ 힘은 물체의 모양이나 운동 상태 변화를 유발할 수 있다.

• 영희: 시간에 따라 일정한 크기의 힘이 작용하면 가속도의 크기는 ~~0이야~~ 일정해.

➡ 시간에 따라 일정한 크기의 힘이 작용하면 가속도가 있고, 그 크기가 일정하다.

• 민수: 같은 크기의 힘이 작용할 때 힘이 작용하는 시간이 길수록 물체의 운동량 변화가 커지지.

➡ 운동량의 변화량은 충격량과 같고 힘이 일정할 때 충격량은 힘이 작용하는 시간에 비례한다.

13 | 선택지 분석 |

ㄱ 찰흙이 변형된 정도는 충격량의 크기를 나타낸다.

➡ 찰흙이 변형된 정도는 찰흙이 받은 충격의 정도에 따라 달라진다.

ㄴ 과정 ①에서 질량이 큰 쇠구슬은 질량이 작은 쇠구슬보다 운동량이 크다.

➡ 속력이 같을 때 운동량은 질량이 클수록 크다.

✕ 이 실험을 통해 충돌하는 데 걸리는 시간을 늘리면 평균 힘이 줄어드는 것을 알 수 있다.

➡ 이 실험은 운동량이 클수록 충격량이 커지는 것을 보여준다. 충돌 시간이 늘어나 평균 힘이 줄어드는 것은 확인할 수 없다.

14 | 모범 답안 |

물체의 가속도는 힘에 비례하고 질량에 반비례하므로 크기는 $\frac{F}{m}$이다. 가속도를 2배로 증가시키려면 힘을 2배로 하거나 질량을 $\frac{1}{2}$배로 줄이면 된다.

| 풀이 |

뉴턴 제2법칙에 의해 가속도의 크기는 힘의 크기에 비례하고, 물체의 질량에 반비례한다.

| 채점 기준 |

채점 기준	배점
가속도의 크기와 이를 2배로 증가시키는 방법 2가지를 옳게 서술한 경우	100 %
가속도의 크기와 가속도를 증가시키는 방법 중 1가지만 서술한 경우	50 %

15 | 모범 답안 |

물체가 낙하하는 데 걸리는 시간은 중력의 크기가 아니라 중력 가속도와 관련이 있으므로, 같은 행성에서 질량이 다른 두 물체는 동시에 바닥에 도달한다.

| 풀이 |

물체가 낙하하는 데 걸리는 시간은 물체에 작용하는 중력의 크기가 아니라 행성의 중력 가속도와 관계있다.

| 채점 기준 |

채점 기준	배점
물체가 낙하하는 데 걸리는 시간을 중력 가속도로 옳게 서술한 경우	100 %
물체가 낙하하는 데 걸리는 시간에 영향을 주는 요인에 대한 서술이 미흡한 경우	50 %

16 | 모범 답안 |

물건이 가득 든 카트는 질량이 커서 관성이 크다. 따라서 움직이게 하거나 멈추게 하기 어렵다.

| 풀이 |

질량은 관성의 크기이다. 따라서 질량이 큰 물체는 관성이 크므로 운동 상태를 변하게 하기 어렵다.

| 채점 기준 |

채점 기준	배점
질량과 관성의 관계를 옳게 서술한 경우	100 %
질량과 관성의 관계에 대한 서술이 미흡한 경우	50 %

17 | 모범 답안 |

교통사고 발생 시 관성에 의해 몸이 앞으로 부딪혀 크게 다칠 수 있는데, 안전띠를 착용하면 피해를 줄일 수 있다.

| 풀이 |

관성에 의해 갑자기 멈추거나 갑자기 출발할 때 몸이 움직인다. 이 과정에서 다치는 것을 방지하기 위해 안전띠를 착용해야 한다.

| 채점 기준 |

채점 기준	배점
관성에 의해 다칠 수 있고, 안전띠가 이를 예방한다는 것을 옳게 서술한 경우	100 %
관성과 관련짓지 못하거나 안전띠의 역할에 대한 서술이 미흡한 경우	50 %

18 | 모범 답안 |

대포의 포신이 길면 포탄이 힘을 받는 시간이 길어져 충격량이 크다. 충격량은 운동량의 변화량이므로 포탄의 속력이 빨라 멀리 날아갈 수 있다.

| 풀이 |

힘의 크기가 일정할 때 힘을 받는 시간을 길게 하면 충격량이 커진다. 충격량이 크다는 것은 운동량의 변화량이 큰 것이고 정지했던 물체는 빠른 속력을 얻게 된다.

| 채점 기준 |

채점 기준	배점
힘이 작용하는 시간이 길어져 포탄의 속력이 빨라지는 것을 운동량과 충격량으로 옳게 서술한 경우	100 %
힘이 작용하는 시간과 포탄의 속력의 관계에 대한 서술이 미흡한 경우	50 %

19 | 모범 답안 |

뜀틀 선수가 다리를 구부리며 착지하면 구부리지 않을 때보다 멈추는 데 걸리는 시간이 길어지므로, 평균 힘이 줄어들어 몸이 받는 충격이 작다.

| 풀이 |

뜀틀 선수가 착지하여 멈출 때 어떻게 착지하더라도 충격량은 같다. 이때 착지하는 데 걸리는 시간을 길게 하면 평균 힘의 크기가 줄어 몸이 받는 힘을 줄일 수 있다.

| 채점 기준 |

채점 기준	배점
멈추는 데 걸리는 시간이 길어져 평균 힘이 줄어드는 것을 옳게 서술한 경우	100 %
멈추는 데 걸리는 시간이 길어져 평균 힘이 줄어드는 것에 대한 서술이 미흡한 경우	50 %

IV ››› 지구 시스템

01 지구 시스템의 구성과 상호 작용

간단 점검 121쪽, 122쪽

1 지권 **2** 대류권 **3** 해수 **4** 기권–수권 **5** 수권
6 오존층 **7** 기권 **8** 지권

알쉬탐 123쪽

1 (1) × (2) ○ (3) ×

1 (1) 지권은 양분을 제공하고, 수중 식물이 뿌리를 내리고 살 수 있는 서식처를 제공한다.
(3) 식물의 광합성에는 외권에서 들어온 햇빛이 필요하다.

개념 + 기본 문제 124쪽~125쪽

개념 **문제**

01 (1) ㉡ (2) ㉢ (3) ㉠ **02** 지권, 수권 **03** 거리
04 (1) ○ (2) ×

기본 **문제**

05 ②, ⑤ **06** ① **07** ① **08** ④ **09** ⑤ **10** ④
11 상호 작용 **12** ② **13** ④ **14** ④

02 주어진 현상은 파도(수권)가 절벽(지권)을 깎아내어 만든 지형이므로 지권과 수권의 상호 작용이다.

03 태양과 일정한 거리가 유지되어야 물이 액체 상태로 존재할 수 있다.

04 (2) 지구 자기장은 생물에게 유해한 우주선이나 태양풍을 차단한다. 자외선을 차단하는 것은 기권의 오존층이다.

05 ③ 혜성은 ~~대기~~ 중에 존재한다.
외권

④ 지구는 태양으로부터 태양의 생명 가능 지대~~보다 먼 거리에~~ 위치하고 있다.
안에

➡ 지구가 태양의 생명 가능 지대에 위치하고 있어 액체 상태의 물이 존재할 수 있다.

06 | **선택지 분석** |

㉠ 지권은 생명체가 살아가는 터전을 제공한다.

✕ 수권에서 가장 많은 양을 차지하는 것은 ~~빙하~~이다.
해수

✕ 생물권은 생물이 살아가는 영역을 말하며 ~~지권과 수권~~에만 분포한다.
지권, 수권, 기권

07 ⑤ 기권에서 오존층은 ~~중간권~~에 위치한다.
성층권

08 | **선택지 분석** |

① 오로라는 ~~외권~~에서 발생한다.
열권

② 외권과 가장 가까운 것은 ~~중간권~~이다.
열권

③ 지권의 층상 구조는 모두 생물권이다.

➡ 지권 중 맨틀이나 핵은 온도와 압력이 너무 높아 생물권이 되기 어렵다.

④ 자외선으로부터 생명체를 보호하는 층이 존재하는 것은 성층권이다.

⑤ 지구 자기장의 발생은 ~~기권~~의 층상 구조와 관련 있는 것으로 생각된다.
지권

09 대부분의 해양 생물은 빛이 들어오는 수심 200 m 이내에서 살아가므로 생물 밀도가 가장 높은 것은 혼합층이다. 혼합층은 바람에 의한 혼합 작용으로 수심에 따른 수온 변화가 거의 없다.

③ 기권과의 상호 작용이 활발한 층은 ~~수온 약층~~이다.
혼합층

10 | **선택지 분석** |

㉠ 중간권에서는 대류가 일어난다.

㉡ 일교차가 가장 큰 것은 열권이다.

✕ 기상 현상은 ~~대류권과 중간권에서 모두 발생한다~~.
대류권에서만 발생한다.

11 지구를 구성하는 요소는 서로 끊임없이 영향을 주고받는 상호 작용을 하며 생명체의 번성에 기여한다.

12 화산 분출은 지권에서 이루어지며 화산재는 대기 중으로 퍼진다. 따라서 지권과 기권 사이의 상호 작용이다.

13 우주에 존재하는 우주선과 태양풍은 생명체에 유해하며 지구 자기장에 의해 차단되어 지표면에 들어오지 못한다.

14 지구는 태양으로부터 액체 상태의 물이 존재하는 범위에 존재한다. 따라서 물질을 잘 녹이고, 비열이 큰 물의 특성이 생명체의 생존에 도움을 준다. 지구 표면의 약 70 %를 차지하는 물은 비열이 커 지구의 온도가 쉽게 변하지 않도록 한다. 유해한 우주선이나 태양풍을 차단해 생명체를 보호하는 것은 지구 자기장이며, 이러한 차단은 지구 주위의 외권에서 일어난다.

실력 올리기 문제 126쪽~127쪽

1 ③ **2** ④ **3** ① **4** ④ **5** ⑤ **6** ⑤
7 해설 참조 **8** 해설 참조 **9** 해설 참조

01 | 선택지 분석 |

✗ ㄱ. 지권은 모두 생물권이 될 수 있어.
➡ 지권에서 핵이나 맨틀은 온도와 압력이 너무 높아 생명체가 생존하기 어렵다.

✗ ㄴ. 기권은 모두 생물권이 될 수 있지.
➡ 기권에서는 성층권부터는 대기가 희박하고 오존층보다 높은 곳에서는 자외선을 막지 못해 생명체가 생존하기 어렵다.

○ ㄷ. 바다에는 수심 200 m 이내에 많은 생물이 분포해.
➡ 바다에서는 수심 200 m 이내에 대부분의 해양 생물이 살아간다.

02 | 자료 분석 |

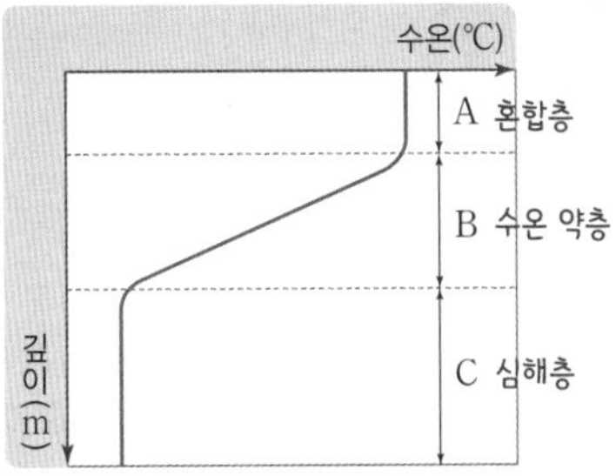

바다를 수심에 따른 수온 변화를 기준으로 구분하면 혼합층, 수온 약층, 심해층으로 구분할 수 있다. A는 혼합층, B는 수온 약층, C는 심해층이다.

| 선택지 분석 |

○ ㄱ. A층은 바람의 혼합 작용으로 수온이 일정하다.

✗ ㄴ. B층은 해수의 연직 순환이 ~~가장 활발하다.~~ 일어나지 않는다.
➡ 수온 약층은 깊이가 깊어질수록 해수의 온도가 낮아지므로 연직 순환이 일어나지 않는다.

○ ㄷ. C층은 연중 수온 변화가 거의 없다.

03 A는 지권 → 기권, B는 기권 → 수권, C는 수권 → 지권(지하수가 석회암을 녹여 동굴을 형성)의 방향으로 영향을 주는 상호 작용이다. 따라서 (가)는 기권, (나)는 수권, (다)는 지권이다.

04 태풍은 수온이 높은 바닷물이 증발하여 발생하는 기상 현상이므로 수권과 기권 사이의 상호 작용이다. 지진 해일은 지진에 의해 바닷물이 해안을 덮치는 등의 피해를 주는 것이므로 지권과 수권 사이의 상호 작용이다. 장마에 의한 산사태는 지권과 수권 사이의 상호 작용이다. 해식 동굴은 파도가 해안의 절벽을 침식하여 만들어지므로 지권과 수권 사이의 상호 작용이다.

05 | 선택지 분석 |

✗ ㄱ. ㉮가 ~~고체, 액체, 기체 중 어떤 상태이더라도 생명체는 존재할 수 있다.~~ 액체 상태의 물이 필요하다.

○ ㄴ. ㉯는 기권의 작용으로 일어나는 현상이다.
➡ 기권은 대부분의 유성체를 태워 지표면에 도달하지 않도록 한다.

○ ㄷ. ㉰가 있었기 때문에 ㉱가 존재하게 되었다.
➡ 산소가 풍부해진 후 산소가 성층권에서 자외선을 흡수해 오존으로 합성되는 과정에서 자외선이 차단되었다. 따라서 시간적으로 ㉰가 먼저, ㉱가 나중에 해당한다.

06 맑은 날이 지나치게 많으면 땅에 비가 내리지 않으므로 생명체가 살기 어렵다. 많은 양의 이산화 탄소는 지구 기후를 변화시켜 생명체에게 위기를 초래할 수 있다. 자외선이나 운석 충돌을 막는 것은 지구 자기장이 아니라 기권이다. 지구 자기장은 지구 외부로부터 유입되는 유해한 태양풍이나 우주선을 차단하는 역할을 한다.

07 | 모범 답안 |

지권의 가장 바깥쪽인 지각은 서서히 이동해 다양한 환경의 대륙이 분포하며, 이는 여러가지 환경에 적응한 다양한 생명체가 존재할 수 있도록 한다.

| 풀이 |

대륙이 이동하며 다양한 환경의 대륙 분포가 나타나게 되었다. 생물은 진화 과정을 통해 다양한 환경에 적응하여 번성함으로써 오늘날의 다양한 생명체의 존재가 가능해졌다.

| 채점 기준 |

채점 기준	배점
지각의 이동으로 형성된 다양한 환경에 적응한 생명체가 나타난다고 서술한 경우	100 %
대륙의 이동과 다양한 환경을 연결짓지 못한 경우	40 %

08 | 모범 답안 |

수권과 지권 사이의 상호 작용이다. 그림에 보이는 지형은 흐르는 물이 땅을 침식하여 만들어졌기 때문이다.

| 풀이 |

그림에 해당하는 지형은 곡류로 흐르는 물의 침식 작용으로 만들어진 것이다. 흐르는 물이 땅을 깎아내어 만든 지형이므로 수권과 지권 사이의 상호 작용에 해당한다.

| 채점 기준 |

채점 기준	배점
흐르는 물이 땅을 침식시키는 현상임을 밝히고 해당하는 지구 구성 요소를 옳게 제시한 경우	100 %
해당하는 지구 구성 요소만 바르게 서술하였거나 상호 작용의 내용(이유)만을 옳게 서술한 경우	50 %

09 | 모범 답안 |

지구의 기온이 크게 변화하지 않게 한다. 생물의 체온이 크게 변화하지 않도록 돕는다. 생명체가 영양분을 공급받을 수 있게 돕는다. 등

| 풀이 |

물은 비열이 커서 온도가 쉽게 변하지 않는다. 따라서 기온과 체온을 안정적으로 유지하게 한다. 또한 다양한 물질을 쉽게 녹여서 생물이 영양분을 공급받기 쉽게 한다.

| 채점 기준 |

채점 기준	배점
물이 생명체에 미치는 영향을 2가지 이상 옳게 설명한 경우	100 %
물이 생명체에 미치는 영향을 1가지만 옳게 설명한 경우	50 %

02 지구 시스템의 상호 작용

간단 점검 129쪽, 130쪽

1 태양 에너지 **2** 지구 내부 에너지 **3** 조력 에너지
4 태양 에너지 **5** 평형 **6** 탄산 이온 **7** 석회암
8 광합성 **9** 호흡

알쉬툭 131쪽

1 (1) ○ (2) × (3) ○ **2** ㄴ, ㄷ

1 (2) 인간이 화석 연료를 사용하면 지권에 저장되어 있던 탄소가 이산화 탄소의 형태로 기권으로 이동한다.

2 대규모의 벌채가 이루어지면 이산화 탄소를 흡수하는 식물이 감소한다. 따라서 기권에 증가한 이산화 탄소가 생물권으로 이동하는 양이 줄어들게 된다.

개념 + 기본 문제 132쪽~133쪽

개념 **문제**

01 (1) × (2) ○ (3) ○ (4) ○ (5) ×
02 (1) ㄴ (2) ㄱ (3) ㄷ
03 (1) ○ (2) × (3) × (4) ○ (5) ○

기본 **문제**

04 ① **05** 지구 내부 에너지 **06** ③ **07** 평형 **08** ⑤
09 ① **10** ③ **11** ④ **12** ② **13** ④

01 (1) 대륙 이동의 에너지원은 지구 내부 에너지이다.
(5) 화석 연료의 근원이 되는 에너지원은 태양 에너지이다.

02 조류의 방향을 주기적으로 바뀌게 하는 에너지는 조력 에너지이고 지구 시스템의 에너지원 중 대부분을 차지하는 것은 태양 에너지이다. 맨틀 대류는 지구 내부 에너지를 에너지원으로 하여 일어난다.

03 (2) 물이 증발할 때 에너지를 흡수하여 수증기로 바뀌게 된다.
(3) 물이 이동할 때 각 권이 얻은 물의 총량과 잃은 물의 총량은 같다.

04 태양 에너지는 지구 시스템의 에너지원 전체 중 약 99 % 이상을 차지하는 에너지이다.

05 지진과 화산 활동을 일으키는 에너지원은 지구 내부 에너지이다.

06 태양 에너지는 생명 활동을 일으키는 에너지원이다. 지구 내부 에너지는 방사성 동위원소의 붕괴열로 발생하며 지진 해일을 일으키는 에너지원이다.

> 더 알아보기 **지구 내부 에너지**
> 지구 내부 에너지는 다음의 두 가지 원인으로 발생한다.
> ① 지구 생성 초기 미행성체들의 충돌로 발생한 에너지
> ② 방사성 동위원소의 붕괴에 의한 열

07 지구 시스템은 위도별 태양 복사 에너지의 불균형을 대기와 해수의 순환을 통해 해소한다.

08 | 선택지 분석 |

✗ ~~조력~~ 에너지에 의해 순환한다. (→ 태양)
✗ 지구 표면에서 ~~증발량이 강수량보다 많다~~. (→ 증발량과 강수량은 같다.)
✗ 육지에서의 강수 현상은 지표면을 ~~보존한다~~. (→ 변화시킨다.)
✗ 강수 현상에 의해 육지에 공급된 물은 바다로 이동~~하지 않는다~~. (→ 한다.)
➡ 강수 현상으로 육지에 공급된 물은 하천이나 지하수가 되어 바다로 흐른다.
⑤ 육지에서의 강수 현상에 의해 지표 아래로 들어간 물은 지하수가 된다.
➡ 토양에 유입된 물은 하천수나 지하수가 되어 바다로 흐른다.

09 | 선택지 분석 |

ㄱ 대기 중의 물은 강수 과정을 통해 지권으로 이동한다.
✗ 지권으로 유입된 물은 ~~모두 바다로 이동한다~~. (→ 대기, 생물, 바다로 이동한다.)
➡ 지권으로 유입된 물 중 일부는 생물에 흡수되어 이용되거나 증발하여 대기로 다시 이동하기도 한다.

✕ 물의 순환을 일으키는 에너지원은 ~~지구 내부 에너지이다.~~ 태양 에너지

10 수권에 존재하는 탄소는 물에 녹은 상태이므로 탄산 이온으로 존재한다.

11 해수의 탄산 이온은 석회암으로 침전되어 지권에 저장될 수 있다. 대기의 이산화 탄소는 광합성을 통해 식물에게 흡수된다. 지권의 탄소는 석회암의 형태도 있지만 화석 연료로도 존재한다. 화산이 분출하면 이산화 탄소가 발생하여 대기로 유입된다.

12 | 선택지 분석 |

✕ 기권의 탄소가 ~~감소~~(증가)하고 있다.

ㄴ. 생태계 교란이 발생하고 있다.

✕ 지구의 평균 기온이 ~~낮아지고~~(높아지고) 있다.

➡ 화석 연료 사용의 급증으로 대기로 유입되는 이산화 탄소의 양이 크게 늘어나 탄소 순환의 균형이 깨져 지구의 평균 기온이 높아지고 있다.

13 질소는 단백질을 구성하는 성분이며 식물에도 들어있다.

실력 올리기 문제

134쪽~135쪽

1 ① **2** ① **3** ④ **4** ⑤ **5** ② **6** ③ **7** 해설 참조 **8** 해설 참조 **9** 해설 참조

01 | 선택지 분석 |

ㄱ. A는 생명 활동의 근원이 되는 에너지이다.

➡ A는 태양 에너지로 지구 시스템의 에너지원 중 가장 많은 양을 차지한다. 태양 에너지는 생명 활동을 일으키는 에너지이다.

✕ B는 조수 간만의 차를 일으키는 에너지이다.

➡ B는 지구 내부 에너지이다. 조수 간만의 차를 일으키는 에너지는 조력 에너지이다.

✕ B는 기권에 영향을 주지 않는다.

➡ 지구 내부 에너지에 의한 화산 활동으로 대기에 화산재를 공급할 수 있으므로 지구 내부 에너지는 기권에 영향을 줄 수 있다.

02 | 선택지 분석 |

ㄱ. 조력 에너지는 해안 생태계에 큰 영향을 준다.

✕ 지구가 둥글기 때문에 태양 에너지는 ~~고위도~~(저위도)에 더 많이 도달한다.

✕ ~~지구 내부 에너지는~~(태양 에너지) 지구 시스템의 에너지원 중 가장 많은 양을 차지하고 있다.

➡ 지구 시스템의 에너지원 중 지구 내부 에너지는 약 0.013 % 만을 차지하고 있다.

더 알아보기 위도별 태양 복사 에너지의 양

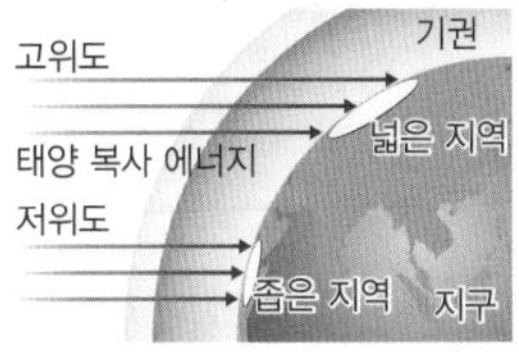

고위도에 비해 저위도에서 같은 양의 햇빛이 더 좁은 면적에 공급된다. 따라서 저위도에 더 많은 양의 에너지가 도달한다.

03 | 선택지 분석 |

ㄱ. A를 위해 필요한 에너지는 태양으로부터 얻는다.

➡ 물이 증발할 때의 에너지는 태양 에너지이다.

✕ B, E 과정에서 지표의 변화는 ~~일어나지 않는다.~~(일어난다.)

➡ 육지에서 비가 올 때 침식과 퇴적 작용이 일어나 지표가 변화한다. 또 물이 낮은 곳으로 흘러가다 바다로 유출되는 과정에서도 침식과 운반, 퇴적 작용이 일어나 지형이 변화하게 된다.

ㄷ. 물의 순환 과정에서 물의 총량은 변하지 않는다.

더 알아보기 물수지

- 외권을 제외한 지구 시스템 내부에서 물질과 에너지가 순환한다. 지구와 외권 사이에서 물질의 교환은 어려우나 에너지의 교환은 가능하다. 따라서 외권을 제외한 지구 시스템 내의 물질의 총량은 일정하다.
- 지구에서 물은 지구 구성 요소 사이에서 태양 에너지에 의해 순환하며 그 양은 보존된다.

04 | 선택지 분석 |

ㄱ. A, C 과정에서는 숨은열이 대기로 이동한다.

➡ A, C는 증발이므로 숨은열이 대기로 이동한다.

ㄴ. 지하수는 E에 포함되어 있다.

➡ E는 육지에서 바다로 흘러나가는 물로 하천, 지하수 등이 해당한다.

ㄷ. 육지에서는 강수량이 증발량보다 많다.

➡ 육지에서의 강수량은 육지에서의 증발량과 육지에서 바다로 유출되는 양의 합과 같아야 하므로 강수량이 증발량보다 많다.

05 | 선택지 분석 |

✕ 화산 분출, 화석 연료 사용은 ~~B~~(A) 과정에 해당한다.

➡ 화산 분출이나 화석 연료 사용은 탄소가 지권에서 기권으로 이동하는 과정이다.

ㄴ. C 과정에서 탄산 이온이 석회암의 형태로 바뀐다.

➡ 물에 녹아 있던 탄산 이온이 석회암의 형태로 지권에 저장된다.

✕ 인간의 활동으로 ~~D~~(A) 과정이 활발해지고 있다.

➡ D 과정은 기권에서 생물권으로 탄소가 이동하는 과정으로 벌채 등으로 D 과정은 감소하고 있으며 화석 연료 사용으로 A 과정은 활발해지고 있다.

06 | 선택지 분석 |

ㄱ. 수권에서 탄소는 액체 형태로 존재한다.

➡ 탄소는 수권에서는 이온인 탄산 이온의 형태로 존재한다.

ㄴ. 화석 연료를 사용하는 인간의 활동은 지권의 탄소를 증가시킨다.

➡ 지권에 존재하는 화석 연료를 사용하여 기권의 이산화 탄소가 증가하고 있다.

ㄷ. 해수와 대기 사이에서만 탄소가 순환한다고 가정했을 때 기온이 높아지면 대기 중 탄소의 양은 증가한다.

➡ 기체의 용해도는 온도가 높으면 낮아지므로 기온이 높아지면 해수에 녹았던 탄소가 대기로 이동하여 대기 중 탄소의 양은 증가한다.

07 | 모범 답안 |

태양 에너지에 의한 현상이다. 파식 대지는 파도의 침식을 받아 형성된 지형인데, 파도는 바람에 의해 발생하며 바람은 태양 에너지에 의해 불기 때문이다.

| 풀이 |

태양 에너지는 바람의 근본적인 에너지원이고 바람은 바다에 파도를 치게 한다.

| 채점 기준 |

채점 기준	배점
에너지원과 이유를 모두 옳게 서술한 경우	100 %
에너지원이나 이유 중 1가지만 옳게 서술한 경우	50 %

08 | 모범 답안 |

지구가 구형이기 때문에 같은 면적에 도달하는 태양 복사 에너지의 양이 고위도에 비해 저위도에서 많기 때문이다. 대기와 해수의 순환으로 저위도의 남는 에너지가 고위도로 전달되어 지구 전체의 에너지는 평형을 이룬다.

| 풀이 |

지구가 구형이기 때문에 태양 복사 에너지가 위도별로 도달하는 양은 다르며 이 차이는 대기 및 해수의 순환을 통해 해소된다.

| 채점 기준 |

채점 기준	배점
이유와 방법을 모두 옳게 서술한 경우	100 %
이유와 방법 중 1가지만 옳게 서술한 경우	50 %

09 | 모범 답안 |

기권의 탄소는 식물의 광합성에 의해 생물권으로 이동하며 먹이 사슬을 따라 동물로 이동하기도 한다. 죽은 식물이나 동물이 쌓여 오랜 시간동안 변화하여 지권에 화석 연료로 저장되고 이 화석 연료를 사용하면 이산화 탄소가 기권으로 배출된다.

| 풀이 |

기권의 탄소가 화석 연료가 되었다 다시 대기로 유입되는 과정은 기권 → 생물권 → 지권 → 기권의 과정을 거쳐야 한다.

| 채점 기준 |

채점 기준	배점
순환 과정을 모두 옳게 서술한 경우	100 %
순환 과정의 일부만 옳게 서술한 경우	50 %

03 지구 시스템과 지권의 변화

간단 점검 137쪽, 138쪽

1 지진대 **2** 화산대 **3** 판(암석권) **4** 발산형 경계
5 보존형 경계 **6** 수렴형 경계 **7** 지진
8 지구 내부 에너지 **9** 지열 발전

알쉬툭 139쪽

1 동아프리카 열곡대, 아이슬란드 열곡대 **2** 수렴형
3 (1) ○ (2) × (3) ×

1 열곡대는 판이 서로 멀어지는 경계에서 발산형 나타난다.

2 히말라야 산맥은 대륙판과 대륙판이 만나는 수렴형 경계, 안데스 산맥은 대륙판과 해양판이 만나는 수렴형 경계이다.

3 (2) 일본에는 천발 지진부터 심발 지진까지 다양한 깊이에서 지진이 발생한다.
(3) 히말라야 산맥에서는 지진은 자주 일어나지만 화산 활동은 일어나지 않는다.

개념 + 기본 문제 140쪽~141쪽

개념 문제

01 (1) ○ (2) × (3) × (4) ○ **02** (1) ㉠ (2) ㉢ (3) ㉡
03 지진 **04** (1) ○ (2) ○ (3) × (4) ○

기본 문제

05 ③ **06** ④ **07** ① **08** 해구 **09** ② **10** ②
11 용암 **12** ④ **13** ⑤ **14** ④, ⑤

01 (2) 화산대는 대륙과 해양의 경계 부근에 위치한다.
(3) 상부 맨틀의 일부도 판에 포함된다.

03 지층에 큰 힘이 가해져 지층이 부러지면서 에너지를 한꺼번에 방출하는 현상을 지진이라고 한다.

04 (3) 지진이나 화산은 예측이 매우 어렵다.

05 ✕ 지구 전체의 화산 활동 중 대부분을 차지하는 지역은 ~~대서양~~이다.
태평양 연안
➡ 환태평양 화산대는 지구 전체 화산 활동 중 약 80 %를 차지하며 '불의 고리'라고도 한다.

06 | 선택지 분석 |

✕ ~~연약권~~이라고도 한다.
암석권

✕ ~~부분 용융~~된 상태이다.
고체

✕ 깊이 약 100 km의 아래쪽에 있다.
➡ 지표에서부터 약 100 km까지의 영역이다.

④ 상부 맨틀 일부와 지각을 포함한 부분이다.

✕ 지표면은 ~~수 백 개의~~ 판들로 구성되어 있다.
약 10여 개의

07 | 선택지 분석 |

ㄱ 천발 지진이 일어난다.

ㄴ 판이 생성되는 경계이다.

✕ 두 판이 ~~만나는~~ 경계이다.
멀어지는

✕ 해양에서는 ~~습곡 산맥이~~ 나타난다.
해령이
➡ 두 판이 만나는 경계는 수렴형 경계이고 습곡 산맥은 수렴형 경계에서 나타나는 지형 중 하나이다.

08 대륙판과 해양판이 만나거나 해양판과 해양판이 만나면 해구가 형성된다.

09 A는 보존형 경계이다. 보존형 경계에서는 천발 지진만 발생하고 화산 활동은 일어나지 않는다.

10 | 선택지 분석 |

✕ 쉽게 예보할 수 ~~있다~~.
없다.

✕ 지속 시간이 매우 ~~길다~~.
짧다.
➡ 지진은 예보하기 어려운 자연 현상이며, 진동의 전달이므로 지속 시간이 짧다.

ㄷ 지구 내부 에너지가 에너지원이다.

ㄹ 내진 설계는 피해를 줄이는 데 도움이 된다.

11 화산이 분출할 때 화산 기체, 화산 쇄설물과 함께 용암이 나온다.

12 | 선택지 분석 |

✕ 판의 경계에서는 모두 화산 활동이 일어난다.
➡ 판의 경계 중 변환 단층에서는 화산 활동이 일어나지 않는다.

ㄴ 화산에 의한 지형은 관광 자원이 될 수 있다.

ㄷ 화산이 있는 지역에서는 온천을 개발할 수 있다.
➡ 제주도, 하와이, 일본 등에는 화산 지형을 이용한 관광지가 많이 분포한다. 화산이 활동하는 곳은 지열이 높아 온천이 많이 분포한다. 예 일본, 아이슬란드 등

13 대기 중으로 유입된 화산재로 항공기가 결항되고, 기온이 낮아질 수 있다. 백두산에서 활동된 화산재가 농작물이나 도로에 쌓여 농작물의 성장을 방해하고, 교통을 마비시킬 수 있다. 북서풍이 불 때 백두산의 화산재는 주로 동해상을 지나 일본으로 이동할 것이므로 제주도에 비해 동해에 위치한 울릉도, 독도의 피해가 더 클 것으로 예상된다.

14 화산 분출로 발생한 화산 이류나 화산 쇄설류는 주변 환경과 인간에게 피해를 줄 수 있는 재해에 해당한다.

실력 올리기 문제

142쪽~143쪽

01 ④ **02** ① **03** ⑤ **04** ① **05** ② **06** ③
07 해설 참조 **08** 해설 참조 **09** 해설 참조

01 베게너는 대륙 이동설을 주장한 학자로 판 구조론이 정립되기 이전의 사람이다. 이 당시에는 지구 내부 구조를 알지 못하였으며 과학 기술의 발전으로 해저 지형이나 지구 내부 구조를 알게 된 이후에야 판 구조론이 정립될 수 있었다.

02 A는 발산형, B는 보존형, C는 수렴형 경계이다. A는 해령으로 판이 생성된다. B는 변환 단층으로 화산 활동이 일어나지 않는다. C는 해구로 C에서만 심발 지진이 활발하게 일어난다.

| 선택지 분석 |

ㄱ A는 판이 생성되는 경계이다.

✕ B에서는 화산 활동이 ~~활발하게 일어난다.~~
일어나지 않는다.

✕ ~~A, B, C 모두~~ 심발 지진이 활발하게 일어난다.
C에서

03 | 자료 분석 |

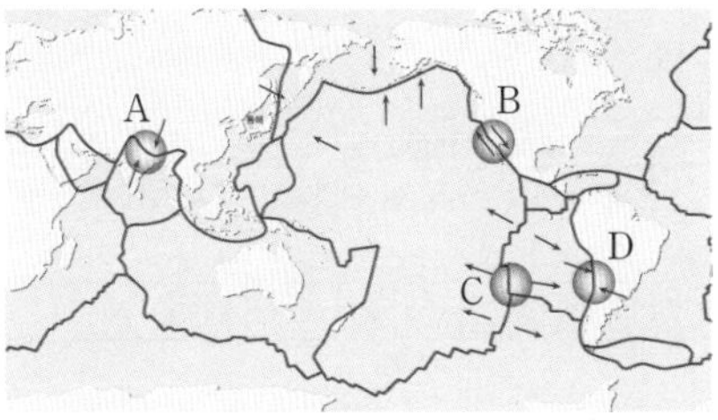

- A는 대륙판과 대륙판이 만나는 수렴형 경계로 히말라야 산맥이 나타난다.
- B는 보존형 경계로 산안드레아스 단층이 나타난다.
- C는 해양판과 해양판이 멀어지는 발산형 경계이다.
- D는 해양판과 대륙판이 만나는 수렴형 경계로 안데스 산맥이 나타난다.

모든 판의 경계에서는 지진이 발생한다. 화산 활동은 발산형 경계와 밀도가 다른 두 판이 만나는 수렴형 경계에서 활발하다.

04 | 선택지 분석 |

ㄱ D에서 판은 소멸한다.

✕ ~~B, C는 모두~~ 맨틀 대류의 상승부에 위치한다.
C는

✕ A, D는 모두 대륙판과 해양판 사이의 경계이다.

➡ A와 D는 모두 수렴 경계이지만 A는 대륙판과 대륙판 사이의 경계이고, D는 대륙판과 해양판 사이의 경계이다.

05 | 선택지 분석 |

✕ 지구의 평균 기온을 낮춘다.

➡ 지진은 기온의 변화와 관련이 없다.

✕ 지진이 발생하면 바로 건물 밖으로 나가야 한다.

➡ 지진은 단시간 내에만 발생하므로 지진이 끝날 때까지 기다리는 것이 더 안전하다.

ㄷ 지진의 에너지원은 화산 활동을 일으키는 에너지원과 같다.

➡ 지진과 화산 활동은 모두 지구 내부 에너지에 의해 발생한다.

06 제주도는 화산 활동으로 생성된 섬으로 용암 동굴, 주상 절리 같은 다양한 화산 지형이 관광 자원으로 활용되고 있다. 그러나 현재 활동 중인 화산이 있는 것은 아니므로 용암을 볼 수는 없다.

07 | 모범 답안 |

변동대는 주로 대륙과 해양의 경계 부근에 위치하는데, 이는 판의 경계 분포와 비슷하다. 판이 이동할 때 속도와 방향에 따라 판의 경계에서 판과 판이 부딪치거나 멀어지고 스쳐지나가며 지진과 화산 활동이 일어나기 때문이다.

| 풀이 |

세계적으로 지진과 화산이 잦은 지역은 대개 판의 경계로 변동대와 비슷하다. 판의 경계에서는 경계의 특징에 따라 지진과 화산 활동이 자주 발생하기 때문이다.

| 채점 기준 |

채점 기준	배점
변동대와 판의 경계가 유사함을 설명하고 그 이유를 옳게 설명한 경우	100 %
유사성이나 그 이유 중 1가지만 옳게 설명한 경우	50 %

08 | 모범 답안 |

일본 해구는 호상 열도를 형성하는데 일본이 호상 열도에 해당한다. 지진의 경우 천발 지진과 심발 지진이 모두 활발하게 발생한다. 화산 활동이 자주 일어난다.

| 풀이 |

수렴형 경계인 일본 해구는 주변에 호상 열도(일본)가 있고, 화산 활동, 천발 지진과 심발 지진이 모두 활발하게 발생하는 등의 특징을 보인다.

| 채점 기준 |

채점 기준	배점
지형과 지각 변동의 특징 2가지를 모두 옳게 서술한 경우	100 %
지형과 지각 변동의 특징 중 1가지만 옳게 서술한 경우	50 %

09 | 모범 답안 |

- 긍정적인 영향: 화산 활동으로 생긴 지형이 관광 자원으로 활용될 수 있다. 시간이 지난 후 토양이 비옥해진다. 온천을 개발할 수 있다. 등
- 부정적인 영향: 화산 활동으로 분출된 화산재는 항공기의 이륙을 방해해 항공기 운항을 어렵게 할 수 있다. 생태계에 영향을 준다. 기온을 떨어뜨린다. 등

| 풀이 |

긍정적인 영향은 지열 발전, 온천, 관광 자원 등을 들 수 있고 부정적인 영향으로는 화산재로 인한 항공기 운행의 어려움과 기온 변화, 화산 분출로 인한 자연 재해 등을 들 수 있다.

| 채점 기준 |

채점 기준	배점
긍정적 영향과 부정적 영향을 모두 옳게 서술한 경우	100 %
긍정적 영향과 부정적 영향 중 1가지만 옳게 서술한 경우	50 %

대단원 마무리 144~149쪽

한번에 정리하는 대단원 마무리

① 지구 시스템 ② 지권 ③ 밀도와 상태 ④ 기권 ⑤ 기온 ⑥ 수권 ⑦ 수온 ⑧ 생물권 ⑨ 외권 ⑩ 에너지 ⑪ 태양 ⑫ 지구 내부 ⑬ 조력 ⑭ 물 ⑮ 탄소 ⑯ 변동대 ⑰ 판 구조론 ⑱ 발산형 경계 ⑲ 천발 ⑳ 수렴형 경계 ㉑ 해구 ㉒ 보존형 경계 ㉓ 지구 내부 에너지

한번에 끝내는 대단원 마무리

01 ① **02** ① **03** ② **04** ④ **05** ④ **06** ② **07** ④
08 ④ **09** ③ **10** ② **11** ① **12** ③ **13** ① **14** ④
15 해설 참조 **16** 해설 참조 **17** 해설 참조 **18** 해설 참조
19 해설 참조

01 문제의 설명에 해당하는 것은 오존층으로 기권 내의 성층권에 존재한다.

02 | 선택지 분석 |

ㄱ A에는 생물권이 분포할 수 있다.

➡ A는 대류권으로 새나 곤충이 살 수 있어 생물권이 분포할 수 있다.

✕ B는 바다에서 가장 ~~깊은~~ 층이다.
얕은

✕ C는 핵을 움직이게 ~~한다~~. 할 수 없다.

➡ C는 맨틀로 핵의 움직임과는 관련이 없다.

03 A의 기상 현상과 B의 바람은 태양 에너지를 에너지원으로 한다. C의 맨틀 대류는 지구 내부 에너지에 의해 일어난다.

04 | 선택지 분석 |

✕ 유해한 우주선이나 태양풍을 차단한다.

➡ 유해한 우주선이나 태양풍을 차단하는 것은 지구 자기장의 역할이다.

ㄴ. 지구의 온도가 쉽게 변하지 않도록 한다.

ㄷ. 여러 물질을 잘 녹여 생물체가 영양분을 공급받도록 한다.

➡ 물은 비열이 커 지구의 온도가 쉽게 변하지 않도록 하고 여러 물질을 녹여 생물체가 물을 통해 영양분을 공급받도록 한다.

05 물에 의한 풍화는 지권과 수권 사이의 상호 작용이다. 뿌리에 의한 풍화는 지권과 생물권 사이의 상호 작용이다. 따라서 지권, 수권, 생물권이 문제의 풍화와 관련이 있다.

06 | 선택지 분석 |

✕ ~~A와 B는 모두 같은 지구 구성 요소들 간의~~ 상호 작용이다. A는 수권과 지권, B는 지권과 기권의

✕ A와 B를 일으킨 에너지원은 각각 한 가지씩이다.

➡ A는 태양 에너지(파도)와 지구 내부 에너지(지진 해일)가 B는 태양 에너지가 영향을 주어 발생한 현상(태풍)이다.

ㄷ. A와 B 모두에 영향을 미치는 에너지원은 태양 에너지이다.

07 | 자료 분석 |

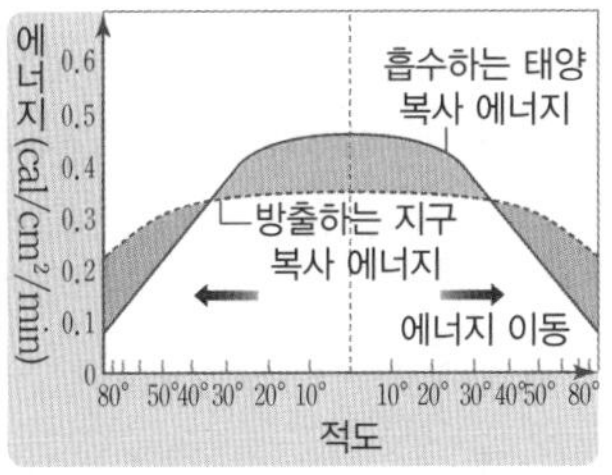

- 그래프에서 적도 지방은 (태양 복사 에너지−지구 복사 에너지)>0이고 극 지방은 (태양 복사 에너지−지구 복사 에너지)<0이다.
- 이와 같은 상태가 유지된다면 적도 지방은 계속 온도가 상승하고, 극 지방은 계속 온도가 하강할 것이다.
- 대기와 해수는 적도 지방의 에너지를 극 지방 쪽으로 운반하여 지구 전체의 에너지 평형을 유지하게 한다.

| 선택지 분석 |

ㄱ. 적도는 에너지 과잉 상태이다.

ㄴ. 극은 지구 복사 에너지가 태양 복사 에너지보다 크다.

✕ 극 지역은 점점 추워지고 적도 지역은 점점 따뜻해진다.

➡ 지구 시스템은 대기와 해수의 순환을 통해 에너지 불균형을 해소하여 에너지 평형을 유지한다.

08 | 선택지 분석 |

✕ 물의 순환에서 에너지는 ~~순환하지 않는다~~. 물과 함께 순환한다.

➡ 물의 순환에서는 물질인 물과 에너지가 모두 순환한다.

ㄴ. 물의 순환을 통해 지표면에 변화가 생긴다.

➡ 물의 순환을 통해 풍화, 침식이 발생해 지표면에 변화가 생긴다.

ㄷ. 물의 순환을 일으키는 에너지원은 다양한 생명 활동에도 영향을 준다.

➡ 물을 순환시키는 에너지원은 태양 에너지로 태양 에너지는 다양한 생명 활동에 영향을 준다.

09 | 선택지 분석 |

ㄱ. 육지보다 바다에서의 강수량이 더 많다.

➡ 육지에서의 강수량은 96, 바다에서의 강수량은 284로 바다에서의 강수량이 더 많다.

ㄴ. 바다는 증발량이 강수량보다 36만큼 더 많다.

➡ 바다에서의 증발량은 320, 강수량은 284로 증발량이 강수량보다 36만큼 더 많다.

✕ 지구 전체 표면에서 증발량보다 강수량이 더 많다.

➡ 지구 표면 전체에서 증발량은 60+320으로 380이고, 강수량은 96+284로 380으로 같다.

10 육지나 바다 혹은 지표 전체와 대기에서 물의 유입량과 유출량은 같아야하므로 B=A+E와 같은 식이 성립해야 한다. 따라서 E는 96−60=36이 된다.

11 대륙판끼리 서로 멀어질 때는 열곡대가 형성되고 서로 충돌할 때는 습곡 산맥이 형성된다.

12 | 선택지 분석 |

ㄱ. 위의 판의 경계는 모두 해구이다.

➡ 각 판끼리의 관계는 판끼리 만나는 수렴형 경계이다. 유라시아판은 대륙판이고 필리핀판과 태평양판은 해양판이므로 각 경계에서 해구가 나타난다.

✕ 판 경계 근처에서 화산 활동은 ~~일어나지 않는다~~. 활발하게 일어난다.

ㄷ. 지진의 깊이는 B → A 방향으로 갈수록 깊어진다.

13 A는 맨틀 대류이다. 맨틀 대류의 상승부는 발산형 경계로 판이 생성되는 경계이다. 해령이나 열곡대가 생성되고 화산 활동과 천발 지진이 일어난다. 맨틀 대류의 하강부는 수렴형 경계로 해구, 습곡 산맥 등이 생성되고 해구의 경우 판의 소멸이 일어나며 화산 활동과 천발 지진, 심발 지진이 활발하다.

14 | 선택지 분석 |

㉠ 이 현상은 모두 화산재가 원인이다.

× (가)는 지권과 ~~수권~~ 기권 사이의 상호 작용이다.

㉢ 이 현상은 모두 지구 내부 에너지에 의해 발생한 것이다.

15 | 모범 답안 |

혼합층, 혼합층은 바람의 혼합 작용에 의해 만들어졌으므로 기권과 수권 사이의 상호 작용에 해당한다.

| 풀이 |

혼합층은 바람에 의한 혼합 작용으로 깊이에 따른 수온의 차이가 거의 나지 않는 층이므로 기권과 수권 사이의 상호 작용이다.

| 채점 기준 |

채점 기준	배점
혼합층을 제시하고 바람에 의한 혼합에 의해 기권과 수권 사이의 상호 작용임을 옳게 서술한 경우	100 %
바람에 의한 혼합임을 밝혔으나 기권과 수권 사이의 상호 작용임을 서술하지 못한 경우	50 %

16 | 모범 답안 |

대기는 외권에서 들어오는 유성체를 마찰로 태워 생명체를 보호한다. 지구 자기장은 외부에서 들어오는 유해한 우주선이나 태양풍을 차단한다.

| 풀이 |

기권 이상의 높이에서는 대기의 유성체 차단 효과나 지구 자기장에 의한 태양풍 및 우주선 차단을 들 수 있다.

| 채점 기준 |

채점 기준	배점
대기와 지구 자기장에 의한 생명체 보호를 옳게 서술한 경우	100 %
대기나 지구 자기장에 의한 생명체 보호 중 1가지만 옳게 서술한 경우	50 %

17 | 모범 답안 |

육지에서는 지하수의 작용에 의해 석회 동굴이 생긴다. 해안에서는 바닷물의 침식으로 해식 동굴이 생긴다.

| 풀이 |

육지에서는 흐르는 물에 의한 곡류와 같은 다른 예도 있다. 해안에서는 해안 절벽, 해안 단구, 리아스식 해안 등을 들 수 있다.

| 채점 기준 |

채점 기준	배점
육지와 해안에서 수권과 지권 사이의 상호 작용의 예를 각각 옳게 서술한 경우	100 %
육지나 해안 중 1가지만 예를 옳게 서술한 경우	50 %

18 | 모범 답안 |

인간의 화석 연료 사용으로 지권에 있는 탄소가 기권으로 이동하였다. 이로 인해 지구 온난화가 발생하였다.

| 풀이 |

인간의 화석 연료 사용으로 지권에 있는 탄소가 이산화 탄소의 형태로 기권으로 이동하였다. 인간이 영향을 미치기 전보다 기권 내 이산화 탄소의 양이 증가해 지구 온난화가 일어나고 있다.

| 채점 기준 |

채점 기준	배점
탄소의 이동과 변화를 모두 옳게 서술한 경우	100 %
탄소의 이동과 변화 중 1가지만 옳게 서술한 경우	50 %

19 | 모범 답안 |

A, C, 일본은 온천을 관광 산업으로 육성하고 있다.

| 풀이 |

발산형 경계인 해령을 들어도 답이 될 수 있다. 화산재에 의한 기후 변화, 지형을 관광 자원으로 사용하는 경우, 제주도를 예로 들어도 답이 될 수 있다.

| 채점 기준 |

채점 기준	배점
판의 경계를 타당하게 서술하고 영향을 예를 들어 옳게 서술한 경우	100 %
판의 경계만을 타당하게 서술하거나 영향을 예를 들어 서술한 내용만 옳은 경우	50 %

V ››› 생명 시스템

01 ~ 생명 시스템의 기본 단위

간단 점검 153쪽, 154쪽

1 구조적, 기능적 **2** 핵 **3** 리보솜 **4** 엽록체
5 미토콘드리아 **6** 세포막 **7** 세포벽, 엽록체
8 선택적 투과성 **9** 확산

알쉬탐 155쪽

1 해설 참조 **2** 해설 참조 **3** (1) ○ (2) × (3) ○

1 | **모범 답안** |
부피가 커진다. 세포 안으로 들어오는 물의 양이 바깥으로 빠져나가는 물의 양보다 많다.

| **풀이** |
삼투 현상은 저농도에서 고농도로 물이 이동하는 것으로, 저장액에 넣으면 물이 바깥으로 나가는 양보다 들어오는 양이 많아 세포의 부피가 커진다.

| **채점 기준** |

채점 기준	배점
부피가 커진다는 것과 세포 안으로 들어오는 물의 양이 나가는 물의 양보다 많다는 것을 모두 옳게 서술한 경우	100 %
부피가 커진다는 것은 옳게 서술했으나 물의 양을 비교한 내용을 옳게 서술하지 못한 경우	30 %

2 | **모범 답안** |
세포 안팎으로 이동하는 물의 양이 같기 때문이다.

| **풀이** |
등장액에 넣으면 세포 안팎으로 이동하는 물의 양이 동일하다.

| **채점 기준** |

채점 기준	배점
세포 안으로 들어오는 물의 양과 나가는 물의 양이 같다는 의미를 옳게 서술한 경우	100 %
'삼투 현상 때문' 등 물의 이동에 대한 내용을 구체적으로 서술하지 못한 경우	30 %

3 (1) 동물 세포와 달리 식물 세포는 단단한 세포벽이 있어 물이 세포 안으로 지속적으로 들어와 팽창하더라도 터지지 않는다.
(2) 세포막을 경계로 농도가 같은 용액이 있을 경우 세포막을 통해 양쪽으로 이동하는 물질의 양이 같다.
(3) 식물 세포를 고장액에 넣으면 물이 빠져나가면서 세포질의 부피가 작아지다가 세포벽으로부터 분리된다.

개념 + 기본 문제 156쪽~157쪽

개념 문제
01 (1) ○ (2) × (3) ○ (4) ×
02 (1) ㉢ (2) ㉠ (3) ㉡
03 선택적 투과성 **04** ②

기본 문제
05 ① **06** ① **07** ③ **08** ⑤ **09** ③ **10** ② **11** ④
12 ③ **13** ④ **14** 삼투

01 (2) 세포는 생명체의 ~~구조적 기본 단위이나, 기능적 기본 단위는 아니다.~~ 구조적, 기능적 기본 단위이다.
(4) 동물 세포에는 엽록체가 없고, ~~식물 세포에는 미토콘드리아가 없다.~~ 미토콘드리아는 동물 세포와 식물 세포에 모두 있다.

02 (1) 리보솜에서 DNA에 저장된 유전 정보에 따른 단백질 합성이 일어난다.
(2) 골지체는 소포체에서 운반된 단백질이나 지질을 변형하여 세포 내외로 분비한다.
(3) 미토콘드리아에서 산소를 이용해 유기물을 분해하여 세포 활동에 필요한 에너지를 생산하는 작용인 세포 호흡이 일어난다.

03 인지질 2중층과 단백질로 구성된 세포막이 그 구조로 인해 물질의 종류, 크기 등에 따라 세포막을 통한 물질의 이동이 다르게 일어나는데, 이러한 성질을 선택적 투과성이라고 한다.

04 | **선택지 분석** |
① 변화 없다.
➡ 등장액에 넣었을 때 변화 없다.
② 수축한다.
➡ 적혈구를 고장액에 넣으면 삼투 현상으로 인해 적혈구 안으로 들어오는 물의 양보다 바깥으로 나가는 물의 양이 많아 부피가 줄어들면서 수축한다.
③ 부풀다가 터진다.
➡ 저장액에 넣었을 때 부풀다가 터진다.
④ 세포막과 세포벽이 분리된다.
➡ 동물 세포에는 세포벽이 없다. 세포벽이 있는 식물 세포를 고장액에 넣으면 세포막과 세포벽이 분리된다.
⑤ 세포 안으로 들어오는 물의 양이 나가는 양보다 많다.
➡ 세포 안으로 들어오는 물의 양보다 세포 밖으로 나가는 물의 양이 많다.

05 ✗ 핵 속에 ~~리보솜이 있다.~~
DNA가 있다.

06 ✗ ~~미토콘드리아에서~~ 포도당이 합성된다.
엽록체에서

07 | 선택지 분석 |

✗ 핵, 소포체

➡ 핵, 소포체는 동물 세포와 식물 세포에 모두 존재한다.

✗ 골지체, 세포막

➡ 골지체, 세포막은 동물 세포와 식물 세포에 모두 존재한다.

③ 엽록체, 세포벽

➡ 엽록체와 세포벽은 식물 세포에는 있으나 동물 세포에는 없다.

✗ 미토콘드리아, 리보솜

➡ 미토콘드리아, 리보솜은 동물 세포와 식물 세포에 모두 존재한다.

✗ 리보솜, 액포

➡ 리보솜과 액포는 동물 세포와 식물 세포에 모두 존재한다.

08 | 선택지 분석 |

✗ 세포의 형태를 유지한다.

➡ 세포의 형태를 유지해 주는 것은 세포막과 세포벽이다.

ㄴ 생식, 생장 등 생명 활동의 중심이다.

➡ 핵에는 DNA가 있으며, 생식과 생장 등 생명 활동의 중심이다.

ㄷ 유전 정보를 저장하고 있는 DNA가 들어 있다.

➡ 핵에 들어 있는 DNA에 유전 정보가 저장되어 있다.

✗ 산소를 이용해 유기물을 분해하여 에너지를 생성한다.

➡ 유기물을 분해하여 에너지를 생성하는 세포 소기관은 미토콘드리아이다.

09 | 선택지 분석 |

ㄱ 리보솜에서 합성한 물질이 소포체를 통해 운반된다.

➡ 리보솜이 붙어 있는 소포체는 리보솜에서 합성한 단백질을 운반한다.

ㄴ 골지체는 물질을 저장하여 변형시킨 후 분비한다.

➡ 골지체는 물질을 저장하고 변형시킨 후 소낭에 담아 분비한다.

✗ ~~액포에서는~~ DNA의 유전 정보에 따라 단백질이 합성
리보솜에서는
된다.

➡ 액포는 물, 무기염류 등이 저장되어 있는 곳이다.

10 | 자료 분석 |

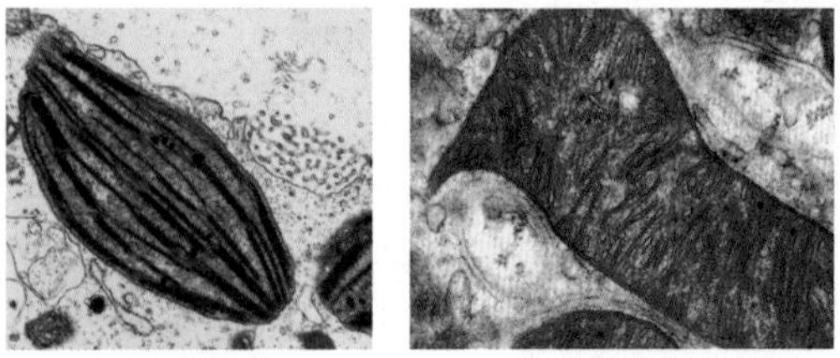

(가) 엽록체 (나) 미토콘드리아

| 선택지 분석 |

✗ (가)는 ~~미토콘드리아이다.~~
엽록체이다.

② (가)에서 물질대사가 일어나 산소가 방출된다.

➡ 엽록체(가)에서 광합성 결과 포도당과 산소가 생성된다.

✗ (나)는 ~~식물 세포에 없다.~~
미토콘드리아로, 식물 세포와 동물 세포에 모두 존재한다.

✗ ~~(나)~~에서 포도당이 생성된다.
(가)

✗ ~~(가)와 (나)는 모두 동물 세포에 존재한다.~~
(가)는 식물 세포에만 있고, (나)는 식물 세포와 동물 세포에 모두 존재한다.

11 | 선택지 분석 |

✗ 엽록체에서는 ~~화학 에너지가 빛에너지로~~ 전환된다.
빛에너지가 화학 에너지로

ㄴ 미토콘드리아에서는 세포에 필요한 에너지가 생성된다.

➡ 미토콘드리아에서 세포 호흡이 일어나 유기물이 분해되어 세포에 필요한 에너지가 생성된다.

ㄷ 리보솜에서는 DNA의 유전 정보에 따라 단백질이 합성된다.

➡ DNA에 저장된 유전 정보에 따라 리보솜에서 단백질이 합성된다.

12 | 선택지 분석 |

✗ 인지질이 ~~한 층으로~~ 배열되어 있다.
2중층으로

ㄴ 단백질이 세포막을 관통하거나 파묻혀 있는 등 불규칙하게 분포한다.

➡ 불규칙하게 분포하는 단백질이 물질 수송에 관여하거나 효소 기능을 한다.

ㄷ 물질의 종류, 크기 등에 따라 세포막에 대한 투과성이 다르다.

➡ 물질의 종류, 크기 등에 따라 세포막에 대한 투과성이 다른 것을 선택적 투과성이라고 한다.

✗ ~~어떤 물질도 세포막을 직접 통과할 수는 없다.~~
분자량이 매우 작은 물질이나 산소나 이산화 탄소와 같은 기체 분자는 세포막의 인지질 2중층을 직접 통과한다.

13 식물 세포를 고장액에 넣으면 삼투 현상으로 인해 세포 밖으로 빠져나가는 물의 양이 들어오는 물의 양보다 많아 세포질의 부피가 작아지면서 세포막과 세포벽이 분리되는 현상이 일어난다. 삼투 현상은 용질이 세포막을 통과할 수 없을 때 물이 저농도에서 고농도로 이동하는 것이다.

✗ 설탕이 세포막을 통과할 수 있다는 것을 알 수 있다.

➡ 설탕이 세포막을 통과할 수 없어 삼투 현상에 의해 양파 표피 세포 안의 물이 빠져나간 것이다.

14 용질이 농도가 높은 쪽에서 낮은 쪽으로 이동하는 현상을 확산이라고 하며, 세포막을 통과할 수 없는 용질이 있을 때 저농도에서 고농도로 물이 이동하는 현상을 삼투라고 한다.

실력 올리기 문제

158쪽~159쪽

01 ⑤ **02** ⑤ **03** ① **04** ③ **05** ③ **06** ①
07 해설 참조 **08** 해설 참조 **09** 해설 참조

01 | 자료 분석 |

세포는 생명 시스템을 구성하는 구조적 단위이자, 생명 활동이 일어나는 기능적 단위이다.

02 | 선택지 분석 |

ㄱ. A에는 DNA가 들어 있다.
➡ 핵(A) 속에 DNA가 들어 있다.

ㄴ. B에서 단백질의 저장과 변형이 일어난다.
➡ 골지체(B)에서 단백질과 같은 물질이 저장되고 변형되어 분비된다.

ㄷ. C는 미토콘드리아이다.
➡ C는 세포 호흡이 일어나는 미토콘드리아이다.

03 | 선택지 분석 |

ㄱ. A는 ~~리보솜~~이다. (핵)

ㄴ. B는 식물의 뿌리보다 잎을 구성하는 세포에 더 많다.
➡ 엽록체(B)는 광합성이 활발하게 일어나는 세포에 많이 들어 있다.

ㄷ. A~C는 모두 동물 세포에 들어 있다.
➡ 핵(A)은 동물 세포, 식물 세포에 모두 있지만 엽록체(B)와 세포벽(C)은 식물 세포에만 있다.

04 A는 리보솜, B는 소포체, C는 골지체이다.

| 선택지 분석 |

ㄱ. 동물 세포는 A를 가지고 있다.
➡ 리보솜은 동물 세포, 식물 세포에 모두 들어 있다.

ㄴ. B는 막으로 싸여 있는 구조의 세포 소기관이다.
➡ 소포체는 인지질 2중층의 막으로 되어 있다.

ㄷ. C는 ~~소포체~~이다. (골지체)

05 (가)에서 A는 고농도에서 저농도로 인지질 2중층을 직접 통과하여 확산된다. (나)에서 B는 고농도에서 저농도로 막단백질을 이용하여 확산된다.

| 선택지 분석 |

ㄱ. (가)와 (나)는 모두 확산 현상이다.
➡ (나)는 막단백질을 이용한 확산이므로 (가)와 (나)는 모두 확산이다.

ㄴ. 산소가 폐포에서 모세 혈관으로 이동하는 방식은 (가)에 해당한다.
➡ 산소는 (가)와 같이 인지질 2중층을 직접 통과해서 확산된다.

ㄷ. 적혈구를 고장액인 설탕 용액에 넣었을 때 수축하는 것은 설탕이 (나)와 같이 이동했기 때문이다.
➡ 적혈구를 고장액인 설탕 용액에 넣으면 설탕이 세포막을 통과하지 못하고 물이 저농도에서 고농도로 이동하는 삼투 현상이 일어나 적혈구가 수축한다.

06 | 선택지 분석 |

ㄱ. 설탕은 세포막을 쉽게 통과할 수 있는 물질이다.
➡ 삼투는 용질이 세포막을 통과할 수 없을 때 물이 저농도에서 고농도로 이동하는 현상이다.

ㄴ. 설탕 용액 A는 (가)의 세포에 대해 고장액이다.
➡ (나)에서 용액 A에 넣은 식물 세포의 세포막과 세포벽이 분리되었으므로 용액 A는 고장액이다.

ㄷ. (가)의 세포를 증류수에 넣으면 부피가 커지다가 터진다.
➡ 식물 세포는 단단한 세포벽이 있어 증류수에 넣었을 때 부피가 커지더라도 터지지는 않는다.

더 알아보기 식물 세포의 삼투 현상

양파 표피 세포를 저장액, 등장액, 고장액에 각각 넣었을 때 관찰된 모습은 다음과 같다.

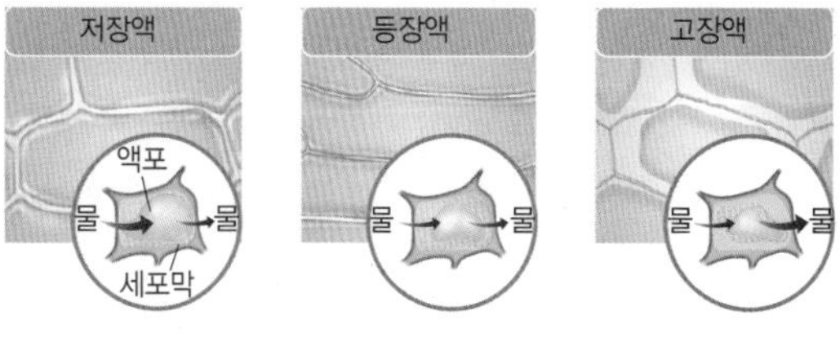

- 저장액: 양파 세포 안으로 들어오는 물의 양이 많아 세포가 팽팽해지고 부피가 커진다. 동물 세포와 달리 식물 세포는 단단한 세포벽이 있어 세포가 팽창해도 터지지 않는다.
- 등장액: 양파 세포 안팎으로 이동하는 물의 양이 같아 부피가 변하지 않는다.
- 고장액: 양파 세포 밖으로 빠져나가는 물의 양이 많아 세포질의 부피가 작아지다가 결국에는 세포막이 세포벽에서 분리된다.(원형질 분리)

원형질 분리: 식물 세포에서 물이 빠져나가 세포가 쭈그러들면서 세포막이 세포벽과 분리되는 현상

07 | 모범 답안 |

미토콘드리아는 산소를 이용하여 유기물을 분해하면서 에너지를 생성하는 과정인 세포 호흡을 담당하는 세포 소기관이다. 운동을 하면 에너지 요구량이 많아져 세포 호흡이 활발하므로 미토콘드리아의 수가 증가한다.

| 풀이 |

운동을 시키지 않은 쥐보다 운동을 시킨 쥐의 근육 세포에서 미토콘드리아가 많다는 것은, 미토콘드리아의 기능이 운동과 연관이 있기 때문이다. 미토콘드리아는 유기물을 분해하여 에너지를 생성하는 기능을 하는데, 이는 운동할 때 더욱 필요한 기능이다.

| 채점 기준 |

채점 기준	배점
에너지 생성이라는 미토콘드리아의 기능과 이 기능이 운동 시 활발하게 일어난다는 사실을 모두 옳게 서술한 경우	100 %
에너지 생성이라는 미토콘드리아의 기능과 이 기능이 운동 시 활발하게 일어난다는 사실 중 1가지만 옳게 서술한 경우	50 %

08 | 모범 답안 |

동물 세포는 세포벽이 없어 증류수에 넣으면 물이 계속 들어와 부피가 커지다가 터지지만 식물 세포는 단단한 세포벽이 있어 터지지는 않는다.

| 풀이 |

세포벽은 동물 세포에는 없고, 식물 세포에만 있다.

| 채점 기준 |

채점 기준	배점
세포벽, 동물 세포에 없고 식물 세포에만 있다는 설명을 모두 옳게 서술한 경우	100 %
세포벽, 동물 세포에 없고 식물 세포에만 있다는 설명 중 1가지만 옳게 서술한 경우	50 %

09 | 모범 답안 |

인지질은 친수성 머리 부분과 소수성 꼬리 부분으로 되어 있는데, 세포의 안과 밖에는 물이 많이 있다. 따라서 인지질이 2중층으로 되어 물과 친한 머리 부분을 양쪽 물과 닿는 쪽으로, 물을 멀리하려는 꼬리 부분이 세포막의 내부로 모이는 구조로 구성되는 것이 유리하다.

| 풀이 |

인지질의 인산 부분은 친수성이며, 이 부분이 세포막의 바깥쪽을 향해 있고, 소수성인 지방산이 있는 부분이 세포막의 내부로 모여 있는 구조이다.

| 채점 기준 |

채점 기준	배점
인지질의 친수성과 소수성 부분에 대한 설명과 세포 안팎에 물이 많다는 것을 모두 옳게 서술한 경우	100 %
인지질의 친수성과 소수성 부분에 대한 설명과 세포 안팎에 물이 많다는 사실 중 1가지만 옳게 서술한 경우	50 %

02 생명 시스템에서의 화학 반응

간단 점검 161쪽, 162쪽

1 물질대사 **2** 동화 작용 **3** 활성화 에너지
4 식품 분야, 의약품 분야, 환경 분야, 생활용품 분야, 생명 공학 분야 등
5 유전자 재조합 기술, 중합 효소 연쇄 반응, 수명 연장, 노화 방지, 질병 퇴치 등

알쉬탐 163쪽

1 해설 참조 **2** 해설 참조 **3** (1) ○ (2) × (3) ×

1 | 모범 답안 |

상처 부위의 세포에 있는 카탈레이스의 작용으로 산소가 발생하기 때문이다.

| 풀이 |

카탈레이스는 대부분의 세포에 존재하는 효소로, 과산화 수소를 물과 산소로 분해하는 작용을 한다.

| 채점 기준 |

채점 기준	배점
카탈레이스라는 효소명과 산소가 발생한다는 것을 모두 옳게 서술한 경우	100 %
카탈레이스라는 효소명과 산소가 발생한다는 것 중 1가지만 옳게 서술한 경우	30 %

2 | 모범 답안 |

생간 속의 효소는 기포가 발생하는 반응이 일어나도 변하지 않고 다시 반응을 일으킬 수 있기 때문이다.

| 풀이 |

효소는 반응 과정에서 소모되거나 변하지 않고 다시 반응물과 반응을 일으킬 수 있다.

| 채점 기준 |

채점 기준	배점
효소가 반응 과정에서 변하지 않는다는 것과 재사용이 가능하다는 사실을 모두 옳게 서술한 경우	100 %
효소가 반응 과정에서 변하지 않는다는 것과 재사용이 가능하다는 사실 중 1가지만 옳게 서술한 경우	30 %

3 (1) 과산화 수소수에 생간을 넣었을 때 기포가 발생하는 반응에서 과산화 수소는 반응물이고 생간 속에 효소가 있다.
(2) 과산화 수소를 분해하는 효소인 카탈레이스는 동물 세포와 식물 세포에 모두 존재한다.
(3) 효소는 고온에서 구조가 변형되어 반응물과 결합할 수 없다. 따라서 익힌 간을 사용하면 기포가 발생하지 않는다.

개념 + 기본 문제 164쪽~165쪽

개념 문제

01 (1) × (2) ○ (3) ○ (4) ○

02 ㉠ 활성화 에너지, ㉡ 생체 촉매

03 ④ **04** (1) ㉢ (2) ㉠ (3) ㉡

기본 문제

05 ④ **06** ④ **07** ④ **08** ③ **09** ③ **10** ⑤ **11** ②

12 ① **13** ① **14** ③

01 (1) 생명체 내에서 일어나는 모든 화학 반응을 물질대사라고 한다.

02 반응을 일으키는 데 필요한 최소한의 에너지를 활성화 에너지라고 하며, 촉매가 활성화 에너지를 낮추는 역할을 하여 반응 속도가 빨라진다. 생명체 내에서 이러한 촉매 역할을 하는 것을 생체 촉매 또는 효소라고 한다.

03 효소의 주성분이 유기물인 단백질이므로, 효소를 유기 촉매라고도 한다.

04 (1) 김치, 요구르트, 빵 등은 미생물 속의 발효 효소에 의해 생성되는 물질을 활용한 발효 식품이다.

(2) 세균의 세포벽 합성 효소의 작용을 저해하는 물질은 세균의 증식을 억제하므로 질병 치료 과정에서 항생제로 쓰인다.

(3) 생명 공학 기술 중 유전자 재조합 기술을 활용하여 유용한 물질에 대한 유전자를 DNA 분해 효소를 이용하여 자르고, 연결 효소를 이용하여 세균의 DNA에 연결하여 발현시키면 유용한 물질을 대량 생산할 수 있다.

05 물질대사는 여러 효소가 관여하므로 반응이 체온 범위에서 단계적으로 일어난다.

06 | 선택지 분석 |

✕① 이화 작용이다.
➡ 연소는 물질대사가 아니므로 이화 작용이 아니다.

✕② 체온 범위에서 일어난다.
➡ 연소는 효소가 관여하지 않기 때문에 400 ℃ 이상의 고온에서 일어난다.

✕③ 에너지가 한꺼번에 방출된다.
➡ 연소는 에너지가 한꺼번에 방출되지만, 물질대사는 소량씩 단계적으로 방출된다.

④ 산소가 소모되고 이산화 탄소가 생성된다.
➡ 포도당이 연소에 의해 분해될 때에나 세포에서 효소의 작용으로 분해될 때 모두 산소가 소모되고 이산화 탄소가 생성된다.

✕⑤ 여러 효소가 관여하여 반응이 단계적으로 일어난다.
➡ 연소는 반응이 한번에 일어난다.

07 | 선택지 분석 |

✕① 연소, 소화
➡ 연소는 동화 작용도, 이화 작용도 아니며, 소화는 이화 작용이다.

✕② 삼투, 확산
➡ 삼투와 확산은 세포막에서 일어나는 물질의 이동 방식이며, 화학 반응이 아니므로 물질대사에 해당되지 않는다.

✕③ 세포 호흡, 광합성
➡ 세포 호흡은 포도당이 이산화 탄소와 물로 분해되므로 이화 작용이다.

④ 광합성, 단백질 합성
➡ 광합성은 이산화 탄소와 물이 포도당으로, 단백질 합성은 아미노산이 단백질로 합성되므로 저분자로부터 고분자를 합성하는 동화 작용에 해당한다.

✕⑤ 소화, 단백질 합성
➡ 소화는 이화 작용에 해당한다.

08 | 선택지 분석 |

ㄱ 생명체 내에서 일어나는 화학 반응이다.

✕ ㄴ ~~저분자로부터 고분자를 합성~~하는 과정이다. (고분자를 저분자로 분해하는)

✕ ㄷ 공기 중에서 포도당이 연소되는 반응은 ~~이화 작용의 예이다.~~ (물질대사가 아니므로 이화 작용에 해당되지 않는다.)

ㄹ 반응물을 분해하는 과정에서 에너지가 방출된다.
➡ 이화 작용이 일어날 때 에너지가 방출된다.

09 | 선택지 분석 |

ㄱ 주성분은 단백질이다.
➡ 효소의 주성분은 유기물인 단백질이다.

ㄴ 생명체 내에서 화학 반응을 촉진하는 촉매이다.
➡ 효소를 생체 촉매라고도 한다.

✕ ㄷ ~~반응물의 운동 에너지를 증가시켜~~ 반응이 빠르게 일어나도록 한다. (활성화 에너지를 낮추어)

10 ✕⑤ 생명체 내에서 화학 반응이 일어날 때 ~~생성물~~과 결합하여 반응을 촉진한다. (반응물)

11 ㉠은 효소가 없을 때의 활성화 에너지이며 ㉡은 효소가 있을 때의 활성화 에너지이다. 효소는 반응의 활성화 에너지를 낮추어 반응 속도를 증가시킨다.

12 | 선택지 분석 |

ㄱ 생간 조각에는 카탈레이스가 들어 있다.
➡ 생간 조각의 세포에 카탈레이스라는 효소가 있다.

✕ ㄴ 실험 결과 B에서 ~~이산화 탄소가~~ 생성된다. (산소가)

✕ ㄷ 실험 결과 ~~B보다 A에서~~ 기포가 많이 발생한다. (A보다 B에서)

13 식혜는 식물성 아밀레이스가 녹말을 엿당으로 분해하여 단맛이 나는 것을 이용한 식품이므로 발효 식품은 아니다.

14 ✕ 과일 속에는 ~~지방~~ 단백질 분해 효소가 들어 있어 고기를 연하게 한다.

실력 올리기 문제 166쪽~167쪽

01 ⑤ **02** ⑤ **03** ⑤ **04** ③ **05** ③ **06** ③
07 해설 참조 **08** 해설 참조 **09** 해설 참조

01 | 선택지 분석 |

✕ (가)에 효소가 ~~관여한다~~ 관여하지 않는다.

➡ 효소는 생체 촉매이며, 연소는 물질대사가 아니므로 효소가 관여하지 않는다.

㉡ (나)는 이화 작용이다.

➡ 고분자인 포도당이 분해되어 저분자인 이산화 탄소와 물이 생성되므로 이화 작용이다.

㉢ (가)와 (나)의 과정에 모두 산소가 필요하다.

➡ 연소될 때에나 세포 호흡으로 분해될 때 산소가 있어야 한다.

02 (가) 끈끈이주걱은 효소를 분비하여 털에 붙은 곤충을 소화한다.

➡ 곤충을 분해하는 소화는 이화 작용이다.

(나) 사람의 소장에서 흡수된 포도당의 일부는 간에서 글리코젠으로 전환된다.

➡ 단당류인 포도당을 다당류인 글리코젠으로 전환하는 것은 저분자로부터 고분자를 합성하는 동화 작용이다.

(다) 빛이 있을 때 식물은 광합성을 통해 양분을 합성한다.

➡ 이산화 탄소와 물로부터 빛에너지를 흡수하여 고분자 물질인 포도당이 합성되는 광합성은 동화 작용이다.

(라) 식물은 뿌리에서 질산염을 흡수하여 단백질 합성에 이용한다.

➡ 생명체 내에서 질산염보다 고분자 물질인 단백질을 합성하는 과정이므로 동화 작용이다.

03 | 선택지 분석 |

✕ 에너지가 ~~흡수되는~~ 방출되는 반응이다.

㉡ 효소가 있을 때 활성화 에너지는 E_2이다.

➡ 효소는 활성화 에너지를 낮추어 반응을 촉진한다.

㉢ 생성물의 생성 속도는 효소가 없을 때보다 효소가 있을 때가 더 빠르다.

➡ 효소에 의해 반응이 촉진되면 생성물의 생성 속도가 빠르다.

04 (가)는 광합성이며, (나)는 세포 호흡이다.

| 선택지 분석 |

㉠ (가)의 결과 포도당이 생성된다.

➡ 광합성 결과 이산화 탄소와 물로부터 포도당과 산소가 생성된다.

㉡ (가)는 동화 작용, (나)는 이화 작용이다.

➡ 광합성은 동화 작용이고, 세포 호흡은 이화 작용이다.

✕ (가)와 (나)에 작용하는 효소는 모두 동일하다.

➡ 물질대사는 여러 단계의 화학 반응으로 진행되는데, 물질대사에 관여하는 효소는 매우 다양하고 각각 결합하는 반응물도 다르다.

05 A는 효소, B는 반응물, C는 반응물과 효소가 결합한 것이다.

✕ C가 형성될 때 활성화 에너지가 ~~높아진다~~ 낮아진다.

➡ 효소가 반응물과 결합했을 때 활성화 에너지가 낮아져 반응 속도가 빨라진다.

06 옥수수를 끓는 물에 2분~3분 동안 담그는 과정은 효소의 입체 구조를 변형시켜 작용을 못하게 하므로, 녹말의 양을 증가시키는 효소 A도 작용을 못하게 된다. 효소 B는 단맛이 없는 녹말을 단맛이 나는 엿당으로 분해하는 식물성 아밀레이스이다.

| 선택지 분석 |

㉠ 효소 A의 작용은 ㉠에 의해 억제된다.

➡ 효소는 고온에서 입체 구조가 변형되어 작용이 억제된다.

㉡ 효소 A는 동화 작용에 관여한다.

➡ 효소 A는 녹말을 합성하는 동화 작용에 관여한다.

✕ 효소 B는 ~~엿당~~ 녹말과 결합하여 이화 작용을 촉진한다.

➡ 효소 B는 밥알 속의 녹말을 엿당으로 분해하는 이화 작용에 관여한다.

07 | 모범 답안 |

(나)이다. 그 까닭은 효소인 카탈레이스가 있을 때 활성화 에너지가 낮아져 반응이 촉진되는데, (가)보다 (나)에서 활성화 에너지가 더 낮기 때문이다.

| 풀이 |

효소는 활성화 에너지를 낮추어 반응을 촉진하는데, 활성화 에너지는 반응을 일으키는 데 필요한 최소한의 에너지이다.

| 채점 기준 |

채점 기준	배점
(나)와 (나)를 고른 까닭을 활성화 에너지 감소라는 내용을 명시하여 옳게 서술한 경우	100 %
(나)를 골랐으나 그 까닭을 옳게 서술하지 못한 경우	50 %

08 | 모범 답안 |

아밀레이스는 엿당을 분해하지 못하고 말테이스는 녹말을 분해할 수 없다. 그 까닭은 아밀레이스의 구조는 녹말과 결합할 수 있지만 엿당과 결합할 수 없는 구조이고, 말테이스는 엿당과 결합할 수 있지만 녹말과 결합할 수 없는 구조이기 때문이다.

| 풀이 |

효소는 반응물과 결합하였을 때 활성화 에너지를 낮추어 반응을 촉진할 수 있는데, 효소의 성분인 단백질의 입체 구조에 따라 결합할 수 있는 반응물의 종류가 다르다.

| 채점 기준 |

채점 기준	배점
아밀레이스와 말테이스가 각각 엿당과 녹말을 분해할 수 없다는 내용과 그 까닭을 아밀레이스와 말테이스의 구조가 각각 엿당과 녹말과 결합할 수 없기 때문이라는 내용을 서술한 경우	100 %
아밀레이스와 말테이스가 각각 엿당과 녹말을 분해할 수 없다는 내용은 서술하였으나 그 까닭을 옳게 서술하지 못한 경우	50 %

09 | 모범 답안 |

효모의 발효 효소가 작용하면 이산화 탄소가 발생하여 빵을 부풀게 하기 때문이다.

| 풀이 |

효모는 발효 효소에 의해 포도당을 분해하여 이산화 탄소와 에탄올을 만든다. 빵 반죽 속에서 이러한 화학 반응이 일어나면 고온의 상태에서 이산화 탄소가 반죽 사이사이에 구멍을 만들어 빵이 부푼다.

| 채점 기준 |

채점 기준	배점
발효 효소로 인해 발생하는 이산화 탄소가 빵을 부풀게 한다고 옳게 서술한 경우	100 %
효모의 발효에 관한 언급과 이 과정에서 이산화 탄소가 발생하여 빵을 부풀게 한다는 내용 중 1가지만 옳게 서술한 경우	50 %

03 생명 시스템에서의 정보 흐름

간단 점검 170쪽

1 유전자 **2** DNA와 단백질 **3** 세포 분열
4 생명 중심 원리 **5** RNA, 핵 **6** 리보솜 **7** 3, 20
8 낫 모양 적혈구 빈혈증

알쉬탐 171쪽

1 U, C, G, A **2** 해설 참조 **3** (1) ○ (2) × (3) ○

1 DNA에서 RNA가 전사될 때 DNA의 염기와 상보적인 염기를 가진 RNA 뉴클레오타이드가 차례로 연결되는데, 상보적 염기의 짝은 A은 U, G은 C, C은 G, T은 A이다.

2 | 모범 답안 |

사람과 대장균이 동일한 유전 암호를 사용하기 때문이다.

| 풀이 |

사람에서 세균에 이르기까지 모든 생명체는 동일한 유전 암호를 사용하고 있어 대장균에서 사람의 유전자가 전사, 번역되어 사람의 인슐린 단백질이 합성된다.

| 채점 기준 |

채점 기준	배점
사람과 세균이 동일한 유전 암호를 사용한다는 사실을 옳게 서술한 경우	100 %
대장균에서 사람의 유전자가 발현된다는 서술은 하였으나, 공통된 유전 암호를 사용하기 때문이라는 서술을 옳게 하지 못한 경우	30 %

3 (1) DNA의 유전 정보는 전사를 통해 RNA로 전달된 후 RNA의 코돈에 따라 일정한 아미노산 서열을 갖는 단백질이 합성된다.
(2) 4종류의 염기가 3개씩 조합된 코돈은 64가지가 가능하며, 아미노산의 종류는 20가지이다.
(3) DNA의 유전 정보는 단백질의 아미노산 서열을 결정하므로, DNA 염기 서열에 이상이 생기면 합성되는 단백질에 이상이 생길 수 있다.

개념 + 기본 문제 172쪽~173쪽

개념 문제

01 (1) × (2) ○ (3) ○
02 전사-핵, 번역-리보솜
03 ㉠ 코돈, ㉡ 아미노산 **04** (1) ㉢ (2) ㉠ (3) ㉡

기본 문제

05 ③ **06** 단백질 **07** ⑤ **08** ④ **09** ① **10** ③
11 ② **12** (다) → (나) → (가) **13** 해설 참조 **14** ③

01 (1) DNA 한 분자 당 ~~하나의~~ 여러 개의 유전자가 들어 있다.

02 핵에서 전사가 일어나 합성된 RNA가 세포질로 빠져나가 리보솜과 결합하여 번역 과정을 통해 단백질이 합성된다.

03 3개의 염기로 구성된 RNA 상의 유전 암호를 코돈이라고 하며, 번역 과정에서 코돈에 따라 특정한 아미노산 서열로 구성된 단백질이 합성된다.

04 (1) 헤모글로빈 단백질 유전자에 이상이 생기면 헤모글로빈 합성에 이상이 생겨 낫 모양의 적혈구가 형성되고, 이에 의해 악성 빈혈 증상이 나타나는 것을 낫 모양 적혈구 빈혈증이라고 한다.
(2) 페닐알라닌 대사에 관여하는 효소 유전자에 이상이 생겨 페닐알라닌이 축적되어 중추 신경계 손상 등의 증상이 나타나는 것을 페닐케톤뇨증이라고 한다.
(3) 멜라닌 색소 합성에 관한 유전자에 이상이 생겨 멜라닌 색소가 정상적으로 합성되지 않아 몸의 일부 또는 전체가 하얗게 되는 증상을 알비노증이라고 한다.

05 세포 분열 시 염색사가 응축하여 막대 모양의 염색체가 된다.

06 유전자는 DNA의 특정 염기 서열로, 이는 전사와 번역을 거쳐 합성되는 특정 단백질의 아미노산 서열에 대한 정보를 가지고 있는 부위이다. 유전자에 의해 합성되는 단백질의 종류와 양에 따라 형질이 결정된다.

07 | **선택지 분석** |

✕ 염색체 당 ~~한 종류의~~ 여러 종류의 유전 정보가 들어 있다.

✕ DNA 뉴클레오타이드의 ~~당이~~ 염기 서열이 유전 정보이다.

✕ DNA의 ~~염기 하나는 한 종류의~~ 연속된 3개의 염기가 1개의 아미노산에 대한 정보로 작용한다.

✕ DNA에 이상이 ~~생겨도~~ 생기면 형질이 나타나는 데 영향을 ~~미치지 않는다.~~ 미친다.

⑤ DNA의 염기 서열에 단백질의 아미노산에 대한 정보가 들어 있다.

➡ DNA의 유전 암호는 3개의 연속된 염기 서열이 하나의 아미노산에 대한 정보로 작용하며, 이로부터 단백질이 합성된다.

08 | **선택지 분석** |

✕ 유전 물질의 본체는 ~~단백질~~ DNA이다.

㉡ DNA의 유전 정보는 RNA로 전달된다.

➡ DNA의 유전 정보는 전사를 통해 RNA로 전달된다.

✕ 번역은 ~~핵에서~~ 세포질(리보솜)에서 일어난다.

㉣ RNA의 유전 정보에 따라 단백질이 합성된다.

➡ RNA의 유전 정보에 따라 리보솜에서 단백질이 합성되는 것을 번역이라고 한다.

09 | **자료 분석** |

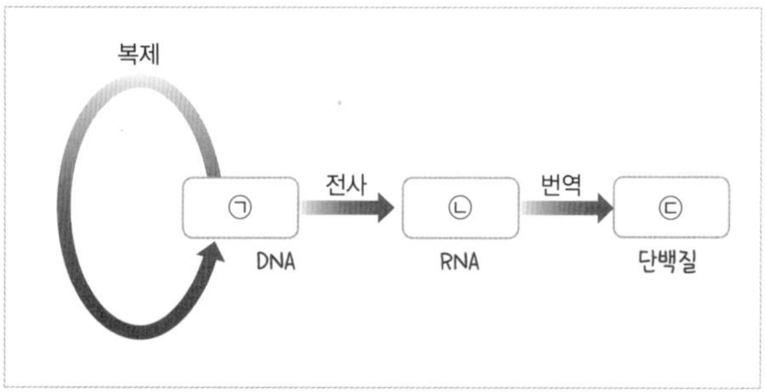

DNA의 유전 정보는 전사되어 RNA로 전달되고, RNA에 전달된 유전 정보는 번역되어 단백질이 형성된다.

10 | **선택지 분석** |

㉠ RNA 상의 유전 정보이다.

➡ 아미노산에 대한 정보를 가진 RNA의 연속된 3개의 염기를 코돈이라고 한다.

✕ ~~20가지의~~ 64가지의 코돈이 존재한다.

✕ ~~1개의~~ 3개의 염기가 1개의 아미노산에 대한 정보를 갖는다.

㉣ 여러 개의 코돈이 같은 아미노산을 지정하는 경우가 있다.

➡ 20개의 아미노산을 64종류의 코돈이 지정하게 되므로, 여러 개의 코돈이 같은 아미노산을 지정하는 경우가 있다.

11 전사를 통해 합성된 RNA는 세포질로 빠져나간다. DNA는 유전자의 본체로 핵 속에 들어 있으며, 세포질로 이동하지 않는다.

12 전사된 RNA가 세포질로 나와 리보솜에 결합하면 리보솜이 RNA를 따라 이동하면서 RNA의 염기 서열에 따라 세포질에 있던 아미노산이 차례로 펩타이드 결합을 하여 단백질이 합성되며, 합성된 단백질은 리보솜에서 빠져나온다.

13 | **모범 답안** |

UUU CGA GCC CUU GGU UCU UCU CCC

| **풀이** |

DNA의 염기 A, G, C, T은 전사될 때 각각 RNA의 염기 U, C, G, A로 짝 지어진다.

14 | **선택지 분석** |

✕ 멜라닌 색소의 양이 정상인보다 적어 피부색이 하얗다.

➡ 멜라닌 색소 합성에 이상이 있는 질환은 알비노증이다.

㉡ 자손에게 자신의 유전 질환을 물려 줄 가능성이 있다.

➡ 이상이 생긴 유전자가 있는 생식 세포의 수정으로 자손에게 해당 유전자가 전달되면 자손에게 유전 질환이 나타날 수 있다.

㉢ 헤모글로빈 단백질 유전자의 염기 서열이 정상인과 다르다.

➡ 헤모글로빈 단백질을 합성하는 유전자에 이상이 생긴 것으로, 유전 정보는 염기 서열에 저장되어 있다.

✕ 정상인의 적혈구보다 적혈구의 크기가 작아 모세 혈관을 쉽게 통과한다.

➡ 낫 모양 적혈구는 날카로운 형태이고 쉽게 뭉치므로 모세 혈관을 막아 혈액의 흐름을 저해한다.

실력 올리기 문제

174쪽~175쪽

01 ④ **02** ⑤ **03** ⑤ **04** ⑤ **05** ① **06** ⑤
07 해설 참조 **08** 해설 참조 **09** 해설 참조

01 A는 DNA, B는 단백질, C는 염색체이다.

| **선택지 분석** |

㉠ A는 이중 나선 구조이다.

➡ DNA는 폴리뉴클레오타이드 사슬 2개가 나선형으로 꼬여 있는 구조이다.

✕ B에 유전자가 들어 있다.

➡ B는 단백질이며, 유전자는 DNA에 들어 있다.

㉢ C에 A와 B가 들어 있다.

➡ 염색체는 DNA와 단백질이 응축되어 있는 물질이다.

더 알아보기 DNA, 유전자, 염색체

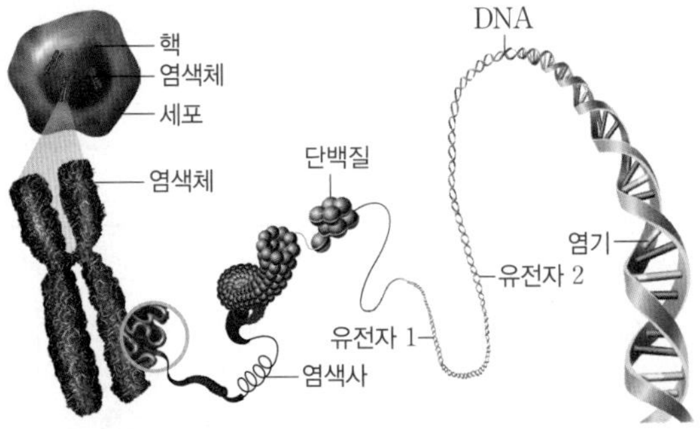

- DNA: 생물의 형질에 대한 모든 유전 정보를 담고 있는 분자, 사람은 세포 당 46개의 분자를 가진다.
- 유전자: 특정 유전 형질에 대한 유전 정보가 있는 DNA의 특정 부분, 유전자에 저장된 정보에 따라 개체의 여러 형질이 결정된다.
- 염색체: 세포가 분열할 때 핵 속의 염색사가 응축되어 나타나는 막대 모양의 구조물로, 구성 물질은 DNA와 단백질이다.

02 | 선택지 분석 |

① 핵 속에서 일어나는 과정이다.
➡ 전사는 핵에서 일어나지만, 번역은 세포질(리보솜)에서 일어난다.

② 리보솜과 RNA의 결합과 분리 과정이 있다.
➡ 리보솜과 RNA의 결합과 분리 과정이 있는 것은 번역이다. 전사는 DNA와 RNA의 결합과 분리 과정이 있다.

③ 상보적 염기를 가진 뉴클레오타이드가 결합한다.
➡ 전사에서 DNA의 상보적 염기를 가진 RNA 뉴클레오타이드가 결합한다. 번역은 RNA의 염기 서열에 따라 아미노산이 결합한다.

④ 리보솜에서 아미노산 간의 펩타이드 결합이 일어난다.
➡ 리보솜에서 아미노산 간의 펩타이드 결합이 일어나는 것은 번역이다.

⑤ 염기의 배열 순서에 따라 단위체가 결합하여 진행된다.
➡ 전사는 DNA 염기의 배열 순서에 따라 RNA의 단위체인 뉴클레오타이드가 결합하여 진행되고, 번역은 RNA 염기의 배열 순서에 따라 단백질의 단위체인 아미노산이 결합하여 진행된다.

03 세포에서 전사는 핵에서 일어나며, RNA의 유전 정보에 따라 리보솜에서 단백질이 합성되는 번역이 일어난다.

04 | 자료 분석 |

RNA : …GGC UGU CCG ACA…
(글라이신 시스테인 프롤린 트레오닌)
↓ ㉠ 번역
단백질 : …글라이신 – 시스테인 – (가) 프롤린 – 트레오닌…

코돈	ACA	CCG	(나) GGC	UGU
아미노산	트레오닌	프롤린	글라이신	시스테인

| 선택지 분석 |

ㄱ. ㉠은 ~~전사~~(번역)이다.

ㄴ. (가)는 프롤린이다.
➡ 코돈 CCG에 대응하는 아미노산이므로 프롤린이다.

ㄷ. GGC는 (나)에 해당하는 RNA 뉴클레오타이드의 염기 서열이다.
➡ RNA의 GGC가 글라이신으로 번역되었으므로 GGC는 글라이신에 대한 코돈에 해당한다. 코돈은 RNA에서 아미노산에 대한 정보를 가진 염기 서열이다.

05 | 자료 분석 |

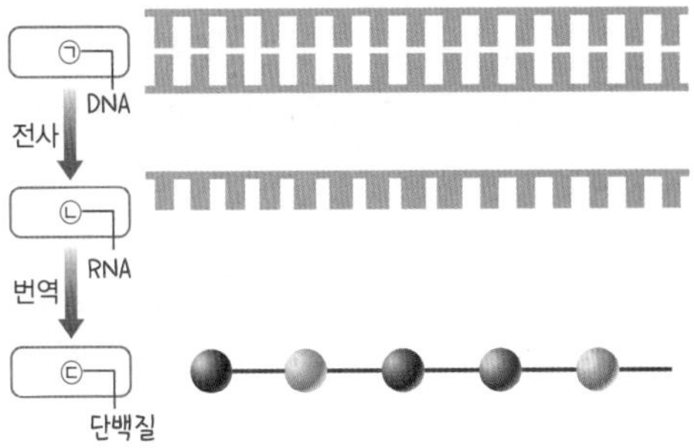

| 선택지 분석 |

ㄱ. 번역에 리보솜이 관여한다.
➡ 리보솜에 RNA가 결합하여 코돈에 따라 아미노산의 펩타이드 결합이 일어난다.

ㄴ. ㉡의 염기 ~~1개~~(3개)가 아미노산 1개를 지정한다.
➡ 코돈은 RNA 상의 연속된 염기 3개이다.

ㄷ. ㉠과 ㉡을 구성하는 염기의 종류는 모두 같다.
➡ DNA의 염기는 A, G, C, T이고 RNA의 염기는 A, G, C, U이다.

06 | 선택지 분석 |

ㄱ. ~~(가)는~~ ((나)는) 낫 모양 적혈구이다.

ㄴ. 낫 모양 적혈구 빈혈증은 DNA의 염기 서열 이상에 의한 유전 질환이다.
➡ 낫 모양 적혈구 빈혈증은 DNA 염기 서열 이상에 의해 헤모글로빈의 아미노산 서열에 이상이 생긴 유전 질환이다.

ㄷ. 정상 적혈구와 낫 모양 적혈구의 헤모글로빈을 구성하는 아미노산의 서열은 서로 다르다.
➡ 유전자 이상이 일어난 결과, 글루탐산이 발린으로 치환되었으므로 아미노산의 서열이 달라진다.

07 | 모범 답안 |

㉠, ㉡ 모두 ACA이다.

| 풀이 |

DNA 두 가닥의 상보적 염기는 T–A, G–C이고, DNA에서 RNA가 전사될 때 DNA의 T에는 RNA의 A, DNA의 G에는 RNA의 C가 각각 상보적 염기이다.

| 채점 기준 |

채점 기준	배점
㉠과 ㉡ 모두 ACA라고 옳게 서술한 경우	100 %
㉠과 ㉡ 중 1가지만 옳게 서술한 경우	50 %

08 | 모범 답안 |

유전자는 단백질 합성에 대한 정보를 가지고 있으며, 형질은 합성된 단백질에 따라 결정된다.

| 풀이 |

갈색 눈동자 유전자는 많은 수의 멜라닌 합성 효소에 대한 정보를 가지고 있기 때문에 발현될 경우 많은 양의 멜라닌이 합성되어 갈색 눈동자가 나타난다. 파란색 눈동자 유전자는 적은 수의 멜라닌 합성 효소에 대한 정보를 가지고 있기 때문에 발현될 경우 적은 양의 멜라닌이 합성되어 파란색 눈동자가 나타난다.

| 채점 기준 |

채점 기준	배점
유전자가 단백질 합성의 정보라는 것과 형질이 단백질에 의해 결정된다는 사실을 모두 옳게 서술한 경우	100 %
유전자가 단백질 합성의 정보라는 것과 형질이 단백질에 의해 결정된다는 사실 중 1가지만 옳게 서술한 경우	50 %

09 | 모범 답안 |

① 전사는 핵 속에서 일어나고 번역은 세포질(리보솜)에서 일어난다.

② 전사는 DNA로부터 RNA를 합성하는 과정이고, 번역은 RNA로부터 단백질을 합성하는 과정이다.

③ 전사는 염기 서열에 따라 뉴클레오타이드가 차례로 연결되고, 번역은 염기 서열에 따라 아미노산이 차례로 결합한다.

| 풀이 |

구분	전사	번역
의미	DNA에 저장된 유전 정보가 RNA로 전달되는 과정	RNA의 유전 정보로부터 단백질이 합성되는 과정
장소	핵	세포질(리보솜)
과정	DNA의 염기가 배열된 순서에 따라 상보적인 염기 서열로 구성된 RNA 뉴클레오타이드 결합 ⇩ RNA가 합성된 후 세포질로 빠져나옴	리보솜이 전사된 RNA와 결합 ⇩ 리보솜이 RNA 가닥을 따라 이동하면서 RNA의 염기가 배열된 순서에 따라 세포질에 있는 아미노산을 연결 ⇩ 단백질(폴리펩타이드)이 합성된 후 리보솜에서 빠져나옴

| 채점 기준 |

채점 기준	배점
차이점 중 2가지를 모두 옳게 서술한 경우	100 %
차이점 중 1가지만 옳게 서술한 경우	50 %

대단원 마무리 176쪽~181쪽

한번에 정리하는 대단원 마무리

① 기능적 ② 핵 ③ 미토콘드리아 ④ 광합성 ⑤ 리보솜
⑥ 인지질 ⑦ 선택적 투과성 ⑧ 확산 ⑨ 삼투 ⑩ 물질대사
⑪ 동화 작용 ⑫ 이화 작용 ⑬ 활성화 에너지 ⑭ 구조
⑮ 카탈레이스 ⑯ DNA ⑰ 유전자 ⑱ 염색체 ⑲ 단백질
⑳ 생명 중심 원리 ㉑ RNA ㉒ 단백질 ㉓ 코돈
㉔ 낫 모양 적혈구 빈혈증

한번에 끝내는 대단원 마무리

01 ⑤ **02** ⑤ **03** ③ **04** ④ **05** ① **06** ⑤ **07** ①
08 ① **09** ③ **10** ⑤ **11** ③ **12** ② **13** ③ **14** ③
15 ③ **16** 해설 참조 **17** 해설 참조 **18** 해설 참조
19 해설 참조 **20** (1) 해설 참조 (2) 해설 참조

01 | 선택지 분석 |

㉠ 모든 생물은 세포로 구성되어 있다.
➡ 생명체는 세포로 구성된다.

㉡ 생명체의 구조적, 기능적 기본 단위이다.
➡ 세포는 생명체의 기능적 단위로, 각 세포 소기관은 생명체의 여러 기능을 분담한다.

㉢ 단백질 합성이 일어나는 세포 소기관은 리보솜이다.
➡ 리보솜에서 RNA의 코돈에 따라 아미노산의 펩타이드 결합이 일어난다.

02 A는 핵, B는 세포막, C는 미토콘드리아이다.

| 선택지 분석 |

㉠ 식물 세포에 A~C가 모두 존재한다.
➡ 핵, 세포막, 미토콘드리아는 동물 세포와 식물 세포에 공통적으로 존재한다.

㉡ B는 인지질과 단백질로 구성되어 있다.
➡ 세포막은 인지질 2중층에 단백질이 불규칙하게 분포한다.

㉢ C에서 이화 작용이 일어난다.
➡ 미토콘드리아에서 일어나는 세포 호흡은 포도당을 분해하는 이화 작용이다.

03 ✗ 세포막을 경계로 ~~고농도에서 저농도로~~ 저농도에서 고농도로 물이 이동하는 현상을 삼투라고 한다.

04 | 선택지 분석 |

✗ A는 ~~소포체~~ 골지체이다.

㉡ B에서 에너지가 방출되는 반응이 일어난다.
➡ 미토콘드리아에서 이화 작용이 일어날 때 에너지가 방출된다.

ㄷ. C는 인지질 2중층의 막 구조를 가지고 있다.

➡ 소포체는 인지질 2중층의 막 구조를 하고 있다.

더 알아보기 소포체와 골지체

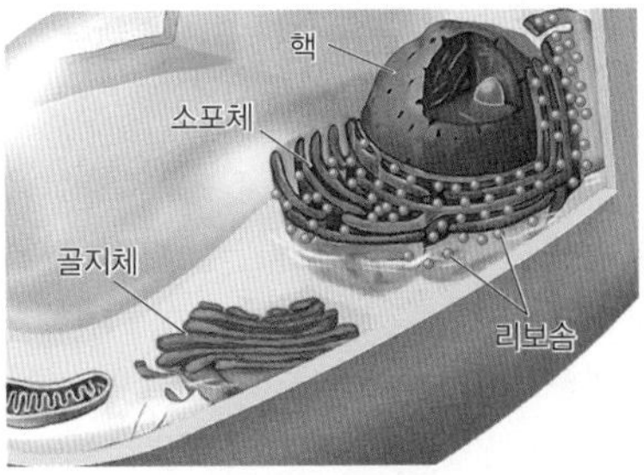

- 소포체: 리보솜에서 합성된 단백질을 골지체나 세포의 다른 부위로 운반하거나 지질 합성, 인지질 2중층의 막 구조
- 골지체: 소포체에서 운반된 단백질이나 지질을 변형하여 적절한 장소로 운반, 인지질 2중층의 막 구조

05 | 자료 분석 |

설탕 용액	A	B	C	D
10분 후 세포의 부피 / 등장액에서 세포의 부피	0.9	1.0	1.2	1.3

- A: 10분 후 세포의 부피가 감소했으므로 세포에서 빠져나간 물의 양이 들어온 물의 양보다 많다. → A는 고장액
- B: 10분 후 세포의 부피에 변화가 없으므로 세포에서 빠져나간 물의 양과 들어온 물의 양이 같다. → B는 등장액
- C, D: 10분 후 세포의 부피가 증가했으므로 세포에서 빠져나간 물의 양보다 들어온 물의 양이 많다. → C, D는 저장액

식물 세포를 고장액 A에 넣으면 삼투 현상에 의해 세포 바깥쪽으로 빠져나가는 물의 양이 들어오는 물의 양보다 많아 세포의 부피가 감소하여 세포막과 세포벽이 분리된다.

06 | 선택지 분석 |

① 밥알에 엿기름을 넣어 식혜를 만든다.

➡ 엿기름 속의 아밀레이스가 밥알 속의 녹말을 엿당으로 분해한다.

② 밀가루 반죽에 효모를 넣어 빵을 부풀게 한다.

➡ 효모의 발효 결과 생긴 이산화 탄소 기체가 공기층을 형성한다.

③ 유산균으로 우유를 발효시켜 요구르트를 만든다.

➡ 유산균이 우유 속의 젖당을 분해하여 젖산을 생성한다.

④ 불고기 양념을 만들 때 배나 키위를 갈아 넣는다.

➡ 배나 키위 속의 연육 효소에 의해 고기가 부드러워진다.

⑤ 장작불을 피울 때 부채질을 하여 바람을 일으킨다.

➡ 장작불을 피울 때 부채질을 하는 것은 산소 공급량을 늘려 연소가 잘 되도록 하는 것이다.

07 | 선택지 분석 |

ㄱ. (가)에서 물 분자는 A에서 B로 확산된다.

➡ B쪽의 수면 높이가 높아진 것으로 보아 삼투 현상으로 물 분자가 A에서 B 쪽으로 확산된 것이다.

ㄴ. (나)에서 반투과성 막을 통한 물 분자의 이동은 없다.

➡ 반투과성 막을 통해 양쪽 방향으로 이동하는 물의 양이 동일한 상태이다.

ㄷ. 개구리 세포 내액은 갈치 세포 내액보다 고장액이다.

➡ 개구리 세포 내액이 갈치 세포 내액보다 저장액이다.

08 | 자료 분석 |

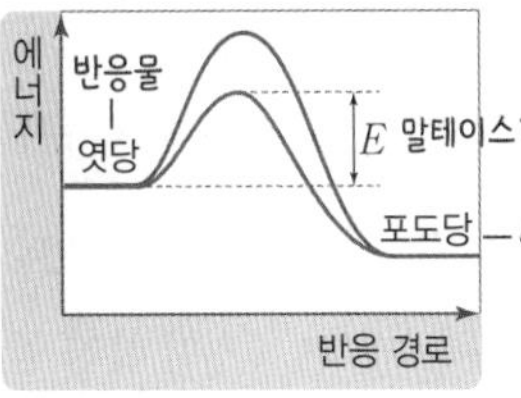

E 말테이스가 있을 때 활성화 에너지가 낮아진다.

포도당 — 생성물

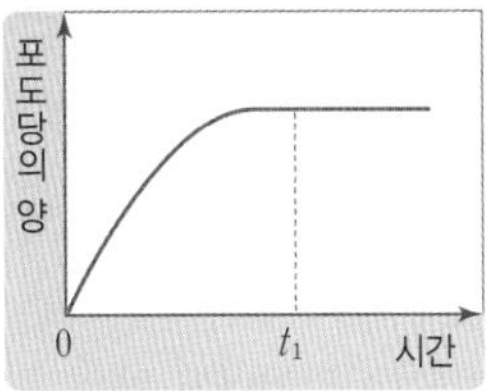

시간 당 생성물의 농도가 일정하게 유지된다.: 더 이상 생성물이 생성되지 않는다는 것이므로 반응이 종료되었음을 의미한다.
→ 반응물인 엿당의 농도는 0이고 효소인 말테이스는 모두 엿당과 결합하지 않은 상태이다.

| 선택지 분석 |

ㄱ. 말테이스는 ~~포도당~~(엿당)과 결합하여 반응 속도를 촉진하는 효소이다.

ㄴ. (가)의 E는 말테이스가 있을 때의 활성화 에너지이다.

➡ 효소는 활성화 에너지를 낮춘다.

ㄷ. (나)의 t_1에서 말테이스는 모두 엿당과 ~~결합하고 있다.~~ 결합하고 있지 않다.

09 | 선택지 분석 |

ㄱ. (가)에는 효소가 필요하다.

➡ (가)는 물질대사이므로 효소가 필요하다.

ㄴ. (나)에서는 동화 작용이 일어난다.

➡ 저분자 물질(포도당)로부터 고분자 물질(글리코젠)을 합성하는 반응은 동화 작용이다.

ㄷ. (가)는 400 ℃ 이상에서 활발하게 일어난다.

➡ 효소가 관여하는 반응은 낮은 온도에서 쉽게 일어난다.

10 | 선택지 분석 |

ㄱ. ㉠은 산소이다.

➡ 카탈레이스는 과산화 수소를 물과 산소로 분해한다.

ㄴ. 카탈레이스는 생간 속에 들어 있다.

➡ 카탈레이스는 동물 세포에 많이 포함되어 있는 효소이다.

ㄷ. 카탈레이스의 작용은 산성일 때보다 중성일 때 더 활발하다.

➡ A는 중성이고 B는 산성인데 A에서 기포 발생량이 더 많으므로 중성일 때 카탈레이스의 작용이 더 활발하다.

11 | 선택지 분석 |

㉠ A는 DNA와 단백질로 구성된다.

➡ A(염색체)는 DNA와 단백질로 구성되어 있다.

✕ B에 단백질이 존재한다.

➡ DNA의 단위체인 뉴클레오타이드는 인산, 당, 염기로 되어 있다.

㉢ 유전자 1과 유전자 2에 단백질 합성에 대한 정보가 들어 있다.

➡ 유전자는 단백질 합성에 대한 정보를 갖는다.

12 | 선택지 분석 |

✕ (가) 과정은 ~~번역~~ 전사이다.

② (나) 과정에서 펩타이드 결합이 일어난다.

✕ (나) 과정에 관여하는 RNA의 코돈은 최~~대 20가~~ 64가지이다.

✕ (나) 과정에서 합성되는 단백질은 ~~최대 20가지~~ 매우 다양하다이다.

✕ (가) 과정에서 연속된 ~~4개의~~ 3개의 염기가 1조인 유전 암호가 형성된다.

13 | 선택지 분석 |

㉠ 유전자의 이상으로 나타나는 유전 질환이다.

➡ 헤모글로빈 단백질 유전자의 이상으로 나타난다.

✕ 세포에서 전사와 번역이 모두 일어나지 않는 증상이 나타난다.

➡ 전사와 번역은 일어나지만 합성되는 단백질에 이상이 있다.

㉢ 헤모글로빈 단백질 유전자의 염기 서열이 정상인 경우와 달라 발생하는 질환이다.

➡ 헤모글로빈 단백질 유전자의 염기 서열 이상으로 단백질 합성에 이상이 있는 경우이다.

더 알아보기 낫 모양 적혈구 빈혈증

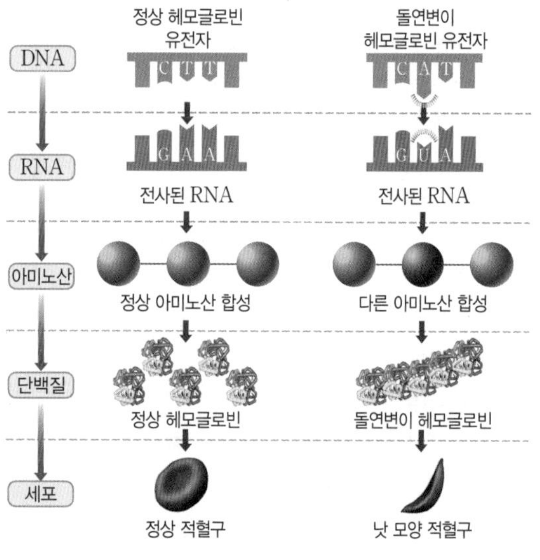

- 정상 적혈구 유전자와 낫 모양 적혈구를 만드는 유전자: 헤모글로빈 단백질의 DNA 염기 서열 중 1개의 염기에 차이가 있다.

14 | 선택지 분석 |

㉠ 해파리의 형광 유전자는 초록색 형광 단백질 합성에 대한 정보를 가지고 있다.

➡ 유전자는 단백질 합성에 대한 정보를 가지고 있다.

✕ 해파리의 형광 유전자는 고양이에서 형광 단백질로 발현되지 않는다.

➡ 해파리의 형광 유전자가 고양이에서 형광 단백질로 발현되어 고양이가 형광을 띤다.

㉢ 형광 유전자를 발현하는 코돈은 발광 해파리와 고양이에서 동일하다.

➡ 발광 해파리의 유전자가 들어간 고양이에서 동일한 단백질이 합성되었으므로 발광 해파리와 고양이의 형광 유전자 발현에 대한 코돈은 동일하다.

15 | 선택지 분석 |

㉠ ㉠에는 ㉢에 대한 정보가 들어 있다.

➡ ㉠은 DNA이며, DNA의 특정 부위는 단백질 합성에 대한 유전 정보가 있는 유전자이다.

㉡ ㉡에 생체 촉매가 관여한다.

➡ ㉡은 세포 호흡이며, 물질대사에는 생체 촉매인 효소가 관여한다.

✕ ㉢은 ~~이화 작용~~ 동화 작용이다.

16 | 모범 답안 |

해수어류 링거액, 파충류 링거액, 양서류 링거액의 순이다. 적혈구의 부피 변화는 저농도에서 고농도로 물이 이동한 결과인데, 양서류 링거액에서 적혈구가 부풀었으므로 양서류 링거액은 적혈구에 대해 저장액이다. 파충류 링거액에서는 적혈구 변화가 거의 없으므로 적혈구와 등장액이며, 해수어류 링거액에서는 적혈구가 오므라들었으므로 적혈구에 대해 고장액이다.

| 풀이 |

동물 세포를 저장액에 넣으면 세포 안으로 들어오는 물의 양이 밖으로 빠져나가는 물의 양보다 많아 부피가 증가한다. 동물 세포를 등장액에 넣으면 세포 안으로 들어오는 물과 밖으로 빠져나가는 물의 양이 같아 부피 변화가 없다. 동물 세포를 고장액에 넣으면 세포 안으로 들어오는 물의 양보다 빠져나가는 물의 양이 많아 부피가 감소하고 수축한다.

| 채점 기준 |

채점 기준	배점
순서와 까닭을 모두 옳게 서술한 경우	100 %
순서는 옳게 나열했으나 까닭을 옳게 서술하지 않은 경우	50 %

17 | 모범 답안 |

A는 반응물, B는 생성물, C는 반응물과 결합한 효소, D는 반응물과 결합하지 않은 효소이다.

| 풀이 |

효소 반응이 진행되면서 반응물은 효소와 결합하여 생성물이 되므로, 반응물의 농도는 감소하고 그만큼 생성물의 농도는 증가한다. 반응물과 결합하지 않은 효소는 처음에 투입한 만큼 존재하다가 반응물과 결합하게 되면서 점차 감소하고, 그만큼 반응물과 결합한 효소가 증가한다. 그러나 생성물이 생성되면서 반응물과 결합한 효소의 양은 감소하고 그만큼 반응물과 결합하지 않은 효소의 양은 증가하여 처음 농도와 같게 된다.

| 채점 기준 |

채점 기준	배점
A~D를 모두 옳게 서술한 경우	100 %
A~D 중 2가지 이상을 옳게 서술한 경우	50 %

18 | 모범 답안 |

공통점은 물질의 농도가 높은 쪽에서 낮은 쪽으로 확산된다는 것이고, 차이점은 (가)에서는 세포막의 단백질 없이 인지질 2중층을 직접 통과해서 이동하는데, (나)에서는 세포막의 단백질이 통로 역할을 하여 이동하는 것이다.

| 풀이 |

세포막을 통한 확산은 고농도에서 저농도로 물질이 이동하는 것인데, 인지질 2중층을 직접 통과하는 경우가 있고, 세포막에 있는 수송 단백질을 통해 확산되는 경우가 있다.

| 채점 기준 |

채점 기준	배점
공통점으로 고농도에서 저농도로 확산된다는 점과 차이점으로 단백질의 관여에 대해 모두 옳게 서술한 경우	100 %
공통점과 차이점 중 1가지만 옳게 서술한 경우	50 %

19 | 모범 답안 |

이화 작용, 효모의 세포 호흡 결과 이산화 탄소가 발생하였기 때문이다.

| 풀이 |

효모가 세포 호흡을 통해 포도당을 분해하는 과정에서 에너지가 방출되어 온도가 높아지고, 이산화 탄소가 생성되므로 석회수가 뿌옇게 흐려진다.

| 채점 기준 |

채점 기준	배점
이화 작용, 세포 호흡으로 인한 이산화 탄소 발생을 모두 서술한 경우	100 %
이화 작용은 서술했으나 세포 호흡으로 인한 이산화 탄소 발생에 대해 옳게 서술하지 못한 경우	50 %

20 | 모범 답안 |

(1) AUGCGGUUACCGGUUCCG

(2) 6개, 하나의 아미노산을 지정하는 코돈은 3개의 염기 서열로 되어 있다. 총 18개 염기이므로 연속된 3염기 조합은 6개이다.

| 풀이 |

(1) 전사가 일어날 때 A → U, G → C, C → G, T → A 과 같이 DNA의 염기에 대해 RNA의 상보적인 염기가 차례로 연결된다.

| 채점 기준 |

채점 기준	배점
(1)과 (2)를 모두 옳게 서술한 경우	100 %
(1)과 (2) 중 1가지만 옳게 서술한 경우	50 %

VI »» 화학 변화

01 ~ 지구와 생명의 역사를 바꾼 화학 반응

간단 점검 185쪽

1 포도당 **2** (철의) 제련 **3** 탄소, 수소 **4** 산소
5 산화 환원 반응

개념 + 기본 문제 186쪽~187쪽

개념 문제

01 (1) ◯ (2) × (3) × **02** 산소 **03** 화석 연료
04 (1) ㉠ 광합성, ㉡ 철의 제련, ㉢ 화석 연료의 연소 (2) 산소

기본 문제

05 ① **06** ㉠ 이산화 탄소, ㉡ 산소 **07** ④ **08** ①
09 ④ **10** ⑤ **11** 석유 **12** ⑤
13 ㉠ 산소, ㉡ 산화 환원

01 (2) 광합성 반응을 통해서 산소 기체가 발생한다.
(3) 광합성 반응이 일어날 때 빛에너지를 흡수한다.

02 철은 자연에서 산소와 결합하여 철광석으로 존재한다. 따라서 산소를 제거해야 사용할 수 있다.

03 화석 연료는 지질 시대의 생물이 땅속에 묻혀 특정 환경에서 분해되어 만들어지며, 19세기에 증기 기관차와 선박 등의 연료로 이용되어 산업 혁명에 영향을 미쳤다.

04 (1) ㉠ 이산화 탄소와 물이 반응하여 포도당과 산소를 생성하는 반응은 광합성 반응이다.
㉡ 산화 철(Ⅲ)과 일산화 탄소가 반응하여 철과 이산화 탄소를 생성하는 반응은 철의 제련 반응이다.
㉢ 천연가스의 주성분인 메테인과 산소가 반응하여 이산환 탄소와 물을 생성하는 반응은 화석 연료의 연소 반응이다.
(2) 광합성, 철의 제련, 화석 연료의 연소 반응에 공통으로 관여하는 물질은 산소이다.

05 광합성 반응에서 반응물은 물과 이산화 탄소이고, 생성물은 포도당과 산소이므로 ㉠은 이산화 탄소이고, ㉡은 포도당이다.

06 광합성 반응에서 이산화 탄소가 소모되므로 지구 온난화를 방지할 수 있다. 광합성 반응에서 생성되는 산소는 생물의 호흡에 사용된다.

07 철은 농기구, 다리 등의 구조물 외에도 기차 선로 등 생활의 다양한 분야에 이용되고 있다. 철은 우리가 사용하는 금속의 90 %를 차지하고 있다.

08 인류는 불의 이용으로 철을 제련하는 방법을 터득하게 되었고, 철은 자연에서 산소와 결합한 산화 철로 존재한다. 구리보다 반응성이 커서 사용 시기가 늦었다. 철광석에서 산소를 제거하여 철을 얻을 수 있으며, 이때 이산화 탄소가 발생한다. 농기구, 다리, 구조물 등에 다양하게 이용된다.

09 | **선택지 분석** |

ㄱ 난방 및 조리용 연료
➡ 화석 연료는 난방 및 조리용 연료로 많이 사용된다.

ㄴ 플라스틱, 합성 섬유의 원료
➡ 화석 연료 중 석유는 플라스틱, 합성 섬유 등 우리 생활 곳곳에 이용되고 있다.

× 비료의 발달로 식량 대량 생산
➡ 암모니아 합성법 개발로 인한 비료의 발달로 식량의 대량 생산이 가능해졌다.

× 토기 제작이 가능하여 음식 저장
➡ 불의 이용으로 토기 제작이 가능하여 음식을 저장할 수 있게 되었다.

ㅁ 자동차, 비행기, 선박 등 운송 수단의 동력원
➡ 화석 연료 중 석유는 자동차, 비행기, 선박 등 운송 수단의 동력원으로 사용된다.

10 | **선택지 분석** |

× ① 석탄, ~~철광석~~ 등이 있다.
철광석은 화석 연료가 아니다.

× ② 주성분 원소는 탄소와 ~~산소~~이다.
수소

× ③ 연소 생성물은 이산화 탄소와 ~~수소~~이다.
물

× ④ ~~운송 수단, 다리 등의 구조물 등에 이용된다.~~
다리 등의 구조물에는 철이 많이 이용된다.

⑤ 화석 연료에 저장된 에너지는 태양 에너지로부터 온 것이다.

11 석유는 지질 시대의 플랑크톤이나 바다 생물의 사체가 퇴적되어 생성된 화석 연료로, 플라스틱, 합성 섬유의 원료로 이용되며, 자동차, 비행기, 선박 등 운송 수단의 동력원으로 이용된다. 석탄은 주로 육지에서 생성되어 선박의 연료나 화력 발전소 및 공장에 이용되고, 천연가스는 주로 바다에서 생성되어 자동차, 비행기 등 운송 수단의 동력원이나 난방 및 조리용 연료로 이용된다.

12 철을 제련하는 방법을 터득하게 되어 철기 문명을 시작할 수 있게 되었다. 광합성 반응에서 생물이 살아가는 데 필요한 영양 물질인 포도당이 생성된다. 화석 연료가 연소할 때 나오는 에너지를 증기 기관차와 선박 등에 이용하여 산업 혁명을 이루었다.

| 선택지 분석 |

ㄱ. 철의 제련으로 철기 시대가 열렸다.

ㄴ. 광합성을 통해 생물이 살아가는 데 필요한 포도당을 생성할 수 있다.

ㄷ. 화석 연료가 연소할 때 나오는 에너지의 이용으로 산업 혁명을 이루었다.

13 광합성, 철의 제련, 화석 연료의 연소 반응은 모두 공통으로 산소가 관여하는 산화 환원 반응이다.

실력 올리기 문제

188쪽~189쪽

01 ⑤ **02** ④ **03** ⑤ **04** ④ **05** ① **06** ⑤
07 해설 참조 **08** 해설 참조 **09** 해설 참조

01 광합성은 빛에너지를 이용하여 이산화 탄소와 물로 포도당과 산소를 만드는 반응으로, 지구 환경에 영향을 끼쳤다.

| 선택지 분석 |

✕ ㄱ. 광합성을 하는 생물이 출현한 후 대기 조성은 ~~원시 대기와 크게 달라지지 않았다~~.
광합성으로 생성된 산소로 인해 대기 조성이 변하였다.

02 산화 철은 철이 산소와 결합하고 있는 물질이므로 철이 산화 철로 되는 과정은 산소와 결합하는 산화 과정이다. 철광석을 코크스와 함께 가열하여 순수한 철을 만드는 과정은 산화 환원 반응이다.

| 선택지 분석 |

✕ ㄱ. (가)에서 (나)로 되는 과정에서 산소와 ~~분리된다~~.
결합한다.

ㄴ. (다) 과정에서 이산화 탄소가 발생한다.

ㄷ. (다)는 산화 환원 반응이다.

03 화석 연료는 탄소와 수소로 이루어진 물질들이 혼합된 물질로 석탄, 석유, 천연가스 등이 있다. 석유와 천연가스의 주성분 원소는 탄소와 수소이고, 연소할 때 산소와 반응하여 이산화 탄소와 물을 생성한다.

| 선택지 분석 |

ㄱ. (가)는 화석 연료이다.

ㄴ. (나)는 탄소와 수소이다.

ㄷ. (다)는 산소이다.

04 | 선택지 분석 |

✕ ㄱ. (가)와 (나)는 ~~같은 원소~~로 구성되어 있다.
(가)는 C, (나)는 C, H

ㄴ. (가)와 (나)는 모두 화석 연료이다.

ㄷ. 2가지 반응 모두 열을 방출한다.

05 화석 연료가 연소하면 이산화 탄소와 물이 생성된다. 이때 발생하는 많은 열을 난방 등에 이용한다.

06 • $6CO_2 + 6H_2O \rightarrow C_6H_{12}O_6 + 6O_2$
• $CH_4 + 2O_2 \rightarrow CO_2 + 2H_2O$
• $Fe_2O_3 + 3CO \rightarrow 2Fe + 3CO_2$

| 선택지 분석 |

ㄱ. X는 O_2이다.

ㄴ. Y는 수소를 포함하고 있다.

ㄷ. Z는 지구 온난화의 원인이 되는 물질이다.

07 | 자료 분석 |

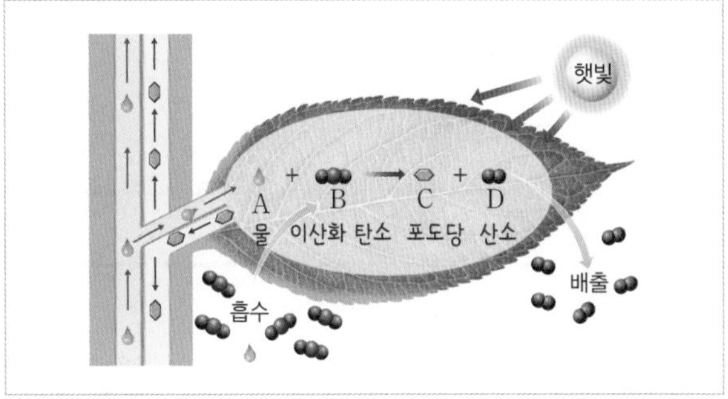

| 모범 답안 |

A: 물, B: 이산화 탄소, C: 포도당, D: 산소
광합성 반응은 빛에너지를 이용하여 물과 이산화 탄소를 원료로 하여 포도당과 산소를 생성하는 반응이다.

| 풀이 |

물 + 이산화 탄소 $\xrightarrow{\text{빛에너지}}$ 포도당 + 산소

| 채점 기준 |

채점 기준	배점
A~D 모두 옳게 제시하고, 광합성 반응의 과정을 옳게 서술한 경우	100 %
• A~D 중 3개를 옳게 제시하고, 광합성 반응의 과정을 옳게 서술한 경우 • A~D 모두 옳게 제시하고, 광합성 반응의 과정에 대한 서술이 미흡한 경우	70 %
A~D 중 2개를 옳게 제시하고, 광합성 반응의 과정을 옳게 서술한 경우	40 %

08 | 모범 답안 |

철의 제련 / 농기구, 다리와 구조물 등에 이용된다.

| 풀이 |

철은 자연에서 산소와 불순물이 결합한 철광석으로 존재하기 때문에 산소와 불순물을 제거하는 제련 과정을 거쳐야만 이용할 수 있다. 철은 매장량이 많고 강도가 커서 농기구, 다리와 구조물 등에 다양하게 이용된다.

| 채점 기준 |

채점 기준	배점
철의 제련과 이용 예시를 모두 옳게 서술한 경우	100 %
철의 제련과 이용 예시 중 1가지만 옳게 서술한 경우	50 %

09 | 모범 답안 |

산소, (가)~(다)는 모두 산소가 관여하는 산화 환원 반응이다.

| 풀이 |

반응	반응물	생성물
광합성	이산화 탄소, 물	포도당, 산소
철의 제련	산화 철, 일산화 탄소	철, 이산화 탄소
화석 연료 연소	화석 연료, 산소	이산화 탄소, 물

| 채점 기준 |

채점 기준	배점
공통적으로 포함된 물질을 쓰고, 그 물질을 이용하여 반응의 공통점이 산화 환원 반응임을 옳게 서술한 경우	100 %
공통적으로 포함된 물질만 옳게 쓴 경우	50 %

02 산화 환원 반응과 다양한 변화

간단 점검 191쪽, 193쪽

1 ㉠ 산화, ㉡ 환원 2 산화 3 산화 환원 반응의 동시성
4 ㉠ 산화, ㉡ 환원 5 나트륨 6 은 이온 7 이산화 탄소
8 ㉠ 이산화 탄소, ㉡ 물 9 코크스 10 메테인

알쉬탐 194쪽

1 ㉠ 산화, ㉡ 환원 2 ④

1 산화 구리(Ⅱ)(CuO)는 산소를 잃고 구리(Cu)로 환원되고, 탄소(C)는 산소를 얻어 이산화 탄소(CO_2)로 산화된다.

2 | 선택지 분석 |

① 탄소 가루는 산화된다.
② 석회수가 뿌옇게 흐려진다.
③ 과정 ❶에서 구리는 산화된다.
~~④~~ 과정 ❷에서 산화 구리(Ⅱ)는 ~~산화~~ 환원된다.
⑤ 산화 환원은 항상 동시에 일어난다.

개념 + 기본 문제 195쪽~197쪽

개념 문제

01 (1) ○ (2) ○ (3) × (4) ○ **02** (1) × (2) ○ (3) ○
03 (1) 환원 (2) 산화 **04** ㄴ, ㄷ, ㄹ, ㅂ

기본 문제

05 ④ **06** ㄱ, ㄴ **07** ③ **08** ㉠ 산화, ㉡ 환원
09 (1) 이산화 탄소 (2) $2CuO + C \rightarrow 2Cu + CO_2$ (3) 탄소 가루(C), 산화 구리(Ⅱ) **10** ⑤ **11** (가) Cl_2 (나) Cl_2 (다) Ag^+ **12** ④ **13** (가) Mg, O_2 (나) Cu, Ag^+ **14** ④
15 ⑤ **16** ⑤ **17** ㉠ 엽록체, ㉡ 포도당, ㉢ 미토콘드리아
18 ① **19** CH_4 **20** ②

01 (3) 붉은색 구리를 가열하면, 구리는 ~~환원~~ 산화되어 검은색으로 변한다.

02 (1) 물질이 전자를 잃는 반응을 산화 반응이라 한다.

03 (1) 광합성 반응에서 이산화 탄소의 탄소는 산소를 일부 잃어 포도당으로 환원된다.
(2) 호흡이 일어날 때, 포도당의 탄소는 산소를 얻어 이산화 탄소로 산화된다.

04 ㄱ. 물의 증발 ➡ 상태 변화(물리적 변화)
ㅁ. 드라이아이스의 승화 ➡ 상태 변화(물리적 변화)

05 얼음의 융해는 고체 상태인 얼음이 녹아 액체 상태인 물로 되는 상태 변화이다.

06 | 자료 분석 |

산소의 이동에 의한 산화 환원 반응

산소를 얻으면 산화, 산소를 잃으면 환원이라고 한다.

• $4Fe + 3O_2 \longrightarrow 2Fe_2O_3$ (Fe → Fe_2O_3: 산화)
철 산소 산화 철

• $C + O_2 \longrightarrow CO_2$ (C → CO_2: 산화)
탄소 산소 이산화 탄소

• $2Ag_2O \longrightarrow 4Ag + O_2$ (Ag_2O → Ag: 환원)
산화 은 은 산소

Fe(철)은 산소를 얻어 Fe_2O_3(산화 철)로 산화된다. C(탄소)는 산소를 얻어 CO_2(이산화 탄소)로 산화된다. 산화 은(Ag_2O)은 산소를 잃어 Ag(은)으로 환원된다.

07 (가)는 구리의 연소 반응으로, 구리(Cu)는 산소를 얻고 산화되고, (나)에서 탄소(C)는 산소를 얻어 산화된다.

| 선택지 분석 |

㉠ (가)는 구리의 연소 반응이다.
㉡ (가)에서 구리는 산화된다.
~~㉢~~ (나)에서 탄소는 ~~환원~~ 산화된다.

08 수소(H_2)는 산소를 얻어 물(H_2O)로 산화되고, 산화 구리(Ⅱ)(CuO)는 산소를 잃고 구리(Cu)로 환원된다.

09 (1) 석회수가 뿌옇게 흐려진 것으로 보아 이산화 탄소(CO_2) 기체가 발생하였다.
(2), (3) 산화 구리(Ⅱ)(CuO)와 탄소 가루(C)가 반응하면 산화 구리(Ⅱ)(CuO)는 산소를 잃고 구리(Cu)로 환원되고, 탄소(C)는 산소를 얻어 이산화 탄소(CO_2)로 산화되므로 화학 반응식은 $2CuO + C \rightarrow 2Cu + CO_2$이다.

10 어떤 물질이 전자를 잃고 산화되면, 다른 물질은 전자를 얻어 환원된다. 따라서 산화 환원은 항상 동시에 일어난다. 산소의 이동으로 설명할 수 있는 산화 환원 반응은 모두 전자의 이동으로도 설명할 수 있다.

| **선택지 분석** |

ㄱ 어떤 물질이 전자를 잃으면 산화되었다고 한다.

ㄴ 산화와 환원 반응은 항상 동시에 일어난다.

ㄷ 마그네슘의 연소 반응은 전자의 이동으로 산화 환원 반응을 설명할 수 있다.

11 어떤 물질이 전자를 잃으면 산화, 전자를 얻으면 환원이라고 한다.

(가) $2Na + Cl_2 \rightarrow 2NaCl$
산화 환원

(나) $Cl_2 + 2Br^- \rightarrow 2Cl^- + Br_2$
환원 산화

(다) $2Ag^+ + Fe \rightarrow 2Ag + Fe^{2+}$
환원 산화

12 구리와 질산 은의 화학 반응식은 다음과 같다.

$$Cu + 2Ag^+ \rightarrow Cu^{2+} + 2Ag$$

구리(Cu)는 전자를 잃고 산화되고, 은 이온(Ag^+)은 전자를 얻어 은(Ag)으로 환원되므로 전자는 구리(Cu)에서 은 이온(Ag^+)으로 이동한다. 구리 이온(Cu^{2+})이 생성되므로 용액의 색은 푸른색으로 변한다.

| **선택지 분석** |

ㄱ. 구리는 ~~환원~~된다.
산화

ㄴ 용액의 색은 푸른색으로 변한다.

ㄷ 전자는 구리에서 은 이온으로 이동한다.

13 (가) 마그네슘(Mg)은 전자를 잃고 마그네슘 이온(Mg^{2+})이 되고, 산소(O_2)는 전자를 얻어 산화 이온(O^{2-})이 된다. (나) 구리(Cu)는 전자를 잃고 구리 이온(Cu^{2+})으로 산화되고, 은 이온(Ag^+)은 전자를 얻어 은(Ag)으로 환원된다.

14 황산 구리(Ⅱ) 수용액과 마그네슘판의 반응을 반응식으로 나타내면 다음과 같다.

$$Cu^{2+} + Mg \longrightarrow Cu + Mg^{2+}$$

구리 이온은 전자를 얻어 구리로 환원되고, 마그네슘은 전자를 잃어 마그네슘 이온으로 산화된다.

| **선택지 분석** |

ㄱ. 마그네슘은 ~~환원~~된다.
산화

ㄴ 붉은색 고체는 구리이다. ➡ 구리 이온의 환원

ㄷ 수용액이 푸른색을 띠는 것은 구리 이온 때문이다.

15 묽은 염산과 아연의 반응은 다음과 같다.

$$Zn + 2H^+ \longrightarrow Zn^{2+} + H_2$$

아연은 전자를 잃고 아연 이온으로 산화되고, 수소는 전자를 얻어 수소 기체로 환원된다.

| **선택지 분석** |

①. 아연은 ~~환원~~된다.
산화

②. 수소 이온은 ~~산화~~된다.
환원

③. 염화 이온의 수는 ~~감소한다~~.
변함 없다.

④. 아연판의 질량은 점점 ~~증가~~한다.
감소

⑤ 수용액 속 아연 이온은 점점 증가한다

16 호흡은 포도당이 산소와 반응하여 이산화 탄소와 물을 생성하는 반응으로 광합성과 서로 반대 과정이다. 호흡은 세포의 미토콘드리아에서 일어나는 산화 환원 반응으로 포도당이 산화되면서 에너지를 생성한다.

| **선택지 분석** |

ㄱ 산화 환원 반응이다.

ㄴ 반응 결과 에너지가 발생한다.

ㄷ 세포의 미토콘드리아에서 일어난다.

17 광합성은 식물 세포의 엽록체에서 일어나고, 호흡은 세포의 미토콘드리아에서 일어난다. 광합성에서 포도당이 생성되고, 호흡에서 포도당이 산화되어(분해되어) 에너지를 생성한다. 광합성과 호흡은 우리에게 매우 중요한 산화 환원 반응이다.

18 코크스는 산소를 얻어 산화되고, 석회석은 철광석에 포함된 불순물인 이산화 규소(SiO_2)와 결합하여 슬래그를 형성한다. 그림에서 용융된 철이 아래에 있으므로 밀도는 용융된 철이 슬래그보다 크다.

| **선택지 분석** |

ㄱ 코크스는 산화된다.

ㄴ. 석회석은 철광석에 포함된 산소를 ~~제거하여 철로 환원시킨다~~.
불순물(SiO_2)을 제거하여 슬래그를 형성한다.

ㄷ. 밀도는 슬래그가 용융된 철보다 ~~크다~~.
작다.

19 메테인(CH_4)은 산소를 얻어 이산화 탄소(CO_2)로 산화된다.

20 생선회에 레몬 즙을 뿌리는 것은 산과 염기의 중화 반응의 예이다.

실력 올리기 문제 198쪽~199쪽

01 ② **02** ① **03** ③ **04** ③ **05** ④ **06** ③
07 해설 참조 **08** 해설 참조 **09** 해설 참조

01 (가)에서 일어나는 반응은 $2Cu+O_2 \rightarrow 2CuO$이고, 구리(Cu)는 산소를 얻고 산화 구리(Ⅱ)(CuO)로 산화되었다. (나)에서 일어나는 반응은 $2CuO+C \rightarrow 2Cu+CO_2$이고, 산화 구리(Ⅱ)(CuO)는 산소를 잃고 구리(Cu)로 환원된다.

| 선택지 분석 |

✕ (가)에서 구리 가루는 ~~환원~~된다. (산화)

ㄴ (나)에서 산화 구리(Ⅱ)는 환원된다.

✕ (나)에서 생성된 기체는 ~~산소~~이다. (이산화 탄소)

02 (가)에서는 구리가 산화되어 검은색 산화 구리(Ⅱ)가 생성된다. (나)에서는 산화 구리(Ⅱ)가 환원되어 붉은색 구리가 생성된다. 산소가 충분한 겉불꽃에 넣으면 산화가 일어나고, 속불꽃에 넣으면 탄소와 반응하여 환원이 일어난다.

03 (가)의 화학 반응식은 $2Mg+O_2 \rightarrow 2MgO$이고, (나)의 화학 반응식은 $2Na+Cl_2 \rightarrow 2NaCl$이다. (가)에서는 마그네슘(Mg)이 산화하고, (나)에서는 나트륨(Na)이 산화하며, 각각 이온 결합 물질인 산화 마그네슘(MgO)과 염화 나트륨(NaCl)이 생성된다. 나트륨과 염소의 반응은 전자의 이동으로 산화 환원 반응을 설명할 수 있다.

| 선택지 분석 |

ㄱ 금속은 산화된다.

ㄴ 생성된 물질은 이온 결합 물질이다.

✕ ~~산소~~의 이동으로 산화 환원 반응을 설명할 수 있다. (전자)

04 (가)에서 구리(Cu)는 전자를 잃고 구리 이온(Cu^{2+})으로 산화되므로 수용액은 점점 푸른색으로 변한다. (나)에서 아연(Zn)은 전자를 잃고 아연 이온(Zn^{2+})으로 산화된다.

| 선택지 분석 |

ㄱ (가)에서 수용액은 점점 푸른색으로 변한다.

ㄴ (나)에서 아연은 전자를 잃고 산화된다.

✕ (가)와 (나)의 반응은 ~~산소~~의 이동과 관련이 있다. (전자)

05 (가)에서 이산화 탄소(CO_2)는 포도당($C_6H_{12}O_6$)으로 환원된다. (나)는 연소 반응으로 열과 빛을 방출한다. (다)에서 산화 철(Fe_2O_3)은 산소를 잃고 철(Fe)로 환원된다.

| 선택지 분석 |

✕ (가)에서 이산화 탄소는 ~~산화~~된다. (환원)

ㄴ (나)에서 열이 방출된다.

ㄷ (다)에서 산화 철(Ⅲ)은 환원된다.

06 (가) $2C+O_2 \longrightarrow 2CO$ (C → CO: 산화)

(나) $Fe_2O_3 + 3CO \longrightarrow 2Fe + 3CO_2$ (CO → CO_2: 산화, Fe_2O_3 → Fe: 환원)

| 선택지 분석 |

ㄱ (가)는 산화 환원 반응이다.

✕ (나)에서 일산화 탄소는 ~~환원~~된다. (산화)

ㄷ 철의 제련 과정에서 산소가 이동한다.

07 | 모범 답안 |

$2Mg+CO_2 \rightarrow 2MgO+C$

마그네슘(Mg)은 산소를 얻어 산화 마그네슘(MgO)이 되므로 산화 반응이고, 이산화 탄소(CO_2)는 산소를 잃어 탄소(C)가 되므로 환원 반응이다.

| 풀이 |

드라이아이스 안에서 마그네슘을 연소시키면 다음과 같은 반응이 일어난다.

$2Mg+CO_2 \rightarrow 2MgO+C$ (Mg → MgO: 산화, CO_2 → C: 환원)

| 채점 기준 |

채점 기준	배점
화학 반응식과 산화 환원 반응에 대해 모두 옳게 서술한 경우	100 %
화학 반응식과 산화 환원 반응 중 1가지만 옳게 서술한 경우	50 %

08 | 모범 답안 |

알루미늄은 산화되고, 은 이온은 환원된다.

| 풀이 |

알루미늄(Al)은 전자를 잃고 알루미늄 이온(Al^{3+})으로 산화되고, 그 전자를 은 이온(Ag^+)이 얻어 은(Ag)으로 환원되어 원래의 은으로 되돌아온다.

| 채점 기준 |

채점 기준	배점
산화된 물질과 환원된 물질을 모두 옳게 서술한 경우	100 %
산화된 물질과 환원된 물질 중 1가지만 옳게 서술한 경우	50 %

09 | 모범 답안 |

물을 염소로 소독한다. 음식물을 발효시킨다. 철 가루가 들어 있는 손난로가 따뜻해진다. 등

| 풀이 |

물은 염소 소독하면 염소가 염화 수소로 되면서 산화 환원 반응을 한다. 음식물의 발효는 균에 의한 산화 환원 반응이다. 손난로에서는 철 가루가 산소와 산화 환원 반응을 한다.

| 채점 기준 |

채점 기준	배점
산화 환원 반응의 예 2가지를 모두 옳게 서술한 경우	100 %
산화 환원 반응의 예를 1가지만 옳게 서술한 경우	50 %

03 우리 주변의 산과 염기

간단 점검 201쪽, 202쪽

1 ㉠ 산, ㉡ 염기 2 ㉠ 산성, ㉡ 염기성 3 지시약
4 수소 이온(H^+) 5 수산화 이온(OH^-) 6 (+)극: 수산화 이온, (−)극: 나트륨 이온 7 황 산화물, 질소 산화물
8 이산화 탄소

알쉬탐 203쪽

1 비눗물, 수산화 나트륨 수용액 2 전류가 흐른다.
3 ③, ④

1 염기성 용액은 붉은색 리트머스 종이를 푸르게 변화시킨다.

2 산성 용액과 염기성 용액에 간이 전기 전도계를 넣었을 때 모두 전류가 흘렀다.

3 어떤 수용액을 이용하여 실험한 결과는 산성 물질의 공통된 성질이다. KOH, NaOH, $Ca(OH)_2$는 염기이다.

개념 + 기본 문제 204쪽~205쪽

개념 문제

01 (1) ○ (2) × (3) × 02 (1) ㉡, ㉣, ㉤ (2) ㉠, ㉡, ㉢, ㉥
03 ㉠ 수소 이온(H^+) ㉡ 수산화 이온(OH^-) 04 이산화 탄소

기본 문제

05 ⑤ 06 ③ 07 ② 08 ④ 09 ㄱ, ㅂ 10 ④
11 ③ 12 (1) $H^+ + CH_3COO^-$ (2) $2H^+ + SO_4^{2-}$
(3) $K^+ + OH^-$ (4) $Ca^{2+} + 2OH^-$ 13 ③ 14 ㉠ 황, ㉡ 질소

01 (2) HCl, CH_3COOH, CH_4을 물에 녹이면 공통적으로 ~~수소 이온(H^+)이 생성된다~~.
CH_4은 H^+을 생성하지 않는다.
(3) 에탄올(C_2H_5OH)은 ~~염기이다~~.
산도, 염기도 아니다.

02

산성	염기성
신맛이 난다.	쓴맛이 난다.
수용액에서 전류가 흐른다.	수용액에서 전류가 흐른다.
금속과 반응하여 수소 기체를 발생시킨다.	대부분의 금속과 반응하지 않는다.
탄산 칼슘과 반응하여 이산화 탄소를 발생시킨다.	탄산 칼슘과 반응하지 않는다.
BTB 용액을 떨어뜨리면 노란색이 나타난다.	BTB 용액을 떨어뜨리면 푸른색이 나타난다.

03 산 수용액에 공통으로 들어 있는 수소 이온 때문에 산성이 나타나고, 염기성 수용액에 공통으로 들어 있는 수산화 이온 때문에 염기성이 나타난다.

04 대기 중의 이산화 탄소가 바닷물에 녹아 바닷물의 수소 이온(H^+) 농도를 증가시켜 해양 생태계 전반에 영향을 준다.

05 신맛이 나고, 수용액이 전해질이며, 푸른색 리트머스 종이는 붉게 변화시키고, BTB 용액을 떨어뜨렸을 때 노란색을 나타내는 것은 산의 공통된 성질이다.

| 선택지 분석 |

✕ 식초 → 산
✕ 과일 → 산
✕ 탄산음료 → 산
✕ 오렌지 주스 → 산
⑤ 하수구 세정제 → 염기

06 수산화 나트륨 수용액, 수산화 칼륨 수용액, 암모니아수는 모두 염기이다.

| 선택지 분석 |

✕ 불꽃 반응색이 ~~같다~~. 다르다.
✕ 메틸 오렌지 용액을 ~~붉게~~ 변화시킨다. 노랗게
③ 페놀프탈레인 용액을 붉게 변화시킨다.
✕ 금속과 반응하여 수소 기체가 ~~발생한다~~. 발생하지 않는다.
✕ 탄산 칼슘과 반응하여 이산화 탄소가 ~~발생한다~~. 발생하지 않는다.

07 페놀프탈레인 용액을 떨어뜨렸을 때 산성 용액의 색은 무색이고, 염기성 용액의 색은 붉은색이다.

| 선택지 분석 |

✕ HCl 산
② $Ca(OH)_2$ 염기
✕ HNO_3 산
✕ H_2SO_4 산
✕ CH_3COOH 산

08 (가)는 산, (나)는 염기이다. (가)와 (나)의 수용액은 모두 전기 전도성을 가지므로 전기 전도성 측정으로 (가)와 (나)를 구별할 수 없다.

09 | 선택지 분석 |

㉠ HNO_3 산
✕ NaOH 염기
✕ NaCl 산, 염기가 아니다.
✕ CH_3OH 산, 염기가 아니다.
✕ $Ca(OH)_2$ 염기
㉥ CH_3COOH 산

10 ④ $Ba(OH)_2 \rightarrow$ ~~$Ba^+ + (OH)_2^-$~~ Ba^{2+} $2OH^-$

11 (가) 리트머스 종이의 색 변화가 같기 위해서는 수산화 나트륨 수용액과 같이 염기성 수용액이어야 하므로 수산화 칼륨(KOH)을 사용할 수 있다. (나) X 수용액은 전해질 용액으로 사용되었으므로 실험 결과에 영향을 주지 않는 질산 칼륨(KNO_3)을 사용할 수 있다.

12 산은 수용액에서 수소 이온(H^+)을 내놓는 물질이고, 염기는 수용액에서 수산화 이온(OH^-)을 내놓는 물질이다.

13 산성비를 줄이기 위해 화석 연료의 사용량을 줄이고, 자동차에 촉매 변환 장치를 설치하도록 하는 노력이 필요하다. 지구 온난화는 인간 활동으로 인한 대기 중 이산화 탄소의 농도 증가에 의해 일어나며, 해수면 상승, 기후대 변화에 의한 생태계 교란과 기상 이변 현상이 나타난다. 최근에 대기 중 이산화 탄소 농도가 증가하면서 바닷물에 녹는 이산화 탄소의 양도 증가하여 바닷물의 pH가 낮아지는 해양 산성화가 일어나고 있다.

14 화석 연료의 연소 생성물에 포함된 황 산화물과 자동차 배기가스에 포함된 질소 산화물이 공기 중 산소, 물 등과 반응하여 생성된 황산(H_2SO_4)과 질산(HNO_3)이 비에 녹아 산성비가 형성된다.

실력 올리기 문제

206쪽~207쪽

01 ①	**02** ⑤	**03** ④	**04** ④	**05** ③	**06** ③
07 해설 참조	**08** 해설 참조				

01 (가)는 NaOH, (나)는 NaCl, (다)는 HCl이다.

| 선택지 분석 |

ㄱ. (가) 수용액에 BTB 용액을 떨어뜨리면 푸른색이 된다.

ㄴ. (나) 수용액에 마그네슘 조각을 넣으면 기체가 ~~발생한다~~. 발생하지 않는다.

ㄷ. 25 ℃에서 (다) 수용액의 pH는 ~~7이다~~. 7보다 작다.

02 염화 수소(HCl)가 물에 녹으면 수소 이온(H^+)과 염화 이온(Cl^-)으로 이온화되므로 전극을 연결하면 전류가 흐르고, 수소 이온(H^+)은 (−)극으로 이동하고 염화 이온(Cl^-)은 (+)극으로 이동하므로 전류가 흐른다. 묽은 염산에 수소 이온(H^+)이 존재하므로 pH는 7보다 작고, 마그네슘을 넣으면 반응하여 수소 기체가 발생한다.

| 선택지 분석 |

ㄱ. pH가 7보다 작다.

ㄴ. 전극을 연결하면 수소 이온(H^+)은 (−)극으로 이동한다.

ㄷ. 마그네슘 조각을 넣으면 수소 기체가 발생한다.

03 | 선택지 분석 |

ㄱ. 25 ℃에서 pH는 (가)가 (나)보다 ~~크다~~. 작다.

ㄴ. 마그네슘 대신 아연을 넣어도 수소 기체가 발생한다.

ㄷ. 묽은 염산과 마그네슘의 반응은 산화 환원 반응이다.

04 | 선택지 분석 |

ㄱ. ~~수용액에 전류가 통하는지 알아본다~~. 묽은 염산과 수산화 나트륨 수용액 모두 전류가 흐른다.

ㄴ. 페놀프탈레인 용액을 떨어뜨린 후 용액의 색 변화를 관찰한다.

➡ 묽은 염산(무색), 수산화 나트륨 수용액(붉은색)

ㄷ. 탄산 칼슘 조각을 떨어뜨렸을 때 기체가 발생하는지 관찰한다.

➡ 묽은 염산(발생), 수산화 나트륨 수용액(반응 안 함)

05 | 선택지 분석 |

ㄱ. 실험에 사용한 리트머스 종이는 푸른색이다.

ㄴ. 리트머스 종이의 색은 가운데 부분부터 (−)극 쪽으로 변한다. ➡ 수소 이온(H^+) 이동

ㄷ. 수산화 나트륨 수용액에 적신 실로 실험을 하여도 리트머스 종이의 색 변화는 ~~같다~~. 다르다.

06 지구 온난화 현상과 해양 산성화는 모두 대기 중의 이산화 탄소의 농도 증가로 인해 나타난다.

| 선택지 분석 |

ㄱ. X는 이산화 탄소이다.

ㄴ. (가)에 대한 대책으로 대체 에너지 개발이 있다.

ㄷ. (나)에서 바닷물의 pH는 ~~높아진다~~. 낮아진다.

07 | 모범 답안 |

(1) X: 붉은색, Y: 푸른색 (2) (나) 푸른색 (다) 붉은색

(3) 산성을 나타내는 물질은 푸른색 리트머스 종이를 붉은색으로 변화시키는 데 이는 공통으로 수소 이온(H^+)이 존재하기 때문이고, 염기성을 나타내는 물질은 붉은색 리트머스 종이를 푸른색으로 변화시키는데 이는 공통으로 수산화 이온(OH^-)이 존재하기 때문이다.

| 풀이 |

산성은 수소 이온때문에 나타나고, 염기성은 수산화 이온 때문에 나타난다.

| 채점 기준 |

채점 기준	배점
(1)~(3)을 모두 옳게 서술한 경우	100 %
(1)~(3) 중 2가지를 옳게 서술한 경우	50 %
(1)~(3) 중 1가지만 옳게 서술한 경우	30 %

08 | 모범 답안 |

(1) (가) 녹색, 물은 중성이므로 BTB 용액에서 녹색을 띤다. (나) 노란색, 이산화 탄소가 녹은 물은 산성이므로 노란색을 띤다.

(2) 녹색, (나)를 가열하면 이산화 탄소가 빠져나가게 되어 용액은 다시 녹색으로 변하며, pH는 높아진다.

| 풀이 |

BTB 용액은 산성에서 노란색, 중성에서 녹색, 염기성에서는 푸른색이다. (가)의 용액에 드라이아이스를 떨어뜨리면 이산화 탄소(CO_2)가 물과 반응하여 탄산 이온(CO_3^{2-})과 수소 이온(H^+)이 생성되어 용액의 액성이 산성이 되므로 용액의 색은 노란색이 된다. 이 용액을 가열하면 이산화 탄소의 용해도가 낮아져 이산화 탄소가 빠져나가므로 용액의 색은 다시 녹색이 되고, pH는 높아진다.

| 채점 기준 |

채점 기준	배점
(1)과 (2)를 모두 옳게 서술한 경우	100 %
(1)과 (2) 중 1가지만 옳게 서술한 경우	50 %

04 산과 염기의 중화 반응

간단 점검 209쪽

1 중화 반응 2 염 3 넣어 주는 대로 증가함 4 중화점

알쉬탐 210쪽

1 C 2 온도 변화, 지시약의 색 변화 3 ⑤

1 C가 가장 온도가 높은 것으로 보아, 중화 반응이 가장 많이 일어났다.

2 중화 반응하면 중화열이 발생하므로 혼합 용액의 온도가 가장 높은 지점이 중화점이다. 지시약을 넣은 후 산이나 염기 수용액을 중화시키면 중화점에서 용액의 색이 변하게 된다.

3 E는 산성 용액이므로 수산화 나트륨 수용액을 넣어 주면 중화 반응이 일어나 용액의 온도가 높아진다.

알쉬톡 211쪽

1 A: 수소 이온(H^+), B: 염화 이온(Cl^-), C: 나트륨 이온(Na^+), D: 수산화 이온(OH^-)

2 (가) 산성 (나) 중성 (다) 염기성

1 A는 점차 감소하다가 중화 반응이 완결된 이후에는 존재하지 않으므로 OH^-과 반응하는 H^+이다. B는 넣어 준 수산화 나트륨 수용액의 부피와 관계없이 그 수가 일정하므로 반응에 참여하지 않는 Cl^-이다. C는 넣어 준 수산화 나트륨 수용액의 부피에 따라 그 수가 증가하므로 반응에 참여하지 않는 Na^+이다. D는 존재하지 않다가 중화 반응이 완결된 이후부터 증가하므로 H^+과 반응하는 OH^-이다.

2 (가) H^+이 존재하고, OH^-은 존재하지 않으므로 산성이다. (나) 중화 반응이 완결된 지점이므로 중성이다. (다) OH^-이 존재하고, H^+은 존재하지 않으므로 염기성이다.

개념 + 기본 문제 212쪽~213쪽

개념 문제

01 (1) ○ (2) × (3) ○ (4) ×

02 ㉠ =, ㉡ <, ㉢ 산성, ㉣ 중성, ㉤ 염기성

03 (1) ○ (2) × (3) ○ **04** (산 염기) 중화 반응

기본 문제

05 ④ **06** H_2O **07** ③ **08** Na^+, Cl^- **09** ㉠ 중화점, ㉡ 지시약, ㉢ 온도 **10** ③ **11** ② **12** ② **13** ①

01 (2) 중화 반응이 일어날 때 중화열이 발생하므로 혼합 용액의 온도는 ~~내려간다.~~ 올라간다.

(4) 수산화 나트륨 수용액에 묽은 염산을 조금씩 넣어 줄 때 H^+수가 증가하므로 pH는 점점 ~~증가한다.~~ 감소한다.

02 ㉢: 이온 수는 $H^+ > OH^-$이므로 용액은 산성

㉠, ㉣: 이온 수는 $H^+ = OH^-$이므로 용액은 중성

㉡, ㉤: 이온 수는 $H^+ < OH^-$이므로 용액은 염기성

03 중화점을 확인하는 방법으로는 지시약 색 변화, 혼합 용액의 온도 변화 등이 있다.

04 신 김치(산)에 달걀 껍데기(염기)를 넣으면 중화된다. 생선회(염기)에 레몬 즙(산)을 뿌리면 중화된다. 음식을 먹으면 산성 물질이 생기는데 양치질(염기)을 하면 중화된다.

05 산과 염기가 반응하여 물과 염을 생성하는 반응을 중화 반응이라고 한다. 이때 중화열이 발생하여 혼합 용액의 온도가 올라간다.

06 산과 염기의 중화 반응이 일어나면 염과 함께 공통적으로 물(H_2O)이 생성된다.

07 농도가 같으므로 같은 부피의 묽은 염산과 수산화 나트륨 수용액에 들어 있는 H^+의 수와 OH^-의 수는 같다. 따라서 (가)는 수산화 나트륨 수용액의 부피가 묽은 염산보다 크므로 혼합 용액의 액성은 염기성이고, (나)와 (다)는 묽은 염산의 부피가 수산화 나트륨 수용액보다 크므로 혼합 용액의 액성은 산성이다.

08 묽은 염산과 수산화 나트륨 수용액을 섞으면 묽은 염산의 H^+과 수산화 나트륨 수용액의 OH^-이 반응하여 물을 생성하고 반응에 참여하지 않는 이온인 Na^+과 Cl^-이 수용액 속에 존재한다.

09 산과 염기의 중화 반응이 완결되는 지점을 중화점이라고 한다. 중화점을 확인하는 방법에는 지시약의 색 변화, 혼합 용액의 온도 변화 등이 있다.

10 묽은 염산과 수산화 나트륨 수용액이 반응할 때 온도가 제일 높은 지점에서 중화 반응이 가장 많이 일어난다.

11 | 자료 분석 |

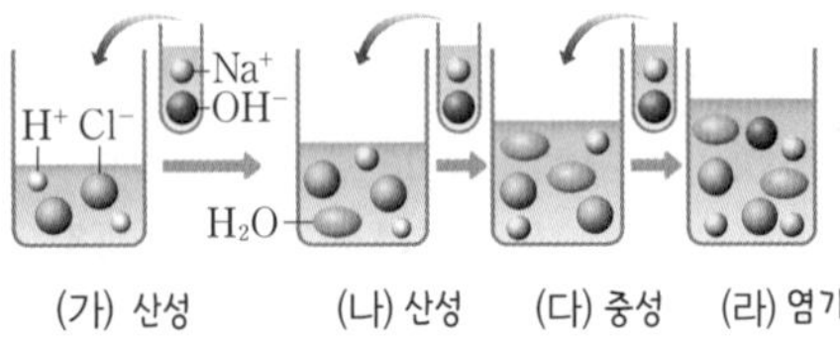

| 선택지 분석 |

✕ (가)에 페놀프탈레인 용액을 넣으면 ~~붉게 변한다~~. 무색이다.

✕ (나)와 (다)를 혼합하면 ~~중성~~ 용액이 된다. 산성

ㄷ (가)에서 (라)로 갈수록 pH는 증가한다.

12 Na^+은 반응에 참여하지 않으므로 이온 수가 일정하고, OH^-은 넣어 준 H^+과 반응하여 점점 줄어들다가 완전히 중화가 일어난 이후에는 존재하지 않는다. H^+은 넣어 주는 대로 OH^-과 반응하므로 존재하지 않다가 완전히 중화된 이후부터 이온 수가 증가하고, Cl^-은 반응에 참여하지 않으므로 넣어 주는 대로 이온 수가 증가한다. 따라서 (가)는 H^+이고, (나)는 Cl^-이다.

13 속이 쓰릴 때 제산제를 먹는 것은 산 염기 중화 반응의 원리를 이용한 것이다. ㄱ. 벌에 쏘였을 때 암모니아수를 바르면 벌의 체내에 있는 폼산(HCOOH)을 암모니아수가 중화시켜 준다. ㄴ. 산성화된 토양은 염기성 물질인 석회($CaCO_3$)를 이용하여 중화시킨다. ㄷ. 물의 전기 분해 반응과 ㄹ. 식초와 마그네슘의 반응은 중화 반응이 아니다.

실력 올리기 문제

214쪽~215쪽

01 ⑤ **02** ① **03** ① **04** ① **05** ② **06** ③
07 해설 참조 **08** 해설 참조

01 묽은 염산과 수산화 나트륨 수용액의 농도가 같으므로 중화점까지 넣어 준 수용액의 부피는 20 mL이다. (나)에서 혼합 용액의 액성은 중성이므로 BTB 용액을 떨어뜨리면 녹색이 된다. (가)의 용액은 산성 용액이고, (다)의 용액은 염기성 용액이므로 (가)의 용액과 (다)의 용액을 혼합하면 중화 반응이 일어나므로 물이 생성된다.

| 선택지 분석 |

ㄱ a=20이다.

ㄴ (나)의 용액에 BTB 용액을 떨어뜨리면 혼합 용액의 색은 녹색이 된다.

ㄷ (가)의 용액과 (다)의 용액을 혼합하면 물이 생성된다.

02 혼합 용액에 들어 있는 Na^+의 수를 2N이라고 하면 혼합 전 수산화 나트륨 수용액 y mL에 들어 있는 Na^+과 OH^-의 수는 각각 2N, 2N이다. 혼합 용액에 들어 있는 H^+의 수가 3N인데, 이는 수산화 나트륨 수용액의 OH^- 2N이 반응하고 남은 수이므로 혼합 전 묽은 염산 x mL에 들어 있는 H^+과 Cl^-의 수는 각각 5N, 5N이다. 단위 부피당 이온 수의 비가 묽은 염산 : 수산화 나트륨 수용액=5 : 2이므로 같은 부피를 혼합한 것임을 알 수 있다. 따라서 x : y=1 : 1이다.

03 중화 반응이 일어나므로 수용액의 온도는 (다)가 가장 높다. 완전 중화가 일어나므로 (다)에 존재하는 이온은 Na^+과 Cl^-이며 마그네슘을 넣더라도 수소 기체가 발생하지 않는다. (다) 용액을 증발시키면 염화 나트륨을 얻을 수 있다. NaCl을 물에 녹인 수용액인 NaCl 수용액에는 Na^+이 들어 있으므로 불꽃색은 노란색이다.

| 선택지 분석 |

ㄱ 수용액의 온도는 (다)가 가장 높다.

✕ (다)에 마그네슘을 넣으면 기포가 ~~발생한다~~. 발생하지 않는다.

✕ (다) 용액을 가열하여 물을 모두 증발시켜 얻은 물질을 물에 녹인 수용액의 불꽃색은 ~~빨간색~~이다. 노란색

04 | 선택지 분석 |

ㄱ (가)는 Na^+이다.

✕ 혼합 전 단위 부피당 이온 수는 묽은 염산이 수산화 나트륨 수용액보다 ~~크다~~. 작다.

✕ 혼합 용액에 수산화 나트륨 수용액 10 mL를 추가한 후, BTB 용액을 떨어뜨리면 ~~녹색~~이 된다. 푸른색

05 단위 부피당 이온 수가 Na^+이 Cl^-의 2배이므로 혼합 용액에 대한 자료는 다음과 같다.

혼합 용액		(가)	(나)	(다)	(라)
이온 수	H^+	~~N~~	~~2N~~	~~3N~~	~~3N~~
	Cl^-	N	2N	3N	3N
	Na^+	2N	2N	4N	6N
	OH^-	~~2N~~ N	~~2N~~	~~4N~~ N	~~6N~~ 3N
생성된 물의 양		N	2N	3N	3N
총 이온 수		4N	4N	8N	12N

| 선택지 분석 |

✕ ~~모두 염기성 용액이다~~.
(가), (다), (라)는 염기성 용액이고, (나)는 중성 용액이다.

✕ 생성된 물의 양은 ~~(가)~~가 가장 많다.
(다)와 (라)

ⓒ 총 이온 수는 (가)와 (나)가 같다.

06 완전 중화 반응이 일어났을 때 반응한 수용액의 부피 비는 HCl : KOH=2 : 3이므로 단위 부피당 전체 이온 수 비는 HCl : KOH=3 : 2이고, 음이온 수 비도 HCl : KOH=3 : 2이다. A에서는 H^+과 OH^-의 수가 각각 3N, 8N이고, B에서는 H^+과 OH^-의 수가 각각 6N, 6N이므로 생성된 물 분자 수 비는 A : B=1 : 2이다. A에서는 H^+과 OH^-의 수가 각각 3N, 8N이고, C에서는 H^+과 OH^-의 수가 각각 9N, 4N이므로 상승한 온도 비는 A : C=3 : 4이다.

| 선택지 분석 |

ⓐ 묽은 염산과 수산화 칼륨 수용액의 단위 부피당 음이온 수 비는 3 : 2이다.

✕ 생성된 물 분자 수 비는 A : B=~~3 : 4~~이다.
1 : 2

ⓒ 상승한 온도 비는 A : C=3 : 4이다.

07 | 모범 답안 |

(1) 존재하지 않는다.

(2) 점점 줄어들다가 중화점에서 존재하지 않는다.

(3) 증가한다.

(4) 감소한다.

| 풀이 |

(1) H^+은 넣어 주는 대로 OH^-과 반응하므로 중화점까지는 혼합 용액 속에 존재하지 않는다.

(2) OH^-은 넣어 준 H^+과 반응하므로 점점 줄어들다가 중화점에서는 혼합 용액 속에 존재하지 않는다.

(3) 중화점까지 중화 반응이 일어나므로 용액의 온도는 증가한다.

(4) NaOH 수용액에 묽은 염산을 넣어주므로 혼합 용액의 pH는 중화점까지 점점 감소한다.

| 채점 기준 |

채점 기준	배점
(1)~(4)에 대해 모두 옳게 서술한 경우	100 %
(1)~(4) 중 3개에 대해 옳게 서술한 경우	70 %
(1)~(4) 중 2개에 대해 옳게 서술한 경우	40 %
(1)~(4) 중 1개에 대해 옳게 서술한 경우	10 %

08 | 모범 답안 |

(1) Na^+ 3개, OH^- 3개

(2) 염기성, 묽은 염산에 들어 있는 H^+의 수는 2이고, 수산화 나트륨 수용액에 들어 있는 OH^-의 수는 3이므로 혼합 용액의 액성은 염기성이다.

| 풀이 |

(1) 묽은 염산에 들어 있는 H^+의 수가 2이므로 Cl^-의 수도 2이다. 혼합 용액 (나)에 들어 있는 Na^+의 수가 3이므로, 수산화 나트륨 수용액인 (가)에는 Na^+ 3개, OH^- 3개가 들어 있다.

(2) 묽은 염산과 수산화 나트륨 수용액이 반응한 (나) 용액에서 Na^+이 3개이다. 따라서 묽은 염산의 H^+ 2개와 수산화 나트륨 수용액의 OH^- 2개가 반응 후 남은 OH^- 1개가 (나) 용액에 남아 있으므로 염기성이다.

| 채점 기준 |

채점 기준	배점
(1)과 (2)에 대해 모두 옳게 서술한 경우	100 %
(1)과 (2) 중 1가지만 옳게 서술한 경우	50 %

대단원 마무리 216쪽~221쪽

한번에 정리하는 대단원 마무리

① 광합성 ② 산화 철 ③ 탄소 ④ 수소 ⑤ 산소 ⑥ 산화 환원 반응 ⑦ 산화 ⑧ 환원 ⑨ 산화 ⑩ 환원 ⑪ 동시성 ⑫ 엽록체 ⑬ 미토콘드리아 ⑭ 환원 ⑮ 산화 ⑯ 산화 ⑰ 환원 ⑱ 산화 ⑲ 수소 이온 ⑳ 수산화 이온 ㉑ 산성 ㉒ 염기성 ㉓ 지시약 ㉔ pH ㉕ 수소 이온 ㉖ 수산화 이온 ㉗ 물 ㉘ 염 ㉙ 중화점 ㉚ 지시약 ㉛ 온도

한번에 끝내는 대단원 마무리

01 ③ **02** ③ **03** ⑤ **04** ① **05** ⑤ **06** ③ **07** ③
08 ③ **09** ⑤ **10** ④ **11** ② **12** ③ **13** ② **14** ③
15 해설 참조 **16** 해설 참조 **17** 해설 참조 **18** 해설 참조

01 | 선택지 분석 |

ⓐ (가)는 광합성 반응이다.
➡ 이산화 탄소와 물로 포도당과 산소를 만드는 광합성 반응이다.

✕ (나)의 반응에서 열이 ~~흡수~~된다.
방출

ⓒ (가)~(다)는 모두 산화 환원 반응이다.
➡ 모두 산소의 이동 또는 전자의 이동으로 설명할 수 있는 산화 환원 반응이다.

04 | 자료 분석 |

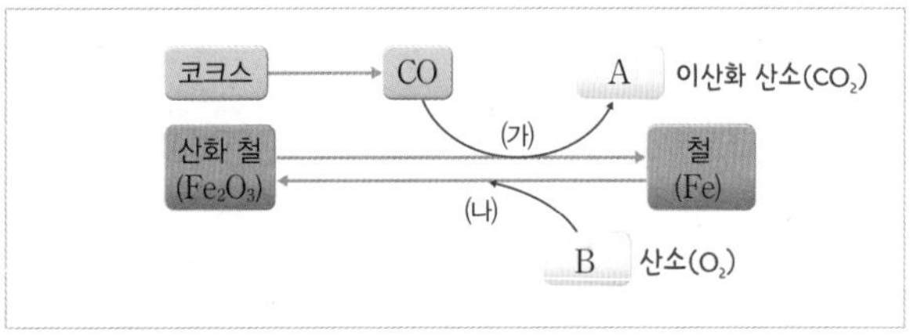

| 선택지 분석 |

ㄱ (가)와 (나)는 산화 환원 반응이다.

➡ (가)는 $2CO + O_2 \longrightarrow 2CO_2$이고,
(나)는 $4Fe + 3O_2 \longrightarrow 2Fe_2O_3$이므로 (가)와 (나)는 산화 환원 반응이다.

ㄴ A는 해양 산성화의 원인이 되는 물질이다.

➡ A는 이산화 탄소이므로 해양 산성화의 원인이 된다.

✕ B는 ~~H_2O~~이다. (O_2)

➡ B와 철이 반응하여 Fe_2O_3를 생성하므로 B는 O_2이다.

03 | 선택지 분석 |

ㄱ O_2는 환원된다.

➡ O_2는 산소를 잃으므로 환원된다.

ㄴ $C_6H_{12}O_6$은 산화된다.

➡ $C_6H_{12}O_6$은 산소를 얻으므로 산화된다.

ㄷ 호흡 반응에서 열이 발생한다.

➡ 생물은 호흡에서 발생하는 에너지를 이용하여 살아간다.

04 | 선택지 분석 |

✕ 옷에 묻은 녹물은 식초 물로 뺀다. → 산 염기 반응

➡ 녹물은 염기성이므로 산성인 식초 물을 사용한다.

② 철을 가열하니 검은색이 되었다.

➡ 철을 가열하면 산소와 결합하여 검은색의 산화 철이 된다.

③ 철을 공기 중에 두니 녹이 슬었다.

➡ 철을 공기 중에 두면 산소와 수분과 반응하여 부식된다.

④ 철을 질산 은 수용액에 넣었더니 은이 석출되었다.

➡ 철을 질산 은 수용액에 넣으면 철은 산화되어 철 이온이 되고, 은 이온은 환원되어 은이 석출된다.

⑤ 철을 묽은 염산에 넣었더니 수소 기체가 발생하였다.

➡ 철을 묽은 염산에 넣으면 철은 산화되어 철 이온이 되고, 수소 이온이 전자를 얻어 수소 기체가 발생한다.

05 | 자료 분석 |

철의 제련 과정

- 코크스의 산화: $2C + O_2 \longrightarrow 2CO$
- 산화 철의 환원: $Fe_2O_3 + 3CO \longrightarrow 2Fe + 3CO_2$
- 슬래그 생성: $CaCO_3 \longrightarrow CaO + CO_2$
  $CaO + SiO_2 \longrightarrow CaSiO_3$

| 선택지 분석 |

ㄱ ㉠은 CO이다.

ㄴ (나)에서 Fe_2O_3은 환원된다.

➡ (나)에서 Fe_2O_3은 산소를 잃고 Fe로 환원된다.

ㄷ (가)~(라) 중 산화 환원 반응은 2가지이다.

➡ 산화 환원 반응은 (가)와 (나) 2가지이다.

06 (가)에서 일어나는 반응은 $2CuO + C \longrightarrow 2Cu + CO_2$이다.

| 선택지 분석 |

ㄱ (가)에서 산화 구리(Ⅱ)는 환원된다.

➡ CuO는 산소를 잃고 Cu로 환원된다.

ㄴ 발생한 기체는 이산화 탄소이다.

➡ 석회수가 뿌옇게 흐려졌으므로 발생한 기체는 이산화 탄소이다.

✕ (나)는 ~~산화 환원 반응이다.~~ (산화 환원 반응이 아니다.)

➡ 이산화 탄소와 석회수(수산화 칼슘 수용액)의 반응은 다음과 같이 일어난다.
$Ca(OH)_2 + CO_2 \longrightarrow CaCO_3 + H_2O$
이 반응은 산 염기 반응이다.

07 (가)에서의 반응은 $2Mg + CO_2 \longrightarrow 2MgO + C$이다. 마그네슘은 산소와 결합하는 산화 반응을 한다.
(나)에서의 반응은 $2Na + Cl_2 \longrightarrow 2NaCl$이다. 염소는 전자를 얻는 환원 반응을 한다.

| 선택지 분석 |

ㄱ (가)에서 마그네슘은 산화되었다.

✕ (나)에서 염소는 ~~산화~~되었다. (환원)

ㄷ (가)와 (나)에서 모두 산화와 환원이 동시에 일어난다.

➡ (가)에서 마그네슘이 산화될 때 이산화 탄소가 환원되고, (나)에서 염소가 환원될 때 나트륨이 산화된다. 즉, (가)와 (나)에서 각각 산화와 환원은 동시에 일어난다.

08 | 선택지 분석 |

ㄱ 전류가 통한다.

➡ 3가지 수용액은 모두 수용액에서 수산화 이온(OH^-)을 내놓으므로 전류가 통한다.

ㄴ 25 ℃에서 pH는 7보다 크다.

➡ 모두 염기성 수용액이므로 모두 pH가 7보다 크다.

✕ ~~푸른색~~(붉은색) 리트머스 종이를 ~~붉게~~(푸르게) 변화시킨다.

➡ 염기성 수용액이므로 붉은색 리트머스 종이를 푸르게 변화시킨다.

09 묽은 염산과 마그네슘 리본의 반응은 다음과 같다.

$$Mg + 2HCl \longrightarrow MgCl_2 + H_2$$

| 선택지 분석 |

ㄱ 수소 기체가 발생한다.

➡ 마그네슘 리본을 묽은 염산에 넣으면 수소 기체가 발생한다.

ㄴ 수용액의 pH는 증가한다.

➡ 수용액 속의 H^+의 수가 감소하므로 pH는 증가한다.

ㄷ 수용액 속의 염화 이온의 수는 일정하다.

➡ 반응에 참여하지 않는 이온인 Cl^-의 수는 일정하다.

10 | 선택지 분석 |

✕ pH는 A가 B보다 ~~크다~~. 작다.

➡ A는 산성, B는 염기성, C는 산성이다. 따라서 pH는 B가 A보다 크다.

ㄴ C에 마그네슘 조각을 넣으면 수소 기체가 발생한다.

➡ C는 산성 수용액이므로 마그네슘을 넣으면 수소 기체가 발생한다.

ㄷ A와 B를 혼합하면 혼합 용액의 온도는 높아진다.

➡ A와 B를 섞으면 중화 반응이 일어나므로 중화열이 발생하여 혼합 용액의 온도는 높아진다.

더 알아보기 **지시약의 색 변화**

지시약	리트머스 종이	페놀프탈레인 용액	메틸 오렌지 용액	BTB 용액
산성	푸른색 → 붉은색	무색	붉은색	노란색
중성	변화 없음	무색	노란색	녹색
염기성	붉은색 → 푸른색	붉은색	노란색	푸른색

11 | 자료 분석 |

염기 수용액에서 이온의 이동

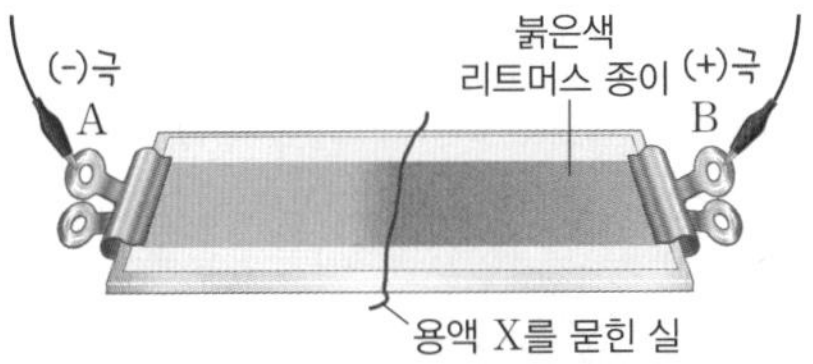

- 붉은색 리트머스 종이가 푸르게 변하였다. → 용액 X는 염기성이다.
- 붉은색 리트머스 종이에서 푸른색이 전극 B쪽으로 이동하였다. → 수산화 이온(OH^-)이 (+)극으로 이동하므로 B는 (+)극이다.

| 선택지 분석 |

✕ X는 ~~산~~이다. 염기

➡ 붉은색 리트머스 종이가 실에서부터 전극 B 쪽으로 푸르게 변하였으므로 X는 OH^-이 포함된 염기성 물질이다.

ㄴ 전극 B는 (+)극이다.

➡ OH^-이 전극 B 쪽으로 이동하였으므로 B는 (+)극이다.

✕ 전극 A쪽으로 이동하는 이온은 ~~1가지~~이다. 2가지

➡ 전극 A는 (−)극이므로 전극 A쪽으로 이동하는 이온은 양이온이다. 따라서 전극 A쪽으로 이동하는 이온은 염기 X에 포함된 양이온과 전해질로 사용한 질산 칼륨 수용액에 포함된 칼륨 이온(K^+)의 2가지이다.

12 (가) $HCl + Na \longrightarrow NaCl + H_2$

(나) $HCl + NaOH \longrightarrow NaCl + H_2O$

| 선택지 분석 |

ㄱ Y에는 수산화 이온이 포함되어 있다.

➡ (나)에서 생성된 물질이 염화 나트륨과 물이므로 Y는 수산화 나트륨(NaOH)이다.

ㄴ X와 Y의 불꽃색은 같다.

➡ X는 나트륨(Na)이고, Y는 수산화 나트륨(NaOH)이므로 불꽃색이 같다.

✕ (가)와 (나)는 ~~모두 산화 환원 반응이다.~~ (가)는 산화 환원 반응이고, (나)는 산과 염기의 중화 반응이다.

13 | 자료 분석 |

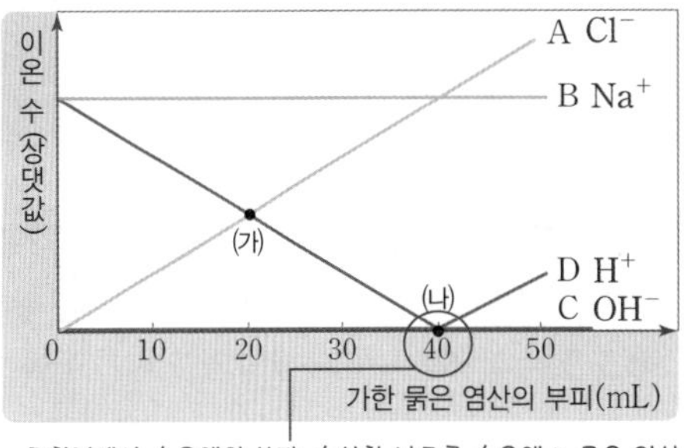

- 중화점에서 수용액의 부피: 수산화 나트륨 수용액 > 묽은 염산
- 단위 부피당 이온 수: 묽은 염산 > 수산화 나트륨 수용액

수산화 나트륨 수용액에 묽은 염산을 가할 때 A는 계속 증가하므로 가해준 용액의 Cl^-이고, B는 일정하므로 처음 용액의 Na^+이며, C는 감소하다가 없어지므로 처음 용액의 OH^-이고, D는 존재하지 않다가 중화점 이후에 다시 생성되므로 가해준 용액의 H^+이다.

| 선택지 분석 |

✕ B는 ~~Cl^-~~이다. Na^+

ㄴ 혼합 용액의 온도는 (나)가 (가)보다 높다.

✕ 같은 부피 속에 들어 있는 총 이온 수는 수산화 나트륨 수용액이 묽은 염산보다 ~~크다~~. 작다.

➡ 중화점인 (나)에서 반응한 H^+수와 OH^-수는 같은데, 수용액의 부피는 수산화 나트륨 수용액이 묽은 염산보다 크므로 같은 부피 속에 들어 있는 총 이온 수는 묽은 염산이 수산화 나트륨 수용액보다 크다.

14 | 선택지 분석 |

ㄱ (가)~(다)는 중화 반응을 이용한 것이다.

➡ 산성 물질과 염기성 물질이 반응하므로 중화 반응이다.

✕ pH는 ㉡이 ㉠보다 ~~크다~~. 작다.

➡ 암모니아수는 염기성이고, 레몬 즙은 산성이므로 pH는 ㉠이 ㉡보다 작다.

ㄷ ㉠과 ㉢을 혼합하면 열이 발생한다.

➡ 암모니아수는 염기성이고, 식초는 산성이므로 혼합하면 중화 반응이 일어나 열이 발생한다.

15 | 모범 답안 |

광합성 반응에서 이산화 탄소는 환원되고, 물은 산화된다. 호흡 반응에서 포도당은 산화되고, 산소는 환원된다.

| 풀이 |

광합성: $6CO_2 + 6H_2O \longrightarrow C_6H_{12}O_6 + 6O_2$

호흡: $C_6H_{12}O_6 + 6O_2 \longrightarrow 6CO_2 + 6H_2O$

| 채점 기준 |

채점 기준	배점
용어를 포함한 설명을 모두 옳게 서술한 경우	100 %
용어를 포함한 설명 중 1가지만 옳게 서술한 경우	50 %

16 | 모범 답안 |

(가) 철이 녹스는 현상으로 철이 공기 중 산소와 물과 반응하는 산화 환원 반응이다. 방지 방법에는 페인트칠, 기름칠, 도금, 철보다 반응성이 큰 금속 이용, 합금 등이 있다.

(나) 사과의 갈변 현상으로 사과 속 성분이 산소와 반응하는 산화 환원 반응이다. 방지 방법에는 밀폐 용기 보관, 식초 또는 설탕을 녹인 물에 넣었다 빼기 등이 있다.

| 풀이 |

그림은 철이 녹스는 현상과 사과의 갈변 현상을 나타낸 것이며, 두 현상 모두 산화 환원 반응이다. 철이 녹스는 현상은 철이 산소 및 수분과 반응하는 산화 환원 반응으로 철이 녹스는 것을 방지하기 위한 방법으로는 페인트칠, 기름칠, 도금 등과 같이 산소와 물의 접촉을 차단하는 방법, 철보다 반응성이 큰 금속을 이용하는 방법, 합금과 같이 철의 성질을 변화시키는 방법 등이 있다.

사과의 갈변 현상도 사과 속의 성분(폴리페놀 화합물)이 산소와 반응하여 일어나는 산화 환원 반응이다. 따라서 공기 중에 노출되지 않도록 밀폐 용기에 넣어 보관하거나 식초 또는 설탕을 녹인 물에 20초 정도 넣었다가 빼면 pH를 떨어뜨리므로 갈변 현상을 방지할 수 있다.

| 채점 기준 |

채점 기준	배점
철이 녹스는 현상 및 사과의 갈변 현상의 산화 환원 반응과 산화 환원 반응이 진행되지 않게 하는 방법을 옳게 서술한 경우	100 %
철이 녹스는 현상 및 사과의 갈변 현상의 산화 환원 반응과 산화 환원 반응이 진행되지 않게 하는 방법 중 1가지만 옳게 서술한 경우	50 %

17 | 모범 답안 |

(1) X: H_2, Y: CO_2

(2) 이산화 탄소(CO_2)는 석회수와 반응하면 탄산 칼슘의 흰색 앙금을 생성하기 때문이다.

| 풀이 |

(1) (가)와 (나)의 화학 반응식은 다음과 같다.

$2HCl + Mg \longrightarrow MgCl_2 + H_2$

$2HCl + CaCO_3 \longrightarrow CaCl_2 + H_2O + CO_2$

(2) Y는 이산화 탄소(CO_2)로, 석회수($Ca(OH)_2$ 수용액)와 반응하여 탄산 칼슘($CaCO_3$)의 흰색 앙금을 생성한다.

| 채점 기준 |

채점 기준	배점
(1)과 (2)를 모두 옳게 서술한 경우	100 %
(1)과 (2) 중 1가지만 옳게 서술한 경우	50 %

18 | 모범 답안 |

(1) A~C는 산성, D는 중성, E는 염기성

(2) 4N

| 풀이 |

(1) D에서 가장 온도가 높으므로 같은 부피의 수용액 속의 총 이온 수는 묽은 염산이 수산화 나트륨 수용액의 2배이다. 따라서 A~C는 산성, D는 중성, E는 염기성 용액이다.

(2) 수용액 속의 총 이온 수는 묽은 염산이 수산화 나트륨 수용액의 2배이므로 묽은 염산 20 mL에 들어 있는 H^+의 수는 4N이다.

| 채점 기준 |

채점 기준	배점
혼합 용액 A~E의 액성을 모두 옳게 쓰고, 묽은 염산 20 mL에 들어 있는 H^+의 수를 옳게 쓴 경우	100 %
혼합 용액 A~E의 액성을 모두 옳게 썼으나, 묽은 염산 20 mL에 들어 있는 H^+의 수를 옳게 쓰지 못한 경우	50 %

VII » 생물 다양성과 유지

01 ~ 지질 시대의 환경과 생물 다양성

간단 점검 225쪽, 226쪽

1 화석 **2** 시상 화석 **3** 고생물의 급격한 변화와 급격한 지각 변동 **4** 선캄브리아 시대 **5** 고생대 **6** 신생대 **7** 대멸종 **8** 5회 **9** 증가

알쉬특 227쪽

1 (1) ○ (2) × (3) ○ **2** ㄱ－ㄷ－ㄴ

1 (2) 파충류가 번성했던 지질 시대는 중생대이고, 고생대에는 양서류가 번성했다.

2 오존층이 두껍게 형성된 지질 시대는 고생대, 히말라야 산맥이 형성된 지질 시대는 신생대, 겉씨식물이 번성한 지질 시대는 중생대이다.

개념 + 기본 문제 228쪽~229쪽

개념 문제

01 (1) ○ (2) ○ (3) × (4) ○ **02** (1) ㉢ (2) ㉡ (3) ㉠
03 대멸종 **04** (1) × (2) ○ (3) × (4) ○

기본 문제

05 ① **06** ① **07** ② **08** ① **09** ② **10** 스트로마톨라이트
11 ④ **12** ⑤ **13** ③ **14** ③

01 (3) 공룡은 중생대의 표준 화석이다.

04 (1) 대멸종은 5회 일어났다.
(3) 대멸종은 생물 다양성이 증가하는 기회가 된다.

05 ✕ 화석은 ~~화성암~~(퇴적암)에서 발견된다.
➡ 지층에 들어있던 화석이 마그마가 될 때 사라지게 되므로 마그마가 굳어 만들어진 화성암에서는 화석이 발견되지 않는다.

06 화석 중 퇴적될 당시의 환경을 알려주는 화석은 시상 화석으로 산호의 화석은 온난한 기후를 알려준다. 필석과 삼엽충은 고생대, 화폐석은 신생대, 암모나이트는 중생대의 표준 화석이다.

07 ✕ ~~겉씨~~(속씨)식물이 번성했다.
➡ 겉씨식물이 번성한 시기는 중생대이다.

08 | 선택지 분석 |
㉠ 기후는 온화했다.
㉡ 공룡이 번성했다.
✕ ~~양서류~~(파충류)가 번성했다.
➡ 양서류는 고생대에 번성하였다.
✕ 이 시기에 대기 중 산소가 급격히 증가했다.
➡ 대기 중 산소는 선캄브리아 시대에 증가하기 시작하였다.

09 오존층은 자외선을 차단하여 생명체를 보호한다. 따라서 오존층이 형성된 후 육지로 생물이 진출할 수 있었다. 바다는 어느 정도 깊이에 이르면 자외선이 도달하지 않으므로 오존층이 없어도 생명체가 존재할 수 있다. 오존층이 두껍게 생성된 지질 시대는 고생대이다.

10 선캄브리아 시대의 암석에서 스트로마톨라이트를 발견하여 선캄브리아 시대에 산소의 양이 증가하였다는 것을 알게 되었다.

11 | 선택지 분석 |
㉠ 고생대에 대멸종이 있었다.
㉡ 중생대에 공룡은 대멸종으로 사라졌다.
✕ 대멸종은 지질 시대 동안 ~~10회 이상 발생했다~~(5회 발생하였다).
㉣ 짧은 시간 동안에 큰 규모로 일어나는 멸종이다.

12 오존층이 형성되어 육상 생물이 출현하였으므로 오존층 형성은 대멸종과는 관련이 없다.

13 판게아가 형성된 지질 시대는 고생대이다. 후기에 다양한 다세포 생물이 등장한 지질 시대는 선캄브리아 시대이다. 후기에 빙하기와 간빙기가 반복된 지질 시대는 신생대이다.

14 고생대 이전인 선캄브리아 시대에는 오존층이 발달하지 않아 자외선이 차단되지 않고 지표면에 도달하였다. 따라서 생물들은 강한 자외선을 피할 수 있는 환경에 살아야 했으므로 바다는 좋은 서식지가 되었다.

실력 올리기 문제 230쪽~231쪽

01 ③ **02** ⑤ **03** ② **04** ③ **05** ② **06** ①
07 해설 참조 **08** 해설 참조 **09** 해설 참조

01 | 선택지 분석 |
㉠ 선캄브리아 시대의 생물은 고생대 생물보다 개체 수가 적었을 것이다.

ㄴ. 선캄브리아 시대의 생물은 고생대 생물보다 단단한 부분이 없거나 적었을 것이다.

✕ 고생대의 지층은 선캄브리아 시대의 지층보다 풍화나 지각 변동을 ~~많이~~ 받았을 것이다.
적게

➡ 선캄브리아 시대는 고생대보다 오래된 지질 시대이므로 지각 변동과 풍화를 더 많이 받았을 것이다.

02 | 선택지 분석 |

✕ 두 시대 모두 전 기간 동안 온난하였다.

➡ 중생대는 온난하였고 신생대는 초기부터 중기까지는 온난하였지만 후기에는 빙하기와 간빙기가 반복되었다.

ㄴ. 중생대에는 파충류가, 신생대에는 포유류가 번성하였다.

ㄷ. 중생대에는 겉씨식물이, 신생대에는 속씨식물이 번성하였다.

03 | 자료 분석 |

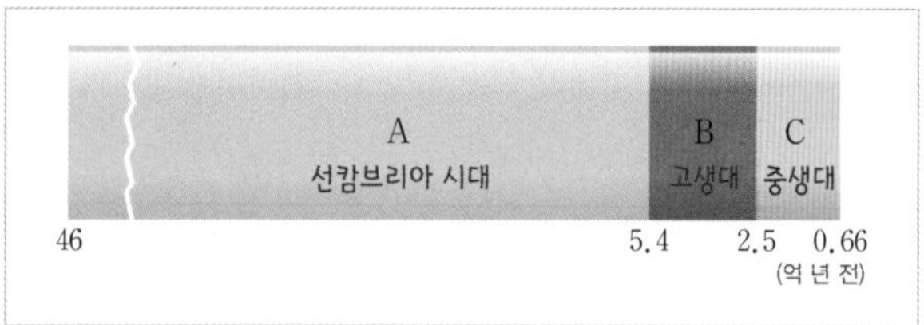

| 선택지 분석 |

✕ A 시대에 생물은 존재하지 않았다.

➡ A는 선캄브리아 시대로 남세균 및 다세포 생물이 출현하였다.

ㄴ. 어류는 B 시대에 등장하였다.

➡ B 시대는 고생대이며 어류, 양서류가 등장하였다.

✕ C 시대는 한랭하였다.

➡ C 시대는 중생대로 온난하였다.

04 ㄱ은 고생대, ㄴ은 중생대, ㄷ은 신생대에 대한 설명이다. 삼엽충은 고생대의 표준 화석, 공룡은 중생대의 표준 화석, 매머드는 신생대의 표준 화석이다.

05 | 선택지 분석 |

✕ 대멸종은 규칙적으로 ~~일어났다.~~
일어나지 않았다.

ㄴ. 대멸종으로 과의 수가 감소하였다가 다시 증가하는 경향을 보인다.

✕ 지질 시대 동안 생물의 멸종을 통해 앞으로 언제 대멸종이 일어날지 예측할 수 ~~있다.~~
없다.

➡ 그래프로 볼 때 대멸종의 규칙성은 없으므로 이전의 멸종을 통해 앞으로 언제 대멸종이 일어날지 예측할 수 없다.

06 | 선택지 분석 |

✕ 대멸종으로 생물 다양성은 ~~감소한다.~~
증가한다.

➡ 과의 수 변화로 볼 때 대멸종으로 과의 수가 감소하지만 다시 증가하는 경향이 나타나며 지속적으로 늘어나는 것이 확인된다. 따라서 생물 다양성은 증가한다.

ㄴ. 대멸종은 지구의 환경 변화에 의해 일어난다.

✕ 대멸종 이전과 이후를 비교하면 생물의 종류는 ~~같다.~~
다르다.

➡ 대멸종으로 인해 사라진 생물은 다시 나타날 수 없으므로 대멸종 이전과 이후를 비교하면 생물의 종류는 다르다.

07 | 모범 답안 |

고사리 화석은 시상 화석으로 지층 A가 퇴적된 당시의 환경은 따뜻한 육지이며 지질 시대는 알 수 없다. 표준 화석인 암모나이트가 발견된 지층 B는 중생대에 생성된 지층임을 알 수 있지만 바다에서 퇴적되었다는 사실 외에 환경은 알 수 없다.

| 풀이 |

시상 화석은 퇴적 당시의 환경을 알려주며, 표준 화석은 일반적으로는 퇴적 당시의 지질 시대를 판단하도록 한다.

| 채점 기준 |

채점 기준	배점
지층 A, B의 환경과 지질 시대를 모두 옳게 서술한 경우	100 %
지층 A, B의 환경과 지질 시대 중 1가지만 옳게 서술한 경우	50 %

08 | 모범 답안 |

선캄브리아 시대는 오존층이 발달되기 이전이므로 대기에 산소가 풍부하지 않았을 것이고 중생대는 오존층이 발달된 이후이므로 대기에 산소가 풍부했을 것이다. 선캄브리아 시대에는 오존층의 효과가 없거나 미약했을 것이므로 생물은 육지에 살지 못하고 바다에만 살았을 것이고 중생대에는 오존층이 있으므로 생물은 바다뿐만 아니라 육지에도 살았을 것이다.

| 풀이 |

선캄브리아 시대는 남세균의 광합성으로 산소가 발생하기 시작한 지질 시대이고 고생대는 충분한 산소의 양으로 인해 오존층이 두껍게 형성된 시대이다. 이로 인해 고생대에는 육지에 생물이 진출해 양서류와 양치식물이 번성할 수 있었다.

| 채점 기준 |

채점 기준	배점
산소 농도와 생물의 분포를 모두 옳게 비교하여 서술한 경우	100 %
산소 농도와 생물의 분포 중 1가지만 옳게 서술한 경우	50 %

09 | 모범 답안 |

대멸종 후에는 이전에 살던 생물이 없어지므로 생물 다양성이 증가할 수 있다. 예를 들어 포식자였던 공룡이 대멸종으로 사라진 후 포유류는 포식자가 없어 번성하며 진화 과정을 통해 생물 다양성이 증가하였다.

| 풀이 |

대멸종은 새로운 환경에 적응한 생물이 다양한 종으로 진화하여 생물의 다양성을 증가하도록 하는 기회를 제공한다.

| 채점 기준 |

채점 기준	배점
대멸종에 의한 생물 다양성 변화와 예시를 모두 옳게 서술한 경우	100 %
대멸종에 의한 생물 다양성 변화와 예시 중 1가지만 옳게 서술한 경우	50 %

02 자연 선택과 생물의 진화

간단 점검 233쪽, 234쪽

1 진화 **2** 진화론 **3** 변이 **4** 자연 선택 **5** 사회
6 화학 진화설 **7** 심해 열수구설

알쉬탐 235쪽

1 ③ **2** 생존한 세균들의 증식을 뜻한다.
3 (1) × (2) × (3) ○ (4) ○ (5) ×

1 털실 조각은 항생제 비내성 세균, 노끈 조각은 항생제 내성 세균을 각각 의미한다. 그리고 벨크로 테이프는 항생제를 의미한다.

2 생존한 세균들은 분열법에 의해 증식하여 개체 수가 증가하므로 생존한 세균에 해당하는 털실 조각과 노끈 조각을 남은 수만큼 추가하는 것은 생존한 세균들이 증식하는 것을 뜻한다.

3 (1) 항생제를 반복 사용하여도 항생제 내성이 없는 세균이 항생제 내성이 있는 세균으로 변하지는 않는다.
(2) 벨크로 테이프에 의해 털실 조각이 제거되므로 벨크로 테이프를 계속 사용하면 털실 조각보다 노끈 조각의 수가 더 많아진다.
(3) 벨크로 테이프에 의해 제거되는 것은 항생제 사용으로 세균이 죽는 것을 의미하므로 털실 조각이 생존에 더 불리하다.
(4) 항생제를 지속적으로 사용하면 항생제 내성 세균이 자연 선택되어 항생제를 사용하여도 질병의 치료가 어렵게 된다.
(5) 진화론이 사회에 많은 영향을 미친 것은 사실이지만, 이 실험으로 확인할 수는 없다.

개념 + 기본 문제 236쪽~237쪽

개념 문제

01 (1) × (2) × (3) ○ **02** 자연 선택
03 (1) ○ (2) × (3) ○ **04** 우주 기원설

기본 문제

05 ④ **06** ⑤ **07** ④ **08** ③ **09** 내성 **10** ① **11** ②

01 (1) 많이 사용한 기관은 더 발달하고, 사용하지 않는 기관은 퇴화하여 다음 세대로 유전된다는 주장은 용불용설이다. 용불용설은 라마르크가 주장하였다.
(2) 다윈은 생물이 남긴 자손들이 개체 변이에 의해 서로 다른 형질을 가진다고 하였다.
(3) 갈라파고스 군도의 각 섬마다 먹이와 환경이 다르기 때문에 각각의 환경에 적응한 핀치의 부리 모양이 서로 다르다.

02 유전적 차이로 인해 다양한 변이가 있는 개체들 중에서 자연 환경에 가장 잘 적응한 개체가 살아남아 그 형질을 자손에게 전달한다는 것은 다윈의 자연 선택설이다.

03 (1) 다윈의 진화론은 생명 과학의 이론적 기반을 제시하였고, 생명 과학의 발전에 기여하였다.
(2) 다윈의 진화론은 기존의 종교적인 생물관을 허물어뜨려, 현재의 생물은 진화 과정에 의해 만들어졌다는 인식이 생겨났다.
(3) 다윈의 진화론은 제국주의 출현과 식민 지배의 정당화 등 인간 사회에 많은 영향을 끼쳤다.

04 우주에서 운석을 통해 지구로 유입된 유기물에서 최초 생명체가 만들어졌다는 가설을 우주 기원설이라고 한다.

05 특정 기관을 반복 사용하여 발달시키게 되어도 후천적으로 발달된 특정 기관의 형질은 자손에게 유전되지 않는다.

06 다윈은 같은 종에 속하는 다양한 목을 가진 기린 중에서 가장 환경에 유리한 형질을 지닌 목이 긴 기린이 자연 선택된 것이라고 주장했다.

07 다윈은 생물이 많은 수의 자손을 낳고, 이들의 형질 차이로 생존 경쟁이 일어나며, 가장 환경에 유리한 형질을 가진 개체들이 살아남아 자손을 남기고, 퍼뜨려 새로운 종으로 진화가 일어난다고 주장하였다.

08 변이는 같은 종의 생물들 사이에서 유전자의 염기 배열 차이로 나타나며, 유전자를 구성하는 성분은 인산, 당, 염기로 동일하나, 같은 부모 사이에 태어나는 자손의 경우 생

식 세포의 다양한 조합으로 변이가 나타난다. 그리고 이렇게 나타나는 변이가 진화의 요인이 된다.

| 선택지 분석 |

㉠ ✕ 같은 부모 사이에서 태어난 자손들은 변이가 ~~존재하지 않는다~~. 존재한다.

㉡ ✕ 집단 내 개체들의 변이가 다양할수록 그 집단의 생존 확률이 ~~낮아진다~~. 높아진다.

㉢ ✕ 변이는 ~~다른 종~~에 속하는 개체들 사이에서 나타나는 형질의 차이를 의미한다. 같은 종

㉣ ✕ 변이가 나타난 생물들의 경우 유전자를 구성하는 ~~물질의 성분이 모두 다르다~~. 물질의 성분은 동일하다.

09 약물을 반복 사용하면 약물의 효과가 감소하는 내성이 생기게 된다.

10 다윈의 진화론을 통해 생물은 영원하지 않고 변한다는 인식과 환경에 적응한 결과 진화가 일어난다는 생각을 하게 되었다.

11 물에 잠긴 화산이나 열수구 주변에서 생명이 탄생했다는 것이 심해 열수구설, 원시 대기로부터 만들어진 유기물에서 생명체가 탄생했다는 것이 화학 진화설이다.

실력 올리기 문제

238쪽~239쪽

01 ⑤ **02** ② **03** ① **04** ④ **05** ④ **06** ①
07 해설 참조 **08** 해설 참조

01 종이란 자연 상태에서 서로 교배하여 생식 능력이 있는 자손을 낳을 수 있는 무리를 말한다. 갈라파고스 군도에 서식하는 핀치 4종은 각자 다른 종으로 진화하여 자연 상태에서 교배하여 생식 능력이 있는 자손을 낳을 수 없다.

| 선택지 분석 |

✕ 자연 상태에서 (가)~(라)는 서로 교배하여 생식 능력이 있는 자손을 낳을 수 ~~있다~~. 없다.

㉡ (가)~(라)는 서로 다른 먹이를 먹기 위해 적응하면서 부리의 모양이 달라진 것이다.

㉢ 핀치의 경우를 통해 생물이 진화한다는 사실을 알 수 있다.

02 핀치가 (가)~(다) 과정을 거쳐 진화한 환경 요인은 먹이이다. 먹이에 적합한 부리를 가진 핀치가 자연 선택되었다.

03 (가)는 다양한 형질을 가진 개체 사이의 생존 경쟁, (나)는 환경에 가장 유리한 형질을 가진 개체의 자연 선택, (다)는 새로운 종으로 분화된다는 것을 각각 의미한다.

| 선택지 분석 |

㉠ (가)는 다양한 변이를 가진 자손들이 태어나 이들 사이에 생존 경쟁이 일어나는 과정이다.

✕ (나)는 핀치가 크고 단단한 씨앗을 먹기 위해 부리를 ~~많이 사용한 결과 부리 모양이 변하였고 그 형질을 이어받은 핀치가 태어나는~~ 단계이다. 많이 사용하여 변한 것이 아니고 먹이에 적합한 부리를 가진 핀치가 자연 선택되는

✕ 위 자료는 ~~라마르크의 용불용설~~에 따라 핀치가 진화하는 내용을 설명한 것이다. 다윈의 자연 선택설

04 다윈의 자연 선택설에서는 과잉 생산 → 개체 변이 → 생존 경쟁 → 자연 선택 → 진화(종 분화)의 과정으로 진화가 일어난다고 주장한다. 변이는 다윈이 살던 당시에는 유전자의 개념이 없었으나 지금은 변이가 유전자의 차이로 생기는 다양한 형질을 의미한다.

| 선택지 분석 |

㉠ (가)는 유전자 차이 때문이다.

✕ (다)는 ~~획득 형질의 유전~~을 의미한다. 자연 선택

㉢ 위 과정을 순서대로 나열하면 (가) → (다) → (나) → (라)이다.

> 더 알아보기 **자연 선택설의 과정**
> 개체 변이 → 생존 경쟁 → 자연 선택 → 진화(종 분화)

05 항생제를 지속적으로 사용하여 A가 자연 선택이 된 것이므로 A는 항생제 내성 세균이다.

06 강의 상류와 하류에 서식하는 거피 중 환경에 가장 적응을 잘 하는 개체들이 자연 선택된 것이다. 그러므로 하류에 방류된 상류의 거피는 포식자에게 쉽게 잡혀 죽게 된다.

| 선택지 분석 |

㉠ 강의 상류와 하류에 사는 거피의 형질이 다른 것은 자연 선택의 결과이다.

✕ 강의 상류에 서식하던 거피를 하류에 방류하면 그 개체는 ~~몸집이 작아진다~~. 환경에 불리하므로 도태된다.

✕ 강의 하류에 서식하는 거피의 형질은 자손에게 ~~유전되지 않는다~~. 유전된다.

07 | 모범 답안 |

먹이가 부족한 환경에서 목이 짧아 높은 나무의 잎을 먹을 수 없는 생존에 불리한 형질을 지니고 있기 때문에 도태되었다.

| 풀이 |

자연 선택설은 다양한 변이를 가진 개체 중에서 가장 환경에 유리한 개체가 생존한다는 주장이다.

| 채점 기준 |

채점 기준	배점
목이 짧은 형질이 먹이 선택에 있어 불리한 까닭을 옳게 서술한 경우	100 %
목이 짧은 형질이 생존에 불리하다고만 서술한 경우	60 %

08 **| 모범 답안 |**

벨크로 테이프를 사용할 때 잘 붙지 않아 환경에 유리한 노끈 조각의 비율은 점점 증가하고 벨크로 테이프에 잘 붙어 환경에 불리한 털실 조각의 비율은 점점 감소한다.

| 풀이 |

벨크로 테이프를 사용할 때 잘 붙지 않아 제거되지 않는 것이 유리한 형질이다.

| 채점 기준 |

채점 기준	배점
벨크로 테이프를 사용하는 환경에 적합한 형질인지 아닌지를 언급하며 비율 변화를 옳게 서술한 경우	100 %
벨크로 테이프를 사용하는 환경에 적합한 형질인지 아닌지를 언급하지 않고 비율 변화만 서술한 경우	40 %

03 생물의 다양성과 보전

간단 점검 241쪽

1 유전적 다양성 **2** 종 다양성 **3** 생태계 다양성
4 생물 다양성 **5** 서식지 단편화 **6** 외래종

개념 + 기본 문제 242쪽~243쪽

개념 문제

01 (1) × (2) × (3) ○
02 (1) ㉢ (2) ㉠ (3) ㉡
03 (1) ○ (2) × (3) ○ (4) ○

기본 문제

04 ⑤ **05** ② **06** ② **07** ②
08 (가) 유전적 다양성, (나) 종 다양성, (다) 생태계 다양성
09 ⑤ **10** ③ **11** ④

01 (1) 단일 품종으로 작물이나 가축을 대규모로 키우는 경우 유전자 다양성이 ~~높아진다~~ (낮아진다).
(2) 어떤 생태계에 특정 종의 분포 비율이 높을수록 종 다양성도 ~~높아진다~~ (낮아진다).

02 유전적 다양성은 같은 종의 개체들 사이에서 형질의 다양한 정도, 종 다양성은 생물종의 다양한 정도, 생태계 다양성은 숲, 초원, 사막, 갯벌 등과 같은 생태계 종류의 다양한 정도이다.

03 외래종은 천적이 없어 고유종을 밀어내 오히려 종 다양성을 감소시킨다.

04 기린과 얼룩말은 서로 다른 종이므로 형태가 다른 것은 종 다양성에 해당한다.

05 단일 품종의 작물 A를 대규모로 재배하는 농경지는 종 다양성과 유전적 다양성이 매우 낮아 환경 변화에 매우 불리하다.

| 선택지 분석 |

✗ 대규모로 작물을 재배하기 때문에 유전적 다양성이 매우 ~~높은~~ (낮은) 편이다.
✗ 농경지는 숲이나 초원에 비해 ~~많은~~ (적은) 종류의 생물들이 살고 있다.
✗ 농경지는 특정 유전자가 차지하는 비율이 매우 ~~낮은~~ (높은) 생태계에 해당한다.
✗ 농경지에서 재배되는 A의 변이는 자연에서 서식하는 A의 변이에 비해 ~~매우 다양하게 나타난다~~ (다양하게 나타나지 않는다).

06 종 다양성은 생물종의 수와 분포 비율을 모두 포함한다.

07 생태계마다 적응하여 살고 있는 생물종의 구성이 다르므로 생태계 다양성이 높을수록 종 다양성도 높게 나타난다.

08 유전적 다양성은 같은 종의 개체들 사이에서 형질의 다양한 정도, 종 다양성은 생물종의 다양한 정도, 생태계 다양성은 숲, 초원, 사막, 갯벌 등과 같은 생태계 종류의 다양한 정도이다.

09 생태계를 휴식 장소나 생태 체험장, 관광 산업에 이용하는 것은 간접적 이용 방법이다.

✗ 잘 보전된 생태계를 휴식 장소나 생태 체험장, 관광 산업에 이용한다.
➡ 간접적인 이용 방법

10 산란율이 좋은 어느 한 품종의 닭만 대량 사육하면 생물 다양성이 감소된다.

11 황소개구리, 뉴트리아, 꽃매미, 붉은귀거북 등은 모두 외래종이다. 외래종은 원래 서식지에서 새로운 지역으로 옮긴 생물종으로 경쟁자, 천적, 질병 등이 없어 대량 번식함으로써 그 지역의 고유종을 밀어내 생물 다양성을 감소시킨다.

실력 올리기 문제 244쪽~245쪽

01 ① **02** ③ **03** ⑤ **04** ⑤ **05** ① **06** ②
07 해설 참조 **08** 해설 참조

01 | 자료 분석 |

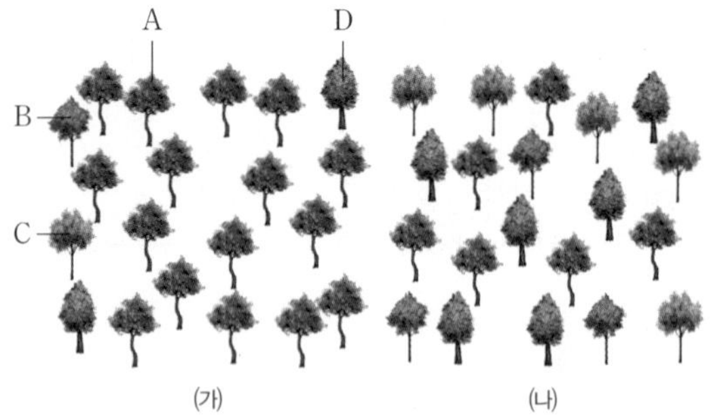

(가)와 (나)의 생태계에서 생물종의 수와 분포를 보면 다음과 같다.

구분	A	B	C	D
(가)	16	1	1	2
(나)	6	3	5	6

(가)와 (나)의 생물종 수는 동일하나 분포 비율이 (나)가 더 고르므로 종 다양성은 (나)가 높다. 자료에서는 동일한 종의 개체들 사이에서 나타나는 형질의 차이를 알 수가 없으므로 유전적 다양성은 말할 수 없다.

02 씨 없는 바나나가 대규모로 재배되면 바나나의 개체 수는 증가하지만, 생물 다양성, 유전적 다양성, 바나나 품종 종류, 환경 변화에 따른 바나나의 생존 확률은 낮아진다.

03 씨가 있는 바나나는 유성 생식을 통해 만들어진 것으로 다양한 변이가 있지만, 씨가 없는 바나나는 무성 생식 과정을 통해 만들어진 것으로 어버이와 동일한 유전자를 가진다.

✕ 씨가 있는 바나나는 씨가 없는 바나나에 비해 유전적 다양성이 ~~낮다~~. 높다.

04 (가)는 유전적 다양성, (나)는 종 다양성과 먹이 관계에 관한 내용으로 생태계 평형은 먹이 사슬에 의해 유지되고 있다.

| 선택지 분석 |

㉠ (가)는 유전적 다양성에 관계된 내용이다.

✕ (나)는 생태계가 다양할수록 종 다양성도 높아진다는 의미이다. → 종 다양성과 먹이 관계에 관한 내용이다.

㉢ (나)를 통해 종 다양성이 낮아지면 생태계의 파괴로 이어질 수도 있다는 점을 알 수 있다.

05 비버는 하천에 서식하며 집을 짓는 활동을 하는데 이로 인해 새로운 생태계가 형성되어 생태계 다양성이 증가한다.

| 선택지 분석 |

㉠ 생태계에 서식하는 생물의 활동으로 생태계 다양성이 높아진다.

✕ 생태계 다양성이 높을수록 유전적 다양성도 더불어 높아진다.

➡ 제시된 자료로 알 수 있는 내용이 아님.

✕ 생물종이 많고 각 종의 분포 비율이 균등할수록 종 다양성이 높다.

➡ 제시된 자료로 알 수 있는 내용이 아님.

06 생태계는 생물과 환경을 모두 포함한 것이며, 열대 우림은 사막에 비해 종 다양성이 매우 높다.

| 선택지 분석 |

✕ 각 생태계의 종 다양성에는 ~~식물 종과 동물 종만 포함된다.~~ 식물, 동물, 미생물 등 모든 생물이 다 포함된다.

㉡ (가), (나), (다) 모두 환경이 다르기 때문에 서식하는 생물 종과 개체 수가 다르다.

✕ (가)에 비해 (나)는 종 다양성이 ~~높은~~ 낮은 편이고, (다)는 다양한 생태계가 어우러져 독특한 생물종들이 서식한다.

07 | 모범 답안 |

(가)는 광교라는 한 품종의 대량 재배로 유전적 다양성이 줄어들었기 때문이고, (나)는 다른 종은 재배하지 않고 통일벼 한 종만 대량 재배함으로써 종 다양성이 줄어들었기 때문이다.

| 풀이 |

(가)는 하나의 품종을 재배하여 유전적 다양성이 줄어든 경우이고, (나)는 통일벼로 인해 다른 종의 생물이 사라진 것으로 종 다양성이 줄어든 경우이다.

| 채점 기준 |

채점 기준	배점
(가)는 유전적 다양성, (나)는 종 다양성을 언급하여 모두 옳게 서술한 경우	100 %
(가)는 유전적 다양성, (나)는 종 다양성 중 1가지만 옳게 서술한 경우	50 %

08 | 모범 답안 |

(1) (다) (2) 생물들이 이동할 수 있는 생태 통로를 설치한다.

| 풀이 |

대규모 서식지가 여러 개의 소규모로 나뉘는 것을 서식지 단편화라고 하며 서식지 단편화로 인해 생물들의 이동이 제한되면 종 다양성이 크게 감소한다. 그러므로 생물의 이동을 자유롭게 할 수 있도록 생태 통로를 설치해야 한다.

| 채점 기준 |

채점 기준	배점
생태 통로 설치를 정확히 서술한 경우	100 %
생물이 자유롭게 이동할 수 있게 해야 한다고만 서술한 경우	50 %

대단원 마무리 246쪽~251쪽

한번에 정리하는 대단원 마무리

① 표준 화석 ② 선캄브리아 시대 ③ 고생대 ④ 중생대
⑤ 신생대 ⑥ 대멸종 ⑦ 진화 ⑧ 변이 ⑨ 자연 선택 ⑩ 환경
⑪ 자본주의 ⑫ 화학 진화설 ⑬ 유전적 다양성 ⑭ 종 다양성
⑮ 생태계 다양성 ⑯ 생물 다양성 ⑰ 유전적 ⑱ 외래종

한번에 끝내는 대단원 마무리

01 ⑤ **02** ④ **03** ⑤ **04** ④ **05** ② **06** ② **07** ⑤
08 ③ **09** ④ **10** ④ **11** ② **12** ③ **13** ④
14 해설 참조 **15** 해설 참조 **16** 해설 참조 **17** 해설 참조
18 해설 참조

01 고사리 화석은 시상 화석으로 고사리 화석이 있는 지층이 퇴적될 당시의 환경이 따뜻한 육지라는 조건을 알려준다. 고사리가 번성한 시기는 고생대이지만 현재까지 생존해 있는 생물이므로 고사리 화석이 들어있는 지층은 선캄브리아 시대를 제외한 모든 시기에 형성될 수 있다. 따라서 고사리 화석이 있는 지층의 시대는 알 수 없다.

02 | **선택지 분석** |

ㄱ. 선캄브리아 시대에 산소는 ~~없었을 것이다.~~ 발생하였다.
➡ 남세균의 광합성으로 산소는 점차 증가했을 것이다.

ㄴ. 선캄브리아 시대에는 다세포 생물이 등장하였다.
➡ 에디아카라 구릉 지대에서 다세포 생물의 화석이 발견된 것으로 보아 다세포 생물이 등장하였다.

ㄷ. 선캄브리아 시대의 생물은 딱딱한 부분이 없었을 것이다.
➡ 선캄브리아 시대의 생물은 화석이 거의 발견되지 않는 것으로 보아 개체수가 적고 단단한 부분이 없었을 것으로 판단된다.

03 겉씨식물은 중생대, 속씨식물은 신생대, 양치식물은 고생대에 번성하였다.

04 히말라야 산맥은 신생대에 형성되었다. 매머드와 화폐석은 신생대에 번성하였다. 파충류가 번성했던 지질 시대는 중생대이다.

05 | **선택지 분석** |

ㄱ. 기후는 ~~한랭~~하였다. 온난
➡ 판게아가 분리되기 시작한 지질 시대는 중생대로 기후는 온난하였다.

ㄴ. ~~필석~~이 번성하였다. 암모나이트, 공룡 등이
ㄷ. 파충류가 번성하였다.
➡ 중생대에는 암모나이트와 공룡이 크게 번성하였다. 필석은 고생대의 표준 화석이다.

06 | **선택지 분석** |

ㄱ. 첫 번째 대멸종 ~~이전인 고생대 초기보다 이후인 고생대 중기에~~ 고생대 중기보다 초기에 과의 수가 급격히 증가하였다.
➡ 그래프를 보면 첫 번째 대멸종 이전에 과의 수가 더 크게 증가하였다.

ㄴ. 세 번째 대멸종 이전까지 삼엽충이 번성하였다.
➡ 삼엽충은 고생대의 표준 화석이다. 삼엽충은 고생대와 중생대의 경계가 되는 세 번째 대멸종으로 멸종하였다.

ㄷ. 다섯 번째 대멸종은 빙하기와 관련이 ~~있다.~~ 없다.
➡ 다섯 번째 대멸종은 중생대 말로 중생대와 신생대 사이에는 기후가 온난하였다.

07 (나)에서 목이 긴 기린은 자연 선택되어 자손을 남겼고, 목이 짧은 기린은 도태되어 사라졌다. 그 결과 오늘날 살고 있는 기린은 모두 자연 선택된 목이 긴 기린의 후손으로 모두 목이 길다. (나)는 다윈의 자연 선택설로 설명한 진화의 과정이다.

| **선택지 분석** |

① ~~(가)는 생물이 진화한다는 주장이고, (나)는 생물이 진화하지 않는다는 주장이다.~~
➡ (가), (나) 모두 생물이 진화한다는 진화설이다.

② ~~(가)는 선천적인 형질의 유전, (나)는 후천적인 형질의 유전에 대한 내용이다.~~
➡ (가)는 획득 형질의 유전, (나)는 자연 선택을 설명하였다.

③ (가)에서 기린 목의 길이가 늘어난 이유는 돌연변이에 의해 유전자가 변했기 때문이다.
➡ (가)는 용불용설로 후천적으로 노력하여 얻은 획득 형질의 유전을 주장한다.

④ (나)에서 목이 짧은 기린이 도태된 이유는 ~~획득 형질이 유전되었기 때문~~이다. 생존에 불리한 형질을 가졌기 때문이다.

⑤ (가)와 (나) 중에서 자연 선택이 적용된 가설은 (나)이다.
➡ (나)는 자연 선택설의 내용이다.

08 (가)와 (나) 모두 자연 선택되었다. (가)에서 A의 수컷은 포식자의 눈에 띄지 않는 개체가 자연 선택된 것이다.

| **선택지 분석** |

ㄱ. (가)와 (나) 중 자연 선택이 적용된 결과는 ~~(가)뿐~~이다. (가)와 (나) 둘 다
➡ (가)는 포식자를 피하기 위해, (나)는 암컷의 선택을 받기 위해 자연 선택되었다.

ㄴ. 10세대가 지난 후 (가)에서 A의 수컷은 포식자의 눈에 띄지 않기 위해 ~~화려한 몸 색을 바꿀 수 있는 능력을 지니게 되었다.~~ 단조로운 몸 색을 지닌 개체가 자연 선택되었다.
➡ 포식자가 있는 환경에서 화려한 몸 색은 불리한 형질이다.

ㄷ. (나)는 A의 수컷 중 화려한 몸 색을 지닌 개체가 암컷에게 더 많이 선택받은 결과이다.
➡ 포식자가 없는 환경에서는 화려한 몸 색이 암컷의 선택을 더 잘 받는 유리한 형질이다.

09 (다)는 외래종으로 인해 종 다양성이 감소되는 현상에 대한 것이다.

| **선택지 분석** |

㉠ (가)는 유전적 다양성에 관계된 것으로 유전적 다양성이 높은 집단일수록 그 집단의 생존 확률이 높아진다.
➡ 개체마다 형질이 다른 이유는 유전자 차이 때문이며, 유전적 다양성이 높을수록 환경 변화에 유리하다.

㉡ (나)는 생태계 다양성을 의미하며, 생태계 다양성이 높을수록 종 다양성도 높게 나타난다.
➡ 생태계마다 적응하여 살고 있는 생물들이 다르므로 생태계 다양성이 높으면 종 다양성도 높다.

✕ (다)는 외래종으로 인해 종 다양성이 ~~증가~~(감소)되는 현상을 설명한 것이다.
➡ 외래종은 고유종을 몰아내므로 종 다양성을 감소시키는 요인이다.

10 같은 종의 생물에서 형질에 차이가 나는 것은 유전적 다양성이다.

| **선택지 분석** |

① 같은 종의 생물끼리는 교배가 가능하다.
➡ 종은 자연 상태에서 교배하여 생식 가능한 자손을 낳을 수 있는 생물의 무리를 말한다.

② 생물의 생김새나 특성을 형질이라고 한다.
➡ 형질은 유전자가 발현되어 나타나는 것이다.

③ 같은 종의 생물에서 개체마다 생김새와 특성에 차이가 나는 것을 변이라 한다.
➡ 변이는 유전자의 차이에서 비롯된다.

✕④ 같은 종의 생물에서 개체마다 생김새와 특성에 차이가 나는 것은 ~~종 다양성~~(유전자 다양성)에 해당한다.
➡ 종 다양성은 생물 종의 다양한 정도를 말한다.

⑤ 같은 종의 생물에서 개체마다 생김새와 특성의 차이가 다양할수록 그 집단은 생존에 유리하다.
➡ 유전자 다양성이 클수록 급격한 환경 변화에 그 집단의 생존 확률이 높다.

11 개체 수가 10^4이 될 때까지는 개체 수가 증가할수록 유전자 변이가 증가하여 유전적 다양성이 높아지며, 유전적 다양성이 높은 집단은 환경 변화에 대한 적응에 유리하다. 서식지 단편화는 개체 수를 감소시키므로 유전자 변이도 줄게 된다.

| **선택지 분석** |

✕ 유전자 변이는 생물 다양성 중 ~~종 다양성~~(유전적 다양성)에 해당된다.
➡ 유전자 변이는 유전적 다양성을 의미한다.

✕ 서식지가 단편화되면 A의 개체 수가 ~~증가~~(감소)하므로 유전자 변이의 수가 ~~증가~~(감소)한다.
➡ 서식지 단편화는 생물의 개체 수를 크게 감소시켜 유전자 변이도 줄게 된다.

㉢ A의 개체 수가 10^3보다 10^5일 때 급격한 환경 변화에 대한 적응력이 높다.
➡ 유전자 변이가 10^3보다 10^5일 때 더 높기 때문이다.

12 건설 전과 건설 후의 생물 종 수는 동일하나 각 종의 개체 수와 분포 비율이 달라졌다. 도로 건설 후에 A~C의 비율이 균등하지 않으므로 종 다양성이 감소했으며, A의 꽃 색깔 변이가 감소하였으므로 꽃 색깔의 유전적 다양성이 감소하였다.

| **선택지 분석** |

✕ 생물종의 수가 ~~크게 감소~~(동일)하여 종 다양성이 낮아졌다.
➡ 생물종 수는 동일하나 전체 개체 수와 분포 비율이 달라졌다.

✕ 전체 생물의 개체 수가 감소하였기에 생태계 평형 유지에 더 ~~유리하다.~~
➡ 개체 수가 감소한 것은 생태계 평형에 불리하다.

㉢ A의 경우 흰색 꽃만 남게 되었으므로 유전적 다양성이 감소되었다.
➡ 변이가 줄어들어 유전적 다양성이 감소되었다.

13 선캄브리아 시대 지층에서는 화석이 거의 발견되지 않는다. 그리고 생물은 고정된 것이 아니라 진화를 통해 꾸준히 변화하고 있다.
생물 다양성은 유전적 다양성, 종 다양성, 생태계 다양성을 모두 포함하는 개념이다.

14 | **모범 답안** |

고생대에 처음으로 등장한 척추동물은 어류이다. 양서류는 대기 중 산소가 풍부해지고 두꺼운 오존층이 형성되어 자외선이 감소하였기 때문에 육지로 진출할 수 있었다.

| **풀이** |

어류는 최초의 척추동물이다. 양서류는 육상에서 서식하는 동물로 생명체가 육상활동을 하는 것이 가능했음을 알 수 있게 한다.

| **채점 기준** |

채점 기준	배점
최초의 척추동물과 양서류 등장의 의미를 모두 옳게 서술한 경우	100 %
양서류 등장의 의미만 옳게 서술한 경우	70 %
최초의 척추동물만 옳게 쓴 경우	30 %

15 | **모범 답안** |

두 화석 모두 중생대의 표준 화석이므로 이 지층은 중생대의 지층이다. 공룡은 육지에서 서식하던 생물이고 암모나이트는 바다에서 서식하던 생물이므로 한 지층에서 발견될 수 없다.

| **풀이** |

같은 지질 시대라도 육상에서 번성했던 생물과 해양에서 번성했던 생물이 같은 지층 내에서 퇴적될 수는 없다.

| 채점 기준 |

채점 기준	배점
지질 시대와 과학적 오류를 모두 옳게 서술한 경우	100 %
지질 시대나 과학적 오류 중 1가지만 옳게 서술한 경우	50 %

16 | 모범 답안 |

생물 다양성은 유전적 다양성, 종 다양성, 생태계 다양성을 모두 포함한 개념이다.

| 풀이 |

유전적 다양성, 종 다양성, 생태계 다양성이 모두 높아야 생물 다양성이 높다고 말할 수 있다.

| 채점 기준 |

채점 기준	배점
3가지 다양성을 포함하여 옳게 서술한 경우	100 %
2가지 다양성을 포함하여 옳게 서술한 경우	60 %
1가지 다양성을 포함하여 옳게 서술한 경우	30 %

17 | 모범 답안 |

(1) 종 다양성이 큰 지역은 A이다.

(2) A 지역에 서식하는 생물종의 수가 더 많고, 분포 비율도 고르기 때문이다.

| 풀이 |

(1) 종 다양성은 생물종의 수와 분포 비율을 모두 고려해야 한다.

(2) A 지역의 생물종 수는 5종, B 지역의 생물종 수는 4종이며, 분포 비율도 A지역이 더 고르다.

| 채점 기준 |

채점 기준	배점
지역을 옳게 서술한 경우	50 %
지역을 옳게 서술하지 못한 경우	0 %
까닭 2가지를 옳게 서술한 경우	50 %
까닭 1가지만 옳게 서술한 경우	25 %

18 | 모범 답안 |

유경, 다른 나라로부터 들어 온 생물은 새로운 서식지에 천적이나 질병 등이 없어 대량 번식하여 고유종을 몰아낼 위험이 있기 때문이다.

| 풀이 |

다른 나라로부터 들어 온 생물은 외래종으로 새로운 서식지에 성공적으로 정착하면 고유종과 공존함으로써 생물 다양성이 증가되는 경우도 있지만, 대부분은 대량 번식하여 생태계 평형을 파괴한다.

| 채점 기준 |

채점 기준	배점
이름과 까닭을 모두 옳게 서술한 경우	100 %
이름과 까닭 중 하나만 옳게 서술한 경우	50 %

VIII ≫ 생태계와 환경

01 생태계 평형

간단 점검 255쪽, 257쪽

1 생태계 2 개체 3 군집 4 생산자 5 분해자
6 비생물적 7 먹이 사슬 8 먹이 그물 9 영양 단계
10 생태 피라미드 11 생태계 평형

알쉬탐 258쪽

1 동물 플랑크톤 2 ⑤ 3 (1) × (2) ○ (3) × (4) ×

1 멸치의 주요 먹이는 동물 플랑크톤이다.

2 동물 플랑크톤은 1차 소비자이므로 멸치는 1차 소비자를 먹이로 하는 2차 소비자이다. 따라서 생산자는 식물 플랑크톤, 1차 소비자는 동물 플랑크톤, 2차 소비자는 멸치, 3차 소비자는 고등어이다.

3 (1) 멸치는 생태계에서 2차 소비자에 해당한다.
(2) 멸치의 개체 수가 갑자기 감소한다면 멸치의 먹이가 되는 동물 플랑크톤의 개체 수는 일시적으로 증가한다.
(3) 멸치의 개체 수는 생태계 평형에 큰 영향을 미칠 수 있다.
(4) 멸치는 피식자이므로 멸치의 개체 수가 포식자의 개체 수보다 더 많다.

개념 + 기본 문제 259쪽~261쪽

개념 문제
01 (1) 개체 (2) 개체군 (3) 군집 (4) 생태계
02 (1) × (2) ○ (3) ○ (4) ○
03 (1) × (2) ○ (3) × (4) ○
기본 문제
04 ③ 05 ④ 06 ⑤ 07 ③ 08 ④
09 ① 10 ② 11 ② 12 ③ 13 ① 14 ③

01 하나의 독립된 생물을 개체라고 하며, 같은 종의 생물로 구성된 집단을 개체군이라고 한다. 또 같은 지역에서 살아가는 개체군들의 집단을 군집이라고 하고, 생물과 환경이 서로 영향을 주고받는 복합적인 계를 생태계라고 한다.

02 (1) 생태계는 ~~식물과 동물, 그리고 미생물들로만~~ (생물과 환경을 모두 포함하여) 이루어져 있다.
(2) 논이나 어항 등도 저마다 하나의 생태계라고 할 수 있다.
(3) 생태계에서 에너지를 스스로 합성할 수 있는 것은 생산자 뿐이다. 분해자는 스스로 양분을 합성할 수 없어서 사체 등을 분해하여 에너지를 얻는다.
(4) 토끼, 코끼리 등의 초식 동물과 늑대, 호랑이 등의 육식 동물은 모두 소비자에 해당한다.

03 먹이 사슬이 복잡하게 연결된 것을 먹이 그물이라고 하며, 생태계가 안정된 상태를 생태계 평형이라고 한다.
생태계 평형은 개체군 사이의 먹이 사슬에 의해 기본적으로 유지되므로 먹이 그물이 복잡할수록 생태계 평형이 잘 유지된다. 또한, 생태계는 스스로 회복되어 평형 상태로 돌아가게 하는 조절 능력이 있다.

04 (가)는 소비자, (나)는 생산자, (다)는 분해자이다.
독립된 하나의 생명체는 개체, 일정한 지역에 함께 무리지어 모여 사는 같은 종으로 이루어진 개체들의 집단은 개체군, 같은 서식지에 모여 사는 개체군들의 무리는 군집이다.

선택지 분석
①× ~~서식지에 따라~~ (역할에 따라 또는 영양분을 얻는 방법에 따라) 생물들을 구분한 것이다.
②× (가)는 ~~개체군~~ (군집), (나)는 군집에 해당한다.
④× ~~(나)~~ (다)는 다른 생물의 배설물이나 죽은 생물을 분해한다.
⑤× 생태계에서 (다)의 생물들이 사라진다 해도 생태계는 안정적으로 유지될 수 ~~있다~~ (없다).

05 생태계 내에서 생물과 환경은 서로 영향을 주고받는다. 생태계에서 비생물적 요인은 생물에게 영향을 미치고, 생물은 비생물적 요인에 영향을 미친다.

06 일조 시간은 구름이나 안개 등에 가리지 않고 햇빛이 실제로 내리쬐는 시간으로 생물의 활동에 영향을 미친다. 계절의 변화에 따른 동식물의 변화는 일조 시간과 밀접한 관련이 있다.

07 (가)와 (나) 모두 온도에 대한 식물의 적응 현상이다.

선택지 분석
①× (가)와 (나)는 생물이 ~~다른 생물에 영향을 주는 예~~ (비생물적 요인의 영향을 받는 예)이다.
②× (가)에 영향을 미치는 비생물적 요인은 ~~일조 시간~~ (온도), (나)에 영향을 미치는 비생물적 요인은 ~~빛의 세기~~ (온도)이다.
④× (가)는 ~~생산자~~ (비생물적 요인), (나)는 ~~분해자~~ (비생물적 요인)가 각각 ~~환경에~~ (생물에) 영향을 끼친 결과이다.
⑤ (가)와 (나)에 영향을 미치는 비생물적 요인은 식물의 개화나 동물의 생식에 영향을 주기도 한다.
➡ 식물의 개화나 동물의 생식에 영향을 주는 것은 일조 시간이다.

08 ①과 ③은 물에 대한 적응, ②와 ⑤는 온도에 대한 적응 사례이다.

| 선택지 분석 |

① 고사리, 소나무 등의 육상 식물은 관다발이 발달하였다.
➡ 물에 대한 적응

② 겨울에 동백나무, 사철나무와 같은 상록수는 잎의 큐티클층이 더 두꺼워진다.
➡ 온도에 대한 적응

③ 곤충의 몸 표면은 외골격으로 되어 있고, 육상 식물은 뿌리가 발달되어 있다.
➡ 물에 대한 적응

⑤ 정온 동물은 몸이 털로 덮여 있거나 피하 지방을 축적하여 열이 빠져나가는 것을 막는다.
➡ 온도에 대한 적응

09 생태계 평형은 개체군 사이의 먹이 사슬에 의해 기본적으로 유지되므로 먹이 그물이 복잡할수록 생태계 평형이 잘 유지된다.

10 1차 소비자의 개체 수가 갑자기 증가하면 뒤이어 생산자는 감소하고, 2차 소비자는 증가한다.

11 스스로 양분을 합성하는 생물은 생산자로 그림에서는 제시되지 않았다. 상위 영양 단계로 갈수록 개체 수와 생물량은 점점 감소한다.

| 선택지 분석 |

- 나비와 애벌레는 생산자이다.
- 족제비는 1차 소비자이면서 동시에 2차 소비자이기도 하다.
- 이 생태계에 서식하는 뱀의 개체 수에 비해 개구리의 개체 수가 더 적다.
- 먹이 관계에 포함된 생물들 중에서 가장 생물량이 많은 개체군은 수리부엉이이다.

12 멸치는 2차 소비자이며, 생태계에서 상위 영양 단계로 갈수록 개체 수와 에너지양은 점점 감소한다.

| 선택지 분석 |

- 멸치는 다른 생물을 먹이로 하는 1차 소비자이다.
- 멸치의 개체 수는 멸치를 먹이로 하는 생물의 개체 수보다 항상 적다.
- 멸치 개체군에 포함된 에너지는 모두 멸치를 먹이로 하는 오징어 개체군으로 전달된다.
- 멸치의 개체 수가 갑자기 감소하면 동물 플랑크톤의 개체 수도 따라서 감소한다.

13 1차 소비자의 개체 수가 갑자기 증가하면 뒤이어 생산자는 감소하고, 2차 소비자는 증가한다. 그 다음 1차 소비자가 감소하며, 생산자는 증가하고, 2차 소비자는 감소하여 생태계 평형을 되찾는다.

14 도시 면적을 늘리면 자연 환경이 파괴되어 생태계에 좋지 않은 영향을 미칠 것이다.

실력 올리기 문제

262쪽~263쪽

01 ⑤ **02** ② **03** ③ **04** ① **05** ② **06** ③
07 해설 참조 **08** 해설 참조

01 (가)는 분해자이며, 생산자, 소비자, 분해자는 생물 군집에 속한다. 개체군은 동일한 종의 개체들로 이루어진다.

| 선택지 분석 |

ㄱ. 빛, 토양, 공기, 물 등은 비생물적 요인으로 생태계에 포함된다.

ㄴ. 이 생태계에 포함된 생산자, 소비자, (가)는 모두 하나의 개체군에 속한다.

ㄷ. (가)에는 세균, 곰팡이, 버섯 등이 속하며 다른 생물의 배설물이나 죽은 생물을 분해하여 양분을 얻는다.

02 (가)와 (나)는 모두 생물과 생물 사이의 관계이다. 개체군은 동일한 종의 개체들로 이루어진다.

| 선택지 분석 |

ㄱ. 개체군 A는 최소 2종 이상의 생물종으로 이루어진다.

ㄴ. 개체군 A, B, C는 이 생태계에서 군집을 형성한다.

ㄷ. (가)와 (나)는 생물과 환경 사이의 관계이다.

03 A는 2차 소비자, B는 1차 소비자, C는 생산자이다. ㉠은 B이며 피식자, ㉡은 A이며 포식자에 해당한다. 보통 포식자에 비해 피식자의 수가 많으며, 피식자의 개체 수 증감에 따라 포식자의 개체 수 변화가 뒤따른다. D 시기에는 피식자의 개체 수가 감소함에 따라 포식자의 개체 수도 따라서 감소한 것이다.

04 (가)는 3차 소비자, (나)는 2차 소비자, (다)는 1차 소비자, (라)는 생산자이다. 광합성으로 양분을 합성할 수 있는 것은 생산자뿐이며 상위 영양 단계로 갈수록 개체 수는 감소한다.

| 선택지 분석 |

ㄱ. (가)는 3차 소비자로 (가)~(라) 중 에너지양이 가장 적다.

ㄴ. (나)는 (다)를 먹이로 하며, (나)의 개체 수는 (다)의 개체 수에 비해 많다.

✗ (가)~(라) 중 유일하게 스스로 양분을 합성할 수 있는 것은 ~~1차 소비자~~(생산자)인 (라)이다.

05 | 자료 분석 |

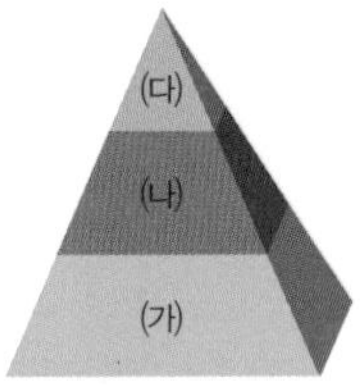

(가)는 생산자인 해초, (나)는 1차 소비자인 성게, (다)는 2차 소비자이면서 최종 소비자인 해달이다.

해달의 개체 수가 감소하면 먹이 관계에 의해 생태계는 평형을 회복할 수 있다.

06 생태계는 파괴되어도 오랜 시간이 흐르면 회복될 수 있다. 지진, 화산 폭발 등은 자연 재해에 의한 생태계 파괴에 해당한다. 생태계 보호를 위해 도로를 건설할 때 생태 통로를 설치하면 생태계의 심각한 파괴를 어느 정도 방지할 수 있다.

07 | 모범 답안 |

(1) 온도 (2) 사막여우는 몸의 말단 부위 면적이 넓으므로 효율적으로 열을 방출할 수 있기 때문이다.

| 풀이 |

위도에 따라 여우의 형태가 바뀌는 것은 온도에 대한 생물의 적응 사례이다. 체열을 효과적으로 방출하기 위해서는 부피 당 체표면적의 비율이 높아야 한다.

| 채점 기준 |

문항	채점 기준	배점
(1)	환경 요인을 옳게 쓴 경우	50 %
	환경 요인을 옳게 쓰지 못한 경우	0 %
(2)	몸의 면적과 열 방출의 까닭을 옳게 서술한 경우	50 %
	몸의 면적 또는 열 방출 중 어느 1가지만 서술한 경우	25 %

08 | 모범 답안 |

생태계 (나)가 잘 유지된다. (가)에서는 쥐가 사라지면 메뚜기의 천적이 없어져 메뚜기의 개체 수가 급증하여 생태계가 파괴되는 반면, (나)에서는 쥐가 사라져도 종 다양성이 커서 쥐를 대체할 다른 생물이 있기 때문에 생태계 평형이 유지되기 때문이다.

| 채점 기준 |

채점 기준	배점
생태계의 종류를 옳게 쓰고, 종 다양성이 더 높다는 언급을 하여 옳게 서술한 경우	100 %
생태계의 종류를 옳게 쓰고, 종 다양성을 언급하지 않고 서술한 경우	70 %
생태계의 종류만 옳게 쓴 경우	30 %

02 지구 환경 변화와 인간 생활

간단 점검 265쪽, 267쪽

1 대기 대순환 **2** 3개 **3** 편서풍 **4** 엘니뇨 **5** 온실 효과
6 이산화 탄소 **7** 지구 온난화 **8** 빙하 코어 연구
9 수억 년 단위의 과거 기후 **10** 북상

알쉬툭 268쪽

1 (1) × (2) × (3) ○ (4) ○

1 (1) 한반도의 평균 이산화 탄소 농도는 전 세계 값보다 높다.
(2) 기온이 상승하여 해수가 열팽창하므로 해수면은 상승할 것이다.

개념 + 기본 문제 269쪽~271쪽

개념 문제

01 (1) ○ (2) × (3) × **02** 무역풍, 용승, 상승
03 (1) ○ (2) ○ (3) ○ **04** (1) ○ (2) × (3) ○

기본 문제

05 ③ **06** ② **07** ④ **08** ④ **09** ③ **10** ① **11** ②
12 ① **13** ③ **14** ⑤ **15** 해수의 열팽창, 빙하의 융해
16 ④ **17** ③

01 (2) 해수의 표층 순환은 ~~밀도 차이에 의해~~(연중 일정한 방향의 바람과 해수의 마찰에) 발생하는 순환이다.
(3) ~~고위도~~(저위도)의 과잉된 에너지는 해수와 대기의 순환에 의해 ~~저위도~~(고위도)로 이동된다.

02 엘니뇨의 발생 과정은 다음과 같다. 무역풍 약화 → 적도 표층 해수 서쪽으로 이동 약화 → 용승 억제 → 적도 부근의 동태평양 표층 수온 상승

03 사막화는 사막 주변 지역이 황폐해져 점차 사막으로 변하는 현상으로 사막화가 진행될수록 황사나 모래폭풍이 증가한다.

04 (2) 과거에도 지구 기온은 계속 변화하였다.

05 (가)는 지구가 방출하는 지구 복사 에너지이고, 점선은 지구가 흡수하는 태양 복사 에너지이다. 면적 A는 부족한 에너지의 양, 면적 B는 과잉된 에너지의 양이며 복사 평형을 이루고 있기 때문에 저위도의 과잉된 에너지는 해수와 대기의 순환에 의해 고위도로 이동한다.

06 (가)는 페렐 모형, (나)는 해들리 모형이다. (가)는 지구 자전을 고려한 대기 대순환 모형으로 (나)보다 실제 지구 대기의 순환에 가깝다. 그러나 (가)와 (나) 모형은 모두 지표가 균질하다고 가정하여 실제 순환과는 차이가 발생한다. (가) 모형에서 위도 30° 부근은 하강 기류 때문에 강수량이 적어 사막이 나타나기 쉽다.

07 A(쿠로시오 해류)는 난류로 C(캘리포니아 해류)보다 수온이 높다. B는 편서풍에 의해 형성된 북태평양 해류, D는 무역풍에 의해 형성된 북적도 해류이다.

08 (가)는 평상시, (나)는 엘니뇨 시기일 때의 모습이다. (나)의 엘니뇨 시기에 동태평양은 용승이 억제되어 수온이 높고 호주나 인도네시아는 고기압이 형성되어 강수량이 줄어든다.

09 엘니뇨는 (나) 무역풍이 약화되어 (라) 따뜻한 적도 표층 해수가 서쪽으로 이동하는 것이 약화되고 (가) 용승이 억제되어 (다) 동태평양 표층 수온이 상승하는 과정으로 진행된다.

10 | 선택지 분석 |

✕ 중국과 몽골 지역에서의 사막화와 ~~황사는 관련이 없다~~. 황사를 증가시킨다.

ㄴ 자연적 요인과 인위적 요인이 복합적으로 작용하여 발생한다.

✕ (강수량－증발량)이 ~~큰~~ 작은 지역은 사막화가 일어나기에 더 유리하다.

11 온실 기체에는 이산화 탄소, 메테인, 오존, 수증기 등이 있다. 질소는 온실 기체에 해당하지 않는다.

12 빙하의 융해, 육지 면적 감소, 해양 산성화, 해안 저지대 침수 등은 지구 온난화로 인해 나타나는 현상이다. 그러나 화산 활동의 증가는 지구 내부 에너지에 의한 현상으로 지구 온난화와 관련이 없다.

13 지구 온난화를 줄이려면 온실 기체 배출을 줄여야 하므로 1회용 컵 등의 사용을 줄이고 개인컵을 사용하는 것이 좋다.

14 이산화 탄소는 온실 기체로 농도가 증가하면 온실 효과가 커져 기온이 상승한다. 최근 인간 활동으로 이산화 탄소 농도가 급격히 증가하고 있다.

15 바닷물의 온도 상승은 부피의 팽창(열팽창)을 일으켜 해수면이 상승한다. 또한, 기온의 상승으로 육지의 빙하나 만년설 등이 녹아서 해수면이 상승하게 된다.

16 | 선택지 분석 |

✕ 최근 기온의 상승폭은 ~~변화가 없다~~. 증가하고 있다.

ㄴ 꽃이 피는 시기가 점차 빨라지고 있다.

ㄷ 아열대성 식물의 서식지가 점차 북상하고 있다.

➡ 한반도에 이산화 탄소 농도는 증가하고 있으며 기온의 상승폭은 점차 증가하고 있는 추세이다. 또한 전 세계 평균보다 기온의 상승폭이 크다. 이로 인해 개화 시기가 빨라지고, 아열대성 식물의 서식지가 북상하고 있다. 바다의 수온은 상승하고 있고 해수면이 꾸준히 증가하고 있다.

17 | 선택지 분석 |

ㄱ 바다의 수온 상승으로 해수면은 높아진다.

✕ 동해 표층에 이산화 탄소의 양이 ~~감소~~ 증가했을 것이다.

ㄷ 공기 중에 이산화 탄소의 농도가 증가했을 것이다.

➡ 해수의 수온이 상승하면 해수의 열팽창으로 해수면이 상승한다. 공기 중의 이산화 탄소(CO_2)의 증가로 인해 해수 표층에 이산화 탄소 양이 증가하고 용해되어 해양 산성화가 진행된다.

실력 올리기 문제

272쪽~273쪽

01 ③ **02** ① **03** ② **04** ④ **05** ⑤ **06** ⑤
07 해설 참조 **08** 해설 참조 **09** 해설 참조

01 | 선택지 분석 |

ㄱ 위도 30° 지역에는 고기압이 발달한다.

ㄴ 적도 지역은 증발량보다 강수량이 많다.

✕ 위도 30°~60°에서의 순환은 ~~열적~~ 간접 순환이다.

➡ 위도 30°~60°에 해당하는 순환은 페렐 순환으로 열적 순환이 아닌 간접 순환에 속한다. 해들리 순환과 극 순환이 지표면의 가열 정도의 차이에 의한 열적 순환이다.

02 | 선택지 분석 |

ㄱ 고위도로 수송하는 에너지의 양은 A가 C보다 많다.

✕ B는 ~~무역풍~~ 편서풍에 의한 북태평양 해류이다.

✕ D는 ~~서쪽에서 동쪽~~ 동쪽에서 서쪽 방향으로 흐른다.

➡ A → B → C → D → A 순으로 시계 방향의 아열대 순환이 일어난다. 열에너지 수송은 저위도에서 고위도로 흐르는 A가 C보다 많다. A는 쿠로시오 해류, C는 캘리포니아 해류이다.

03 | 선택지 분석 |

✕ (가)는 ~~엘니뇨~~ 평상시 때의 모습이다.

✕ (나) 시기일 때 인도네시아에 강수량이 ~~많다~~. 적다.

ㄷ 무역풍의 세기는 (나)보다 (가) 시기에 강했다.

➡ (가)는 동태평양의 표층 수온이 낮기 때문에 평상시의 모습이며, (나)는 무역풍이 약해져 차가운 바닷물의 용승이 억제되어 동태평양의 수온이 높아진 엘니뇨 시기이다. 엘니뇨에 의해 서태평양에 고기압이 형성되고 강수량이 줄어든다.

04 | 자료 분석 |

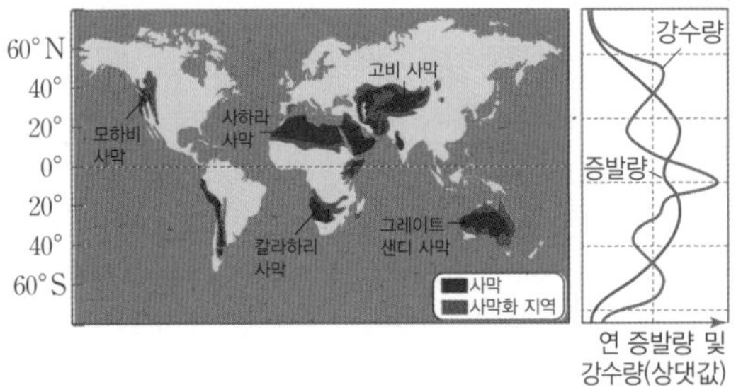

- 적도는 증발량에 비해 강수량이 많아서 사막화가 잘 일어나지 않는다.
- 강수량에 비해 증발량이 가장 많은 위도에 대부분의 사막 지역이 분포하고 있다.

| 선택지 분석 |

✗ 사막화는 ~~적도를~~ 중심으로 발생한다.
중위도 고압대

ⓛ 과도한 경작은 사막화의 한 요인이다.

ⓒ (강수량－증발량)값이 작은 곳에서 일어나기 쉽다.

➡ 적도는 강수량이 많아 사막화가 잘 발생하지 않는다. 사막화는 강수량이 적고 증발량이 많은 곳에서 여러 요인이 복합적으로 작용하여 발생한다.

05 반사율이 높으면 흡수율이 낮다. 빙하나 눈의 면적이 줄어들면 반사율이 줄어들어 태양 복사 에너지를 많이 흡수하게 되고 기온 상승에 도움을 준다.

06 이산화 탄소 농도가 증가하여 온실 효과는 커지고 이로 인하여 기온이 상승하였다. 기온 상승으로 해수의 온도가 높아지고 열팽창에 의해 해수면이 높아졌다.

07 | 모범 답안 |

동태평양의 표층 수온은 엘니뇨 시기일 때 높았다. 그 이유는 무역풍이 약화되어 동쪽에서 서쪽으로 흐르는 따뜻한 해수의 이동이 감소하면 동태평양 페루 앞바다에서 차가운 바닷물이 용승하지 못하거나 용승이 억제되기 때문이다. 따라서 표층 수온이 평소보다 높아진다.

| 풀이 |

엘니뇨 시기에는 무역풍이 약화되어 동쪽에서 서쪽으로 흐르는 따뜻한 해수의 이동이 감소하면 태평양의 동쪽에 있는 페루 앞바다에 따뜻한 해수가 머물러 용승이 일어나기 어려워진다. 따라서 차가운 바닷물이 표층으로 올라오지 못해 표층 수온이 평소보다 높아진다.

| 채점 기준 |

채점 기준	배점
표층 수온이 높았던 엘니뇨 시기와 그 이유를 무역풍의 약화에 따른 용승의 억제 때문이라고 옳게 서술한 경우	100 %
표층 수온이 높았던 엘니뇨의 시기만 서술한 경우	30 %

08 | 모범 답안 |

자연적 요인: 강수량의 감소와 증발량의 증가로 인해 사막화가 진행된다.

인위적 요인: 과다 방목, 산림 벌채, 과잉 경작 등에 의해 사막화가 진행된다.

| 풀이 |

사막화의 원인으로 자연적 요인과 인위적 요인이 있다. 자연적 요인은 기후 변화에 의한 것으로 강수량에 비해 증발량이 많은 건조 기후가 되는 것이다. 인위적 요인은 과다 방목, 산림 벌채, 과잉 경작, 물 사용량의 변화 등 인간의 활동에 의한 것이다. 이 두 요인이 복합적으로 작용해 사막화가 일어난다.

| 채점 기준 |

채점 기준	배점
자연적 요인(1가지 이상)과 인위적 요인(2가지 이상)을 모두 옳게 옳게 경우	100 %
자연적 요인(1가지 이상)과 인위적 요인(1가지)을 모두 옳게 서술한 경우 또는 인위적 요인(2가지 이상)만을 모두 옳게 서술한 경우	60 %
자연적 요인(1가지) 또는 인위적 요인(1가지)만 옳게 서술한 경우	30 %

09 | 모범 답안 |

이산화 탄소 농도가 증가하면 평균 기온이 상승한다. 그 이유는 이산화 탄소는 온실 기체이므로 방출되는 지구 복사 에너지를 흡수하고 지구로 재복사하여 지구의 기온을 상승시키기 때문이다.

| 풀이 |

온실 기체는 지구에서 방출하는 적외선 영역의 파장을 흡수하여 다시 지구로 방출한다. 이로 인하여 기온이 상승하게 된다.

| 채점 기준 |

채점 기준	배점
기후 변화와 이유를 모두 옳게 서술한 경우	100 %
기온 변화와 이유 중 1가지만 옳게 서술한 경우	50 %

03 에너지의 전환과 효율적 이용

간단 점검 275쪽, 276쪽

1 에너지 보존 법칙 **2** 열기관 **3** 에너지 효율 **4** 불가능하다 **5** 에너지 제로 하우스 **6** LED(발광 다이오드) **7** 하이브리드 자동차

알쉬특 277쪽

1 (1) × (2) ○ (3) × **2** 35 % **3** 30 % **4** ㄱ, ㄴ, ㄷ

4 에너지가 전환되는 과정에서 총량은 항상 일정하게 보존된다. 열효율 100 %인 기관은 존재하지 않는다.

개념 + 기본 문제 278쪽~279쪽

개념 문제

01 (1) 전기 에너지 → 소리 에너지
(2) 핵에너지 → 열에너지
(3) 역학적 에너지 → 전기 에너지
(4) 전기 에너지 → 화학 에너지

02 (1) ○ (2) × (3) ○ (4) ×

03 에너지 효율

기본 문제

04 ② **05** ④ **06** ⑤ **07** ① **08** 8000 J
09 25 % **10** 지구 온난화 **11** ⑤ **12** ④

02 (2) 자동차의 연료가 연소되어 생긴 화학 에너지는 모두 운동 에너지로 ~~전환된다~~. (전환될 수 없다)
(4) 현재 사용되는 열기관 중 가장 효율이 높은 기관의 효율~~은 100 %이다~~. (도 100 %가 될 수 없다.)

04 마이크에 대고 이야기를 할 때에는 소리 에너지가 전기 에너지로 전환된다.

05 세탁기는 전기 에너지를 운동 에너지로 전환하여 사용한다.

06 태양 전지는 태양의 빛에너지를 전기 에너지로 전환한다.

07 에너지가 전환되더라도 에너지의 총량은 일정하다. 이를 에너지 보존 법칙이라고 한다.
✕ 에너지가 전환되~~면서 총량은 점점 감소한다~~. (더라도 총량은 보존된다.)

08 저온으로 빠져나가는 열에너지는 공급된 열에너지에서 열기관이 한 일을 뺀 나머지이다.

09 $Q_1 = 200$ kJ이므로 $e = \frac{50 \text{ kJ}}{200 \text{ kJ}} = 25$ %이다.

10 이산화 탄소로 인한 지구 온난화는 알래스카의 시시마레프 섬의 침수, 북극 생태계 파괴, 한반도의 아열대 기후 확장 등의 영향을 미친다.

11 에너지 효율은 형광등보다 LED 조명이 더 높다.
✕ ~~LED 조명~~(형광등)을 ~~형광등~~(LED 조명)으로 교체한다.

12 | 선택지 분석 |
㉠ 화석 연료를 이용하는 엔진과 전지, 전동기를 함께 사용한다.
㉡ 일반 자동차에 비하여 에너지 효율이 높다.
✕ 감속하는 동안에는 ~~전기 에너지~~(운동 에너지)가 ~~운동 에너지~~(전기 에너지)로 전환된다.

실력 올리기 문제 280쪽~281쪽

01 ② **02** ⑤ **03** ② **04** ④ **05** ③ **06** ⑤
07 해설 참조 **08** 해설 참조 **09** 해설 참조

01 전기밥솥은 전기 에너지를 열에너지로 전환시켜 주고, 자동차 엔진에서는 열에너지가 운동 에너지로 전환된다.
| 선택지 분석 |
✕ 전기밥솥으로 밥을 짓는다. 전기 에너지 → 열에너지
㉡ 물을 끓여서 발생한 수증기로 터빈을 돌려 전기를 생산한다.
✕ 자동차 엔진에서 연료가 연소하여 피스톤이 운동한다. 열에너지 → 운동 에너지

02 공이 원래 높이까지 올라온 것은 중력 퍼텐셜 에너지가 운동 에너지로 전환되고, 다시 처음의 중력 퍼텐셜 에너지로 돌아온 것이므로 에너지의 손실이 없다.

03 증기 기관은 열에너지 → 역학적 에너지, 태양 전지는 빛에너지 → 전기 에너지, 수력 발전은 역학적 에너지 → 전기 에너지, 전열기는 전기 에너지 → 열에너지의 에너지 전환이 일어난다.

04 | 자료 분석 |

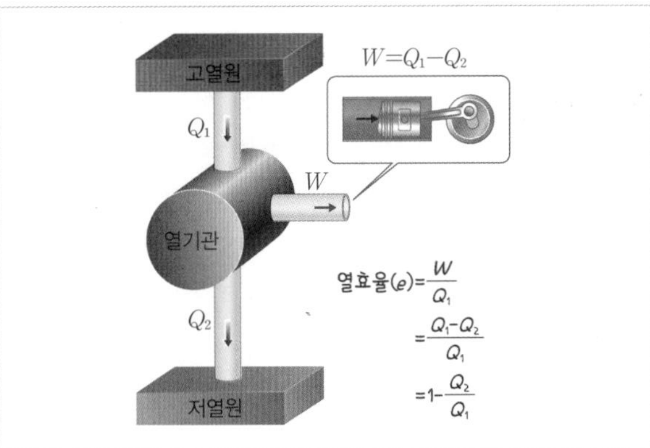

| 선택지 분석 |

ㄱ. $Q_1=W$인 열기관을 만들 수 없다.

ㄴ. 열기관의 효율은 $\frac{Q_2}{Q_1}$가 ~~클수록~~ 크다. (작을수록)

ㄷ. 열효율이 높을수록 같은 에너지로 더 많은 일을 할 수 있다.

05 같은 열에너지를 공급했을 때 하는 일은 C가 D의 $\frac{2}{3}$이다.

| 선택지 분석 |

ㄱ. 같은 전기 에너지를 소모할 때 A가 B보다 버려지는 에너지가 더 많다.

ㄴ. 같은 양의 일을 한다면 C가 D보다 연료를 더 소비한다.

ㄷ. 같은 열에너지를 공급했을 때 하는 일은 C가 D의 ~~$\frac{1}{2}$~~ $\frac{2}{3}$이다.

06 폐열을 이용한 발전, LED 조명, 하이브리드 자동차는 효율이 높아 에너지를 절약할 수 있다.

| 선택지 분석 |

- 철수: 공장에서 나오는 폐열을 이용해서 전기를 만들 수 있어.
- 영희: 백열등에서는 열이 많이 발생하기 때문에 가정에서는 LED 조명을 사용하지.
- 민수: 하이브리드 자동차는 엔진과 전지, 전동기를 함께 사용해서 에너지 효율이 높아.

07 | 모범 답안 |

전기 에너지 중 일부가 열에너지로 전환되어 중앙 처리 장치의 온도가 올라간다. 온도가 올라가면 오작동을 일으킬 수 있으므로 냉각팬을 돌려 열을 공기 중으로 내보 낸다.

| 풀이 |

컴퓨터의 전기 에너지 중 일부가 열에너지 형태로 전환되기 때문에 기계의 오작동을 줄이기 위해서 식혀 주는 과정이 필요하다.

| 채점 기준 |

채점 기준	배점
에너지 전환 과정을 옳게 서술한 경우	100 %
에너지 전환 과정의 서술이 미흡한 경우	30 %

08 | 모범 답안 |

열기관의 특성상 버려지는 열에너지는 항상 존재하고 버려지는 열에너지는 다시 사용하기 어려운 형태의 에너지로 전환되어 열기관의 효율은 100 %가 되는 것은 불가능하다. 따라서 에너지를 절약하고 효율적으로 사용해야 한다.

| 풀이 |

에너지 전환 법칙은 항상 성립하지만 우리가 사용할 수 있는 에너지 형태는 그 중 일부이다.

| 채점 기준 |

채점 기준	배점
열기관의 특성상 버려지는 에너지가 반드시 존재함을 옳게 서술한 경우	100 %
열기관의 특성상 버려지는 에너지가 반드시 존재하는 것에 대한 서술이 미흡한 경우	50 %

09 | 모범 답안 |

우리나라에서는 27개 제품의 에너지 효율을 1등급~5등급으로 구분하고, 소비 전력을 줄인 제품에 높은 등급을 주어 소비자들이 에너지를 절약하는 제품을 쉽게 알 수 있도록 한다.

| 풀이 |

에너지 소비 효율 등급과 에너지 절약 표시는 우리나라에서 에너지를 효율적으로 사용하기 위한 정책이다.

| 채점 기준 |

채점 기준	배점
소비 전력을 줄인 제품에 높은 등급을 주어 에너지를 절약하는 제품을 쉽게 알 수 있게 함을 옳게 서술한 경우	100 %
에너지 소비 효율 등급에 대한 서술이 미흡한 경우	50 %

대단원 마무리 282쪽~287쪽

한번에 정리하는 대단원 마무리

① 개체 ② 개체군 ③ 군집 ④ 생태계 ⑤ 생산자 ⑥ 소비자 ⑦ 분해자 ⑧ 빛 ⑨ 먹이 사슬 ⑩ 먹이 그물 ⑪ 영양 단계 ⑫ 생태 피라미드 ⑬ 생태 평형 ⑭ 인간 ⑮ 대기 대순환 ⑯ 복사 에너지 ⑰ 엘니뇨 ⑱ 용승 ⑲ 감소 ⑳ 온실 효과 ㉑ 빙하 코어 ㉒ 일 ㉓ 에너지 전환 ㉔ 빛 ㉕ 화학 ㉖ 에너지 보존 ㉗ 에너지 효율 ㉘ 열기관 ㉙ 열효율 ㉚ 100 % ㉛ 지구 온난화 ㉜ 에너지 제로 하우스 ㉝ LED 조명 ㉞ 하이브리드 자동차

한번에 끝내는 대단원 마무리

01 ⑤ **02** ② **03** ④ **04** ③ **05** ⑤ **06** ⑤ **07** ③ **08** ② **09** ① **10** ④ **11** ⑤ **12** ② **13** ①
14 해설 참조 **15** 해설 참조 **16** 해설 참조 **17** 해설 참조

01 생물 군집은 개체군들로 구성된다. 사슴과 식물은 모두 생물이므로 ㉠의 예가 아니다. 종달새가 봄에 번식하는 것은 ㉠의 예이다.

| 선택지 분석 |

ㄱ. ~~생물 군집~~은 같은 종의 개체들로 구성된다. (개체군)

➡ 같은 종으로 이루어진 개체들의 집단은 개체군이고, 군집은 개체군들의 무리이다.

ㄴ. 사슴의 개체 수가 급증하자 식물의 생산량이 감소하는 것은 ~~㉠의 예이다.~~ (㉠의 예가 아니다.)

➡ ㉠은 비생물적 요인이 생물에게 영향을 미치는 작용이다.

✕ 종달새가 봄에 번식하는 것은 ~~㉡의 예~~(㉠의 예)이다.

➡ ㉡은 생물이 환경에 영향을 미치는 경우이다.

✕ 분해자는 ~~비생물적 환경 요인~~(생물적 요인)에 속한다.

➡ 분해자에는 세균, 곰팡이, 버섯 등이 속한다.

⑤ 개체군 A와 개체군 B는 자연 상태에서 교배하여 생식 능력이 있는 자손을 낳을 수 없다.

➡ 개체군 A와 개체군 B는 서로 다른 종에 해당한다.

02 (가)는 일조 시간, (다)는 빛의 파장에 따른 생물의 적응 현상이다. (다)에서 녹조류의 영양 단계는 생산자에 해당한다.

| 선택지 분석 |

✕ (가)는 ~~빛의 세기~~(일조 시간), (다)는 빛의 파장에 따른 생물의 적응 현상이다.

➡ 붓꽃은 일조 시간이 길어지는 봄과 초여름에 꽃이 피고, 코스모스는 일조 시간이 짧아지는 가을에 꽃이 핀다.

㉡ (나)는 생물로 인해 환경 요인이 영향을 받는 예이다.

➡ 낙엽은 생물로 인해 만들어진 것으로 환경 요인인 토양의 성분을 변화시키는 예이다.

✕ (다)에서 녹조류의 영양 단계는 ~~분해자~~(생산자)에 해당한다.

➡ 녹조류는 광합성을 통해 스스로 양분을 합성하는 생산자이다.

03 생산자가 가진 에너지의 일부만 1차 소비자에게 전달된다. (나)에서 메뚜기가 모두 사라지면 먹이 관계에 있는 다른 생물의 개체 수에 영향을 미친다.

| 선택지 분석 |

✕ (가)는 ~~먹이 그물~~(먹이 사슬), (나)는 ~~먹이 사슬~~(먹이 그물)이다.

✕ (가)는 먹이 관계가 단순하므로 ~~(나)에 비해 생태계 평형이 잘 유지될 수 있다.~~((나)가 생태계 평형을 더 잘 유지한다.)

➡ 종 다양성이 높아 먹이 그물이 복잡할수록 생태계 평형이 잘 유지된다.

✕ (가)에서는 벼가 가진 ~~모든 에너지~~(일부 에너지)가 메뚜기에게로 전달된다.

➡ 식물이 광합성을 통해 만든 양분 중 절반 정도는 자신의 생명 활동과 몸을 구성하는 데 사용하고, 일부는 낙엽, 나머지가 1차 소비자에게로 전달된다.

④ 개구리는 (가)에서는 2차 소비자, (나)에서는 2차 소비자이면서 동시에 3차 소비자이다.

➡ 먹이 그물이 복잡하면 소비자는 여러 영양 단계를 나타내기도 한다.

✕ (나)에서 메뚜기가 모두 사라진다 해도 메뚜기를 제외한 모든 생물의 개체 수는 ~~변함이 없다.~~(변하게 된다.)

➡ 한 개체군의 수가 변하면 먹이 관계로 연결된 다른 개체군의 수도 변하게 된다.

04 (가)에서 A는 1차 소비자에 해당하고, (나)에서 B는 2차 소비자에 해당한다. 2차 소비자는 1차 소비자에 비해 전달받는 에너지가 적기 때문에 동일한 양의 옥수수를 수확하였을 때 (가)에 비해 (나)는 더 적은 사람들에게 에너지가 공급된다.

| 선택지 분석 |

✕ A와 B는 ~~모두 동일한~~(다른) 영양 단계에 해당한다.

➡ A는 1차 소비자, B는 2차 소비자이다.

✕ ~~(나)의 생태계만~~((가)와 (나) 모두) 평형을 유지할 수 있다.

➡ 생태계를 구성하는 생물 군집의 구성이나 개체 수, 물질의 양, 에너지의 흐름이 안정된 상태를 유지하는 것을 생태계 평형이라 한다.

③ 고기 소비가 증가할수록 (나)는 옥수수를 재배하는 경작지가 (가)보다 더 많이 필요하다.

➡ 소를 기르기 위해서는 사료가 필요하므로 (가)보다 많은 경작지가 필요하다.

✕ A에 비해 B가 더 ~~많은~~(적은) 에너지를 전달받는다.

➡ 2차 소비자는 1차 소비자에 비해 전달받는 에너지가 더 적다.

✕ (가)보다 (나)의 생태계가 더 ~~많은~~(적은) 사람들에게 식량을 공급할 수 있다.

➡ 동일한 양의 옥수수를 수확하였을 때 (가)에 비해 (나)는 더 적은 사람들에게 에너지가 공급된다.

05 **| 선택지 분석 |**

㉠ 지구 자전을 고려한 모형이다.

➡ 자전을 고려하지 않으면 하나의 순환 세포만 생긴다.

㉡ 위도 30°에서는 강수량이 적다.

➡ 위도 30°에서는 하강 기류(고기압)가 발달하여 구름이 잘 생기지 않아 강수량이 적다. 적도 근처와 위도 60° 근처는 상승 기류에 의해 구름이 잘 발달하여 강수량이 많은 편이다.

㉢ 저위도의 에너지가 고위도로 이동한다.

➡ 대기 대순환과 해수의 순환은 저위도의 과잉된 에너지를 고위도로 수송하는 역할을 하고 있다.

06 **| 선택지 분석 |**

㉠ 사막 지역은 대기 대순환과 밀접한 관련이 있다.

㉡ 과잉 경작이나 과잉 방목 등이 사막화를 촉진시킨다.

㉢ 사막화는 강수량이 적은 곳에 발생할 가능성이 높다.

➡ 대기 대순환에 의해 위도 30°에서는 하강 기류(고기압)가 발달하여 구름이 잘 생기지 않는다. 따라서 증발량에 비해 강수량이 적어 사막이 잘 발달한다. 이러한 자연적 요인에 과잉 경작, 과잉 방목, 산벌채 등의 인간 활동이 사막화를 촉진시킨다.

07 **| 선택지 분석 |**

㉠ (가)의 농도 변화에 화석 연료의 사용이 중요한 역할을 했다.

➡ 이산화 탄소의 농도가 최근 100년 동안 증가한 중요한 원인은 화석 연료의 사용에 있다.

㉡ (나)와 같은 온도 변화의 원인 중 하나는 이산화 탄소 농도의 증가이다.

ㄱ. 1900년 이후에 극지방의 반사율이 계속 ~~증가~~ 감소했을 것으로 예상된다.

➡ 지구 평균 기온의 상승으로 극지방의 빙하가 녹아서 반사율은 감소했을 것이다.

08 | 선택지 분석 |

① 무역풍이 ~~강하게~~ 약하게(또는 거의 불지 않음) 불었다.

② 이 시기에는 엘니뇨가 나타났다.

③ 호주 지역의 ~~강수량이 많이 증가했다.~~ 강수량이 줄었다.(가뭄이 생겼다.)

④ 동태평양 연안에서는 용승이 ~~잘 나타났다.~~ 억제되었다.

⑤ 적도 해역의 표층 수온은 서태평양에 비해 동태평양에서 더 ~~낮아졌다.~~ 높아졌다.

➡ 동태평양 적도 해역의 해수면이 높은 상태인 이유는 해수의 열팽창 때문이다. 즉 동태평양 적도 해역의 온도가 높은 상태인 엘니뇨 현상을 나타낸 것이다.

09 | 선택지 분석 |

(가)와 (나)는 전기 에너지가 빛에너지로 전환된 것이고, (다)는 빛에너지가 화학 에너지로 전환된 것이다. (라)는 화학 에너지가 빛에너지로 전환된 것이다.

10 열기관은 고열원으로부터 열 Q_1을 흡수하여 일 W를 하고 저열원으로 열 Q_2를 방출하는 기관으로 증기 기관의 열효율은 약 10 %, 디젤 기관의 열효율은 약 30 %~40 %이다.

| 선택지 분석 |

ㄱ. Q_1을 ~~증가~~ 감소시킨다.

➡ 열효율 $\frac{Q_1-Q_2}{Q_1}$이 일정하기 때문에 Q_1이 증가하면 Q_2도 증가한다.

ㄴ. $\frac{W}{Q_1}$를 증가시킨다.

➡ 열기관의 열효율을 증가시키는 것으로 열효율이 증가하면 저열원으로 방출하는 에너지가 감소한다.

ㄷ. 증기 기관에서 디젤 기관으로 교체한다.

➡ 증기 기관의 열효율은 약 10 %, 디젤 기관의 열효율은 약 30 % ~ 40 %이므로 열효율이 증가하는 효과가 있다.

11 | 자료 분석 |

자동차	A	B
엔진에 공급되는 에너지(kJ)	120	100
엔진이 하는 일(kJ)	20	20
	$e_A=\frac{20}{120}=\frac{1}{6}$	$e_B=\frac{20}{100}=\frac{1}{5}$

A와 B에서 하는 일이 같을 때 열효율은 공급되는 에너지에 반비례하므로 열효율 비는 5 : 6이다.

12 하이브리드 자동차는 화석 연료를 이용하는 엔진과 전기 에너지를 이용하는 전지, 전동기를 함께 사용하는 자동차로 일반 자동차에 비해 버려지는 열에너지의 양이 적어 에너지 효율이 높다.

| 선택지 분석 |

ㄱ. 하이브리드 자동차는 ~~전기 에너지만을~~ 화석 연료의 화학 에너지와 전기 에너지를 모두 사용하여 주행한다.

➡ 하이브리드 자동차는 화석 연료를 이용하는 엔진과 전기 에너지를 이용하는 전지, 전동기를 함께 사용한다.

ㄴ. ~~가속~~ 감속할 때 자동차의 운동 에너지가 전기 에너지로 전환된다.

➡ 가속 시에는 전동기가 엔진을 보조하고 감속 시에는 운동 에너지가 전기 에너지로 전환된다.

ㄷ. 기존의 자동차에 비해 에너지를 효율적으로 사용한다.

➡ 일반 자동차에 비해 버려지는 열에너지의 양이 적어 에너지 효율이 높다.

13 과거에 비해 최근 연평균 기온의 상승폭이 커졌다. 열효율이 높을수록 같은 양의 일을 하기 위해 에너지가 적게 필요하다.

| 선택지 분석 |

- 철수: 생태계는 평형이 깨져도 다시 안정된 상태로 돌아가는 조절 능력이 있어.

➡ 생태계는 일시적으로 평형이 깨져도 먹이 관계에 의해 다시 안정된 상태로 돌아가는 조절 능력이 있다.

- ~~영희~~: 과거에 비해 최근 연평균 기온의 상승폭이 작아졌어. 커졌어

➡ 지구 온난화 등으로 인해 과거에 비해 최근 연평균 기온의 상승폭이 커졌다.

- ~~민수~~: 열효율이 높을수록 같은 양의 일을 하려면 더 ~~많은~~ 적은 에너지를 공급해 주어야 해.

➡ 열효율은 공급한 에너지 대비 해준 일의 비율로 열효율이 높을수록 같은 양의 일을 하기 위해 더 적은 에너지가 필요하다.

14 | 모범 답안 |

(1) 강한 빛을 받는 잎

(2) 얇은 잎을 가진 식물

| 풀이 |

(1) 강한 빛에 적응한 식물의 잎은 양엽, 약한 빛에 적응한 식물의 잎은 음엽으로 빛의 세기에 따른 식물의 적응 현상이다. 강한 빛을 받는 잎은 약한 빛을 받는 잎에 비해 더 두껍다.

(2) 양엽은 음엽에 비해 울타리 조직이 더 발달하여 잎의 두께가 더 두껍고 좁은 편이다. 얇은 잎을 가진 식물이 그늘진 환경에서 더 생존에 유리하다.

| 채점 기준 |

등급	채점 기준	배점
(1)	강한 빛을 받는 잎을 옳게 쓴 경우	50 %
	강한 빛을 받는 잎을 옳게 쓰지 못한 경우	0 %
(2)	얇은 잎을 가진 식물을 옳게 쓴 경우	50 %
	얇은 잎을 가진 식물을 옳게 쓰지 못한 경우	0 %

15 | 모범 답안 |

식물 플랑크톤 → 동물 플랑크톤 → 크릴새우 → 청어 → 오징어 → 펭귄 → 바다표범 → 고래

| 풀이 |

생산자인 식물 플랑크톤으로부터 가장 많은 종의 생물이 포함되는 먹이 사슬을 찾는다.

| 채점 기준 |

채점 기준	배점
먹이 사슬을 옳게 서술한 경우	100 %
먹이 사슬을 구성하는 단계가 7~6개인 경우	70 %
먹이 사슬을 구성하는 단계가 5~4개인 경우	50 %
먹이 사슬을 구성하는 단계가 3개 이하인 경우	30 %

16 | 모범 답안 |

(1) 해수면의 높이가 상승하는 경향을 보이고 있다.

(2) 해수의 온도 상승에 따른 열팽창, 기온 상승에 따른 빙하와 만년설의 융해

| 풀이 |

(1) 연도가 지날수록 상승과 하강이 반복되어 나타나지만 전체적으로 상승하고 있는 경향을 보인다.

(2) 해수의 온도가 상승하면 해수의 부피가 팽창하여 해수면의 높이가 높아진다. 또한 빙하와 만년설이 녹게 되어 해수면의 높이가 높아진다.

| 채점 기준 |

문항	채점 기준	배점
(1)	경향을 옳게 서술한 경우	40 %
(2)	까닭 2가지를 모두 옳게 서술한 경우	60 %
	까닭을 1가지만 옳게 서술한 경우	30 %

17 | 모범 답안 |

전구를 사용하면 빛에너지뿐만 아니라 열에너지도 발생한다. 조명에서 열에너지는 불필요한 에너지이므로, 열에너지 발생이 적어 에너지 효율이 좋은 LED 조명을 사용한다.

| 풀이 |

백열등은 필라멘트에서 열에너지가 많이 발생하기 때문에 에너지 효율이 낮으므로 에너지 효율이 좋은 형광등을 가정용 조명으로 널리 사용했다. 최근에는 에너지 효율이 더 높은 백색 LED 등이 개발되어 사용되고 있다.

| 채점 기준 |

채점 기준	배점
열에너지와 에너지 효율을 모두 사용하여 옳게 서술한 경우	100 %
열에너지와 에너지 효율 중 하나만 바르게 옳게 경우	50 %

IX »» 발전과 신재생 에너지

01 ~ 전기 에너지의 생산

간단 점검 291쪽, 293쪽

1 나침반 자침의 N극이 가리키는 방향 **2** × **3** 전자기 유도 현상 **4** × **5** 전기 에너지 **6** ○ **7** ○ **8** 수력 발전

개념 + 기본 문제 294쪽~295쪽

개념 문제

01 (1) ○ (2) ○ (3) × **02** (1) ㉠ (2) ㉢ (3) ㉡

03 수력 발전

기본 문제

04 ⑤ **05** ④ **06** ③ **07** ㉠ a ㉡ b **08** ⑤ **09** ③

01 (3) 자기력선이 조밀할수록 자기장의 세기는 강하다.

02 (1) 전자기 유도 현상은 코일 근처에서 자석이 움직이거나 자석 근처에서 코일이 움직일 때 코일에 전류가 발생하는 현상이다.

(2) 유도 기전력은 전자기 유도 현상에 의해 코일에 발생하는 전류가 흐르기 위한 전압이다.

(3) 패러데이의 발견에 따르면 코일을 통과하는 자기 선속이 변할 때 자기 선속의 시간적인 변화율에 비례하고, 코일의 감은 수에 비례하는 유도 기전력이 발생한다.

03 수력 발전은 높은 곳에 위치한 물의 퍼텐셜 에너지 차이를 이용하여 발전하는 방식으로 발전소를 건설하는 데 비용이 많이 들고 주변 환경에 큰 영향을 미치는 단점이 있다.

04 | 선택지 분석 |

✕ 막대자석의 외부에서 자기력선은 ~~S극~~(N극)에서 나와 ~~N극~~(S극)으로 들어간다.

✕ 자기장의 방향은 자석 주위에 나침반을 놓았을 때 자침의 ~~S극~~(N극)이 가리키는 방향으로 정의한다.

✕ 전류가 흐르는 도선이 자기장을 만들 수 있다는 것을 최초로 발견한 사람은 ~~패러데이~~(외르스테드)이다.

✕ 코일 내부에서 자기장의 방향은 ~~왼손~~(오른손) 네 손가락을 전류의 방향으로 감아쥘 때 엄지손가락이 가리키는 방향이다.

⑤ 코일 내부에서 자기장의 세기는 전류의 세기에 비례한다.

05 | 선택지 분석 |

✕ 코일의 내부에서 자기장의 방향은 ~~P에서 Q를~~(Q에서 P를) 향하는 방향이다.

ㄴ 코일의 왼쪽은 자석의 N극에 해당한다.

ㄷ 전류의 세기가 커지면 코일 내부의 자기력선의 간격은 조밀해진다.

06 코일에 유도 전류가 흐르는 경우는 코일을 통과하는 자기 선속의 변화가 있을 때이다. 코일 내부에 자석이 정지하고 있으면 자기 선속의 변화가 없으므로 유도 전류가 흐르지 않는다.

✕ 자석이 코일 내부에 정지해 있을 때 코일에 ~~흐르는 유도 전류의 세기는 최대가 된다.~~(유도 전류가 흐르지 않는다.)

07 자석의 N극을 아래로 향하도록 한 후 코일에 가까이 가져가면 코일을 아래쪽으로 통과하는 자기 선속이 증가하므로 코일에는 위쪽을 향하는 자기 선속을 만드는 방향으로 유도 전류가 흐르게 된다.

08 | 선택지 분석 |

✕ ~~화력 발전~~(수력 발전)은 비교적 연료 공급이 무한하다.

✕ ~~수력 발전~~(핵발전)의 주연료는 우라늄이다.

✕ ~~화력 발전~~(수력 발전)은 오염 물질이 거의 발생하지 않는다.

✕ 수력 발전은 건설 비용이 화력 발전보다 ~~적게~~(많이) 든다.

⑤ 두 발전은 모두 전자기 유도 현상을 이용하여 전기 에너지를 생산한다.

09 우라늄을 이용한 발전은 핵발전으로 폐기물을 처리하기가 쉽지 않다는 단점이 있다.

③ 우라늄을 이용하여 발전할 때 ~~폐기물이 거의 발생하지 않는다.~~(방사성 폐기물이 발생한다.)

실력 올리기 문제 296쪽~297쪽

01 ① **02** ④ **03** ③ **04** ③ **05** ⑤ **06** ④
07 해설 참조 **08** 해설 참조 **09** 해설 참조

01 코일에 흐르는 전류의 방향으로 오른손을 감싸쥐면 엄지가 오른쪽을 향한다. 즉, 솔레노이드 내부에는 a → b 방향의 자기장이 형성된다. 따라서 자침의 N극은 b쪽을 가리킨다.

| 선택지 분석 |

ㄱ (나)에서 솔레노이드 내부에 나침반을 놓으면 자침의 N극은 b를 향한다.

✕ 솔레노이드 내부에서 자기장의 세기는 ~~(나)에서가 (다)에서보다~~((다)에서가 (나)에서보다) 크다.

✕ 솔레노이드 내부에서 자기장의 방향은 (나)와 (라)에서 ~~같다~~. 반대이다.

02 패러데이의 발견에 따르면 코일에 발생하는 유도 기전력은 자기 선속의 시간적인 변화율과 코일의 감은 수에 비례한다.

✕ 코일에 발생하는 유도 기전력은 자기 선속의 시간적인 변화율에 ~~반비례~~ 비례하고 코일의 감은 수에 비례한다.

03 솔레노이드에 흐르는 유도 전류에 의해 코일의 오른쪽은 N극을 형성하게 되므로 솔레노이드 내부에는 오른쪽 방향의 자기장이 형성된다. 따라서 B의 운동 방향과 같다.

✕ 솔레노이드에 흐르는 전류에 의한 솔레노이드 내부에 형성된 자기장의 방향은 B의 운동 방향과 ~~반대이다~~. 같다.

04 | 자료 분석 |

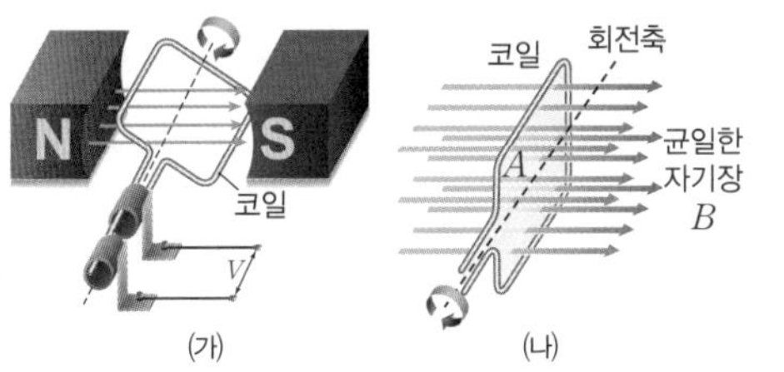

- 넓이 A가 커지면 유도 기전력이 증가한다.
- 자기장의 세기 B가 커지면 유도 기전력이 증가한다.
- 회전 주기 T는 속력에 반비례하므로 T가 길어지면 유도 기전력이 감소한다.

코일의 회전 속력이 빠를수록, 코일의 단면적이 클수록, 자석에 의한 자기장이 셀수록 코일에 유도되는 기전력 V가 증가한다. ㄱ은 코일의 회전 속력이 느려진 경우, ㄴ은 코일의 단면적이 감소한 경우, ㄷ은 자기장의 세기가 커진 경우이다.

05 화력 발전과 핵발전은 모두 수증기의 열에너지를 터빈의 운동 에너지로 전환하여 전기 에너지를 생산한다. 발전 과정에서는 전자기 유도 현상이 적용된다.

| 선택지 분석 |

(ㄱ) 발전기에서의 에너지 전환은 전자기 유도 현상에 따라 이루어진다.

(ㄴ) 화력 발전과 핵발전 과정에서 수증기의 열에너지를 전기 에너지로 전환시킨다.

(ㄷ) A에서는 열에너지가 운동 에너지로, B에서는 운동 에너지가 전기 에너지로 전환된다.

06 수력 발전의 경우에도 열에너지가 아닌 물의 운동 에너지로 터빈을 회전시켜 전기 에너지를 생산하므로 이때도 전자기 유도 현상이 적용된다.

| 선택지 분석 |

(ㄱ) 화력 발전에는 열에너지가 운동 에너지로 전환되는 과정이 있다.

(ㄴ) 수력 발전에서는 물의 역학적 에너지를 전기 에너지로 전환시킨다.

✕ 수력 발전 과정에는 전자기 유도 현상이 ~~적용되지 않는다~~. 적용된다.

07 | 모범 답안 |

플라스틱 관을 먼저 통과한다. 구리 관을 통과하는 자석은 전자기 유도 현상으로 인해 자석의 운동을 방해하는 힘을 받게 되기 때문이다.

| 풀이 |

구리 관에서 자석이 낙하할 때는 전자기 유도 현상에 의해 자석의 운동을 방해하는 방향으로 자기장이 형성된다.

| 채점 기준 |

채점 기준	배점
관을 먼저 통과하는 자석과 까닭을 옳게 서술한 경우	100 %
관을 먼저 통과하는 자석과 까닭 중 1가지만 옳게 서술한 경우	50 %

08 | 모범 답안 |

증기나 수력에 의해 터빈이 회전하면 터빈에 연결된 자석이 회전하고, 자석이 회전하면서 코일을 통과하는 자기 선속이 변하여 전자기 유도에 의해 전기가 생산된다.

| 풀이 |

코일 주변에서 자석이 움직이거나 자석 주위에서 코일이 움직이면 코일을 통과하는 자기 선속이 변하여 전자기 유도에 의해 전기가 생산된다.

| 채점 기준 |

채점 기준	배점
자기 선속의 변화와 전자기 유도를 모두 정확하게 서술한 경우	100 %
자기 선속의 변화나 전자기 유도에 대한 서술이 미흡한 경우	50 %

09 | 모범 답안 |

핵발전은 핵반응에 의해 발생하는 열에너지가 터빈을 회전시키는 운동 에너지로 전환된 후 발전기에서 전기 에너지를 발생시킨다. 발전기에 있는 자석과 코일의 상대적인 운동으로 코일에 유도 전류가 발생하는 전자기 유도 현상을 이용한다.

| 풀이 |

핵발전의 에너지 전환 과정은 핵에너지 → 열에너지 → 운동 에너지 → 전기 에너지이다. 이때 적용되는 물리 현상은 전자기 유도 현상이다.

| 채점 기준 |

채점 기준	배점
에너지 전환과 물리 현상을 모두 옳게 서술한 경우	100 %
에너지 전환과 물리 현상 중 1가지만 옳게 서술한 경우	50 %

02 전기 에너지의 수송

간단 점검
299쪽, 301쪽

1 전력 수송 **2** 송전 전압을 높인다 **3** × **4** $\frac{1}{10}$, $\frac{1}{100}$
5 적게, 많게 **6** 지능형 전력망

개념 + 기본 문제
302쪽~303쪽

개념 문제
01 (1) ○ (2) × (3) × (4) ○
02 1차 코일의 전압 < 2차 코일의 전압
03 (1) ○ (2) × (3) × (4) ○

기본 문제
04 ④ **05** P **06** ⑤ **07** ③ **08** ②
09 ③ **10** 초전도

01 (2) 송전선에 흐르는 전류의 세기가 2배 증가하면 송전선에서 손실되는 전력은 4배 증가한다.
(3) 도선의 길이가 길어질수록 도선의 전기 저항은 증가한다.

02 코일의 전압은 감은 수에 비례하므로 코일의 감은 수가 많은 2차 코일의 전압이 더 크다.

03 (2) 송전선을 지하에 매설하면 고전압에 대한 위험성이 낮아진다.
(3) 초전도 케이블을 이용하면 기존보다 더 많은 변전소가 필요하지 않다.

04 송전 전압을 증가시키면 송전 전류가 감소하여 송전선에서의 손실 전력을 감소시킬 수 있다.
ⓧ 송전 전압을 ~~감소~~시킨다. (증가)

05 송전선의 저항은 일정하므로 손실 전력은 전류의 세기의 제곱에 비례하고 전류$=\frac{\text{공급 전력}}{\text{송전 전압}}$이다. 따라서 바뀐 전류$\left(\frac{2P_0}{2V_0}\right)$와 기존의 전류의 세기$\left(\frac{P_0}{V_0}\right)$가 같으므로 손실 전력은 P이다.

06 | 자료 분석 |

공급 전력	송전 전압	전류의 세기	전류의 세기
P_0	V_0	I	P
	$10V_0$	(가)	(나)

• 송전 전압이 일정하므로 전압이 n배가 되면 전류의 세기는 $\frac{1}{n}$배가 된다.
• 손실 전력 $P=I^2R$이므로 전류가 $\frac{1}{n}$배가 되면 손실 전력은 $\frac{1}{n^2}$배가 된다.

공급 전력이 일정하므로 송전 전압이 10배 증가하면 전류는 $\frac{1}{10}$배가 되고, 손실 전력은 $\frac{1}{100}$배가 된다.

07 1차 코일에 흐르는 전류에 의해 변하는 자기 선속이 2차 코일을 통과하므로 2차 코일에 유도 기전력(전압)이 유도된다.
ⓧ 2차 코일을 통과하는 자기 선속은 ~~일정하다.~~ (1차 코일의 자기 선속의 변화에 따라 변한다.)

08 | 선택지 분석 |
ㄱ. 승압 변전소에 있는 변압기의 1차 코일의 감은 수는 2차 코일의 감은 수보다 ~~많다~~. (적다)
ㄴ. 1차 변전소에 있는 변압기의 1차 코일에 흐르는 전류의 세기는 2차 코일의 전류의 세기보다 ~~크다~~. (작다)
ⓒ 승압 변전소에 공급된 전력은 1차 변전소에 공급된 전력보다 크다.

09 지중화 사업의 경우 송전선이 끊어졌을 때 위치 파악이 느리고 정비하는 데 오랜 시간이 걸린다는 단점이 있다.
ⓧ 송전선 지중화 사업의 경우 정비하기 ~~쉽다는 장점~~이 있다. (어렵다는 단점)

10 임계 온도 이하에서 전기 저항이 0이 되는 초전도 현상을 이용한 초전도 케이블을 사용하면 대용량의 전력을 효율적으로 수송할 수 있다.

더 알아보기 초전도 현상
초전도 현상은 1911년 네덜란드 물리학자 오너스가 최초로 발견하였고, 임계 온도 이하에서 전기 저항이 0이 되는 현상이다.

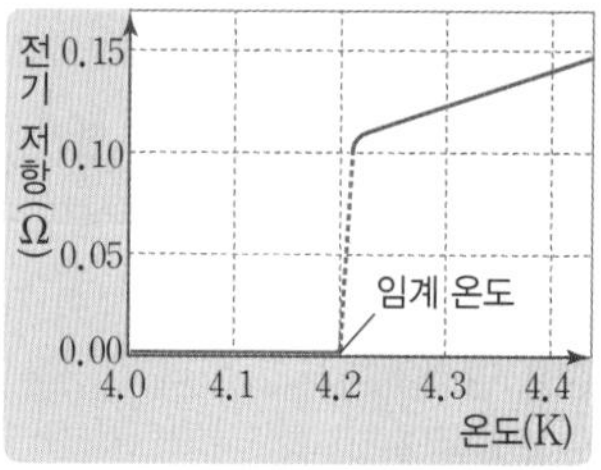

실력 올리기 문제
304쪽~305쪽

01 $\frac{1}{2}P_0$ **02** ④ **03** ① **04** ④ **05** ③ **06** ②
07 해설 참조 **08** 해설 참조 **09** 해설 참조

01 A에 흐르는 전류의 세기 $I_A=\left(\frac{P}{V}\right)$이고, B에 흐르는 전류

의 세기 $I_B=\left(\frac{P}{2V}\right)$이다.

손실 전력=(전류의 세기)^2×(송전선의 저항)이므로 B에서의 손실 전력은 $\frac{1}{2}P_0$이다.

02 일정한 전력이 공급되는 송전 과정에서 송전선에 흐르는 전류의 세기는 송전선의 저항과는 관계없이 송전 전압에 반비례한다.

| 선택지 분석 |

ㄱ. 송전선에는 교류 전류가 흐른다.

ㄴ. 송전선의 전기 저항~~이 클수록~~(과) 송전선에 흐르는 전류의 세기는 ~~감소한다~~(무관하다).

ㄷ. 변전소의 변압기에서 전압을 높여 송전할수록 송전선에서 손실 전력은 감소한다.

03 변압기는 전압을 높이거나 낮추는 장치이고, 송전 거리가 멀어질수록 송전선의 길이가 증가하여 송전선의 저항이 증가하므로 손실 전력은 증가한다.

| 선택지 분석 |

ㄱ. 변전소의 변압기는 ~~교류를 직류로~~(전압을) 변환시킨다.

ㄴ. 주상 변압기의 1차 코일의 감은 수는 2차 코일의 감은 수보다 많다.

ㄷ. 주상 변압기에서 가정까지의 거리가 멀수록 손실 전력은 ~~감소한다~~(증가한다).

04 코일의 감은 수가 2차 코일이 1차 코일의 2배이므로 각 코일에 흐르는 전류의 세기는 1차 코일에서가 2차 코일에서의 2배이다. 저항에서 소비되는 전력은 (전류의 세기)^2×(저항)이므로 P_1이 P_2의 2배이다.

05 변압기의 각 코일에 흐르는 전류의 세기는 각 코일에 걸리는 전압에 반비례하므로 1차 코일에 흐르는 전류의 세기는 2차 코일에 흐르는 전류의 세기의 $\frac{1}{100}$배이다.

| 선택지 분석 |

ㄱ. 주상 변압기는 전자기 유도 현상을 이용하여 전압을 변화시킨다.

ㄴ. 코일의 감은 수는 1차 코일이 2차 코일의 100배이다.

ㄷ. 코일에 흐르는 전류의 세기는 1차 코일에서가 2차 코일에서의 ~~100~~($\frac{1}{100}$)배이다.

06 송전탑을 높게 하여 고전압에 대한 피해를 줄여야 하며, 송전선의 굵기는 크게 해야만 저항이 줄어들어 송전선에서의 손실 전력을 줄일 수 있다.

| 선택지 분석 |

• 철수: 송전탑을 ~~낮게~~(높게) 하여 송전선을 연결하면 돼.

• 영희: 고압 송전선 주변에 구조물을 설치하여 접근을 막아야 해.

• 민수: 굵기가 ~~작은~~(큰) 송전선을 사용해야 해.

07 | 모범 답안 |

1차 변전소에서는 전압을 높이고, 2차 변전소에서는 전압을 낮춘다.

| 풀이 |

송전선 A에서 손실 전력을 줄이기 위해서는 1차 변전소에서 송전 전압을 증가시키면 되고, 송전선 B에 흐르는 전류의 세기를 증가시키기 위해서는 2차 변전소에서 전압을 낮추면 된다.

| 채점 기준 |

채점 기준	배점
1차, 2차 변전소의 전압 변화를 모두 옳게 서술한 경우	100 %
1차, 2차 변전소의 전압 변화 중 1가지만 옳게 서술한 경우	50 %

08 | 모범 답안 |

승압 변전소에서 사용되는 변압기는 2차 코일의 감은 수가 1차 코일보다 많아서 전압을 높여주고 주상 변압기에서 사용되는 변압기는 2차 코일의 감은 수가 1차 코일보다 적어서 전압을 낮춰준다.

| 풀이 |

승압 변전소에서는 송전을 위해 전압을 높여 주므로 2차 코일의 감은 수가 1차 코일보다 많은 변압기를 사용한다. 주상 변압기에서는 소비지에 전기를 공급해야 하므로 전압을 낮춰주기 위해 2차 코일의 감은 수가 1차 코일보다 적은 변압기를 사용한다.

| 채점 기준 |

채점 기준	배점
감은 수의 차이와 전압의 차이를 모두 옳게 서술한 경우	100 %
전압의 차이만을 서술한 경우	50 %

09 | 모범 답안 |

(가)의 장점: 손실 전력을 최소화할 수 있다.

(나)의 장점: 고전압에 의한 송전선의 피해를 줄일 수 있다.

| 풀이 |

초전도 케이블을 이용한 전력 수송은 저항이 거의 0이므로 손실 전력을 최소화할 수 있고, 송전선 지중화 사업은 고전압에 의한 송전선의 피해를 줄일 수 있다.

| 채점 기준 |

채점 기준	배점
(가)와 (나)의 장점을 모두 옳게 서술한 경우	100 %
(가)와 (나)의 장점 중 1가지만 옳게 서술한 경우	50 %

03 태양 에너지의 생성과 전환

간단 점검 307쪽

1 핵반응 **2** 결손된 질량 **3** 수소 핵융합 반응
4 퍼텐셜 에너지 **5** 광합성

개념 + 기본 문제 308쪽~309쪽

개념 문제

01 (1) × (2) ○ (3) × (4) ×
02 (1) ㉡ (2) ㉢ (3) ㉠
03 (1) × (2) ○ (3) × (4) ○

기본 문제

04 ③ **05** ③ **06** ㉠ 수소 ㉡ 헬륨 ㉢ 질량 결손
07 $4M_1-M_2$ **08** ③ **09** ② **10** ② **11** ④

01 (1) 원자핵은 ~~중성자~~ 양성자로 인해 양(+)전하를 띤다.
(3) ~~2개~~ 4개의 수소 원자핵이 융합하여 1개의 헬륨 원자핵으로 변환된다.
(4) 지구 대부분의 에너지 근원은 ~~지구 내부 에너지~~ 태양 에너지이다.

02 (1) 높은 곳과 낮은 곳의 위치 차이에 의한 에너지는 퍼텐셜 에너지이다.
(2) 동물이나 식물 내부에 에너지가 저장될 때는 화학 에너지의 형태로 저장된다.
(3) 대기의 순환에 의해 바람이 불 때는 운동 에너지를 갖는다.

03 (1) 화력 발전은 ~~수소 핵융합에서 발생하는~~ 화석 연료에 저장된 화학 에너지를 이용한다.
(3) ~~풍력~~ 수력 발전은 물의 퍼텐셜 에너지를 이용한다.

04 | 선택지 분석 |
~~①~~ 원자핵이 변환되어 ~~같은~~ 다른 원자핵으로 바뀌게 되는 반응이다.
~~②~~ 가벼운 원자핵은 ~~핵반응을 하지 않는다.~~ 핵융합 반응을 할 수 있다.
③ 무거운 원자핵이 붕괴되는 과정은 핵분열이다.
~~④~~ 핵반응 과정에서 질량은 ~~보존~~ 결손된다.
~~⑤~~ 원자력 발전소의 원자로에서는 ~~핵융합~~ 핵분열 반응이 일어난다.

05 핵융합 과정에서 질량 결손에 의한 에너지가 방출되므로 핵융합 전후 질량의 합은 반응 전이 반응 후보다 크다.
~~③~~ 핵융합 전후 질량의 합은 반응 후가 전보다 ~~크다.~~ 작다.

06 태양의 중심부에서는 4개의 수소 원자핵이 융합하여 1개의 헬륨 원자핵이 만들어지면서 질량 결손에 의한 막대한 에너지를 방출한다.

07 핵융합 과정에서 질량 결손은 (반응 전 원자핵의 전체 질량) −(반응 후 원자핵의 전체 질량)이다.

08 지구상의 대부분의 에너지의 근원은 태양 에너지이고 태양 에너지는 다양한 에너지로 전환되며 에너지 순환을 일으킨다. 광합성은 태양 에너지가 엽록체에서 화학 에너지로 전환되는 작용이다.

09 대기와 해수는 순환하며 저위도의 남는 에너지를 고위도로 수송한다.
② 대기와 해수는 순환하며 ~~고위도~~ 저위도의 남는 에너지를 ~~저위도~~ 고위도로 수송한다.

더 알아보기 대기와 해수의 순환

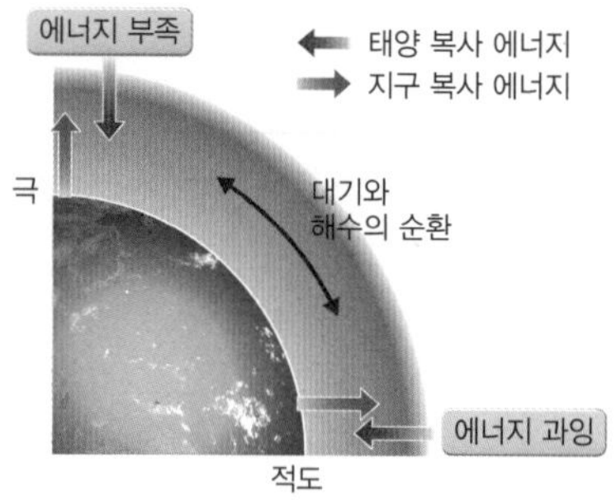

저위도에서는 태양 복사 에너지가 지구 복사 에너지보다 커서 에너지 과잉이 일어나고 남는 에너지는 대기와 해수의 순환을 통해 지구 복사 에너지가 태양 복사 에너지보다 많아서 에너지가 부족한 고위도로 수송된다.

10 | 선택지 분석 |
~~①~~ 물이 증발하여 구름이 될 때는 태양 에너지가 ~~운동 에너지~~ 퍼텐셜 에너지로 전환된다.
② 바람의 운동 에너지는 풍력 발전을 통해 전기 에너지로 전환된다.
~~③~~ 대기가 태양 에너지를 흡수하면 ~~하강~~ 상승 기류가 생성되어 바람이 분다.
~~④~~ 생물의 사체가 화석 연료로 변할 때 화학 에너지가 운동 에너지로 ~~전환된다.~~ 전환되지 않는다.
~~⑤~~ 태양열 발전은 ~~빛에너지~~ 열에너지를 전기 에너지로 전환한다.

11 화력 발전은 화석 연료에 저장된 화학 에너지를, 풍력 발전은 바람의 운동 에너지를, 수력 발전은 물의 퍼텐셜 에너지를 이용한다.

실력 올리기 문제 310쪽~311쪽

01 ④ **02** ② **03** ④ **04** ⑤ **05** ③ **06** ⑤
07 해설 참조 **08** 해설 참조 **09** 해설 참조

01 (가)는 핵융합, (나)는 핵분열 반응이다.

| 선택지 분석 |

× 두 개 이상의 가벼운 원자핵이 결합하여 보다 무거운 원자핵이 되는 반응이다.

ㄴ 반응이 일어나면 막대한 에너지가 방출된다.

ㄷ 반응 전 물질의 질량의 합이 반응 후 물질의 질량의 합보다 크다.

02 | 자료 분석 |

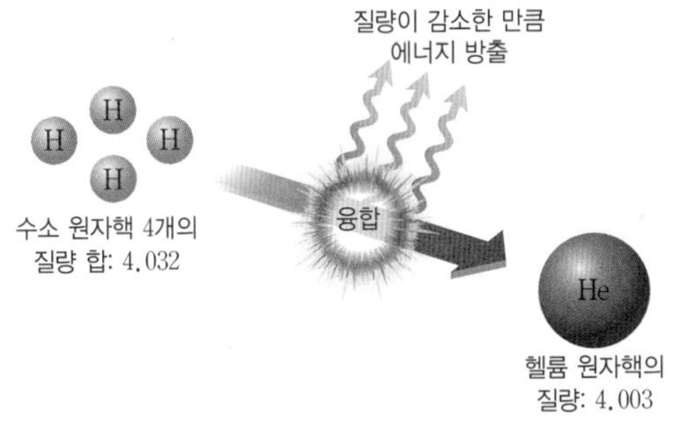

- 4개의 수소 원자핵이 융합하여 헬륨 원자핵을 만들고 있으므로 수소 핵융합 반응이다.
- 핵융합 반응에서는 결손된 질량이 에너지로 전환된다.

| 선택지 분석 |

× ~~헬륨~~(수소) 핵융합 반응이다.

× 대부분의 핵반응은 태양의 ~~표면~~(중심부)에서 일어난다.

ㄷ 핵융합 과정에서 질량 결손에 의한 에너지가 방출된다.

03 핵반응에는 핵분열과 핵융합 반응이 있는데 이 중 태양에서는 수소 핵융합 반응이 일어난다. 핵반응에서는 결손된 질량이 에너지로 전환된다.

| 선택지 분석 |

× 핵반응은 원자핵이 다른 원자핵으로 ~~바뀌지 않는~~(바뀌게 되는) 반응이다.

× 태양에서는 ~~무거운 원자핵~~(몇 개의 가벼운 원자핵)이 ~~몇 개의 가벼운 원자핵~~(무거운 원자핵)으로 변환되는 반응이 일어난다.

× 수소 원자핵 1개의 질량을 M_1, 헬륨 원자핵의 질량을 M_2라고 할 때 태양에서 일어난 핵반응에서 결손된 질량은 ~~M_1-M_2~~($4M_1-M_2$)이다.

④ 두 개 이상의 가벼운 원자핵이 결합하여 무거운 원자핵이 되기 위해서는 온도와 밀도와 압력이 매우 높아야 한다.

× 태양에서 핵반응에 의해 생성된 에너지는 ~~거의 대부분이~~($\frac{1}{20억}$만이) 지구에 도달한다.

04 식물은 광합성을 통해 태양 에너지를 화학 에너지로 전환한다. 바람과 파도는 태양 에너지가 운동 에너지로 전환된 경우이다.

05 화석 연료는 생물에 의해 만들어지므로 태양 에너지가 근원이고 화석 연료인 석유에 저장된 에너지는 화학 에너지이다. 생물의 유해가 화석 연료를 만들기 때문에 화석 연료의 양은 유한하다.

| 선택지 분석 |

ㄱ 화석 연료에 저장된 에너지의 근원은 태양 에너지이다.

ㄴ 석유에 저장된 화학 에너지를 전기 에너지로 전환할 수 있다.

× 화석 연료의 양은 ~~거의 무한하다.~~(유한하다.)

06 태양 에너지는 태양 내부에서의 핵융합 반응에 의해 생성되며 전동기는 전기 에너지를 운동 에너지로 전환시켜 주는 기기이다.

| 선택지 분석 |

× 태양 에너지는 태양 내부에서의 ~~핵분열 반응~~(수소 핵융합 반응)에 의해 생성된다.

ㄴ 전동기에서는 전기 에너지가 운동 에너지로 전환된다.

ㄷ 장난감 자동차가 움직일 때 에너지의 근원은 태양 에너지이다.

07 | 모범 답안 |

(가)는 핵융합 반응으로 태양 등 별의 내부에서 주로 일어나며 (나)는 핵분열 반응으로 원자력 발전소의 원자로 내에서 일어난다.

| 풀이 |

(가)는 두 개 이상의 가벼운 원자핵이 결합하여 보다 무거운 원자핵이 되는 핵융합 반응으로 주로 태양 등 별의 내부에서 일어난다. (나)는 무거운 원자핵이 몇 개의 가벼운 원자핵으로 변환되는 핵분열 반응으로 원자력 발전소의 원자로 내에서 일어난다.

| 채점 기준 |

채점 기준	배점
(가)와 (나)의 반응 종류와 발생 장소를 모두 옳게 서술한 경우	100 %
(가)와 (나) 중에서 1가지만 옳게 서술한 경우	50 %

08 | 모범 답안 |

핵반응 과정에서 결손된 질량은 에너지로 전환되어 방출된다. 질량 에너지 등가 관계식은 $E=mc^2$으로 주어진다.

| 풀이 |

핵반응 전 원자핵의 질량의 합은 핵반응 후 원자핵의 질량의

합보다 큰데 이 과정에서 질량 결손이 일어난다. 결손된 질량은 에너지로 전환되는데 이 과정에서 적용되는 $E=mc^2$은 아인슈타인의 특수 상대성 이론으로 설명할 수 있다.

| 채점 기준 |

채점 기준	배점
결손된 질량이 에너지로 전환됨을 쓰고 그 관계식을 옳게 서술한 경우	100 %
관계식만 서술한 경우	50 %

09 | 모범 답안 |

엽록체에서는 광합성 작용으로 영양분을 합성하므로 태양 에너지를 화학 에너지로 전환한다.

| 풀이 |

엽록체에서는 산소와 물, 빛에너지를 합성하여 포도당을 생성하는 광합성이 일어난다. 포도당과 같은 분자는 화학 결합에 의한 화학 에너지를 갖는다.

| 채점 기준 |

채점 기준	배점
에너지 전환 관계를 옳게 서술한 경우	100 %
에너지 전환 관계에 대한 서술이 미흡한 경우	50 %

04 환경 문제를 해결하는 여러 가지 발전

간단 점검 313쪽, 315쪽

1 핵발전 **2** 태양 전지 **3** 운동 에너지 **4** 태양광 발전 **5** 신에너지 **6** 재생 에너지 **7** 연료 전지 **8** 적정 기술

알쉬탐 316쪽

1 해설 참조 **2** 해설 참조 **3** (1) ○ (2) ○ (3) × (4) ×

1 물은 건전지의 (+)극에 연결된 곳에서는 산소로, (−)극에 연결된 곳에서는 수소로 전기 분해 된다.

2 수소가 모인 곳에서는 수소가 이온화되면서 내놓은 전자가 전선을 통해 산소 쪽으로 이동하게 되어 전류가 흐르기 때문이다.

3 (3) 불이 켜진 발광 다이오드에서는 전기 에너지가 빛에너지로 전환된다.
(4) 연료 전지를 이용하여 전기 에너지를 생산할 때 오염 물질이 거의 배출되지 않는다.

개념 + 기본 문제 317쪽~319쪽

개념 문제

01 (1) × (2) ○ (3) × **02** 연료 전지 **03** (1) ㉢ (2) ㉠ (3) ㉡

기본 문제

04 ⑤ **05** ③ **06** ③ **07** ⑤ **08** ① **09** (가) 운동 에너지 (나) 전자기 유도 현상 **10** ① **11** (가) 신에너지 (나) 재생 에너지 **12** ③ **13** 파력 발전 **14** ③ **15** ③

01 (1) 핵발전은 무거운 원자핵이 분열할 때 방출되는 에너지를 이용한다.
(3) 풍력 발전은 발전 효율이 높다는 장점이 있다.

02 연료 전지는 신에너지의 하나로서 수소와 산소의 화학 반응으로 전기 에너지를 생산한다.

03 (1) 바이오 에너지는 농업 부산물, 산업 부산물, 유기성 폐기물 등의 바이오매스를 원료로 하는 에너지를 말한다.
(2) 파력 발전은 바람의 운동에 의한 파도의 운동을 이용하여 전기 에너지를 생산하는 발전 방식이다.
(3) 조력 발전은 하루에 두 차례 반복되는 밀물과 썰물로 인한 해수면의 높이 차이를 이용하여 전기를 생산하는 방식이다.

04 | 선택지 분석 |

㉠ 핵분열 반응이다.
㉡ 핵반응에서 에너지는 질량 결손에 의해 방출된다.
㉢ 핵반응에서 생성된 중성자는 또 다른 우라늄 원자핵의 핵반응을 일으킨다.

05 원자력 발전소에서는 핵분열 과정에서 발생하는 에너지를 이용하며 핵분열 과정에서는 질량 결손이 발생한다. 핵발전은 사용되는 우라늄의 연료 비용 대비 생산되는 전기 에너지의 양이 많아 발전 효율이 높다.
㉣ 연료 비용이 저렴하며 발전 효율이 ~~낮다.~~ 높다.

06 | 선택지 분석 |

㉠ ~~태양열~~ 태양광 발전이다.
㉡ 발전 과정에서 환경 오염 물질을 ~~많이 배출한다.~~ 거의 배출하지 않는다.
㉢ 태양 전지를 이용하여 빛에너지를 전기 에너지로 전환한다.

07 태양 전지는 태양광 발전에서 빛에너지를 전기 에너지로 전환하는 장치로 태양 전지 판을 제작하는 데에는 반도체가 사용된다.
㉤ 태양 전지 판으로는 ~~도체~~ 반도체가 사용된다.

08 태양광 발전은 「태양광 흡수 → 자유 전자 발생 → 자유 전자가 전극으로 이동 → 기전력 발생 → 회로에 전류가 흐름」의 순서로 이루어진다.

09 풍력 발전은 「바람의 운동 에너지로 날개가 회전 → 날개 축에 연결된 발전기가 회전 → 전자기 유도 현상에 의해 전기가 생성」의 순서로 이루어진다.

10 풍력 발전은 바람이 강하게 부는 곳에 설치하여야 하므로 설치 장소가 제한적이고, 날개의 회전에 의한 소음 등이 발생하는 문제점이 있다.

11 신재생 에너지는 화석 연료를 대신하는 친환경적이면서도 고갈되지 않는 에너지로 기존의 화석 연료를 변환시켜 이용하는 신에너지와 햇빛, 물, 지열, 강수, 생물 유기체 등의 에너지를 변환시켜 이용하는 재생 에너지가 있다.

12 연료 전지는 수소와 산소의 화학 반응으로 에너지를 생산하는 장치로 물과 전기 에너지가 생성된다.

✕ 화학 반응에 의해 생성되는 물질 A는 ~~이산화 탄소~~ 물이다.

더 알아보기 연료 전지에서 전류와 전자의 이동 방향

- 수소 이온은 중간의 전해질을 통해 양(+)극으로 이동하고 그곳에서 산소와 반응해 물을 만든다.
- 수소가 내놓은 전자가 도선을 따라 양(+)극으로 이동하면서 전기 에너지가 발생한다.

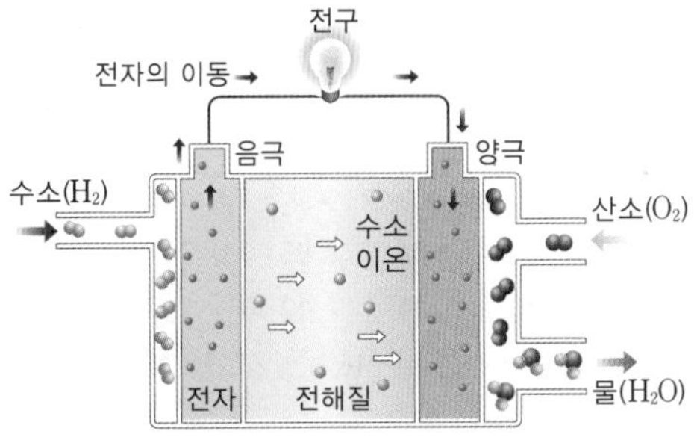

수소 + 산소 ⟶ 물 + 전기 에너지

13 해양 에너지 중 파도에 의한 역학적 에너지를 이용하여 전기 에너지를 생산하는 방식은 파력 발전이다.

14 조력 발전은 하루에 두 차례 반복되는 밀물과 썰물로 인한 해수면의 높이 차이를 이용하며, 조석 현상은 매일 약 2번씩 일어나므로 지속적이고 예측 가능하다.

✕ 조력 발전은 지속적인 발전이 가능하~~나 예측이 어렵다는 단점이 있다.~~ 고 예측 가능하다.

15 조력 발전은 대규모 사회 기반 시설이 필요하므로 적정 기술에 해당하지 않는다.

실력 올리기 문제 320쪽~321쪽

01 ⑤ **02** ⑤ **03** ③ **04** ② **05** ③ **06** ③
07 해설 참조 **08** 해설 참조 **09** 해설 참조

01 원자로에서 물이 증기로 변하므로 열에너지가 발생하고 있음을 알 수 있으며 이 에너지는 우라늄 원자핵이 중성자와 충돌로 분열될 때 질량 결손에 의한 것이다. 핵분열 과정에서 2~3개의 중성자가 생성되므로 연쇄 반응이 일어난다.

| 선택지 분석 |

ㄱ 원자로에서는 핵반응에 의해 열에너지가 발생한다.
ㄴ (나)에서 에너지는 질량 결손에 의해 발생한다.
ㄷ 원자로에서는 연쇄 반응이 일어난다.

02 태양광 발전소에서는 태양 전지를 이용하여 빛에너지가 전기 에너지로 바로 전환되고, 핵발전소에서는 핵분열 과정에서 방출되는 열에너지에 의한 증기로 터빈을 돌려 전자기 유도 현상을 이용하여 전기 에너지를 생산한다.

| 선택지 분석 |

✕ (가)는 전자기 유도 현상을 ~~이용하여~~ 이용하지 않고 전기 에너지를 생산한다.
ㄴ (나)는 터빈을 돌려 전기 에너지를 생산한다.
ㄷ 질량 결손에 의한 에너지를 전기 에너지로 전환하는 것은 (나)이다.

03 핵발전은 핵분열 과정에서 발생하는 열에너지로 터빈을 돌려 전기 에너지를 생산한다. 태양광 발전은 초기 설치 비용이 많이 들고 에너지 효율이 낮다는 단점이 있으며 풍력 발전에서는 바람의 운동 에너지로 발전기를 돌려 발전하므로 전자기 유도 현상이 적용된다.

| 선택지 분석 |

- ㄱ 철수: 핵발전에서는 핵분열을 이용하여 전기 에너지를 생산해.
- ✕ 영희: 태양광 발전은 에너지 효율이 ~~높다는 장점~~ 낮다는 단점이 있어.
- ㄴ 민수: 풍력 발전에서는 전자기 유도 현상이 이용돼.

04 A는 조력 발전, B는 파력 발전, C는 지열 발전, D는 풍력 발전이다. 네 가지 발전 방식 모두 터빈을 회전시켜 발전기에서 전자기 유도 현상을 이용하여 전기 에너지를 생산한다.

| 선택지 분석 |

✕ A는 ~~파력~~ 조력 발전이다.
ㄴ D는 바람의 운동 에너지를 이용한 발전 방식이다.
✕ 전자기 유도 현상을 이용하여 전기 에너지를 생산하는 방식은 ~~A, C, D뿐~~ A, B, C, D이다.

05 연료 전지는 수소와 산소의 화학 반응으로 전기 에너지를 생산하는 장치로 반응 후에는 물과 전기 에너지가 생성된다. 연료 전지는 이산화 탄소가 발생하지 않는 신재생 에너지이다.

| **선택지 분석** |

ㄱ. 연료 전지는 수소와 산소의 화학 반응을 이용하여 전기 에너지를 생산한다.

ㄴ. 모터에서는 전기 에너지가 운동 에너지로 전환된다.

ㄷ. 연료 전지에 의해 발생한 ~~이산화 탄소가~~ 물이 외부로 배출된다.

06 물이 증발할 때 열을 흡수하기 때문에 주변의 온도가 낮아지는 현상을 이용한 것이 항아리 냉장고이다. 이와 같이 지역 사람들의 삶의 질을 향상시킬 수 있는 기술을 적정 기술이라고 하며 대규모 사회 기반 시설이 필요하지 않고 친환경적이다.

| **선택지 분석** |

ㄱ. 물이 증발하기 때문에 (가)와 같은 현상이 일어난다.

ㄴ. (나)는 적정 기술이다.

ㄷ. (나)는 대규모 사회 기반 시설이 ~~필요하다~~ 필요하지 않다.

07 | **모범 답안** |

태양 전지에서는 빛에너지가 전기 에너지로 전환되고, 전동기에서는 전기 에너지가 운동 에너지로 전환된다.

| **풀이** |

태양 전지에서는 빛에너지가 직접 전기 에너지로 전환되며 전동기는 전기 에너지를 운동 에너지로 전환시켜 주는 기기이다.

| **채점 기준** |

채점 기준	배점
두 에너지 전환을 모두 옳게 서술한 경우	100 %
두 에너지 전환 중 1가지만 옳게 서술한 경우	50 %

08 | **모범 답안** |

풍력 발전의 장점은 바람을 이용하므로 에너지원이 청정, 무제한이고 시설 비용이 적으며, 설치 기간이 짧다. 단점은 바람이 센 지역에서만 발전 가능하고 소음에 대한 문제가 발생한다.

| **풀이** |

풍력 발전은 바람의 운동 에너지를 이용하여 발전기에서 전기 에너지를 생산하는 방식이다.

| **채점 기준** |

채점 기준	배점
장점 1가지, 단점 1가지를 모두 옳게 서술한 경우	100 %
장점 1가지, 단점 1가지 중 1가지만 옳게 서술한 경우	50 %

09 | **모범 답안** |

음극에서는 수소가 이온화되며 전자를 내놓고 수소 이온은 전해질을 통해 양극으로 이동하여 산소와 만나 물을 만든다. 수소가 내놓은 전자가 도선을 따라 양극으로 이동하면서 전기 에너지가 생성된다.

| **풀이** |

물의 전기 분해에서는 물에 전기를 흐르게 하면 수소와 산소가 발생하지만, 연료 전지에서는 수소와 산소를 반응시켜 전기를 발생시킨다. 이 반응으로 배출되는 것은 물뿐이다. 음극에서 수소는 수소 이온과 전자로 나누어진다. 전해질의 고분자 막은 수소 이온만을 통과시키고, 막 안쪽의 음극에는 전자가 남게 된다. 수소 이온은 양극의 산소와 결합하여 물이 된다. 이 과정을 통해서 전류가 발생한다.

| **채점 기준** |

채점 기준	배점
연료 전지의 원리에 대한 서술이 옳은 경우	100 %
연료 전지의 원리에 대한 서술이 미흡한 경우	50 %

대단원 마무리 322쪽~327쪽

한번에 정리하는 대단원 마무리

① N극 ② 유도 전류 ③ 발전 ④ 화학 에너지 ⑤ 퍼텐셜 에너지 ⑥ 핵에너지 ⑦ 높여 ⑧ 전류 ⑨ 저항 ⑩ $\frac{1}{n^2}$ ⑪ 변압기 ⑫ 4개 ⑬ 헬륨 원자핵 ⑭ 태양 에너지 ⑮ 핵분열 ⑯ 태양 전지 ⑰ 운동 에너지 ⑱ 신재생 에너지 ⑲ 연료 전지 ⑳ 파력 발전 ㉑ 조력 발전 ㉒ 적정 기술

한번에 끝내는 대단원 마무리

01 ③ **02** ③ **03** ④ **04** ⑤ **05** ④ **06** ② **07** ⑤ **08** ③ **09** ④ **10** ② **11** ② **12** ④ **13** ④ **14** 해설 참조 **15** 해설 참조 **16** 해설 참조 **17** 해설 참조 **18** 해설 참조

01 | **선택지 분석** |

ㄱ. 단위길이당 감은 수를 $2N$으로 증가시킨다.

➡ 전류가 흐르는 코일 내부의 자기장의 세기는 코일의 단위길이당 감은 수에 비례한다.

ㄴ. 전원 장치의 전압을 $2V$로 증가시킨다.

➡ 전압이 높을수록 회로에 흐르는 전류의 세기가 증가한다. 코일 내부의 자기장의 세기는 코일에 흐르는 전류의 세기에 비례한다.

ㄷ. 저항의 저항값을 ~~$2R$로 증가시킨다.~~ $\frac{1}{2}R$로 감소시킨다.

➡ 저항값이 증가하면 회로에 흐르는 전류의 세기가 감소하므로 코일 내부의 자기장의 세기는 감소한다.

02 | **선택지 분석** |

ㄱ. a일 때 P를 지나는 자석의 속력이 클수록 저항에 흐르는 전류의 세기는 크다.

➡ 코일을 통과하는 자기 선속의 변화가 클수록 코일에 흐르는 유도 전류의 세기는 커지므로 자석의 속력이 클수록 유도 전류의 세기는 크다.

ㄴ 저항에 흐르는 전류의 방향은 a일 때와 b일 때가 서로 반대이다.

➡ a일 때와 b일 때 코일을 통과하는 자기 선속의 변화가 반대이므로 유도 전류의 방향은 반대이다.

✕ 코일이 자석에 작용하는 자기력의 방향은 a일 때와 b일 때가 ~~같다~~(서로 반대이다).

➡ 코일에 자석이 다가올 때는 척력이, 멀어질 때는 인력이 작용하므로 a일 때와 b일 때 자기력의 방향은 서로 반대이다.

03 | 선택지 분석 |

ㄱ 화력 발전에서는 화학 에너지를 이용하여 전기 에너지를 생산한다.

➡ 화력 발전은 화석 연료(석탄, 석유)를 이용하여 발생시킨 증기가 터빈을 회전시켜 발전기에서 전기 에너지를 생산하므로 화학 에너지를 이용한다.

✕ 수력 발전에서는 ~~질량 결손에 의해 발생하는 에너지~~(물의 퍼텐셜 에너지)를 이용하여 전기 에너지를 생산한다.

➡ 수력 발전은 물의 퍼텐셜 에너지를 이용하여 터빈을 회전시켜 발전기에서 전기 에너지를 생산한다.

ㄷ 원자력 발전에서는 전자기 유도 현상을 이용하여 전기 에너지를 생산한다.

➡ 세 발전 모두 터빈을 회전시켜 발전기에서 전기 에너지를 생산하므로 전자기 유도 현상을 이용한다.

04 전력(P)은 단위 시간 동안 생산되거나 소비되는 에너지로 전압(V)과 전류(I)의 곱으로 나타낸다. 즉, $P=VI$이다. 옴의 법칙에서 $I=\dfrac{V}{R}$이므로 $P=I^2R=\dfrac{V^2}{R}$이다.

05 송전선에 흐르는 전류의 세기는 $\dfrac{P_0}{V_0}$이므로 손실 전력은 $\left(\dfrac{P_0}{V_0}\right)^2 R$이다.

06 | 선택지 분석 |

✕ 1차 코일에 흐르는 전류의 방향은 ~~일정하다~~(계속 변한다).

➡ 교류 전원에 의해 흐르는 전류는 방향과 세기가 변하므로 1차 코일에 흐르는 전류가 만드는 자기 선속의 변화로 2차 코일에 전압이 걸리고 유도 전류가 흐른다.

✕ 1차 코일에 걸린 전압은 2차 코일에 걸린 전압의 ~~3배~~($\frac{1}{3}$배)이다.

➡ 변압기의 코일에 걸리는 전압은 코일의 감은 수에 비례하므로 1차 코일에 걸리는 전압은 2차 코일에 걸리는 전압의 $\frac{1}{3}$배이다.

ㄷ 1차 코일에 흐르는 전류의 세기는 2차 코일에 흐르는 전류의 세기의 3배이다.

➡ 코일에 흐르는 전류의 세기는 코일의 감은 수에 반비례하므로 1차 코일에 흐르는 전류의 세기는 2차 코일에 흐르는 전류의 세기의 3배이다.

07 | 선택지 분석 |

ㄱ 변전소에서 전압을 높이면 송전선에서 손실되는 전력은 감소한다.

➡ 송전 전압을 n배로 높이면 송전선에서 손실되는 전력은 $\frac{1}{n^2}$배로 감소한다.

ㄴ 주상 변압기의 1차 코일은 2차 코일보다 감은 수가 많다.

➡ 코일에 걸리는 전압은 코일의 감은 수에 비례한다. 주상 변압기는 전압을 낮추어서 전력을 가정에 공급하므로 1차 코일의 감은 수가 2차 코일의 감은 수보다 많다.

ㄷ 주상 변압기는 전자기 유도 현상을 이용하여 전압을 낮춘다.

➡ 변압기는 코일을 통과하는 자기 선속의 변화로 유도 전류가 흐르게 되므로 전자기 유도 현상을 이용하여 코일에 걸리는 전압을 변화시키는 장치이다.

08 | 선택지 분석 |

ㄱ 핵융합 반응이다.

➡ 4개의 수소 원자핵이 1개의 헬륨 원자핵으로 변환되므로 핵융합 반응이다.

ㄴ (가)는 헬륨 원자핵이다.

➡ 수소 핵융합 반응에 의해 생성되는 원자핵은 헬륨 원자핵이다.

✕ (가) 1개의 질량은 수소 원자핵 4개의 질량의 ~~합과 같다~~(합보다 작다).

➡ 핵융합 반응에서 방출되는 에너지는 질량 결손에 의한 것이므로 1개의 헬륨 원자핵 질량은 4개의 수소 원자핵의 질량의 합보다 작다.

09 | 선택지 분석 |

✕ 태양 에너지에 의해 뜨거워진 공기는 ~~하강~~(상승)하게 된다.

➡ 뜨거워진 공기는 주변의 공기보다 밀도가 작아 위로 상승하게 된다.

ㄴ 상승하는 공기는 퍼텐셜 에너지가 증가한다.

➡ 퍼텐셜 에너지는 지표면에서 멀어질수록 증가하므로 상승하는 공기는 위로 올라가므로 퍼텐셜 에너지가 증가한다.

ㄷ 풍력 발전은 바람의 운동 에너지를 이용하여 전기 에너지를 생산한다.

➡ 풍력 발전은 바람에 의해 터빈이 회전하여 발전기에서 전기 에너지를 생산하므로 바람의 운동 에너지를 이용한다.

10 | 선택지 분석 |

✕ ~~태양의 중심부에서~~(핵발전소의 원자로에서) 일어나는 핵반응이다.

➡ 무거운 원자핵이 가벼운 원자핵으로 쪼개지는 핵분열 반응은 핵발전소의 원자로나 핵폭탄 등에서 일어난다. 태양의 중심부에서는 수소 핵융합 반응이 일어난다.

ㄴ 핵반응 과정에서 에너지가 방출된다.

➡ 핵반응 과정에서 질량 결손에 의한 에너지가 방출된다.

✕ 핵반응 전 질량의 총합은 핵반응 후 질량의 총합~~과 같다~~(보다 크다).

➡ 핵반응 과정에서 질량 결손이 일어나므로 핵반응 전 질량의 총합은 핵반응 후 질량의 총합보다 크다.

11 | 선택지 분석 |

ㄱ. ✕ 태양 전지는 ~~열에너지~~를 이용하여 전기 에너지를 생산한다. (빛에너지)

➡ 태양 전지는 태양의 빛에너지를 이용하여 전기 에너지를 생산한다.

ㄴ. ○ 반도체에 빛을 비추면 자유 전자가 발생한다.

➡ 반도체로 된 태양 전지가 태양광을 흡수하면 태양광에 의해 자유 전자가 발생한다.

ㄷ. ✕ 시간과 장소에 ~~상관없이 발전량이 동일하다~~. (따라 발전량이 다르다.)

➡ 태양 전지에 의한 발전량은 장소나 계절에 따라 차이가 크게 난다는 단점이 있다.

12 | 선택지 분석 |

ㄱ. ✕ (가)는 적정 기술에 ~~해당한다~~. (해당하지 않는다.)

➡ 조력 발전은 대규모 사회 기반 시설의 건설이 필요하므로 적정 기술에 해당하지 않는다.

ㄴ. ○ (나)에서는 화학 에너지를 전기 에너지로 전환시킨다.

➡ 수소 연료 전지는 수소와 산소의 화학 반응에 의한 화학 에너지를 전기 에너지로 전환시킨다.

ㄷ. ○ 전자기 유도 현상을 이용하여 전기 에너지를 생산하는 것은 (가)이다.

➡ 터빈을 회전시켜 발전기에서 전기 에너지를 생산하는 조력 발전은 전자기 유도 현상을 이용한다.

13 | 선택지 분석 |

ㄱ. ○ 친환경 에너지 도시이다.

➡ 바이오 에너지와 기피 시설을 관광지로 이용하여 지역의 에너지 문제와 경제적 이익을 창출하는 도시를 친환경 에너지 도시라고 한다.

ㄴ. ✕ (가)에서 바이오 에너지는 해양 에너지에 ~~해당한다~~. (해당하지 않는다.)

➡ 바이오 에너지는 농작물, 음식물 쓰레기 등에서 나오는 가스나 고체 연료 등을 이용한다.

ㄷ. ○ 이 도시들은 재생 가능한 에너지를 이용하여 주로 전기 에너지를 생산한다.

➡ 친환경 에너지 도시는 바이오 에너지, 태양 에너지 등 재생 가능한 에너지를 이용하는 도시이다.

14 | 모범 답안 |

전자기 유도 현상, 자석의 N극을 아래로 하고 코일에서 멀리하거나 자석의 S극을 아래로 하고 코일에 가까이 한다.

| 풀이 |

자석의 N극을 아래로 하고 코일에 가까이 가져가면 코일을 아래쪽으로 통과하는 자기 선속이 증가하므로 코일에는 자기 선속을 감소시키는 방향으로 유도 전류가 흐른다. 따라서 검류계의 바늘이 b방향으로 움직이도록 하기 위해서는 코일을 아래쪽으로 통과하는 자기 선속이 감소하거나 위쪽으로 통과하는 자기 선속이 증가하는 경우이다.

| 채점 기준 |

채점 기준	배점
물리 현상과 2가지 방법 모두 옳게 서술한 경우	100 %
물리 현상만 옳거나 2가지 방법만 옳게 서술한 경우	50 %
2가지 방법 중 1가지만 옳게 서술한 경우	25 %

15 | 모범 답안 |

풍력 발전기: 바람의 운동 에너지가 전기 에너지로 전환,
태양 전지: 태양의 빛에너지가 전기 에너지로 전환,
가로등: 전기 에너지가 빛에너지로 전환

| 풀이 |

풍력 발전기는 바람의 운동 에너지를 발전기에서 전자기 유도 현상을 통해 전기 에너지로 전환시키고, 태양 전지는 태양의 빛에너지를 반도체를 통해 전기 에너지로 전환시킨다. 이렇게 생산된 전기 에너지를 가로등을 통해 빛에너지로 전환시킨다.

| 채점 기준 |

채점 기준	배점
3가지의 에너지 전환을 모두 옳게 서술한 경우	100 %
2가지의 에너지 전환만 옳게 서술한 경우	60 %
1가지의 에너지 전환만 옳게 서술한 경우	30 %

16 | 모범 답안 |

핵분열 과정에서 질량 결손이 일어나고 이 질량 결손에 해당하는 에너지가 생성된다. 송전선에서 손실 전력을 줄이기 위해서는 변전소에서 전압을 높여 송전선에 흐르는 전류의 세기를 감소시키거나 송전선의 저항을 줄인다.

| 풀이 |

무거운 원자핵이 가벼운 원자핵으로 분열할 때 질량이 감소하게 되고 이 감소한 질량이 에너지로 변환된다.
송전선은 전기 저항이 있어 전력을 수송할 때 손실 전력이 발생한다. 손실 전력은 송전선의 저항과 송전선에 흐르는 전류의 세기의 제곱에 비례한다. 송전선의 저항을 줄이는 방법은 발전소와 소비지의 거리를 최대한 가깝게 하여야 하며, 저항값이 아주 작은 도선을 송전선으로 사용한다. 송전선에 흐르는 전류의 세기를 줄이는 방법은 송전 전압을 높여주면 되므로 변전소에서 전압을 높여 송전한다.

| 채점 기준 |

채점 기준	배점
에너지의 발생과 손실 전력을 줄이는 방법이 모두 옳게 서술된 경우	100 %
에너지의 발생과 손실 전력을 줄이는 방법 중 1가지만 옳게 서술된 경우	50 %

17 | 모범 답안 |

수소가 이온화되면서 내놓은 전자가 도선을 통해 산소 쪽으로 이동하게 되어 전기 에너지가 발광 다이오드에서 빛에너지로 전환된다.

| 풀이 |

물은 전지의 (+)극에 연결된 곳에서는 산소로, (−)극에 연결된 곳에서는 수소로 전기 분해되고 수소가 발생된 곳에서는 수소가 이온화되면서 내놓는 전자가 산소가 발생된 쪽으로 이동하여 전류가 흐르게 된다. 연료 전지는 이와 같이 수소 이온과 산소 이온이 결합하여 물을 생성하게 되는 화학 반응을 이용하여 전기 에너지를 생산한다.

| 채점 기준 |

채점 기준	배점
전자의 이동 방향과 발광 다이오드가 켜지는 까닭을 옳게 서술한 경우	100 %
전자의 이동 방향과 발광 다이오드가 켜지는 까닭 중 1가지만 옳게 서술한 경우	50 %

18 | 모범 답안 |

적정 기술은 해당 지역에서 지속적인 생산과 소비가 가능하여야 하며, 지역 사람들의 삶의 질을 향상시킬 수 있어야 한다. 또한, 환경 오염을 발생시키지 않는 친환경적인 기술이어야 한다.

| 풀이 |

적정 기술은 과학 기술의 혜택을 받지 못하는 지역 사람들의 삶의 질을 높여주는 기술이므로 친환경적이어야 하고, 대규모의 사회 기반 시설을 필요로 하지 않는다. 또한 값비싼 장비를 이용하는 것이 아니라 그 지역에서 지속적으로 생산과 소비가 가능한 기술이어야 한다.

| 채점 기준 |

채점 기준	배점
2개 이상의 조건을 옳게 서술한 경우	100 %
1개 이하의 조건을 옳게 서술한 경우	50 %

Well begun is half done.

'시작이 반이다'

아이에게도
첫 걸음을 떼는 걸음마 과정이 있는 것처럼,
누구에게나
무엇을 시작할때에는
첫걸음을 떼는 과정이 있기 마련이래요.

개념풀은
이제 시작인
여러분들의 고등학교 첫걸음을
든든하게 응원합니다.
일단 용기 내
끝까지 공부해 보자 구요.
'시작이 반'이라잖아요.

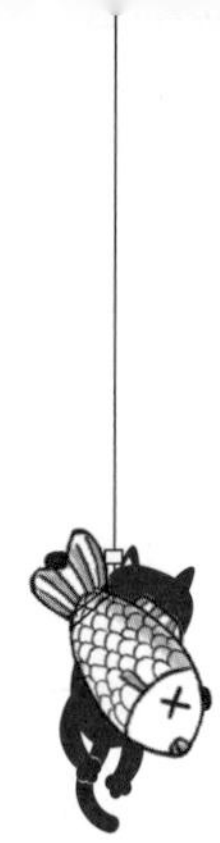

고양이에게 생선을 맡긴 격

이 속담은
어떤 일이나 사물을 믿지 못할 사람에게 맡겨 놓고
마음이 놓이지 않아 걱정한다는 뜻이에요.
고양이가 생선을 그만큼 좋아해서
생긴 속담이겠죠?ㅋㅋㅋ

그렇다면
고양이는 정말 생선을 좋아할까요?

현재까지 연구에 따르면,
고양이는 개와 다르게
음식을 통해서만 타우린이라는 영양소를 얻을 수 있어요.
생선에는 타우린이 많은데 고양이가 평소에 충분한 타우린을
섭취하지 못하면 시력을 잃을 수도 있대요.
그래서 고양이들은 본능적으로 생선냄새에 반응할 만큼
생선을 좋아한다고 해요.

고양이가
생존을 위해 본능적으로 생선을 좋아하는 것처럼,
여러분들도 평소에
본능적으로 찾게 되는 음식이 있나요?

memo

개념 학습과 정리가 한번에 끝나는 기본서

개념풀

통합과학

개념 학습과 정리가 한번에 끝나는 기본서

개념풀

통합과학

발 행 인 권준구
발 행 처 (주)지학사 (등록번호 : 1957.3.18 제 13-11호) 04056 서울시 마포구 신촌로6길 5
발 행 일 2017년 12월 20일 [초판 1쇄] 2023년 9월 30일 [2판 3쇄]
구입 문의 TEL 02-330-5300 | FAX 02-325-8010 구입 후에는 철회되지 않으며, 잘못된 제품은 구입처에서 교환해 드립니다.
내용 문의 www.jihak.co.kr 전화번호는 홈페이지 〈고객센터 → 담당자 안내〉에 있습니다.

힘이 되는 좋은 말 지학사

학습한 개념을
스스로 정리해 보는
개념책 1:1 맞춤

정리 노트

개념풀 통합과학

의 노트

개념과 정리가 한번에 끝나는 기본서

개념풀

통합과학

개념책 1 : 1 맞춤

정리노트

contents

학습한 개념을 단권화 할 수 있는

개념풀 정리노트의 구성과 특징

정리노트를 작성하기 전, 대단원의 흐름을 살펴보면서 워밍업을 해 보세요.

❶ 노트 정리 전에 나만의 각오를 적고 마음을 다잡아 보아요.

학습 계획을 세워 보는 것도 추천해요.

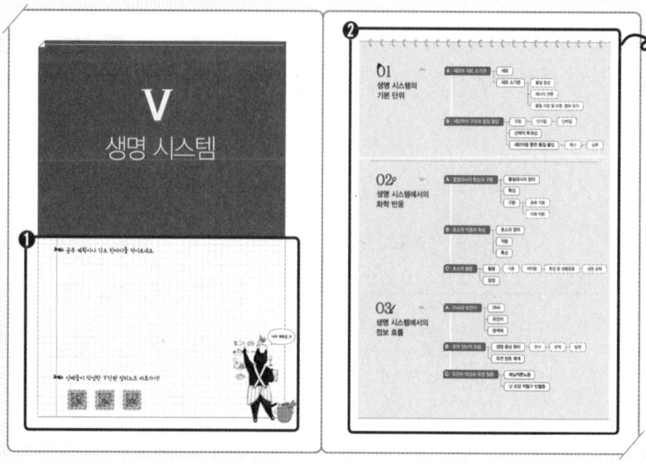

❷ 대단원의 흐름을 한번에 훑어 보세요. 공부했던 내용의 흐름이 기억날 거예요.

중단원의 세부 내용까지 기억한다면 진짜 대단한 친구! 기억나지 않아도 걱정 마세요. 이제부터 시작이니까요.

중단원별 중요 내용의 구조를 보고, 개념을 정리하세요.

❶ 선배들이 개념책을 보고 중단원 전체의 소제목과 내용 구조를 정리했어요.

무엇이 중요하고 무엇을 정리하여 공부해야 하는지 알 수 있어요.

❷ 문제풀이를 하면서 헷갈렸던 내용, 선생님과 수업하면서 새롭게 알게 된 내용 등을 자유롭게 적어보세요.

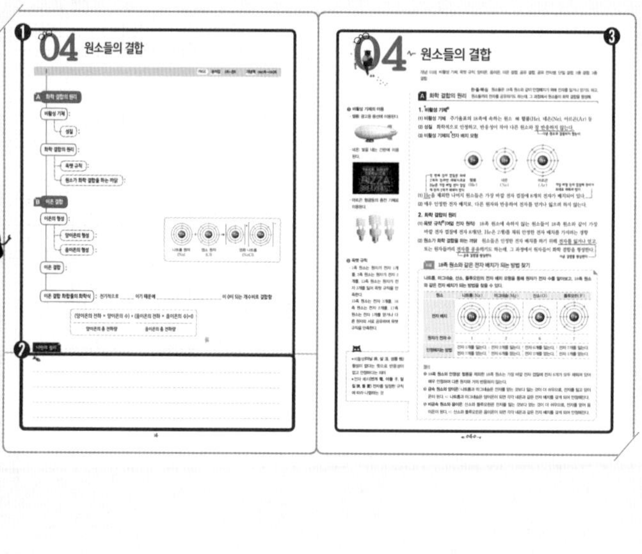

❸ 어디서부터 어떻게 정리해야 할지 모른다구요? 개념책을 펴 보세요. 흐름이 같지요? 개념책의 내용을 나만의 스타일로 정리해 보세요.

정리노트를 사용하는 2가지 방법

1. 개념책이나 교과서를 펴 놓고 중요 개념을 보면서 써 보기!
2. 외웠던 것을 확인하는 차원에서 스스로 정리해 보기!

정리노트를 작성하기가 막막하다면? 정리노트를 다시 쓰고 싶다면?

지학사 홈페이지(www.jihak.co.kr)에 들어오면, 빈 노트와 선배들의 정리노트를 다운받을 수 있어요.

노트 정리 노하우를 볼 수 있는

선배들의 정리노트 이야기

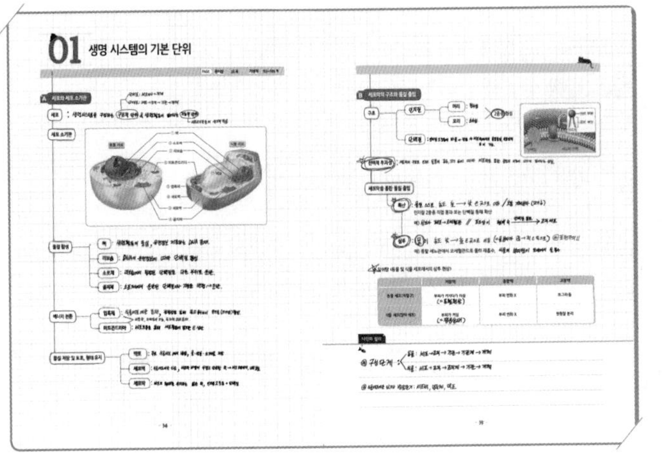

박수빈 고려대 재학생

"개념풀 정리노트는 단원의 전체 흐름과 중요한 세부 내용까지 모두 볼 수 있도록 구성되어 있어. 그동안 공부했던 걸 시험 전날 정리노트에 채워 보고 가면 그 시험은 만점 예약!"

◂박수빈 학생의 노트 바로가기

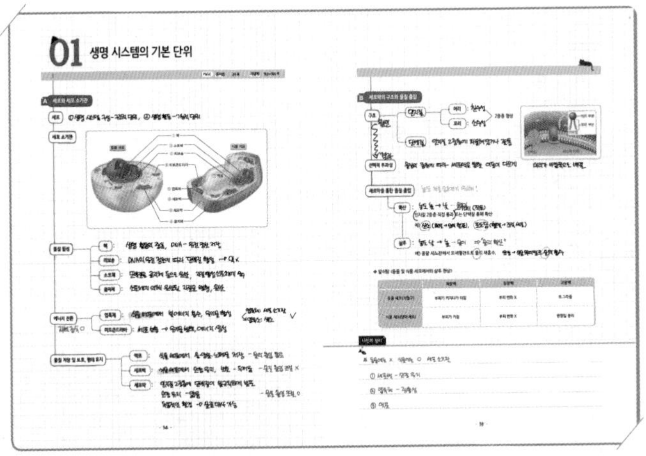

정은우 고려대 재학생

"대단원별로 적합한 방식으로 학습할 수 있어서 유익해. 개념풀 정리노트가 있다면 그래프, 세부적인 내용 암기, 전체 순서 등 중요한 핵심 내용을 탄탄히 짚고 넘어갈 수 있어!"

◂정은우 학생의 노트 바로가기

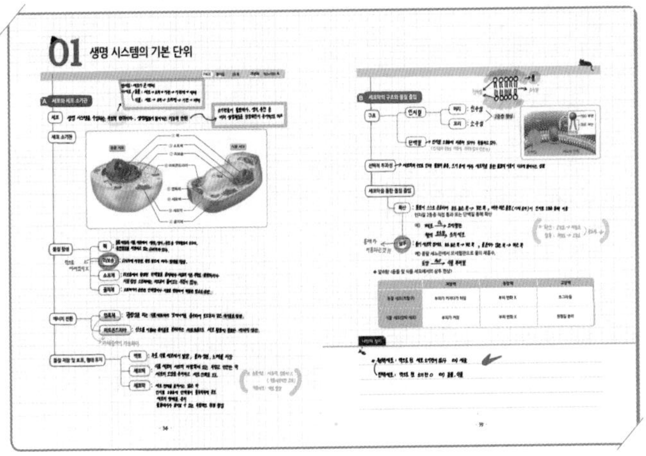

지수영 고려대 재학생

"어떻게 공부할지 막막할 때 개념풀 정리노트를 채워 봐~ 중요한 공식과 개념을 손으로 쓰면서 자연스럽게 암기할 수 있어! 완성한 노트는 시험 전에 볼 정리노트가 되니까 일석이조!"

◂지수영 학생의 노트 바로가기

I

물질의 규칙성과 결합

공부 계획이나 각오 한마디를 적어보세요.

선배들이 작성한 I 단원 정리노트 바로가기!

01 우주 초기에 만들어진 원소

- **A** 물질을 구성하는 입자
  - 물질의 구성
  - 물질의 종류
    - 기본 입자
    - 양성자
    - 중성자
    - 원자핵
    - 원자
- **B** 빅뱅과 입자의 탄생
  - 빅뱅 우주론
  - 빅뱅과 입자
  - 입자의 형성 과정
- **C** 빅뱅 우주론의 증거와 스펙트럼
  - 빅뱅 우주론의 증거
  - 스펙트럼과 우주의 구성 물질
    - 스펙트럼
    - 별빛의 스펙트럼
    - 우주의 구성 물질

02 별의 진화와 무거운 원소의 생성

- **A** 별의 탄생
  - 우주와 지구, 사람을 구성하는 원소
  - 별의 탄생
  - 수소 핵융합 반응
- **B** 별의 진화와 원소의 생성
- **C** 태양계의 형성
  - 태양계의 형성 과정
  - 태양계 행성의 특징
    - 태양계의 특징
    - 태양계 행성의 특징

03 원소들의 주기성

- **A** 원소와 원소의 분류
  - 원소
  - 원소의 분류
- **B** 주기율표
  - 역사
  - 주기율과 현대의 주기율표
- **C** 원자의 전자 배치
  - 원자의 구조
  - 원자의 전자 배치
- **D** 알칼리 금속과 할로젠 원소
  - 알칼리 금속
  - 할로젠 원소

04 원소들의 결합

- **A** 화학 결합의 원리
  - 비활성 기체
  - 화학 결합의 원리
- **B** 이온 결합
  - 이온의 형성
  - 이온 결합
  - 이온 결합 화합물의 화학식
- **C** 공유 결합
  - 공유 결합
  - 공유 전자쌍
  - 공유 결합의 형성
  - 단일 결합과 다중 결합

05 원소들의 결합과 물질의 성질

- **A** 이온 결합 물질
  - 이온 결합 물질
  - 이온 결합 물질의 성질
  - 이온 결합 물질의 이용
- **B** 공유 결합 물질
  - 공유 결합 물질
  - 공유 결합 물질의 성질
  - 공유 결합 물질의 이용

01 우주 초기에 만들어진 원소

PAGE 용어집 2쪽~3쪽 | 개념책 010쪽~013쪽

A 물질을 구성하는 입자

물질의 구성

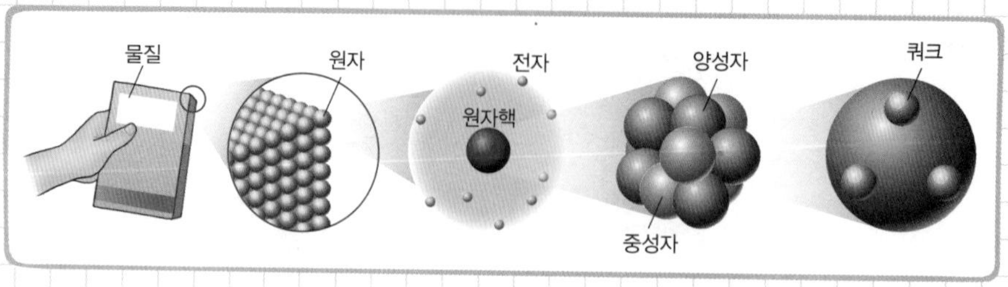

입자의 종류

- **기본 입자** :
- **양성자** :
- **중성자** :
- **원자핵** :
- **원자** :

B 빅뱅과 입자의 탄생

빅뱅 우주론 :

빅뱅과 입자 : 빅뱅 직후 우주가 처음에는 ________ 상태 → 온도 ↓ → ______

입자의 형성 과정

① 빅뱅 직후 쿼크와 전자 등 ________ 형성

↓

② 쿼크가 결합하여 ________ 형성

* 원자핵 형성 전 양성자 : 중성자 = ______ : ______

↓

③ ______ 형성(빅뱅 후 약 ______)

↓

④ ______ 형성(빅뱅 후 약 ______)

* 우주를 구성하는 대부분의 원자: ______, ______

C 빅뱅 우주론의 증거와 스펙트럼

빅뱅 우주론의 증거

(1) 수소 원자와 헬륨 원자의 질량비(약 ___ : ___)

(2)

스펙트럼과 우주의 구성 물질

스펙트럼 :

	연속 스펙트럼	선 스펙트럼	
		흡수 스펙트럼	방출 스펙트럼
모양			
특징			
예			

별빛의 스펙트럼 : ____________으로 나타남.

→ 관측한 별의 구성 원소를 알아내는 방법:

우주의 구성 물질 : 수소 : 헬륨 = ___ : ___

→ 빅뱅의 증거

나만의 정리

02 별의 진화와 무거운 원소의 생성

PAGE 용어집 3쪽~4쪽 | 개념책 020쪽~023쪽

A 별의 탄생

우주와 지구, 사람을 구성하는 원소 : 우주를 구성하는 대부분의 물질: ______, ______ ≠ 지구, 사람의 구성 물질(____________)

별의 탄생 ① 성운 수축 → ② 원시별 형성 → ③ ____________ 탄생

____________ 1000만 K 이상

수소 핵융합 반응

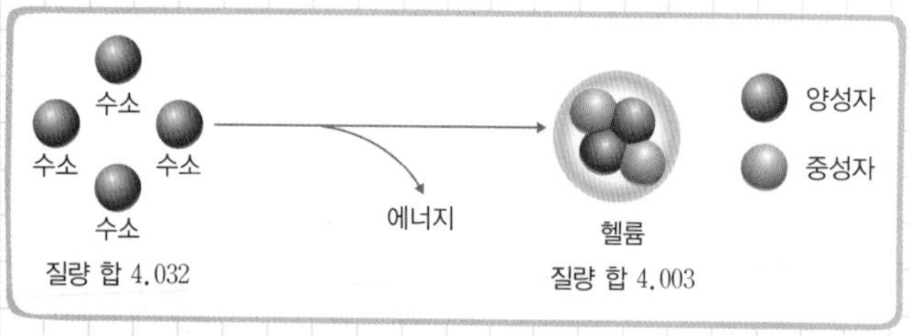

① 수소 원자핵 4개가 융합하여 1개의 ____________이 되는 반응

② 수소 원자핵 4개의 질량보다 반응 후 헬륨 원자핵 1개의 질량이 ________. 이 질량에 해당하는 ________가 발생

B 별의 진화와 원소의 생성

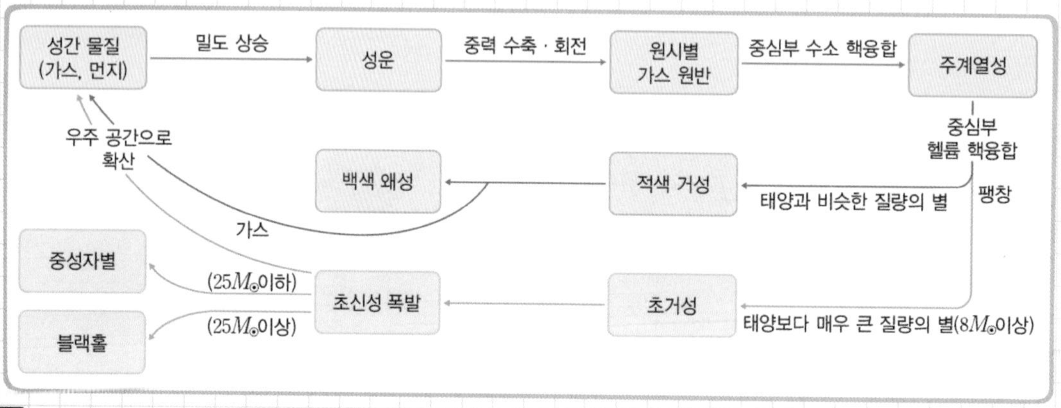

나만의 정리

C 태양계의 형성

태양계의 형성 과정

① ________	② ________	③ ________	④ ________
· ______로 형성된 성운으로부터 생성 · ______에 의해 수축하면서 회전을 함. 수축 진행될수록 ______ 속도는 ______	· 성운이 수축하면서, 속도 빨라지며 ______으로 형태가 변함 · 중심부: 온도가 ______하고 ______이 형성 · 바깥쪽 원반 부분에는 가스와 먼지 분포	· 원시 태양은 점차 중심부 온도 ↑ · 원시 태양 주변(원반부)에서 가스와 먼지 충돌 → 큰 덩어리 → 뭉쳐짐 → 많은 수의 ______ 형성	· 원시 태양 온도 ↑↑ → ______ 일어나 주계열성인 태양이 됨 · ______의 계속된 충돌 → ______ 형성 → 점차 크기 커짐 → 현재

태양계 행성의 특징

태양계의 특징

① 태양은 태양계의 중심에 위치, 태양계 질량의 약 99.8 % 차지

②

③

④

⑤

태양계 행성의 특징: 안쪽: ________로 이루어진 ________ /

바깥쪽: ________로 이루어진 ________

물리량 \ 행성 분류	지구형 행성	
태양과의 거리와 온도	거리가 가깝다 → 온도가 높은 편	
주요 성분		주로 수소, 헬륨 등의 기체
크기/질량		
밀도	크다.	

나만의 정리

03 원소들의 주기성

PAGE 용어집 5쪽~6쪽 | 개념책 030쪽~033쪽

A 원소와 원소의 분류

원소 :

원소의 분류

구분	금속 원소	비금속 원소
특징	________이 되기 쉬운 원소	________이 되기 쉬운 원소
상태 비교(실온)	대부분 ______로 존재, 예외) ______	대부분 ______ 또는 _____로 존재, 예외)______
열과 전기 전도성		
성질		

B 주기율표

역사 ① 되베라이너:

② 멘델레예프:

③ 모즐리:

주기율과 현대의 주기율표

주기율 :

주기율표 :

족 :

주기 :

〈☆반드시 암기☆ 빈칸 채우기〉

1	2	13	14	15	16	17	18
1 H 수소							

C 원자의 전자 배치

원자의 구조

- **원자**: ____________ + ____________
- **원자핵**: ____________ + ____________
- **원자 번호**: 원자 번호 = ____________ = ____________

원자의 전자 배치

- **전자 껍질**: ________________________________
- **전자 배치**: 원자 안의 전자는 ________________ 부터 차례로 배치
- **원자가 전자**: ________________________________

  같은 족 원소는 원자가 전자 수가 ______
- **원소들의 주기성**: ________________ 가 주기적으로 변하기 때문에 나타나는 현상

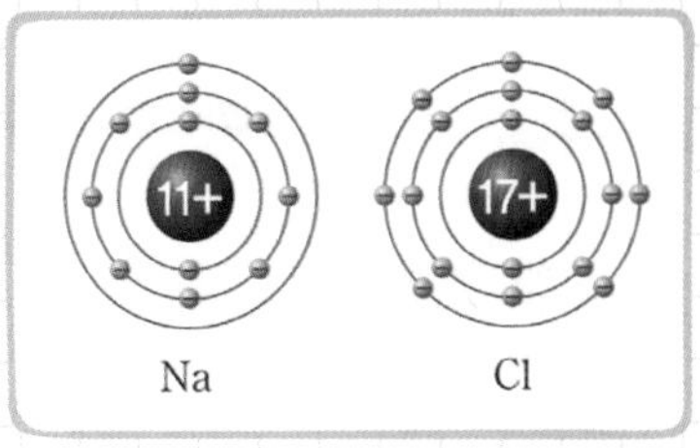

D 알칼리 금속과 할로젠 원소

알칼리 금속	할로젠 원소
	주기율표의 17족에 속하는 비금속 원소 예) F, Cl, Br, I
① 실온에서 모두 고체 상태이다. ② ③ ④	① 반응성이 매우 커서 자연 상태에서 대부분 화합물의 형태로 존재한다. ② ③ ④

나만의 정리

04 원소들의 결합

PAGE 용어집 6쪽~8쪽 | 개념책 040쪽~043쪽

A 화학 결합의 원리

비활성 기체 :

성질 :

화학 결합의 원리 :

옥텟 규칙 :

원소가 화학 결합을 하는 까닭 :

B 이온 결합

이온의 형성 :

양이온의 형성 :

음이온의 형성 :

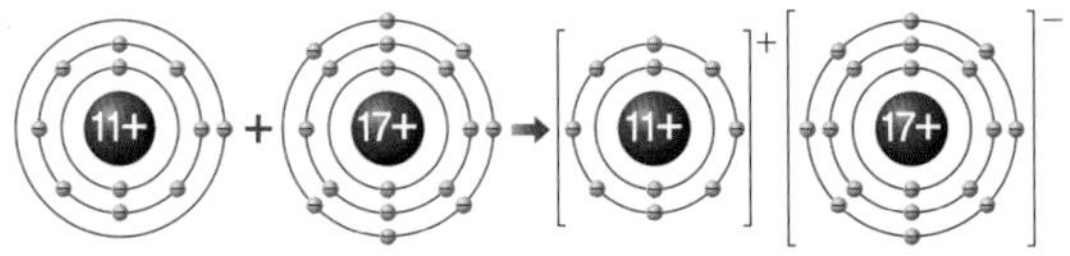

이온 결합 :

이온 결합 화합물의 화학식 : 전기적으로 ______ 이기 때문에 ______________________ 이 0이 되는 개수비로 결합함

(양이온의 전하 × 양이온의 수) + (음이온의 전하 × 음이온의 수)=0

양이온의 총 전하량 　　 음이온의 총 전하량

나만의 정리

C 공유 결합

공유 결합 :

공유 전자쌍 :

공유 결합의 형성 :

수소 분자의 형성 ①

② 전자 배치:

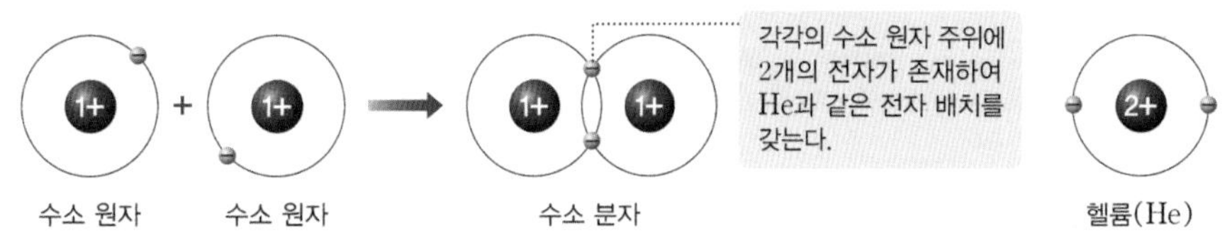

물 분자의 형성 ①

② 전자 배치:

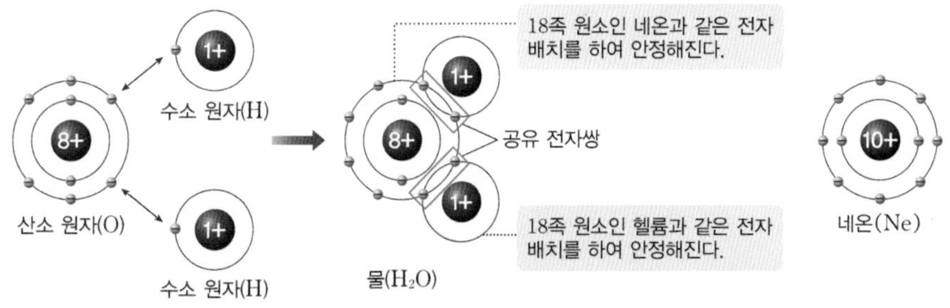

단일 결합과 다중 결합

단일 결합 : 두 원자 사이에 1개의 전자쌍을 서로 공유하여 이루어지는 결합

예)

2중 결합 : 두 원자 사이에 2개의 전자쌍을 서로 공유하여 이루어지는 결합

예)

3중 결합 : 두 원자 사이에 3개의 전자쌍을 서로 공유하여 이루어지는 결합

예)

05 원소들의 결합과 물질의 성질

PAGE 용어집 8쪽~9쪽 | 개념책 050쪽~051쪽

A 이온 결합 물질

이온 결합 물질

- 의미 :
- 물질의 배열 :

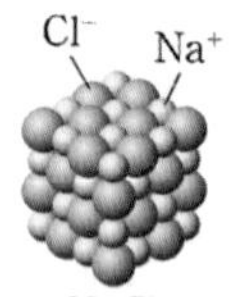

NaCl

이온 결합 물질의 성질

녹는점과 끓는점	물에 대한 용해성	전기 전도성	단단한 정도
· 양이온과 음이온은 ____에 의해 이온 결합 형성 → 녹는점과 끓는점이 ______	·	· 고체 상태: 전류가 ______ · 수용액 상태와 액체 상태: ______	· 비교적 단단하지만 힘을 가하면 ______ (까닭:)

이온 결합 물질의 이용

이온 결합 물질	수산화 나트륨	염화 칼슘	탄산수소 나트륨	염화 나트륨
구성 이온	Na^+, OH^-			
이용	비누			

나만의 정리

B 공유 결합 물질

공유 결합 물질

- 의미 :
- 물질의 배열 :

공유 결합 물질의 성질

- 녹는점과 끓는점 :
- 물에 대한 용해성 :
- 전기 전도성 :

※ 결합의 종류에 따른 물질의 성질 비교

물질	고체 상태		액체 상태	수용성 상태	
	설탕	염화 나트륨	증류수	설탕 수용액	염화 나트륨 수용액
결합 형태					
전기 전도성					

공유 결합 물질의 이용

공유 결합 물질	소독용 에탄올	뷰테인 가스	설탕	아스피린
이용				

나만의 정리

Ⅱ

자연의 구성 물질

공부 계획이나 각오 한마디를 적어보세요.

선배들이 작성한 Ⅱ단원 정리노트 바로가기!

01 지각과 생명체의 구성 물질

- A 지각과 생명체를 구성하는 물질
  - 지각
  - 생명체
  - 규소와 탄소의 특징
- B 규산염 광물과 결합의 규칙성
  - 규산염 사면체
  - 규산염 광물
  - 규산염 광물의 결합
  - 규산염 광물의 결합 구조
- C 탄소 화합물과 결합의 규칙성
  - 탄소 화합물
  - 탄소 화합물의 결합 구조

02 생명체의 주요 구성 물질

- A 생명체의 구성 물질
  - 생명체의 구성 물질의 종류
  - 주요 구성 물질의 형성
    - 단위체
- B 단백질
  - 단백질의 기능
  - 단백질의 단위체
  - 단백질의 구성
  - 단백질의 구조와 기능이 다양한 까닭
- C 핵산
  - 핵산의 특징
  - 뉴클레오타이드
  - 핵산의 종류와 상보적 결합
  - 핵산의 유전 정보

03 신소재

- A 신소재의 종류와 물질의 분류
  - 신소재의 종류와 특징
  - 전기적 성질
  - 자기적 성질
- B 전자기적 성질을 활용한 신소재
  - 전기적 성질을 활용한 신소재
  - 자기적 성질을 활용한 신소재
- C 탄소로 이루어진 신소재와 자연을 모방한 신소재
  - 탄소로 이루어진 신소재
  - 자연을 모방한 신소재

01 지각과 생명체의 구성 물질

PAGE 용어집 10쪽 | 개념책 064쪽~066쪽

A 지각과 생명체를 구성하는 물질

지각 ① 지각은 ______으로, ______은 ______로 구성

② ______와 ______가 결합한 ______________이 암석 구성 광물 중 대부분을 차지

생명체 ① ______________ 등의 무기물과 ________________ 등의 유기물로 구성

② 유기물은 ______를 기본 골격으로 여러 원소가 결합한 ______________

규소와 탄소의 특징

구분	공통점	차이점	원자 모형
규소	· ·다른 원소와 규칙적으로 결합해 지각과 생명체의 골격을 이룸	·규소 화합물 형성 ·	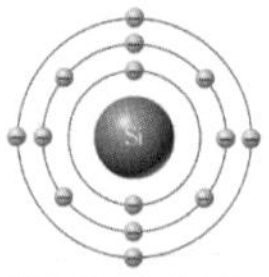
탄소		·탄소 화합물 형성 ·	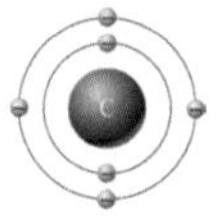

B 규산염 광물과 결합의 규칙성

[   ] (Si-O 사면체)

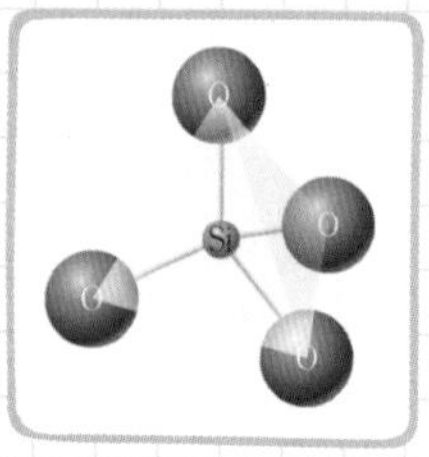

① 중심에 있는 ______________에 ______________가 결합한 사면체 구조

② 규산염 사면체는 전기적으로 ________를 띰

규산염 광물 :

규산염 광물의 결합 : 전기적으로 ________를 띠는 규산염 사면체가 다른 ________과 결합하거나 다른 규산염 사면체와 ________를 공유하여 결합

규산염 광물의 결합 구조

구분	독립 사면체 구조				
특징			단사슬 구조 2개가 연결되어 이중의 사슬 형태 구조		규산염 사면체의 산소 4개가 모두 다른 규산염 사면체와 결합
특징	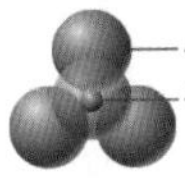		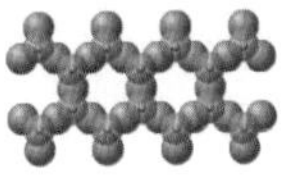	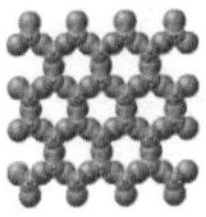	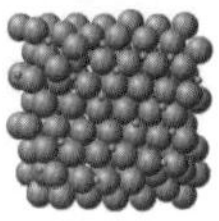
대표 광물		휘석		흑운모	

C 탄소 화합물의 결합과 규칙성

탄소 화합물

① 탄소 원자의 특징: 여러 원소와 다양한 구조의 ______________을 안정하게 이루어 여러 가지 ______________을 만듦

② 탄소 화합물: 많은 수의 탄소 원자가 연속적으로 결합하여 골격을 이루고 수소, 산소, 질소, 황 등 여러 원소가 공유 결합하여 이루어진 물질

탄소 화합물의 결합 구조

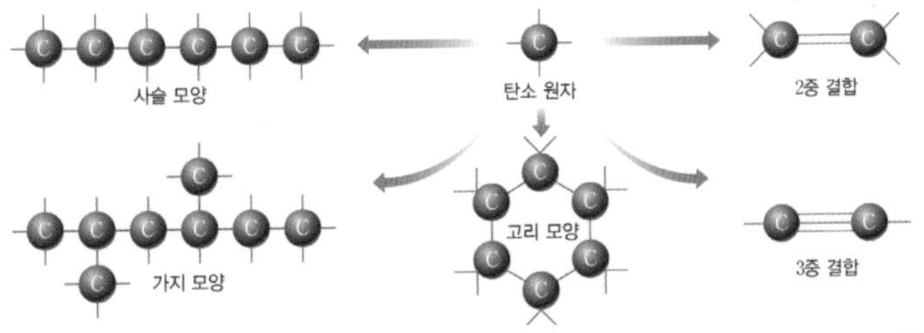

탄소가 생명체에서 중요한 역할을 하는 까닭: 여러 종류의 원자와 결합해 다양한 화합물을 만들기 때문.

탄소 화합물은 생명체의 ______________이나 ______________

나만의 정리

02 생명체의 주요 구성 물질

PAGE 용어집 11쪽~12쪽 | 개념책 072쪽~074쪽

A 생명체의 구성 물질

생명체의 구성 물질의 종류

구성 물질	특성
물	
무기염류	신체 구성, 생리 기능 조절
단백질	
탄수화물	주요 에너지원
지질	
핵산	

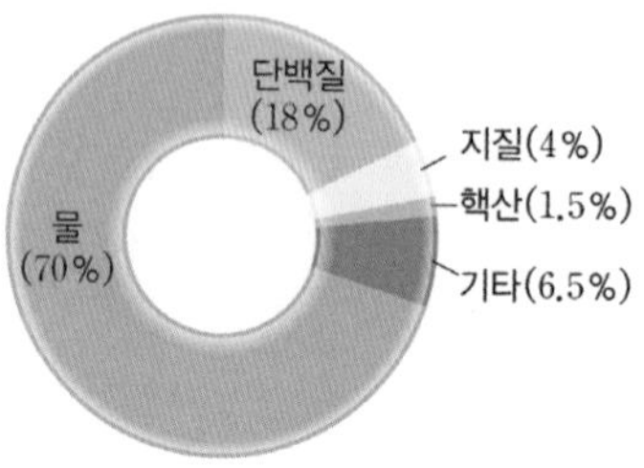

→ 공통적으로 ____________임. (물과 무기염류 제외)

생명체의 주요 구성 물질의 형성

( ): 탄소 화합물에서 반복적으로 결합하여 구성 단위 역할을 하는 작은 분자

(단백질: ______, 핵산: ____________, 탄수화물: ______) → ______가 긴 가닥으로 연결

B 단백질

단백질의 기능

① 피부, 근육, 뼈, 혈액 이외에도 ________________ 등의 주성분

② 생명체에서 일어나는 여러 ________을 조절

③ ________에 따라 다양한 기능을 함

단백질의 단위체

① ________은 단백질의 단위체로서 탄소를 중심으로 산소, 질소, 수소가 결합한 구조

②

③

단백질의 구성

① ________은 아미노산 사이의 결합

② 단위체: ________ → ________ → 단백질

단백질의 구조와 기능이 다양한 까닭

① 단백질을 구성하는 아미노산의 ________에 의해 다양한 ________를 가짐

② 단백질이 다양한 기능을 할 수 있는 까닭: ________________를 가지기 때문에

C 핵산

핵산의 특징 ① ____________라는 단위체가 반복적으로 결합하여 형성

②

[ ] : 핵산의 단위체로 ______, ______, ______가 각각 하나씩 결합한 화합물

핵산의 종류와 상보적 결합 : 여러 ____________가 결합하여 형성된 긴 가닥

구분	DNA	RNA
당		
염기		
구조		
기능		

① 아데닌(A)은 항상 ____________와 결합

② 구아닌(G)은 항상 ____________와 결합

핵산의 유전 정보 ① DNA에서 ______________________는 유전 정보가 됨

② 생물마다 ______________________가 달라 생물 고유의 특성이 나타남

나만의 정리

03 신소재

PAGE 용어집 13쪽~14쪽 | 개념책 080쪽~082쪽

A 신소재의 종류와 물질의 분류

신소재 :

신소재의 종류와 특징

구분	형상 기억 합금	전도성 고분자	유기 태양 전지	파인 세라믹스
특징		플라스틱의 유연성과 가벼움 +전기 전도성		
이용				인공 뼈, 인공 관절, 인공 치아 등

전기적 성질에 따른 물질의 분류

구분	도체	절연체	반도체
특징			
예			규소, 저마늄
이용	전기 도선		

자기적 성질에 따른 물질의 분류

구분	자석이 될 수 있는 물질	자석이 될 수 없는 물질
특징		
예		종이, 알루미늄 등

B 전자기적 성질을 활용한 신소재

전기적 성질을 활용한 신소재

액정 디스플레이(LCD) : 액정에 전압을 가하여 분자 배열을 조절하여 빛의 투과성을 조절, 영상 표시 장치로 이용

반도체 소자 :

구분	발광 다이오드(LED)	트랜지스터
특징	· ·첨가하는 원소의 종류에 따라 방출하는 색이 다름	· ·매우 작게 만들 수 있고 소비 전력이 작으며 열도 거의 발생하지 않음
이용		

자기적 성질을 활용한 신소재

[   ]: 특정 온도 이하에서 물질의 전기 저항이 0이 되는 ____________을 나타내는 물질

구분			자석이 만든 자기장을 밀어낸다.
특징		큰 전류를 흘려 강한 자기장을 만들 수 있음	
이용	초전도 송전선, 초전도 슈퍼컴퓨터		

네오디뮴 자석:

C 탄소로 이루어진 신소재와 자연을 모방한 신소재

탄소로 이루어진 신소재

구분	그래핀	탄소 나노 튜브	풀러렌
구조	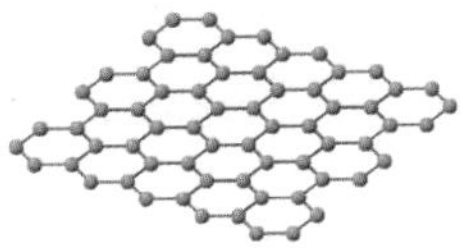	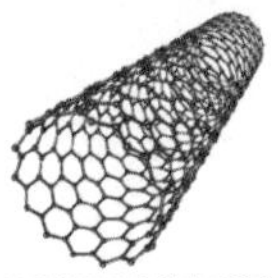	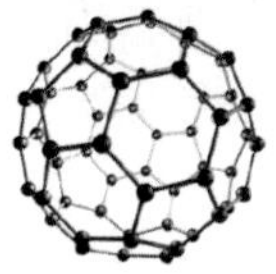
특징	·단단하고 열을 잘 전달 · · ·면적을 늘리거나 휘어도 전기적 성질이 변하지 않음	·열을 잘 전달 · ·	·단단함 · ·내부에 빈 공간 있음
이용	휘어지는 디스플레이	나노 핀셋	인체 내 의약품 운반

자연을 모방한 신소재

: 환경을 오염시키지 않고 자원과 에너지를 낭비하지 않는 자연의 특징을 모방한 신소재

예)

나만의 정리

III

역학적 시스템

공부 계획이나 각오 한마디를 적어보세요.

선배들이 작성한 Ⅲ단원 정리노트 바로가기!

01 역학적 시스템과 중력

- A 역학적 시스템과 힘, 가속도
  - 역학적 시스템
  - 힘
  - 가속도
  - 등가속도 운동
- B 중력
  - 중력
  - 자유 낙하 운동과 수평 방향으로 던진 물체의 운동 비교
    - 자유 낙하 운동
    - 수평 방향으로 던진 물체의 운동
- C 중력과 자연 현상
  - 중력이 지구 시스템에 미치는 영향
  - 중력이 생명 시스템에 미치는 영향

02 운동과 충돌, 그리고 안전

- A 관성, 운동량과 충격량
  - 관성
  - 운동량
    - 운동량
  - 충격량
    - 충격량
    - 힘-시간 그래프
- B 운동량과 충격량의 관계
  - 운동량과 충격량의 관계
  - 충격량이 같을 때 물체에 작용한 힘
- C 충돌과 안전 대책
  - 충돌 시간을 길게 하여 받는 힘 줄이기
  - 관성 이기기
  - 안전거리 확보하기

01 역학적 시스템과 중력

PAGE 용어집 15쪽~16쪽 | 개념책 096쪽~098쪽

A 역학적 시스템과 힘, 가속도

역학적 시스템 :

힘 (단위: ___):

가속도 (단위: ___):

가속도= ___

가속도 법칙: 가속도의 크기= ___

[　　　] : 물체에 일정한 크기의 ___이 작용하여 ___이 일정한 운동

B 중력

중력

- **중력** :
- **크기와 방향** ① 크기: 두 물체의 질량이 ___, 거리가 ___ 중력이 큼
  ② 방향:
- **지구의 중력** ① 방향:
  ② 무게:

자유 낙하 운동과 수평 방향으로 던진 물체의 운동 비교

- **[　　　]** ① ___을 무시할 때 물체가 ___만을 받아 낙하하는 운동
  ②물체의 질량에 관계없이 $\frac{\text{속도 변화량}}{\text{단위 시간}}$ 이 ___로 일정
- **수평 방향으로 던진 물체의 운동** ① 수직 방향: ___, ② 수평 방향: ___

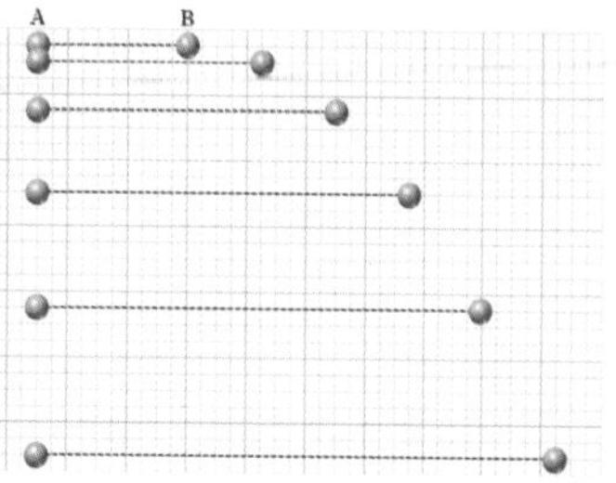

A: ___, B: 수평 방향으로 던진 물체의 운동

· A, B 동시에 도착

· A, B의 0.1초당 이동 거리가 일정하게 증가 → 가속도 일정

· A, B의 가속도: ___로 같다.

C 중력과 자연 현상

중력이 지구 시스템에 미치는 영향

- **대류**: 차가운 공기는 밀도가 커서 _______로 이동하고, 따뜻한 공기는 밀도가 작아서 _______로 이동
- **지표의 침식**:
- **기상 현상**:
- **달의 공전**:

중력이 생명 시스템에 미치는 영향

중력이 동물에게 미치는 영향

- **무거운 동물의 골격**: 코끼리나 하마처럼 무거운 동물은 강한 근육과 단단한 골격을 가지고 있음
- **기린의 심장**:
- **전정 기관**:

중력이 식물에게 미치는 영향

- **세포벽**:
- **뿌리와 줄기**:
- **민들레 씨의 깃털**:

나만의 정리

02 운동과 충돌, 그리고 안전

PAGE 용어집 16쪽~17쪽 | 개념책 104쪽~107쪽

A 관성, 운동량과 충격량

관성 :

관성의 크기는 ______에 비례

운동량

운동량 (단위: ______):

운동량(p)= __________ × __________

충격량

충격량 (단위: ______):

충격량(I)= __________ × __________

힘-시간 그래프 : 힘-시간 그래프 아래의 면적은 ______과 같음

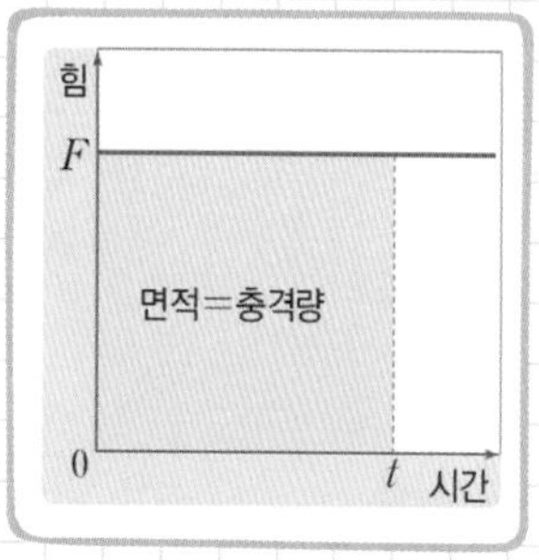

힘의 크기가 일정할 때

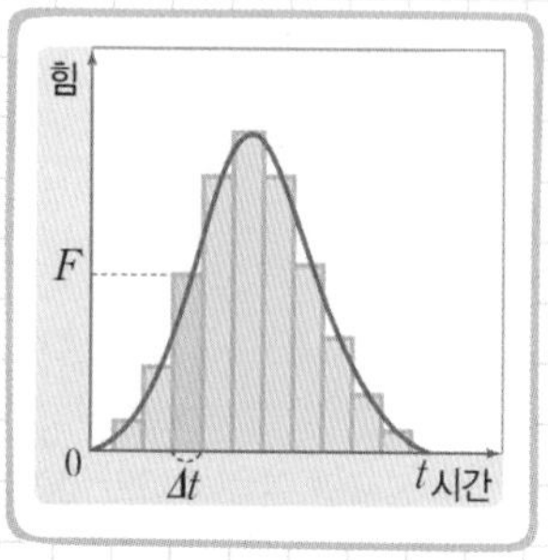

힘의 크기가 변할 때

나만의 정리

B 운동량과 충격량의 관계

운동량과 충격량의 관계 : 충격량은 ________과 같고 ________은 운동량 변화량의 방향과 같음

________ (I)= ________ ($\triangle p$)= ________ - ________

충격량이 같을 때 물체에 작용한 힘

평균 힘 :

$$\text{평균 힘} = \frac{\qquad}{\text{시간}} = \frac{\qquad}{\text{시간}}$$

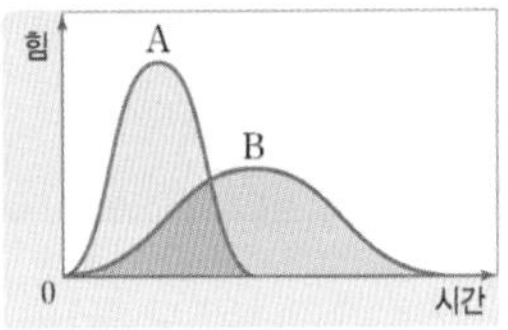

·충돌 시간이 길어질수록 물체에 작용하는 평균 힘은 ________

그래프 아래 부분의 넓이 비교	
힘을 받는 시간 비교	
평균 힘 비교	

C 충돌과 안전 대책

충돌 시간을 길게 하여 받는 힘을 줄이기 예)

관성 이기기 예)

안전거리 확보하기 예)

나만의 정리

Ⅳ
지구 시스템

공부 계획이나 각오 한마디를 적어보세요.

선배들이 작성한 Ⅳ단원 정리노트 바로가기!

01 지구 시스템의 구성과 상호 작용

- A 지구 시스템의 구성
  - 지권
  - 기권
  - 수권
  - 생물권
  - 외권
- B 지구 시스템의 상호 작용
- C 지구 시스템과 생명의 유지
  - 지권
  - 기권
  - 수권
  - 외권

02 지구 시스템의 물질과 에너지 순환

- A 지구 시스템의 에너지원
  - 태양 에너지
  - 지구 내부 에너지
  - 조력 에너지
- B 물질과 에너지의 순환
  - 물의 순환
  - 탄소의 순환
  - 질소의 순환

03 지구 시스템과 지권의 변화

- A 변동대와 판의 경계
  - 변동대
  - 판 구조론
  - 판의 경계
- B 지진과 화산 활동의 영향
  - 지진
  - 화산

01 지구 시스템의 구성과 상호 작용

PAGE 용어집 18쪽~19쪽 | 개념책 120쪽~122쪽

A 지구 시스템의 구성

[ ] : 지구를 구성하는 여러 요소가 서로 상호 작용을 하여 이루어진 시스템

지권 ① 영역:

② 특징:

- **지각** :
- [ ] :
- **외핵** :
- [ ] : 철과 니켈로 구성, 고체 상태

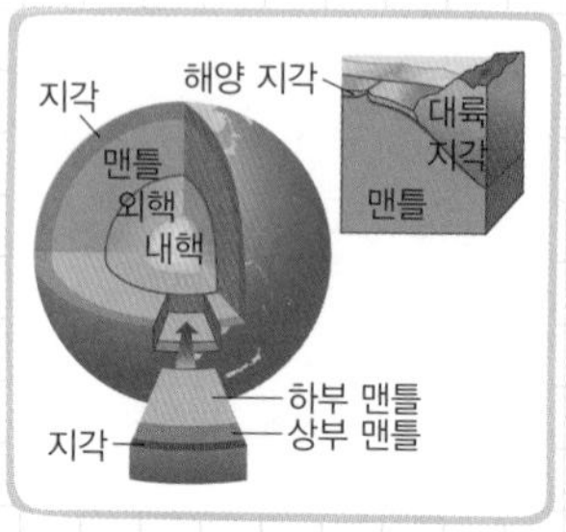

기권 ① 영역:

② 특징:

- [ ] :
- [ ] :
- [ ] :
- [ ] :

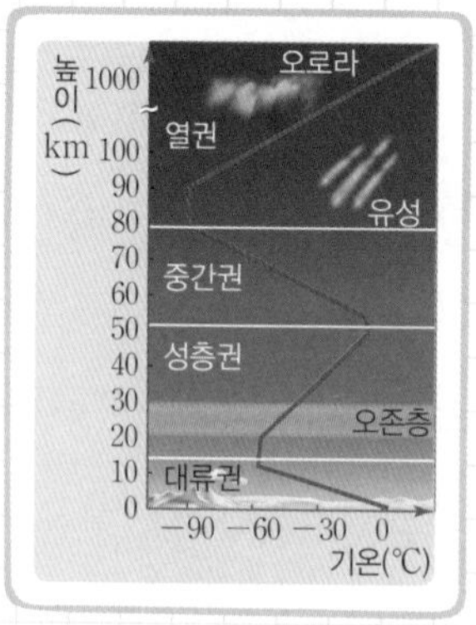

수권 ① 영역:

② 특징:

- [ ] :
- [ ] :
- [ ] :

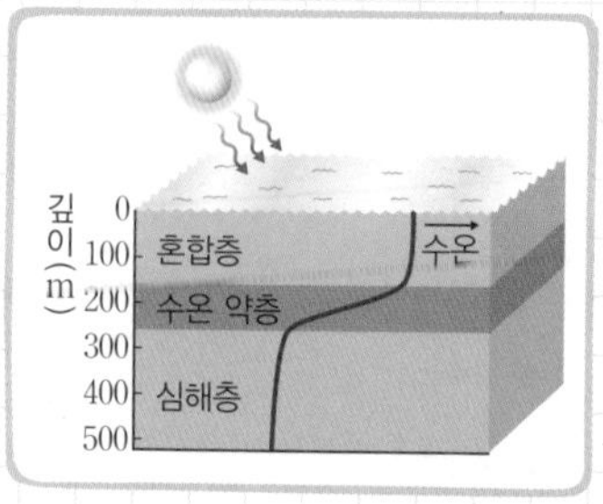

생물권 :

외권 :

B 지구 시스템의 상호 작용

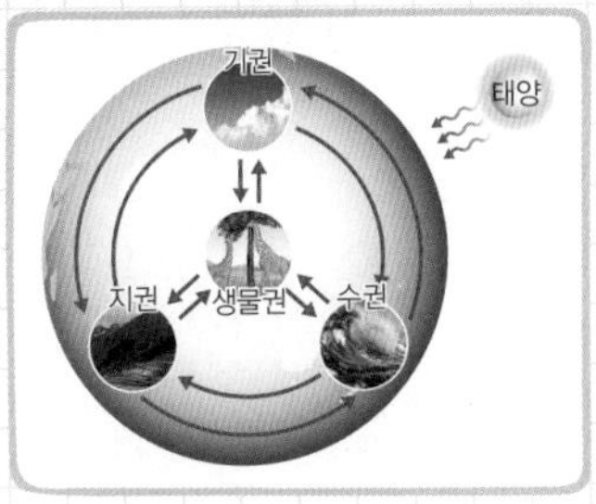

(1) 각 권은 유기적으로 ____________

(2) 상호 작용 시 지구 시스템 내에서 ____________이 일어남.

(3) 지구의 ________은 각 권의 ________ **때문이다.**

C 지구 시스템과 생명의 유지

지권

① 외핵의 운동 → 지구에 ______ 형성

② 지권 → ____에게 삶의 터전 제공

③ _______ → ___의 이동 → _________에 기여

기권

① 유성체를 태움 → ______ 보존

② 산소 포함 → 생명체 ____, 이산화 탄소 포함 → 식물의 ______

③ ______ → 자외선 차단, 생명체 보전

수권

① 바다 → 지구의 ____를 일정하게 유지

② 생명체 구성 물질, ____을 일정하게 유지

③ __________ → 생명체에 ______ 공급

외권

① __________ → 지구에 물이 액체 상태로 존재

② __________ → 생물에게 해로운 ______, 태양풍 차단

나만의 정리

02 지구 시스템의 물질과 에너지 순환

PAGE 용어집 20쪽 | 개념책 128쪽~130쪽

A 지구 시스템의 에너지원

① 지구 시스템의 모든 요소에 영향을 주는 ____________ 임.

→ ________, 해류 순환, ________, 생명 활동, ________

② ________________________________ 중 가장 많은 양을 차지함.

③ 지구의 에너지 평형: 같은 면적에 도달하는 태양 E 양– ________ 〉 ________

→ 평형을 이루기 위해 ______와 ______의 순환

예)

: ____________를 통해 대륙 이동, ______________ 일으킴

: _____, _____을 일으킴. ________형성 → 해안 지역의 생태계에 영향

B 물질과 에너지의 순환

물의 순환

① 물은 각 권에 모두 존재

② 물이 ______를 흡수/방출 → 각 권 사이를 끊임없이 이동

③ 지표를 ________ → 지형의 변화

④ 물의 순환

물의 이동 방향	과정
지권, 수권, 생물권 → ______	· 지권에서 화산 분출 시 수증기가 ______으로 유입된다. · 하천, 호수, 바다 등 ______에서 태양 에너지를 ______한다. · ______에서 ______이 일어난다.
기권 → ______	수증기가 응결하여 구름이 되었다가 비나 눈으로 내린다.
_____ → _____	물이 생물의 생명 활동에 이용되며 인간의 활동에 사용된다.

⑤ 물의 평형: 각 권이 ________ 물의 양= ________ 물의 양

→ 지구 시스템 전체 물의 양은 일정

탄소의 순환

탄소의 형태 : 지권(__________, 화석 연료), 기권(__________, 메테인)

수권(__________), 생물권(__________)

탄소 순환 : ① __________가 해수에 용해: __________ → __________

② 해수에 용해된 탄소가 쌓여 __________이 됨

: __________ → __________ 또는 __________ → __________ → __________

③ 식물의 광합성: __________ → __________

④ 식물의 호흡: __________ → __________

⑤ 화석 연료 생성: __________ → __________

⑥ 화석 연료 사용: __________ → __________

인간의 영향 : 대기 중 __________가 크게 증가하면서 균형이 무너지고 있음

질소의 순환

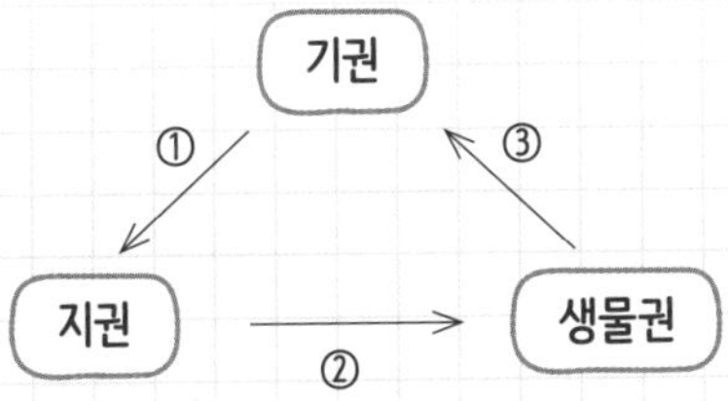

① 기권 → 지권:

② 지권 → 생물권:

③ 생물권 → 기권:

나만의 정리

03 지구 시스템과 지권의 변화

PAGE 용어집 21쪽~22쪽 | 개념책 136쪽~138쪽

A 변동대와 판의 경계

변동대 : ______________ 이 자주 일어나는 지역

지진대 :

화산대 :

지진대와 화산대는 거의 ______ 하며 주로 ______________ 에 분포

판 구조론 :

판의 구조 — **판** :

연약권 :

판의 경계 : 대부분의 지각 변동은 ______ 와 관련이 있음

① 판 이동의 원동력: ______________ 에 의해 ________ 가 일어나 ______ 과 ______________ 이 움직인다.

② 지표면은 ______ 개의 판으로 구성, 판의 ______ 방향과 ______ 에 따라 경계가 형성

나만의 정리

③ 판 경계의 종류와 특징

<table>
<tr><th colspan="2">종류</th><th colspan="2">특징</th></tr>
<tr><td colspan="2">발산형</td><td colspan="2">· 맨틀 대류의 ______
· ______, ______ 일어남
· 해양에서는 ______, 대륙에서는 ______ 나타남</td></tr>
<tr><td rowspan="3">수렴형</td><td>대륙+해양</td><td rowspan="2">· ______에서 판 소멸
· ______ & ______ 일어남
(섭입 판의 깊이 깊을수록 지진도 깊은 곳에서)</td><td>· ______, ______, ______ 등 형성</td></tr>
<tr><td>해양+해양</td><td>· ______, ______ 등 형성</td></tr>
<tr><td>대륙+대륙</td><td colspan="2">· ______(천발~중발)
· ______ 형성 예) 히말라야 산맥</td></tr>
<tr><td colspan="2">보존형</td><td colspan="2">· 천발 O, 화산 X
· ______ 발생
· 대표적인 예: ______</td></tr>
</table>

B 지진과 화산 활동의 영향

지진

① 과정: ______에 의한 ______ → 암석에 ______ 이상의 힘 → ______, ______를 한꺼번에 방출

② 1차 피해:

2차 피해:

③ 대책:

화산

① 과정: ______에 의해 ______ 형성 → 지각의 약한 부분을 뚫고 상승 → 분출

② 부정적인 영향:

긍정적인 영향:

나만의 정리

V
생명 시스템

공부 계획이나 각오 한마디를 적어보세요.

선배들이 작성한 V단원 정리노트 바로가기!

01 생명 시스템의 기본 단위

- A · 세포와 세포 소기관
  - 세포
  - 세포 소기관
    - 물질 합성
    - 에너지 전환
    - 물질 저장 및 보호, 형태 유지
- B · 세포막의 구조와 물질 출입
  - 구조 — 인지질 — 단백질
  - 선택적 투과성
  - 세포막을 통한 물질 출입 — 확산 — 삼투

02 생명 시스템에서의 화학 반응

- A · 물질대사의 특징과 구분
  - 물질대사의 정의
  - 특징
  - 구분
    - 동화 작용
    - 이화 작용
- B · 효소의 작용과 특성
  - 효소의 정의
  - 작용
  - 특성
- C · 효소의 활용
  - 활용 — 식품 — 의약품 — 환경 및 생활용품 — 생명 공학
  - 장점

03 생명 시스템에서의 정보 흐름

- A · DNA와 유전자
  - DNA
  - 유전자
  - 염색체
- B · 유전 정보의 흐름
  - 생명 중심 원리 — 전사 — 번역 — 발현
  - 유전 암호 체계
- C · 유전자 이상과 유전 질환
  - 페닐케톤뇨증
  - 낫 모양 적혈구 빈혈증

01 생명 시스템의 기본 단위

PAGE 용어집 23쪽~24쪽 | 개념책 152쪽~154쪽

A 세포와 세포 소기관

세포 :

세포 소기관

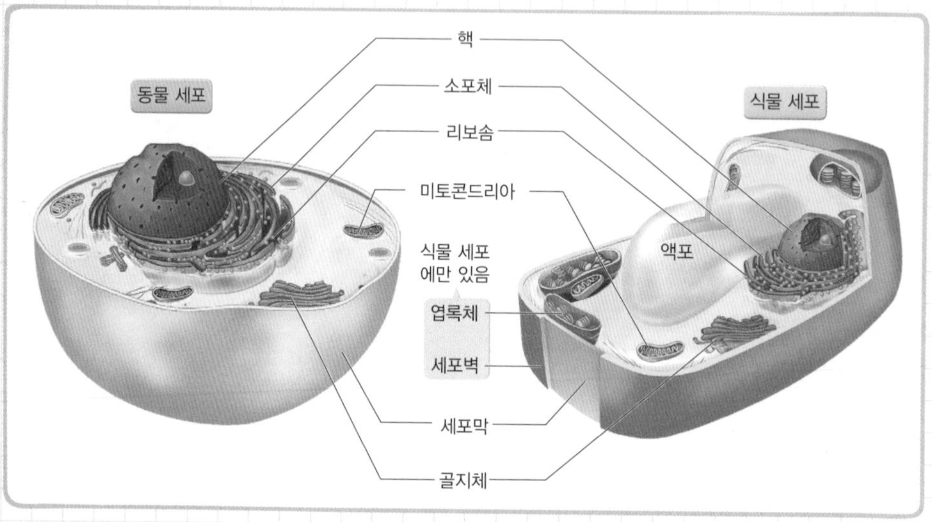

물질 합성
- 핵 :
- 리보솜 :
- 소포체 :
- 골지체 :

에너지 전환
- 엽록체 :
- 미토콘드리아 :

물질 저장 및 보호, 형태 유지
- 액포 :
- 세포벽 :
- 세포막 :

B 세포막의 구조와 물질 출입

구조
- 인지질
  - 머리 :
  - 꼬리 :
  - 2중층 형성
- :

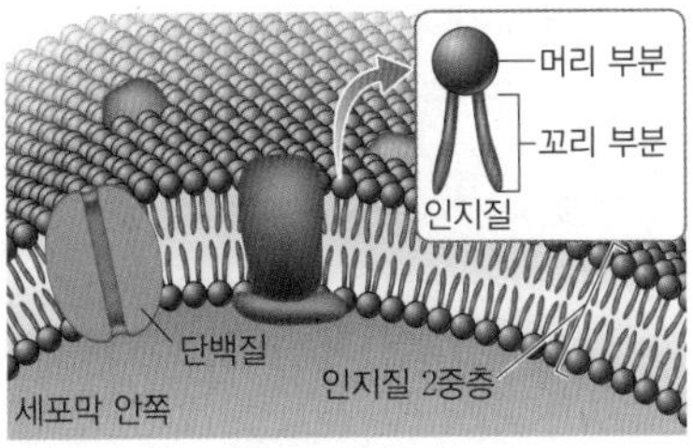

선택적 투과성 :

세포막을 통한 물질 출입
- 확산 :
  인지질 2중층을 직접 통과하거나 단백질을 통해 확산
  예)
- 삼투 :
  예) 콩팥의 세뇨관에서 모세 혈관으로 물의 재흡수,

❖ 알쉬탐 <동물 세포와 식물 세포의 삼투 현상>

	저장액	등장액	고장액
동물 세포 (적혈구)	부피가 커지다가 터짐	부피 변화 없음	쪼그라듦
식물 세포 (양파 표피 세포)	부피가 커짐	부피 변화 없음	원형질 분리

나만의 정리

02 생명 시스템에서의 화학 반응

PAGE 용어집 25쪽~26쪽 | 개념책 160쪽~162쪽

A 물질대사의 특징과 구분

물질대사의 정의 :

특징 ① ____________: 에너지 흡수 → 물질 합성 / 물질 분해 → 생명 활동 에너지 얻음

② 단계적 반응: 다양한 효소가 관여하여 단계적으로 반응

③ ____________: 체온 정도의 낮은 온도에서 반응

구분

구분	동화 작용	이화 작용
정의		
에너지 출입	에너지 흡수(흡열 반응)	
예		세포 호흡, 소화

B 효소의 작용과 특성

효소의 정의 :

작용 ① ______________________: 생명 활동에 필요한 반응이 쉽게 일어날 수 있도록 함

② 효소와 활성화 에너지:

특징 ① ____________: 반응물과 일시적으로 결합하여 활성화 에너지 낮춤

② ______________________: 효소는 구조에 맞는 반응물하고만 결합해서 촉매 작용을 함

③ 반응 후 재사용 가능:

C 효소의 활용

- **활용**
  - 식품 분야
    - (   ): 예) 된장, 고추장 등
    - 효소가 든 재료 첨가: 예) 고기 양념에 과일 활용(과일 속 연육 효소), 식혜
  - 의약품 분야
    - 소화제:
    - 검사, 진단:
    - 항생제:
  - 환경 및 생활용품 분야
    - 수질 정화: 미생물이 가진 오염 분해 효소 활용
    - (   ): 단백질, 지방 분해 효소 첨가로 때 분리
    - (   ): 탄수화물 분해 효소가 세균 증식 억제
    - 화학 제품:
  - 생명 공학 분야
- **장점**
  - ① 재사용 가능:
  - ② 주성분이 단백질:
  - ③ 다양한 미생물 활용 가능:

나만의 정리

03 생명 시스템에서의 정보 흐름

PAGE 용어집 26쪽~27쪽 | 개념책 168쪽~170쪽

A DNA와 유전자

DNA :

유전자 :

염색체 :

→ 세포 분열을 통해 유전 물질은 염색체 형태로 자손에게 전달됨

B 유전 정보의 흐름

생명 중심 원리 :

전사 : ______________________, 핵 속에서 일어남

번역 : ______________________, 세포질의 리보솜에서 일어남

발현 :

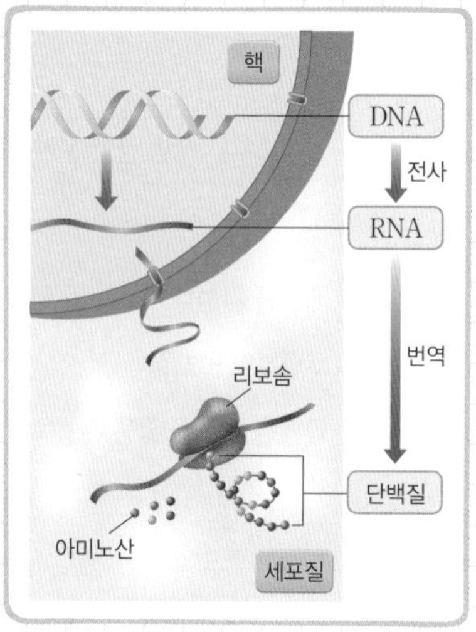

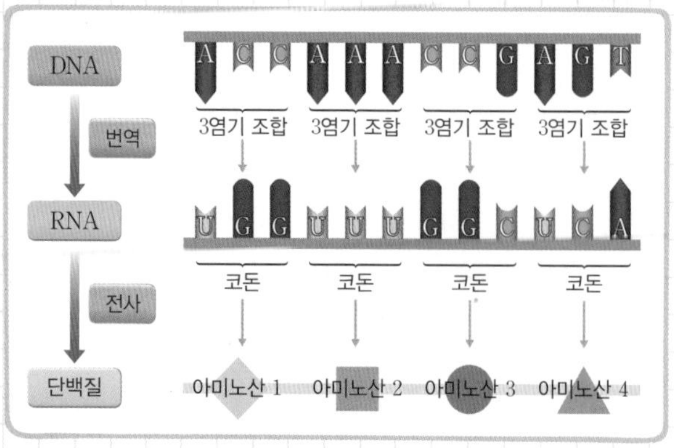

생명 중심 원리

유전 암호 체계

DNA의 유전 정보 : ___종류의 염기가 특정한 순서로 나열되어 연속된 ___개의 염기 조합으로 아미노산에 대한 유전 정보 형성

RNA의 유전 정보(________) :

유전 암호 체계의 공통점 :

C 유전자 이상과 유전 질환

유전자 이상으로 인한 유전 질환

페닐케톤뇨증 :

① 비정상적인 헤모글로빈이 합성되어 낫 모양의 ______ 형성

② 산소 운반 능력 감소로 악성 빈혈 발생

③ 특유의 구조로 인해 모세 혈관의 혈액 흐름 저해 → 심장, 뇌 기능 손상

나만의 정리

Ⅵ

화학 변화

공부 계획이나 각오 한마디를 적어보세요.

선배들이 작성한 Ⅵ단원 정리노트 바로가기!

01 지구와 생명의 역사를 바꾼 화학 반응

- A 광합성
  - 광합성
  - 영향
- B 철의 제련
  - 철
  - 철의 제련
  - 영향
- C 화석 연료의 연소
  - 화석 연료
  - 화석 연료의 연소
  - 영향
- D 지구와 생명의 역사를 바꾼 화학 반응의 공통점
  - 산소
  - 산화 환원 반응

02 산화 환원 반응과 다양한 변화

- A 산소의 이동과 산화 환원 반응
  - 산화
  - 환원
  - 산화 환원 반응의 동시성
- B 전자의 이동과 산화 환원 반응
  - 산화
  - 환원
  - 산화 환원 반응의 동시성
  - 산소가 이동하는 산화 환원 반응에서 전자의 이동
- C 우리 주변의 산화 환원 반응
  - 광합성과 호흡
  - 철의 제련
  - 화석 연료의 연소
  - 일상생활

03 우리 주변의 산과 염기

- A. 산성과 염기성
  - 정의
    - 산
    - 염기
  - 산과 염기의 공통된 성질
    - 산성
    - 염기성
  - 지시약과 pH
    - 지시약
    - pH
- B. 산성과 염기성이 나타나는 까닭
  - 산성이 나타나는 까닭
    - 산의 이온화
    - 까닭
  - 염기성이 나타나는 까닭
    - 염기의 이온화
    - 까닭
- C. 지구의 환경과 생명에 영향을 미친 산과 염기
  - 산성비, 산성 눈, 산성 안개
  - 지구 온난화
  - 해양 산성화

04 산과 염기의 중화 반응

- A. 중화 반응
  - 산과 염기의 중화 반응
  - 중화 반응과 이온 수의 변화
- B. 중화 반응이 일어날 때의 변화
  - 중화점과 중화점 확인
    - 중화점
    - 중화점 확인
  - 일상생활에서 중화 반응의 이용

01 지구와 생명의 역사를 바꾼 화학 반응

PAGE 용어집 28쪽 개념책 184쪽~185쪽

A 광합성

광합성 :

_____ + _____ —빛에너지→ _____ + _____

영향

-
-
- **지구 역사** : _____의 광합성 → 대기 중 산소 농도 ↑ → _____ 흡수, _____ 생성
  → 수많은 동식물 출현, 산소와 관련된 화학 반응이 가능해짐

B 철의 제련

철 :

철의 제련 :

_____ + _____ ——→ _____ + _____

영향 ① _____가 열리고 문명이 발달

② 각종 생활용품, 전자 제품, 교통 수단, 건축물, 우주 산업 등 다양한 분야에 사용

나만의 정리

C 화석 연료의 연소

화석 연료

화석 연료	석탄	석유	천연가스
주성분 원소			
용도	증기 기관차 및 선박 연료, 화력 발전소, 공장	플라스틱·합성 섬유의 원료, 자동차 등 운송 수단의 연료	자동차, 난방, 조리용 연료

화석 연료의 연소 : ________ + ______ ⟶ ________ + ______ + ______

영향
- **긍정적** :
- **부정적** :

D 지구와 생명의 역사를 바꾼 화학 반응의 공통점

지구와 생명의 역사를 바꾼 화학 반응

구분	설명
광합성	광합성 과정에서 이산화 탄소는 포도당이 되면서 ______를 잃는다.
철의 제련	철의 제련 과정에서 일산화 탄소는 이산화 탄소가 되면서 ______를 얻고, 산화 철은 철로 되면서 ______를 잃는다.
화석 연료의 연소	화석 연료의 연소 과정에서 메테인은 이산화 탄소가 되면서 ______를 얻는다.

공통점 : 모두 공통적으로 ________가 관여하는 화학 반응 → ______________ 반응

나만의 정리

02 산화 환원 반응과 다양한 변화

PAGE 용어집 29쪽 | 개념책 190쪽~193쪽

A 산소의 이동과 산화 환원 반응

산화 :

철(Fe)의 부식: $4Fe$ + ______ → $2Fe_2O_3$
숯(C)의 연소: C + ______ → CO_2

환원 :

산화 은의 환원: $2Ag_2O \rightarrow 4Ag + O_2$

산화 환원 반응의 동시성 :

예) $2CuO + C \rightarrow 2Cu + CO_2$

B 전자의 이동과 산화 환원 반응

산화 :

[2Na → ______ + ______]

환원 :

[Cl_2 + ______ → ______]

산화 환원 반응의 동시성 :

예) $2Na + Cl_2 \rightarrow 2Na^+ + 2Cl^-$

예) $Cu^{2+} + Zn \rightarrow Cu + Zn^{2+}$

예) $Fe + 2Ag^+ \rightarrow Fe^{2+} + 2Ag$

산소가 이동하는 산화 환원 반응에서의 전자의 이동

산소의 이동으로 설명할 수 있는 산화 환원 반응은 ______________ 으로도 설명할 수 있다.

예) 마그네슘의 연소
______________ 으로 설명: ______________
______________ 으로 설명: ______________

C 우리 주변의 산화 환원 반응

생명 현상

	광합성	호흡
장소		
시간		
반응식	$6CO_2 + 6H_2O \xrightarrow{\text{빛에너지}} C_6H_{12}O_6 + 6O_2$	$C_6H_{12}O_6 + 6O_2 \rightarrow 6CO_2 + 6H_2O$ + 에너지
에너지 출입		

철의 제련과 산화 환원 반응

- **코크스의 산화**: $2C + O_2 \rightarrow 2CO$
- **산화 철의 환원**: $Fe_2O_3 + 3CO \rightarrow 2Fe + 3CO_2$
- **전체 반응식**: $2Fe_2O_3 + 3C \rightarrow 4Fe + 3CO_2$

화석 연료의 연소 반응과 산화 환원 반응

예) 메테인의 연소 반응 $CH_4 + 2O_2 \rightarrow CO_2 + 2H_2O$

일상생활에서 산화 환원 반응

예) ______ 연소, 금속의 ______, 과일 색이 ______, 물 소독시 ______ 이용, 음식물 ______,

건전지 등 ______, 표백제, 휴대폰 등 전기 제품 ______

나만의 정리

03 우리 주변의 산과 염기

PAGE 용어집 30쪽~31쪽 | 개념책 200쪽~202쪽

A 산성과 염기성

정의 ① 산:

② 염기:

산과 염기의 공통된 성질

산성:	염기성:
· ______이 남	· ______이 남
·수용액에서 ______	·수용액에서 ______
·금속과 반응 시 ______ 발생	·대부분 금속과 ______
·탄산 칼슘과 반응 시 ______ 발생	·탄산 칼슘과 ______
·같은 지시약에 대한 ______	·같은 지시약에 대한 ______

지시약 :

지시약	리트머스 종이	페놀프탈레인 용액	메틸 오렌지 용액	BTB 용액
산성	→			
중성	→			
염기성	→			

pH :

pH가 작을수록 ______이, 클수록 ______이 강함

25 ℃에서 pH < 7: 산성 pH=7: 중성 pH > 7: 염기성

______, ______, ______를 이용하여 측정

B 산성과 염기성이 나타나는 까닭

산성이 나타나는 까닭 : 산은 수용액에서 ________과 ________으로 이온화되고, 공통으로 들어 있는 ________ 때문에 산성이 나타남

염기성이 나타나는 까닭 : 염기는 수용액에서 ________과 ________으로 이온화되고, 공통으로 들어 있는 ________ 때문에 염기성이 나타남

C 지구의 환경과 생명에 영향을 미친 산과 염기

생성		지구 온난화	해양 산성화
형성 과정	황 산화물과 질소 산화물이 공기 중 산소, 물과 반응하여 생성된 황산, 질산 등이 비, 눈, 안개에 녹아 생성	인간 활동으로 인해 ________ ________ 이로 인해 ________ 상승	대기 중 ________ 농도가 증가하여 ________의 양이 증가
피해	· 토양과 호수, 해양 산성화 · ________ · ________	· ________ · ________ → 태풍, 홍수, 가뭄, 엘니뇨 등의 피해	· 산호의 형성이 잘 되지 않아 플랑크톤 번식이 어려움 → 해양 생태계 파괴 · 산성에 약한 ________
대책	· 화석 연료의 사용량을 줄임 · 자동차에 촉매 변환 장치 설치 · ________	· ________ ________	· ________ ________

나만의 정리

04 산과 염기의 중화 반응

PAGE 용어집 32쪽 | 개념책 208쪽~209쪽

A 중화 반응

산과 염기의 중화 반응

( ):

___ + ___ ⟶ ___ + ___ + ___

예: $HCl + NaOH \rightarrow H_2O + NaCl$

염 :

중화 반응과 이온 수의 변화

혼합 용액의 액성 : ______________ 에 따라

중화 반응 후 혼합 용액의 ____이 달라짐

중화 반응에서 이온 수의 변화 : 일정한 양의 묽은 염산에 수산화 나트륨 수용액을 조금씩 넣어 주면

혼합 용액의 ____이 달라진다.

이온 종류	이온 수 변화
H^+	
Cl^-	
Na^+	
OH^-	

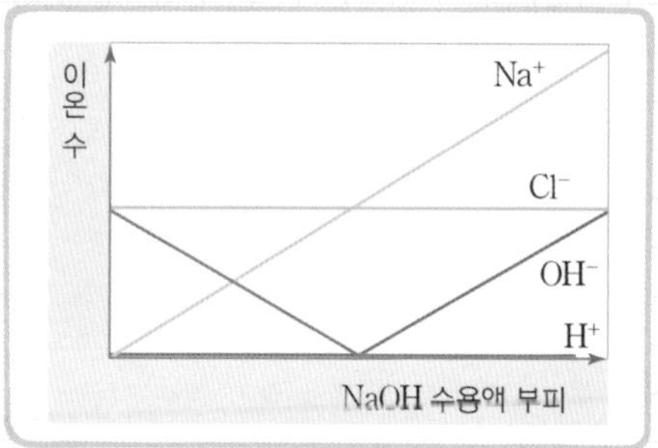

나만의 정리

① H^+ 수

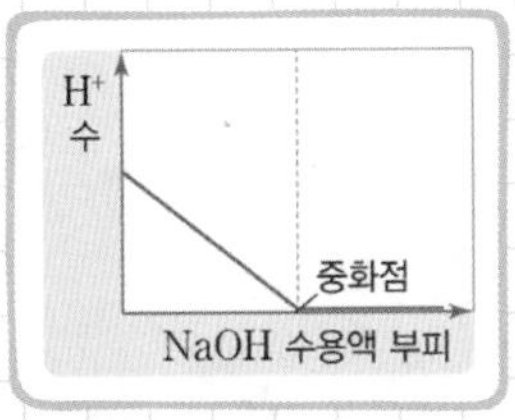

② Cl^- 수

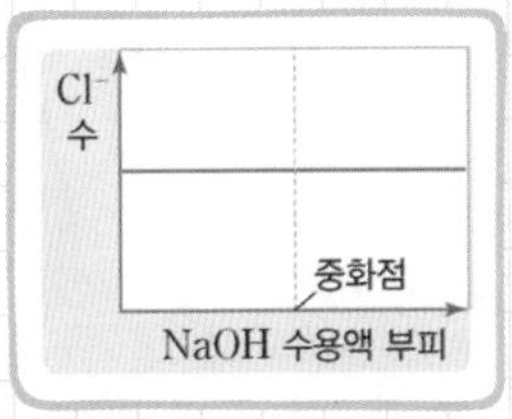

③ Na^+ 수

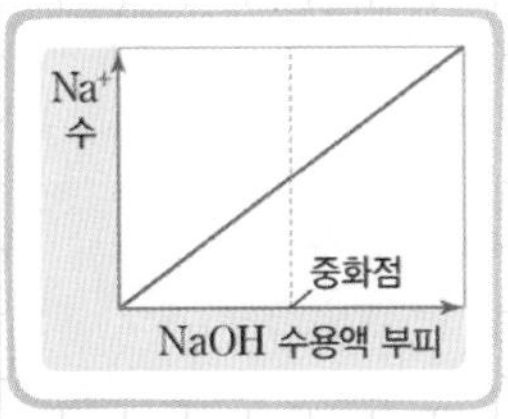

④ OH^- 수

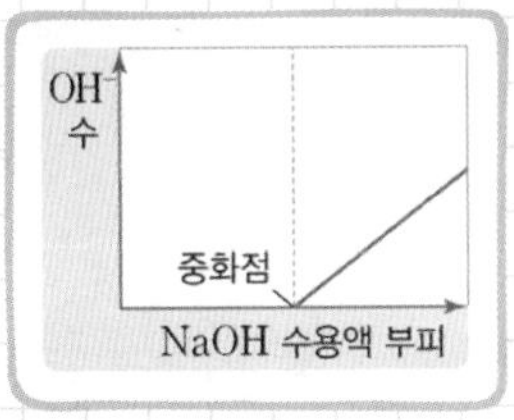

⑤ 총 이온 수

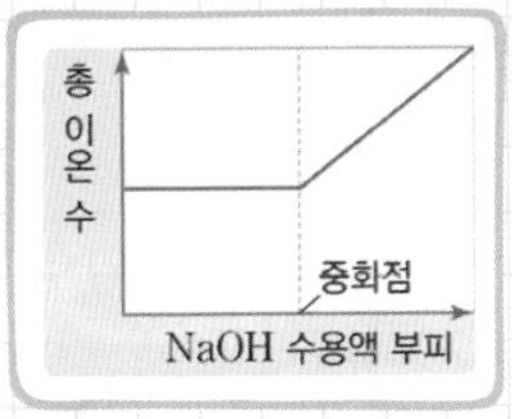

⑥ 생성된 물의 양

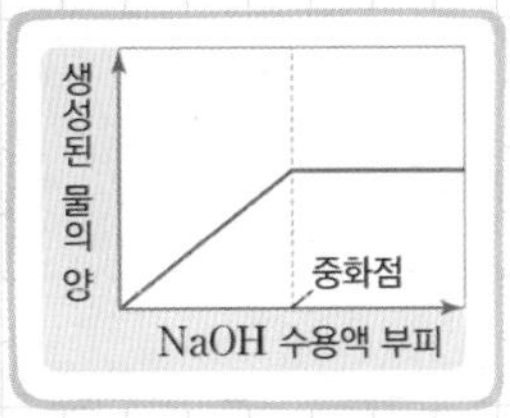

B 중화 반응이 일어날 때의 변화

중화점과 중화점 확인

- 중화점 :
- 중화점의 확인 ①

  ②

일상생활에서 중화 반응의 이용

- 생선 비린내 제거: ______을 뿌려 비린내의 원인인 ____________을 제거
- 곤충에 물렸을 때: ____________로 ______을 띠는 곤충의 독으로 생긴 붓기를 가라앉힘
- 제산제 복용: 위산이 과다하게 분비될 때 ____________이 들어 있는 제산제 복용

나만의 정리

Ⅶ

생물 다양성과 유지

공부 계획이나 각오 한마디를 적어보세요.

선배들이 작성한 Ⅶ단원 정리노트 바로가기!

01 지질 시대의 환경과 생물 다양성

- A 화석과 지질 시대
  - 화석
    - 역할
    - 종류
  - 지질 시대
    - 지질 시대
    - 구분
    - 표준 화석과 특징
- B 대멸종과 생물 다양성
  - 대멸종
  - 생물 다양성

02 자연 선택과 생물의 진화

- A 자연 선택과 생물의 진화
  - 진화
  - 진화론
    - 다윈의 자연 선택설
    - 진화론의 예
- B 변이와 자연 선택
  - 변이
  - 자연 선택
- C 진화론이 미친 영향
  - 과학에 미친 영향
  - 사회에 미친 영향
- D 최초 생명체 출현 가설

03 생물 다양성과 보전

- A 생물 다양성
  - 생물 다양성이란
  - 유전적 다양성
  - 종 다양성
  - 생태계 다양성
- B 생물 다양성과 보전
  - 생물 다양성의 중요성
  - 생물 다양성의 감소 원인
  - 생물 다양성의 보전 노력

01 지질 시대의 환경과 생물 다양성

PAGE 용어집 33쪽~34쪽 | 개념책 224쪽~226쪽

A 화석과 지질 시대

화석 :

화석의 역할

① 과거 생물의 구조와 특징, 진화 과정 등을 알게 해 준다.

②

③

화석의 종류

종류	정의	예
시상 화석		
표준 화석		

※ 지질 시대 생물의 생활 환경 조사하기

화석 종류	지질 시대	생물이 살던 환경
공룡알		
스트로마톨라이트		
조개		
삼엽충		

지질 시대

지질 시대 :

지질 시대의 구분 (구분 기준: ____________)

지질 시대	시대 구분
선캄브리아 시대	
	약 5억 4100만 년 전 ~ 약 2억 5200만 년 전
	약 2억 5200만 년 전 ~ 약 6600만 년 전
신생대	

지질 시대별 표준 화석과 특징

지질 시대	표준 화석	특징	
선캄브리아 시대		·광합성 생물이 등장해 물속의 산소량 증가 · · ·	
고생대		· ·대기 중 산소 농도가 높아져 오존층 형성 → 생물의 육상 진출 가능 · ·	
중생대	공룡, 암모나이트	·활발한 화산 활동으로 대기 중 이산화 탄소 농도 증가 → 기후 온난, 건조 · ·	
신생대		·초기부터 중기까지는 비교적 온난 · ·	· ·후기에는 인류의 조상 출현 ·

B 대멸종과 생물 다양성

대멸종 ① 정의:

• 지구에는 크게 ______의 대멸종이 있었다.

② 원인:

생물 다양성 ① 멸종이 일어날 때 생존에 유리한 생물:

② 멸종 후에는 새로운 환경에 적응한 생물은 다양한 종으로 진화 → ____________________

③

나만의 정리

02 자연 선택과 생물의 진화

PAGE 용어집 35쪽~36쪽 | 개념책 232쪽~234쪽

A 자연 선택과 생물의 진화

진화 :

진화론 :

다윈의 자연 선택설 ① 생물은 살아남을 수 있는 것보다 많은 수의 자손을 낳으며 이들 사이에는 ______________가 있음

② 다양한 형질의 개체들 사이에서는 ______________이 일어남

③

진화론의 예 ① 기린의 목:

②

B 변이와 자연 선택

변이 :

생물에서 변이가 나타나는 까닭 :

자연 선택

			진화
개체 사이의 유전적 차이로 인해 다양한 변이가 나타남 ➡	➡	➡	

나만의 정리

C 진화론이 미친 영향

과학에 미친 영향

① 생물은 영원하지 않고 변한다는 인식과 환경에 적응하여 진화가 일어나며 진화는 특정 방향으로 일어나는 것이 아니라는 생각을 하게 됨

②

③

사회에 미친 영향

①

②

③ 철학, 정치, 경제, 문학 등에도 많은 영향을 미침

D 최초 생명체 출현 가설

	심해 열수구설	
		우주에서 운석을 통해 지구로 유입된 유기물에서 최초 생명체가 만들어졌다는 가설

나만의 정리

03 생물의 다양성과 보전

PAGE 용어집 36쪽~37쪽 | 개념책 240쪽~241쪽

A 생물 다양성

생물 다양성이란

- 정의 :
- 특징 : 생물 다양성은 생태계가 안정적으로 유지되기 위한 필수 조건

유전적 다양성

- 정의 :
- 특징
  - 형질을 결정하는 ____________가 다양할수록 유전적 다양성이 높음
  -

종 다양성

- 정의 :
- 특징
  -
  - 생태계에서 다양한 생물종은 ____________을 형성하므로 어느 한 종이 멸종되면 다른 생물종에도 영향

생태계 다양성

- 정의 :
- 특징 :

나만의 정리

B 생물 다양성의 보전

생물 다양성의 중요성

① ____________이 높을수록 그 종은 멸종 위험이 줄고, ____________이 높을수록 생태계가 안정적으로 평형 유지

②

③

생물 다양성의 감소 원인 :

생물 다양성의 보전 노력

① 생물의 서식지 보호 및 생태 통로 설치

②

③

④ 멸종 위기의 동식물을 보호하고 자생지에 방사하는 복원 사업 실시

⑤ 생물 다양성이 높은 지역은 국립공원으로 지정하여 관리

⑥

나만의 정리

Ⅷ

생태계와 환경

공부 계획이나 각오 한마디를 적어보세요.

선배들이 작성한 Ⅷ단원 정리노트 바로가기!

01 생태계 평형

- **A 생태계 구성 요소**
  - 생태계
  - 생태계의 구성 요소
  - 생물과 환경
    - 빛과 생물
    - 온도와 생물
    - 물과 생물
    - 토양과 생물
- **B 생태계의 평형**
  - 먹이 사슬과 먹이 그물
    - 먹이 사슬
    - 먹이 그물
  - 생태 피라미드
  - 생태계 평형
  - 생태계 평형의 파괴
  - 생태계 평형 유지를 위한 노력

02 지구 환경 변화와 인간 생활

- **A 대기와 해수의 순환**
  - 대기 대순환
  - 해수의 표층 순환
- **B 엘니뇨와 사막화**
  - 엘니뇨
  - 사막화
- **C 지구 온난화와 기후 변화**
  - 온실 효과
  - 지구 온난화
  - 기후 변화
  - 한반도의 기후 변화

03 에너지의 전환과 효율적 이용

- **A 에너지의 전환**
  - 여러 가지 에너지
  - 에너지의 전환
- **B 열효율과 에너지의 효율적 이용의 중요성**
  - 에너지 보존 법칙
  - 열기관과 열효율
  - 에너지의 효율적 이용의 중요성
- **C 에너지 사용에 따른 문제점을 줄이기 위한 방안**
  - 에너지 사용량 자체를 줄이기
  - 에너지 효율을 높이기

01 생태계 평형

PAGE 용어집 38쪽~39쪽 개념책 254쪽~257쪽

A 생태계 구성 요소

생태계 :

개체 ⊂ ______ ⊂ ______ ⊂ 생태계

생태계의 구성 요소

① 생물적 요인

구분	역할 및 특징	생물의 예
생산자		
	· 먹이에 따라 1차, 2차, 3차 소비자 등으로 구분	꿀벌, 토끼, 여우, 뱀, 호랑이 등
	· 다른 생물의 배설물이나 사체를 분해하여 양분을 얻는 생물	

② 비생물적 요인:

생물과 환경

빛과 생물
- 세기:
- 파장:
- 일조 시간:

온도와 생물
- 변온 동물은 겨울잠을 자거나 햇빛을 받는 양을 조절함
-
-

물과 생물
-
- 육상 식물은 관다발이 발달했으나 물에서 사는 식물은 관다발이나 뿌리가 잘 발달하지 않음

토양과 생물
- 식물은 토양 속의 물과 무기염류를 이용, 미생물은 토양의 특성에 따라 분포가 달라짐
-

B 생태계의 평형

- 먹이 사슬과 먹이 그물
  - 먹이 사슬 :
  - 먹이 그물 :
- 생태 피라미드
  - 영양 단계 :
  - 생태 피라미드 :
- 생태계 평형 :
  → 어떤 요인에 의해 평형이 깨져도 먹이 관계에 의해 다시 안정된 상태로 돌아가는 ________ 이 있음
- 생태계 평형의 파괴
  - 평형의 파괴 :
  - 생태계 평형의 파괴 원인 : ① ________ ② ________
- 생태계 평형 유지를 위한 노력

① 습지 및 삼림 보전, 보호해야 할 동물과 숲을 천연 기념물로 지정

②

③ 생물들의 파괴된 서식 공간 복원

④

나만의 정리

02 지구 환경 변화와 인간 생활

PAGE 용어집 40쪽~41쪽 | 개념책 264쪽~267쪽

A 대기와 해수의 순환

대기 대순환

- 원인 :
- 역할 :
- 대기 대순환 모형 : 지구 자전으로 3개의 순환 세포 존재

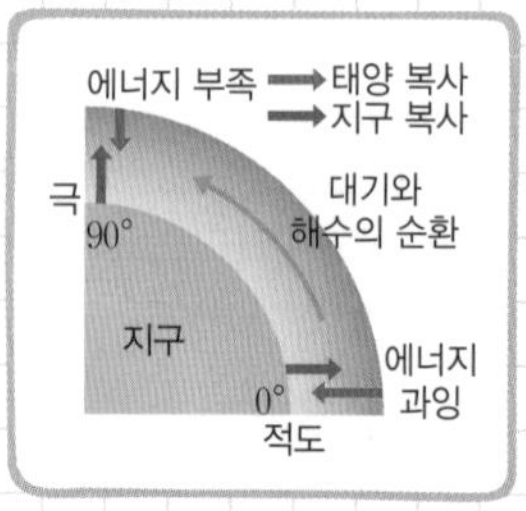

해수의 표층 순환

- 원인 :
- 역할 :

B 엘니뇨와 사막화

엘니뇨 :

- 원인 :
- 과정 : ____________ → 적도 표층 해수 서쪽으로 이동 약화 → ____________ → 동태평양 표층 수온 높아짐
- 기후 양상
  - 서태평양:
  - 동태평양:
- 라니냐 : 엘니뇨와 반대되는 현상

사막화 :

- 원인
  - 자연적 요인:
  - 인위적 요인:
- 피해 :
- 대책 : 가축의 방목과 과잉 경작 줄이기, 벌채 줄이기, 숲을 가꾸기, 식재 활성화

C 지구 온난화와 기후 변화

온실 효과:

- **복사 평형**:

지구 온난화:

- **영향**
  - 해수 열팽창·빙하의 융해 → 해수면 상승 → 해안 저지대 침수 → 육지 면적 감소
  -
- **대책**
  -
  - 개인의 실천, 국가의 정책 및 지원 + 국제적인 노력 필요

기후 변화

- **과거 기후 변화의 연구 방법**:
- **기후 변화 원인**
  - 지구 외적 요인:
  - 지구 내적 요인:
- **한반도의 기후 변화**
  - CO_2의 농도가 증가하고 있음
  -
  -

나만의 정리

03 에너지의 전환과 효율적 이용

PAGE 용어집 42쪽 | 개념책 274쪽~276쪽

A 에너지의 전환

여러 가지 에너지

- 에너지 :
- 에너지의 종류
  - 운동 에너지: 속력을 가진 물체의 에너지
  - 중력 퍼텐셜 에너지:
  - 열에너지:
  - 화학 에너지: 화학 결합 의해 물질 속에 저장된 에너지
  - 전기 에너지: 전류에 의해 발생하는 에너지
  - 빛에너지:
  - 소리 에너지:
  - 핵에너지:

에너지의 전환 :

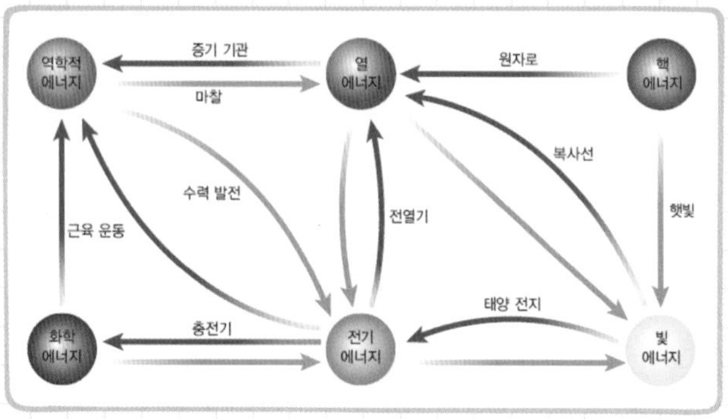

B 열효율과 에너지의 효율적 이용의 중요성

에너지 보존 법칙 :

열기관과 열효율

- 에너지 효율 :
- 열기관 :

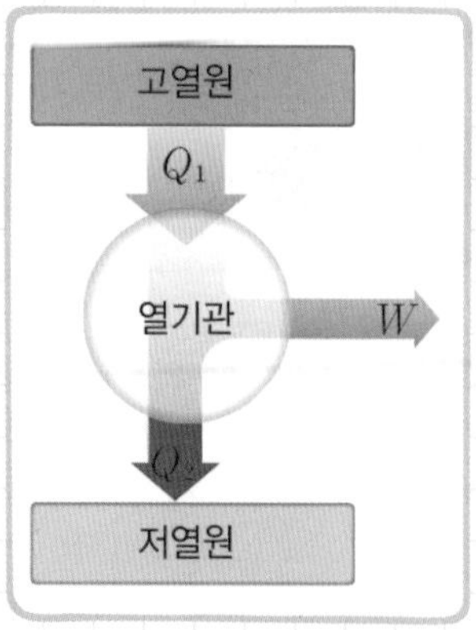

열기관에서의 에너지 보존

열기관에 공급된 열에너지= ______________ + ______________

열효율 : 열기관에 공급된 열에너지 중에서 열기관이 외부에 한 일의 비율(%)

열효율(%) = ______________ x100

= ______________ x100

열기관의 특성 :

에너지의 효율적 이용의 중요성 : 환경 오염과 기후 변화 등 부정적인 영향을 줄이기 위해서는 에너지 이용 효율을 높여야 함

C 에너지 사용에 따른 문제점을 줄이기 위한 방안

에너지 사용량 자체를 줄이기

예)

에너지 효율을 높이기 : 효율이 높은 제품을 개발하여 최소한의 에너지만을 사용

예)

나만의 정리

IX

발전과
신재생 에너지

공부 계획이나 각오 한마디를 적어보세요.

선배들이 작성한 IX단원 정리노트 바로가기!

01 전기 에너지의 생산

A 자기장
- 정의
- 자기력선
- 자기장의 방향
- 자기장의 세기
- 전류가 흐르는 코일에 의한 자기장

B 전자기 유도와 발전
- 전자기 유도
- 코일에 흐르는 유도 전류의 방향
- 전자기 유도 법칙
- 발전

C 여러 가지 발전 방식
- 화력 발전
- 수력 발전
- 핵발전

02 전기 에너지의 수송

A 전력 수송
- 전력 수송 과정
- 전력
- 손실 전력
- 손실 전력을 줄이는 방법

B 변압기의 구조와 원리
- 원리
- 전압의 비
- 전력
- 전류의 비

C 안전하고 효율적인 전력 수송 방법
- 안전
- 효율

03 태양 에너지의 생성과 전환

- **A 태양 에너지의 생성**
  - 핵반응
    - 핵융합 반응
    - 핵분열 반응
    - 핵반응과 에너지
  - 수소 핵융합 반응
- **B 태양 에너지 전환**
  - 태양 에너지의 전환과 에너지 순환
  - 태양 에너지의 전환과 이용
    - 수력 발전
    - 풍력 발전
    - 파력 발전
    - 태양광 발전
    - 광합성

04 환경 문제를 해결하는 여러 가지 발전

- **A 핵발전, 태양광 발전, 풍력 발전**
  - 핵발전
  - 태양광 발전
  - 풍력 발전
- **B 신재생 에너지와 에너지 문제를 해결하기 위한 노력**
  - 신재생 에너지
    - 신에너지
    - 재생 에너지
  - 태양 에너지의 전환과 이용
    - 친환경 에너지 도시
    - 적정 기술

01 전기 에너지의 생산

PAGE 용어집 43쪽~44쪽 개념책 290쪽~293쪽

A 자기장

정의 :

자기력선 :

자기 선속 :

자기장의 방향 : 자기장 안에 나침반을 놓았을 때 자침의 N극이 가리키는 방향

자기장의 세기 :

전류가 흐르는 코일에 의한 자기장

- 방향 :
- 세기 :

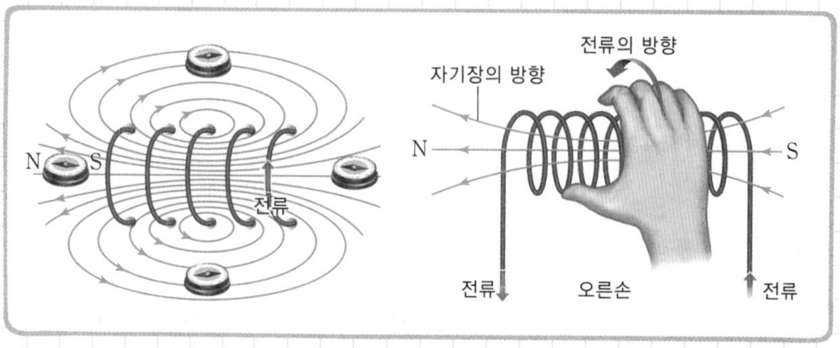

B 전자기 유도와 발전

전자기 유도 :

코일에 흐르는 유도 전류의 방향 : 코일이 만드는 단면을 지나가는 자기 선속의 변화를 방해하는 방향으로 코일에 유도 전류가 흐른다.

→ ________ 법칙

전자기 유도 법칙 : 코일을 통과하는 자기 선속이 변할 때, 자기 선속의 ____________________에 비례하고 코일의 __________에 비례하는 유도 기전력이 발생한다.

$V=$

V: 유도 기전력
Φ: 자기 선속
n: 코일의 감은 수

발전 : 발전소에서 역학적 에너지, 열에너지, 화학 에너지 등을 ____________________로 전환시키는 것

- **원리** :

C 여러 가지 발전 방식

화력 발전
- **에너지 전환** :
- **장점** :
- **단점** :

수력 발전
- **에너지 전환** :
- **장점** :
- **단점** :

핵발전
- **에너지 전환** :
- **장점** :
- **단점** :

나만의 정리

02 전기 에너지의 수송

PAGE 용어집 44쪽~45쪽 | 개념책 298쪽~301쪽

A 전력 수송

전력 수송 과정 : 발전기에서 생산한 에너지를 ____________________

① 발전소에서 생산된 전력은 승압 변전소로 보내져 전압이 초고압으로 바뀐다.
↓
② 승압 변전소를 거친 전력은 ____________
↓
③
↓
④ 2차 변전소를 거친 전력은 ____________
↓
⑤

전력 : ____________________ 전기 에너지의 양

$$P = VI = \quad =$$

손실 전력 : 저항 R인 도선에 전류 I가 흐를 때

$$P_{손실} =$$

손실 전력을 줄이는 방법 ①

②

송전 전압이 n배가 되면 송전 전류는 ________ 배가 되므로 손실 전력은 ________ 배가 된다.

공급 전력	송전 전압	송전선에 흐르는 전류	손실 전력
P_0	V_0	I	I^2R
	$2V_0$		
	$10V_0$		

B 변압기의 구조와 원리 : 변압기란 ______________ 을 이용하여 교류 전압을 높이거나 낮추는 기기

원리 ① 1차 코일에 교류가 입력

↓

② 전류의 세기와 방향이 ________________________________

↓

③ 변하는 자기 선속이 ________________________________

↓

④ 2차 코일을 통과하는 자기 선속의 변화 때문에 ____________________

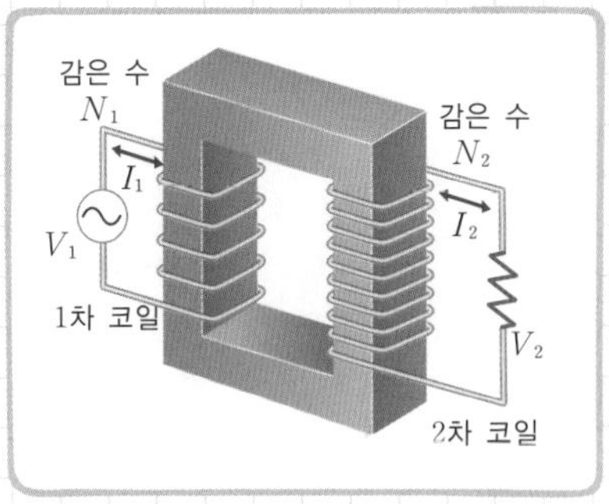

전압의 비 : $V_1 : V_2 =$ ____________________

전력 : $P_1 : P_2 =$ ____________________

전류의 비 : $I_1 : I_2 =$ ____________________

C 안전하고 효율적인 전력 수송 방법

안전 ① 송전선을 지하에 매설

②

③

효율 ① 송전 전압을 높여 수송

②

③

④ ____ 전력량을 조절

④ ____ 전력망을 구축

나만의 정리

03 태양 에너지의 생성과 전환

PAGE 용어집 46쪽 | 개념책 306쪽~307쪽

A 태양 에너지의 생성

핵반응 :

종류	핵융합 반응	( )
그림	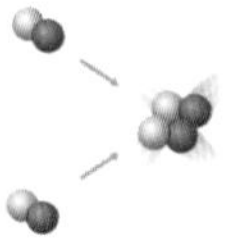	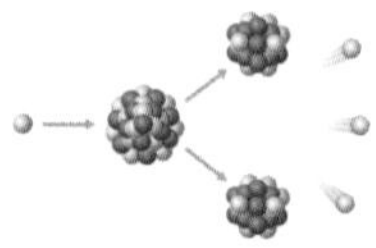
발생 장소	( )	( )

핵반응과 에너지 : 핵반응 전과 후의 ________이 에너지로 전환되어 방출된다.

$E=$

(m: 줄어든 질량)

수소 핵융합 반응 : ________에서 일어나는 핵융합 반응

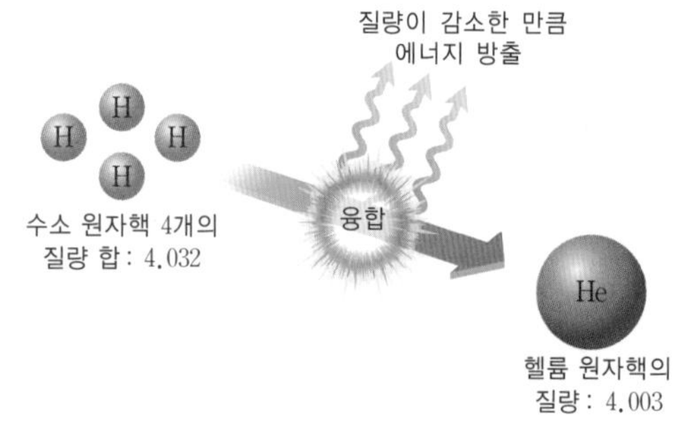

나만의 정리

B 태양 에너지 전환

태양 에너지의 전환과 에너지 순환

- 태양 에너지의 전환:
- 지구에서의 에너지 순환
  - ① 대기와 해수의 순환:
  - ② 탄소의 순환:

태양 에너지의 전환과 이용

- 수력 발전:
- 풍력 발전:
- 파력 발전:
- 태양광 발전:
- 광합성:

나만의 정리

04 환경 문제를 해결하는 여러 가지 발전

PAGE 용어집 47쪽~48쪽 | 개념책 312쪽~315쪽

A 핵발전, 태양광 발전, 풍력 발전

핵 발전

원리
① 핵분열 과정:
② 연쇄 반응:

과정
① 원자로의 핵분열 과정에서 ________에 의한 ________가 발생 →
② 터빈의 운동 에너지 → ③

장단점
① 장점:
② 단점:

태양광 발전

과정
① 반도체로 된 태양 전지에서 태양 빛 흡수
↓
②
↓
③ 자유 전자가 ________으로 이동
↓
④

장단점
① 장점:
② 단점:

활용

풍력 발전

과정
① 바람의 ________로 날개가 회전 → ② 날개축에 연결된 ________
→ ③

장단점
① 장점:
② 단점:

B 신재생 에너지와 에너지 문제를 해결하기 위한 노력

신재생 에너지

신에너지

① 의미: 기존의 ____________를 변환시켜 이용하는 에너지

② 연료 전지의 원리:

③ 연료 전지의 장점:

④ 연료 전지의 단점:

재생 에너지

① 파력 발전의 장점:

② 파력 발전의 단점:

③ 조력 발전의 장점:

④ 조력 발전의 단점:

에너지 문제를 해결하기 위한 노력

친환경 에너지 도시 : 독일의 융데 마을, ________________________, ________________________ 등

적정 기술

① 적정 기술의 조건:

② 적정 기술의 예:

나만의 정리

개념풀 정리노트를 잘 활용했나요?
공부한 뒤 느낀 점을 자유롭게 적어 보세요.

나만의 레시피

개념 학습과 정리가 한번에 끝나는 기본서

개념풀

통합과학

개념풀

BOOK MARK

절취선을 따라 오려 보세요.
공부할 때 유용한
개념풀 감성 책갈피가
만들어져요.

드디어~
생선을 잡았어!
개념풀 책을 따라
열심히 공부하다 보니
생선, 정말 찾을 수 있었어!

여기서 끝이 아니지!
난 잡은 생선을
나만의 비법으로
어묵을 만들어 먹을 거거든.

스스로 써 보며 정리하는 공부가
진짜 공부인 걸
개념풀이 알려 준 것처럼 말야.

자, 너희도
따라해 볼래?

지학사는 좋은 책을 만들기 위해 최선을 다합니다

완벽한 교재를 위한 노력

- 도서 오류 신고는 「홈페이지 〉 참고서 〉 해당 참고서 페이지 〉 오류 신고」에서 하실 수 있습니다.
- 발간 이후에 발견되는 오류는 「홈페이지 〉 참고서 〉 참고서 자료실 〉 정오표」에서 알려드립니다.

고객 만족 서비스

- 홈페이지에 문의하신 사항에 대한 답변이 등록되면 수신 동의가 되어 있는 경우 문자 메시지가 발송됩니다.

개념 학습과 정리가 한번에 끝나는 기본서

개념풀 통합과학

정가 22,000원

53400

9 788905 052980

ISBN 978-89-05-05298-0

지은이 최은정, 문영주, 서오일, 임재항, 이재경, 장훈휘, 한명수

개발 책임 김니영 | **편집** 배미연, 이윤신, 이상혁 | **마케팅** 김남우, 이혁주, 이상무, 유은영, 김규리, 김윤희
디자인 책임 김의수 | **표지 디자인** 김소민, 엄혜임 | **본문 디자인** 김소민, 엄혜임 | **조제판** 보문기획 | **인쇄 제본** 벽호

발행인 권준구 | **발행처** (주)지학사 (등록번호 : 1957.3.18 제 13-11호) 04056 서울시 마포구 신촌로6길 5
발행일 2017년 12월 20일 [초판 1쇄] 2023년 9월 30일 [2판 3쇄]
구입 문의 TEL 02-330-5300 | FAX 02-325-8010 구입 후에는 철회되지 않으며, 잘못된 제품은 구입처에서 교환해 드립니다.
내용 문의 www.jihak.co.kr 전화번호는 홈페이지 〈고객센터 → 담당자 안내〉에 있습니다.